# DEMOCRACIA, JUSTIÇA E CIDADANIA

## Desafios e Perspectivas

*Homenagem ao Ministro Luís Roberto Barroso*

DANIEL CASTRO GOMES DA COSTA
REYNALDO SOARES DA FONSECA
SÉRGIO SILVEIRA BANHOS
TARCISIO VIEIRA DE CARVALHO NETO

*Coordenadores*

*Prefácio*

Rosa Weber

# DEMOCRACIA, JUSTIÇA E CIDADANIA

Desafios e Perspectivas

*Homenagem ao Ministro Luís Roberto Barroso*

TOMO 1

DIREITO ELEITORAL, POLÍTICA E DEMOCRACIA

Belo Horizonte

2020

© 2020 Editora Fórum Ltda.

É proibida a reprodução total ou parcial desta obra, por qualquer meio eletrônico, inclusive por processos xerográficos, sem autorização expressa do Editor.

## Conselho Editorial

Adilson Abreu Dallari
Alécia Paolucci Nogueira Bicalho
Alexandre Coutinho Pagliarini
André Ramos Tavares
Carlos Ayres Britto
Carlos Mário da Silva Velloso
Cármen Lúcia Antunes Rocha
Cesar Augusto Guimarães Pereira
Clovis Beznos
Cristiana Fortini
Dinorá Adelaide Musetti Grotti
Diogo de Figueiredo Moreira Neto (*in memoriam*)
Egon Bockmann Moreira
Emerson Gabardo
Fabrício Motta
Fernando Rossi
Flávio Henrique Unes Pereira

Floriano de Azevedo Marques Neto
Gustavo Justino de Oliveira
Inês Virgínia Prado Soares
Jorge Ulisses Jacoby Fernandes
Juarez Freitas
Luciano Ferraz
Lúcio Delfino
Marcia Carla Pereira Ribeiro
Márcio Cammarosano
Marcos Ehrhardt Jr.
Maria Sylvia Zanella Di Pietro
Ney José de Freitas
Oswaldo Othon de Pontes Saraiva Filho
Paulo Modesto
Romeu Felipe Bacellar Filho
Sérgio Guerra
Walber de Moura Agra

## FÓRUM
CONHECIMENTO JURÍDICO

**Luís Cláudio Rodrigues Ferreira**
Presidente e Editor

Coordenação editorial: Leonardo Eustáquio Siqueira Araújo
Aline Sobreira de Oliveira

Av. Afonso Pena, 2770 – 15º andar – Savassi – CEP 30130-012
Belo Horizonte – Minas Gerais – Tel.: (31) 2121.4900 / 2121.4949
www.editoraforum.com.br – editoraforum@editoraforum.com.br

Técnica. Empenho. Zelo. Esses foram alguns dos cuidados aplicados na edição desta obra. No entanto, podem ocorrer erros de impressão, digitação ou mesmo restar alguma dúvida conceitual. Caso se constate algo assim, solicitamos a gentileza de nos comunicar através do *e-mail* editorial@editoraforum.com.br para que possamos esclarecer, no que couber. A sua contribuição é muito importante para mantermos a excelência editorial. A Editora Fórum agradece a sua contribuição.

**Dados Internacionais de Catalogação na Publicação (CIP) de acordo com a AACR2**

| | |
|---|---|
| D383 | Democracia, justiça e cidadania: desafios e perspectivas – homenagem ao Ministro Luís Roberto Barroso/ Daniel Castro Gomes da Costa... [et al.] (Coord.).– Belo Horizonte : Fórum, 2020. |
| | 483p.; 17cm x 24cm |
| | Tomo 1: Direito Eleitoral, Política e Democracia |
| | |
| | ISBN: 978-85-450-0748-7 |
| | |
| | 1. Direito Administrativo. 2. Direito Financeiro. 3. Direito Constitucional. 4. Direitos humanos. I. Costa, Daniel Castro Gomes da. II. Fonseca, Reynaldo Soares da. III. Banhos, Sérgio Silveira. IV. Carvalho Neto, Tarcisio Vieira de. V. Título. |
| | CDD: 341.2 |
| | CDU: 342 |

**Elaborado por Daniela Lopes Duarte – CRB-6/3500**

Informação bibliográfica deste livro, conforme a NBR 6023:2018 da Associação Brasileira de Normas Técnicas (ABNT):

COSTA, Daniel Castro Gomes da; FONSECA, Reynaldo Soares da; BANHOS, Sérgio Silveira; CARVALHO NETO, Tarcisio Vieira de (Coord.). *Democracia, justiça e cidadania*: desafios e perspectivas. Homenagem ao Ministro Luís Roberto Barroso. Belo Horizonte: Fórum, 2020. t. 1: Direito Eleitoral, Política e Democracia. 483p. ISBN 978-85-450-0748-7.

# SUMÁRIO

PREFÁCIO
**Rosa Weber** ......................................................................................................... 13

CONTRIBUIÇÃO PARA O DEBATE ACERCA DA REFORMA DO SISTEMA
ELEITORAL BRASILEIRO – O SISTEMA DISTRITAL MISTO COMO
ALTERNATIVA A SER TESTADA ........................................................................... 15
**LUÍS ROBERTO BARROSO** ................................................................................. 15

      Introdução ........................................................................................................... 15
      Parte I – Exposição geral da proposta ............................................................. 15
1      Objetivos da reforma política ........................................................................... 16
2      O sistema eleitoral em vigor ............................................................................ 16
3      O sistema distrital misto como alternativa ..................................................... 17
4      O sistema distrital misto no modelo alemão e sua adaptação ao Brasil ....... 19
      Parte II – Detalhamento da proposta .............................................................. 19
      Nota prévia: propostas em discussão no Congresso Nacional ...................... 19
1      O sistema eleitoral adotado .............................................................................. 20
2      As eleições majoritárias nos distritos ............................................................. 21
3      As eleições proporcionais em lista fechada .................................................... 24
4      Cláusula de vigência ......................................................................................... 26
5      Processo legislativo ........................................................................................... 26
      Referências ......................................................................................................... 26

PARTIDOS POLÍTICOS E *COMPLIANCE* ............................................................ 29
**DANIEL CASTRO GOMES DA COSTA** .............................................................. 29

1      Introdução ........................................................................................................... 29
2      Análise do sistema político-eleitoral brasileiro: partidos políticos e candidaturas    30
2.1    O novo financiamento Eleitoral Brasileiro. Contratação de parentes e empresas
      de parentes com recursos do Fundo Partidário e do Fundo Especial de
      Financiamento de Campanha .......................................................................... 31
2.2    O "caixa" dois de campanha ............................................................................ 33
2.3    Políticas paritárias em relação a mulheres e minorias .................................. 35
2.3.1  Fraude à cota de gênero ("candidaturas laranjas") ....................................... 35
2.3.2  Não aplicação do percentual mínimo do Fundo Partidário e do Fundo Especial
      de Financiamento de Campanha para mulheres ........................................... 36
2.4    O fenômeno das redes sociais x *fake news* .................................................... 37
2.5    Proteção de dados (Lei nº 13.709/18) ............................................................. 40
2.6    Transparência nos Partidos Políticos ............................................................. 42
2.7    Ausência de democracia intrapartidária ........................................................ 43
3      O *compliance* partidário é a solução? ............................................................. 46

| | | |
|---|---|---|
| 4 | Conclusão | 54 |
| | Referências | 56 |

## O PAPEL DA DEMOCRACIA INTRAPARTIDÁRIA EM MOMENTO DE CRISE NA DEMOCRACIA REPRESENTATIVA ... 61

**SÉRGIO SILVEIRA BANHOS** ... 61

| | | |
|---|---|---|
| 1 | Notas de introdução | 61 |
| 2 | Há uma crise na democracia representativa? | 62 |
| 3 | Partidos políticos e autonomia partidária | 66 |
| 4 | Em busca de uma democracia intrapartidária | 68 |
| 5 | Conclusão | 73 |
| | Referências | 73 |

## O FUTURO DO CONSTITUCIONALISMO DEMOCRÁTICO E A CONTRIBUIÇÃO DE LUÍS ROBERTO BARROSO ... 77

**REYNALDO SOARES DA FONSECA, RAFAEL CAMPOS SOARES DA FONSECA** ... 77

| | | |
|---|---|---|
| 1 | A propósito de uma homenagem | 77 |
| 2 | Linhas gerais sobre a emergência do neoconstitucionalismo no Brasil | 79 |
| 3 | Pluralidade conceitual do neoconstitucionalismo | 80 |
| 4 | Notas comuns às propostas de neoconstitucionalismos | 81 |
| 5 | Os sentidos do neoconstitucionalismo | 83 |
| 5.1 | Modelo de organização política | 83 |
| 5.2 | Ideologia | 86 |
| 5.3 | Metodologia | 86 |
| 5.4 | Teoria do direito | 87 |
| 5.5 | Paradigma científico | 88 |
| 6 | Reflexos do neoconstitucionalismo nas instituições democráticas | 89 |
| 6.1 | Judiciário e direitos fundamentais | 90 |
| 6.2 | Princípios e racionalidade | 92 |
| 7 | Considerações finais | 94 |
| | Referências | 95 |

## RECESSÃO DEMOCRÁTICA, POPULISMO E UM PAPEL POSSÍVEL PARA AS CORTES CONSTITUCIONAIS ... 99

**LUNA VAN BRUSSEL BARROSO** ... 99

| | | |
|---|---|---|
| 1 | Introdução | 99 |
| 2 | A democracia levada ao limite | 101 |
| 3 | O populismo do século XXI | 104 |
| 4 | Um papel possível para as cortes constitucionais | 109 |
| 5 | Conclusão | 113 |
| | Referências | 114 |

## O EQUILÍBRIO ENTRE CONSTITUCIONALISMO E DEMOCRACIA: A POSIÇÃO DO MINISTRO LUÍS ROBERTO BARROSO NA DISCUSSÃO ACERCA DO FINANCIAMENTO EMPRESARIAL DE CAMPANHAS ELEITORAIS ... 117

**CARLOS MÁRIO VELLOSO FILHO, JOÃO CARLOS BANHOS VELLOSO** ... 117

| | | |
|---|---|---|
| | Nota Prévia | 117 |
| | Introdução | 118 |
| 1 | Entre o minimalismo e o maximalismo: parâmetros de autocontenção judicial e deferência à decisão política | 119 |
| 1.1 | O desafio da jurisdição constitucional no Estado Democrático de Direito | 119 |
| 1.2 | Parâmetros de deferência e autocontenção judicial no controle de constitucionalidade | 121 |
| 1.2.1 | Controle de constitucionalidade em matéria de direitos fundamentais e de proteção às regras do jogo democrático | 121 |
| 1.2.2 | Deferência às capacidades institucionais | 122 |
| 1.3 | Favorecimento de modelos decisórios dialógicos | 123 |
| 2 | A Ação Direta de Inconstitucionalidade nº 4.650 | 126 |
| 3 | A posição do Ministro Luís Roberto Barroso | 127 |
| | Conclusão | 129 |
| | Referências | 129 |

## SOBRE A TIPOLOGIA DAS FORMAS POLÍTICAS ................................. 131
## JORGE MIRANDA ................................................................................................ 131

| | | |
|---|---|---|
| | Introdução geral | 131 |
| I | Formas de governo e regimes políticos | 133 |
| 1 | As tipologias em geral | 133 |
| 2 | As grandes classificações doutrinais | 135 |
| 3 | As formas de governo modernas | 138 |
| 4 | Os tipos de governos com interferência militar | 141 |
| 5 | A legitimidade política | 142 |
| II | O regime político liberal e a democracia representativa | 143 |
| 6 | A liberdade política e o pluralismo | 143 |
| 7 | Regimes liberais, *autoritários* e *totalitários* | 143 |
| III | Sistemas de governo | 147 |
| 8 | Sistemas de governo em geral | 147 |
| 9 | Sistemas com concentração | 148 |
| 10 | Sistemas de governo com desconcentração de competências | 149 |
| | Nota final | 151 |
| | Referências | 151 |

## REFORMA POLÍTICA: REFLEXÕES SOBRE O SISTEMA ELEITORAL BRASILEIRO ......................................................................................................... 153
## JOEL ILAN PACIORNIK, SANDRO NUNES VIEIRA ................................... 153

| | | |
|---|---|---|
| 1 | Introdução | 153 |
| 2 | Sistema de representação proporcional | 154 |
| 2.1 | Origem do sistema de representação proporcional | 154 |
| 2.2 | Representação proporcional no Brasil | 156 |
| 2.3 | Problemas relacionados à representação proporcional | 157 |
| 3 | Alternativas ao sistema de representação proporcional: distrital puro e distrital misto | 160 |
| 3.1 | Sistema distrital puro | 161 |
| 3.2 | Sistema distrital misto | 162 |

| | | |
|---|---|---|
| 3.3 | Vantagens do sistema distrital misto | 163 |
| 4 | Considerações finais | 164 |
| | Referências | 167 |

## CRISE DO PRESIDENCIALISMO, *IMPEACHMENT* E DEMOCRACIA ............ 169
**ALINE REZENDE PERES OSORIO, ADEMAR BORGES DE SOUZA FILHO** ........ 169

| | | |
|---|---|---|
| | Introdução | 169 |
| 1 | Estabilidade democrática *versus* Colapsos presidenciais na América Latina ......... | 170 |
| 2 | O debate presidencialismo *versus* parlamentarismo | 175 |
| 2.1 | Superioridade do sistema parlamentarista | 175 |
| 2.2 | Instabilidade de governos presidencialistas depende de outras variáveis | 177 |
| 2.3 | O presidencialismo não é necessariamente mais instável que o parlamentarismo | 178 |
| 3 | Parlamentarização do presidencialismo na América Latina | 179 |
| 3.1 | Introdução de mecanismos parlamentaristas em sistemas presidencialistas – a atenuação do presidencialismo | 179 |
| 3.2 | Interrupções de mandatos presidenciais | 182 |
| 4 | "Parlamentarização" do presidencialismo na América Latina: evidências dos recentes processos de *impeachment* no Brasil, Paraguai e Peru | 185 |
| 4.1 | Equador: Lucio Gutiérrez, 2005 | 187 |
| 4.2 | Paraguai: Fernando Lugo, 2012 | 188 |
| 4.3 | Brasil: Dilma Rousseff, 2016 | 188 |
| 5 | Conclusão | 189 |
| | Referências | 191 |

## LIBERDADE DE EXPRESSÃO NAS REDES SOCIAIS: O CASO DAS *FAKE NEWS* NAS ELEIÇÕES PRESIDENCIAIS BRASILEIRAS DE 2018 ............. 195
**CARLOS BASTIDE HORBACH** .............. 195

| | | |
|---|---|---|
| | Introdução | 195 |
| | *Fake news*: fatores de potencialização | 196 |
| | Caracterizando as *fake news* | 200 |
| | Direito e *fake news*: experiências estrangeiras | 201 |
| | *Fake news* e direito eleitoral brasileiro | 206 |
| | Considerações finais | 209 |
| | Referências | 209 |

## REFORMA POLÍTICA E O PARLAMENTARISMO ............ 211
**IVES GANDRA DA SILVA MARTINS** .............. 211

| | | |
|---|---|---|
| | Conclusão | 224 |
| | Referências | 225 |

## INDIVISIBILIDADE DA CHAPA NAS ELEIÇÕES MAJORITÁRIAS ............ 227
**LUIZ EDSON FACHIN, FRANCISCO GONÇALVES SIMÕES** .............. 227

| | | |
|---|---|---|
| 1 | Introdução | 227 |
| 2 | O valor da indivisibilidade das chapas como elemento do Estado de Direito Democrático | 227 |
| 3 | O tratamento normativo do tema | 231 |
| 3.1 | Nas Constituições Federais | 231 |

| | | |
|---|---|---|
| 3.2 | Na legislação infraconstitucional vigente | 233 |
| 4 | Do reconhecimento da possibilidade de cindir chapas pela Justiça Eleitoral | 235 |
| 4.1 | Da efetividade do prazo para a substituição de candidatos | 240 |
| 4.2 | Das hipóteses legais de substituição | 241 |
| 4.2.1 | Candidato cujo registro de candidatura foi indeferido | 242 |
| 4.2.2 | Candidato considerado inelegível | 243 |
| 4.2.3 | Candidato cujo registro de candidatura foi cancelado | 244 |
| 4.2.4 | Renúncia | 245 |
| 4.2.5 | Morte | 247 |
| 5 | Conclusões | 248 |
| | Referências | 249 |

## LOS DERECHOS POLÍTICOS ELECTORALES DE LAS MUJERES EN LA REPÚBLICA ARGENTINA. EL CAMINO HACIA LA PARIDAD DE GÉNERO... 251

| | | |
|---|---|---|
| **ELENA ISABEL GÓMEZ** | | 251 |
| 1 | Consideraciones generales | 251 |
| 2 | La desigualdad de género en Argentina | 254 |
| 2.1 | Antecedentes | 254 |
| 2.2 | La "ley de cupo femenino" | 256 |
| 2.3 | La participación política de las mujeres en la reforma constitucional de 1994 | 257 |
| 2.4 | Lineamientos jurisprudenciales antes de la sanción de la ley de paridad | 260 |
| 3 | La paridad de género en la integración de las listas para cargos públicos electivos | 262 |
| 3.1 | La Ley de Paridad de Género | 262 |
| 3.2 | Jurisprudencia | 264 |
| 4 | Reflexiones finales | 266 |
| | Referencias | 267 |

## REPENSANDO OS PARTIDOS POLÍTICOS ... 269

| | | |
|---|---|---|
| **HENRIQUE NEVES DA SILVA** | | 269 |
| | Introdução | 269 |
| | Histórico dos partidos políticos | 271 |
| | A crise de representatividade dos partidos políticos | 276 |
| | Natureza dos partidos políticos | 281 |
| | Transparência partidária | 282 |
| | Estruturas burocráticas | 283 |
| | Conclusão | 288 |
| | Referências | 289 |

## VARIAÇÕES SOBRE UM TEMA DE TODOS: DEMOCRACIA ... 291

| | | |
|---|---|---|
| **ODETE MEDAUAR** | | 291 |
| 1 | Prólogo | 291 |
| 2 | Democracia e seu fascínio | 291 |
| 3 | Caracterizações da democracia no tocante a tipo de Estado e tipo de governo | 292 |
| 4 | Democracia em crise? Fim da democracia? | 293 |
| 5 | "Anticorpos" da democracia | 295 |
| 6 | Democracia como valor, democracia como direito | 296 |

| | | |
|---|---|---|
| 7 | Democracia administrativa | 297 |
| 8 | Democracia fora do âmbito público-estatal | 298 |
| 8.1 | Democracia no setor privado | 298 |
| 8.2 | Democracia na esfera global | 298 |
| 9 | Conclusão | 299 |
| | Referências | 299 |

**EMENDA CONSTITUCIONAL Nº 97/2017: REFLEXÕES SOBRE A CLÁUSULA DE DESEMPENHO E O FIM DAS COLIGAÇÕES PARTIDÁRIAS** ... 301

**PEDRO PAES DE ANDRADE BANHOS** ... 301

| | | |
|---|---|---|
| 1 | Notas introdutórias: reforma política, multipartidarismo e coligações partidárias no Brasil | 301 |
| 2 | Da inconstitucionalidade da cláusula de barreira da Lei dos Partidos Políticos à cláusula de desempenho da Emenda Constitucional nº 97/2017 | 304 |
| 3 | Análise dos efeitos da Emenda Constitucional nº 97/2017 | 306 |
| 4 | Notas conclusivas | 310 |
| | Referências | 311 |

**SEMIPRESIDENCIALISMO: INSTRUMENTO DE SUPERAÇÃO DAS CRISES INSTITUCIONAIS DECORRENTES DO PRESIDENCIALISMO DE COALIZÃO?** ... 313

**TIAGO PAES DE ANDRADE BANHOS** ... 313

| | | |
|---|---|---|
| 1 | Relação intrínseca entre as teorias da separação dos poderes e os sistemas de governo | 313 |
| 2 | Diagnóstico do presidencialismo no Brasil: exame do presidencialismo de coalizão e das crises institucionais vivenciadas no arranjo institucional brasileiro | 317 |
| 3 | Implementação do semipresidencialismo como instrumento de superação das crises institucionais decorrentes do presidencialismo de coalizão | 322 |
| 4 | Notas finais | 326 |
| | Referências | 326 |

**MAQUINAÇÃO ELITISTA OU DEFENSORA DA LISURA DAS ELEIÇÕES? A JUSTIÇA ELEITORAL NA BERLINDA** ... 329

**LUIZ CARLOS DOS SANTOS GONÇALVES** ... 329

| | | |
|---|---|---|
| I | | 329 |
| II | | 333 |
| III | | 333 |
| IV | | 334 |
| V | | 335 |
| VI | | 335 |
| VII | | 337 |
| VIII | | 338 |
| IX | | 340 |
| | Referências | 341 |

FINANCIAMENTO PARTIDÁRIO E CAMPANHA ELEITORAL NO BRASIL – PONTOS CRÍTICOS DESTA COLCHA DE RETALHOS.............................................. 343

**MARCELO WEICK POGLIESE** ................................................................................. 343

    Conclusão............................................................................................................. 361

    Referências ........................................................................................................... 361

ESTADO DA ARTE DA PARTICIPAÇÃO POPULAR NA DEMOCRACIA BRASILEIRA: RESTROSPECTO E PROGNOSE..................................................... 363

**ALEXANDRE LIMA RASLAN, ANTÔNIO BARBOSA DE SOUZA NETO**...................... 363

Introdução ..................................................................................................................... 363

1       Participação popular expressa em lei ............................................................. 364

2       Características atuais dos Conselhos Gestores................................................. 366

3       Participação popular por Audiências e Consultas Públicas ......................... 368

4       Novos rumos da participação popular............................................................ 374

    Conclusão............................................................................................................. 375

    Referências ........................................................................................................... 376

BREVES REFLEXÕES SOBRE MUDANÇAS LEGISLATIVAS QUE VALORIZARAM A SOBERANA VONTADE DA MAIORIA ................................. 379

**EDUARDO DAMIAN**.................................................................................................... 379

A TRANSFORMAÇÃO DA RESPONSABILIDADE DOS INTERMEDIÁRIOS DA INTERNET............................................................................................................... 387

**RICARDO RESENDE CAMPOS** ................................................................................. 387

1       Introdução.............................................................................................................. 387

2       O surgimento de uma nova responsabilidade jurídica................................. 388

3       A crise de responsabilidade dos intermediários ........................................... 390

4       Em busca de um modelo adequado para os intermediários......................... 391

5       Conclusão............................................................................................................. 393

    Referências ........................................................................................................... 393

AS REFORMAS NO ÂMBITO DA PROPAGANDA ELEITORAL E A ASCENSÃO DAS REDES SOCIAIS ......................................................................... 395

**LUIZA VEIGA** .............................................................................................................. 395

1       Considerações Iniciais........................................................................................ 395

2       Evolução jurisprudencial da propaganda eleitoral extemporânea no Tribunal Superior Eleitoral.............................................................................................. 396

3       Breves considerações sobre a importância da liberdade de expressão no processo eleitoral............................................................................................................... 400

4       A ascensão da internet no processo político ................................................. 403

5       Considerações finais........................................................................................... 409

    Referências ........................................................................................................... 411

SISTEMA PARTIDÁRIO E CANDIDATURAS INDEPENDENTES: LIMITAÇÃO DE DIREITO FUNDAMENTAL OU ESCOLHA LEGÍTIMA DE UM SISTEMA ELEITORAL?............................................................................................................... 413

**MARILDA DE PAULA SILVEIRA** ............................................................................. 413

Candidaturas avulsas: a abertura de relevante debate sobre um ponto de conflito ........................................................................................................................ 413

Convenção Americana de Direitos Humanos: o dilema da escolha por um sistema eleitoral válido e a Corte Interamericana de Direitos Humanos ................ 415

Conclusão ........................................................................................................................ 419

Referências ..................................................................................................................... 419

## SISTEMAS ELEITORAIS: UMA IDEIA DO SISTEMA DISTRITAL MISTO E AS PREOCUPAÇÕES COM SUA IMPLANTAÇÃO TAL COMO PROPOSTO ............. 421

**JAMILE DUARTE COÊLHO VIEIRA** ................................................................................ 421

Referências ..................................................................................................................... 431

## DESAFIOS POLÍTICOS E SOCIAIS AO CONSTITUCIONALISMO DEMOCRÁTICO NO BRASIL ................................................................................................. 433

**FLÁVIO PANSIERI, RENE ERICK SAMPAR** ................................................................ 433

Introdução ............................................................................................................................. 433

1     Bases do constitucionalismo ocidental e a influência das revoluções liberais na formação do constitucionalismo moderno ............................................................ 434

2     O apogeu democrático ao longo do século XX ......................................................... 437

3     Brasil: uma república que prescindiu do povo? ...................................................... 440

4     Constitucionalismo democrático: o caminho para o desenvolvimento nacional .... 443

Considerações finais ...................................................................................................... 448

Referências ..................................................................................................................... 449

## A INELEGIBILIDADE PELA CONDENAÇÃO EM ATO DE IMPROBIDADE ADMINISTRATIVA: ANÁLISE DO ART. 1º, INC. I, ALÍNEA "l", DA LEI COMPLEMENTAR Nº 64/1990 ........................................................................................... 451

**BRUNO DUAILIBE** ........................................................................................................... 451

1     Introdução ...................................................................................................................... 451

2     Da improbidade administrativa e a Constituição ................................................... 452

3     Lei nº 8.429/92: espécies de atos de improbidade administrativa e suas sanções ... 454

3.1    Atos que importam em enriquecimento ilícito (art. 9º) ......................................... 457

3.2    Atos que causam prejuízo ao erário (art. 10) .......................................................... 458

4     Inelegibilidade por ato doloso de improbidade administrativa ........................... 460

4.1    Requisitos ....................................................................................................................... 460

4.1.1  Em *decisão transitada em julgado* ou proferida por órgão judicial colegiado ............ 460

4.1.2  Os que forem condenados à suspensão dos direitos políticos ............................. 463

4.1.3  Que importe lesão ao patrimônio público e enriquecimento ilícito ..................... 463

4.1.4  Prática de ato doloso de improbidade administrativa ........................................... 468

4.1.5  Desde a condenação ou o trânsito em julgado até o transcurso do prazo de 8 (oito) anos após o *cumprimento da pena* .................................................................... 469

5     Considerações finais ...................................................................................................... 474

Referências ..................................................................................................................... 475

## SOBRE OS COORDENADORES ........................................................................................ 477

## SOBRE OS AUTORES ........................................................................................................... 479

# PREFÁCIO

A presente obra – *Democracia, justiça e cidadania: desafios e perspectivas* –, organizada com maestria em homenagem ao Ministro Luís Roberto Barroso, é um convite à reflexão, sob lentes atuais, a respeito de assuntos sensíveis e caros à nossa sociedade, como a democracia brasileira nos cento e vinte anos da República, o Direito Eleitoral e a reforma política.

Para além da qualidade dos textos, de juristas renomados, seu diferencial, a justificar este prefácio, é o homenageado, cujo brilhantismo desperta permanentemente a admiração dos que com ele dividem experiências ou vivenciam trabalho, responsabilidades ou mesmo lazer, em real aprendizado!

Luís Roberto é mestre por excelência, com a clareza de seu pensamento, a objetividade do discurso e a rara habilidade de tornar de fácil compreensão as questões mais complexas! Os temas abordados neste livro denotam-lhe o perfil criativo e fecundo, em seu inabalável projeto de pensar o nosso país e propor caminhos para o seu aperfeiçoamento, com efetivo avanço civilizatório! Aliás, é nosso homenageado que se define como professor que *está* Ministro do Supremo Tribunal Federal! E, acrescento, Ministro do Tribunal Superior Eleitoral, a exercer a Vice-Presidência da Casa.

Esse professor insigne, nascido em Vassouras/RJ, querido na sua tão amada Universidade do Estado do Rio de Janeiro – UERJ, com admirável produção acadêmica, apreciador de vinhos, da boa música e de poesia, amigo de seus amigos, cativante em sua gentileza e que constitui com Tereza, Luna e Bernardo uma família adorável, honrou por vários anos os quadros da advocacia e da Procuradoria Geral do Estado do Rio de Janeiro e se consolidou – não poderia ser diferente – como grande juiz!

Nomeado, em 2013, ao cargo de Ministro do Supremo Tribunal Federal, chegou ao Tribunal Superior Eleitoral em 2014 como Ministro substituto e, em 2018, como Ministro titular. Desde então destacado é o seu atuar no Tribunal da Democracia, com participação ativa em julgamentos que contribuíram para o fortalecimento do regime democrático entre nós. Lembro-me, dentre outros, dos relativos a registros de candidatura para as eleições de Presidente e Vice-Presidente da República, nepotismo em listas tríplices para juízes da classe dos juristas dos Tribunais Regionais Eleitorais, desvio de finalidade nas verbas destinadas às candidaturas femininas, litisconsórcio passivo em Ações de Investigação Judicial Eleitoral, ausência de nulidade na instauração de inquéritos policiais sem supervisão do TRE em caso de foro por prerrogativa de função e jurisdição penal da Justiça Eleitoral quanto aos crimes comuns conexos em cumprimento à decisão do STF no Inquérito 4435.

Às vésperas de assumir a Presidência do Tribunal Superior Eleitoral, dúvida não há de que, com sua experiência pessoal e profissional, Luís Roberto Barroso conduzirá as eleições municipais de 2020 com firmeza, segurança e brilho! Estaremos todos – o Brasil estará – em excelentes mãos!

É de Zygmunt Bauman a afirmação de que os laços afetivos são uma bênção, em especial pela cumplicidade e pelos aspectos prazerosos que suscitam! Eu me sinto particularmente abençoada por compartilhar com Luís Roberto Barroso a bancada do Supremo Tribunal Federal e por contar com sua companhia iluminada na administração do Tribunal Superior Eleitoral, privilégio de poucos!

Ao querido homenageado, meu agradecimento afetuoso, minha admiração!

E, a você, leitor, votos de que saboreie esta obra *comme il faut*! Ela veio para enriquecer a literatura jurídica brasileira!

**Rosa Weber**
Ministra do Supremo Tribunal Federal.
Ministra-Presidente do Tribunal Superior Eleitoral.

# CONTRIBUIÇÃO PARA O DEBATE ACERCA DA REFORMA DO SISTEMA ELEITORAL BRASILEIRO

## O SISTEMA DISTRITAL MISTO COMO ALTERNATIVA A SER TESTADA

**LUÍS ROBERTO BARROSO**

## Introdução

As ideias que se seguem contêm a proposta de um novo sistema eleitoral para o país, no modelo distrital misto. Como é de conhecimento geral, existem em tramitação no Congresso Nacional inúmeras propostas acerca do tema. Com o objetivo de prestigiar os trabalhos de alta qualidade já desenvolvidos no Legislativo e abreviar os prazos de tramitação, o Grupo de Trabalho aproveitou, substancialmente, o conteúdo dos projetos que se encontravam com processamento mais adiantado, que já contavam, inclusive, com aprovação pelo Senado Federal.

O trabalho que se segue está dividido em duas partes. Na Parte I, faz-se uma apresentação panorâmica da proposta, de forma acessível, para compreensão do público em geral. Na Parte II, faz-se o detalhamento técnico das sugestões apresentadas. O Grupo de Trabalho optou por não apresentar a proposta sob a forma de anteprojeto de lei, tendo em vista o material já existente no Congresso Nacional.

## Parte I – Exposição geral da proposta

Tem-se assistido no Brasil, ao longo dos anos, um progressivo descolamento entre a classe política e a sociedade civil. Quando isso ocorre, a política passa a ser um mundo à parte, visto com indiferença ou desconfiança pelos cidadãos. Evidentemente, não é bom que seja assim. Numa democracia, política é gênero de primeira necessidade e não há alternativa legítima a ela. Por isso, é preciso tomar a reforma política como uma das mais relevantes da legislatura. Por essa razão, visando ao aperfeiçoamento institucional e em harmonia com o Congresso Nacional, o Tribunal Superior Eleitoral apresenta a contribuição a seguir.

# 1 Objetivos da reforma política

Uma reforma política destinada a superar problemas do modelo atual deve visar três objetivos principais: (i) aumentar a representatividade (a legitimidade democrática) do sistema político; (ii) baratear o custo das eleições; e (iii) facilitar a governabilidade.

A primeira preocupação de uma reforma política deve ser a de *aumentar a legitimidade democrática do sistema*, reforçando a relação entre eleitores e representantes. Por muitas circunstâncias do modelo atual, os eleitores, dias após as eleições, sequer se lembram do nome do candidato em quem votaram para deputado federal, muito menos do partido a que pertencem. Além disso, o sistema vigente não tem estimulado suficientemente novas vocações a servirem o país, ocupando cargos no Legislativo.

Em segundo lugar, é preciso *baratear o custo das eleições*. O custo das campanhas eleitorais e o papel que o dinheiro tem desempenhado na política brasileira estão na origem de boa parte dos problemas de corrupção que o país enfrenta. Não se pretende ignorar a importância dos interesses econômicos em uma sociedade capitalista. Porém, é imperativo que haja limites, transparência e *accountability*. O custo médio de uma campanha para Deputado Federal é bem superior ao valor máximo que o parlamentar poderá receber a título de subsídio durante o mandato, se observados os tetos constitucionais. A conta não fecha e dá lugar a muitas distorções.

Por fim, é necessário *facilitar a formação de maiorias políticas e a governabilidade*. Todo governo precisa de apoio no Congresso para aprovar seus programas. A negociação política entre o Executivo e o Legislativo é necessária em qualquer democracia. O que faz a diferença nas democracias mais maduras é a qualidade e a agenda dessas negociações. No Brasil, a fragmentação do quadro partidário e a falta de conteúdo programático na atuação dos partidos dificultam, muitas vezes, negociações plenamente institucionais e republicanas.

# 2 O sistema eleitoral em vigor

A questão mais complexa em relação à Reforma Política reside na definição do sistema eleitoral. O sistema atualmente adotado para a Câmara dos Deputados é o proporcional com lista aberta. Nas eleições de 2018 ainda foram permitidas coligações, o que não valerá a partir de 2020.

No sistema proporcional em lista aberta, cada partido ou coligação elege o número de Deputados correspondente à sua votação, com base no quociente eleitoral e no quociente partidário. Se o partido obtiver 20% dos votos, o número de representantes deverá refletir aproximadamente esse percentual. É um modelo em que o eleitor vota em um candidato da sua escolha, mas, na prática, não sabe quem de fato elegeu. Isso porque o sistema funciona da seguinte maneira: a) embora o voto seja dado ao candidato, ele é primeiro contabilizado para o partido (ou coligação); e b) cada vez que o partido preenche o quociente partidário, seu candidato mais votado obtém a vaga. Portanto, se o partido tiver direito a 5 (cinco) vagas, os 5 (cinco) mais votados conquistam uma cadeira. Assim, como menos de 10% dos candidatos obtêm votação própria, isto é, preenchem o quociente eleitoral (nas Eleições 2018, foram apenas 27 dos 513 deputados, o equivalente a 5%),[1] a quase totalidade dos deputados é eleita por transferência dos votos obtidos pelo partido. Isso significa que a maioria esmagadora dos eleitores não elege diretamente o seu candidato.

Há diversos problemas nessa fórmula, entre os quais: a) o custo elevadíssimo da campanha em todo o território do Estado. Em São Paulo, por exemplo, o candidato faz campanha em um colégio eleitoral de 33 milhões de eleitores; em Minas, 15,7 milhões; no Rio de Janeiro, 12,4 milhões;[2] b) a baixa representatividade, pois o eleitor não sabe exatamente quem o seu voto elegeu e o candidato não tem como saber por quem foi eleito. Vale dizer: um não tem de quem cobrar e o outro não tem a quem prestar contas; e c) o fato de que os primeiros adversários do candidato de um partido são os demais candidatos do mesmo partido.

Em suma: o sistema é caríssimo, o eleitor não sabe quem está elegendo e o debate público não é programático, mas personalizado (o candidato precisa convencer o eleitor de que é melhor do que o seu colega de partido).

## 3   O sistema distrital misto como alternativa

Como alternativa ao sistema atual, defende-se a adoção do *sistema eleitoral distrital misto*,[3] que conjuga os sistemas proporcional e majoritário de representação, na linha do sistema adotado na Alemanha. Numa descrição sumária e simplificadora, o sistema funciona como exposto a seguir. Metade da Câmara dos Deputados é composta por parlamentares eleitos em distritos e a outra metade por candidatos eleitos pelo voto partidário. O eleitor, assim, tem dois votos: (i) um voto direto em um candidato no distrito (pelo sistema majoritário, em que o mais votado obtém a vaga); e (ii) outro voto em uma lista apresentada pelo partido (pelo sistema proporcional, em que o partido obtém o número de vagas correspondente à sua votação).

---

[1]   CÂMARA DOS DEPUTADOS. *Nova regra do quociente eleitoral diminui eleição de deputados com poucos votos*. 2018. Disponível em: http://www2.camara.leg.br/camaranoticias/radio/materias/RADIOAGENCIA/564086-NOVA-REGRA-DO-QUOCIENTE-ELEITORAL-DIMINUI-ELEICAO-DE-DEPUTADOS-COM-POUCOS-VOTOS. html. Acesso em 29 nov. 2019.

[2]   São Paulo elege 70 Deputados Federais, Minas Gerais 53 e o Rio de Janeiro 46.

[3]   Na literatura estrangeira, referido sistema eleitoral é denominado "mixed member proportional" (MMP) e traduzido para o português como "representação proporcional personalizada" (IDEA. *Concepção de sistemas eleitorais*: o novo guia do Instituto Internacional para a Democracia e Assistência Eleitoral. 2005. Disponível em: https://www.idea.int/sites/default/files/publications/chapters/electoral-system-design/concepcao-de-sistemas-eleitorais-uma-visao-geral-do-novo-guia-do-international-idea.pdf. Acesso em 25 nov. 2019). Trata-se de nomenclatura mais adequada, tendo em vista que se trata de um sistema proporcional (princípio representativo), que combina os métodos de conversão de votos em mandatos (regras de decisão) utilizados pelo sistema majoritário e pelo sistema proporcional. A respeito, confira-se: SILVA, Virgílio Afonso da. A inexistência de um sistema eleitoral misto e suas consequências na adoção do sistema alemão no Brasil. *Cadernos de Direito Constitucional e Ciência Política*, v. 23, p. 238-243, 1998.

Com o primeiro voto, elegem-se os representantes do distrito. Os Estados são subdivididos em distritos correspondentes ao número de cadeiras a serem preenchidas. Ilustrativamente: se o Estado tiver 10 milhões de eleitores e forem 20 as vagas a serem preenchidas pelo voto distrital, formam-se 20 distritos de 500 mil eleitores. Cada partido lança um candidato por distrito. À semelhança do que ocorre na eleição para Prefeito de Municípios com menos de 200 mil eleitores e Senador, o mais votado obtém a vaga, em um único turno.

Há diversas vantagens na dimensão distrital do modelo: a) o barateamento da eleição, pois o candidato faz campanha para um número muito menor de eleitores, em espaço geográfico reduzido; e b) o aumento da representatividade democrática, pois o eleitor sabe quem representa o seu distrito na Câmara. Quando o representante candidatar-se à reeleição, o eleitor poderá verificar o desempenho do parlamentar ao longo do mandato e saber se deseja ou não reelegê-lo.

Com o segundo voto, o eleitor escolhe o partido de sua preferência. A fórmula tradicional consiste em os partidos apresentarem uma lista fechada e pré-ordenada de candidatos (que, idealmente, deveria ser formada em eleições primárias internas ou a partir de outros procedimentos democráticos). Para evitar uma eventual rejeição à ideia de lista fechada e mitigar a possível ausência de democracia interna na formação da lista, pode-se considerar a formação da chamada *lista semi-flexível*, em que o eleitor teria a opção de dar o voto ou na legenda completa ou em um integrante da lista partidária. Se qualquer candidato, votado de forma avulsa, alcançar o quociente partidário com votos pessoais, ganhará o assento, independentemente da posição em que se encontre na lista.

A dimensão partidária do modelo também possui múltiplas vantagens: a) evita a "paroquialização" das eleições (afasta-se o risco de cada parlamentar cuidar apenas dos interesses do seu distrito); b) assegura a representação proporcional das minorias políticas; c) permite a inclusão na lista de quadros técnicos qualificados (economistas, juristas, médicos, jornalistas, líderes comunitários ou sindicais), que ordinariamente não se disporiam a participar de uma campanha eleitoral, mas que poderiam elevar a qualidade do debate público; e d) fortalece o caráter unitário e de representação dos partidos políticos.

Não se devem ignorar as dificuldades possíveis, que incluem a atual falta de democracia interna dos partidos e a complexidade em se demarcarem distritos. Porém, os partidos, para tornarem suas listas mais competitivas e ostentarem a democracia interna como virtude eleitoral, certamente irão se adaptar. Quanto aos limites geográficos dos distritos, é possível definir parâmetros que diminuam os riscos de distritalização tendenciosa.[4]

---

[4] Há, inclusive, estudo que demonstra ser possível definir distritos sem manipulação a partir de dados do IBGE: (O GLOBO. *Reforma política*: divisão das cidades é viável, aponta estudo. 2015. Disponível em: https://oglobo. globo.com/brasil/reforma-politica-divisao-das-cidades-viavel-aponta-estudo-16260917. Acesso em 28 nov. 2019).

## 4 O sistema distrital misto no modelo alemão e sua adaptação ao Brasil

O sistema alemão, embora combine os sistemas majoritário e proporcional, como descrito anteriormente, é, em última análise, um sistema proporcional, uma vez que cada partido obtém no parlamento número de cadeiras proporcional ao número de votos dados na lista partidária. Detalhando um pouco mais: embora os dois votos sejam independentes (*i.e.*, o distrital e o partidário podem recair sobre partidos diferentes), os sistemas não são autônomos entre si. Isso porque é o segundo voto – o voto partidário – que determina quantas cadeiras serão atribuídas a cada partido. O primeiro voto apenas define os candidatos que vão ocupar, com prioridade, as cadeiras distribuídas.

Dessa forma, se o Partido A conseguiu 10% dos votos de lista, terá direito a aproximadamente 10% das cadeiras no Parlamento. Determinado o número de cadeiras que cada partido terá em cada Estado, as cadeiras são preenchidas primeiramente pelos candidatos eleitos nos distritos pelo primeiro voto. O restante dos assentos conquistados pelos partidos é preenchido pelos candidatos da lista no Estado, respeitando-se a ordem.

Outra peculiaridade do sistema alemão é a possibilidade de aumento do número de assentos da Câmara dos Deputados para manter a proporção definida pelo segundo voto (são as chamadas "cadeiras suplementares"), quando um partido elege mais candidatos nos distritos do que o número de vagas conquistadas pelo voto em lista partidária. Isso ocorre porque os votos são independentes, mas a proporção do preenchimento das cadeiras é definida pelo voto nos partidos. Recomenda-se, porém, a adaptação do sistema alemão nesse ponto, para o fim de impedir, no Brasil, a possibilidade de aumento do número de parlamentares a cada eleição, o que exigiria reforma constitucional e, possivelmente, enfrentaria resistências diversas.

A seguir serão detalhados alguns aspectos técnicos da reforma do sistema eleitoral proposta.

## Parte II – Detalhamento da proposta

## Nota prévia: propostas em discussão no Congresso Nacional

A discussão a respeito da adoção do sistema eleitoral distrital misto alemão nas eleições proporcionais brasileiras está em estágio avançado no Congresso Nacional. Os Projetos de Lei do Senado (PLS) nº 86/2017, de autoria do Senador José Serra ("PLS Serra"),[5] e nº 345/2017, de autoria do Senador Eunício de Oliveira ("PLS Eunício"),[6] foram aprovados no Senado Federal, nos termos do Parecer nº 202/2017, relator o

---

[5]  Na Câmara dos Deputados, Projeto de Lei nº 9.212/2017.

[6]  Na Câmara dos Deputados, Projeto de Lei nº 9.213/2017. Há duas principais diferenças desse projeto de lei em relação ao PLS Serra: (i) a possibilidade de aumento do número de cadeiras, caso um ou mais partidos obtenham vagas pelo voto distrital em número superior àquelas que lhe foram atribuídas pelo voto proporcional em lista partidária; (ii) a manutenção do sistema eleitoral atual nas eleições para as Câmaras Municipais em

Senador Valdir Raupp,[7] e estão atualmente tramitando na Câmara dos Deputados. Na Câmara dos Deputados, houve parecer favorável do então relator da Comissão de Constituição e Justiça e de Cidadania, o Deputado Betinho Gomes, pela aprovação desses projetos na forma de substitutivo apresentado ("Substitutivo CCJ da Câmara"), o qual não foi, entretanto, votado.

O detalhamento a seguir adotará, sempre que possível, delineamentos e redação já previstos nas proposições sobre o tema em trâmite no Congresso Nacional. Eventuais inovações e/ou divergências em relação às proposições existentes serão devidamente explicitadas e fundamentadas. Como se verá, as principais alterações sugeridas terão como base a adoção de recomendações da Comissão de Veneza,[8] em especial aquelas previstas no Código de Boa Conduta em Matéria Eleitoral.[9]

# 1    O sistema eleitoral adotado

1. *Sistema eleitoral distrital misto.* Na votação para as eleições proporcionais de Deputado Federal, Deputado Estadual e Vereador dos Municípios com mais de 200.000 (duzentos mil) eleitores, o eleitor registrará, para cada cargo em disputa: I. o voto no candidato do respectivo distrito; II. o voto no partido.[10]

2. *Sistema proporcional em lista fechada para Vereador de Municípios pequenos.* Nas eleições para as Câmaras de Vereadores de Municípios com menos de 200.000 (duzentos mil) eleitores, o eleitor registrará apenas o voto no partido, aplicando-se as regras previstas no item 12, a seguir, naquilo que for pertinente.

*Justificativa*: O sistema eleitoral proposto para Municípios pequenos diverge tanto da proposta do PLS Serra de instituir o sistema distrital misto em todos os Municípios quanto da proposta do PLS Eunício, adotada no Substitutivo CCJ da Câmara, de manter o sistema proporcional de lista aberta para os Municípios com menos de 200 mil eleitores. De um lado, a introdução do voto distrital nesses municípios pequenos seria desnecessária, uma vez

---

Municípios com até 200 mil eleitores; e (iii) admissão de diferença de número de eleitores em cada distrito de até 10%, para mais ou para menos.

[7]    O parecer aprova o PLS nº 86/2017 com 5 (cinco) emendas, que, além de corrigir inadequações de redação, (i) eliminam a figura do suplente específico para os candidatos nos distritos, mantendo como suplentes os candidatos não eleitos na lista partidária; (ii) restringem o voto distrital misto aos municípios com mais de 200 mil eleitores; e (iii) substituem o número de eleitores pelo número de habitantes como critério para divisão da circunscrição em distritos.

[8]    A Comissão de Veneza ou Comissão Europeia para a Democracia através do Direito é órgão consultivo do Conselho da Europa sobre questões constitucionais, que possui 61 países-membros, sendo 47 países membros do Conselho da Europa e outros 14 países não europeus, incluindo o Brasil. A respeito da Comissão, confira-se: (COUNCIL OF EUROPE. *The venice commission of the council of Europe*. Disponível em: https://www.venice. coe.int/WebForms/pages/?p=01_Presentation&lang=EN. Acesso em 24 nov. 2019).

[9]    Venice Commission's Code of good practice in electoral matters – CDL-AD(2002)023rev2, I.2.2; em português, Código de Boa Conduta em Matéria Eleitoral da Comissão de Veneza. Disponível, em versão traduzida, em: (CNE. *Código de boa conduta em matéria eleitoral*. Disponível em: http://www.cne.pt/sites/default/files/dl/ codigo_boa_conduta_pt.pdf. Acesso em 24 nov. 2019).

[10]    Redação conforme o art. 1º do Substitutivo CCJ da Câmara (proposta de redação do art. 59, §2º, da Lei nº 9.504/1997).

que não diminuiria de forma relevante os custos da eleição (o candidato já faz campanha para um número pequeno de eleitores) nem aumentaria significativamente a legitimidade democrática dos representantes (que já estão mais próximos de seus eleitores). De outro lado, a manutenção do sistema proporcional em lista aberta representaria também a permanência dos seus vícios, como a baixa representatividade (o eleitor continuaria sem saber quem elegeu) e a disputa interna entre candidatos do mesmo partido. Já a adoção do sistema proporcional de lista fechada, formada mediante procedimentos partidários democráticos, em Municípios com menos de 200 mil eleitores, além de superar essas duas desvantagens, favoreceria o fortalecimento dos partidos políticos e de suas identidades programáticas.

## 2 As eleições majoritárias nos distritos

1. *Registro de candidatos nos distritos*. Nas eleições para a Câmara dos Deputados, as Assembleias Legislativas, a Câmara Legislativa do Distrito Federal e as Câmaras de Vereadores de Municípios com mais de 200.000 (duzentos mil) eleitores, cada partido poderá registrar um candidato em cada um dos distritos eleitorais em que a Unidade da Federação for dividida.[11]

2. *Divisão das Unidades da Federação em distritos eleitorais*. A Unidade da Federação será dividida em distritos eleitorais em número equivalente à parte inteira da metade das cadeiras em disputa na Unidade da Federação.[12]

3. *Competência e prazo para a distritalização*. A divisão das Unidades da Federação em distritos deverá ser realizada pelo Tribunal Superior Eleitoral,[13] a partir de estudos do Instituto Brasileiro de Geografia e Estatística – IBGE,[14] com antecedência mínima de 1 (um) ano da data das eleições, ouvidos, previamente, em audiência pública, representantes dos partidos políticos, pessoas com experiência e autoridade no tema e outras entidades ou órgãos representativos, previamente habilitados.

---

[11] Redação conforme o art. 1º do Substitutivo CCJ da Câmara (proposta de redação do art. 10 da Lei nº 9.504/1997). Diversamente do PLS Serra, não há a figura do suplente da eleição proporcional no distrito. A ausência de suplente já havia sido prevista no PLS Eunício bem como no Parecer da CCJ do Senado, de relatoria do Senador Antonio Anastasia, que apresentou emenda ao PLS Serra para suprimir a figura do suplente específico para os candidatos a cargos proporcionais pelos distritos, ao argumento de que "configuraria, na prática, a introdução do vice candidato para esses casos específicos", o que teria como principal vício a falta de legitimidade. Referida emenda foi adotada também no Parecer nº 202/2017, de relatoria do Senador Valdir Raupp (Plenário). Considerando que a eleição distrital terá como circunscrição o distrito, optou-se por substituir a menção à divisão da circunscrição por divisão da Unidade da Federação, adotando-se igual procedimento nos itens seguintes.

[12] Redação conforme o art. 1º do PLS Serra (proposta de redação do art. 10, §3º, da Lei nº 9.504/1997).

[13] Em relação à competência para distritalização, a proposta coincide com o Substitutivo CCJ da Câmara, ao conferir competência ao Tribunal Superior Eleitoral para a distritalização. Diversamente, os PLS Serra e PLS Eunício atribuem competência, genericamente, à Justiça Eleitoral.

[14] A necessidade de observância de estudos elaborados pelos órgãos federais de geografia e estatística já está prevista no art. 1º do Substitutivo CCJ da Câmara (proposta de redação do art. 10, §4º, IV, "c", da Lei nº 9.504/1997).

*Justificativa*: Há duas inovações neste item. Primeiro, propõe-se o aumento da antecedência mínima para definição dos limites dos distritos. Embora o Substitutivo CCJ da Câmara estabeleça o prazo de 6 (seis) meses, sugere-se a definição de distritos 1 (um) ano antes da data das eleições, tanto para garantir maior previsibilidade e capacidade de organização para partidos e candidatos, quanto para cumprir recomendação da Comissão de Veneza no sentido de que a distritalização seja feita fora dos períodos eleitorais[15] e o disposto no art. 16 da Constituição da República. Para as eleições de 2020, contudo, caso aprovado o projeto, o prazo será de 6 (seis) meses, contados retroativamente da data de início do calendário eleitoral.

Segundo, embora não haja previsão similar nos projetos em discussão no Congresso, propõe-se a realização de audiência pública para aumentar a legitimidade do processo de definição dos distritos e prevenir a manipulações indevidas. Esse modelo de audiência pública já é empregado no TSE para a aprovação de instruções, nos termos do art. 105, *caput*, da Lei nº 9.504/1997. Além disso, vai ao encontro da recomendação da Comissão de Veneza no sentido de que a demarcação dos distritos considere parecer de um comitê formado, em sua maioria, por membros independentes, incluindo, preferencialmente, um geógrafo, um sociólogo, uma representação equilibrada dos partidos e, se necessário, representantes das minorias nacionais.[16]

4. *Distritalização*. A divisão das circunscrições eleitorais em distritos deverá observar, tanto quanto possível, os seguintes critérios e princípios:

   a) Igualdade de valor do voto, de modo que o número de eleitores[17] de cada distrito não varie mais do que 5% (cinco por cento), para mais ou para menos,[18] sendo que (i) em situações excepcionais, devidamente justificadas por características geográficas ou demográficas específicas, admite-se variação de 10% (dez por cento), para mais ou para menos; e (ii) será obrigatória nova demarcação dos distritos sempre que a diferença for superior a 15% (quinze por cento) ou a cada 10 (dez) anos, de acordo com o censo realizado;[19]

---

[15] Comissão de Veneza, Código de Boa Conduta em Matéria Eleitoral, item 2.2., "v".

[16] Comissão de Veneza, Código de Boa Conduta em Matéria Eleitoral, item 2.2., "vii".

[17] Distritalização com base no número de eleitores, conforme PL Eunício e Substitutivo Betinho; adotado, *e.g.*, na Rússia, na Suécia, Islândia e Hungria. A definição dos distritos com base no número de habitantes é adotada, *e.g.*, na Bélgica, Chile, França, Alemanha, Itália, Noruega e Suíça. Conforme o "Report on Constituency Delineation and Seat Allocation" da Comissão de Veneza, de 12.12.2017 - CDL-AD (2017) 034; em português, Relatório sobre delimitação de circunscrição e alocação de assentos (trad. livre), ambos os critérios são admissíveis, embora o critério populacional seja o mais comum.

[18] Percentual previsto no art. 1º do PLS Serra (proposta de art. 10, §4º, I da Lei nº 9.504/1997).

[19] Adoção dos parâmetros previstos no Código de Boa Conduta em Matéria Eleitoral, nos itens 2.2., "iv" e 2.2., "v", nos seguintes termos: "iv. A diferença permitida na distribuição proporcional não poderá ir além dos 10% e, em caso algum, ultrapassar os 15%, excepto em circunstâncias especiais (protecção de uma minoria concentrada, entidade administrativa com fraca densidade de população); v. Para garantir igual força eleitoral, uma nova distribuição dos lugares deve ter lugar, pelo menos, de 10 em 10 anos e, de preferência, fora dos períodos eleitorais", tomando-se como base o censo realizado pelo IBGE.

b) Contiguidade geográfica dos distritos, respeitando-se, sempre que possível, os limites de municípios, distritos municipais, regiões administrativas e outras unidades geográficas existentes;[20]

c) Representatividade, de modo que a divisão de distritos considere a existência de comunidades coesas, que sejam definidas por fatores geográficos, regiões administrativas e/ou comunidades com interesses compartilhados ou definidas por critérios socioeconômicos e culturais semelhantes;[21]

d) Não discriminação, ficando vedada a demarcação tendenciosa de distritos, seja para beneficiar ou prejudicar um ou mais partidos políticos, seja para impedir ou dificultar a obtenção de representação política por parte de grupos minoritários, promovendo discriminação com base em raça, cor, etnia, sexo, gênero, religião ou quaisquer outras;[22]

e) Distritos estaduais devem estar contidos nos limites dos distritos federais, evitando-se que a área de um distrito estadual esteja parcialmente localizada em área de mais de um distrito federal; e

f) A demarcação dos distritos deve, tanto quanto possível, maximizar a compacidade e reduzir a endentação.[23]

5. *Cotas de gênero no voto distrital.* Nas eleições em distritos, em cada Unidade da Federação, o partido deverá registrar o mínimo de 30% (trinta por cento) e o máximo de 70% (setenta por cento) de candidaturas de cada sexo.[24]

6. *Regra de conversão dos votos em mandatos – Sistema de maioria simples.* Pelo voto distrital, será considerado eleito o candidato(a) a Deputado Federal, Deputado Estadual, Deputado Distrital e Vereador de Municípios com mais de 200.000 (duzentos mil) eleitores que, no distrito, tenha obtido a maioria dos votos válidos.[25]

7. *Vacância.* A vacância do cargo de candidato eleito pelo voto distrital acarreta a realização de novas eleições.

*Justificativa:* A proposta diverge tanto do PLS Serra, que previa a figura do suplente na eleição por voto distrital, bem como do Parecer da CCJ

---

[20] Critério previsto no art. 1º do PLS Serra (proposta de redação do art. 10, §4º, III, da Lei nº 9.504/1997).

[21] Parâmetro previsto no "Report on Constituency Delineation and Seat Allocation" da Comissão de Veneza, item II, A, 1, "a", e delineado em: HANDLEY, Lisa. Boundary Delimitation. Challenging the Norms and Standards of Election Administration. *IFES,* p. 59-74, 2007.

[22] Parâmetro previsto no "Report on Constituency Delineation and Seat Allocation" da Comissão de Veneza, Explanatory report, item I, 2.4, e delineado em: HANDLEY, Lisa. Boundary Delimitation. Challenging the Norms and Standards of Election Administration. *IFES,* p. 59-74, 2007.

[23] Redação conforme o art. 1º do PLS Serra (proposta de redação do art. 10, §4º, IV, da Lei nº 9.504/1997), mantida no Substitutivo CCJ da Câmara. Conforme explicitado no PLS Serra, a recomendação é que "a delimitação aumente o índice de "compacidade" da figura resultante, ou seja, que tanto quanto possível o distrito se espraie circularmente pelo território; e que, também, o desenho reduza a "endentação" tanto quanto possível, ou seja, que se evite a existência de "tentáculos" ou pontas, pois isso pode levar à escolha de regiões mais ou menos favoráveis a este ou aquele partido".

[24] Redação conforme o art. 1º do Substitutivo CCJ da Câmara (proposta de redação do art. 10, §7º, da Lei nº 9.504/1997), com a substituição da referência à circunscrição por Unidade da Federação.

[25] Redação conforme o art. 2º do Substitutivo CCJ da Câmara (proposta de redação do art. 105-A, I, do Código Eleitoral).

do Senado e do Substitutivo CCJ da Câmara, que estabelecem que, no caso de vacância, o preenchimento da vaga deve se dar pela diplomação dos candidatos mais bem colocados, mas não eleitos, na lista do partido. Entende-se que a previsão de novas eleições em caso de vacância do cargo do candidato eleito pelo distrito é capaz de melhor preservar a vontade do eleitor e a ideia de que os eleitores de cada distrito terão um representante no parlamento, com *accountability* e legitimidade reforçadas. Além disso, a realização de novas eleições em caso de vacância está em consonância com a lógica da nova redação do art. 224 do Código Eleitoral, dada pela Lei nº 13.165/2015, que busca privilegiar a soberania popular na hipótese de vacância de cargos majoritários por causas eleitorais a partir da previsão de realização de novas eleições.

## 3    As eleições proporcionais em lista fechada

1. *Registro de candidatos na lista partidária.* Nas eleições para a Câmara dos Deputados, as Assembleias Legislativas, a Câmara Legislativa do Distrito Federal e as Câmaras de Vereadores de Municípios com mais de 200.000 (duzentos mil) eleitores, os partidos poderão registrar lista ordenada de candidatos(as) no total de até 100% (cem por cento) do número de lugares a preencher na respectiva Unidade da Federação.

2. *Formação das listas partidárias.* Na formação das listas partidárias, devem ser observados os seguintes parâmetros e requisitos:

    a) os candidatos aos distritos poderão compor também a lista ordenada de seus partidos;[26]

    b) cada partido deverá registrar o mínimo de 30% (trinta por cento) e o máximo de 70% (setenta por cento) de candidaturas de cada sexo em cada Unidade da Federação, sendo que a lista deverá ser ordenada de modo que a cada três posições consecutivas da lista uma seja ocupada por candidatura de sexo distinto das outras duas;[27]

    c) os partidos políticos deverão instituir em seus estatutos procedimentos democráticos para a formação das listas partidárias, por meio de prévias partidárias ou outros processos de participação dos filiados na escolha dos componentes e da ordem da lista, observada a alternância de gênero.

    *Justificativa*: A proposta busca estimular a democracia interna dos partidos, evitando-se que as listas sejam formadas de forma autoritária, sem, contudo, intervir excessivamente na esfera de autonomia dos partidos políticos, que poderão definir quais procedimentos irão instituir em seus estatutos para possibilitar a participação dos filiados na formação das listas.

---

[26]    Redação conforme o art. 2º do PLS Serra (proposta de redação do art. 105-A, §2º, do Código Eleitoral).

[27]    Redação conforme o art. 1º do Substitutivo CCJ da Câmara (proposta de redação do art. 10, §8º, da Lei nº 9.504/1997).

3. *Regra de conversão dos votos em mandatos – Sistema proporcional.* Pelo voto proporcional em lista partidária, a eleição dos candidatos a Deputado Federal, Deputado Estadual, Deputado Distrital e Vereador de Municípios com mais de 200.000 (duzentos mil) eleitores se dará em duas etapas: (i) na primeira etapa, será formada uma relação ordenada de vagas dos partidos, pelo sistema proporcional; e (ii) na segunda etapa, as vagas serão efetivamente distribuídas aos candidatos eleitos tanto nos distritos quanto nas listas, conforme metodologia definida nos itens 3.1. e 3.2 que se seguem.[28]

3.1. *Atribuição Proporcional de Vagas aos Partidos na Unidade da Federação.* Considerados exclusivamente os votos partidários, será formada relação ordenada de vagas por partidos, em número igual ao total de vagas em disputa na Unidade da Federação, mediante o seguinte processo:

a) Constará na primeira posição da relação de vagas dos partidos o que houver obtido o maior número dos votos partidários;

b) As demais vagas não preenchidas pelo cálculo do quociente partidário serão atribuídas conforme as seguintes regras: (i) dividir-se-á o número de votos partidários obtidos pelo partido pelo número de vezes que ele já tiver sido incluído na relação, mais um, cabendo ao partido que apresentar a maior média, uma nova posição na relação; (ii) repetir-se-á a operação definida no item (i) até que cada uma das cadeiras da Unidade da Federação tenha sido atribuída a um partido.[29]

3.2. *Distribuição de Vagas aos Candidatos.* As vagas serão distribuídas aos candidatos da seguinte forma:[30]

a) Do total de vagas obtidas por cada partido serão, primeiramente, subtraídas as vagas preenchidas pelos candidatos eleitos pelo voto distrital;

b) caso haja um ou mais partidos que tenham obtido vagas pelo voto distrital em número superior àquelas que lhe foram atribuídas nos termos do item 3.1., as vagas obtidas pelo voto distrital serão preservadas, utilizando-se aquelas vagas atribuídas na relação de partidos, mas ainda não distribuídas, na ordem decrescente da relação;[31]

c) As vagas remanescentes serão distribuídas, na ordem crescente da relação de partidos, aos candidatos dos respectivos partidos, conforme a ordem da lista partidária apresentada no momento do registro de candidaturas.

---

[28] Deverão ser revogados os artigos 105 a 111 do Código Eleitoral.

[29] Redação conforme o art. 2º do PLS Serra e o art. 2º do Substitutivo CCJ da Câmara (proposta de redação do art. 105-B do Código Eleitoral).

[30] Redação adaptada do art. 2º do Substitutivo CCJ da Câmara (proposta de redação do art. 105-C do Código Eleitoral).

[31] Diversamente do sistema alemão e do PLS Eunício, a proposta mantém número fixo de representantes na Câmara. A desvantagem dessa solução é que ela afeta a proporcionalidade do sistema eleitoral, com tendência a prejudicar a representação de minorias. No entanto, nenhum sistema proporcional consegue refletir exatamente a proporção de votos atribuída a cada partido, e o próprio sistema brasileiro já admite a desproporção, *e.g.*, ao prever piso e teto de Deputados Federais por Estado, independentemente da população.

3.3. *Suplência*. Considerar-se-ão suplentes dos candidatos eleitos por lista partidária, os candidatos da lista partidária não eleitos, na ordem apresentada pelo partido político no momento do registro de candidaturas.[32]

# 4    Cláusula de vigência

O sistema eleitoral proposto deve entrar em vigor a partir das Eleições 2020.

# 5    Processo legislativo

*Desnecessidade de aprovação de emenda constitucional*. Por manter a natureza proporcional do sistema eleitoral, a reforma proposta não exige aprovação por emenda constitucional, bastando mera alteração da legislação, por lei ordinária, com quórum de maioria simples. A edição de lei complementar, com quórum de maioria absoluta, seria necessária apenas para atribuir ao Tribunal Superior Eleitoral a competência para delimitar os distritos.[33]

## Referências

CÂMARA DOS DEPUTADOS. *Nova regra do quociente eleitoral diminui eleição de deputados com poucos votos*. 2018. Disponível em: http://www2.camara.leg.br/camaranoticias/radio/materias/RADIOAGENCIA/564086-NOVA-REGRA-DO-QUOCIENTE-ELEITORAL-DIMINUI-ELEICAO-DE-DEPUTADOS-COM-POUCOS-VOTOS.html. Acesso em 29 nov. 2019.

CNE. *Código de boa conduta em matéria eleitoral*. Disponível em: http://www.cne.pt/sites/default/files/dl/codigo_boa_conduta_pt.pdf. Acesso em 24 nov. 2019.

COUNCIL OF EUROPE. *The venice commission of the council of Europe*. Disponível em: https://www.venice.coe.int/WebForms/pages/?p=01_Presentation&lang=EN. Acesso em 24 nov. 2019.

HANDLEY, Lisa. Boundary Delimitation. Challenging the Norms and Standards of Election Administration. *IFES*, p. 59-74, 2007.

IDEA. *Concepção de sistemas eleitorais*: o novo guia do Instituto Internacional para a Democracia e Assistência Eleitoral. 2005. Disponível em: https://www.idea.int/sites/default/files/publications/chapters/electoral-system-design/concepcao-de-sistemas-eleitorais-uma-visao-geral-do-novo-guia-do-international-idea.pdf. Acesso em 25 nov. 2019.

O GLOBO. *Reforma política*: divisão das cidades é viável, aponta estudo. 2015. Disponível em: https://oglobo.globo.com/brasil/reforma-politica-divisao-das-cidades-viavel-aponta-estudo-16260917. Acesso em 28 nov. 2019.

---

[32]    Redação adaptada do art. 2º do Substitutivo CCJ da Câmara, com exclusão da previsão de suplência dos candidatos eleitos pelo voto distrital (proposta de redação do art. 105-A, §3º, do Código Eleitoral). Será necessário revogar o atual art. 112 do Código Eleitoral, que prevê que "Considerar-se-ão suplentes da representação partidária: I – os mais votados sob a mesma legenda e não eleitos efetivos das listas dos respectivos partidos; II – em caso de empate na votação, na ordem decrescente da idade. Parágrafo único. Na definição dos suplentes da representação partidária, não há exigência de votação nominal mínima prevista pelo art. 108". Alternativa seria apenas suprimir o seu inciso II e Parágrafo Único.

[33]    CF/88, Art. 121. Lei complementar disporá sobre a organização e a competência dos tribunais, dos juízes de direito e das juntas eleitorais.

SILVA, Virgílio Afonso da. A inexistência de um sistema eleitoral misto e suas consequências na adoção do sistema alemão no Brasil. *Cadernos de Direito Constitucional e Ciência Política*, v. 23, p. 238-243, 1998.

---

Informação bibliográfica deste texto, conforme a NBR 6023:2018 da Associação Brasileira de Normas Técnicas (ABNT):

BARROSO, Luís Roberto. Contribuição para o debate acerca da reforma do sistema eleitoral brasileiro - O sistema distrital misto como alternativa a ser testada. *In*: COSTA, Daniel Castro Gomes da; FONSECA, Reynaldo Soares da; BANHOS, Sérgio Silveira; CARVALHO NETO, Tarcisio Vieira de (Coord.). *Democracia, justiça e cidadania*: desafios e perspectivas. Homenagem ao Ministro Luís Roberto Barroso. Belo Horizonte: Fórum, 2020. t. 1: Direito eleitoral, política e democracia. p. 15-27. ISBN 978-85-450-0748-7.

---

# PARTIDOS POLÍTICOS E *COMPLIANCE*

**DANIEL CASTRO GOMES DA COSTA**

## 1 Introdução

Os partidos políticos adquiriram um importantíssimo papel na esfera internacional, principalmente, após a 2ª Guerra Mundial, porquanto se manifestam como entes intermediários no sistema democrático, ao representarem os mais distintos segmentos sociais, organizados de forma mínima, tornando-se instrumentos de despersonificação do poder.

Esse quadro é igualmente observado no Brasil, especialmente após o fim do regime militar e com o advento da Constituição Federal de 1988, que inseriu o regramento dos partidos políticos no título relacionado aos direitos e garantias fundamentais, reforçando a importância das agremiações para a consolidação do sistema representativo democrático estabelecido pelo legislador originário.

Nesse cenário, destaca-se que a Carta Constitucional brasileira apregoa aos partidos políticos autonomia para definir sua estrutura interna, organização e funcionamento, bem como para adotar os critérios de escolha e o regime de suas coligações nas eleições majoritárias. Ademais, os partidos recebem recursos públicos (Fundo Partidário e Fundo Especial de Financiamento de Campanha) para financiarem, respectivamente, as atividades partidárias e as campanhas, e têm acesso gratuito ao rádio e à televisão, na forma da legislação infraconstitucional.

Não obstante a imensa estrutura e a gama de direitos proporcionados aos partidos políticos e candidatos, observa-se hoje um assombroso descrédito na classe política e nas agremiações partidárias. Neste contexto, há que se observar que muitos são os casos de fraudes, má gestão, denúncias de corrupção, mau uso dos recursos públicos, emprego de *fake news* e falta de transparência, o que enseja a percepção de insegurança e desconfiança.

Validamente, essa insatisfação generalizada foi evidenciada tanto no resultado da última eleição geral (2018), na qual houve uma das maiores renovações de cargos em todas as esferas dos poderes Legislativo e Executivo, quanto nas várias manifestações populares ocorridas nos últimos anos.

Desse modo, sopesadas as problemáticas hodiernas dos partidos políticos brasileiros concebidas pela crise de credibilidade em face do desrespeito às regras eleitorais e, por conseguinte, a carência de confiabilidade da população, objetiva-se neste ensaio identificar as consecuções necessárias para gerar mais estabilidade no cenário político e harmonizar o sistema eleitoral e a atividade partidária com os princípios e postulados empregados no ideal do Estado Democrático de Direito.

## 2 Análise do sistema político-eleitoral brasileiro: partidos políticos e candidaturas

A importância dos partidos reside fundamentalmente na formação da vontade política em torno de atividade formal e organizada, isto é, no processo de intermediação entre povo e Estado em prol da ordenação da ação política.

No âmbito do Estado Democrático de Direito, faz-se extremamente relevante a organização político-partidária para a realização do princípio da representação, dada sua capacidade de mediar a convivência entre interesses heterogêneos da sociedade. Em meio às demandas sociais pulverizadas, a necessária distribuição e operacionalização do poder é realizada por meio de sua segregação em partidos políticos, cujo objetivo central é a conquista da parcela decisória do poder no âmbito governamental para conferir efetividade aos interesses de determinada fração da coletividade.

Se o ato de votar pode ser definido como a realização formal de um ato político[1] e cada indivíduo pode ser observado como titular de uma parcela igualmente distribuída desse poder, a função dos partidos políticos, portanto, se traduz essencialmente na criação de um ambiente de escolha para os cidadãos, capaz de gerar autenticidade para o sistema representativo[2] e promover a institucionalização das formas de pensamento.

Nesse sentido, a ordem jurídica brasileira ainda confere aos partidos políticos a atribuição de resguardar a soberania nacional, o regime democrático, o pluripartidarismo e os direitos fundamentais da pessoa humana, visando a assegurar a autenticidade do sistema representativo quando da institucionalização do poder.[3]

Estabelecidas as principais premissas relativamente ao regime jurídico ao qual os partidos políticos estão submetidos, bem como os fundamentos teóricos adotados pelo ordenamento pátrio quanto ao seu funcionamento, há de se constatar que as atividades exercidas pelas agremiações sofreram profundas mudanças com o

---

[1]   SILVA, José Afonso. *Curso de direito constitucional positivo*. 10. ed. São Paulo: Malheiros Editores, 1995. p. 138.

[2]   AGRA, Walber de Moura. Financiamento eleitoral no Brasil. *In*: CAMPILONGO, Celso Fernandes; GONZAGA, Alvaro de Azevedo; FREIRE, André Luiz (coord.). *Enciclopédia jurídica da PUC-SP*. Tomo Direito Administrativo e Constitucional. 1. ed. São Paulo: Pontifícia Universidade Católica de São Paulo, 2017.

[3]   "Art. 2º. É livre a criação, fusão, incorporação e extinção de partidos políticos cujos programas respeitem a soberania nacional, o regime democrático, o pluripartidarismo e os direitos fundamentais da pessoa humana". BRASIL. Lei nº 9.096, de 19 de setembro de 1995. (Lei dos Partidos Políticos). Dispõe sobre partidos políticos, regulamenta os arts. 17 e 14, §3º, inciso V, da Constituição Federal. *Diário Oficial da República Federativa do Brasil*, Brasília, DF, 20 set. 1995. Disponível em: http://www.planalto.gov.br/ccivil_03/leis/l9096.htm. Acesso em 19. jun. 2019.

passar dos anos, especialmente pelas alterações erigidas no contexto socioeconômico vivenciado no Brasil.

Nesse sentido, analisada a prévia construção acerca da realidade abstrata dos partidos políticos, é cogente enumerar algumas de suas problemáticas atuais, especialmente no que tange aos fundamentos constitutivos, às limitações da autonomia partidária e ao financiamento das agremiações e campanhas eleitorais, esferas cuja conformação se alterou profundamente nos últimos anos, seja pela atuação legislativa, seja pela construção jurisprudencial.

## 2.1 O novo financiamento Eleitoral Brasileiro. Contratação de parentes e empresas de parentes com recursos do Fundo Partidário e do Fundo Especial de Financiamento de Campanha

O Tribunal Superior Eleitoral tem proferido decisões[4] que coíbem práticas de favorecimento pessoal no âmbito da Justiça Eleitoral, em consonância com as premissas já expostas.

Nesta conjuntura, nota-se que o atual modelo de financiamento político-partidário congloba doações públicas (Fundo Eleitoral e Fundo Partidário) e privadas (pessoas físicas), em uma tentativa de equilibrar (i) a liberdade de manifestação dos cidadãos, permitindo-lhes contribuir democraticamente com o suporte financeiro dos partidos a que mais se alinham, e (ii) a justa competitividade entre os partidos, a partir da concessão de recursos públicos distribuídos por critérios objetivos.

Se, por um lado, o financiamento das agremiações, aliado à regulamentação estatal, consiste em circunstância necessária ao exercício da função democrática dos partidos políticos, por outro, abre espaço para abusos de poder econômico, permitindo uma influência indevida do dinheiro na política e afetando o caráter democrático do instituto. Nessa linha, critica-se o uso de recursos financeiros para a distorção do cenário político-eleitoral e a mera manutenção de controle de poder.

Além de ameaçar valores democráticos fundamentais, o encarecimento exacerbado das campanhas eleitorais altera as prioridades dos agentes políticos, que passam a dar mais importância à obtenção de recursos, em detrimento do compromisso e da responsabilidade com os eleitores. Isso porque, quando o acesso a valores pecuniários se torna fator determinante, a ocultação de gastos e recursos recebidos, muitas vezes ilícitos, passa a ser fenômeno frequente, reduzindo significativamente a transparência do processo político.[5]

---

[4]  "DIREITO ELEITORAL. PRESTAÇÃO DE CONTAS. EXERCÍCIO FINANCEIRO DE 2013. DIRETÓRIO NACIONAL. PARTIDO PROGRESSISTA (PP). DESAPROVAÇÃO. (BRASIL. Tribunal Superior Eleitoral. *Prestação de Contas nº 29021*. Acórdão, Relator(a) Min. Luís Roberto Barroso, Publicação: DJE - Diário de justiça eletrônico, Tomo 117, Data 21.06.2019, Página 83-85). Disponível em: http://www.tse.jus.br/jurisprudencia/decisoes/jurisprudencia. Acesso em 25 out. 2019.

[5]  FALGUERA, Elin; JONES, Samuel; OHMAN, Magnus. *Financiamento de partidos políticos e campanhas eleitorais*: um manual sobre financiamento político. Rio de Janeiro: FGV, 2015. p. 24.

Neste contexto, candidatos e partidos frequentemente se utilizam de estratégias para infringir as normas eleitorais e fraudar procedimentos essenciais à fiscalização e à transparência do processo democrático, com vistas ao alcance e à manutenção do poder e dos benefícios que lhes são concedidos. Tal cenário se torna ainda mais problemático quando se trata da utilização de recursos públicos, que deveria necessariamente se pautar pelos princípios constitucionais que regem a Administração Pública, *v.g.*: legalidade, impessoalidade, moralidade, publicidade e eficiência.

Tendo isso em vista, procede-se à discussão de problemáticas atuais ligadas a candidaturas e partidos políticos, no intuito de evidenciar pontos extremamente prejudiciais ao processo democrático e ao equilíbrio na disputa eleitoral, que necessitam, a nosso juízo, de uma regulamentação mais eficiente por parte do Estado.

Logo, conforme explicitado, estando a esfera pública permeada pela noção de moralidade, impessoalidade, legalidade, publicidade e isonomia, entende-se que tais orientações devem ser estendidas à instância eleitoral no que se refere à utilização de recursos públicos, a qual afeta diretamente a Administração.

Em consonância com esse entendimento, defende-se que os gastos em campanhas eleitorais, majoritariamente procedentes do Fundo Especial de Financiamento de Campanhas, devem estar sujeitos aos termos da regulamentação legal e aos limites constitucionais. Infelizmente, todavia, verificam-se diversas condutas por parte de candidatos e, sobretudo, dos partidos políticos, que contrariam essas diretrizes e refletem o individualismo da política moderna, consubstanciado em desvio de finalidade, irregularidade de prestação de contas e favorecimento pessoal.

De tal modo, e considerando o novo modelo de financiamento da atividade política brasileira, quase que exclusivamente público, é imprescindível uma nova interpretação com relação à forma com que esses recursos – de origem pública – são utilizados.

Destaca-se, nesse espírito, a reprovação, pelo plenário do Tribunal Regional Eleitoral do Mato Grosso do Sul (TRE-MS), das contas de candidata à deputada estadual nas eleições de 2018, e a determinação de devolução de valores ao Tesouro Nacional, em face da contratação de familiares (dois filhos) como cabos eleitorais para campanha, com a utilização, *in casu,* de quase 50% dos recursos que recebeu por meio dos fundos públicos (FP e FEFC).[6]

---

[6] "PRESTAÇÃO DE CONTAS. ELEIÇÕES 2018. AUSÊNCIA DE COMPROVAÇÃO DA UTILIZAÇÃO DE RECURSOS DO FUNDO ESPECIAL DE FINANCIAMENTO DE CAMPANHA. DEVOLUÇÃO AO TESOURO NACIONAL. USO IRREGULAR DE RECURSOS DO FUNDO ESPECIAL DE FINANCIAMENTO DE CAMPANHA (FEFC) COM A CONTRATAÇÃO DE FAMILIARES DA CANDIDATA PRESTADORA. INTERPRETAÇÃO SISTEMÁTICA DE ACORDO COM A CONSTITUIÇÃO FEDERAL. OFENSA AOS PRINCÍPIOS CONSTITUCIONAIS DA MORALIDADE E DA IMPESSOALIDADE. ART. 37 DA CONSTITUIÇÃO FEDERAL. SÚMULA VINCULANTE Nº 13. CONTAS DESAPROVADAS. REMESSA DOS AUTOS AO MINISTÉRIO PÚBLICO ELEITORAL PARA APURAR POSSÍVEL CRIME ELEITORAL. 1. A despeito de não haver restrição legal expressa, a contratação de familiares da prestadora como cabos eleitorais para campanha, com a utilização de recursos públicos oriundos do Fundo Partidário (FP) ou Fundo Especial de Financiamento de Campanha (FEFC) é incompatível com o conjunto jurídico-constitucional brasileiro, com nítida sobreposição de interesses privados em detrimento de interesses públicos, em dissonância com os princípios da impessoalidade, da moralidade e isonomia, insculpidos no art. 37 da Constituição Federal. 2. Considerando o novo regime jurídico de financiamento, o processo de prestação de contas, apesar de se limitar à averiguação da regularidade contábil da campanha, deve ser analisado de acordo com o sistema constitucional

*In casu*, a despeito da inexistência de ressalva legal expressa, concluiu-se, no referido julgado, pela incompatibilidade da contratação de parentes (em até terceiro grau) com a utilização de recursos públicos procedentes do Fundo Partidário ou do Fundo Eleitoral, dada a nítida sobreposição de interesses particulares aos interesses públicos, em dissonância com os princípios da impessoalidade, da moralidade e da isonomia albergados pelo art. 37 da Constituição Federal.[7]

Ressalta-se, ademais, o alinhamento da Justiça Eleitoral com o entendimento do Supremo Tribunal Federal segundo o qual a proibição ao nepotismo não exige edição de lei formal, por decorrer diretamente dos princípios do art. 37[8] da CF/1988, em especial o da moralidade. Posteriormente, o STF ainda estendeu o impedimento à administração direta e indireta de qualquer dos Poderes, a partir da edição da Súmula Vinculante nº 13,[9] que faz alusão não exclusivamente ao nepotismo direto, mas também ao nepotismo cruzado.

## 2.2  O "caixa" dois de campanha

Nos termos do voto do Ministro Luiz Fux na AP nº 470, a prática de caixa dois pode ser definida como "manutenção ou movimentação de recursos financeiros não escriturados ou falsamente escriturados na contabilidade de pessoas jurídicas as mais

---

vigente, com censura da justiça eleitoral quando recursos públicos são direcionados a cônjuges, companheiros ou parentes de candidato, em linha reta, colateral ou por afinidade, até o terceiro grau, inclusive, segundo inteligência do que prevê a Súmula Vinculante nº 13 do STF. 3. *In casu*, a candidata prestadora utilizou-se de, aproximadamente, 50% (cinquenta por cento) dos recursos financeiros movimentados (provenientes do FEFC) para contratar os serviços de dois filhos, sendo que, um deles, para ser coordenador de campanha, em período que estava de licença médica no cargo de servidor público municipal. 4. Contas desaprovadas. 5. Devolução dos recursos do Fundo Especial de Financiamento de Campanha sem a devida comprovação de sua utilização, a teor do art. 82, §1º, da Resolução TSE nº 23.553/2017. Do mesmo modo, restituição de recursos do Fundo Especial de Financiamento de Campanha utilizados com contratação de parentes em até 3º grau para a campanha eleitoral. 6. Remessa de cópia dos autos à Procuradoria Regional Eleitoral para apurar a ocorrência de possível crime de apropriação indébita eleitoral, tipificado no art. 354-A do Código Eleitoral". (BRASIL. Tribunal Regional Eleitoral do Mato Grosso do Sul. *Prestação de Contas nº 060118203.* Acórdão nº 060118203, de 23.07.2019. Relator: Daniel Castro Gomes da Costa, Publicação: DJE - Diário da Justiça Eleitoral, Tomo 2237, Data 26.07.2019, Página 15-28). Disponível em: http://inter03.tse.jus.br/sjur-pesquisa/pesquisa/actionBRSSearch. do?toc=true&docIndex=0&httpSessionName=brsstateSJUT1970230528&sectionServer=MS&grupoTotalizacao=0. Acesso em 24 out. 2019).

[7]  BRASIL. Tribunal Regional Eleitoral do Mato Grosso do Sul. *Prestação de Contas nº 060118203.* Acórdão nº 060118203, de 23.07.2019. Relator: Daniel Castro Gomes da Costa, Publicação: DJE - Diário da Justiça Eleitoral, Tomo 2237, Data 26.07.2019, Página 15-28). Disponível em: http://inter03.tse.jus.br/sjur-pesquisa/pesquisa/actionBRSSearch. do?toc=true&docIndex=0&httpSessionName=brsstateSJUT1970230528&sectionServer=MS&grupoTotalizacao=0. Acesso em 24 out. 2019.

[8]  "Art. 37. A administração pública direta e indireta de qualquer dos Poderes da União, dos Estados, do Distrito Federal e dos Municípios obedecerá aos princípios de legalidade, impessoalidade, moralidade, publicidade e eficiência e, também, ao seguinte: [...]". BRASIL. Constituição (1988). Constituição da República Federativa do Brasil de 1988. *Diário Oficial da República Federativa do Brasil*, Brasília, DF, 05 out. 1988. Disponível em: http:// www.planalto.gov.br/ccivil_03/constituicao/constituicao.htm. Acesso em 8 out. 2019.

[9]  "A nomeação de cônjuge, companheiro ou parente em linha reta, colateral ou por afinidade, até o terceiro grau, inclusive, da autoridade nomeante ou de servidor da mesma pessoa jurídica investido em cargo de direção, chefia ou assessoramento, para o exercício de cargo em comissão ou de confiança ou, ainda, de função gratificada na administração pública direta e indireta em qualquer dos poderes da União, dos Estados, do Distrito Federal e dos Municípios, compreendido o ajuste mediante designações recíprocas, viola a Constituição Federal". (BRASIL. Supremo Tribunal Federal. *Súmula nº 13.* Disponível em: http://www.stf.jus.br/portal/jurisprudencia/ menusumario.asp?sumula=1227. Acesso em 25 set. 2019).

diversas, como associações, fundações, sociedades comerciais e partidos políticos".[10] Corresponde, portanto, à movimentação de recursos financeiros, de origem lícita ou ilícita, em campanhas eleitorais, sem o devido registro, por meio da omissão na prestação de contas.

Trata-se de conduta manifestamente contrária aos princípios que regem o Direito Eleitoral e à noção de transparência que deve orientar os gastos em campanha, visto que a ocultação de valores tem o condão de impedir a efetiva fiscalização por parte da Justiça Eleitoral e, por conseguinte, de prejudicar a isonomia entre concorrentes e o equilíbrio durante o período eleitoral, abrindo espaço também para influências econômicas indevidas.

Embora o delito esteja previsto em diversas normas, como a Lei de Lavagem de Dinheiro,[11] a Lei dos Crimes contra o Sistema Financeiro Nacional[12] e a Lei dos Crimes contra a Ordem Tributária,[13] o Código Eleitoral[14] não apresenta uma disposição específica quanto à temática, sendo que apenas parte dos autores e órgãos judiciais sustenta que seu art. 350[15] englobaria a atividade no âmbito eleitoral. Referido hiato normativo acaba por produzir indubitável insegurança jurídica na apuração da prática, o que se pretende corrigir com a aprovação do PL nº 3855/2019,[16] a partir da edição de dispositivo específico e da ampliação das hipóteses de incidência da conduta típica e da criminalização penal da prática.

---

[10] BRASIL. Supremo Tribunal Federal. *Ação Penal nº 470*. Voto Ministro Luiz Fux, Item VI – Primeira Parte. Disponível em: http://www.stf.jus.br/arquivo/cms/noticiaNoticiaStf/anexo/AP470mLFitem6. pdf. Acesso em 25 out. 2019.

[11] BRASIL. Lei nº 9.613, de 3 de março de 1998. Dispõe sobre os crimes de "lavagem" ou ocultação de bens, direitos e valores; a prevenção da utilização do sistema financeiro para os ilícitos previstos nesta Lei; cria o Conselho de Controle de Atividades Financeiras – COAF, e dá outras providências. *Diário Oficial da República Federativa do Brasil*, Brasília, DF, 04 mar. 1998. Disponível em: http://www.planalto.gov.br/ccivil_03/leis/l9613. htm. Acesso em 20 out. 2019.

[12] BRASIL. Lei nº 7.492, de 16 de junho de 1986. Define os crimes contra o sistema financeiro nacional, e dá outras providências. *Diário Oficial da República Federativa do Brasil*, Brasília, DF, 18 jun. 1986. Disponível em: http:// www.planalto.gov.br/ccivil_03/LEIS/L7492.htm. Acesso em 20 out. 2019.

[13] BRASIL. Lei nº 8.137, de 27 de dezembro de 1990. Define crimes contra a ordem tributária, econômica e contra as relações de consumo, e dá outras providências. *Diário Oficial da República Federativa do Brasil*, Brasília, DF, 28 dez. 1990. Disponível em: http://www.planalto.gov.br/ccivil_03/LEIS/L8137.htm. Acesso em 21 set. 2019.

[14] BRASIL. Lei nº 4.737, de 15 de julho de 1965. Institui o Código Eleitoral. *Diário Oficial da República Federativa do Brasil*, Brasília, DF, 19 jul. 1965, retificado em 30 jul. 1965. Disponível em: http://www.planalto.gov.br/ccivil_03/ leis/l4737.htm. Acesso em 20 out. 2019.

[15] "Art. 350. Omitir, em documento público ou particular, declaração que dêle devia constar, ou nele inserir ou fazer inserir declaração falsa ou diversa da que devia ser escrita, para fins eleitorais: Pena - reclusão até cinco anos e pagamento de 5 a 15 dias-multa, se o documento é público, e reclusão até três anos e pagamento de 3 a 10 dias-multa se o documento é particular". BRASIL. Lei nº 4.737, de 15 de julho de 1965. Institui o Código Eleitoral. *Diário Oficial da República Federativa do Brasil*, Brasília, DF, 19 jul. 1965, retificado em 30 jul. 1965. Disponível em: http://www.planalto.gov.br/ccivil_03/leis/l4737.htm. Acesso em 20 out. 2019.

[16] BRASIL. Câmara dos Deputados. *Projeto de Lei nº 3855, de 2019 (nº anterior: PL 4850/2016)*. Estabelece medidas de combate à impunidade, à corrupção; altera os Decretos-Leis nºs 2.848, de 7 de dezembro de 1940 - Código Penal, e 3.689, de 3 de outubro de 1941 - Código de Processo Penal; as Leis nºs 4.717, de 29 de junho de 1965, 4.737, de 15 de julho de 1965, 8.072, de 25 de julho de 1990, 8.112, de 11 de dezembro de 1990, 8.429, de 2 de junho de 1992, 8.906, de 4 de julho de 1994, 9.096, de 19 de setembro de 1995, 9.504, de 30 de setembro de 1997, 9.613, de 3 de março de 1998, e 7.347, de 24 de julho de 1985; revoga dispositivos do Decreto-Lei nº 201, de 27 de fevereiro de 1967, e da Lei nº 8.137, de 27 de dezembro de 1990; e dá outras providências. Disponível em: https://www.camara.leg.br/propostas-legislativas/2080604. Acesso em 20 out. 2019.

## 2.3 Políticas paritárias em relação a mulheres e minorias

No art. 5º, *caput*, a Constituição Federal expressamente previu o princípio da isonomia, definindo que "todos são iguais perante a lei".[17] Embora uma leitura mais imediata possa indicar a necessidade de conferir idêntico tratamento a todos, a interpretação sistemática do texto constitucional leva à compreensão de um dever de equidade que segue a lógica aristotélica – conferir tratamento igual aos iguais e desigual aos desiguais, na medida em que se diferenciam. Consoante a isso, proclama Celso Antônio Bandeira de Mello que "a lei deve ser instrumento regulador da vida social que necessita tratar equitativamente todos os cidadãos".[18]

Nessa linha, entende-se possível a utilização de critérios discriminatórios de forma legítima, sempre em prol dos indivíduos, quando subsistir relação lógica entre o critério de discriminação e o fato da vida. As ações afirmativas, de tal modo, podem ser compreendidas como mecanismos aptos a concretizar e dar efetividade à plena realização da igualdade material e da dignidade da pessoa humana.

Logo, considerando o dever do Estado de promover a efetivação do mencionado princípio, imprescindível se faz a adoção de políticas paritárias em relação às minorias sociais no âmbito eleitoral, dada a importância de se conferir representatividade aos diversos segmentos da sociedade, em atenção aos seus direitos políticos (art. 14º, CF)[19] e ao princípio republicano (art. 1º, CF).[20]

Não obstante, até o presente momento, é indubitável que as políticas de inclusão implementadas na esfera eleitoral são relativas às desigualdades de gênero, as quais, no entanto, têm sido fraudadas por candidatos e partidos políticos com certa frequência, conforme se expõe adiante.

### 2.3.1 Fraude à cota de gênero ("candidaturas laranjas")

Apesar da disposição legal acerca do percentual mínimo de candidaturas de gênero – e, *in casu*, para ponderação, femininas (30%) – a ser observado pelos partidos, é extremamente comum a prática de ações com o objetivo de fraudá-la,

---

[17] BRASIL. Constituição (1988). Constituição da República Federativa do Brasil de 1988. *Diário Oficial da República Federativa do Brasil*, Brasília, DF, 05 out. 1988. Disponível em: http://www.planalto.gov.br/ccivil_03/constituicao/constituicao.htm. Acesso em 8 out. 2019.

[18] BANDEIRA DE MELLO, Celso Antônio. *Curso de direito administrativo.* 4. ed. São Paulo: Malheiros, 1993. p. 10.

[19] "Art. 14. A soberania popular será exercida pelo sufrágio universal e pelo voto direto e secreto, com valor igual para todos, e, nos termos da lei, mediante". [...]. BRASIL. Constituição (1988). Constituição da República Federativa do Brasil de 1988. *Diário Oficial da República Federativa do Brasil*, Brasília, DF, 05 out. 1988. Disponível em: http://www.planalto.gov.br/ccivil_03/constituicao/constituicao.htm. Acesso em 8 out. 2019.

[20] "Art. 1º A República Federativa do Brasil, formada pela união indissolúvel dos Estados e Municípios e do Distrito Federal, constitui-se em Estado Democrático de Direito e tem como fundamentos:
I - a soberania;
II - a cidadania;
III - a dignidade da pessoa humana;
IV - os valores sociais do trabalho e da livre iniciativa;
V - o pluralismo político".
BRASIL. Constituição (1988). Constituição da República Federativa do Brasil de 1988. *Diário Oficial da República Federativa do Brasil*, Brasília, DF, 05 out. 1988. Disponível em: http://www.planalto.gov.br/ccivil_03/constituicao/constituicao.htm. Acesso em 8 out. 2019.

em descumprimento à cota de gênero e em prejuízo à tentativa de incremento da participação feminina na política.

Em especial, costuma-se lançar a candidatura de mulheres que, na realidade, não irão disputar o pleito – as denominadas candidaturas fictícias ou laranjas. Nesse caso, os nomes femininos são arrolados na lista do partido para atender ao percentual mínimo e, por conseguinte, viabilizar a presença do partido e de seus candidatos nas eleições, sem existir, contudo, suporte real à candidatura.

Dado o entendimento do TSE de que o posterior indeferimento de candidatura ou a renúncia por parte de candidatas não constituem violação à cota de gênero pelo partido, uma vez atendido o requisito no momento do registro, tem-se efetivo prejuízo à apuração de condutas fraudulentas, nas quais ocorre a utilização de mulheres filiadas, sem nenhuma competitividade ou intenção eleitoral, para o preenchimento do percentual mínimo. Nesse sentido, perpetua-se a baixa representatividade e participação femininas, em conduta com aparente licitude.

Sendo a maior parte do eleitorado composta por indivíduos do sexo feminino e a quantidade de filiados de cada gênero muito próxima, não há razoabilidade na manutenção da baixa representação feminina na política, tanto em cargos legislativos quanto em cargos executivos. Dessa forma, o enfrentamento das candidaturas de fachada pela Justiça Eleitoral é condição essencial para a concretização da política de cotas estabelecida pela legislação brasileira.[21]

Ademais, diversas são as ações em trâmite na Justiça Eleitoral que debatem fraude na cota de gêneros e a penalidade aplicável. Nesse contexto, o Tribunal Superior Eleitoral julgou o primeiro recurso relacionado ao tema. Nesse *leading case*, o TSE concluiu, por maioria de votos, 4x3, que a constatação de candidaturas laranjas, com o desígnio de fraudar a cota mínima de candidaturas femininas, enseja a cassação de toda a chapa, com a respectiva perda de mandato dos eleitos.[22]

## 2.3.2 Não aplicação do percentual mínimo do Fundo Partidário e do Fundo Especial de Financiamento de Campanha para mulheres

De forma semelhante à fraude em cota de gênero nos registros de candidatura, constata-se, com frequência, a não aplicação do percentual mínimo do Fundo Partidário e do Fundo Eleitoral em campanhas femininas. Com efeito, os recursos direcionados para campanhas de mulheres são irregularmente repassados para filiados homens, em descumprimento à política paritária instituída pela lei.

---

[21] NUNES, Geórgia Ferreira Martins; SOARES, Lorena de Araújo Costa. Candidatas de fachada: a violência política decorrente da fraude eleitoral e do abuso de poder e as respostas jurídicas para efetivação dos grupos minoritariamente representados. *In:* FUX, Luiz; PEREIRA, Luiz Fernando Casagrande; AGRA, Walber de Moura (coord.); PECCINI, Luiz Eduardo (org.). *Direito Constitucional Eleitoral*. Belo Horizonte: Fórum, 2018. p. 543-570. (Tratado de Direito Eleitoral, v. 1).

[22] BRASIL. Tribunal Superior Eleitoral. *Recurso Especial Eleitoral nº 19392*. Acórdão, Relator(a) Min. Jorge Mussi, Publicação: DJE - Diário de justiça eletrônico, Tomo 193, Data 04.10.2019, Página 105-107. Disponível em: http://www.tse.jus.br/jurisprudencia/decisoes/jurisprudencia. Acesso em 19 set. 2019.

Em diversas situações, essa prática é associada a candidaturas fictícias e evidenciada pela não realização de campanha, pela inexistência de gasto eleitoral ou pela não transferência ou arrecadação de recursos.

Recentemente, inclusive, o Plenário do TSE manteve a cassação de diplomas eleitorais de vereadores de Rosário do Sul (RS) por uso ilícito de verbas do Fundo Partidário, no primeiro julgamento em que examinado esse tipo de desvio. No caso concreto, a vereadora havia repassado parte dos recursos recebidos por ela a título de promoção de candidaturas femininas a candidatos do sexo masculino, tendo sido condenado também um dos beneficiados.[23]

Durante o julgamento, a Corte decidiu, ainda, que a situação mencionada se enquadra nas hipóteses de ajuizamento de representação prevista no art. 30-A da Lei das Eleições, que trata da solicitação de abertura de investigação judicial para apurar condutas ilícitas, relativas à arrecadação e aos gastos de recursos de campanha.[24]

Tal decisão reforça o papel dos tribunais de preservar as ações afirmativas em favor das mulheres e corrigir gradualmente a sub-representação feminina na política, assegurando a competitividade das candidaturas femininas e punindo estratégias dissimuladas que visam a burlar a lei e a neutralizar as medidas implementadas.

## 2.4 O fenômeno das redes sociais x *fake news*

A crescente utilização de recursos digitais tem naturalmente promovido mudanças nas relações eleitorais, especialmente na forma de se fazer propaganda

---

[23] "DIREITO ELEITORAL E PROCESSUAL CIVIL. RECURSOS ESPECIAIS ELEITORAIS COM AGRAVO. ELEIÇÕES 2016. REPRESENTAÇÃO POR CAPTAÇÃO OU GASTO ILÍCITO DE RECURSOS DE CAMPANHA. ART. 30-A DA LEI Nº 9.504/1997. DESVIRTUAMENTO NA APLICAÇÃO DOS RECURSOS DO FUNDO PARTIDÁRIO DESTINADOS À PROMOÇÃO DA PARTICIPAÇÃO FEMININA NA POLÍTICA. DOAÇÃO DE PARTE DA VERBA A CANDIDATOS DO GÊNERO MASCULINO. DESVIO DE FINALIDADE. ILÍCITO CONFIGURADO. CONHECIMENTO DOS AGRAVOS. DESPROVIMENTO DOS RECURSOS ESPECIAIS ELEITORAIS. [...] III.6) GRAVIDADE DA CONDUTA. PROPORCIONALIDADE DA SANÇÃO DE CASSAÇÃO. 19. Conforme jurisprudência desta Corte, para a configuração do ilícito do art. 30-A deve-se analisar a violação material, e não meramente formal dos bens jurídicos tutelados pela norma. Assim, a procedência da representação exige a demonstração de gravidade da conduta reputada ilegal, que deve ser aferida pela relevância jurídica da irregularidade. Precedentes. 20. No caso em análise, a gravidade da conduta, em razão da relevância jurídica das irregularidades, ficou amplamente demonstrada. Primeiro, porque o percentual dos recursos do Fundo Partidário objeto de irregularidade, em relação ao total de receitas em ambas as campanhas, foi substancial, pois: (i) o valor recebido pelo candidato Afrânio em razão da doação (R$2.000,00) representa 66% das suas receitas de campanha; e (ii) o valor doado pela candidata Jalusa (R$12.000,00) representa 53% de suas receitas. Ademais, a recalcitrância em dar cumprimento a medidas cujo objetivo é conferir efetividade à cota de gênero não pode ser minimizada, sob pena de que este Tribunal Superior venha a homologar práticas em franca colisão com os recentes avanços da jurisprudência do STF e do TSE destinados a superar o caráter meramente nominal da reserva de 30% de candidaturas para as mulheres. 21. A alegação dos recorrentes no sentido de ser desproporcional a aplicação da sanção de cassação dos mandatos, ao argumento de que o valor da doação não foi capaz de promover qualquer desequilíbrio no pleito, não merece ser acolhida, tendo em vista que: (i) a potencialidade de a conduta desequilibrar o pleito eleitoral não é exigida para a caracterização da conduta de arrecadação e gasto ilícito de recursos; e (ii) a sanção de cassação do mandato é a consequência imposta pelo §2º do art. 30-A da Lei nº 9.504/1997, em razão da prática das condutas vedadas pelo *caput* [...] Acórdão, Relator(a) Min. Luís Roberto Barroso, Publicação: DJe - Diário de Justiça Eletrônico, Data 20.09.2019). Disponível em: http://www.tse.jus.br/jurisprudencia/decisoes/jurisprudencia. Acesso em 29 set. 2019.

[24] BRASIL. Tribunal Superior Eleitoral. *Corte confirma cassação de diplomas de dois vereadores de Rosário do Sul (RS).* Disponível em: http://www.tse.jus.br/imprensa/noticias-tse/2019/Agosto/tse-confirma-cassacao-de-diplomas-de-dois-vereadores-de-rosario-do-sul-rs. Acesso em 29 set. 2019.

e divulgar informações. Embora possibilite maior fluidez na comunicação, o meio virtual apresenta características que potencializam os problemas a serem enfrentados durante o período eleitoral, dada a rapidez na propagação de notícias, a ampliação do público alcançado, a facilidade de divulgação de conteúdos falsos e a dificuldade de realização de debates sérios.[25]

Em face dessa nova realidade, a Reforma Eleitoral de 2017 (Lei nº 13.488) estabeleceu algumas mudanças na legislação ordinária, a fim de regulamentar as novas práticas virtuais e coibir condutas incompatíveis com o padrão ético esperado da atuação político-partidária. As principais regras são relacionadas (i) à identificação do conteúdo a ser divulgado, (ii) à possibilidade de rastreamento das publicações e (iii) à preocupação com a exposição de informações falsas que possam ferir a imagem e a honra de outros candidatos e partidos.[26]

Nesse sentido, passou-se a admitir o impulsionamento pago de conteúdo na internet, desde que identificado de forma inequívoca como tal, interno à aplicação utilizada, e contratado exclusivamente por partidos, coligações e candidatos, sendo vedada a propaganda eleitoral paga no meio digital.[27] Com isso, permite-se a utilização da internet para fornecer visibilidade a determinados candidatos e partidos e, ao mesmo tempo, garante-se mínima possibilidade de fiscalização e controle ao concentrar as publicações em perfis específicos, impedindo a propagação desenfreada de conteúdo.

Além disso, estabeleceu-se a possibilidade de a Justiça Eleitoral determinar a suspensão do acesso a conteúdo veiculado que deixar de cumprir as disposições da legislação eleitoral, sendo o tempo de suspensão proporcional à gravidade da infração cometida, observado o máximo de 24 horas, em atenção ao princípio da proporcionalidade.[28]

Portanto, em termos de debate democrático, a principal preocupação com a internet diz respeito aos algoritmos utilizados. Se o foco é atrair atenção, programa-se o ambiente digital para entregar conteúdos mais alinhados ao pensamento do usuário, em uma espécie de "bolha" que induz o sujeito a ter mais contato com visões semelhantes.[29] Tal tecnologia propicia a formação de indivíduos mais intolerantes e

---

[25]   NEISSER, Fernando; BERNARDELLI, Paula; MACHADO, Raquel. A mentira no ambiente digital: impactos eleitorais e possibilidades de controle. *In*: FUX, Luiz; PEREIRA, Luiz Fernando Casagrande; AGRA, Walber de Moura (coord.); PECCINI, Luiz Eduardo (org.). *Direito constitucional eleitoral*. Belo Horizonte: Fórum, 2018. p. 51-70. (Tratado de Direito Eleitoral, v. 4).

[26]   BRASIL. Lei nº 13.488, de 6 de outubro de 2017. Altera as Leis nº 9.504, de 30 de setembro de 1997 (Lei das Eleições), 9.096, de 19 de setembro de 1995, e 4.737, de 15 de julho de 1965 (Código Eleitoral), e revoga dispositivos da Lei nº 13.165, de 29 de setembro de 2015 (Minirreforma Eleitoral de 2015), com o fim de promover reforma no ordenamento político-eleitoral. *Diário Oficial da República Federativa do Brasil*, Brasília, DF, 06 out. 2017. Disponível em: http://www.planalto.gov.br/ccivil_03/_Ato2015-2018/2017/Lei/L13488.htm. Acesso em 4 out. 2019.

[27]   Art. 57-C. BRASIL. Lei nº 9.504, de 30 de setembro de 1997. Estabelece normas para as eleições. *Diário Oficial da República Federativa do Brasil*, Brasília, DF, 01 out. 1997. Disponível em: http://www.planalto.gov.br/ccivil_03/leis/l9504.htm. Acesso em 16 jun. 2019.

[28]   Art. 57-I. BRASIL. Lei nº 9.504, de 30 de setembro de 1997. Estabelece normas para as eleições. *Diário Oficial da República Federativa do Brasil*, Brasília, DF, 01 out. 1997. Disponível em: http://www.planalto.gov.br/ccivil_03/leis/l9504.htm. Acesso em 16 jun. 2019.

[29]   Ainda em 2007, Cass Sustein descreveu essa situação em um futuro distópico: "It is some time in the future. Technology has greatly increased people's ability to 'filter' what they want to read, see, and hear. [...] If you are

extremistas, causando prejuízos ao debate democrático, que pressupõe pluralidade e contraste entre visões distintas.

Diante desse novo contexto, a veiculação de mentiras em redes sociais, as chamadas *fake news*, passa a ser grande preocupação do Direito Eleitoral, principalmente devido à dificuldade em se identificar o responsável pela divulgação da informação e o público ao qual o conteúdo se destina, bem como à insegurança sobre os efeitos que a notícia pode ter sobre o eleitorado.[30]

Tal prática se refere à propagação de notícias falsas, usualmente voltadas ao ataque de um adversário ou à promoção pessoal exacerbada, com base em uma situação inverídica e estrategicamente pensada, por meio de redes sociais e com aparência de seriedade. Para a Justiça Eleitoral, a principal preocupação é que as escolhas políticas dos indivíduos não se pautem por informações falsas e por um ambiente eleitoral de pouca transparência, em que se perde a autonomia de decisão.

Ao mesmo tempo, preocupa a utilização conjunta da microssegmentação ("bolha virtual") com outras ferramentas, aptas a potencializar o impacto do conteúdo, como os perfis falsos, administrados por outras pessoas com o objetivo de simular indivíduos reais e agir de acordo com interesses específicos. Além disso, é frequente o uso dos chamados *fake bots*, que consistem em perfis de usuários falsos, administrados por robôs, que são programados para responder a conteúdo da internet – como se pessoas reais fossem.

Como se vê, a problemática nuclear envolvida no uso desses mecanismos é a ausência de transparência e a dificuldade de identificação dos envolvidos em seu desenvolvimento e financiamento ou mesmo dos verdadeiros administradores dos perfis, o que torna complexa a responsabilização por eventuais atos ilícitos. Isso porque a internet facilita o agravamento das *fake news* ao permitir a pluralização das fontes e a viabilização da propagação instantânea de notícias e opiniões, em um fluxo intenso de divulgação e troca de informações.

Segundo Richard Hasen, o fato de cada um ser, simultaneamente, destinatário e fonte de informação prejudica a hegemonia de fontes confiáveis. Ademais, a polarização política, agravada pelas chamadas "bolhas", eleva a possibilidade de a imprensa se posicionar de forma assumidamente tendenciosa, como ocorre, por exemplo, com alguns veículos de comunicação nos Estados Unidos.[31]

Nesse sentido, o que justifica maior controle e fiscalização das *fake news*, em comparação a outras formas de propaganda negativa, é justamente a elevada dificuldade de identificação do que é *fake*, o excessivo prejuízo ao debate democrático e à autêntica formação de opinião, haja vista a imprecisão quanto à sua fonte.

---

interested in politics, you may want to restrict yourself to certain points of view by hearing only from people with whom you agree". SUNSTEIN, Cass. *Republic.com 2.0*. Princeton: Princeton University Press, 2007. p. 1-2.

[30] NEISSER, Fernando; BERNARDELLI, Paula; MACHADO, Raquel. A mentira no ambiente digital: impactos eleitorais e possibilidades de controle. *In*: FUX, Luiz; PEREIRA, Luiz Fernando Casagrande; AGRA, Walber de Moura (coord.); PECCINI, Luiz Eduardo (org.). *Direito constitucional eleitoral*. Belo Horizonte: Fórum, 2018. p. 51-70. (Tratado de Direito Eleitoral, v. 4).

[31] HASEN, Richard L. A constitutional right to lie in campaigns and elections. *Montana Law Review*, v. 74, n. 1, p. 53-77, 2013.

Imprescindível, portanto, que se implemente uma regulamentação mais dinâmica e eficaz quanto ao tema, exigindo maior transparência quanto ao uso da infraestrutura de rede e instituindo normas sobre o uso de dados sensíveis e robôs, limites à orientação de conteúdo por microssegmentação e formas de controle de financiadores e desenvolvedores de conteúdos.

Embora distantes de uma solução,[32] importante consignar que o Tribunal Superior Eleitoral, reunido com vários seguimentos ligados à mídia, organizações sociais, partidos e outros tribunais, tem realizado diversos eventos e debates[33] públicos para debater a problemática e procurar meios de coibir a prática antidemocrática. Citam-se, nesse contexto: o Seminário Internacional Fake News e Eleições e, mais recentemente, o projeto e o portal Enfrentamento à Desinformação.[34]

## 2.5    Proteção de dados (Lei nº 13.709/18)

Em agosto de 2018, foi publicada, no Diário Oficial da União, a Lei nº 13.709,[35] denominada de Lei Geral de Proteção de Dados Pessoais. Registra-se, por oportuno, que a norma ainda não está em vigor, pois cumpre 24 meses de *vacacio legis*. Entretanto, embora não seja de aplicação imediata, dada a sua especificidade e importância, inclusive para os partidos políticos, merece atenção especial.

A Lei Geral de Proteção de Dados Pessoais tem por finalidade determinar como as pessoas jurídicas e físicas deverão fazer o tratamento dos seus dados. Assim, a norma impõe as medidas de coleta, armazenamento e processamento das informações recebidas, visando a uniformizar os dados recebidos para proteger a privacidade e os direitos fundamentais dos envolvidos.[36]

Para fins de interpretação da legislação, o tratamento de dados é conceituado como

> toda operação realizada com dados pessoais, como as que se referem a coleta, produção, recepção, classificação, utilização, acesso, reprodução, transmissão, distribuição,

---

[32]  BRASIL. Tribunal Superior Eleitoral. *Especialistas debatem saídas para o fenômeno das fake news durante seminário no TSE.* Disponível em: http://www.tse.jus.br/imprensa/noticias-tse/2019/Maio/especialistas-debatem-saidas-para-o-fenomeno-das-fake-news-durante-seminario-no-tse. Acesso em 03 out. 2019.

[33]  BRASIL. Tribunal Superior Eleitoral. *Seminário Internacional Fake News e Eleições contará com a participação de especialistas internacionais.* Disponível em: http://www.tse.jus.br/imprensa/noticias-tse/2019/Abril/seminario-internacional-fake-news-e-eleicoes-contara-com-a-participacao-de-especialistas-internacionais. Acesso em 3 out. 2019.

[34]  BRASIL. Tribunal Superior Eleitoral. *Enfrentamento à desinformação.* Disponível em: http://www.tse.jus.br/videos/enfrentamento-a-desinformacao. Acesso em 11 nov. 2019.

[35]  BRASIL. Lei nº 13.709, de 14 de agosto de 2018. Lei Geral de Proteção de Dados Pessoais (LGPD). *Diário Oficial da República Federativa do Brasil*, Brasília, DF, 15 out. 2018, republicado parcialmente em 15 out. 2018. Disponível em: http://www.planalto.gov.br/ccivil_03/_ato2015-2018/2018/lei/L13709.htm. Acesso em 5 nov. 2019.

[36]  BRASIL. Lei nº 13.709, de 14 de agosto de 2018. Lei Geral de Proteção de Dados Pessoais (LGPD). *Diário Oficial da República Federativa do Brasil*, Brasília, DF, 15 out. 2018, republicado parcialmente em 15 out. 2018. Disponível em: http://www.planalto.gov.br/ccivil_03/_ato2015-2018/2018/lei/L13709.htm. Acesso em 5 nov. 2019.

processamento, arquivamento, armazenamento, eliminação, avaliação ou controle da informação, modificação, comunicação, transferência, difusão ou extração.[37]

Registra-se que nem todos os dados disponibilizados via internet serão considerados para fins da LGPD, mas tão somente aqueles que permitem a identificação das pessoas físicas, como, por exemplo, o Cadastro Nacional de Pessoa Físicas, ou, ainda, quando, pelo conjunto de dados, seja possível identificar o detentor das informações, como o nome completo combinado com o endereço.

A partir da vigência da LGPD, as pessoas jurídicas e físicas que solicitarem dados pessoais que ensejam a identificação do titular deverão fornecer informações claras e precisas sobre o tema e ter o consentimento expresso do titular.

Outro ponto que merece relevo é o ambiente de validade da norma. Isso porque a LGPD será aplicada mesmo fora do Brasil, quando o objetivo da pessoa jurídica ou física que está requerendo os dados for a prestação de serviços ou o fornecimento de bens no Brasil.

Neste contexto, nota-se que o objetivo da norma não é impedir ou dificultar o tratamento dos dados pessoais, mas sim, regulamentar e dar garantias de proteção aos titulares das informações de que elas não serão compartilhadas, vendidas ou deixadas, sem segurança, em qualquer local. Ao mesmo tempo, consigna-se que a LGPD traz algumas ressalvas, não se aplicando ao tratamento de dados pessoais quando:

> I - realizado por pessoa natural para fins exclusivamente particulares e não econômicos; II - realizado para fins exclusivamente: a) jornalísticos e artísticos; ou b) acadêmicos, aplicando-se a esta hipótese os arts. 7º e 11 desta Lei; III - realizado para fins exclusivos de: a) segurança pública; b) defesa nacional; c) segurança do Estado; ou d) atividades de investigação e repressão de infrações penais; ou IV - provenientes de fora do território nacional e que não sejam objeto de comunicação, uso compartilhado de dados com agentes de tratamento brasileiros ou objeto de transferência internacional de dados com outro país que não o de proveniência, desde que o país de proveniência proporcione grau de proteção de dados pessoais adequado ao previsto nesta Lei.[38]

Por conseguinte, a Lei Geral de Proteção de Dados será aplicável aos partidos políticos, na medida em que esses terão acesso a informações pessoais dos candidatos e dos demais filiados. Logo, excluídos os casos em que os partidos compartilharão os dados de seus candidatos com os órgãos eleitorais para fins de registro e sequência do processo eleitoral, deverão as agremiações se planejarem para a nova lei, armazenando corretamente, nos termos da LGPD, as informações recebidas, inclusive com a possibilidade (não obrigatoriedade) de adoção de programas de *Compliance* de dados.

---

[37] BRASIL. Lei nº 13.709, de 14 de agosto de 2018. Lei Geral de Proteção de Dados Pessoais (LGPD). *Diário Oficial da República Federativa do Brasil*, Brasília, DF, 15 out. 2018, republicado parcialmente em 15 out. 2018. Disponível em: http://www.planalto.gov.br/ccivil_03/_ato2015-2018/2018/lei/L13709.htm. Acesso em 5 nov. 2019.

[38] BRASIL. Lei nº 13.709, de 14 de agosto de 2018. Lei Geral de Proteção de Dados Pessoais (LGPD). *Diário Oficial da República Federativa do Brasil*, Brasília, DF, 15 out. 2018, republicado parcialmente em 15 out. 2018. Disponível em: http://www.planalto.gov.br/ccivil_03/_ato2015-2018/2018/lei/L13709.htm. Acesso em 5 nov. 2019.

## 2.6 Transparência nos Partidos Políticos

Dada a centralidade dos partidos, que erige do próprio texto constitucional, é de suma importância que os partidos políticos observem os princípios da publicidade e da transparência no exercício de suas atividades, por serem efetivamente responsáveis pela representação política. Afinal, não há como se conceber uma atuação estatal pautada por esses princípios se os próprios atores que a compõem não as observarem em seus trâmites internos.

Ocorre que, diferentemente do desejado, os dados levantados pelo Movimento Transparência Partidária,[39] no ano de 2018, demonstram que os partidos políticos existentes no Brasil apresentam níveis extremamente baixos quanto à transparência de seus procedimentos, o que apenas corrobora a visão prévia da sociedade civil acerca dos altos índices de corrupção e reforça a descrença generalizada no sistema político-partidário.

Com efeito, o estudo produzido partiu dos quatro seguintes eixos: (i) contabilidade; (ii) dirigentes e filiados; (iii) procedimentos internos; e (iv) estrutura partidária.

Consubstanciado nesse conjunto de informações, cada variável interna de um dos eixos recebeu uma nota de 0 a 2,50, e a nota final de cada eixo foi a soma das quatro variáveis que o compõem, podendo chegar a 10. A nota final foi calculada a partir da média aritmética entre as notas conferidas a cada um dos eixos, sendo a média geral menor que um.[40]

Nesse ponto, é imperioso registrar que diferentes levantamentos apontam que as agremiações políticas brasileiras carecem de confiança junto ao eleitor. D`outro vértice, a título de exemplo, o Índice de Confiança nas Instituições do Ibope aduz que, entre os anos de 2009 a 2017, a confiabilidade dos partidos nunca superou a margem de 35% e, em análises recentes, três últimos anos, o índice não ultrapassou 20 pontos. Ademais, em 2017, em pesquisa realizada pela Escola de Direito de São Paulo da Fundação Getúlio Vargas, notou-se que somente 7% dos brasileiros entrevistados acreditam nas agremiações políticas.[41]

Com base nos resultados apresentados, conclui-se, de forma indubitável, que o nível de transparência dos partidos políticos brasileiros está longe do ideal, não se alinhando às expectativas delineadas na CF/88, o que corrobora o cenário já apresentado da crise de representatividade dos partidos políticos.

---

[39] MOVIMENTO TRANSPARÊNCIA PARTIDÁRIA. *Ranking da transparência partidária – Relatório sintético.* Primeira Edição. Ano 1 – março de 2018. Disponível em: http://www.transparenciapartidaria.org/blog/ranking-da-transparencia-partidaria. Acesso em 25 out. 2019.

[40] MOVIMENTO TRANSPARÊNCIA PARTIDÁRIA. *Ranking da transparência partidária – Relatório sintético.* Primeira Edição. Ano 1 – março de 2018. p. 10. Disponível em: http://www.transparenciapartidaria.org/blog/ranking-da-transparencia-partidaria. Acesso em 25 out. 2019.

[41] MOVIMENTO TRANSPARÊNCIA PARTIDÁRIA. *Ranking da transparência partidária – Relatório sintético.* Primeira Edição. Ano 1 – março de 2018. p. 10. Disponível em: http://www.transparenciapartidaria.org/blog/ranking-da-transparencia-partidaria. Acesso em 25 out. 2019.

## 2.7 Ausência de democracia intrapartidária

É indubitável que os partidos políticos brasileiros não apresentam confiabilidade junto à população. Logo, é preciso olhar para o seu funcionamento interno, com vistas a identificar dissonâncias que podem colaborar com a falta de confiança.

Assim, passa-se à análise da democracia intrapartidária ou democracia interna, que, para Álvaro Cunhal:

> [...] é um conjunto de princípios e uma orientação do trabalho prático que se insere na esfera da teoria, da política, da prática e da ética. A democracia interna do Partido é uma forma de decidir, um método de trabalho, um critério de discussão e de decisão, uma maneira de actuar e de estar na vida, uma forma de pensar, de sentir e de viver.[42]

Compreende-se, desse modo, que a democracia intrapartidária é o exercício da democracia internamente pelos partidos políticos, sobretudo no tocante à igualdade de participação e de tratamento entre os filiados. Nesse escopo, objetiva-se a equidade entre os seus membros como pilar principal da estrutura partidária.

Em palestra proferida na Universidade de Coimbra, Portugal, em julho de 2019, durante os seminários específicos do Pós-doutoramento em Direitos Humanos e Democracia, o Ministro Sérgio Banhos, do Tribunal Superior Eleitoral, consignou – no contexto brasileiro – o descrédito nos partidos políticos, o qual poderia ser resumido em:

(i) O efeito prejudicial da corrupção política e dos privilégios dos políticos;

(ii) O crescimento da alienação política e da perda da confiança nas instituições;

(iii) A polarização exacerbada das opiniões políticas, sem conteúdo, mas revestidas de um discurso de ódio, potencializada pela utilização nociva dos novos meios de comunicação digital;

(iv) A existência de muitos partidos (hoje, como dito, 35) e a instabilidade governamental (o País experimentou dois processos de impeachment desde a promulgação da Carta de 1988);

(v) O descumprimento histórico de compromissos eleitorais que gerou a erosão da confiança nos partidos políticos e nas instituições;

(vi) A ausência de transparência e accountability nas agremiações partidárias;

(vii) A ausência de democracia no seio das agremiações partidárias.[43]

Ressalta-se, ademais, que essa não é uma preocupação exclusivamente brasileira. De forma comparada, partindo da premissa de que, no continente europeu, os partidos políticos também apresentam ressalvas quanto à atuação interna, a *Comissão Europeia*

---

[42] CUNHAL, Álvaro. *O partido com paredes de vidro*. 6. ed. Lisboa: Avante, 2002. [Edição eletrônica, 2010]. Disponível em: https://www.marxists.org/portugues/cunhal/1985/08/partido.pdf. Acesso em 5 nov. 2019.

[43] Fala do Ministro Sérgio Silveira Banhos no Seminário Específico do Programa de Pós-Doutoramento em Democracia e Direitos Humanos do *Ius Gentium Conimbrigae*/Centro de Direitos Humanos, em Coimbra, Portugal, em julho de 2019.

*para a Democracia Através do Direito* (Comissão de Veneza de 2008) introduziu o *Code of Good Practice in the field of Political Parties* (Código de Boas Práticas no domínio dos Partidos Políticos). Veja-se:

> 4. The proposed Code of Good Practice in the field of Political Parties has, in comparison with the former texts on political parties, a number of specific features, which introduce a new approach to the issue. Its explicit aim, as mandated in the PACE Resolution, is to reinforce political parties' internal democracy and increase their credibility in the eyes of citizens, thus contributing to the legitimacy of the democratic process and institutions as a whole and fostering participation in political life, as well as to promote democratic principles such as equality, dialogue, co-operation, transparency and the fight against corruption).[44] [45]

A finalidade do *Code of Good Practice in the field of Political Parties* (Código de Boas Práticas no domínio dos Partidos Políticos) era fortalecer a democracia intrapartidária, a fim de elevar a credibilidade dos partidos políticos. Como efeito reflexo haveria, ainda, uma maior legitimidade das instituições democráticas, diminuindo, assim, os problemas de transparência e corrupção.[46]

Ao analisar a temática, Fernando Guarnieri aduz o mister de que "se passe a olhar para as regras no interior dos partidos. A hipótese é a de que a falta de democracia intrapartidária afastaria as pessoas dos partidos e levaria à baixa participação do cidadão na vida política com a consequente avaliação negativa dessas instituições".[47]

Vislumbra-se, portanto, a necessidade de se volver maior atenção para o que acontece dentro dos partidos políticos, não só na Europa e no Brasil, mas no mundo, haja vista ser latente o problema interno das agremiações, o que deve ser combatido, sob pena de prejudicar os valores do Estado Democrático de Direito.

Nesse contexto, Flavia Freidenberg[48] ressalta que, para uma democracia intrapartidária eficaz, deve-se cumprir uma série de requisitos:

> Garantías de igualdad entre los afiliados y protección de los derechos fundamentales en el ejercicio de su libertad de opinión;

---

[44] VENICE COMMISSION. *European Commission for Democracy through Law.* 2009. Disponível em: https://www.venice.coe.int/webforms/documents/default.aspx?pdffile=CDL-AD%282009%29002-e. Acesso em 5 nov. 2019.

[45] Tradução livre: O Código de Boas Práticas proposto no campo dos Partidos Políticos, em comparação com textos anteriores sobre partidos políticos, uma série de características específicas que introduzem uma nova abordagem ao problema. Seu objetivo explícito, conforme estabelecido na Resolução PACE, é reforçar a democracia interna dos partidos políticos e aumentar sua credibilidade aos olhos dos cidadãos, contribuindo para a legitimidade do processo e das instituições democráticas como um todo e promover a participação na vida política, bem como promover princípios democráticos como igualdade, diálogo, cooperação, transparência e luta contra a corrupção.

[46] VENICE COMMISSION. *European Commission for Democracy through Law.* 2009. Disponível em: https://www.venice.coe.int/webforms/documents/default.aspx?pdffile=CDL-AD%282009%29002-e. Acesso em 5 nov. 2019.

[47] GUARNIERI, Fernando. Democracia intrapartidária e reforma política. *Revista Parlamento e Sociedade*, São Paulo, v. 3, n. 5, p. 83-106, jul./dez. 2015. Disponível em: https://www.al.sp.gov.br/repositorio/bibliotecaDigital/22715_arquivo.pdf. Acesso em 5 nov. 2019.

[48] FREIDENBERG, Flavia. Democracia interna: reto ineludible de los partidos políticos. *Revista de Derecho Electoral*, n. 1, Primer Semestre, 2006. Disponível em: https://dialnet.unirioja.es/descarga/articulo/3987968.pdf. Acesso em 5 nov. 2019.

Mecanismos de selección de candidatos a cargos de representación (internos o externos) competitivos;

Participación de los afiliados en los órganos de gobierno, sin discriminación en la representación de los diversos grupos que integran la organización;

Activa influencia de los diversos grupos en la discusión y formación de las posiciones programáticas y elaboración de propuestas del partido y en las decisiones comunes que éste tome;

Respeto del principio de mayoría, que haga que las decisiones sean tomadas en función de la agregación mayoritaria de las voluntades individuales y garantías para las minorías;

Y control efectivo por parte de los militantes de los dirigentes, a través de procesos que castiguen o premien a los que toman las decisiones.[49]

*In casu*, a preocupação quanto à ausência de democracia intrapartidária no Brasil toma maior proporção quando considerado o enorme volume de recursos públicos que hoje são destinados aos partidos políticos (PF e FEFC) e a tramitação, em estágio avançado, na Câmara dos Deputados, de dois projetos de leis – PL nº 9212/2017[50] e PL 3190/2019[51] – referentes ao voto distrital[52] misto, o que perfaz a necessidade de transparência em relação ao gasto dos recursos públicos recebidos e a forma de escolha dos candidatos, respectivamente.

Portanto, no espectro de Sérgio Banhos, para que a situação de descrédito dos partidos políticos se transforme, deve-se adotar formas democráticas de seleção de candidaturas, com respeito às candidaturas de gênero; garantias aos direitos dos filiados, consignando igual tratamento; fomentação à participação das decisões do partido; distribuição democrática do poder dentro dos partidos; controle, fiscalização e transparência nas movimentações financeiras dos partido; e, por fim, a exigência

---

[49] Tradução livre: Garantias de igualdade entre os membros e proteção dos direitos fundamentais no exercício de sua liberdade de opinião; Mecanismos de seleção de candidatos para cargos representativos competitivos (internos ou externos); Participação de afiliadas nos órgãos sociais, sem discriminação na representação dos vários grupos que compõem a organização; Influência ativa dos diversos grupos na discussão e formação das posições programáticas e elaboração de propostas partidárias e nas decisões comuns que toma; Respeito ao princípio da maioria, que toma decisões tomadas com base na agregação maioritária de vontades e garantias individuais para minorias; Controle efetivo dos militantes dos líderes, por meio de processos que punem ou recompensam quem toma as decisões.

[50] BRASIL. Câmara dos Deputados. *Projeto de Lei nº 9212, de 2017*. Altera a legislação eleitoral para instituir o voto distrital misto nas eleições proporcionais. Disponível em: https://www.camara.leg.br/proposicoesWeb/fichadetramitacao?idProposicao=2163674. Acesso em 4 nov. 2019.

[51] BRASIL. Câmara dos Deputados. *Projeto de Lei nº 3190, de 2019*. Altera a legislação eleitoral para instituir o voto distrital majoritário nas eleições legislativas municipais. Disponível em: https://www.camara.leg.br/proposicoesWeb/fichadetramitacao?idProposicao=2205294. Acesso em 4 nov. 2019.

[52] "Sistemas mistos: de um modo geral são aqueles que cominam uma forma de escrutínio proporcional com outra maioritária (o eleitor dispõe de dois votos, uma para eleger o mandatário num círculo uninominal e outro para eleger mandatários constantes de listas partidárias em círculos plurinominais), procurando favorecer-se, por regra, os maiores parti, sem prejudicar a representação das minorias com uma expressão eleitoral minimamente relevante". MORAIS, Carlos Blanco. *O sistema político*: no contexto da erosão da democracia representativa. Coimbra: Almedina, 2018. p. 242.

de programas de *Compliance* como meio de estabelecer regras de condutas para os membros das agremiações.[53]

## 3 O *compliance* partidário é a solução?

Em face de tudo quanto exposto, é irrefragável que, a despeito da importância conferida pela Constituição Federal de 1988 aos partidos políticos, vivenciou-se, nos últimos anos, um quadro reiterado de descrença da população em relação ao sistema político-partidário brasileiro, muito por conta dos diversos escândalos de corrupção que se tornaram notórios e por um movimento de "criminalização" da atividade política que encontra, em certa medida, respaldo de boa parte da sociedade civil.

Consolidou-se uma triste e simplória visão de que a prática de delitos é quase que um pressuposto para o caminhar da atividade política, chegando-se ao ponto de, para considerável parcela da sociedade, não haver dissociação entre a política e a corrupção.

Nesse sentido, e considerando as demais problemáticas atuais enfrentadas pelos partidos e pelas candidaturas, observa-se que a figura do *Compliance* no âmbito do sistema político-partidário passou a ser vista como uma medida atrativa para a recuperação de credibilidade e para a adoção de premissas democráticas no âmbito da gestão dos partidos.

Na atualidade, os desafios sociais e ambientais são parte cada vez mais presente do contexto de atuação das organizações, afetando sua estratégia e cadeira de valor, assim como sua reputação e valor econômico de longo prazo.[54] Os acontecimentos recentes no ambiente empresarial e político, envolvendo crises financeiras mundiais, escândalos de fraude e corrupção e ameaças cibernéticas, passaram, assim, a exigir um aperfeiçoamento da governança, em relação ao processo de tomada de decisão, à capacidade de avaliação e à deliberação ética.

Nesse contexto, a pressão exercida pelo governo e pela sociedade em relação aos temas de integridade e *Compliance* se acentuou, já que a celebração de acordos internacionais reforçando a cooperação entre países sobre o combate à corrupção, fraudes e outros ilícitos e o enrijecimento da legislação e fiscalização atinentes elevaram os custos da não conformidade, tanto pelos encargos judiciais e administrativos quanto pela exposição de imagem e prejuízo à reputação, visto que, segundo Jorge Miranda, "a representação política implica a responsabilidade política, ou seja, o dever de prestar contas por parte dos governantes, a sujeição a um juízo de mérito sobre os seus atos e atividades por parte dos governados e a possibilidade da sua substituição por ato destes".[55]

---

[53] Fala do Ministro Sérgio Silveira Banhos no Seminário Específico do Programa de Pós-Doutoramento em Democracia e Direitos Humanos do *Ius Gentium Conimbrigae*/Centro de Direitos Humanos, em Coimbra, Portugal, em julho de 2019.

[54] INSTITUTO BRASILEIRO DE GOVERNANÇA CORPORATIVA. *Código das melhores práticas de governança corporativa*. 5. ed. São Paulo: IBGC, 2015. p. 15.

[55] MIRANDA, Jorge. *Direito eleitoral*. Coimbra: Almedina, 2018. p. 52-53.

Aliado a isso, é indubitável o crescente interesse no tema *Compliance*, no fito de instituir mecanismos de segurança e desenvolver uma cultura ética e estandardizada nas organizações públicas e privadas, na sociedade civil e nas relações constituídas entre essas partes, visando, entre vários objetivos, sobretudo, o combate à corrupção.

A disciplina teve maturação relativamente tardia no cenário jurídico, de forma que o primeiro ato internacional específico contra a corrupção foi a Convenção da Organização para a Cooperação e o Desenvolvimento Econômico,[56] firmada apenas em 17 de dezembro de 1997, tendo sido recepcionada pelo ordenamento jurídico brasileiro por meio do Decreto nº 3.678, de 30 de novembro de 2000.[57]

A partir desse quadro, faz-se fundamental perpassar pela realidade do *Compliance* em alguns países, a fim de promover subsídio histórico e teórico mínimo para aprofundamento das reflexões acerca do quadro brasileiro, especialmente quanto ao sistema eleitoral e aos partidos políticos.

## a) Estados Unidos

Os Estados Unidos da América possuem papel essencial no surgimento de uma cultura de *Compliance*, tendo sido pioneiros na formulação de leis que buscassem maior incisividade no combate à corrupção e numa atuação hígida do Estado, com o *Foreign Corrupt Practices Act* (1977)[58] e o *Ethics in Government Act* (1978).[59]

Referida atuação legiferante fora desencadeada pelo famoso "Caso Watergate", quando o jornal Washington Post denunciou que a invasão à sede do Comitê do Partido Nacional Democrata para que se instalassem escutas e se obtivessem documentos era de conhecimento do então presidente Richard Nixon, o que acabou culminando com sua renúncia no dia 9 de agosto de 1974.[60]

Nesse contexto, observa-se que o FCPA é uma lei promulgada pelo Congresso Norte-Americano e destina-se, essencialmente, a criar sanções cíveis, administrativas e penais no combate à corrupção comercial internacional, tendo aplicação sobre pessoas físicas e jurídicas americanas que, em atividade comercial no exterior, se utilizam de corrupção no poder público estrangeiro para obter ou reter transações comerciais naquele país.

---

[56] BRASIL. Decreto nº 3.678, de 30 de novembro de 2000. Promulga a Convenção sobre o Combate da Corrupção de Funcionários Públicos Estrangeiros em Transações Comerciais Internacionais, concluída em Paris, em 17 de dezembro de 1997. *Diário Oficial da República Federativa do Brasil*, Brasília, DF, 01 dez. 2000. Disponível em: http://www.planalto.gov.br/ccivil_03/decreto/D3678.htm. Acesso em 29 set. 2019.

[57] BRASIL. Decreto nº 3.678, de 30 de novembro de 2000. Promulga a Convenção sobre o Combate da Corrupção de Funcionários Públicos Estrangeiros em Transações Comerciais Internacionais, concluída em Paris, em 17 de dezembro de 1997. *Diário Oficial da República Federativa do Brasil*, Brasília, DF, 01 dez. 2000. Disponível em: http://www.planalto.gov.br/ccivil_03/decreto/D3678.htm. Acesso em 29 set. 2019.

[58] THE UNITED STATES. Department of Justice. *Foreign Corrupt Practices Act of 1977*. Disponível em: https://www.justice.gov/sites/default/files/criminal-fraud/legacy/2012/11/14/fcpa-english.pdf. Acesso em 27 set. 2019.

[59] THE UNITED STATES. House Office of the Legislative. *Ethics In Government Act Of 1978*. Disponível em: https://legcounsel.house.gov/Comps/Ethics%20In%20Government%20Act%20Of%201978.pdf. Acesso em 27 set. 2019.

[60] KIM, Shin Jae *et al*. Compliance em empresas estatais. Padrões internacionais e legislação brasileira. *In*: PAULA, Marco Aurélio Borges de; CASTRO, Rodrigo Pironti Aguirre de (coord.). *Compliance, gestão de riscos e combate à corrupção*: integridade para o desenvolvimento. Belo Horizonte: Fórum, 2018. p. 149-182.

Logo, a norma obriga empresas a adotarem e a manterem um sistema interno de controles contábeis suficientes para evitar a adulteração das contas, bem como a apresentarem, anualmente, demonstrações contábeis de suas transações financeiras globais, sob pena de severas sanções cíveis, administrativas e criminais:

> No sistema americano, a responsabilidade da pessoa jurídica é mais ampla e se relaciona com o ilícito praticado por qualquer pessoa física de alguma forma ligada com a empresa. No entanto, a pena imposta para a empresa fica relacionada ao grau de negligência organizacional, ou seja, com a falha na prevenção de comportamentos ilícitos.[61]

O *Ethics in Government Act* caminhou no mesmo sentido da supracitada FCPA, determinando a divulgação pública e obrigatória do histórico financeiro e de emprego de funcionários públicos norte-americanos, bem como de seus familiares imediatos. Além disso, a lei também previu a criação do *Office of Special Counsel*, um escritório vinculado ao *Department of Justice*, cujo objetivo seria investigar indivíduos que ocupassem ou ocuparam posições de destaque no Governo Federal dos EUA e em organizações nacionais de campanhas eleitorais presidenciais.[62]

Com relação ao *Compliance* na seara eleitoral, vários são os manuais e regulamentos utilizados pelos partidos americanos (democrata e republicano) nos Estados. Conquanto não exista uma legislação específica que trate da matéria, observa-se que as próprias administrações eleitorais disponibilizam manuais com vistas a orientar candidatos e partidos quanto ao cumprimento das normas gerais e dos procedimentos no período eleitoral.

Cita-se, a título de exemplo, o *Compliance Manual for Candidates*,[63] editado pela *New Jersey Election Law Enforcement Commission*, do Estado Americano de New Jersey, que apresenta uma série de instruções, requerimentos e formulários, concernentes, sobretudo, a registros de candidatura, arrecadação e gastos de campanha e atuação dos comitês, com o escopo de que haja o fiel cumprimento à legislação eleitoral e, além disso, de imprimir transparência e integridade às candidaturas e ao processo eleitoral como um todo.

## b) Canadá

A despeito de o primeiro *Auditor General of Canada* ter sido nomeado já em 1878, as funções a ele atualmente atribuídas sofreram mudanças substanciais com a

---

[61] BARRILARI, Claudia Cristina. *Crime empresarial, autorregulação e compliance*. São Paulo: Thomson Reuters Brasil, 2018. p. 137.

[62] A despeito de referida previsão ter sido extremamente criticada pelo *Justice* Antonin Scalia, em virtude de uma aparente violação à tripartição das funções estatais, dado que a Constituição dos EUA não preveria ao Poder Legislativo a possibilidade de iniciar uma investigação criminal, a Suprema Corte dos Estados Unidos entendeu pela sua constitucionalidade, no caso *Morrison vs. Olson*, em 1988. OYES. *Morrison v. Olson*. 1988. Disponível em: www.oyez.org/cases/1987/87-1279. Acesso em 28 out. 2019.

[63] NEW JERSEY ELECTION LAW ENFORCEMENT COMMISSION. *Compliance manual for candidates*. 2018. Disponível em: https://www.elec.state.nj.us/pdffiles/forms/compliance/man_cf.pdf. Acesso em 27 set. 2019.

promulgação do *Auditor General Act* (1977),[64] a partir do qual pode-se efetivamente falar na implementação de uma cultura de *Compliance* no âmbito da administração pública canadense.

Nesse sentido, além da já determinada fiscalização das finanças públicas do Estado do Canadá, conferiu-se ao *Auditor General* um mandato mais amplo, de forma a se examinar quão bem o governo lida com seus assuntos, no intento de se avaliar e afiançar a implementação de políticas públicas:

> Le corresponde auditar los departamentos y agencias federales, la mayoría de las empresas de la Corona y muchas otras organizaciones federales, y los informes al Parlamento de su obra. El papel del Auditor General de Canadá es ayudar a la rendición de cuentas mediante la realización independiente de las auditorías de federales del gobierno. Tales exámenes se proporcionan a los integrantes del Parlamento con el propósito objetivo de información para ayudar a examinar las actividades del gobierno y exigirle rendición de cuentas.[65]

Já no ano de 1995, o *Act* foi emendado para estabelecer o cargo *Commissioner of the Environment and Sustainable Development*, integrante da estrutura do *Office of the Auditor General of Canada*, cuja incumbência é fornecer aos parlamentares análises e recomendações objetivas e independentes sobre os esforços do Governo Federal do Canadá para proteger o meio ambiente e promover o desenvolvimento sustentável.

Ainda sobre o *Compliance* no Canadá, observa-se que o Conselho da Cidade de Cambridge estabeleceu um *The Code of Conduct* (Código de Conduta):

> [...] The Code of Conduct outlines the ethical behaviour expected of these members. The Code also increases the public's confidence in our elected and appointed officials through transparency and accountability. The City appointed an Integrity Commissioner to uphold the Council Code of Conduct.[66]

Anota-se, também, o *Administrative Compliance Policy For Political Financing*, que se aplica a partidos políticos, associações de distrito eleitoral, candidatos à candidatos, candidatos à líderes, candidatos, terceiros e colaboradores. É administrado pela Unidade de Assistência à Conformidade do Setor de Financiamento Político nas Eleições do Canadá[67] e traduz os princípios orientadores seguintes:

> Guiding principles
>
> The following principles identify circumstances in which the public interest in improved compliance with the legislation and in the efficient use of resources warrants the use

---

[64] CANADA. Justice Laws Website. *Auditor General Act*. Disponível em: https://laws-lois.justice.gc.ca/eng/acts/a-17/. Acesso em 29 set. 2019.

[65] BUTELER, Alfonso. Los sistemas para el control de la corrupción publica en el orden global. *Revista de Direito Econômico e Socioambiental*, Curitiba, v. 8, n. 3, p. 239-261, set./dez. 2017. p. 259.

[66] CANADA. CA: Cambridge City Council. *Code of conduct for members of council*. Disponível em: https://www.cambridge.ca/en/your-city/Code-of-Conduct.aspx. Acesso em 25 set. 2019.

[67] CANADA. Elections Canada. *Administrative compliance policy for political financing*. Disponível em: https://www.elections.ca/content.aspx?section=pol&dir=acp&document=index&lang=e. Acesso em 25 set. 2019.

of administrative compliance measures rather than making a formal referral to the Commissioner.

The non-compliance does not affect the integrity and fair administration of the political financing regime.

The non-compliance is not of such a nature as to warrant public censure.

The circumstances of the non-compliance are such that formal enforcement is not required for the purposes of future deterrence.

The application of the policy to a particular instance of non-compliance can be determined on the basis of the factual information available without any investigation being required.

The non-compliance does not undermine public perception of a fair and equal operation of the compliance process.[68]

## c) Austrália

Considerando-se, especificadamente, a seara eleitoral, chama a atenção que a *Australian Electoral Commission* (Comissão Eleitoral Australiana) possui destacado programa de conformidade de divulgação financeira,[69] que analisa as informações financeiras dos partidos políticos e entidades associadas e também faz investigações referentes a possíveis transgressões das condições de divulgação financeira com base nas informações recebidas ou de conteúdo público.[70]

Importante destacar que o processo de investigação é deflagrado após a emissão de notificação por um representante oficial da AEC. A cientificação formal estabelece que os representantes a serem investigados devem fornecer todos os documentos necessários à investigação em local e hora pré-determinados, sendo possível, além disso, a solicitação de novos documentos.[71] Esse procedimento é tão relevante que a *Electoral Act* (Lei Eleitoral da Austrália) prevê, em seu art. 316, a imposição de cumprimento da obrigação.[72]

Com efeito, a *Australian Electoral Commission* publica no *Transparency Register* detalhes de transparência de partidos políticos, candidatos, grupo de senadores, campanhas políticas, entidades associadas, terceiros e doadores. Especificadamente,

---

[68] CANADA. Elections Canada. *Administrative compliance policy for political financing*. Disponível em: https://www.elections.ca/content.aspx?section=pol&dir=acp&document=index&lang=e. Acesso em 25 set. 2019.

[69] AEC – AUSTRALIAN ELECTORAL COMMISSIONER. *Compliance program – financial disclosure*. Disponível em: https://www.aec.gov.au/Parties_and_Representatives/compliance/index.htm. Acesso em 8 nov. 2019.

[70] AEC – AUSTRALIAN ELECTORAL COMMISSIONER. *Compliance program – financial disclosure*. Disponível em: https://www.aec.gov.au/Parties_and_Representatives/compliance/index.htm. Acesso em 8 nov. 2019.

[71] AEC – AUSTRALIAN ELECTORAL COMMISSIONER. *Compliance program – financial disclosure*. Disponível em: https://www.aec.gov.au/Parties_and_Representatives/compliance/index.htm. Acesso em 8 nov. 2019.

[72] "Art. 316 Investigation etc. (1) In this section: authorised officer means a person authorised by the Electoral Commission under subsection (2). prescribed person means a person whose name is included in a list in a report mentioned in subsection 17(2A). (2) The Electoral Commission may, by instrument in writing signed by the Electoral Commissioner on behalf of the Electoral Commission, authorize a person or a person included in a class of persons to perform duties under this section". AUSTRALIAN GOVERNMENT. *Commonwealth Electoral Act 1918*. Disponível em: https://www.legislation.gov.au/Details/C2019C00103. Acesso em 8 nov. 2019.

os dados de transparência da AEC incluem retornos anuais de eleições e reivindicações de financiamento de eleições.[73]

Como se vê, a AEC desempenha um importante papel ao fornecer ao público informações que podem ajudá-lo a participar do processo eleitoral. Ademais, conforme previsto na *Electoral Act*, a *Australian Electoral Commission* também tem a função de disponibilizar publicamente determinadas informações financeiras dos participantes no processo eleitoral. Essas informações permitem que os eleitores façam suas avaliações sabendo quem financia os partidos políticos e candidaturas.

Nota-se, consoante o Financial Disclosure Compliance Framework de 2017:

> The AEC performs a role in providing the public with information which can assist them in participating in the electoral process. As provided by the Electoral Act, the AEC also has the role of making publicly available certain financial information from participants in the electoral process. Such information allows voters to make judgements knowing who funds political parties and to what extent. To this end, the important components of disclosure as required by Part XX of the Electoral Act are:
>
> Identity – the name and address of the true participants in a transaction, such as the source and recipient of a donation, are clearly identified;
>
> Value – the true value is accorded to a transaction;
>
> Date – a precise date can be important information for the public (e.g. if donations from an entity precede or coincide with the making of a decision).
>
> The aim of openness and transparency in the political financial activity of electoral participants can be undermined by failure in any one of these components.[74]

Ainda segundo o mencionado relatório, várias são as etapas estipuladas pela AEC que visam a assegurar o cumprimento das divulgações financeiras eleitorais, como, *v.g.*, fornecer informações sobre o esquema de divulgação financeira da *Commonwealth*; identificar aqueles com obrigações de divulgação; verificar devoluções no recebimento para observar se elas parecem completas; realizar análises de conformidade de devoluções, quando apropriado, encaminhando, ao mesmo tempo, para as autoridades competentes, aqueles que não cumpriram suas obrigações.

Verifica-se, então, que o modelo de integridade apresentado pela Austrália está intimamente relacionado ao processo de prestação de contas. Isso porque, diferentemente do Brasil, em que também existe o dever de prestação e divulgação das contas eleitorais, a Austrália dispõe de um órgão específico que impõe o dever de divulgar as contas e informar aos eleitores a fidedigna situação do processo político-partidário-eleitoral, encaminhando as inconsistências verificadas para o setor administrativo-criminal responsável.

---

[73] AEC – AUSTRALIAN ELECTORAL COMMISSIONER. *Transparency register*. Disponível em: aec.gov.au/Parties_and_Representatives/financial_disclosure/transparency-register/. Acesso em 8 nov. 2019.

[74] AEC – AUSTRALIAN ELECTORAL COMMISSIONER. *Financial disclosure compliance framework*. 2017. Disponível em: Parties_and_Representatives/compliance/files/financial-disclosure-compliance-framework.docx. Acesso em 8 nov. 2019.

## d) *Compliance* e o Brasil

O *Compliance* tem por objetivo prevenir, proibir e sancionar práticas lesivas à reputação, em desconformidade com as normas jurídicas vigentes. Os programas de *Compliance*, portanto, são ferramentas muito relevantes de gestão no âmbito das corporações para fins de autocontrole, orientação e monitoramento das condutas, pressupondo a existência de mecanismos e procedimentos internos de integridade para fiscalização, a fim de identificar e sanar práticas irregulares e atos ilícitos.[75]

Nesse sentido, discute-se a possibilidade de aplicação desse modelo nos partidos políticos, que, embora não constituam corporações, devem assegurar a integridade em sua atuação, guiando-se pelos ideais de ética e transparência que norteiam a atividade democrática. Isso porque os frequentes desvios de conduta e a falta de transparência na atuação das agremiações prejudicam o exercício efetivo dos direitos políticos constitucionais, causando danos significativos ao processo democrático, que constitui sustentáculo do regime republicano.

Se, na esfera privada e comercial, o movimento de adoção de boas práticas de integridade se faz necessário e tem ganhado importância, é essencial que se transponha para o ambiente eleitoral, considerando a função eminentemente pública dos agentes que atuam nesse meio e o contexto de crise que permeia a realidade atual dos partidos políticos. Entende-se que o *Compliance* eleitoral pode servir à mitigação dos riscos partidários e à resolução adequada de boa parte dos problemas identificados, constituindo ferramenta importante para o enfrentamento de práticas de fraude e corrupção eleitorais, bem como para o estabelecimento de diretrizes éticas e de legalidade em torno do relacionamento partidário com doadores, eleitores, candidatos, fornecedores e prestadores de serviços.

Para tanto, é imprescindível que esse processo se paute (i) pela orientação à alta gestão estratégica da cúpula partidária e da campanha, dando suporte e apoio à atuação dentro dos padrões de integridade; (ii) pela contínua avaliação e gestão de riscos eleitorais, criminais e civis; (iii) pela promoção de políticas de controle e de práticas anticorrupção nos procedimentos partidários e de campanha; (iv) pelo monitoramento e correção de práticas dos agentes políticos e colaboradores da campanha; (v) pela captação legal, gestão e proteção de dados; (vi) pela regulamentação de condutas dos participantes do processo eleitoral; e (vii) pelo fomento à cultura eleitoral ética, gerando maior comprometimento com a integridade e conformação à lei.[76]

Em síntese, a solução que se busca por meio do *Compliance* deve abordar todos os aspectos relativos às organizações empresariais, bem como as especificidades político-partidárias, incluindo a clareza e a publicidade das regras, a elaboração de

---

[75] RACHID COUTINHO, Aldacy; MARRAFON, Marco Aurélio. *Compliance* eleitoral: breve análise dos Projetos de Lei nº 60/2017, nº 429/2017 e nº 663/2015 do Senado Federal e sua importância para a democracia brasileira. *Estudos Eleitorais*, Tribunal Superior Eleitoral, v. 13, n. 2, p. 11-31, maio/ago. 2018.

[76] RACHID COUTINHO, Aldacy; MARRAFON, Marco Aurélio. *Compliance* eleitoral: breve análise dos Projetos de Lei nº 60/2017, nº 429/2017 e nº 663/2015 do Senado Federal e sua importância para a democracia brasileira. *Estudos Eleitorais*, Tribunal Superior Eleitoral, v. 13, n. 2, p. 11-31, maio/ago. 2018.

códigos de ética e conduta, o comprometimento coletivo, inclusive da alta direção partidária, e a criação de canais de denúncia geridos por terceiros.[77]

É notório que os problemas de gestão pública e privada do Brasil, evidenciados nos últimos anos a partir de uma sequência de investigações de corrupção, são afetos a uma cultura desvirtuosa predominante no âmbito da administração pública, que tem impactos diretos na gestão de pessoas jurídicas de direito privado, inclusive nos partidos políticos. Nesse sentido, a prática de atos ilícitos por companhias privadas, partidos e entes públicos se tornou extremamente comum ao longo da história brasileira, sendo presente, inclusive, em suas inter-relações.

Diante disso, o *Compliance* eleitoral surge como possível solução, principalmente considerando o incentivo atual à adoção de programas de integridade e boas práticas de governança, tanto no âmbito público quanto no privado.

Por conseguinte, tendo em vista os contornos jurídicos adquiridos pelo *Compliance* no Brasil, com o advento da Lei Anticorrupção e de seu Decreto Regulamentador nº 8.420/2015,[78] bem como a assinatura de tratados internacionais de combate à corrupção,[79] entende-se a necessidade de instituir procedimentos de controle de integridade voltados aos partidos políticos, enquanto pessoas jurídicas *sui generis*.

Por essa razão e diante do hiato normativo em que se encontram as agremiações partidárias, em 2017, foram propostos dois projetos de lei no Senado Federal acerca da implementação de programas de *Compliance* nos partidos políticos: PLS nº 60[80] e PLS nº 429.[81]

O primeiro propõe a alteração da Lei nº 9.096/1995 para estabelecer a responsabilidade objetiva pela prática de atos contra a Administração Pública e criar incentivos à implementação de programas de integridade por partidos políticos a partir de sua valoração positiva na aplicação das penalidades. Logo, busca-se desenvolver hipótese de imputação objetiva para partidos políticos por atos ilícitos praticados contra a Administração Pública, estimulando a promoção de políticas de integridade no plano

---

[77] RIBEIRO JÚNIOR, Antônio Joaquim. Direito eleitoral e *Compliance*: a adoção do programa de conformidade como solução a crise dos partidos políticos no Brasil. *Revista de Estudos Eleitorais*, Recife, v. 2, n. 3, p. 15-33, jul. 2018.

[78] BRASIL. Decreto nº 8.420, de 18 de março de 2015. Regulamenta a Lei nº 12.846, de 1º de agosto de 2013, que dispõe sobre a responsabilização administrativa de pessoas jurídicas pela prática de atos contra a administração pública, nacional ou estrangeira e dá outras providências. *Diário Oficial da República Federativa do Brasil*, Brasília, DF, 19 mar. 2015. Disponível em: http://www.planalto.gov.br/ccivil_03/_ato2015-2018/2015/decreto/d8420. htm. Acesso em 26 set. 2019.

[79] Conforme apontado ao longo do estudo, vários são os tratados internacionais de combate à corrupção subscritos pelo Brasil, v.g.: Convenção Interamericana contra a Corrupção, de 1996; Combate da Corrupção de Funcionários Públicos Estrangeiros em Transações Comerciais Internacionais, de 1997; e Convenção das Nações Unidas contra a Corrupção, de 2003.

[80] BRASIL. Senado Federal. *Projeto de Lei nº 60, de 2017*. Altera a Lei nº 9.096, de 19 de setembro de 1995, para aplicar aos partidos políticos as normas legais sobre responsabilidade objetiva e compliance e estimular no plano interno código de conduta e programa de integridade e auditoria. Disponível em: https://www25.senado. leg.br/web/atividade/materias/-/materia/128349. Acesso em 28 set. 2019.

[81] BRASIL. Senado Federal. *Projeto de Lei nº 429, de 2017*. Altera a Lei nº 9.096, de 19 de setembro de 1995, que dispõe sobre partidos políticos, regulamenta os arts. 14, §3º, inciso V e 17, da Constituição Federal, a fim de aplicar aos partidos políticos as normas sobre programa de integridade. Disponível em: https://www25.senado. leg.br/web/atividade/materias/-/materia/131429. Acesso em 28 set. 2019.

intrapartidário. Atualmente, o projeto está tramitando na Câmara dos Deputados, em regime de prioridade, apensado ao PL nº 5.924/2016.[82]

O PLS nº 429/2017, por outro lado, tem previsão mais enfática, propondo a alteração da Lei nº 9.096/1995 para tornar obrigatória a adoção de mecanismos de *Compliance* e a elaboração de programa de integridade pelos partidos políticos. O projeto ainda enfatiza a necessidade de estabelecer, entre outras medidas, padrões de conduta, código de ética, políticas e procedimentos de integridade que sejam aplicáveis (i) a todos os filiados, colaboradores e administradores, e (ii) a terceiros, como fornecedores, prestadores de serviço e agentes intermediários.

## 4 Conclusão

Abordaram-se no presente ensaio as razões pelas quais a implementação do *Compliance* eleitoral pode servir como forma de mitigação de diversas problemáticas existentes na esfera partidária, no escopo de conferir maior probidade à realidade dos partidos, desde que consideradas as particularidades da realidade política brasileira e respeitada a autonomia partidária enquanto garantia constitucional.

De todo o exposto, notou-se a posição de protagonismo dos partidos políticos no sistema eleitoral brasileiro e o exercício de função eminentemente pública, consubstanciada na representatividade de segmentos sociais e na conformação da vontade popular em torno de ideologias determinadas, no desígnio de promover a efetivação dos direitos políticos e democráticos por meio do voto.

Referida posição de destaque enseja a conformação da atuação dos partidos em simetria não apenas com os princípios e postulados constitucionais que regem o Direito Eleitoral, mas, igualmente, com os que norteiam a Administração Pública. Ademais, essa obrigação também se deve tendo em vista que lhes são conferidos vários direitos, como, por exemplo, o recebimento de recursos públicos (Fundo Partidário e Fundo Especial de Financiamento de Campanha).

Nesse contexto, o exame da natureza jurídica dos partidos e a identificação dos seus deveres são imprescindíveis para que haja a devida harmonização com deferência à moralidade e à publicidade de seus atos e à transparência da gestão, indispensáveis para a interpretação das normas de regência atinentes aos processos de criação e de manutenção das agremiações.

Ao mesmo tempo, embora existam normas que regulamentam o comportamento dos partidos políticos, considerando a realidade das problemáticas contemporâneas, conclui-se, de maneira indubitável, pela exigência de um padrão de conduta mais elevado por parte das agremiações, que devem atender aos preceitos de integridade,

---

[82] BRASIL. Câmara dos Deputados. *Projeto de Lei nº 5924, de 2016*. Altera o art. 31 da Lei nº 9.096, de 19 de setembro de 1995, e o art. 24 da Lei nº 9.504, de 30 de setembro de 1997, para proibir, por período determinado, doação a candidato e a partido político por servidor ocupante de cargo em comissão ou de função de confiança no âmbito da administração pública direta e indireta de qualquer dos poderes da União, dos Estados, do Distrito Federal e dos Municípios, bem como por empregado, proprietário ou diretor de empresa prestadora de serviços terceirizados que mantenha contrato com qualquer dos entes federados. Disponível em: https://www.camara. leg.br/proposicoesWeb/fichadetramitacao?idProposicao=2093053. Acesso em 28 set. 2019.

consenso ao interesse público, *accountability* e transparência, com o objetivo de conferir maior higidez e confiabilidade ao processo eleitoral e de demonstrá-la à sociedade civil.

Especialmente na atual conjuntura política, em que recentemente foram corroborados diversos escândalos de fraude e corrupção, é extremamente relevante que se estabeleçam procedimentos sérios de mudança na política partidária e nas candidaturas, a fim de se promover um juízo de comprometimento com a conformidade normativa e de se resgatar a credibilidade das instituições.

Chamam atenção escândalos e descumprimentos da ordem legal realizados no âmbito de atuação dos partidos políticos e candidaturas, especificadamente os relativos a desvios de conduta, ao abuso de poder econômico, à falta de transparência, à manipulação de informações (*fake news*) e à ausência de comprometimento com políticas de inclusão de minorias (sobretudo referentes à participação feminina).

Ademais, o absoluto descaso de boa parcela dos partidos políticos brasileiros com o acesso, por parte da população e dos próprios filiados, às informações relevantes de sua atuação, como contabilidade, estrutura, composição e procedimento, é circunstância que reforça o pensamento de que a adoção de uma cultura de probidade é cogente e urgente para a consecução das disposições constitucionais acerca dos partidos políticos e para a efetivação da democracia brasileira.

Nessa conjuntura de crise política-institucional sem precedentes, e por meio de análise realizada no presente estudo, desenvolveu-se a proposta de instituição do *Compliance* no sistema político-eleitoral brasileiro, enquanto mecanismo eficiente de combate à corrupção e a condutas ilícitas, com o consequente incremento de um pensamento organizacional abalizado na ética, mediante o incentivo à conformidade, ao respeito às leis e à Constituição Federal de 1988, a partir da implementação de mecanismos de controle interno e em constante aperfeiçoamento. Tudo isso levando-se em consideração as particularidades dos partidos políticos e a necessidade de manutenção de seu papel central no conjunto político-democrático.

Assim sendo, identificadas as problemáticas político-partidárias contemporâneas, sopesados os benefícios que o *Compliance* pode apresentar ao sistema eleitoral brasileiro, conclui-se que:

(i) É imprescindível um debate técnico e acessível aos partidos e à sociedade para a consecução da forma de regulamentar, por meio de legislação específica, a implementação do *Compliance* partidário. Ao mesmo tempo, modelos congêneres de transparência e integridade adotados por outros países devem ser avaliados e tratados para adaptação à realidade brasileira;

(ii) Os já avançados Projetos de Lei nº 60/2017 e 429 são irreais e inexequíveis. Não se pode sobrecarregar de burocracia os partidos nos moldes delineados nos textos que tramitam no Congresso Nacional. Há um abismo gigantesco entre a realidade dos diretórios nacionais, com estrutura e abundante recurso financeiro, e de diretórios municipais de cidades do interior do Brasil, que muitas vezes não possuem recursos nem mesmo para a contratação de funcionários ou de contador e advogado para fazer suas prestações de contas. Logo, o excesso de regulamentações prejudica e não auxilia os partidos, a sociedade ou o processo eleitoral. Há que se construir um modelo factível, com implementação viável para todos os partidos, em todas as suas estruturas e consideradas as mais distintas realidades;

(iii) Os órgãos de controle das eleições brasileiras, especificamente os Tribunais Regionais Eleitorais e o Tribunal Superior Eleitoral, estão com excesso de trabalho. Portanto, a imposição legal para implementação do *Compliance* deve ser avaliada concomitantemente com a adequação da estrutura administrativa e jurisdicional destes tribunais, a fim de que possam cumprir, adequadamente, o controle que lhes foi conferido pela CF/88;

(iv) Tão importante quanto a introdução de normas para regulamentar a implantação do *Compliance* é o debate e a urgente instituição de uma reforma na democracia intrapartidária brasileira, cujo modelo falido é o principal responsável pela crise política atual. Nesse contexto, a nova democracia intrapartidária deve ter como alicerce basilar a transparência e a *accountability*. Esse é o primeiro passo para pensar em alterações mais profundas na legislação brasileira, como o voto distrital misto e o próprio *Compliance*;

(v) Não obstante a desobrigatoriedade quanto à introdução de mecanismos de integridade e *Compliance* nos partidos políticos brasileiros, diante da ausência de legislação específica, nada impede que esses programas sejam paulatinamente introduzidos e adaptados pelas agremiações, visto que podem colaborar, desde agora, no sistema de governança e no fiel cumprimento às mais caras regras eleitorais que sustentam a democracia brasileira, *v.g.*: registros de candidaturas com respeito às candidaturas de gêneros e ausência de "laranjas"; adequada distribuição e utilização dos recursos públicos recebidos (Fundo Partidário e Fundo Especial de Financiamento de Campanha), com respeito aos percentuais mínimos que devem ser aplicados para as mulheres; cumprimento da nova Lei Geral de Proteção de Dados; e adequada e transparente prestação de contas.

# Referências

AEC – AUSTRALIAN ELECTORAL COMMISSIONER. *Compliance program – financial disclosure.* Disponível em: https://www.aec.gov.au/Parties_and_Representatives/compliance/index.htm. Acesso em 8 nov. 2019.

AEC – AUSTRALIAN ELECTORAL COMMISSIONER. *Financial disclosure compliance framework.* 2017. Disponível em: Parties_and_Representatives/compliance/files/financial-disclosure-compliance-framework. docx. Acesso em 8 nov. 2019.

AEC – AUSTRALIAN ELECTORAL COMMISSIONER. *Transparency register.* Disponível em: aec.gov.au/ Parties_and_Representatives/financial_disclosure/transparency-register/. Acesso em 8 nov. 2019.

AGRA, Walber de Moura. Financiamento eleitoral no Brasil. *In*: CAMPILONGO, Celso Fernandes; GONZAGA, Alvaro de Azevedo; FREIRE, André Luiz (coord.). *Enciclopédia jurídica da PUC-SP*. Tomo Direito Administrativo e Constitucional. 1. ed. São Paulo: Pontifícia Universidade Católica de São Paulo, 2017.

AUSTRALIAN GOVERNMENT. *Commonwealth Electoral Act 1918*. Disponível em: https://www.legislation.gov.au/Details/C2019C00103. Acesso em 8 nov. 2019.

BANDEIRA DE MELLO, Celso Antônio. *Curso de direito administrativo*. 4. ed. São Paulo: Malheiros, 1993.

BARRILARI, Claudia Cristina. *Crime empresarial, autorregulação e compliance*. São Paulo: Thomson Reuters Brasil, 2018.

BRASIL. Constituição (1988). Constituição da República Federativa do Brasil de 1988. *Diário Oficial da República Federativa do Brasil*, Brasília, DF, 05 out. 1988. Disponível em: http://www.planalto.gov.br/ccivil_03/constituicao/constituicao.htm. Acesso em 8 out. 2019.

BRASIL. Supremo Tribunal Federal. *Súmula nº 13*. Disponível em: http://www.stf.jus.br/portal/jurisprudencia/menusumario.asp?sumula=1227. Acesso em 25 set. 2019.

BRASIL. Supremo Tribunal Federal. *Ação Penal nº 470*. Voto Ministro Luiz Fux, Item VI – Primeira Parte. Disponível em: http://www.stf.jus.br/arquivo/cms/noticiaNoticiaStf/anexo/AP470mLFitem6.pdf. Acesso em 25 out. 2019.

BRASIL. Decreto nº 3.678, de 30 de novembro de 2000. Promulga a Convenção sobre o Combate da Corrupção de Funcionários Públicos Estrangeiros em Transações Comerciais Internacionais, concluída em Paris, em 17 de dezembro de 1997. *Diário Oficial da República Federativa do Brasil*, Brasília, DF, 01 dez. 2000. Disponível em: http://www.planalto.gov.br/ccivil_03/decreto/D3678.htm. Acesso em 29 set. 2019.

BRASIL. Decreto nº 8.420, de 18 de março de 2015. Regulamenta a Lei nº 12.846, de 1º de agosto de 2013, que dispõe sobre a responsabilização administrativa de pessoas jurídicas pela prática de atos contra a administração pública, nacional ou estrangeira e dá outras providências. *Diário Oficial da República Federativa do Brasil*, Brasília, DF, 19 mar. 2015. Disponível em: http://www.planalto.gov.br/ccivil_03/_ato2015-2018/2015/decreto/d8420.htm. Acesso em 26 set. 2019.

BRASIL. Lei nº 7.492, de 16 de junho de 1986. Define os crimes contra o sistema financeiro nacional, e dá outras providências. *Diário Oficial da República Federativa do Brasil*, Brasília, DF, 18 jun. 1986. Disponível em: http://www.planalto.gov.br/ccivil_03/LEIS/L7492.htm. Acesso em 20 out. 2019.

BRASIL. Lei nº 9.096, de 19 de setembro de 1995. (Lei dos Partidos Políticos). Dispõe sobre partidos políticos, regulamenta os arts. 17 e 14, §3º, inciso V, da Constituição Federal. *Diário Oficial da República Federativa do Brasil*, Brasília, DF, 20 set. 1995. Disponível em: http://www.planalto.gov.br/ccivil_03/leis/l9096.htm. Acesso em 19. jun. 2019.

BRASIL. Lei nº 9.504, de 30 de setembro de 1997. Estabelece normas para as eleições. *Diário Oficial da República Federativa do Brasil*, Brasília, DF, 01 out. 1997. Disponível em: http://www.planalto.gov.br/ccivil_03/leis/l9504.htm. Acesso em 16 jun. 2019.

BRASIL. Lei nº 9.613, de 3 de março de 1998. Dispõe sobre os crimes de "lavagem" ou ocultação de bens, direitos e valores; a prevenção da utilização do sistema financeiro para os ilícitos previstos nesta Lei; cria o Conselho de Controle de Atividades Financeiras – COAF, e dá outras providências. *Diário Oficial da República Federativa do Brasil*, Brasília, DF, 04 mar. 1998. Disponível em: http://www.planalto.gov.br/ccivil_03/leis/l9613.htm. Acesso em 20 out. 2019.

BRASIL. Lei nº 8.137, de 27 de dezembro de 1990. Define crimes contra a ordem tributária, econômica e contra as relações de consumo, e dá outras providências. *Diário Oficial da República Federativa do Brasil*, Brasília, DF, 28 dez. 1990. Disponível em: http://www.planalto.gov.br/ccivil_03/LEIS/L8137.htm. Acesso em 21 set. 2019.

BRASIL. Lei nº 4.737, de 15 de julho de 1965. Instituiu o Código Eleitoral. *Diário Oficial da República Federativa do Brasil*, Brasília, DF, 19 jul. 1965, retificado em 30 jul. 1965. Disponível em: http://www.planalto.gov.br/ccivil_03/leis/l4737.htm. Acesso em 20 out. 2019.

BRASIL. Lei nº 13.709, de 14 de agosto de 2018. Lei Geral de Proteção de Dados Pessoais (LGPD). *Diário Oficial da República Federativa do Brasil*, Brasília, DF, 15 out. 2018, republicado parcialmente em 15 out. 2018. Disponível em: http://www.planalto.gov.br/ccivil_03/_ato2015-2018/2018/lei/L13709.htm. Acesso em 5 nov. 2019.

BRASIL. Lei nº 13.488, de 6 de outubro de 2017. Altera as Leis nº 9.504, de 30 de setembro de 1997 (Lei das Eleições), 9.096, de 19 de setembro de 1995, e 4.737, de 15 de julho de 1965 (Código Eleitoral), e revoga dispositivos da Lei nº 13.165, de 29 de setembro de 2015 (Minirreforma Eleitoral de 2015), com o fim de promover reforma no ordenamento político-eleitoral. *Diário Oficial da República Federativa do Brasil,* Brasília, DF, 06 out. 2017. Disponível em: http://www.planalto.gov.br/ccivil_03/_Ato2015-2018/2017/Lei/L13488.htm. Acesso em 4 out. 2019.

BRASIL. Câmara dos Deputados. *Projeto de Lei nº 3190, de 2019.* Altera a legislação eleitoral para instituir o voto distrital majoritário nas eleições legislativas municipais. Disponível em: https://www.camara.leg.br/proposicoesWeb/fichadetramitacao?idProposicao=2205294. Acesso em 4 nov. 2019.

BRASIL. Câmara dos Deputados. *Projeto de Lei nº 3855, de 2019 (nº anterior: PL 4850/2016).* Estabelece medidas de combate à impunidade, à corrupção; altera os Decretos-Leis nºs 2.848, de 7 de dezembro de 1940 - Código Penal, e 3.689, de 3 de outubro de 1941 - Código de Processo Penal; as Leis nºs 4.717, de 29 de junho de 1965, 4.737, de 15 de julho de 1965, 8.072, de 25 de julho de 1990, 8.112, de 11 de dezembro de 1990, 8.429, de 2 de junho de 1992, 8.906, de 4 de julho de 1994, 9.096, de 19 de setembro de 1995, 9.504, de 30 de setembro de 1997, 9.613, de 3 de março de 1998, e 7.347, de 24 de julho de 1985; revoga dispositivos do Decreto-Lei nº 201, de 27 de fevereiro de 1967, e da Lei nº 8.137, de 27 de dezembro de 1990; e dá outras providências. Disponível em: https://www.camara.leg.br/propostas-legislativas/2080604. Acesso em 20 out. 2019.

BRASIL. Câmara dos Deputados. *Projeto de Lei nº 5924, de 2016.* Altera o art. 31 da Lei nº 9.096, de 19 de setembro de 1995, e o art. 24 da Lei nº 9.504, de 30 de setembro de 1997, para proibir, por período determinado, doação a candidato e a partido político por servidor ocupante de cargo em comissão ou de função de confiança no âmbito da administração pública direta e indireta de qualquer dos poderes da União, dos Estados, do Distrito Federal e dos Municípios, bem como por empregado, proprietário ou diretor de empresa prestadora de serviços terceirizados que mantenha contrato com qualquer dos entes federados. Disponível em: https://www.camara.leg.br/proposicoesWeb/fichadetramitacao?idProposicao=2093053. Acesso em 28 set. 2019.

BRASIL. Câmara dos Deputados. *Projeto de Lei nº 9212, de 2017.* Altera a legislação eleitoral para instituir o voto distrital misto nas eleições proporcionais. Disponível em: https://www.camara.leg.br/proposicoesWeb/fichadetramitacao?idProposicao=2163674. Acesso em 4 nov. 2019.

BRASIL. Senado Federal. *Projeto de Lei nº 60, de 2017.* Altera a Lei nº 9.096, de 19 de setembro de 1995, para aplicar aos partidos políticos as normas legais sobre responsabilidade objetiva e compliance e estimular no plano interno código de conduta e programa de integridade e auditoria. Disponível em: https://www25.senado.leg.br/web/atividade/materias/-/materia/128349. Acesso em 28 set. 2019.

BRASIL. Senado Federal. *Projeto de Lei nº 429, de 2017.* Altera a Lei nº 9.096, de 19 de setembro de 1995, que dispõe sobre partidos políticos, regulamenta os arts. 14, §3º, inciso V e 17, da Constituição Federal, a fim de aplicar aos partidos políticos as normas sobre programa de integridade. Disponível em: https://www25.senado.leg.br/web/atividade/materias/-/materia/131429. Acesso em 28 set. 2019.

BRASIL. Tribunal Regional Eleitoral do Mato Grosso do Sul. *Prestação de Contas nº 060118203.* Acórdão nº 060118203, de 23.07.2019. Relator: Daniel Castro Gomes da Costa, Publicação: DJE - Diário da Justiça Eleitoral, Tomo 2237, Data 26.07.2019, Página 15-28). Disponível em: http://inter03.tse.jus.br/sjur-pesquisa/pesquisa/actionBRSSearch.do?toc=true&docIndex=0&httpSessionName=brsstateSJUT1970230528&sectionServer=MS&grupoTotalizacao=0. Acesso em 24 out. 2019.

BRASIL. Tribunal Superior Eleitoral. *Corte confirma cassação de diplomas de dois vereadores de Rosário do Sul (RS).* Disponível em: http://www.tse.jus.br/imprensa/noticias-tse/2019/Agosto/tse-confirma-cassacao-de-diplomas-de-dois-vereadores-de-rosario-do-sul-rs. Acesso em 29 set. 2019.

BRASIL. Tribunal Superior Eleitoral. *Enfrentamento à desinformação.* Disponível em: http://www.tse.jus.br/videos/enfrentamento-a-desinformacao. Acesso em 11 nov. 2019.

BRASIL. Tribunal Superior Eleitoral. *Especialistas debatem saídas para o fenômeno das fake news durante seminário no TSE.* Disponível em: http://www.tse.jus.br/imprensa/noticias-tse/2019/Maio/especialistas-debatem-saidas-para-o-fenomeno-das-fake-news-durante-seminario-no-tse. Acesso em 03 out. 2019.

BRASIL. Tribunal Superior Eleitoral. *Seminário Internacional Fake News e Eleições contará com a participação de especialistas internacionais.* Disponível em: http://www.tse.jus.br/imprensa/noticias-tse/2019/Abril/seminario-internacional-fake-news-e-eleicoes-contara-com-a-participacao-de-especialistas-internacionais. Acesso em 3 out. 2019.

BRASIL. Tribunal Superior Eleitoral. *Prestação de Contas nº 29021.* Acórdão, Relator(a) Min. Luís Roberto Barroso, Publicação: DJE - Diário de justiça eletrônico, Tomo 117, Data 21.06.2019, Página 83-85). Disponível em: http://www.tse.jus.br/jurisprudencia/decisoes/jurisprudencia. Acesso em 25 out. 2019.

BRASIL. Tribunal Superior Eleitoral. *Recurso Especial Eleitoral nº 19392.* Acórdão, Relator(a) Min. Jorge Mussi, Publicação: DJE - Diário de justiça eletrônico, Tomo 193, Data 04.10.2019, Página 105-107. Disponível em: http://www.tse.jus.br/jurisprudencia/decisoes/jurisprudencia. Acesso em 19 set. 2019.

BUTELER, Alfonso. Los sistemas para el control de la corrupción publica en el orden global. *Revista de Direito Econômico e Socioambiental,* Curitiba, v. 8, n. 3, p. 239-261, set./dez. 2017.

CANADA. Justice Laws Website. *Auditor General Act.* Disponível em: https://laws-lois.justice.gc.ca/eng/acts/a-17/. Acesso em 29 set. 2019.

CANADA. CA: Cambridge City Council. *Code of conduct for members of council.* Disponível em: https://www.cambridge.ca/en/your-city/Code-of-Conduct.aspx. Acesso em 25 set. 2019.

CANADA. Elections Canada. *Administrative compliance policy for political financing.* Disponível em: https://www.elections.ca/content.aspx?section=pol&dir=acp&document=index&lang=e. Acesso em 25 set. 2019.

CHILE. Biblioteca del Congresso Nacional de Chile / Ley Chile. *Ley nº 20.393, de 2 dezembro de 2009.* Establece la responsabilidad penal de las personas jurídicas en los delitos que indica. Disponível em: https://www.leychile.cl/Consulta/m/m/norma_plana?idNorma=1008668&org=bleyes_r%3Ft_n%3DXX1%26nro_ley%3D%26orga%3D%26f_pub%3D2009. Acesso em 28 out. 2019.

CHILE. *Contraloría General de la República*: missão institucional. Disponível em: https://www.chileatiende.gob.cl/instituciones/ZC009. Acesso em 28 out. 2019.

CHILE. *Contraloría General de la República*: propósito, funciones y estrutura. Disponível em: http://www.oas.org/juridico/PDFs/mesicic4_chl_sem.pdf. Acesso em 28 out. 2019.

CHILE. Fiscalia. *Unidad Especializada en Anticorrupción.* Disponível em: http://www.fiscaliadechile.cl/Fiscalia/areas/cor-unidad.jsp. Acesso em 28 out. 2019.

CUNHAL, Álvaro. *O partido com paredes de vidro.* 6. ed. Lisboa: Avante, 2002. [Edição eletrônica, 2010]. Disponível em: https://www.marxists.org/portugues/cunhal/1985/08/partido.pdf. Acesso em 5 nov. 2019.

FALGUERA, Elin; JONES, Samuel; OHMAN, Magnus. *Financiamento de partidos políticos e campanhas eleitorais*: um manual sobre financiamento político. Rio de Janeiro: FGV, 2015.

FREIDENBERG, Flavia. Democracia interna: reto ineludible de los partidos políticos. *Revista de Derecho Electoral,* n. 1, Primer Semestre, 2006. Disponível em: https://dialnet.unirioja.es/descarga/articulo/3987968.pdf. Acesso em 5 nov. 2019.

GUARNIERI, Fernando. Democracia intrapartidária e reforma política. *Revista Parlamento e Sociedade,* São Paulo, v. 3, n. 5, p. 83-106, jul./dez. 2015. Disponível em: https://www.al.sp.gov.br/repositorio/bibliotecaDigital/22715_arquivo.pdf. Acesso em 5 nov. 2019.

HASEN, Richard L. A constitutional right to lie in campaigns and elections. *Montana Law Review,* v. 74, n. 1, p. 53-77, 2013.

INSTITUTO BRASILEIRO DE GOVERNANÇA CORPORATIVA. *Código das melhores práticas de governança corporativa.* 5. ed. São Paulo: IBGC, 2015.

KIM, Shin Jae *et al.* Compliance em empresas estatais. Padrões internacionais e legislação brasileira. *In*: PAULA, Marco Aurélio Borges de; CASTRO, Rodrigo Pironti Aguirre de (coord.). *Compliance, gestão de riscos e combate à corrupção*: integridade para o desenvolvimento. Belo Horizonte: Fórum, 2018.

MIRANDA, Jorge. *Direito eleitoral.* Coimbra: Almedina, 2018.

MORAIS, Carlos Blanco. *O sistema político*: no contexto da erosão da democracia representativa. Coimbra: Almedina, 2018.

MOVIMENTO TRANSPARÊNCIA PARTIDÁRIA. *Ranking da transparência partidária – Relatório sintético*. Primeira Edição. Ano 1 – março de 2018. Disponível em: http://www.transparenciapartidaria.org/blog/ranking-da-transparencia-partidaria. Acesso em 25 out. 2019.

NEISSER, Fernando; BERNARDELLI, Paula; MACHADO, Raquel. A mentira no ambiente digital: impactos eleitorais e possibilidades de controle. *In*: FUX, Luiz; PEREIRA, Luiz Fernando Casagrande; AGRA, Walber de Moura (coord.); PECCINI, Luiz Eduardo (org.). *Direito constitucional eleitoral*. Belo Horizonte: Fórum, 2018.

NEW JERSEY ELECTION LAW ENFORCEMENT COMMISSION. *Compliance manual for candidates*. 2018. Disponível em: https://www.elec.state.nj.us/pdffiles/forms/compliance/man_cf.pdf. Acesso em 27 set. 2019.

NUNES, Geórgia Ferreira Martins; SOARES, Lorena de Araújo Costa. Candidatas de fachada: a violência política decorrente da fraude eleitoral e do abuso de poder e as respostas jurídicas para efetivação dos grupos minoritariamente representados. *In*: FUX, Luiz; PEREIRA, Luiz Fernando Casagrande; AGRA, Walber de Moura (coord.); PECCINI, Luiz Eduardo (org.). *Direito Constitucional Eleitoral*. Belo Horizonte: Fórum, 2018.

OYES. *Morrison v. Olson*. 1988. Disponível em: www.oyez.org/cases/1987/87-1279. Acesso em 28 out. 2019.

RACHID COUTINHO, Aldacy; MARRAFON, Marco Aurélio. *Compliance* eleitoral: breve análise dos Projetos de Lei nº 60/2017, nº 429/2017 e nº 663/2015 do Senado Federal e sua importância para a democracia brasileira. *Estudos Eleitorais*, Tribunal Superior Eleitoral, v. 13, n. 2, p. 11-31, maio/ago. 2018.

RIBEIRO JÚNIOR, Antonio Joaquim. Direito eleitoral e *compliance*: a adoção do programa de conformidade como solução a crise dos partidos políticos no Brasil. *Revista de Estudos Eleitorais*, Recife, v. 2, n. 3, p. 15-33, jul. 2018.

SUNSTEIN, Cass. *Republic.com 2.0*. Princeton: Princeton University Press, 2007.

SILVA, José Afonso. *Curso de direito constitucional positivo*. 10. ed. São Paulo: Malheiros Editores, 1995.

THE UNITED STATES. Department of Justice. *Foreign Corrupt Practices Act of 1977*. Disponível em: https://www.justice.gov/sites/default/files/criminal-fraud/legacy/2012/11/14/fcpa-english.pdf. Acesso em 27 set. 2019.

THE UNITED STATES. House Office of the Legislative. *Ethics In Government Act Of 1978*. Disponível em: https://legcounsel.house.gov/Comps/Ethics%20In%20Government%20Act%20Of%201978.pdf. Acesso em 27 set. 2019.

VENICE COMMISSION. *European Commission for Democracy through Law*. 2009. Disponível em: https://www.venice.coe.int/webforms/documents/default.aspx?pdffile=CDL-AD%282009%29002-e. Acesso em 5 nov. 2019.

---

Informação bibliográfica deste texto, conforme a NBR 6023:2018 da Associação Brasileira de Normas Técnicas (ABNT):

COSTA, Daniel Castro Gomes da. Partidos políticos e Compliance. *In*: COSTA, Daniel Castro Gomes da; FONSECA, Reynaldo Soares da; BANHOS, Sérgio Silveira; CARVALHO NETO, Tarcisio Vieira de (Coord.). *Democracia, justiça e cidadania*: desafios e perspectivas. Homenagem ao Ministro Luís Roberto Barroso. Belo Horizonte: Fórum, 2020. t. 1: Direito eleitoral, política e democracia. p. 29-60. ISBN 978-85-450-0748-7.

# O PAPEL DA DEMOCRACIA INTRAPARTIDÁRIA EM MOMENTO DE CRISE NA DEMOCRACIA REPRESENTATIVA

**SÉRGIO SILVEIRA BANHOS**

## 1 Notas de introdução

O Brasil chega ao fim da segunda década do século XXI – renovando as palavras do Professor Luiz Roberto Barroso[1] – ainda atrasado e com pressa. O Direito, a ferramenta correta e disponível para responder às questões veiculadas na modernidade, é repleto de cenários diversificados, daí porque os novos tempos demandam uma abordagem material das Constituições. Tal fenômeno retrata a assimilação, pelas Cartas, das complexas relações socioeconômicas e culturais que tipificam o mundo contemporâneo.

O modelo do constitucionalismo clássico, cuja tônica não ia além da organização do Estado fundada na concepção da separação dos poderes, com vistas a assegurar um pretendido equilíbrio, bem como na fixação de um elenco de direitos e garantias individuais para consubstanciar a essência do ideário das Constituições daqueles tempos, está há muito superado. O momento atual é o da permanente busca pela efetivação de um Estado verdadeiramente constitucional.

Um Estado constitucional, além dos requisitos inerentes ao Estado de Direito, pressupõe a existência de democracia, de um poder que emane direta ou indiretamente do povo e de um sistema de direitos fundamentais formalmente expressos na Constituição, bem como demanda que esses direitos sejam realmente respeitados e, sobretudo, efetivados. Ou seja, no Estado constitucional, deve-se observar a verdadeira aplicação de mecanismos que objetivem, entre outras medidas, a garantia de direitos fundamentais e a realização social profunda pelo exercício dos instrumentos que assegurem a cidadania e possibilitem concretizar as exigências de um Estado de justiça social.

---

[1] BARROSO, Luís Roberto (Coord.). *A nova interpretação constitucional*: ponderação, direitos fundamentais e relações privadas. Rio de Janeiro: Renovar, 2006. p. 5.

Afigura-se essencial, neste caminhar necessário, a consolidação do receituário de direitos já exaltados na Constituição de 1988, mas agora reclamados na razão direta dos conflitos que emergem do meio social. Percebe-se, desde o fim do século XX, tanto na doutrina quanto na jurisprudência, o fenômeno de uma interpretação jurisdicional na qual a lei passa a subordinar-se a uma relação de adequação à Constituição. O objetivo desse modelo, dessa nova forma de interpretar, é promover a reformulação do próprio Direito, a partir de uma moderna concepção conferida a este.

Nesse contexto, o Direito seria produto de uma política constitucional, ele não estaria posto, pois deve estar sempre sendo construído. Na atualidade, urge considerar as ideias gerais e o pluralismo dos universos culturais éticos, religiosos e políticos que caracterizam e sofisticam as relações na sociedade contemporânea. O Direito traduziria, dessa forma, um conjunto de materiais de construção, e o edifício a ser construído não é obra da Constituição, mas de uma política constitucional que versa sobre as possíveis combinações desses materiais.

Desse desafio do agora, não pode o Direito se apartar. Ao contrário: vê-se obrigado a estar adequado a essa nova realidade, para manter-se em dia com as exigências da sociedade. Deve, portanto, apresentar respostas imediatas no trato de questões ligadas ao exercício pleno da cidadania, ativa e passiva, em expresso respeito à noção de Estado constitucional, em atenção aos direitos fundamentais, ao prestígio à igualdade e à valorização da dignidade humana.

Dessa forma, o Direito Constitucional e o Eleitoral vivenciam períodos de prodigiosa versatilidade e criatividade. Tal momento profícuo enseja um indiscutível processo de mudança sem retrocesso. Assim, o Direito tem como desafio atual alcançar a ideia de Constituição viva, construída a partir da visão de uma sociedade aberta, pluralista, democrática, solidária, tolerante e estabelecida com o compromisso de esperança e fé na formação de um Estado justo e democrático. Trata-se de um enfoque humano voltado essencialmente para o cidadão.

Nesse contexto, descortinam-se temas palpitantes, por meio dos quais poderão ser enfrentadas as questões e os problemas do mundo contemporâneo, sob uma abordagem que precisa ser forte, corajosa e, sobretudo, transformadora.

## 2    Há uma crise na democracia representativa?

Somos uma sociedade em plena transformação. Muitos são os desafios, em especial no que diz respeito à promoção de uma efetiva reforma política.

A forma de arrecadação de verbas para o financiamento das campanhas políticas, o controle dos fundos partidários e do fundo especial de financiamento de campanhas, a concentração e a perpetuação do poder na intimidade dos partidos políticos, geradora da quase total ausência de democracia intrapartidária, são exemplos que traduzem o grau de complexidade desse imprescindível desafio.

A primeira dificuldade a ser enfrentada é a de superar a barreira do poder eleito, da "assembleia dos vitoriosos". Qualquer mudança na legislação eleitoral desestabiliza o atual quadro político, bem como gera novas perspectivas eleitorais, na medida em que a realidade de cada candidato é estruturada em sofisticada construção de poder junto aos eleitores.

Nenhuma outra legislação produz impacto tão direto para os próprios legisladores do que as de cunho político. Mudanças na Legislação Eleitoral têm o condão de alterar dramaticamente o equilíbrio de forças, podendo tornar os outrora vitoriosos em vencidos. E a questão é mesmo levada a sério pelo Congresso Nacional do Brasil. No que se refere ao aprimoramento da democracia intrapartidária, na reforma política de 2017, todas as propostas nesse sentido foram sumariamente afastadas.

Não bastasse isso, o modelo clássico da democracia representativa ocidental está em avançada crise. Há evidente desgaste da ideia do mandato representativo, da vontade popular mediada pelas eleições. A democracia representativa está submetida à elevada tensão, por diversas razões.

Vários autores vêm registrando esse descrédito na política, no modelo de representação política, nos políticos e nas agremiações partidárias. Merece referência inaugural o pensamento do cientista político alemão-americano Yascha Mounk,[2] autor do livro *O povo contra a democracia:* por que nossa liberdade corre perigo e como salvá-la.

Mounk esteve em abril deste ano em São Paulo e, em entrevista à revista *Época*,[3] se disse surpreso com o número de partidos políticos no Brasil. Segundo afirmou, passaria menos horas no país do que o número de agremiações políticas brasileiras, que hoje somam 33.

Há também as teses agitadas contra a democracia eleitoral do historiador belga David Van Reybrouck,[4] autor do livro *Contra as eleições.* Segundo Reybrouck, embora a maioria da população mundial defenda a democracia como um bom sistema de governo, na prática, esse modelo não mais seria convincente. Segundo ele, nos últimos anos, a falta de confiança nos Parlamentos, nos governos e nos partidos políticos aumentou consideravelmente, afetando tanto as democracias jovens quanto as maduras. Na opinião do referido autor, as últimas eleições no mundo têm confirmado o auge de populismos baseados no medo e na desconfiança generalizada das elites. As eleições tornaram-se concursos de popularidade em vez de debates racionais de propostas.

Nikolas Reis Moraes dos Santos e Vanessa de Ramos Keller[5] bem ilustram, de forma sumariada, a questão:

> Da revisão das literaturas histórica, política e sociológica mais recentes, nota-se um consenso presente em todas as obras analisadas, o de que a Democracia, para alguns, e mais especificamente a Democracia Liberal, para outros, encontra-se em recessão, em retrocesso, em crise, ou mesmo em colapso.

---

[2] MOUNK, Yascha. *O povo contra a democracia*: *por que nossa liberdade corre perigo e como salvá-la*. São Paulo: Companhia das Letras, 2019.

[3] GABRIEL, Ruan de Sousa. Entrevista com Yascha Mounk. *Revista Época*. Disponível em: https://epoca.globo.com/yascha-mounk-bolsonaro-cria-desilusao-com-as-instituicoes-para-fortalecer-seu-poder-23646296. Acesso em 07 mai. 2019.

[4] VAN REYBROUCK, David. *Contra as eleições*. São Paulo: Editora Biblioteca Antagonista, 2017. v. 23.

[5] SANTOS, Nikolas Reis Moraes; KELLER, Vanessa de Ramos. Os movimentos de renovação política e a promoção da participação da mulher. *Revista Resenha Eleitoral,* v. 23, n. 1, p. 89-100, 2019.

Castells aponta para um "colapso gradual de um modelo de representação".[6] Mounk, por sua vez, destaca fazer tempo que "os sistemas partidários parecem paralisados".[7] Ainda segundo ele, "hoje o populismo autoritário cresce no mundo todo, da América a Europa, e da Ásia à Austrália".

Já para Harari, no que toca a influência da internet na vida política das sociedades, "o sistema democrático ainda está se esforçando por entender o que o atingiu, e está mal equipado para lidar com os choques seguintes [...]".[8]

Levitsky e Ziblatt, por fim, encaminham seus diagnósticos na mesma direção, e afirmam que "a erosão da democracia é, para muitos, quase imperceptível".[9]

Dos autores nacionais revisados, D'Avila, aponta para o fato de que "o modelo centralizador e patrimonialista triunfou, o que revela os desafios da nação para rever crenças obsoletas que impedem o progresso do país".[10] E Abranches, para o fato de que "a democracia vai mal em todo o mundo", e de que "a crise de representação é global".[11]

Tais autores, nacionais e internacionais, possuem pontos em comum e divergentes, mas a superação da crise pelo aprimoramento da própria Democracia é um dos elementos que convergem.

Na mesma linha de argumentos, Raimundo Augusto Fernandes Neto,[12] transcrevendo lição de Zygmunt Bauman e Carlo Vordoni:

> O Estado está passando por uma profunda crise de identidade. Longe de recuperar sua relação de confiança com o público, que estivera informado de sua constituição desde a origem, ele tem de suportar repercussões da crise da modernidade, que o arrasta a uma degradação extraordinária, acompanhada – como toda e qualquer fase do declínio – de corrupção e de desconfiança por parte do povo. A crise política em curso (definida como antipolítica) é uma crise do Estado Moderno.[13]

E prossegue o referido autor:

> Boaventura de Sousa Santos[14] restringe, assim, o diagnóstico da crise de representação política, denominando-a crise da *dupla patologia:* primeiro, revelada na doença da participação, que se mostra mais evidente na significativa abstenção do eleitorado aos

---

6   CASTELLS, Manuel. *Ruptura*: a crise da democracia liberal. Rio de Janeiro: Zahar, 2018. p. 10.

7   MOUNK, Yascha. *O povo contra a democracia: por que a nossa liberdade corre perigo e como salvá-la*. São Paulo: Companhia das Letras, 2019. p. 16.

8   HARARI, Yhuval Noah. *21 lições para o século XXI*. São Paulo: Companhia das Letras, 2018. p. 24.

9   LEVITSKY, Steven; ZIBLATT, Daniel. *Como as democracias morrem*. Rio de Janeiro: Zahar, 2018. p. 17.

10  D'AVILA, Luiz Felipe. *10 mandamentos*: do país que somos para o Brasil que queremos. Rio de Janeiro: Topbooks, 2017. p. 51.

11  ABRANCHES, Sérgio Henrique Hudson. *Presidencialismo de coalizão*: raízes e evolução do modelo político brasileiro. São Paulo: Companhia das Letras, 2018. p. 9.

12  FERNANDES NETO, Raimundo Augusto. *Partidos políticos*: desafios contemporâneos. Íthala: Curitiba, 2019. p. 28.

13  BAUMAN, Zygmunt; BORDONI, Carlo. *Estado de crise*. Rio de Janeiro: Zahar, 2016.

14  SANTOS, Boaventura de Souza. *Democratizar a democracia*: os caminhos da democracia representativa. Rio de Janeiro: Civilização Brasileira, 2003. p. 32.

pleitos, e a enfermidade da representação, que corresponde à ideia de que os eleitores não mais se acham representados pelos eleitos.

O assunto expresso – sem dissenso – é que, apesar de se viver na atualidade uma predominância sem precedentes de nações democráticas – com eleições regulares, pluralismo político e pluripartidarismo – nunca se viu tão questionada a legitimidade das instituições políticas democráticas. Com acerto, assere Roberta de Araújo Corrêa, quando acentua que "[...] há uma estreita relação entre a crise da democracia representativa e a paulatina perda de prestígio e eficácia dos mecanismos parlamentares e partidários".[15]

O consenso em torno da inevitabilidade da democracia representativa, em virtude da dimensão, complexidade e burocratização da sociedade moderna, trouxe como consequência um distanciamento dos representados do centro das decisões, restringindo a participação popular aos procedimentos eleitorais destinados à composição dos governos e casas representativas.

Neste ponto, vale recordar os ensinamentos do Professor Vital Moreira,[16] que, em magistral aula inaugural do programa de pós-doutoramento em Democracia e Direitos Humanos em seminário realizado na Universidade de Coimbra, promovido pelo Centro de Direitos Humanos, *Ius Gentium Conimbrigae*, listou uma série de possíveis razões que podem justificar a atual crise da democracia representativa, muitas delas encontradas de maneira geral nas democracias ocidentais e outras mais representativas no contexto europeu ou norte-americano.

Das que parecem mais aderentes ao objeto deste artigo, considerado o contexto brasileiro, vale destacar:

i. o efeito prejudicial da corrupção política e dos anacrônicos privilégios levados a efeito pela classe política, não mais toleráveis nos tempos de agora;

ii. o crescimento da alienação política e da perda da confiança nas instituições;

iii. a polarização exacerbada das opiniões políticas, sem conteúdo, mas revestidas de discurso de ódio, potencializada pela utilização nociva e implacável dos novos meios de comunicação digital;

iv. a existência de muitos partidos (hoje, no Brasil, 35) e a instabilidade governamental (o país experimentou dois processos de *impeachment* desde a promulgação da Carta de 1988);

v. o descumprimento histórico de compromissos eleitorais assumidos sem nenhuma responsabilidade, o que gerou a perda de confiança nos políticos e nas instituições;

vi. a ausência de transparência, fiscalização e controle das finanças e dos procedimentos nas agremiações partidárias;

vii. a costumeira e nefasta ausência de democracia no seio das agremiações partidárias.

---

[15] CORRÊA, Roberta de Araújo. *Legitimidade do poder político na democracia contemporânea*. Curitiba: Juruá, 2015. p. 164.

[16] MOREIRA, Vital. Aula inaugural. *In seminário promovido pelo Centro de Direitos Humanos, Ius Gentium Conimbrigae*. Universidade de Coimbra, Portugal, 2019.

Pela breve análise que se faz, parece não haver dúvidas quanto à existência de uma séria tensão na democracia representativa. A promoção de uma efetiva democracia na intimidade das agremiações partidárias afigura-se como um bom caminho para a reversão dessa tendência.

## 3    Partidos políticos e autonomia partidária

Os partidos políticos, associações voluntárias de pessoas com afinidades ideológicas e políticas, têm o fim maior de assumir o poder e executar programas de governo. De acordo com Augusto Aras,

> o funcionamento do Estado depende, *a priori,* da existência e da ação adotada por uma agremiação, com base em ideário, programa e diretrizes legitimamente estabelecidas, dos quais devem decorrer suas plataformas e projetos políticos, submetidos à apreciação pública, a serem concretizados pelos vitoriosos do certame, havendo de corresponder à confiança do povo materializada nos votos depositados nas urnas.[17]

No Brasil, os partidos políticos têm natureza de pessoa jurídica de direito privado, sendo essencial o seu registro no Tribunal Superior Eleitoral, a fim de que possam adquirir a capacidade para participar do processo eleitoral, restando assegurada, a partir daí, a exclusividade da sua denominação, da sua sigla e dos seus símbolos.

Ademais, a Constituição Federal de 1988, em seu artigo 1º, inciso V, assevera que constitui fundamento do Estado Democrático de Direito do Brasil o pluralismo político, ressaltando, conforme o parágrafo único do citado artigo, que "todo o poder emana do povo, que o exerce por meio de representantes eleitos diretamente".

Por sua vez, o artigo 17 da Carta da República cuida da matéria relativa aos partidos políticos, com a finalidade de fortalecer as agremiações partidárias e garantir a soberania nacional, o regime democrático, o pluripartidarismo e os direitos fundamentais da pessoa humana (*caput*).

Para tanto, as agremiações terão direito a recursos do Fundo Partidário e acesso gratuito ao rádio e à televisão, limitados, a partir da nova redação trazida pela Emenda Constitucional nº 97/2017, aos

> partidos políticos que alternativamente: I – obtiverem, nas eleições para a Câmara dos Deputados, no mínimo, 3% (três por cento) dos votos válidos, distribuídos em pelo menos um terço das unidades da Federação, com um mínimo de 2% (dois por cento) dos votos válidos em cada uma delas; ou II – tiverem elegido pelo menos quinze Deputados Federais distribuídos em pelo menos um terço das unidades da Federação. (§3°).

A fim de cumprir com tal desiderato, as agremiações partidárias devem estar protegidas da influência do Estado, desde a sua criação até a sua extinção, amparadas pelos princípios da liberdade e da autonomia partidárias, na medida em que a Constituição Brasileira, em seu artigo 17, §1º,[18] garante a liberdade e a autonomia

---

[17]    ARAS, Augusto. *Fidelidade e Ditadura (Intra)Partidárias.* Bauru: Edipro, 2011. p. 14-15.

[18]    §1º É assegurada aos partidos políticos autonomia para definir sua estrutura interna e estabelecer regras sobre escolha, formação e duração de seus órgãos permanentes e provisórios e sobre sua organização e funcionamento

partidárias. Além disso, as agremiações têm direito a recursos do Fundo Partidário e, nas eleições, podem dispor do fundo especial para financiamento de campanhas e do tempo de televisão e rádio para propaganda eleitoral.

No entanto, embora a autonomia dos partidos seja constitucionalmente assegurada, esse tema sempre foi controverso. Para alguns autores, ela seria ilimitada; para outros, deveria estar sempre adequada a ditames constitucionais, tais como o da democracia e o da dignidade da pessoa humana. Nesse sentido, Ana Cláudia Santano e Tailane Cristina Costa,[19] em primoroso artigo sobre a matéria, identificaram pelo menos quarto linhas distintas de pensamento.

A primeira, contrária totalmente à intervenção estatal, é defendida por autores como Navarro Mendéz,[20] o qual entende pela impossibilidade de controle externo, tendo em vista que as agremiações são associações privadas. No mesmo sentido é a corrente daqueles que, como García-Pelayo[21] e Presno Linera,[22] compreendem que uma regulação legal estrita para os partidos políticos consubstanciaria inaceitável limitação à liberdade das agremiações, tolhendo-as como instrumentos de formação e de expressão da vontade popular.

Por outro lado, há o pensamento daqueles inspirados em Robert Michels,[23] no sentido de que – por entenderem que, dentro dos partidos políticos, há sempre uma estrutura oligárquica – devem existir mecanismos para o controle da democracia interna das agremiações.

Da mesma forma, Fernández-Miranda Campoamor[24] defende que o controle judicial externo da democracia interna dos partidos é necessário, a ser realizado por jurisdição contenciosa e administrativa, no seu papel de fiscalização da administração, "porque há uma incorporação por parte do ordenamento jurídico do Estado das normas internas do partido, postas em seu estatuto", sendo certo que, "se há alguma violação do estatuto, há uma violação do ordenamento jurídico, cabendo e permitindo um controle estatal externo".

Ainda no mesmo sentido, a posição de Giorgio Lombardi, para quem, sem a possibilidade de controle externo exercido pelos órgãos imparciais, como os tribunais, não haveria limitações

---

e para adotar os critérios de escolha e o regime de suas coligações nas eleições majoritárias, vedada a sua celebração nas eleições proporcionais, sem obrigatoriedade de vinculação entre as candidaturas em âmbito nacional, estadual, distrital ou municipal, devendo seus estatutos estabelecer normas de disciplina e fidelidade partidária.

[19] SANTANO, Ana Cláudia; COSTA, Tailane Cristina. *Breve ensaio sobre a democracia interna nos Partidos políticos Espanha. Direito Eleitoral Comparado*. Belo Horizonte: Fórum, 2018.

[20] NAVARRO MENDÉZ, José Ignacio. *Los Partidos y "democracia interna"*. Madrid: CEPC, 1999.

[21] GARCÍA- PELAYO, Manuel. *El estado de partidos*. Madrid: Alianza, 1986.

[22] PRESNO LINERA, Miguel Ángel. *Los partidos políticos y las distorsiones jurídicas de la democracia*. Barcelona: Ariel, 2000.

[23] MICHAELS, Robert. *Los partidos políticos I*. Buenos Aires: Amorrortu, 1996.

[24] FERNANDEZ-MIRANDA CAMPOAMOR, Alfonso. El control estructural-funcional de los partidos políticos en la jurisprudencia contecioso-administrativa. *Revista Española de Derecho Constitucional*, año 2, v. II, n. 4, p. 123-131, ene./abr. 1982. p. 165.

no exercício dos direitos fundamentais no interior dos partidos (justificados pelos programas e pelos seus estatutos, intimamente unidos mediante um nexo de congruência) e onde começam, por outro lado, as vantagens frente às novas tendências evolutivas por parte dos grupos: oligarquias–dominantes.[25]

Não obstante tenham personalidade de pessoa jurídica de direito privado, os partidos políticos exercem atividades públicas e, em razão desse exercício de múnus público, devem gerar o influxo de normas de direito público em suas atividades. Com efeito, quando a função primordial de um ente particular vem a ser o exercício de atividades de índole pública, haverá submissão ampla daquele aos direitos fundamentais, bem como aos princípios que regem a Administração Pública, tais como a transparência, o controle e a fiscalização, entre outros.

Isso se deve ao fato de que, num Estado constitucional, a principal fonte dos referidos influxos é a eficácia dos direitos fundamentais. Nesses termos, é certo que o enquadramento jurídico de determinada pessoa jurídica como ator público ou privado refletirá no grau de vinculação direta e incondicional aos direitos fundamentais, restringindo o espaço da autonomia privada.

Daí porque é justificável o controle externo e permanente exercido sobre os partidos políticos por parte da Justiça Eleitoral brasileira, bem como a necessidade de exigir a promoção de democracia interna nas agremiações, em essencial a vinculação dos partidos políticos aos direitos fundamentais, decorrente da necessária observância do regime democrático na sua estruturação interna.

Em sendo assim, ao passo em que não há como conceber no mundo contemporâneo Estado Democrático de Direito sem partidos políticos, tampouco é legítima a agremiação partidária que não promova gestão democrática. É imprescindível, portanto, que sejam sempre garantidas as liberdades partidárias, sem ingerência estatal, mas condicionadas à concretização dos preceitos de uma democracia representativa. Por conseguinte, a submissão dos partidos políticos ao regime democrático na organização interna e na tomada de decisões com efeitos jurídicos constitui-se exigência constitucional implícita, necessária e inegociável.

Deve-se notar, todavia, que tal valor pode, eventualmente, ser ponderado com outros valores constitucionais envolvidos, limitando a liberdade e a autonomia partidária, em prol dos interesses jurídicos dos eleitores e dos filiados.

## 4    Em busca de uma democracia intrapartidária

A realidade no Brasil é preocupante. As agremiações têm forte caráter oligárquico, de sorte que apenas aqueles que compõem a cúpula dirigente dos partidos tomam as decisões mais importantes, entre elas – e com destaque – a de seleção dos candidatos para o momento eleitoral. Nos partidos políticos brasileiros, há flagrante incoerência:

---

[25] LOMBARDI, Giorgio. Corrientes y democracia interna de los partidos políticos. *Revista de Estudios Políticos Nueva Época*, n. 27, p. 7-28, may./jun. 1992. p. 26.

as agremiações cuja razão de ser é o próprio regime democrático não garantem verdadeira democracia aos seus filiados em seu âmbito interno.

No Brasil, o tema é de enorme relevância, uma vez que o partido político é a principal instituição por meio da qual o cidadão exerce a titularidade do poder político, o que se afigura como fundamental em um verdadeiro Estado constitucional. A importância dessas agremiações é tanta que, consoante adverte Augusto Aras,

> dos três Poderes estruturais e imanentes do Estado, dois deles, o Executivo e o Legislativo, têm os seus membros investidos nos respectivos cargos e mandatos necessariamente por meio de eleições periódicas, nas quais o povo elege os seus representantes por meio da participação das agremiações políticas, tendo em vista ser a filiação partidária uma das condições de elegibilidade.[26]

As agremiações detêm, ainda hoje, o monopólio da representação política no país, já que candidaturas avulsas não são admitidas. De fato, no caso brasileiro, a necessidade da representação partidária é explícita, com base na leitura do inciso V do §3º do art. 14 da Constituição Federal, que traz a exigência de filiação partidária para que um cidadão possa vir a ser eleito, bem como no art. 87 do Código Eleitoral, no qual se encontra expresso que somente podem concorrer às eleições candidatos registrados por partidos e, ainda, no art. 18 da Lei nº 9.096/1995, Lei dos Partidos Políticos, no qual está disposto que, para concorrer a cargo eletivo, o eleitor deverá estar filiado ao respectivo partido.

Nesse contexto, vale destacar que a representação política hoje no Brasil é partidarizada, ou seja, vota-se em um partido político, e não diretamente nos candidatos apresentados em cada processo eleitoral. É dever da agremiação, portanto, cumprir, em seu âmbito interno de atuação, os princípios que regem o Estado brasileiro, nomeadamente o princípio democrático, bem como os princípios da liberdade de expressão e da igualdade de participação.

Nas palavras de Matheus Passos da Silva:

> Significa dizer que os partidos políticos têm a prerrogativa constitucional de solucionar seus assuntos *interna corporis* da maneira como considerarem melhor, tendo-se em vista os objetivos a serem atingidos pelo partido e a própria ideologia que lhe dá sustentação, desde que a sua visão de mundo acerca do que consideram melhor para a sociedade, desde que tal atuação não infrinja os princípios específicos relacionados aos partidos políticos, assim como os próprios princípios constitucionais que são basilares na definição do Estado brasileiro.[27]

Na opinião do referido autor, não se observa, no âmbito das agremiações brasileiras, entretanto, a essencial democracia intrapartidária. Existiria, noutro passo, verdadeira concentração do poder político da agremiação na cúpula partidária, com a formação de efetivas oligarquias nos partidos políticos, ensejando um distanciamento

---

[26] ARAS, Augusto. *Fidelidade e Ditadura (Intra)Partidárias.* Bauru: Edipro, 2011. p. 14.

[27] SILVA, Matheus Passos. Breves notas sobre a necessária democratização interna dos partidos políticos brasileiros. *Estudos Eleitorais*, v. II, n. 2, p. 175-199, mai./ago. 2016. p. 182-183.

no relacionamento entre os partidos políticos e os cidadãos, especialmente em relação às suas bases sociais.

Apenas para ilustrar, vale o exemplo trazido no livro *Direito Eleitoral*, de José Jairo Gomes, no qual é citada a reportagem do jornal *Folha de São Paulo* sobre a forma como foi escolhido o candidato do PSDB à presidência do Brasil nas Eleições de 2006:

> Num restaurante paulista, mesa em fim de jantar, quatro sobas simpáticos, gente de bem em todos os sentidos, armavam a estratégia para escolher o próximo candidato do PSDB à Presidência da República... Tudo será feito de acordo com o que eles decidirem, ouvidas mais duas ou três cabeças coroadas do PSDB.[28]

E, em linhas gerais, dos grandes aos pequenos partidos, antes daquela época e até os dias de hoje, a liturgia tem sido a mesma: poucas pessoas, de alguns poucos partidos, decidem quem pode ser o futuro presidente da República.

Ora, parece lógico que, se os partidos políticos são instituições que objetivam concretizar a democracia, eles mesmos devem ser democráticos em seu âmbito interno. Em outros termos, seria no mínimo contraditório que um partido político buscasse em sua atuação externa a concretização da democracia se, em sua atuação interna, agisse de maneira ditatorial ou antidemocrática – especialmente quando se considera que os partidos políticos detêm o monopólio das candidaturas para os cargos eletivos no Brasil.

Como assevera Gilmar Ferreira Mendes,

> se os partidos precisam resguardar o regime democrático conforme explícito no *caput* do art. 17 da Constituição – ou seja, se precisam respeitar e fazer valer o princípio democrático estabelecido já no *caput* do art. 1º da Constituição –, torna-se claro o fato de que há, por parte dos partidos políticos, o dever fundamental de garantia da máxima participação possível aos seus filiados nas decisões que venham a ser tomadas pelo partido político.[29]

Com efeito,

> não basta que o partido se posicione como uma instituição responsável por concretizar a democracia no âmbito externo a si mesmo, ou seja, na esfera da sociedade: é necessário, ou dir-se-ia que até mesmo é obrigatório, que o partido concretize o princípio democrático também em seu âmbito interno.

Desse modo, conclui-se que, quando um partido político não concretiza a democracia interna, malfere direito fundamental dos cidadãos, dado que atua em desfavor do próprio princípio democrático estabelecido na Constituição Federal.

Torna-se forçoso, daí, chegar à aplicação do que a doutrina denomina como os efeitos horizontais dos direitos fundamentais. Conforme indaga Canotilho,

---

[28] GOMES, José Jairo. *Direito Eleitoral*. 14. ed. São Paulo: Editora Atlas, 2018. p. 149.

[29] MENDES, Gilmar Ferreira. *Curso de Direito Constitucional*. 9. ed. São Paulo: Saraiva, 2014. p. 1169.

as normas constitucionais consagradoras de direitos, liberdades e garantias (e direitos análogos) devem ou não ser obrigatoriamente observadas e cumpridas pelas pessoas privadas (individuais ou coletivas) quando estabelecem relações jurídicas com outros sujeitos jurídicos privados?[30]

A consequência dessa eficácia horizontal dos direitos fundamentais implica a necessidade de garantia dos direitos fundamentais dos cidadãos por parte de entidades privadas, como é o caso dos partidos, cabendo a estes o dever inescusável de respeito aos direitos fundamentais dos seus filiados.

Deve-se notar, ainda, que a eficácia horizontal dos direitos fundamentais enseja pretensa colisão de direitos fundamentais, já que, se, de um lado, haveria a autonomia privada das agremiações, de outro, estariam os direitos fundamentais dos filiados, sendo certo que ambos os direitos precisam ser protegidos. Confrontos que tais, entre normas sediadas na Constituição, não configuram conflito real de normas, mas mero conflito aparente, na medida em que são solucionáveis pela técnica da ponderação de valores, mediante a qual se busca aferir o alcance e a extensão daquele que, em caso concreto, possa estar em confronto, sem que um exclua o outro, mas que sejam tão somente sopesados, considerada a importância relativa de cada um, para decidir qual deles deve prevalecer ou sofrer menor constrição na situação concreta.

Assim, não há superioridade formal de um direito em relação a outro, mas a simples determinação da solução que melhor atenda ao ideário de justiça na situação apreciada. Como mecanismo de convivência de normas que tutelam valores ou bens jurídicos contrapostos, a técnica da ponderação conquistou amplamente a doutrina e repercute há algum tempo nas decisões dos tribunais pátrios, em especial naquelas em que se pretende a valorização dos direitos fundamentais.

De tudo o que foi dito, percebe-se que é preciso fazer um juízo de proporcionalidade entre os direitos envolvidos, caso a caso, já que ambos, tanto o direito à autonomia dos partidos quanto o dos filiados, são direitos estabelecidos no texto constitucional brasileiro. Por mais que um partido político seja uma instituição de caráter privado, a sua atuação ocorre na busca de atender a objetivo público, de altíssimo significado: possibilitar ao cidadão o exercício do poder político perante o Estado.

Dessa forma, considerado o fato de que os partidos políticos são dotados de natureza complexa, uma vez que transitam em zona que abrange as esferas privada e pública, ainda que ostentem autonomia interna constitucionalmente garantida, precisam eles, nas palavras de Silva,[31] concretizar internamente o princípio constitucional da liberdade e da igualdade, em atenção à eficácia horizontal, a ser implementada de maneira direta e imediata, sem a necessidade de estabelecimento de padrões ou regras por parte do legislador, até mesmo para evitar a ingerência estatal nos assuntos internos das agremiações partidárias.

---

[30] CANOTILHO, Joaquim José Gomes. *Direito Constitucional e Teoria da Constituição*. 7. ed. Coimbra: Almedina, 2014. p. 1286.

[31] SILVA, Matheus Passos. Breves notas sobre a necessária democratização interna dos partidos políticos brasileiros. *Estudos Eleitorais*, v. II, n. 2, p. 175-199, mai./ago. 2016.

Hoje já se tem uma ideia clara no sentido de que a democracia *de partidos* demanda uma democracia *nos partidos* e que tal democracia se associa pelo menos aos seguintes aspectos:

i. mecanismos democráticos de seleção de candidaturas, agora com relevo às candidaturas de gênero;

ii. proteção dos direitos dos filiados: o direito de expressão, de oposição, de igualdade de tratamento e de atuação efetiva dentro do partido;

iii. incentivo à participação da militância na formação da vontade do partido;

iv. eleições democráticas dos diretórios;

v. distribuição de poder dentro das agremiações, com relevo também às questões de gênero;

vi. controle, fiscalização e transparência nas prestações das contas dos partidos e das candidaturas;

vii. o estabelecimento de regras de conduta, por intermédio de *compliances*.

Como se pode observar, a partir dos trechos citados, tudo passa pela necessidade da oitiva dos associados e da tomada de decisão majoritária, bem como pelo resguardo dos procedimentos democráticos de gestão e da capacidade de fiscalização, controle e transparência, com o objetivo de assegurar, em especial, os direitos das minorias.

O prestígio a uma efetiva democracia intrapartidária ensejará maior participação do cidadão no processo político-decisório, podendo trazer como consequência positiva o aumento do interesse do cidadão pela política em geral. Seria uma espécie de círculo *virtuoso,* nas palavras de Silva,[32] "em que o cidadão se envolve efetivamente com a esfera pública no âmbito daquilo que lhe interessa e, uma vez participando de maneira mais constante, torna-se responsável pelo sucesso daquela decisão", sendo certo que, "em consequência, o cidadão poderia vir a se interessar cada vez mais por aquilo que é coletivo, exercendo não apenas seus direitos fundamentais como também seus deveres, ambos na esfera política".

Em consequência, havendo mais interesse do cidadão em participar da esfera pública, ter-se-ia possivelmente o aumento do seu envolvimento com os partidos políticos, revertendo a tendência de descrença do cidadão na atuação partidária e na democracia representativa. Afinal, como afirmou o historiador britânico Arnold Toynbee, "o maior castigo para aqueles que não se interessam por política é que serão governados pelos que se interessam".[33]

A partir de tais considerações, conclui-se que, se um partido político não concretiza a democracia interna, ele infringe um direito fundamental dos cidadãos, o que, em última instância, significa agir contra o próprio princípio democrático estabelecido na Constituição. A democracia pressupõe não apenas a existência de um conjunto de regras constitucionalmente estabelecidas; mais que isso, quando

---

[32] SILVA, Matheus Passos. Breves notas sobre a necessária democratização interna dos partidos políticos brasileiros. *Estudos Eleitorais*, v. II, n. 2, p. 175-199, mai./ago. 2016. p. 194.

[33] *In*: CONSTANTINO, Rodrigo. *Prisioneiros da liberdade*. Recife: Soler editora, 2004. p. 157.

se compreende que a democracia é um princípio do Estado de direito, percebe-se a necessidade de concretizá-la efetivamente na realidade prática do cidadão.

## 5    Conclusão

No que concerne ao princípio democrático presente na Constituição, adquirem extrema relevância os partidos políticos que, no caso brasileiro, guardam o monopólio da representação política, de maneira a terem um papel central no que diz respeito à concretização, por parte dos cidadãos, de seus direitos fundamentais, nomeadamente a própria cidadania.

Nada obstante, é constante a violação dos direitos fundamentais dos filiados, os quais perdem na prática o direito à liberdade de expressão e de manifestação, bem como acabam por ter limitados, senão suprimidos, outros direitos fundamentais diretamente relacionados à participação política, tal como o direito à oposição interna na intimidade do partido político. Torna-se premente, daí, a concretização, no que concerne ao funcionamento dos partidos políticos, do conceito de eficácia horizontal dos direitos fundamentais, de maneira a fazer com que os direitos dos filiados sejam garantidos quando entrarem em conflito com os dos próprios partidos políticos em relação à sua autonomia privada no âmbito interno.

Tal ponderação em favor dos direitos fundamentais dos filiados se apresenta como necessária por se considerar que os partidos políticos, embora sejam instituições privadas, desempenham função pública – a de representação política e de questionamento político da sociedade –, de modo que os interesses de seus filiados sejam, em ponderação, mais relevantes do que o seu próprio interesse como instituição.

Nesse sentido, os partidos políticos poderiam ser efetivamente democratizados internamente caso houvesse maior participação por parte do próprio cidadão. Em outras palavras, os partidos políticos na atualidade deixam de ser internamente democráticos por desinteresse dos cidadãos em geral, o que deixa espaço, que vem a ser exatamente ocupado pelos grupos dirigentes. Se houvesse maior participação dos cidadãos em tais ambientes, talvez fosse maior a possibilidade de democratização interna dos partidos políticos.

Uma sociedade se constrói com mudanças continuadas. O mundo está em profunda transformação, e a democracia representativa clama por novos ares que assegurem a manutenção da credibilidade dos atores políticos envolvidos neste evento cívico, repleto de significados, que são as eleições. O momento é de ação, revestida de reflexão. Não são tempos de arroubos, mas de decisões acordadas, costuradas com mestria nesse cenário cada vez mais dinâmico. Há desafios constantes, e a promoção de uma efetiva democracia intrapartidária tornou-se compromisso inadiável.

## Referências

ABRANCHES, Sérgio Henrique Hudson. *Presidencialismo de coalizão*: raízes e evolução do modelo político brasileiro. São Paulo: Companhia das Letras, 2018.

ARAS, Augusto. *Fidelidade e Ditadura (Intra)Partidárias*. Bauru: Edipro, 2011.

BANHOS, Sérgio Silveira. *A participação das mulheres na política – as quotas de gênero para o financiamento de campanhas no Brasil*. Monografia apresentada no Pós-doutoramento em Democracia e Direitos Humanos pelo Centro de Direitos Humanos, no *Ius Gentium Conimbrigae*, da Universidade de Coimbra, 2019.

BARROSO, Luís Roberto (Coord.). *A nova interpretação constitucional*: ponderação, direitos fundamentais e relações privadas. Rio de Janeiro: Renovar, 2006.

BAUMAN, Zygmunt; BORDONI, Carlo. *Estado de crise*. Rio de Janeiro: Zahar, 2016.

CAMPOS NETO, Raymundo. *A democracia interna nos partidos Políticos Brasileiros*. Belo Horizonte: D'Plácido, 2017.

CANOTILHO, Joaquim José Gomes. *Direito Constitucional e Teoria da Constituição*. 7. ed. Coimbra: Almedina, 2014.

CASTELLS, Manuel. *Ruptura*: a crise da democracia liberal. Rio de Janeiro: Zahar, 2018.

CONSTANTINO, Rodrigo. *Prisioneiros da liberdade*. Recife: Soler editora, 2004.

COSTA, Maurício Mesurine. El Derecho Dúctil: Ley, Derechos, Justicia, de Gustavo Zagrebelsky, uma resenha. *Revista Novos Estudos Jurídicos*, v. 11, n. 2, jul./dez. 2006.

CORRÊA, Roberta de Araújo. *Legitimidade do poder político na democracia contemporânea*. Curitiba: Juruá, 2015.

D'AVILA, Luiz Felipe. *10 mandamentos*: do país que somos para o Brasil que queremos. Rio de Janeiro: Topbooks, 2017.

FERNANDES NETO, Raimundo Augusto. *Partidos políticos*: desafios contemporâneos. Íthala: Curitiba, 2019.

FERNANDEZ-MIRANDA CAMPOAMOR, Alfonso. El control estructural-funcional de los partidos políticos en la jurisprudencia contecioso-administrativa. *Revista Española de Derecho Constitucional*, año 2, v. II, n. 4, p. 123-131, ene./abr. 1982.

GABRIEL, Ruan de Sousa. Entrevista com Yascha Mounk. *Revista Época*. Disponível em: https://epoca.globo.com/yascha-mounk-bolsonaro-cria-desilusao-com-as-instituicoes-para-fortalecer-seu-poder-23646296. Acesso em 07 mai. 2019.

GARCÍA- PELAYO, Manuel. *El estado de partidos*. Madrid: Alianza, 1986.

GOMES, José Jairo. *Direito Eleitoral*. 14. ed. São Paulo: Editora Atlas, 2018.

HARARI, Yhuval Noah. *21 lições para o século XXI*. São Paulo: Companhia das Letras, 2018.

LEVITSKY, Steven; ZIBLATT, Daniel. *Como as democracias morrem*. Rio de Janeiro: Zahar, 2018.

LOMBARDI, Giorgio. Corrientes y democracia interna de los partidos políticos. *Revista de Estudios Políticos Nueva Época*, n. 27, p. 7-28, may./jun. 1992.

MENDES, Gilmar Ferreira. *Curso de Direito Constitucional*. 9. ed. São Paulo: Saraiva, 2014.

MICHAELS, Robert. *Los partidos políticos I*. Buenos Aires: Amorrortu, 1996.

MICHAELS, Robert. *Los partidos políticos II. Um estúdio sociológico de las tendências oligárquicas de la democracia moderna*. Buenos Aires: Amorrortu, 1996.

MOREIRA, Vital. Aula inaugural. *In seminário promovido pelo Centro de Direitos Humanos, Ius Gentium Conimbrigae*. Universidade de Coimbra, Portugal, 2019.

MOUNK, Yascha. *O povo contra a democracia*: por que nossa liberdade corre perigo e como salvá-la. São Paulo: Companhia das Letras, 2019.

NAVARRO MENDÉZ, José Ignacio. *Los Partidos y "democracia interna"*. Madrid: CEPC, 1999.

PRESNO LINERA, Miguel Ángel. *Los partidos políticos y las distorsiones jurídicas de la democracia*. Barcelona: Ariel, 2000.

SANTANO, Ana Claudia; COSTA, Tailane Cristina. *Breve ensaio sobre a democracia interna nos Partidos políticos Espanha. Direito Eleitoral Comparado.* Belo Horizonte: Fórum, 2018.

SANTOS, Boaventura de Souza. *Democratizar a democracia*: os caminhos da democracia representativa. Rio de Janeiro: Civilização Brasileira, 2003.

SANTOS, Nikolas Reis Moraes; KELLER, Vanessa de Ramos. Os movimentos de renovação política e a promoção da participação da mulher. *Revista Resenha Eleitoral*, v. 23, n. 1, p. 89-100, 2019.

SILVA, Matheus Passos. Breves notas sobre a necessária democratização interna dos partidos políticos brasileiros. *Estudos Eleitorais*, v. II, n. 2, p. 175-199, maio/ago. 2016.

VAN REYBROUCK, David. *Contra as eleições*. São Paulo: Editora Biblioteca Antagonista, 2017. v. 23.

---

Informação bibliográfica deste texto, conforme a NBR 6023:2018 da Associação Brasileira de Normas Técnicas (ABNT):

BANHOS, Sérgio Silveira. O papel da democracia intrapartidária em momento de crise na democracia representativa. *In*: COSTA, Daniel Castro Gomes da; FONSECA, Reynaldo Soares da; BANHOS, Sérgio Silveira; CARVALHO NETO, Tarcisio Vieira de (Coord.). *Democracia, justiça e cidadania*: desafios e perspectivas. Homenagem ao Ministro Luís Roberto Barroso. Belo Horizonte: Fórum, 2020. t. 1: Direito eleitoral, política e democracia. p. 61-75. ISBN 978-85-450-0748-7.

# O FUTURO DO CONSTITUCIONALISMO DEMOCRÁTICO E A CONTRIBUIÇÃO DE LUÍS ROBERTO BARROSO

**REYNALDO SOARES DA FONSECA**
**RAFAEL CAMPOS SOARES DA FONSECA**

## 1 A propósito de uma homenagem

Os imperativos jurídicos, sociais e políticos de pensar o Brasil em sua complexidade e imensidão são intrínsecos a todo jurista que se pretende útil à formação da espacialidade pública em um país diverso e continental. A propósito, sem dúvidas, a geração universitária egressa dos bancos acadêmicos no fim do regime militar e início da redemocratização do país encontrou uma das mentes mais qualificadas, luminosas e criativas em Luís Roberto Barroso. O Homenageado compreendeu sua função social na implantação do recente constitucionalismo democrático ao longo das últimas décadas e reinventou-se na condição de constitucionalista e professor a partir dos dilemas constitucionais e conjunturais que desafiaram a sociedade brasileira. Em sintética expressão vocacional comumente encontrada em seus escritos, percorreu incessantemente os territórios nacional e internacional, conquistando "mentes e corações" em prol de boas ideias, muitas das quais, com a filtragem do tempo e boa dose de determinação e resiliência, converteram-se em triunfos recentes do direito constitucional pátrio.

O trinômio de expectativas dirigidas aos homens públicos na realidade brasileira consiste na efetivação da República, da Democracia e da Federação. É certo que o Professor e Ministro Luís Roberto Barroso compreendeu e operou a "Sala de Máquinas" de nossa Constituição a partir de cada um desses aspectos, como se depreende de sua vasta biografia e bibliografia como Advogado e Consultor Jurídico das grandes causas públicas no Brasil contemporâneo, Professor Titular da Universidade do Estado do Rio de Janeiro, Procurador do Estado do Rio de Janeiro e, por fim e atualmente, Ministro do Supremo Tribunal Federal e do Tribunal Superior Eleitoral. Desnecessário lembrar, caso a caso, neste curto espaço, as lutas e vitórias do Homenageado nas lides constitucionais, primeiro como causídico e mentor jurídico de teses vencedoras, agora na condição de Julgador no mais alto órgão da Justiça brasileira.

Conforme nos revela o professor Barroso em recente balanço dos trinta anos da Constituição da República de 1988, a relação dele com o texto constitucional é personalíssima, com acertos e frustrações,[1] como é público e notório a toda comunidade jurídica. Ele soube encontrar-se na academia jurídica na reconstrução do Direito Constitucional Processual, seguindo finalmente os conselhos de seu pai para estudar processo civil.[2] Solidarizam-se também os Autores, flamenguistas, filho e neto de um saudoso Vascaíno e em relação a uma geração que enfrentou as adversidades do tabaco.

Pelo evidente sucesso alcançado no estudo e difusão de ideias sobre a jurisdição constitucional, que o gabaritou a ascender, com tranquilidade, ao cargo de Ministro do STF, certamente estão frescas na memória do leitor as imagens de Luís Roberto Barroso na defesa e promoção dos vetores jurídicos supracitados, na medida em construiu as doutrinas da efetividade,[3] da nova interpretação constitucional,[4] do neoconstitucionalismo[5] ou novo direito constitucional, da dignidade da pessoa humana[6] e das funções contramajoritária, representativa[7] e iluminista de nossa Suprema Corte na qualidade de Tribunal Constitucional.[8]

Porém, justamente por isso, os Autores sentiram a oportunidade de revisitar o pensamento do Homenageado no tocante ao constitucionalismo democrático, especialmente em sua formulação na ambiência brasileira do neoconstitucionalismo como doutrina influente e vencedora no livre mercado de ideias decorrente de nossa tradição constitucional.

Nesse contexto, este artigo pretende perquirir acerca da contribuição acadêmica de Luís Roberto Barroso ao constitucionalismo no Brasil pós-88, ladeado pelos ideais republicano, federativo e democrático, na expressão jurídica de vinculação a uma

---

[1] Nas palavras certeiras do Homenageado: "[m]eus queridos amigos: se lhes falo de derrotas e de vitórias; de sucessos e de fracassos, é porque deles é feita a vida. Aqui se ganha, ali se perde. E existem muitas lutas depois da vitória, e existe vida depois do fracasso. E porque assim é, porque ora se perde, ora se ganha, as coisas na vida não se medem pelos resultados, mas sim pelos princípios e valores que se escolhem. Ou, como disse em dedicatória a um de vocês, o mais importante não é a chegada, mas o caminho, e a maneira como a gente o percorre". (BARROSO, Luís Roberto. *A vida, o direito e algumas ideias para o Brasil*. Ribeirão Preto: Migalhas, 2016. p. 25).

[2] BARROSO, Luís Roberto. Trinta anos da Constituição: a República que ainda não foi. *In*: BARROSO, Luís Roberto; MELLO, Patrícia Perrone Campos. *A República que ainda não foi*: trinta anos da Constituição de 1988 na visão da escola de direito constitucional da UERJ. Belo Horizonte: Fórum, 2018.

[3] BARROSO, Luís Roberto. *O Direito Constitucional e a efetividade de suas normas*: limites e possibilidade da constituição brasileira. 9. ed. Rio de Janeiro: Renovar, 2009.

[4] BARROSO, Luís Roberto. *Interpretação e aplicação da Constituição*: fundamentos de uma dogmática constitucional transformadora. 7. ed. São Paulo: Saraiva, 2014.

[5] BARROSO, Luís Roberto. O constitucionalismo democrático ou neoconstitucionalismo como ideologia vitoriosa do século XX. *In*: *Publicum*, v. 4, ed. comemorativa, p. 14-36, 2018.

[6] BARROSO, Luís Roberto. *A dignidade da pessoa humana no Direito Constitucional Contemporâneo*: a construção de um conceito jurídico à luz da jurisprudência mundial. (Trad. Humberto Laport de Mello). Belo Horizonte: Fórum, 2016.

[7] BARROSO, Luís Roberto. A razão sem voto: o Supremo Tribunal Federal e o governo da maioria. *In*: *Revista Brasileira de Políticas Públicas*, Brasília, v. 5, n. 2, p. 23-50, 2015.

[8] BARROSO, Luís Roberto. *Curso de Direito Constitucional Contemporâneo*: os conceitos fundamentais e a construção do novo modelo. 8. ed. São Paulo: Saraiva, 2019. p. 467-492.

legalidade substantivada pela legitimidade, por sua vez significada pela centralidade dos direitos fundamentais.

Assim, o enfoque estará sobre a consolidação e o desenvolvimento do Estado Constitucional de Direito na República Federativa do Brasil, com especial interesse nas possibilidades de concretização da Constituição na realidade social, adotado como premissa o caráter emancipatório da dogmática constitucional, como também se essa euforia pelo novo superador do antigo não seria mais um caso de incorporação acrítica de teorias estrangeiras nos ambientes acadêmicos e pela práxis jurídica em solo brasileiro. Claro, sem pretensões generalizantes, mas sim, na qualidade de contributo. Enfim, será perquirida se a recepção do(s) neoconstitucionalismo(s) deve ser querida e em qual formato.

## 2   Linhas gerais sobre a emergência do neoconstitucionalismo no Brasil

Nas últimas duas décadas, o Direito brasileiro tentou encontrar-se, assim como a própria sociedade e o Estado, visto que sofreu inúmeras transformações associadas ao contexto de redemocratização. Em decorrência dessas transições, sob a égide da Constituição de 1988, a dogmática constitucional pátria viu-se desguarnecida em termos instrumentais e teóricos para lidar com tamanha multiplicidade de situações advindas da complexidade e pluralidade da afirmação do constitucionalismo democrático e seus impactos na sociedade civil e no próprio Estado. Em contraponto a essa orquestra caótica, reagiu-se com a emergência de um modelo do Estado Constitucional de Direito, o qual possui como fator precípuo de identificação a subordinação da legalidade às constituições supremas e rígidas, o que acarreta alterações no estatuto epistemológico da ciência jurídica, no papel da jurisdição independente e na dimensão substancial das condições de validade das normas e da própria democracia.[9]

Nesse contexto, vem à baila a recepção do "neoconstitucionalismo" pelo Direito Brasileiro. O neoconstitucionalismo é uma linha de pensamento formulada nos ambientes acadêmicos da Espanha e da Itália, e incorporada aos debates latino-americanos e brasileiros a partir da grande difusão da chamada "trilogia neoconstitucional", isto é, três coletâneas de artigos editadas pelo jurista mexicano Miguel Carbonell, que lançariam indicações da base conceitual dessa nova matriz teórica.[10] Desde então, a Academia debruçou-se sobre a temática na tentativa de conceituar, operacionalizar e avaliar os efeitos dessa linha de pensamento constitucional. Conforme o escólio do próprio mexicano,[11] o neoconstitucionalismo é plural, pois traduz fenômenos

---

[9]   FERRAJOLI, Luigi. Pasado y futuro del Estado de derecho. (Trad. Pilar Allegue). *In*: CARBONELL, Miguel (Org.). *Neoconstitucionalismo(s)*. 3. ed. Madrid: Editorial Trotta, 2009. p. 18-19.

[10]  As obras são: CARBONELL, Miguel. *Neoconstitucionalismo(s)*. Madrid: Editorial Trotta, 2003; CARBONELL, Miguel. *Teoria del Neoconstitucionalismo*: ensayos escogidos. Madrid: Editorial Trotta, 2007; e CARBONELL, Miguel. *El Canon Neoconstitucional*. Madrid: Editorial Trotta, 2010.

[11]  CARBONELL, Miguel (Org.). *Neoconstitucionalismo(s)*. 3. ed. Madrid: Editorial Trotta, 2009. p. 9-10.

evolutivos que impactaram no paradigma do Estado Constitucional e também da Teoria do Direito.

Mesmo diante dessa pluralidade conceitual, a primeira tarefa deste contributo será a busca de elementos para uma apropriação conceitual dessa corrente filosófica-constitucional. Sendo assim, pretende-se ir de um extremo ao outro das possibilidades teóricas, isto é, desde a negação dos neoconstitucionalismos à aceitação desse fenômeno em sua acepção "total". Dessa empreitada será retirado o substrato teórico para discussões críticas do constitucionalismo democrático, de modo que além de uma conceituação fechada e nominalista retirada de um estudo específico, o qual teria respaldo na perspectiva de um argumento de autoridade, tenciona-se reconstruir os movimentos conceituais em fluxos e refluxos científicos e doutrinários em via de concretizar uma definição adequada e operável para as finalidades deste trabalho.

Portanto, esse exame irá desaguar nas sugestões conclusivas do artigo *As Várias Faces do Neoconstitucionalismo,* de Margarida Camargo e Rodrigo Tavares,[12] ou seja, no monitoramento dos desdobramentos teóricos e práticos do neoconstitucionalismo, além de considerá-lo na condição de estímulo para o debate de nossas instituições democráticas.

Assim, o esforço de pensar sobre o futuro do constitucionalismo democrático e a contribuição do professor Luís Roberto Barroso caminharão pela apreensão da consolidação e do desenvolvimento do Estado Constitucional de Direito na República Federativa do Brasil, com especial interesse nas possibilidades de concretização do programa constitucional na realidade social, à luz da assunção do caráter emancipatório da dogmática jurídica.

## 3 Pluralidade conceitual do neoconstitucionalismo

O neoconstitucionalismo é um termo que comporta diferentes significados, ainda que correlatos. De forma escorreita, Daniel Sarmento[13] conclui que não é tarefa amena definir esse fenômeno teórico justamente porque a base teórica que o enseja é heterogênea, de forma que se trata de diversas visões sobre a expressão da juridicidade na contemporaneidade, as quais só podem ser agregadas em uma mesma linha por terem alguns denominadores comuns; por efeito, deve-se haver um pré-comprometimento na precisão do conceito.

Por conseguinte, diante da dificuldade em especificar a expressão, Camargo e Tavares[14] afirmam que a terminologia surgiu no "Congresso Mundial de Filosofia e Sociologia do Direito", de 1997, realizado em Buenos Aires, e quem deve assumir a

---

[12] CAMARGO, Margarida; TAVARES, Rodrigo. As várias faces do Neoconstitucionalismo. *In*: QUARESMA, Regina *et al*. *Neoconstitucionalismo*. Rio de Janeiro: Forense, 2009. p. 368.

[13] SARMENTO, Daniel. O Neoconstitucionalismo no Brasil: riscos e possibilidades. *In*: NOVELINO, Marcelo. *Leituras complementares de Direito Constitucional*: teoria da Constituição. Salvador: JusPodivm, 2009. p. 33-34.

[14] CAMARGO, Margarida; TAVARES, Rodrigo. As várias faces do Neoconstitucionalismo. *In*: QUARESMA, Regina *et al*. *Neoconstitucionalismo*. Rio de Janeiro: Forense, 2009. p. 356-357.

paternidade nominativa é justamente Susanna Pozzolo, jurista italiana positivista e uma das maiores críticas do neoconstitucionalismo e suas implicações antipositivistas.

> [...] Notamos, assim, que o neoconstitucionalismo foi pensado originariamente como uma doutrina jusfilosófica antipositivista, que promove uma particular reconstrução do ordenamento jurídico dos modernos Estados Constitucionais de Direito.
>
> No entanto, o sentido original atribuído ao termo, cujos contornos eram mais ou menos precisos, se dissolveu quase que inteiramente em paralelo à popularidade que o mesmo alcançou. A ampla difusão da expressão entre os constitucionalistas, teóricos do direito e juristas em geral acabou por gerar um discurso cacofônico e turbulento.[15]

De outro turno, a conclusão de não encontrar um conceito minimamente operável do fenômeno teórico implicaria em, pelo menos, admitir três situações danosas. A um, a falência prematura desta pesquisa. A dois, a persistência da insuficiência teórico-instrumental por parte do Direito para lidar com os problemas sóciojurídicos contemporâneos em contexto democrático e brasileiro, pelo menos nesta perspectiva, o que é uma perda, tendo em conta o contexto de pluralismo metodológico, ou mesmo sincretismo, desejável ao Direito Brasileiro[16] e, em último grau, seria um contributo ao anarquismo metodológico nas práticas dos tribunais, oportunizando, sistemicamente, o decisionismo. A três, Marcelo Neves[17] pontua ser fundamental a precisa localização histórica e a rigorosa delimitação semântica dos contornos conceituais de "Constituição" e "constitucionalismo", caso contrário, tornam-se categorias inaptas a servir ao esclarecimento de problemas decisivos da sociedade mundial, porque haveria a conversão do termo "Constituição" em mera metáfora contextualmente ilimitada, sem referência a suas implicações estruturais, impossibilitando-se o seu aperfeiçoamento em prol da transformação social.

Visto isso, resta investigar nos estudos especializados as proposições acerca do neoconstitucionalismo, disso pretende-se sistematizar os "denominadores comuns" das propostas colhidas em revisão de literatura, de forma a obter um conceito razoavelmente preciso e operável para as finalidades desta pesquisa.

## 4    Notas comuns às propostas de neoconstitucionalismos

Ao se defrontar com a necessidade de uma definição, Miguel Carbonell[18] abriu em três planos, a fim de análise, o neoconstitucionalismo: textos constitucionais, práticas judiciais e teorias constitucionais. Tendo em conta que foram introduzidos elementos

---

[15]    CAMARGO, Margarida; TAVARES, Rodrigo. As várias faces do Neoconstitucionalismo. *In*: QUARESMA, Regina *et al*. *Neoconstitucionalismo*. Rio de Janeiro: Forense, 2009. p. 357.

[16]    BARROSO, Luís Roberto. Neoconstitucionalismo e a constitucionalização do direito (O triunfo tardio do direito constitucional no Brasil). *In*: SOUZA NETO, Cláudio Pereira de; SARMENTO, Daniel. *A Constitucionalização do Direito*: fundamentos teóricos e aplicações específicas. Rio de Janeiro: Lumen Juris, 2007. p. 212-213.

[17]    NEVES, Marcelo. *Transconstitucionalismo*. São Paulo: Saraiva, 2009. p. 1-6.

[18]    CARBONELL, Miguel. Neoconstitucionalismo: elementos para una definición. *In*: MOREIRA, Eduardo Ribeiro; PUGLIESI, Maurício. *20 anos da Constituição Brasileira*. São Paulo: Saraiva, 2009.

substantivos e complexos nas Cartas Constitucionais hodiernas, os operadores do direito socorrem-se cada vez mais de abordagens principialistas e de metodologia mais aberta, principalmente por meio da tecnologia da ponderação ou sopesamento na argumentação jurídica. De fato, os teóricos formulam modelos constitucionais em busca da compreensão dos fenômenos evolutivos do direito, sendo concomitantemente participantes de sua própria criação.

Luis Roberto Barroso[19] define o neoconstitucionalismo a partir de três marcos: histórico, filosófico e teórico. Como marco histórico, cuida-se da formação do Estado Constitucional de Direito. Como marco filosófico, identifica-se o pós-positivismo. Na qualidade de marco teórico, ressaltam-se três fatores: força normativa da Constituição, expansão da jurisdição constitucional e uma nova interpretação constitucional.

Ana Paula Barcellos[20] relata que o neoconstitucionalismo cinge-se ao estado da arte do constitucionalismo contemporâneo, por isso não é completamente novo, visto que inserido nos desdobramentos evolutivos do próprio constitucionalismo. Ademais, define como caracteres dois planos: o metodológico-formal e o material. Quanto ao primeiro, percebe-se a normatividade da ordem constitucional, a superioridade axiológico-normativa desta e a respectiva centralidade nos sistemas jurídicos. No segundo plano, observa-se a incorporação explícita de valores e opções políticas nos textos constitucionais, como também a expansão e a incorporação de conflitos sociais nos sistemas constitucionais, específicos e gerais no tocante às decisões normativas, pragmáticas e filosóficas.

Igualmente na busca por uma definição, Daniel Sarmento[21] parte de um conjunto de observações evolutivas do Estado constitucional e depois tece considerações sobre elementos compartilhados e consensualizados pelos neoconstitucionalistas em relação a uma teoria do direito dotada de sistematicidade. Em resumo, os fenômenos distintos e reciprocamente implicados que representariam o novo paradigma são o reconhecimento da força normativa dos princípios jurídicos e a valorização da sua importância no processo de aplicação do Direito; rejeição ao formalismo e adoção de metodologia jurídica mais aberta; constitucionalização do Direito; reaproximação entre o Direito e a Moral; e judicialização da política e das relações sociais.

Por seu turno, André Rufino do Vale[22] sintetiza os denominadores comuns das concepções de neoconstitucionalismo: a) importância aos princípios e valores como componentes elementares dos sistemas jurídicos constitucionalizados; b) ponderação como método de interpretação/aplicação dos princípios e de resolução dos conflitos entre valores e bens constitucionais; c) compreensão da Constituição como norma

---

[19] BARROSO, Luís Roberto. Neoconstitucionalismo e a constitucionalização do direito (O triunfo tardio do direito constitucional no Brasil). *In*: SOUZA NETO, Cláudio Pereira de; SARMENTO, Daniel. *A Constitucionalização do Direito*: fundamentos teóricos e aplicações específicas. Rio de Janeiro: Lumen Juris, 2007. p. 205-216.

[20] BARCELLOS, Ana Paula de. Neoconstitucionalismo, Direitos fundamentais e controle das Políticas Públicas. *In*: NOVELINO, Marcelo (Org.). *Leituras complementares de Constitucional*: direitos fundamentais. 2. ed. Salvador: Juspodivm, 2007. p. 43-49.

[21] SARMENTO, Daniel. O Neoconstitucionalismo no Brasil: riscos e possibilidades. *In*: NOVELINO, Marcelo. *Leituras complementares de Direito Constitucional*: teoria da Constituição. Salvador: JusPodivm, 2009. p. 21-52.

[22] VALE, André Rufino do. Aspectos do neoconstitucionalismo. *Revista Brasileira de Direito Constitucional*, n. 9, p. 67-77, jan./jun. 2007. p. 67-68.

jurídica que irradia efeitos por todo o ordenamento jurídico, condicionando toda a atividade jurídica e política dos poderes do Estado e até mesmo dos particulares em suas relações privadas; d) protagonismo dos juízes em relação ao legislador na tarefa de interpretar a Constituição; e e) aceitação de alguma conexão entre Direito e Moral.

Após esse breve esforço voltado às definições ofertadas por parte da doutrina constitucionalista, torna-se cabível cumprir a segunda parte do itinerário argumentativo deste artigo. Vale dizer: reconstruir o debate acerca da conceituação do neoconstitucionalismo com vistas a dotar esta pesquisa da concretude e historicidade necessárias para uma investigação mais robusta das hipóteses de trabalho lançadas.

## 5    Os sentidos do neoconstitucionalismo

Esclarecidas as origens do neoconstitucionalismo, resta indagar a respeito de seu desenvolvimento nas doutrinas italianas, espanholas e latino-americanas. Quanto a isso, há poucas dúvidas de que ocorreu um salto qualitativo em direção à pluralidade de abordagens a partir de Paolo Comanducci,[23] pois foram reconhecidas duas dimensões do neoconstitucionalismo, a descritiva e a normativa. Segundo Alexandre Garrido da Silva,[24] na primeira dimensão, alguns elementos estruturais dos sistemas jurídicos localizados no segundo pós-guerra são destacados a fim de descrever os componentes empíricos oriundos da constitucionalização desses ordenamentos jurídicos; na segunda dimensão, e este é o elemento inovador da análise de Comanducci, estendeu-se a classificação do positivismo jurídico de Norberto Bobbio[25] para o neoconstitucionalismo, logo, haveria vertentes teórica, metodológica e ideológica à proposta teórica. Sendo assim, a presente reconstrução focará nesses termos.

## 5.1    Modelo de organização política

Essa vertente do neoconstitucionalismo se propõe a ser um modelo histórico, e não teórico, de uma particular experiência político-institucional, isto é, a forma de organização política que marca a passagem do modelo de Estado de Direito liberal para o Estado Constitucional de Direito, de matiz social e intervencionista,[26] gerada, de acordo com Luigi Ferrajoli,[27] pela inflação legislativa e pelo retorno ao papel criativo da jurisdição. Nessa perspectiva, é imperativo entender o que é a constitucionalização do direito para daí entender as transformações empíricas de caráter estrutural desse fenômeno.

---

[23]    COMANDUCCI, Paolo. Formas de (neo)constitucionalismo: un análisis metateótico. (Trad. Miguel Carbonell). *In*: CARBONELL, Miguel (Org.). *Neoconstitucionalismo(s)*. 3. ed. Madrid: Editorial Trotta, 2009. p. 75-98.

[24]    DA SILVA, Alexandre Garrido. Neoconstitucionalismo, pós-positivismo e democracia: aproximações e tensões conceituais. *In*: QUARESMA, Regina *et al. Neoconstitucionalismo*. Rio de Janeiro: Forense, 2009. p. 110.

[25]    Cf. BOBBIO, Norberto. *O positivismo Jurídico*: lições de Filosofia do Direito. (Trad. Márcio Pugliesi, Edson Bini e Carlos Rodrigues). São Paulo: Ícone, 1999.

[26]    CAMARGO, Margarida; TAVARES, Rodrigo. As várias faces do Neoconstitucionalismo. *In*: QUARESMA, Regina *et al. Neoconstitucionalismo*. Rio de Janeiro: Forense, 2009. p. 358-361.

[27]    FERRAJOLI, Luigi. Pasado y futuro del Estado de derecho. (Trad. Pilar Allegue). *In*: CARBONELL, Miguel (Org.). *Neoconstitucionalismo(s)*. 3. ed. Madrid: Editorial Trotta, 2009. p. 20-22.

Um marco teórico comumente adotado é o estudo de Riccardo Guastini[28] sobre a constitucionalização dos ordenamentos jurídicos, notadamente o caso italiano. No particular, busca-se conceituar o que seria o processo de constitucionalizar. Logo, a constitucionalização do ordenamento jurídico consiste em um conjunto de transformações pelas quais o ordenamento jurídico torna-se plenamente "impregnado" pelas normas constitucionais. Essa conjuntura caracteriza-se por uma Constituição extremamente invasora, intrometida, a qual se atribui a capacidade de condicionar a legislação, a jurisprudência, a doutrina, a ação dos atores políticos e até as relações sociais na espacialidade privada. Conforme argumentado pelo italiano, a constitucionalização é gradativa, porquanto não existe uma resposta binária para o estado de um ordenamento nesse aspecto.

Daniel Sarmento[29] afirma que o processo de constitucionalização do Direito envolve duas facetas distintas: questões antes delegadas ao legislador passam a ser tratadas pelo Poder Constituinte em suas diversas modalidades e, por consequência, constitucionalizadas, o que retira uma série de decisões políticas do alcance das maiorias legislativas formadas em cada momento. Além disso, os princípios e valores da Constituição penetram em todo o ordenamento, impondo uma "filtragem" constitucional do arcabouço normativo, de modo que se proceda uma releitura do Direito à luz da Constituição. Nessa leitura, a Constituição não é somente a lei fundamental do Estado, mas também da sociedade, ou melhor, ela não apenas coordena as relações entre os Poderes e o governante-governado, como também é uma norma diretiva da sociedade no sentido de constituir-se uma ordem objetiva de valores. Consoante à argumentação de Luís Roberto Barroso, "[a] ideia de constitucionalização do Direito aqui explorada está associada a um efeito expansivo das normas constitucionais, cujo conteúdo material e axiológico se irradia, com força normativa, por todo o sistema jurídico".[30]

Quanto às condições do processo, Guastini[31] formula as seguintes: (i) a existência de uma Constituição rígida, ou seja, há necessidade de um procedimento gravoso para a alteração formal dessa matéria em comparação à dinâmica infraconstitucional; e (ii) a garantia jurisdicional da Constituição, culminando na existência de um mecanismo de controle judicial de constitucionalidade, cujo objetivo seja a inviolabilidade da própria ordem constitucional. Na condição de elementos correlatos e mutuamente implicados, concebe-se (i) a força vinculante da Constituição, isto é, normas constitucionais são

---

[28] GUASTINI, Riccardo. La constitucionalización del ordenamiento jurídico: el caso italiano. (Trad. José Maria Lujambio). *In*: CARBONELL, Miguel (Org.). *Neoconstitucionalismo(s)*. 3. ed. Madrid: Editorial Trotta, 2009. p. 75-98.

[29] SARMENTO, Daniel. Ubiquidade Constitucional: os dois lados da moeda. *In*: SARMENTO, Daniel; SOUZA NETO, Cláudio Pereira de (Coord.). *A Constitucionalização do Direito*: fundamentos teóricos e aplicações específicas. Rio de Janeiro: Lumen Juris, 2007. p. 116-122.

[30] BARROSO, Luís Roberto. Neoconstitucionalismo e a constitucionalização do direito (O triunfo tardio do direito constitucional no Brasil). *In*: SOUZA NETO, Cláudio Pereira de; SARMENTO, Daniel. *A Constitucionalização do Direito*: fundamentos teóricos e aplicações específicas. Rio de Janeiro: Lumen Juris, 2007. p. 217.

[31] GUASTINI, Riccardo. La constitucionalización del ordenamiento jurídico: el caso italiano. (Trad. José Maria Lujambio). *In*: CARBONELL, Miguel (Org.). *Neoconstitucionalismo(s)*. 3. ed. Madrid: Editorial Trotta, 2009. p. 75-98.

genuínas, cogentes e juridicamente eficazes; (ii) a sobreinterpretação da Constituição, consistente em aplicação de uma interpretação extensiva do programa constitucional que resulte na inexistência de lacunas no Direito Constitucional, assim não haveria espaço para discricionariedade legislativa; (iii) a aplicação direta das normas constitucionais, sendo a norma constitucional imperativa, independentemente da mediação do legislador ordinário; e (iv) uso ostensivo da técnica interpretativa de interpretação conforme à Constituição, em que se gera harmonização hermenêutica entre os dois planos verticais sem que haja contradições entre eles, ante a supremacia constitucional; e (v) a influência da Constituição sobre as relações políticas e uma postura ativista do Judiciário.

Pode-se acrescentar a esta pauta de caracteres a positivação jurídica de uma pauta moral por intermédio de um extenso rol de direitos fundamentais associado ao seu caráter controvertido, vago e pluralista.[32] Antonio Cavalcanti Maia[33] argumenta que as democracias constitucionais demandam o entrelaçamento entre a interpretação constitucional e as teorias de argumentação jurídica, além de uma reformulação do clássico problema relativo ao conceito de direito e respectivo valor moral. Assim, procede-se uma análise da carga axiológica do campo jurídico nos Estados Constitucionais, pois do funcionamento e da estrutura particular das normas sobre direitos fundamentais o Direito passa a assumir um caráter tanto de prescrição quanto de descrição.

Alfonso García Figueroa[34] acredita que a constitucionalização do ordenamento não só transforma o Direito, mas também altera o estilo do pensamento jurídico. Nesse sentido, a "constitucionalização" desse raciocínio originou o "constitucionalismo", que se traduz em um conjunto de teorias voltadas à explicação conceitual e normativa do fenômeno referente à constitucionalização do Direito. Essa derivação tem impactos nos aspectos material, estrutural, funcional e político da regulação da vida social.

A dimensão material refere-se à recepção de certas exigências da moral crítica sob a forma de direitos fundamentais. A mudança centra-se no deslocamento ideário, isto é, desde uma teoria meramente normativa a uma teoria do direito oposta ao positivismo como método.

O aspecto estrutural indica a estrutura das normas constitucionais, que expandem sua influência, gerando uma quase onipresença jurídica da Constituição. Em outras palavras, tem-se um ordenamento caracterizado pela irradiação dos princípios constitucionais sobre todas as normas, incidindo, ainda, sobre a aplicação do Direito, à luz da interpretação mencionada.

O aspecto funcional indica um tipo de argumentação que essas formas fomentam, ou seja, a forma de interpretar/aplicar o direito muda em direção à técnica

---

[32] CAMARGO, Margarida; TAVARES, Rodrigo. As várias faces do Neoconstitucionalismo. *In*: QUARESMA, Regina *et al*. *Neoconstitucionalismo*. Rio de Janeiro: Forense, 2009. p. 359.

[33] MAIA, Antonio Cavalcanti. Neoconstitucionalismo, positivismo jurídico e a nova filosofia constitucional: as transformações dos sistemas jurídicos contemporâneos. *In*: QUARESMA, Regina *et al*. *Neoconstitucionalismo*. Rio de Janeiro: Forense, 2009. p. 110.

[34] FIGUEROA, Alfonso García. La teoría del Derecho en tiempos de constitucionalismo. *In*: CARBONELL, Miguel (Org.). *Neoconstitucionalismo(s)*. 3. ed. Madrid: Editorial Trotta, 2009. p. 159-186.

da ponderação, preponderando a teoria dos princípios e teorias da argumentação jurídica. Coloca-se o pensamento jurídico como caso especial do raciocínio prático geral. Converte-se a Teoria do Direito em parte especial da teoria geral da argumentação prática.

Por fim, a dimensão política decorre dos outros elementos, tendo em conta a mudança na interação de forças entre os Poderes do Estado. Ocorre, a esse respeito, um deslocamento do protagonismo político desde o Legislativo para o Judiciário, a ponto de cogitar-se em ascensão funcional dos Tribunais no Estado Constitucional.

## 5.2  Ideologia

Adotando-se o conceito de ideologia como sistema de crenças que justifica uma forma de organização política, verifica-se que o neoconstitucionalismo não apenas descreve as transformações ocorridas no Estado Constitucional de Direito decorrentes da constitucionalização do ordenamento jurídico, mas vai além, pois por intermédio de sua função prescritiva visa à conformação do próprio objeto que descreve. Propugna, portanto, juízo valorativo positivo com relação a essas mudanças e adquire, em certa medida, um caráter apologético.[35] Logo, o neoconstitucionalismo aposta no sucesso da constitucionalização do Direito, visto que o regime democrático de matiz majoritária não é garantia suficiente aos direitos fundamentais, devem os agentes políticos, ainda, serem compelidos a promover a concretização da ordem constitucional na realidade social. Trata-se de uma resposta ideológica decorrente da conscientização movida na civilização ocidental em contraponto ao contexto beligerante e devastador da primeira parte do século XX.[36]

Luis Pietro Sanchís[37] sintetiza essa vertente ideológica nos seguintes postulados: constitucionalismo consiste na melhor forma de governo e modelo ótimo de Estado de Direito, o jurista deve ter um ponto de vista e posição comprometidos com o constitucionalismo democrático e o acadêmico deve desenvolver o seu labor de maneira crítica, e não de forma meramente descritiva.

## 5.3  Metodologia

No pensamento de Eduardo Ribeiro Moreira, "metodologia jurídica deve ser entendida como o conjunto de procedimentos técnicos de verificação de uma disciplina jurídica. Ela visa a garantir ao direito o uso de técnicas eficazes, que levem ao resultado desejado".[38] Sendo assim, o neoconstitucionalismo como metodologia caracteriza-se pela tese da conexão necessária entre Moral e Direito, o que gera um

---

[35] COMANDUCCI, Paolo. Formas de (neo)constitucionalismo: un análisis metateótico. (Trad. Miguel Carbonell). *In*: CARBONELL, Miguel (Org.). *Neoconstitucionalismo(s)*. 3. ed. Madrid: Editorial Trotta, 2009. p. 85-86.

[36] CAMARGO, Margarida; TAVARES, Rodrigo. As várias faces do Neoconstitucionalismo. *In*: QUARESMA, Regina *et al*. *Neoconstitucionalismo*. Rio de Janeiro: Forense, 2009. p. 361-362.

[37] SANCHÍS, Luis Prieto. Neoconstitucionalismo y ponderación judicial. *In*: CARBONELL, Miguel (Org.). *Neoconstitucionalismo(s)*. 3. ed. Madrid: Editorial Trotta, 2009.

[38] MOREIRA, Eduardo Ribeiro. *Neoconstitucionalismo*: a invasão da Constituição. São Paulo: Método, 2008. p. 33.

conjunto de transformações no modo de ser do campo jurídico.[39] O ponto de partida dessa acepção é um conceito de Direito que exprima a legalidade em consonância ao ordenamento jurídico globalmente considerado, à eficácia social e à correção material das normas jurídicas.[40]

> Em suma, o neoconstitucionalismo metodológico, consoante a contribuição de Robert Alexy, sustenta que os princípios constitucionais, ao consagrarem os direitos fundamentais, constituem *standards* normativos que estabelecem uma ponte entre o direito e a moral. É necessário que o jurista ou o estudioso do direito assuma a perspectiva de um participante interessado em ingressar em uma argumentação jurídica e moral para que possa ter acesso à pretensão de correção formulada tanto pelas normas isoladas quanto pelo sistema jurídico como um todo.[41]

Em síntese, percebe-se uma orientação metodológica antipositivista, diante da impossibilidade de realização de uma descrição neutra do fenômeno jurídico, logo, todo esforço intelectivo implica em uma dimensão também normativa da realidade. Em outras palavras, descrever o Direito é uma tentativa de justificá-lo sob a perspectiva moral inscrita na Constituição. Assim, ressalta-se a perspectiva de participante ao jurista, e não de observador, porque a descrição é feita de um lugar comprometido e a partir de uma perspectiva valorativa. Propõe-se, portanto, que o método jurídico abarque uma dimensão institucional, em termos reais e ideais, a ser realizada de maneira conjunta e integrativa pela e sobre a comunidade jurídica.[42]

## 5.4    Teoria do direito

Nessa acepção do neoconstitucionalismo, observa-se uma plêiade de explicações dos sistemas jurídicos emanados do Estado Constitucional de Direito. O *leitmotiv* move-se em torno da pretensão de um modelo explicativo para as transformações decorrentes da constitucionalização do ordenamento jurídico e respectivos impactos nas teorias do ordenamento, das normas e da interpretação do direito.[43]

Luís Pietro Sanchís[44] foi o inventor de uma já conhecida fórmula do que é o neoconstitucionalismo em sua vertente teórica. Cuidam-se de cinco assertivas: mais princípios do que regras; mais ponderação do que subsunção; onipresença da Constituição em todas as áreas jurídicas e em todos os conflitos sociais minimamente

---

[39]  COMANDUCCI, Paolo. Formas de (neo)constitucionalismo: un análisis metateótico. (Trad. Miguel Carbonell). *In*: CARBONELL, Miguel (Org.). *Neoconstitucionalismo(s)*. 3. ed. Madrid: Editorial Trotta, 2009. p. 87.

[40]  Cf. ALEXY, Robert. *Conceito e validade do Direito*. (Trad. Gercélia Batista de Oliveira Mendes). São Paulo: WMF Martins Fontes, 2009.

[41]  DA SILVA, Alexandre Garrido. Neoconstitucionalismo, pós-positivismo e democracia: aproximações e tensões conceituais. *In*: QUARESMA, Regina *et al*. *Neoconstitucionalismo*. Rio de Janeiro: Forense, 2009. P. 122-123.

[42]  CAMARGO, Margarida; TAVARES, Rodrigo. As várias faces do Neoconstitucionalismo. *In*: QUARESMA, Regina *et al*. *Neoconstitucionalismo*. Rio de Janeiro: Forense, 2009. p. 365-366.

[43]  CAMARGO, Margarida; TAVARES, Rodrigo. As várias faces do Neoconstitucionalismo. *In*: QUARESMA, Regina *et al*. *Neoconstitucionalismo*. Rio de Janeiro: Forense, 2009. p. 362-363.

[44]  SANCHÍS, Luis Prieto. Neoconstitucionalismo y ponderación judicial. *In*: CARBONELL, Miguel (Org.). *Neoconstitucionalismo(s)*. 3. ed. Madrid: Editorial Trotta, 2009. p. 131-132.

relevantes, em lugar de espaços concedidos em favor das opções legislativa e regulatória; onipotência judicial em lugar da autonomia do legislador ordinário; e coexistência de uma constelação plural de valores, por vezes com tendências contraditórias, em lugar da homogeneidade de ideais em volta de um punhado de princípios coerentes entre si e de sucessivas decisões legislativas.

A respeito dessa fórmula, Camargo e Tavares[45] pontuam que a onipresença da Constituição é, na verdade, um componente ideológico do neoconstitucionalismo, enquanto a coexistência de uma constelação plural de valores identifica-se mais adequadamente com a identificação do neoconstitucionalismo na condição de estrutura jurídico-política. Ademais, faltaria a essa fórmula a variável de correção material, haja vista a concepção do Direito enquanto sistema de regras, princípios e procedimentos.

Com base em sua divisão do neoconstitucionalismo em suas modalidades teórica e total, Eduardo Moreira[46] afirma que os efeitos primários dessa mudança paradigmática da teoria do direito são resumíveis nas seguintes generalizações: todos os poderes estão submetidos à Constituição, inclusive os poderes privados; todos os direitos ganham em efetividade; e todos os planos ultrapassam as fronteiras nacionais.

Quanto ao marco teórico, deve-se pensá-lo a partir dos seguintes pontos: (i) presença invasora da Constituição; (ii) maior importância do Judiciário no lugar da autonomia do Legislador; (iii) revisão completa da teoria da interpretação, da norma e das fontes; (iv) ênfase nos princípios e nos direitos fundamentais; (v) maior frequência da ponderação nas decisões judiciais em detrimento da subsunção clássica; e (vi) a imperatividade de pensar o Direito para além dos momentos de formação (elaboração das leis e de suas resultantes jurídicas) e aplicação das normas jurídicas. No toante ao último ponto, exigem-se comportamentos positivos da instância legislativa, cujas decisões restam limitadas pela moldura constitucional, e do aparato administrativo nas políticas públicas, sempre sob o crivo jurisdicional.

## 5.5 Paradigma científico

Além do supracitado quadro traçado por Comanducci, Alfonso Figueroa[47] também identifica o neoconstitucionalismo na condição de novo paradigma científico. Com esteio no pensamento de Thomas Kuhn,[48] o conceito de paradigma tomou o centro das estruturas das revoluções científicas.

> Em *A estrutura das revoluções científicas*, Thomas Kuhn afirma que os paradigmas são realizações universalmente reconhecidas que, durante algum tempo, fornecem problemas e soluções modelares para uma comunidade de praticantes de uma ciência.

---

[45] CAMARGO, Margarida; TAVARES, Rodrigo. As várias faces do Neoconstitucionalismo. *In*: QUARESMA, Regina *et al*. *Neoconstitucionalismo*. Rio de Janeiro: Forense, 2009. p. 362-363.

[46] MOREIRA, Eduardo Ribeiro. *Neoconstitucionalismo*: a invasão da Constituição. São Paulo: Método, 2008. p. 33-39.

[47] FIGUEROA, Alfonso Garcia. *Racionalidad y Derecho*. Madrid: Centro de Estudios Políticos y Constitucionales, 2006.

[48] Cf. KUHN, Thomas. *A estrutura das revoluções científicas*. (Trad. Beatriz Vianna Boeira e Nelson Boeira). 5. ed. São Paulo: Perspectiva, 1998.

Ampliando e redefinindo, com Habermas, o conceito de paradigma para o campo das ciências sociais e nesse âmbito para as reflexões acerca do Direito, afirma que um paradigma jurídico consolida as visões exemplares de uma comunidade jurídica que considera os mesmos princípios constitucionais e sistemas de direitos, realizados no contexto percebido por essa dada sociedade.[49]

Nesse plano científico, Figueroa tem como proposta uma reconstrução do neoconstitucionalismo em alternativa ao Iusnaturalismo-Positivismo (IP), visto que a difusão teórica impossibilita uma formulação unitária e coerente do fenômeno jurídico. Dessa constatação, exsurge a noção de paradigma, que é um pano de fundo compartilhado o qual permite a comunicação pelos cientistas, à luz do paradoxo comunicativo que implica entender que o saber o qual se pretende absoluto é, por isso mesmo, conhecimento algum.[50]

O antigo paradigma IP tem como elementos consensualizados: a concepção dualista de mundividência, principalmente pela dicotomia Direito-Moral; e a visão objetivista sobre as relações entre esses sistemas sociais. Em termos mais didáticos, tem-se uma indagação fundamental: a correção moral é ou não uma propriedade do conceito de direito? O IP admitiria apenas uma resposta binária a esse questionamento. Por outro lado, o novo paradigma surge devido à consolidação do Estado Constitucional de Direito e ao surgimento de teorias éticas construtivistas. Assim, o gradualismo toma lugar do dualismo, quer dizer, encontra-se o discurso jurídico como subconjunto do discurso prático geral. Ademais, a questão da correção moral toma caráter dispositivo, a depender das condições a serem afirmadas. Logo, um ordenamento jurídico é considerado moralmente correto a depender do reconhecimento e da fundamentação dos direitos fundamentais, por sua vez fincados em uma teoria racional da argumentação jurídica. Enfim, percebe-se que a proposta de Figueroa tem inclinação contrafactual, porquanto a preponderância do pós-positivismo enquanto doutrina filosófica correlaciona-se à aderência exitosa de seus postulados pelos acadêmicos.[51]

## 6 Reflexos do neoconstitucionalismo nas instituições democráticas

Decerto, este artigo não tem pretensões meramente metateóricas, logo, é cabível avaliar, neste momento, os reflexos dos desdobramentos teóricos do neoconstitucionalismo nas instituições democráticas brasileiras e refletir sobre a contribuição do Homenageado no estado da arte. Nessa linha, haverá em seguida um enfoque argumentativo em dois problemas jurídicos específicos e contemporâneos:

---

[49] FERNANDES, Bernardo Gonçalves. *Curso de Direito Constitucional*. 3. ed. Rio de Janeiro: Lumen Juris, 2011. p. 41.

[50] FERNANDES, Bernardo Gonçalves. *Curso de Direito Constitucional*. 3. ed. Rio de Janeiro: Lumen Juris, 2011. p. 40.

[51] CAMARGO, Margarida; TAVARES, Rodrigo. As várias faces do Neoconstitucionalismo. *In*: QUARESMA, Regina *et al*. *Neoconstitucionalismo*. Rio de Janeiro: Forense, 2009. p. 366-368.

o protagonismo político do Judiciário e a efetivação dos direitos fundamentais; e a abordagem principiológica do direito e a viabilidade de controle racional das decisões judiciais.

Assim, duas ponderações devem ser feitas. De início, muito mais do que preocupações especializadas e autônomas, os dois questionamentos a serem analisados são facetas de uma mesma problemática, de tal forma que são contíguos e mutuamente implicados. Por evidente, isso tem impactos no método de análise a ser empreendido, ou seja, colocações podem ser transpostas, retomadas e alteradas em decorrência das necessidades do eixo argumentativo. Além disso, prefere-se tom especulativo nas exposições posteriores em comparação a investidas concludentes e cerradas. Julga-se que tom contrário seria, no mínimo, contraproducente, à luz de temática nova e de contornos conceituais e práticos incertos.

## 6.1 Judiciário e direitos fundamentais

De plano, há um reconhecimento pacificado acerca da alteração na dinâmica dos Poderes do Estado, associada à passagem do Estado de Direito liberal ao Estado Constitucional de Direito. Do ponto de vista quantitativo, há uma inflação legislativa, pois a realidade social torna-se tão complexa e plural que no afã de regular variadas situações em conjunto aos flutuantes interesses e visões de mundo dos parlamentares e reguladores, edita-se uma série de leis, muitas vezes, antinômicas e contraditórias entre si, gerando um emaranhado normativo de difícil harmonização. Na vertente qualitativa, essas leis tornam-se mais abertas a fim de abarcar o maior número de situações, assim, a resultante nas práticas judiciais é a conferência de maiores poderes hermenêuticos aos juízes. Por efeito, "o Poder Judiciário se transforma também em responsável pelas modificações sociais e pela implementação das políticas públicas prescritas na Constituição. Sua atividade passa a ser, nesses termos, de muito maior visibilidade e de muito maior responsabilidade política".[52]

O cerne do debate centra-se na relação entre o Poder Judiciário e a efetivação dos direitos fundamentais, conjuntamente ao questionamento da legitimidade democrática gozada pela jurisdição, notadamente a de caráter constitucional. A partir de uma ótica focada nos desdobramentos teóricos do neoconstitucionalismo, vale ressaltar que esta discussão inscreve-se e diversifica-se dentro da ambiência acadêmica.[53] Nesse sentido, é um dos grandes problemas o formato mais adequado para se equacionar o acréscimo do relevo político do Judiciário na lógica moderna de tensão entre constitucionalismo e democracia.

Em relação ao problema proposto, há de se levar em conta as especificidades do Brasil, em especial sua tradição constitucional e a multidimensionalidade do Povo.

---

[52] ROESLER, Claudia Rosane. O sistema de seleção de juízes nas democracias constitucionais. *Novos Estudos Jurídicos*, v. 12, p. 35-42, 2007. p. 36.

[53] A título de exemplo, e talvez pela proeminência das questões levantadas, citam-se os embates jurisdição constitucional *versus* constitucionalismo popular; e substancialismo *versus* procedimentalismo.

De modo sintético, se, de um lado, concebe-se um corpo cívico[54] como destinatário de prestações civilizatórias do Estado altamente carente, por outro vértice, a Constituição garante direitos de forma bastante ampla. Nessa linha, conjuntamente ao desejo de efetividade dos mandamentos constitucionais, espera-se muito do Judiciário e dá-se muitos poderes e responsabilidades a esse ramo estatal. Logo, ele deve atuar, por vezes, em uma perspectiva progressista de maneira a atender as grandes querelas sociais.

Essa noção de Poder Judiciário tem seus muitos méritos e deméritos, havendo farta literatura sobre eles. Aqui se opta por dar enfoque a dois pontos específicos. Primeiramente, investiga-se a preponderância do STF sobre os demais órgãos do Judiciário e o deslocamento do centro de gravidade político em prol desses em comparação à relação Legislativo-Executiva. Depois, também deve ser considerada a tensão produtiva entre aspirações de justiça e de segurança jurídica.

Quanto ao primeiro ponto, verifica-se a expansão da jurisdição constitucional, preocupando-se, agora, que a judicialização da vida política ocasione resfriamento da mobilização cívica. Assim, não deve a interpretação judicial da Constituição eclipsar as demais possibilidades emanadas da espacialidade pública, o que corresponderia a um governo quase platônico e aristocrático.[55] O risco premente é o Poder judicante equivaler a um Superego da Sociedade (órfã).[56]

Na outra vertente, espera-se uma postura progressista do Judiciário no sentido de promover transformações sociais, entretanto, é função basilar do sistema jurídico estabilizar as expectativas oriundas das relações sociais. Nesse contexto, observa-se a tensão entre justiça e segurança jurídica. A propósito, percebem-se movimentos díspares e plurais, notadamente a concomitância de discursos e práticas judiciais tanto no sentido de uma dogmática constitucional emancipatória embasada em arcabouço humanista, quanto na linha de uma doutrina conservadora do *status quo* e de privilégios sociais. Torna-se, enfim, conveniente perquirir, em bases periódicas, sobre a operação dos polos justiça e segurança jurídica para quê e para quem a cada movimento transformativo.

Os problemas decorrentes do déficit democrático na atuação do Judiciário significam-se a partir da própria dinâmica dos fluxos e refluxos entre constitucionalismo e democracia. É certo que a democracia não se encerra na perspectiva majoritária, entretanto, há um legítimo questionamento quanto aos fundamentos do Estado-Juiz, quando esse é robustecido.[57] Por certo, o juiz não tem seu respaldo emanado de uma relação de representação popular, mas sim, de um mandamento constituinte, vertido em um momento específico da história social.

---

[54] MULLER, Friedrich. *Quem é o povo? A questão fundamental da democracia*. (Trad. Peter Naumann). 3. ed. São Paulo: Max Limonad, 2003. p. 75-77.

[55] SARMENTO, Daniel. Ubiquidade Constitucional: os dois lados da moeda. *In*: SARMENTO, Daniel; SOUZA NETO, Cláudio Pereira de (Coord.). *A Constitucionalização do Direito*: fundamentos teóricos e aplicações específicas. Rio de Janeiro: Lumen Juris, 2007. p. 56-57.

[56] MAUS, Ingeborg. Judiciário como superego da sociedade: o papel da atividade jurisprudencial na "sociedade órfã. *Novos Estudos CEBRAP*, n. 58, p. 183-202, nov. 2000.

[57] MULLER, Friedrich. *Quem é o povo? A questão fundamental da democracia*. (Trad. Peter Naumann). 3. ed. São Paulo: Max Limonad, 2003. p. 55-58.

Em relação ao neoconstitucionalismo, deve-se preocupar com o turvamento das fronteiras entre as dimensões prescritiva e normativa do Direito, porquanto se corre o perigo de diversas questões correlatas à vida política pautarem-se mais em um exercício de uma filosofia de vida em comparação a uma racionalidade jurídica crítica, por sua vez imprescindível em contexto pós-metafísico. Vale dizer: "o retrato da realidade institucional fornecido pelos neoconstitucionalistas não é antes uma pressuposição que conforma a realidade às expectativas e anseios daqueles que realizam essa descrição, do que propriamente a descrição de uma situação fática".[58]

## 6.2    Princípios e racionalidade

Considerado o neoconstitucionalismo como teoria do direito, nota-se uma metodologia mais aberta, à luz de uma aproximação entre Direito e Moral no bojo da argumentação jurídica. Por conseguinte, a lógica da ponderação de princípios sobrepõe-se no labor judiciário à subsunção de regras. Isso pode acarretar uma série de problemas em uma sociedade plural e complexa de cunho democrático. A esse respeito, remete-se à provocação de Eros Grau, justamente ele que foi um dos maiores entusiastas da incorporação doutrinária dos princípios jurídicos em sua versão hodierna, acerca de seu desejo pela volta das regras.[59]

A começar pelo desenho da Constituição brasileira vigente, conforme anota Humberto Ávila,[60] a ordem constitucional é um sistema de regras e princípios, entretanto é notória a preponderância quantitativa de regras e da remissão de matérias ao legislador ordinário, por intermédio de reservas de lei e silêncios eloquentes. Portanto, haveria um problema científico e outro metodológico em operar-se a Constituição como se ela fosse essencialmente principiológica, porquanto não há corroboração na linguagem-objeto que procura se descrever, assim como os princípios não são mais expressivos do que as regras na ordem jurídica brasileira nas perspectivas qualitativa ou quantitativa.

O professor continua: caso se adote a máxima neoconstitucionalista de que toda interpretação é primariamente constitucional, tem-se que em toda questão jurídica o intérprete deveria saltar do plano legal para o constitucional, o que ensejaria a ponderação, esta adotada como critério geral de aplicação do direito. Essa situação seria um problema por gerar um "antiescalonamento" da ordem jurídica e o aniquilamento das regras e princípios democráticos obtidos por meio da função legislativa. Quanto ao primeiro aspecto, trata-se de uma constitucionalização total do ordenamento jurídico, por consequência, todos os vários níveis de concretização normativa se achatariam em um só plano, o constitucional.

---

[58]    CAMARGO, Margarida; TAVARES, Rodrigo. As várias faces do Neoconstitucionalismo. *In*: QUARESMA, Regina *et al. Neoconstitucionalismo*. Rio de Janeiro: Forense, 2009. p. 361.

[59]    GRAU, Eros Roberto. Princípios? Não quero princípios: queria é que as regras voltassem para o direito! *In*: SIMÃO, José Fernando; BELTRÃO, Silvio Romero. *Direito Civil*: estudos em homenagem a José de Oliveira Ascensão. São Paulo: Atlas, 2015. v. 1.

[60]    ÁVILA, Humberto. Neoconstitucionalismo: entre a "Ciência do Direito" e o "Direito da Ciência". *In*: SOUZA NETO, Cláudio Pereira; SARMENTO, Daniel; BINENBOJM, Gustavo. *Vinte anos da Constituição Federal de 1988*. Rio de Janeiro: Lumen Juris, 2009.

Quanto ao segundo ponto traduzido na perda do âmbito normativo do Legislativo em prol do Judiciário, há dois paradoxos. Em primeiro lugar, a interpretação centrada nos princípios constitucionais viola três vetores jurídico-políticos fundamentais: o democrático, a legalidade e a separação de poderes. Ademais, ocorreria, *a contrario sensu*, a insignificância da supremacia constitucional, pois privilegiá-la em excesso ocasiona paradoxalmente sua eliminação. Isso porque os outros níveis hierárquicos tornam-se insignificantes ou mesmo inexistentes, por derivação, a Constituição não consistiria em referência superior.

Ávila aponta outro problema consistente na adoção de um paradigma da ponderação que conduz a um subjetivismo o qual potencialmente eliminaria o caráter heterolimitador do Direito. Em termos diretos, o comando normativo passa a ser conselho, porque a norma torna-se intrinsecamente dependente de seus destinatários – juristas, em especial o juiz – não são reconhecíveis *a priori*. Disso argumenta-se como resultado a perda substancial da normatividade do sistema jurídico. Vale dizer: a norma perde sua imperatividade e passa a figurar como categoria conceitual que pode ser considerada ou não, bem como, se considerada, pode ou não servir de orientação da conduta, dado que o intérprete que pondera é o mesmo destinatário da norma. Nessa linha, sustenta-se não haver critérios claros e prévios ao processo de ponderação. Repise-se que o Direito perde seu caráter heterolimitador, porque é o ponderador quem guia sua própria conduta, sem referencial normativo externo.

> É preciso dizer, no entanto, que não é a ponderação, enquanto tal, que conduz à constitucionalização do Direito, à desconsideração das regras (constitucionais e legais), à desvalorização da função legislativa e ao subjetivismo. O que provoca essas consequências é a concepção de ponderação segundo a qual os princípios constitucionais devem ser usados sempre que eles puderem servir de fundamento para uma decisão, independentemente e por cima de regras, constitucionais e legais, existentes, e de critérios objetivos para sua utilização. Uma ponderação, orientada por critérios objetivos prévios que harmonize a divisão de competências com os princípios fundamentais, num sistema de separação de Poderes, não leva inevitavelmente a esses problemas.[61]

No escopo deste artigo, essa reflexão implica em repensar constantemente os termos e as bases pelas quais os discursos jurídicos ocorrem, devendo-se considerar as especificidades do caso brasileiro, sobretudo a partir de problemas estruturais do Poder Judiciário, da seleção e formação de julgadores e do ensino jurídico em geral. No escólio de Sarmento, deve-se evitar que a ênfase excessiva no caráter antiformalista da argumentação jurídica descambe para uma situação de "oba-oba constitucional".[62]

Feitas essas considerações, percebe-se que a fundamentação das decisões judiciais ganha enorme peso na teoria e na prática jurídicas. Do mesmo modo, deve-se atentar

---

[61] ÁVILA, Humberto. Neoconstitucionalismo: entre a "Ciência do Direito" e o "Direito da Ciência". *In*: SOUZA NETO, Cláudio Pereira; SARMENTO, Daniel; BINENBOJM, Gustavo. *Vinte anos da Constituição Federal de 1988*. Rio de Janeiro: Lumen Juris, 2009. p. 94-195.

[62] SARMENTO, Daniel. Ubiquidade Constitucional: os dois lados da moeda. *In*: SARMENTO, Daniel; SOUZA NETO, Cláudio Pereira de (Coord.). *A Constitucionalização do Direito*: fundamentos teóricos e aplicações específicas. Rio de Janeiro: Lumen Juris, 2007. p. 60-64.

para a natureza dúplice dos princípios, pois ao mesmo tempo em que eles concedem maior discricionariedade aos juízes, exigem-lhes maior responsabilidade hermenêutica.

## 7 Considerações finais

Em fecho conclusivo, é cabível afirmar, uma vez mais, a necessidade de se discutir os desdobramentos teóricos do neoconstitucionalismo em contexto brasileiro, não por uma obsessão conceitualista, mas em decorrência da capacidade dessa linha de pensamento em causar alterações estruturais nos âmbitos acadêmico, judicial e constituinte. Torna-se inconcebível o benefício da dúvida na sustentação de uma pauta tanto apologética quanto institucionalmente indiferente, à luz dos potenciais reflexos na consolidação das instituições democráticas. Nesse sentido, espera-se êxito, na pretensão deste artigo, em contribuir com o debate constitucional, especialmente que este ocorra em termos profícuos e coerentes.

Convém retomar pensamento de Figueroa,[63] segundo o qual a consumação do Estado de Direito perpassa pelas possibilidades de uma teoria da argumentação jurídica que propicie definir um espectro de soluções constitucionalmente viáveis e o estabelecimento de prioridades coletivas entre essas. Logo, as teorias da argumentação jurídica devem ser fatores indispensáveis para a legitimação dos raciocínios consequentes nos campos jurídico e político nas sociedades caracterizadas pela superação da metafísica. Esse conjunto de preocupações e estudos também devem servir para conciliar o princípio democrático e a tutela dos direitos fundamentais na institucionalização do Estado Constitucional Democrático. Nessa perspectiva, o órgão judicial de cúpula encarregado por especialização em resolução de litígios constitucionais é concebível como uma instância de maturação do processo político-jurídico.

Ainda que seja um fecho aberto ao porvir, é necessário pensar a adequação democrática, republicana e federativa da matriz teórica neoconstitucional, pensada em múltiplas camadas de significações já destrinchadas no texto, em realidade pujante e complexa como é a brasileira. No entanto, a gravidade da missão confiada aos juristas não deve recair em fatalismos ou circularidades, conforme se depreende de ensinamento de Luís Roberto Barroso publicado já em 1982, indicando o brilhantismo e o talento precoce do Homenageado há muito desfrutados pela comunidade jurídica:

> É da tradição da formação nacional referir-se à existência de crises. Tirante a carta de Caminha a D. Manuel, poucos são os documentos analíticos relevantes da história do Brasil que a ela não se referem, sob os diferentes matizes, como se a nação vivesse eternamente indecisa às margens de um Rubicão, e a sorte, após lançada, tivesse ficado suspensa no ar.
>
> Crise, em uma das acepções registradas pelos léxicos, é a manifestação violenta e repentina de ruptura de equilíbrio [...] Não têm sido nossas vicissitudes produtos de situações

---

[63] FIGUEROA, Alfonso García. La teoría del Derecho em tiempos de constitucionalismo. *In*: CARBONELL, Miguel (Org.). *Neoconstitucionalismo(s)*. 3. ed. Madrid: Editorial Trotta, 2009. p. 170.

agudas e decisivas - críticas -, mas sim, de seculares disfunções orgânicas, renitentes, sujeitas a agravamentos ou retrações, ora bruscos, ora enganosos.[64]

Compete-nos, portanto, como juristas, reafirmar nossa convicção no Direito como mecanismo de integração social e tecnologia capaz de resolução pacífica dos mais graves conflitos sociais. O objetivo último é o estreitamento das duas margens onde repousam, cada qual, o jurídico e o real. Impende, por fim, reconhecer a missão da geração de Barroso e o notável êxito a todas subsequentes de viabilizar, na prática, e avaliar criticamente, na teoria, sobre o presente e o futuro do constitucionalismo democrático. Nesse aspecto, concedemos ganho de causa ao Homenageado, quando reconhece o entrelaçamento e a relevância de sua história pessoal à ordem constitucional. Felizes somos nós de contar com mente e coração de notável e generoso Professor, a quem rendemos tributo em perspectiva histórica.

## Referências

ALEXY, Robert. *Conceito e validade do Direito*. (Trad. Gercélia Batista de Oliveira Mendes). São Paulo: WMF Martins Fontes, 2009.

ÁVILA, Humberto. Neoconstitucionalismo: entre a "Ciência do Direito" e o "Direito da Ciência". *In*: SOUZA NETO, Cláudio Pereira; SARMENTO, Daniel; BINENBOJM, Gustavo. *Vinte anos da Constituição Federal de 1988*. Rio de Janeiro: Lumen Juris, 2009.

BARCELLOS, Ana Paula de. Neoconstitucionalismo, Direitos fundamentais e controle das Políticas Públicas. *In*: NOVELINO, Marcelo (Org.). *Leituras complementares de Constitucional*: direitos fundamentais. 2. ed. Salvador: Juspodivm, 2007.

BARROSO, Luís Roberto. *A vida, o direito e algumas ideias para o Brasil*. Ribeirão Preto: Migalhas, 2016.

BARROSO, Luís Roberto. *Curso de Direito Constitucional Contemporâneo*: os conceitos fundamentais e a construção do novo modelo. 8. ed. São Paulo: Saraiva, 2019.

BARROSO, Luís Roberto. *Direito Constitucional Brasileiro*: o problema da federação. Rio de Janeiro: Forense, 1982.

BARROSO, Luís Roberto. *O Direito Constitucional e a efetividade de suas normas*: limites e possibilidade da constituição brasileira. 9. ed. Rio de Janeiro: Renovar, 2009.

BARROSO, Luís Roberto. *Interpretação e aplicação da Constituição*: fundamentos de uma dogmática constitucional transformadora. 7. ed. São Paulo: Saraiva, 2014.

BARROSO, Luís Roberto. O constitucionalismo democrático ou neoconstitucionalismo como ideologia vitoriosa do século XX. *In*: *Publicum*, v. 4, ed. comemorativa, p. 14-36, 2018.

BARROSO, Luís Roberto. *A dignidade da pessoa humana no Direito Constitucional Contemporâneo*: a construção de um conceito jurídico à luz da jurisprudência mundial. (Trad. Humberto Laport de Mello). Belo Horizonte: Fórum, 2016.

BARROSO, Luís Roberto. A razão sem voto: o Supremo Tribunal Federal e o governo da maioria. *In*: *Revista Brasileira de Políticas Públicas*, Brasília, v. 5, n. 2, p. 23-50, 2015.

---

[64] BARROSO, Luís Roberto. *Direito Constitucional Brasileiro*: o problema da federação. Rio de Janeiro: Forense, 1982. p. 147.

BARROSO, Luís Roberto. Neoconstitucionalismo e a constitucionalização do direito (O triunfo tardio do direito constitucional no Brasil). *In*: SOUZA NETO, Cláudio Pereira de; SARMENTO, Daniel. *A Constitucionalização do Direito*: fundamentos teóricos e aplicações específicas. Rio de Janeiro: Lumen Juris, 2007.

BARROSO, Luís Roberto. Trinta anos da Constituição: a República que ainda não foi. *In*: BARROSO, Luís Roberto; MELLO, Patrícia Perrone Campos. *A República que ainda não foi*: trinta anos da Constituicão de 1988 na visão da escola de direito constitucional da UERJ. Belo Horizonte: Fórum, 2018.

BINENBOJM, Gustavo. *Vinte anos da Constituição Federal de 1988*. Rio de Janeiro: Lumen Juris, 2009.

BOBBIO, Norberto. *O positivismo Jurídico*: lições de Filosofia do Direito. (Trad. Márcio Pugliesi, Edson Bini e Carlos Rodrigues). São Paulo: Ícone, 1999.

CAMARGO, Margarida; TAVARES, Rodrigo. As várias faces do Neoconstitucionalismo. *In*: QUARESMA, Regina *et al*. *Neoconstitucionalismo*. Rio de Janeiro: Forense, 2009.

CARBONELL, Miguel. *Neoconstitucionalismo(s)*. Madrid: Editorial Trotta, 2003.

CARBONELL, Miguel (Org.). *Neoconstitucionalismo(s)*. 3. ed. Madrid: Editorial Trotta, 2009.

CARBONELL, Miguel. *Teoria del Neoconstitucionalismo*: ensayos escogidos. Madrid: Editorial Trotta, 2007.

CARBONELL, Miguel. *El Canon Neoconstitucional*. Madrid: Editorial Trotta, 2010.

CARBONELL, Miguel. Neoconstitucionalismo: elementos para una definición. *In*: MOREIRA, Eduardo Ribeiro; PUGLIESI, Maurício. *20 anos da Constituição Brasileira*. São Paulo: Saraiva, 2009.

COMANDUCCI, Paolo. Formas de (neo)constitucionalismo: un análisis metateótico. (Trad. Miguel Carbonell). *In*: CARBONELL, Miguel (Org.). *Neoconstitucionalismo(s)*. 3. ed. Madrid: Editorial Trotta, 2009.

DA SILVA, Alexandre Garrido. Neoconstitucionalismo, pós-positivismo e democracia: aproximações e tensões conceituais. *In*: QUARESMA, Regina *et al*. *Neoconstitucionalismo*. Rio de Janeiro: Forense, 2009.

FERNANDES, Bernardo Gonçalves. *Curso de Direito Constitucional*. 3. ed. Rio de Janeiro: Lumen Juris, 2011.

FERRAJOLI, Luigi. Pasado y futuro del Estado de derecho. (Trad. Pilar Allegue). *In*: CARBONELL, Miguel (Org.). *Neoconstitucionalismo(s)*. 3. ed. Madrid: Editorial Trotta, 2009.

FIGUEROA, Alfonso Garcia. *Racionalidad y Derecho*. Madrid: Centro de Estudios Políticos y Constitucionales, 2006.

FIGUEROA, Alfonso García. La teoría del Derecho en tiempos de constitucionalismo. *In*: CARBONELL, Miguel (Org.). *Neoconstitucionalismo(s)*. 3. ed. Madrid: Editorial Trotta, 2009.

GUASTINI, Riccardo. La constitucionalización del ordenamiento jurídico: el caso italiano. (Trad. José Maria Lujambio). *In*: CARBONELL, Miguel (Org.). *Neoconstitucionalismo(s)*. 3. ed. Madrid: Editorial Trotta, 2009.

GRAU, Eros Roberto. Princípios? Não quero princípios: queria é que as regras voltassem para o direito! *In*: SIMÃO, José Fernando; BELTRÃO, Silvio Romero. *Direito Civil*: estudos em homenagem a José de Oliveira Ascensão. São Paulo: Atlas, 2015. v. 1.

KUHN, Thomas. *A estrutura das revoluções científicas*. (Trad. Beatriz Vianna Boeira e Nelson Boeira). 5. ed. São Paulo: Perspectiva, 1998.

MAIA, Antonio Cavalcanti. Neoconstitucionalismo, positivismo jurídico e a nova filosofia constitucional: as transformações dos sistemas jurídicos contemporâneos. *In*: QUARESMA, Regina *et al*. *Neoconstitucionalismo*. Rio de Janeiro: Forense, 2009.

MAUS, Ingeborg. Judiciário como superego da sociedade: o papel da atividade jurisprudencial na "sociedade órfã. *Novos Estudos CEBRAP*, n. 58, p. 183-202, nov. 2000.

MOREIRA, Eduardo Ribeiro. *Neoconstitucionalismo*: a invasão da Constituição. São Paulo: Método, 2008.

MULLER, Friedrich. *Quem é o povo? A questão fundamental da democracia*. (Trad. Peter Naumann). 3. ed. São Paulo: Max Limonad, 2003.

NEVES, Marcelo. *Transconstitucionalismo*. São Paulo: Saraiva, 2009.

NOVELINO, Marcelo. *Leituras complementares de Direito Constitucional*: teoria da Constituição. Salvador: JusPodivm, 2009.

ROESLER, Claudia Rosane. O sistema de seleção de juízes nas democracias constitucionais. *Novos Estudos Jurídicos*, v. 12, p. 35-42, 2007.

SANCHÍS, Luis Prieto. Neoconstitucionalismo y ponderación judicial. *In*: CARBONELL, Miguel (Org.). *Neoconstitucionalismo(s)*. 3. ed. Madrid: Editorial Trotta, 2009.

SARMENTO, Daniel. Ubiquidade Constitucional: os dois lados da moeda. *In*: SARMENTO, Daniel; SOUZA NETO, Cláudio Pereira de (Coord.). *A Constitucionalização do Direito*: fundamentos teóricos e aplicações específicas. Rio de Janeiro: Lumen Juris, 2007.

SARMENTO, Daniel. O Neoconstitucionalismo no Brasil: riscos e possibilidades. *In*: NOVELINO, Marcelo. *Leituras complementares de Direito Constitucional*: teoria da Constituição. Salvador: JusPodivm, 2009.

VALE, André Rufino do. Aspectos do neoconstitucionalismo. *Revista Brasileira de Direito Constitucional*, n. 9, p. 67-77, jan./jun. 2007.

---

Informação bibliográfica deste texto, conforme a NBR 6023:2018 da Associação Brasileira de Normas Técnicas (ABNT):

FONSECA, Reynaldo Soares da; FONSECA, Rafael Campos Soares da. O futuro do constitucionalismo democrático e a contribuição de Luís Roberto Barroso. *In*: COSTA, Daniel Castro Gomes da; FONSECA, Reynaldo Soares da; BANHOS, Sérgio Silveira; CARVALHO NETO, Tarcisio Vieira de (Coord.). *Democracia, justiça e cidadania*: desafios e perspectivas. Homenagem ao Ministro Luís Roberto Barroso. Belo Horizonte: Fórum, 2020. t. 1: Direito eleitoral, política e democracia. p. 77-97. ISBN 978-85-450-0748-7.

# RECESSÃO DEMOCRÁTICA, POPULISMO E UM PAPEL POSSÍVEL PARA AS CORTES CONSTITUCIONAIS

### LUNA VAN BRUSSEL BARROSO

## 1 Introdução

Ao longo do século XX, o constitucionalismo democrático evoluiu de um sistema comprometido apenas com o Estado de Direito e as garantias mínimas de liberdades negativas, para um sistema que promove a dignidade humana e os direitos fundamentais como objetivos que devem orientar e limitar a atuação Estatal.[1] As novas constituições e as cortes constitucionais passaram a prever e a promover, então, um conjunto de princípios e direitos básicos a serem garantidos em todas as democracias constitucionais, a saber: (i) direitos políticos, promovidos através da liberdade de expressão e do direito ao voto; (ii) compromisso com a garantia do mínimo existencial, através do reconhecimento de direitos sociais como saúde, educação, água, comida e moradia; (iii) vedação à discriminação e garantia da igualdade formal; (iv) separação rígida entre Estado e Igreja; e (v) criação de cortes constitucionais independentes, incumbidas da tarefa de proteger esses compromissos constitucionais e direitos fundamentais.[2] Na virada do século, estudiosos e acadêmicos anunciavam a democracia constitucional como a ideologia vitoriosa da história.[3]

Apesar de nenhum outro regime ter tido tanto apoio e apelo universal, a democracia passa por momentos turbulentos e há uma preocupação global com a estabilidade desses regimes. Apesar de o número de democracias formais continuar elevado, o número de países que efetivamente garantem liberdades e direitos políticos à oposição e às minorias é significativamente mais baixo. Em seu relatório

---

[1] GRABER, Mark A. What's in Crisis? The postwar constitutional paradigm, transformative constitutionalism, and the fate of constitutional democracy. *In*: GRABER, Mark A.; LEVINSON, Sanford; TUSHNET, Mark. *Constitutional democracy in crisis?* Nova Iorque: Oxford University Press, 2018. p. 665.

[2] GRABER, Mark A. What's in Crisis? The postwar constitutional paradigm, transformative constitutionalism, and the fate of constitutional democracy. *In*: GRABER, Mark A.; LEVINSON, Sanford; TUSHNET, Mark. *Constitutional democracy in crisis?* Nova Iorque: Oxford University Press, 2018. p. 666.

[3] BARROSO, Luis Roberto. Technological revolution, democratic recession and climate change: the limits of Law in a Changing World. *CCDP, 2019-009*, p.18, set. 2019.

sobre a liberdade no mundo em 2019, a Freedom House observou que 2018 foi o 13º ano consecutivo de queda na liberdade global, observando que, apesar de as perdas totais serem pequenas quando comparadas aos ganhos do século XX, há um padrão consistente e preocupante de queda.[4] Nos países que já eram autoritários e classificados como "não livres" pela organização, os governos abandonaram alguns poucos resquícios de democracia que mantinham quando ainda havia pressão internacional para tanto. Por outro lado, países que se democratizaram depois do final da Guerra Fria parecem ter regredido devido à corrupção, a movimentos populistas e antiliberais e a ameaças ao Estado de Direito. De forma ainda mais preocupante, até mesmo democracias consolidadas têm sido abaladas por forças populistas que rejeitam direitos básicos, atacam as minorias e questionam princípios elementares como a separação de poderes.[5]

Especificamente em relação ao Brasil, o país era considerado 79% livre em 2017 (sendo 100% o mais livre possível), 78% livre em 2018, caindo para 75% em 2019. Essa queda se deve à perda de três pontos no total, sendo um em cada das seguintes categorias: (i) o atual chefe de governo foi eleito através de eleições justas e livres?; (ii) há liberdade para a atuação de organizações não governamentais, notadamente aquelas engajadas com direitos humanos?; e (iii) há proteção contra o uso ilegítimo de força física e ausência de guerras e revoltas?. O relatório da Freedom House fundamenta essa perda em três constatações: (a) houve um elevado grau de violência política durante a campanha, além da disseminação de campanhas de desinformação e de discursos de ódio nas redes sociais e outras plataformas de mensagens, que contribuíram para um ambiente hostil de campanha; (b) aumento da violência e intimidação de ativistas de direitos fundiários; e (c) aumento da violência, principalmente relacionada às organizações de tráfico de droga e à incapacidade do governo de controlá-la. Apesar de o Brasil continuar classificado como um país livre, há 77 países a sua frente no ranking da Freedom House.

Nesse cenário mundial, diversos autores e acadêmicos têm falado em retrocesso democrático, crise da democracia, recessão democrática e retrocesso constitucional. Tom Ginsburg e Aziz Huq, por exemplo, apontam que, apesar de o número absoluto de democracias constitucionais ter se mantido relativamente constante nos últimos anos, algumas normas básicas da democracia e do constitucionalismo, em muitas democracias, estão em processo de degradação muito mais acelerado do que o seu fortalecimento nos últimos anos.[6] Consequentemente, degradam-se também as bases tradicionais que sustentam as democracias constitucionais e indivíduos começam a questionar as vantagens do pluralismo, da globalização, do liberalismo e da democracia como forma de governo.

---

[4]  FREEDOM HOUSE. *Democracy in retreat*: freedom in the world 2019. 2019. Disponível em: https://freedomhouse. org/sites/default/files/Feb2019_FH_FITW_2019_Report_ForWeb-compressed.pdf. Acesso em 20 out. 2019.

[5]  FREEDOM HOUSE. *Democracy in retreat*: freedom in the world 2019. 2019. Disponível em: https://freedomhouse. org/sites/default/files/Feb2019_FH_FITW_2019_Report_ForWeb-compressed.pdf. Acesso em 20 out. 2019.

[6]  GINSBURG, Tom; HUQ, Aziz Z. Defining and tracking the trajectory of liberal constitutional democracy. *In*: GRABER, Mark A.; LEVINSON, Sanford; TUSHNET, Mark. *Constitutional democracy in crisis?* Nova Iorque: Oxford University Press, 2018.

Para agravar o quadro, regimes antes tidos como exemplos de constitucionalismo democrático, como Estados Unidos e Inglaterra, enfrentam graves tensões, sem que nenhum outro país tenha emergido para ocupar o seu espaço como modelos de democracias constitucionais.[7] Sintomaticamente, um número expressivo e crescente de cidadãos rejeita a visão dominante de democracia constitucional, globalização e liberalismo, e está cada vez mais propenso a usar a forma constitucional existente para instituir e fortalecer visões antiliberais.[8]

Nesse contexto turbulento e incerto, o presente artigo tem por objetivo comentar brevemente a crise da democracia e a ascensão do populismo no âmbito mundial e, na sequência, fazer algumas reflexões sobre um papel possível para cortes constitucionais nesse cenário de incerteza. De forma específica, o presente trabalho está dividido em três tópicos, além dessa introdução: (i) a crise da democracia; (ii) o populismo do século XXI; e (iii) reflexões sobre um possível papel para as cortes constitucionais na resistência a essas tendências antidemocráticas. O artigo, como se verá, parte da premissa, amplamente discutida por diversos autores, de que as maiores ameaças às democracias do século XXI não são os golpes militares e os ataques armados, mas pequenas medidas implementadas gradativamente, que, a despeito de seus contornos de legalidade, levam as nações por um rumo autoritário e antiliberal.

## 2    A democracia levada ao limite

No meio de 2016, antes mesmo da eleição de Donald Trump nos Estados Unidos, Yascha Mounk e Roberto Stefan Foa publicaram artigo intitulado *Desconexão Democrática.*[9] A partir de uma série de estudos empíricos, os autores revelaram que democracias consolidadas já não são mais tão estáveis quanto eram no passado. Segundo os seus dados, os cidadãos estão cada vez menos satisfeitos com as instituições democráticas e cada vez mais dispostos a abandonar instituições e normas tradicionalmente contempladas como pilares das democracias. Desacreditados de que a democracia pode atender às suas demandas mais urgentes e fundamentais, os cidadãos estariam, ainda, mais abertos à possibilidade de considerar regimes alternativos. Para embasar essas constatações, Mounk e Foa conduziram uma série de estudos que, dentre outras coisas, apontaram que: (i) mais de 2/3 dos americanos que nasceram antes da Segunda Guerra Mundial consideram extremamente importante morar em uma democracia, enquanto esse número cai para 1/3 entre os *millenials*; e (ii) em 1995, apenas um a cada 16 indivíduos acreditava que um regime militar era

---

[7]    GRABER, Mark A.; LEVINSON, Sanford; TUSHNET, Mark. Constitutional democracy in crisis? *In*: GRABER, Mark A.; LEVINSON, Sanford; TUSHNET, Mark. *Constitutional democracy in crisis?* Nova Iorque: Oxford University Press, 2018. p. 3.

[8]    GRABER, Mark A.; LEVINSON, Sanford; TUSHNET, Mark. Constitutional democracy in crisis? *In*: GRABER, Mark A.; LEVINSON, Sanford; TUSHNET, Mark. *Constitutional democracy in crisis?* Nova Iorque: Oxford University Press, 2018. p. 6.

[9]    MOUNK, Yascha; FOA, Roberto Stefan, The Democratic Disconnect. *Journal of Democracy*, v. 27, n. 3, p. 5-17, July 2016. Disponível em: https://doi.org/10.1353/jod.2016.0049.

um bom sistema de governo, enquanto esse número aumentou para um a cada seis indivíduos atualmente.[10]

Parece cedo demais para concluir se o constitucionalismo democrático enfrenta mesmo uma crise global de magnitude preocupante ou se lidamos apenas com uma estagnação momentânea, que compõe o pêndulo natural da história e será revertida logo mais. Independentemente disso, contudo, parece inegável que vivemos um momento de desgaste institucional e perda de confiança no governo e na política. Há diversos motivos possíveis para isso, notadamente fatores como a desigualdade crescente, a estagnação econômica, a imigração em massa, a globalização e o avanço das redes sociais.[11] [12] Somado a isso, políticos e atores públicos parecem privilegiar ganhos políticos de curto prazo em detrimento da sustentabilidade do sistema a longo prazo, desgastando normas e instituições que sustentam as democracias constitucionais.

Jack M. Balkin, por exemplo, descreve o momento atual como um de "apodrecimento constitucional" (*constitutional rot*) causado por um processo gradativo de enfraquecimento e desgaste das normas e instituições que sustentam a democracia.[13] Para o autor, esse processo decorre de quatro fatores principais: (i) perda de confiança no governo e nos outros cidadãos; (ii) polarização, que faz com que indivíduos enxerguem os outros como inimigos, em vez de parceiros na construção de uma empreitada comum; (iii) aumento da desigualdade econômica, que estressa as relações sociais e leva os cidadãos a buscarem soluções simplistas e imediatas; e (iv) desastres políticos, consubstanciados em erros graves de escolha pelos representantes políticos, que levam o público a perder a esperança na política e nos governos. O exemplo mais óbvio de um desastre político recente foi a desregulação excessiva do mercado financeiro nos EUA, que levou à crise econômica de 2008, cujos efeitos foram predominantemente absorvidos pelas classes média e baixa, enquanto executivos receberam bônus milionários.

Segundo Balkin, o apodrecimento constitucional se instala e agrava na medida em que representantes políticos desconsideram as normas que asseguram uma competição política justa e a cooperação entre opositores, mesmo quando eles discordem fortemente sobre como governar o país. Para o autor, quando representantes começam a desconsiderar reiteradamente essas normas básicas, adotando posturas formalmente legais, mas materialmente questionáveis, eles degradam o sistema constitucional. O maior perigo desse desgaste, como intuitivo, é o de que ele evolua para uma crise constitucional, degenerando em um regime autoritário ou em um regime onde a Constituição não é mais capaz de conter as divergências políticas aos limites da lei.

---

[10] MOUNK, Yascha; FOA, Roberto Stefan. The democratic disconnect. *Journal of Democracy*, v. 27, n. 3, p. 5-17, jul. 2016. Disponível em: https://doi.org/10.1353/jod.2016.0049. Acesso em 21 out. 2019.

[11] GINSBURG, Tom; HUQ, Aziz Z. Defining and tracking the trajectory of liberal constitutional democracy. *In*: GRABER, Mark A.; LEVINSON, Sanford; TUSHNET, Mark. *Constitutional democracy in crisis?* Nova Iorque: Oxford University Press, 2018. p. 47.

[12] MOUNK, Yascha. *The people vs. democracy*: why our freedom is in danger and how to save it. Cambridge, Massachusetts: Harvard University Press, 2018. p. 148.

[13] BALKIN, Jack M. Constitutional crisis and constitutional rot. *In*: GRABER, Mark A.; LEVINSON, Sanford; TUSHNET, Mark. *Constitutional democracy in crisis?* Nova Iorque: Oxford University Press, 2018. p. 18.

Tratando de fenômeno semelhante, Mark Tushnet chamou de jogo duro constitucional (*constitutional hardball*) as afirmações e práticas políticas que, mesmo dentro dos limites formais das leis e da jurisprudência, estão em tensão com algumas normas e compreensões pré-constitucionais.[14] O exercício frequente e reiterado desse jogo duro constitucional por determinado grupo político convida a oposição a empregar as mesmas táticas, iniciando um círculo vicioso que termina por escalá-las. Assim, aumentam-se os conflitos ideológicos e agravam-se as suas consequências.

Steven Levitsky e Daniel Ziblatt, também diagnosticando que a degradação constitucional do século XXI se dá dentro dos limites formais das leis e constituições, ponderam que o retrocesso democrático começa nas urnas de votação e sustenta um ar de legalidade pela sua defesa da constituição e das instituições democráticas.[15] O processo, portanto, é lento, sutil e incremental e, justamente porque revestido de um aspecto democrático, tem muitas de suas medidas individualmente aprovadas pelo legislativo ou referendadas por cortes constitucionais. Reconhecendo que lacunas e ambiguidades são naturais a todos os sistemas jurídicos, os autores concluem que as salvaguardas constitucionais não são suficientes e que as democracias mais resistentes são aquelas cujas constituições escritas são fortalecidas por normas não escritas.[16] Quando essas normas básicas são repetidamente ignoradas ou violadas, a política se degenera em uma briga sem regras ou limites.

Como se vê, o que esses autores têm em comum é a percepção de que o processo de erosão democrática recente decorre de atitudes e escolhas políticas incrementais que, se formalmente legítimas quando individualmente consideradas, resultam na violação ao espírito constitucional e em restrições à liberdade e aos direitos fundamentais quando cumuladas. Essa circunstância, como se verá, dificulta a intervenção de cortes constitucionais para resistir à recessão da democracia. Assumindo-se que as cortes constitucionais tenham poder para implementar e fazer valer as suas decisões nesses cenários de grande instabilidade e incerteza – o que não é um pressuposto trivial –, a dificuldade adicional decorre do fato de que é difícil apontar como determinada medida, individualmente considerada, viola o texto da Constituição e legitima a intervenção da corte. Há, portanto, para além de uma dificuldade de identificar essa investida contra o espírito constitucional, uma dificuldade de controlá-la judicialmente.

Antes de passar à análise de um possível papel para as cortes constitucionais nesse cenário, é preciso tecer breves comentários sobre a nova forma de populismo do século XXI, que tem viabilizado e potencializado essa degradação democrática.

---

[14] TUSHNET, Mark. *Constitutional hardball*. 2004. p. 523. Disponível em: https://scholarship.law.georgetown.edu/facpub/555. Acesso em 22 out. 2019.

[15] LEVITSKY, Steven; ZIBLATT, Daniel. *Como as democracias morrem*. (Tradução Renato Aguiar). Rio de Janeiro: Zahar, 2018.

[16] LEVITSKY, Steven; ZIBLATT, Daniel. *Como as democracias morrem*. (Tradução Renato Aguiar). Rio de Janeiro: Zahar, 2018. p. 103.

## 3 O populismo do século XXI

Quando um governo falha em concretizar as expectativas e demandas populares, é normal que os cidadãos se sintam frustrados e busquem outras alternativas. O que diferencia a decepção natural inerente a toda democracia de um cenário propício para o surgimento de movimentos populistas é o fato de que os cidadãos que recorrem a esses movimentos não estão apenas descontentes com os resultados da política, mas também desacreditados das instituições em si.[17] Os populistas se aproveitam desse sentimento e responsabilizam as instituições pela desconfiguração da vontade popular, sugerindo que elas atendem apenas a interesses corruptos e individualistas e, portanto, representam o principal obstáculo para a realização plena da vontade popular.[18] Apesar disso – e esse é o seu principal encanto e risco –, o populismo, ao contrário de ditaduras, apenas descaracteriza as instituições democráticas, sem desintegrá-las completamente. Mantém, portanto, uma fachada democrática, ao mesmo tempo em que ataca e enfraquece atores institucionais como a imprensa, os outros poderes, o aparato burocrático, as elites intelectuais, a imprensa e as demais instituições que equilibram e freiam o exercício de poder pelo executivo.

O populismo, portanto, representa um conjunto de ideias que divide a sociedade entre "pessoas puras" e "a elite corrupta", defendendo o respeito à vontade popular (i.e., das pessoas puras) acima de tudo e a qualquer custo.[19] Ele é, portanto, antiplu-ralista e os seus líderes se apresentam como os únicos e verdadeiros representantes e interlocutores do povo.[20]

Não é difícil perceber que essas características do populismo estão em tensão direta com algumas normas básicas da democracia constitucional. Segundo Nadia Urbinati, professora da Universidade de Columbia, o populismo busca o poder estatal para implementar uma agenda cuja principal característica é a hostilidade ao liberalismo e aos princípios da democracia constitucional, notadamente aos direitos das minorias, à separação de poderes e ao sistema pluripartidário.[21] Esse ponto justifica alguns comentários adicionais, desenvolvidos a partir de artigo de Samuel Issacharoff, intitulado *Populism versus Democratic Governance.*[22]

Em primeiro lugar, e de mais relevante, o populismo representa uma ameaça à dimensão temporal da democracia, que pressupõe uma articulação entre os diferentes poderes e um certo lapso temporal para a tomada de decisão política.[23] Ao contrário

---

[17] KUO, Ming-Sung. Against instantaneous democracy. *International Journal of Constitutional Law,* v. 17, Issue 2, p. 554-575, abr. 2019.

[18] KUO, Ming-Sung. Against instantaneous democracy. *International Journal of Constitutional Law,* v. 17, Issue 2, p. 554-575, abr. 2019.

[19] MUDDE, Cas; KALTWASSER, Cristóbal Rovira. *Studying populism in comparative perspective*: reflections on the contemporary and future research agenda. 51 (13) Comp. Pol. Stud. 1667-1693 (2018).

[20] MULLER, Jan-Werner. *What is populism?* Pennsylvania: University of Pennsylvania Press, 2016.

[21] URBINATI, Nadia. *Democracy disfigured*: opinion, truth and the people. Harvard: Harvard University Press, 2014.

[22] ISSACHAROFF, Samuel. Populism versus democratic governance. *In*: GRABER, Mark A.; LEVINSON, Sanford; TUSHNET, Mark. *Constitutional democracy in crisis?* Nova Iorque: Oxford University Press, 2018. p. 445.

[23] KUO, Ming-Sung. Against instantaneous democracy. *International Journal of Constitutional Law,* v. 17, Issue 2, p. 554-575, abr. 2019.

de mandatos plebiscitários, a democracia constitucional, a fim de assegurar que as normas serão adequadamente debatidas e assimiladas, não permite mudanças radicais e repentinas promovidas por preferências políticas momentâneas. Exige-se, para a tomada de decisão política, que a implementação da vontade popular ocorra apenas quando ela tiver apoio suficiente para tanto, sendo esse apoio medido tanto em termos de intensidade quanto em termos de resistência ao longo do tempo.[24] De acordo com Jeremy Waldron, essa estrutura é fundamental para a proteção da liberdade, da dignidade e do respeito ao estado de direito.[25]

Para tanto, democracias constitucionais instituem mecanismos de filtragem da vontade popular que atuam como freios ao poder de decisão da maioria. Esses mecanismos vão desde a criação de cortes constitucionais, à separação de poderes, ao processo de negociação nas casas legislativas e o bicameralismo, às estruturas burocráticas que desaceleram as decisões políticas. São essas as instituições que fazem a intermediação entre a vontade popular e as decisões políticas, exigindo renovação frequente e constante de consentimento, além de acomodações recíprocas.

Os populistas, contudo, enxergam (ou dizem enxergar) nesse sistema e nos seus mecanismos de cooperação entre vencidos e vencedores uma fraude à soberania popular, acusando essas instituições de servirem a interesses de uma elite corrupta. Tratam, assim, a sua eleição como um mandato plebiscitário conferido pelo povo, que lhes permite atuar sem qualquer acomodação ou freio institucional. É apenas a eleição e o resultado das urnas que define a agenda do governo, sem qualquer intermediação institucional ou restrição temporal entre a manifestação da vontade popular e a tomada de decisão pelos poderes políticos.[26]

Em segundo lugar, e de forma complementar, o populismo também ataca a separação de poderes, apresentando-a como uma restrição ilegítima à vontade popular.[27] As casas legislativas e o judiciário são frequentemente acusados de não terem legitimidade para decidir e atuar em nome do povo, e os populistas se apresentam como os únicos e verdadeiros representantes da vontade popular. Esse ataque é impulsionado pela desfuncionalidade das casas legislativas e pela fragilidade do judiciário para atuar como uma barreira às políticas do executivo quando amplamente apoiadas pela população.

Em terceiro lugar, populistas também atacam as organizações da sociedade civil que atuam como cheques ao poder executivo.[28] Mesmo em casos de desfuncionalidade legislativa, o risco de abuso do executivo é limitado pelo poder exercido por instituições da sociedade civil, sejam elas as organizações não governamentais, os partidos

---

[24] ISSACHAROFF, Samuel. Judicial review in troubled times: stabilizing democracy in a second best world. *New York University School of Law*, jun. 2019. Disponível em: https://ssrn.com/abstract=3298966. Acesso em 20 out. 2019.

[25] WALDRON, Jeremy. *Political political theory*: essays on institution. Harvard: Harvard University Press, 2016.

[26] ISSACHAROFF, Samuel. Populism versus democratic governance. *In*: GRABER, Mark A.; LEVINSON, Sanford; TUSHNET, Mark. *Constitutional democracy in crisis?* Nova Iorque: Oxford University Press, 2018. p. 448.

[27] ISSACHAROFF, Samuel. Populism versus democratic governance. *In*: GRABER, Mark A.; LEVINSON, Sanford; TUSHNET, Mark. *Constitutional democracy in crisis?* Nova Iorque: Oxford University Press, 2018. p. 449.

[28] ISSACHAROFF, Samuel. Populism versus democratic governance. *In*: GRABER, Mark A.; LEVINSON, Sanford; TUSHNET, Mark. *Constitutional democracy in crisis?* Nova Iorque: Oxford University Press, 2018. p. 452.

políticos ou a imprensa.[29] Esse ataque, aliado à desfuncionalidade do legislativo e às fragilidades do judiciário, aumentam as chances de excessos do executivo. Na era da tecnologia, o ataque à imprensa, uma das principais instituições de controle do poder político, é fortalecido pelas redes sociais, as campanhas de desinformação e as *fake news*. Há, ademais, uma degradação de partidos políticos que, em grande parte por responsabilidade própria, não possuem nenhum espaço de *accountability* democrático e têm se tornado meros operadores de um aparato estatal burocrático.[30] Os populistas, portanto, substituem esses partidos por um movimento de culto a uma única liderança carismática, no lugar das demais instituições civis intermediárias. Afinal, é mais fácil eleger um salvador nacional e atacar a imprensa livre do que criar partidos políticos representativos e eficientes e forjar consenso legislativo.[31]

Em quarto lugar, o populismo desconsidera as regras do jogo e ataca, além dos órgãos eleitos, do judiciário e das organizações da sociedade civil, também as instâncias burocráticas e administrativas que permitem que o governo funcione de forma relativamente previsível.[32] A desintegração de agências reguladoras e do aparato estatal burocrático que desaceleram as mudanças políticas são mais uma forma de ataque a instituições que controlam, limitam e punem abusos governamentais.

Em quinto lugar e, por fim, os populistas também atacam algumas normas não escritas que sustentam as democracias constitucionais. Esse ponto, como mencionado no tópico anterior, tem sido amplamente estudado por acadêmicos que avaliam que as democracias mais resistentes são aquelas cujas constituições escritas são fortalecidas por normas não escritas. Steven Levitsky e Daniel Ziblatt, por exemplo, identificam duas dessas normas que se destacam como pilares da sustentação democrática: (i) a tolerância mútua; e (ii) a reserva institucional.

A tolerância mútua é uma norma não escrita segundo a qual é preciso aceitar a legitimidade dos seus oponentes, independentemente de desacordos políticos. Ela envolve, portanto, o reconhecimento, tanto em público quanto em privado, de que opositores não são inimigos ou ameaças e que eles têm, portanto, o direito de competir pela oportunidade de governar.[33] Se, por outro lado, a oposição é apresentada como inimiga e como uma ameaça a ser temida e evitada a qualquer custo, qualquer medida para impedir que cheguem ao poder se apresenta como uma alternativa aceitável, ameaçando a democracia.

A reserva institucional, por sua vez, exige que os políticos usem os seus poderes institucionais com moderação, autocontrole e comedimento, evitando o jogo duro constitucional identificado por Tushnet e o apodrecimento constitucional identificado

---

[29]   COLE, David. *Engines of liberty*: the power of citizen activists to make constitutional law. New York: Basic Books, 2016.

[30]   ISSACHAROFF, Samuel. Populism versus democratic governance. *In*: GRABER, Mark A.; LEVINSON, Sanford; TUSHNET, Mark. *Constitutional democracy in crisis?* Nova Iorque: Oxford University Press, 2018. p. 453.

[31]   ISSACHAROFF, Samuel. Populism versus democratic governance. *In*: GRABER, Mark A.; LEVINSON, Sanford; TUSHNET, Mark. *Constitutional democracy in crisis?* Nova Iorque: Oxford University Press, 2018. p. 453.

[32]   ISSACHAROFF, Samuel. Populism versus democratic governance. *In*: GRABER, Mark A.; LEVINSON, Sanford; TUSHNET, Mark. *Constitutional democracy in crisis?* Nova Iorque: Oxford University Press, 2018. p. 453.

[33]   LEVITSKY, Steven; ZIBLATT, Daniel. *Como as democracias morrem*. (Tradução Renato Aguiar). Rio de Janeiro: Zahar, 2018. p. 103.

por Balkin.[34] Em outras palavras, trata-se de uma norma não escrita que impõe a políticos que evitem ações que, embora dentro dos limites da legalidade, violem o espírito da Constituição. Os líderes populistas, como intuitivo, desconsideram essas normas básicas, apresentando os seus inimigos como integrantes da "elite corrupta" e utilizando os seus poderes institucionais para concretizar uma suposta vontade popular, sem qualquer autocontrole ou respeito institucional.

Esses elementos demonstram que regimes populistas têm em comum os ataques desferidos às instituições – sejam elas políticas, administrativas, burocráticas ou civis – que filtram e freiam a vontade da maioria e o poder do executivo. Vale dizer, há um ataque reiterado às instituições que Steven Levitsky e Daniel Ziblatt chamam de árbitros neutros.[35] Essas agências e instituições, com autoridade para investigar, punir e denunciar delitos de funcionários públicos e cidadãos comuns[36] e para emitirem opiniões e decisões técnicas imunes de intervenção política direta, atuam para limitar abusos governamentais. Se capturadas por presidentes populistas, contudo, podem ser apropriadas para fins políticos e usadas para fortalecer governos autoritários. Capturar ou enfraquecer esses árbitros, portanto, confere a governos populistas e iliberais mais autonomia para adotar suas políticas, ainda que contrariem o espírito das leis e violem direitos fundamentais.[37]

Os elementos indicados anteriormente parecem comuns a todas as versões anteriores e atuais do populismo. O que diferencia o populismo do século XXI dos demais é o fato de que os riscos de captura e enfraquecimento desses árbitros neutros são potencializados pelas redes sociais e pelas comunicações tecnológicas simultâneas. Em artigo intitulado *Against Instantaneous Democracy*,[38] Ming-Sung Kuo, professor da Universidade de Direito de Warwick, no Reino Unido, argumenta que esse "novo populismo" é marcado por uma política da instantaneidade possibilitada pelas mídias sociais. Para o autor, essa nova característica do fenômeno apresenta novos desafios para as democracias constitucionais, para além daqueles já apresentados pela tradicional política de identidade excludente e de entrincheiramento institucional anticonstitucionalista perceptível em outras fases do populismo.

Como visto, a democracia constitucional tem por premissas: (i) no âmbito governamental, uma forma de política articulada, onde a tomada de decisão ocorre em um processo com diversas fases individuais e independentes, articuladas entre si,[39] que fomentam a acomodação institucional e freiam a vontade da maioria ou do

---

[34] LEVITSKY, Steven; ZIBLATT, Daniel. *Como as democracias morrem*. (Tradução Renato Aguiar). Rio de Janeiro: Zahar, 2018. p. 103.

[35] LEVITSKY, Steven; ZIBLATT, Daniel. *Como as democracias morrem*. (Tradução Renato Aguiar). Rio de Janeiro: Zahar, 2018. p. 81.

[36] LEVITSKY, Steven; ZIBLATT, Daniel. *Como as democracias morrem*. (Tradução Renato Aguiar). Rio de Janeiro: Zahar, 2018. p. 81.

[37] LEVITSKY, Steven; ZIBLATT, Daniel. *Como as democracias morrem*. (Tradução Renato Aguiar). Rio de Janeiro: Zahar, 2018. p. 81-82.

[38] KUO, Ming-Sung. Against instantaneous democracy. *International Journal of Constitutional Law*, v. 17, Issue 2, p. 554-575, abr. 2019.

[39] KUO, Ming-Sung. Against instantaneous democracy. *International Journal of Constitutional Law*, v. 17, Issue 2, p. 554-575, abr. 2019.

poder executivo; e (ii) um filtro institucional entre a vontade popular e as decisões políticas. O primeiro elemento, portanto, é a articulação interna entre os poderes e as instituições, enquanto o segundo elemento é a interação dessa estrutura com o povo. Segundo Ming-Sung, o pressuposto desses dois elementos é o de que haverá um espaço temporal entre cada etapa formal de tomada de decisão (primeiro elemento) e entre a incubação da opinião pública e a tomada de decisão política (segundo elemento).[40] Com a democracia instantânea possibilitada pelas redes sociais, a comunicação da vontade popular aos representantes eleitos ocorre de forma imediata e quase plebiscitária, fortalecendo o ataque às instituições intermediárias e a aprovação apressada de pautas.

De forma específica, as redes sociais permitem a criação de um canal de comunicação direta com o povo, através do qual o líder eleito, adotando uma postura autêntica e carismática, se apresenta como o mensageiro das escolhas populares. Antes das redes sociais, deficiências nesse canal direto, *i.e.* a interferência de instituições como a mídia, afastavam essa comunicação direta e dificultavam a criação desse vínculo.[41] Essa estrutura, porém, é fundamentalmente abalada pela *democracia instantânea* possibilitada pelas redes sociais e as novas tecnologias.[42] Nesse cenário, a mídia se torna dispensável e, através do espaço virtual, o político eleito se comunica direta e imediatamente com os seus eleitores, legitimando a sua atuação em nome da vontade popular e o seu ataque às instituições. Assim, perde-se o filtro institucional e o lapso temporal entre a incubação da vontade popular e as escolhas políticas.

Para a criação desse vínculo com o povo, o novo populismo frequentemente adota uma linguagem vulgar e manifestações exageradas e caricatas. É uma estratégia para desmistificar a política e apresentá-la como algo mais transparente e acessível,[43] retratando o líder eleito como um integrante do povo, não mais como um símbolo político superior. Analisando esses fenômenos, Ming-Sung conclui que

> a democracia da instantaneidade dá vida a um novo cenário político. De um lado, ela libera uma energia política antes inexplorada em sociedades democráticas, sugerindo uma forma de política mais responsiva e não mediada. De outro lado, a instantaneidade libera a magia da autenticidade. [...] O novo populismo aponta na direção de uma política não mediada.[44]

Em outras palavras, a população agora é capaz de interferir diretamente em qualquer etapa do exercício do poder político, ameaçando os procedimentos

---

[40] KUO, Ming-Sung. Against instantaneous democracy. *International Journal of Constitutional Law*, v. 17, Issue 2, p. 554-575, abr. 2019.

[41] KUO, Ming-Sung. Against instantaneous democracy. *International Journal of Constitutional Law*, v. 17, Issue 2, p. 554-575, abr. 2019.

[42] KUO, Ming-Sung. Against instantaneous democracy. *International Journal of Constitutional Law*, v. 17, Issue 2, p. 554-575, abr. 2019.

[43] KUO, Ming-Sung. Against instantaneous democracy. *International Journal of Constitutional Law*, v. 17, Issue 2, p. 554-575, abr. 2019.

[44] KUO, Ming-Sung. Against instantaneous democracy. *International Journal of Constitutional Law*, v. 17, Issue 2, p. 554-575, abr. 2019. p. 561.

criados para assegurar um lapso temporal para a tomada de decisão política. Essa circunstância torna o governo hiperresponsivo à opinião popular.[45] Se a responsividade numa democracia é algo positivo a ser encorajado, o mesmo não pode ser dito da hiperresponsividade. A observância irrestrita e imediata à vontade da maioria ameaça a liberdade, a igualdade e os direitos fundamentais. O apoio direto da opinião pública encoraja atores políticos a desconsiderarem freios institucionais e a recorreram diretamente ao povo para se legitimar e pressionar outros atores a ignorarem o processo democrático.[46] Assim, a instantaneidade dessa nova democracia ameaça a representatividade, a deliberação e a articulação imprescindíveis para a subsistência de democracias constitucionais. Nas palavras de Ming-Sung, "se beneficiando da democracia instantânea induzida pela tecnologia, o novo populismo apresenta uma política alternativa que busca substituir a complexidade constitucional por uma simplicidade anti-institucional".[47]

Em resumo, o populismo do século XXI, à semelhança de seus antecessores, apresenta as instituições que filtram e moderam a vontade popular como fraudes ao povo e capturadas por interesses de uma elite corrupta. Ao fazê-lo, líderes populistas se apresentam como os únicos representantes da soberania popular, atacando os outros poderes, as instâncias administrativas, o aparato burocrático e as organizações da sociedade civil que, em democracias constitucionais, freiam o poder da maioria e o executivo. O que singulariza o populismo do século XXI é o fato de que as redes sociais permitem a criação de um canal de comunicação direta e simultânea entre o líder e o povo. Consequentemente, o mandato é exercido pelo líder eleito de forma quase plebiscitária e hiperresponsiva à vontade de uma maioria apresentada como a "dona da verdade". Esses fatores minam as estruturas da democracia e o lapso temporal imprescindível para a tomada de decisões políticas. Assim, permite que atores institucionais, atuando em nome do povo, desconsiderem regras procedimentais fundamentais para a subsistência de uma democracia constitucional.

## 4    Um papel possível para as cortes constitucionais

A ideia de que as normas jurídicas emanadas do legislativo determinam e limitam integralmente a atuação do julgador e de que, consequentemente, a interpretação jurídica seria um ato de subsunção, já foi amplamente superada.[48] Não há nenhuma norma jurídica que não suscite, em algum momento, questões que precisem ser

---

[45]  KUO, Ming-Sung. Against instantaneous democracy. *International Journal of Constitutional Law,* v. 17, Issue 2, p. 554-575, abr. 2019.

[46]  KUO, Ming-Sung. Against instantaneous democracy. *International Journal of Constitutional Law,* v. 17, Issue 2, p. 554-575, abr. 2019.

[47]  KUO, Ming-Sung. Against instantaneous democracy. *International Journal of Constitutional Law,* v. 17, Issue 2, p. 554-575, abr. 2019. p. 574. Tradução livre. No original: "Benefiting from the technology-induces instantaneous democracy, new populism present an alternative politics that envisages the displacement of constitutional complexity with anti-institutional simplicity".

[48]  BARROSO, Luís Roberto. *Curso de Direito Constitucional Contemporâneo.* 6. ed. Saraiva, 2017. p. 336-344.

esclarecidas pelo juiz através de uma atividade de interpretação.[49] Apesar de a interpretação do direito ocorrer dentro de um âmbito normativamente restrito pelas possibilidades do texto e não poder perseguir objetivos políticos próprios, é certo que a maior complexidade da vida moderna e a necessidade de recurso a conceitos jurídicos indeterminados elevaram o judiciário a uma importante posição na definição dos rumos nacionais, definindo o sentido e o alcance das normas.[50]

Como visto, contudo, os ataques às democracias no século XXI tendem a respeitar os limites formais da Constituição, de modo que a erosão democrática se dá por escolhas políticas formalmente legítimas quando individualmente consideradas. Essa circunstância, naturalmente, dificulta a intervenção de cortes constitucionais para, através do exercício da jurisdição constitucional, declarar essas medidas inconstitucionais. Nesse contexto, o ponto que interessa ao presente trabalho é a discussão sobre o papel de cortes constitucionais como freios à política da instantaneidade e ao populismo do século XXI explorados no tópico anterior. A pergunta que se pretende analisar brevemente é: há um papel institucional a ser exercido por cortes constitucionais em situações de recessão democrática, atuando como órgão de estabilização e contenção?

Em artigo intitulado *Judicial Review in Troubled Times: Stabilizing Democracy in a Second Best World*, Samuel Issacharoff, partindo da constatação de que as democracias constitucionais vivem um momento de crise, explora três tipos de intervenções possíveis para as cortes constitucionais: (i) o uso do *judicial review* para impedir que titulares de cargos políticos minem a sua *accountability* política; (ii) a intervenção judicial para reafirmar normas constitucionais não escritas que fomentam a negociação e o compromisso democrático; e (iii) a atuação judicial para exercer determinadas competências estatais em cenários de ineficiência, notadamente no legislativo.[51] O artigo, portanto, analisa o papel estrutural do judiciário em tempos de estresse sistêmico. Invocando a figura de um banco central que atua para manter a integridade fiscal em face de pressões e demandas partidárias que buscam insustentáveis resultados de curto prazo, o autor se propõe a discutir se seria possível pensar em intervenções judiciais para proteger a integridade estrutural da democracia.[52]

Observando que as democracias bem-sucedidas complementam a arquitetura formal com uma série de normas e práticas institucionais não escritas que desaceleram exuberâncias partidárias e permitem a estabilidade ao longo do tempo e, apesar de resultados eleitorais oscilantes, Issacharoff conclui que o desgaste dessas normas em face de demandas populistas para a satisfação imediata das demandas majoritárias é

---

[49] GRIMM, Dieter. *Constituição e política*. (Tradução Geraldo de Carvalo). Belo Horizonte: Del Rey, 2006.

[50] GRIMM, Dieter. *Constituição e política*. (Tradução Geraldo de Carvalo). Belo Horizonte: Del Rey, 2006. No mesmo sentido: BARROSO, Luís Roberto. *Curso de Direito Constitucional Contemporâneo*. 6. ed. Saraiva, 2017. p. 345-392.

[51] ISSACHAROFF, Samuel. Judicial review in troubled times: stabilizing democracy in a second best world. *New York University School of Law*, jun. 2019. Disponível em: https://ssrn.com/abstract=3298966. Acesso em 20 out. 2019.

[52] ISSACHAROFF, Samuel. Judicial review in troubled times: stabilizing democracy in a second best world. *New York University School of Law*, jun. 2019. Disponível em: https://ssrn.com/abstract=3298966. Acesso em 20 out. 2019.

a maior ameaça contemporânea para as democracias.[53] Assim, o autor defende que, em alguns casos, é preciso que as cortes atuem para restituir a tomada de decisão aos canais políticos tradicionais que reforçam essas normas não escritas.

Apesar de as cortes não deverem ter exclusividade na tarefa de atuar como guardiães da democracia, ainda assim há bons motivos para que sejam enxergadas como a instituição melhor capacitada para a missão – ou, no mínimo, como uma instituição bem capacitada para a missão. Isso porque as cortes têm mecanismos para formulação pública de argumentos, debates estruturados e julgamentos que exigem fundamentação que, consequentemente, não ditam resultado, mas buscam convencer.[54] Poderiam, portanto, exercer um papel de fortalecimento do aspecto procedimental da democracia, forçando o governo a se engajar em um debate público estruturado, que respeite o papel exercido pelas instituições intermediárias e o processo que assegura o lapso temporal democrático para a tomada de decisão política. Seria uma intervenção judicial para "abrir as instituições públicas que tenham falhado cronicamente nas suas obrigações e que estejam substancialmente insuladas dos processos normais de accountablility político".[55] O que distingue essa abordagem de fortalecimento do procedimento da simples proclamação de direitos é que, na primeira, o objetivo é forçar o engajamento político com questões políticas e sociais, mas sem predeterminar o resultado.[56]

Um exemplo da África do Sul ajuda a ilustrar o ponto.[57] O país, à semelhança do Brasil, tem uma autoridade independente responsável pela investigação de casos de corrupção, cujo diretor é indicado pelo presidente. A lei local exige apenas que o diretor seja "a fit and proper person, with due regard to his or her experience, conscientiousness and integrity".[58] O Presidente Zuma, ao assumir o cargo, indicou alguém de quem era muito próximo, cuja submissão era notória. Apesar de a Constituição Sul-Africana não conter nenhuma qualificação objetiva para a indicação ao cargo, a Corte Constitucional rejeitou a indicação do Presidente, afirmando que:

> É certo que as funções do Diretor Nacional não são essencialmente judiciais. Contudo, a definição da política acusatória, a decisão sobre acusar ou não e o dever de assegurar que

---

[53] ISSACHAROFF, Samuel. Judicial review in troubled times: stabilizing democracy in a second best world. *New York University School of Law*, p. 11-12, jun. 2019. Disponível em: https://ssrn.com/abstract=3298966. Acesso em 20 out. 2019.

[54] ISSACHAROFF, Samuel. Judicial review in troubled times: stabilizing democracy in a second best world. *New York University School of Law*, p. 11-12, jun. 2019. Disponível em: https://ssrn.com/abstract=3298966. Acesso em 20 out. 2019.

[55] Tradução livre. No original: "open up public institutions that have chronically failed to meet their obligations and that are substantially insulated from the normal processes of political accountability". (SABEL, Charles F; SIMON, Willian H. *Destabilization rights*: how public law litigation succeeds. 117 Harv. L. Rev. 2016, 1020 (2004).

[56] ISSACHAROFF, Samuel. Judicial review in troubled times: stabilizing democracy in a second best world. *New York University School of Law*, p. 46, jun. 2019. Disponível em: https://ssrn.com/abstract=3298966. Acesso em 20 out. 2019.

[57] Exemplo retirado do texto de Samuel Issacharoff: ISSACHAROFF, Samuel. Judicial review in troubled times: stabilizing democracy in a second best world. *New York University School of Law*, p. 46, jun. 2019. Disponível em: https://ssrn.com/abstract=3298966. Acesso em 20 out. 2019.

[58] National Prosecuting Act 32 de 1998, §13(1)(b) (S. Afr.).

a política de acusação será observada são [...] fundamentais para a nossa democracia. O cargo deve ser apolítico e apartidário e está diretamente conectado à função do judiciário em sentido mais amplo de garantir a justiça, além de ser parte essencial da tarefa de assegurar a justiça criminal.[59]

Assim, a corte não determinou o resultado (definindo quem deveria ser colocado no cargo), mas devolveu a decisão ao Presidente, com obrigação de observar normas constitucionais não escritas.

No mesmo sentido, Ming-Sung Kuo sugere que é preciso resgatar o aspecto temporal das democracias, desacelerando a instantaneidade criada pelas redes sociais.[60] Para tanto, o autor observa que o judiciário, frequentemente criticado pela sua lentidão, pode servir a um importante papel. Em outras palavras, apontando que juízes não eleitos e com mandato são menos vulneráveis à onda de populismo, o autor sugere que é possível recorrer ao procedimento judicial como uma forma de desaceleração das decisões políticas. Enfatizando que a instantaneidade com a qual as políticas são aprovadas por populistas no século XXI impede que os seus efeitos sejam adequadamente explorados antes de sua promulgação, e que é apenas quando eles começam a surgir que as pessoas passam a refletir adequadamente sobre os impactos da medida, o autor sugere que a qualidade do conhecimento sobre as implicações e consequências de determinadas decisões populistas pode ser aumentada por intervenções judiciais.

De forma específica, o processo judicial, mais lento por natureza, pode levar o governo ou o povo a reconsiderar as suas atitudes e opiniões quando os efeitos de determinada política se desenvolvem e são discutidos no andamento de processos judiciais. Assim, o ritmo do processo judicial pode desacelerar a tomada de decisão política, levando o povo e os governantes a refletirem de forma mais adequada sobre as políticas adotadas. A oposição, assim, pode se mobilizar para recorrer à desaceleração judicial como uma forma de obstar a aprovação apressada de políticas governamentais.

Um exemplo ajuda a ilustrar o ponto.[61] Nos Estados Unidos, o Presidente Donald Trump aprovou o *travel ban* para cidadãos de alguns países, notadamente muçulmanos. Juízes das cortes distritais rapidamente concederam liminares para suspender os efeitos da política, ajudando a indicar os problemas da ordem em sua redação inicial. Apesar de a Suprema Corte, ao julgar o caso, ter validado uma nova redação da proibição, as intervenções e discussões judiciais da ordem controversa levaram o chefe do executivo a reeditar a ordem em termos mais brandos. Foi, portanto, uma reação do executivo a uma série de intervenções judiciais e uma demonstração de como o judiciário pode desacelerar a tomada de decisão.[62] Assim, a interação entre

---

[59] Democratic Alliance v. President of the Republic of South Africa – [2012] ZACC 26.

[60] KUO, Ming-Sung. Against instantaneous democracy. *International Journal of Constitutional Law*, v. 17, Issue 2, p. 554-575, abr. 2019.

[61] Exemplo extraído do texto: KUO, Ming-Sung. Against instantaneous democracy. *International Journal of Constitutional Law*, v. 17, Issue 2, p. 554-575, abr. 2019.

[62] KUO, Ming-Sung. Against instantaneous democracy. *International Journal of Constitutional Law*, v. 17, Issue 2, p. 554-575, abr. 2019. p. 573.

o judiciário, o povo e o executivo pode servir como um mecanismo para inaugurar uma nova arena de debate, que é mais lenta por natureza.

Essas sugestões, não se ignora, apresentam os seus próprios riscos. Em primeiro lugar, o judiciário pode também ser vítima ou alvo de políticas populistas, perdendo a sua capacidade de tomar decisões contrárias ao executivo. As cortes da Rússia, Polônia e Hungria são possivelmente os maiores exemplos disso. Se capturadas, podem, elas mesmas, silenciarem a oposição e chancelar violações a direitos.

Em segundo lugar, conforme apontado por Diego Werneck, o próprio judiciário pode adotar o vocabulário populista para si, reivindicando a capacidade de representar e implementar a vontade popular contra a "elite corrupta".[63] No Brasil, como se sabe, o risco é particularmente agravado pelo fato de que as deliberações no plenário do STF são televisionadas ao vivo pela TV Justiça. De forma particularmente interessante, Werneck observa que, porque os juízes têm mandato e independência institucional, de modo que não precisam fazer afirmações de que representam o povo, frequentemente se imagina que eles não o farão. O autor, contudo, a partir de exemplos brasileiros, constata que esses incentivos institucionais nem sempre impedem manifestações populistas impulsionadas pelo cenário político.[64] Essa percepção, naturalmente, enfraquece a tese de que o judiciário poderia atuar como um árbitro neutro de desaceleração de políticas populistas.

Em terceiro lugar, a intervenção do judiciário em casos politicamente carregados pode levar à sua excessiva politização e enfraquecer o papel da corte. A fim de minimizar esses três riscos, a atuação da corte deve ser no sentido de aprimorar a qualidade da informação disponível, apontando e discutindo os possíveis problemas da medida, não no sentido de se substituir às instâncias políticas e tomar as decisões. Em outras palavras, o objetivo é o de restabelecer o processo de tomada de decisão que assegura o lapso temporal da democracia e criar incentivos para uma rearticulação da política, freando, assim, decisões imediatistas impulsionadas por ondas populistas.[65] A atuação da corte seria, portanto, o início de uma rediscussão e de uma nova dinâmica política, funcionando como uma etapa de reflexão democrática que, em tempos normais, se daria no processo de aprovação da medida no âmbito dos poderes legislativo e executivo.

## 5   Conclusão

A análise do contexto de recessão democrática e de avanço do populismo do século XXI permite concluir que as maiores ameaças às democracias contemporâneas são investidas gradativas e incrementais contra normas constitucionais não escritas

---

[63]   ARGUELHES, Diego Werneck. Juízes falando pelo povo: populismo judicial para além das decisões judiciais. *In*: BOLONHA, Carlos; OLIVEIRA, Fábio Corrêa Souza de Oliveira. *30 anos da Constituição de 1988*: uma jornada democrática inacabada. Belo Horizonte: Fórum, 2019. p. 361-367.

[64]   ARGUELHES, Diego Werneck. Juízes falando pelo povo: populismo judicial para além das decisões judiciais. *In*: BOLONHA, Carlos; OLIVEIRA, Fábio Corrêa Souza de Oliveira. *30 anos da Constituição de 1988*: uma jornada democrática inacabada. Belo Horizonte: Fórum, 2019. p. 365.

[65]   KUO, Ming-Sung. Against instantaneous democracy. *International Journal of Constitutional Law*, v. 17, Issue 2, p. 554-575, abr. 2019. p. 573.

e contra instituições que filtram a vontade popular e impedem a concentração e o abuso de poder pela maioria. Agravando o cenário, as redes sociais e as comunicações tecnológicas atuais permitem a criação de um canal direto entre o líder eleito e o povo, potencializando regimes populistas que se apresentam como os únicos representantes legítimos da vontade popular. A conexão direta e constante com a opinião da maioria mina o processo democrático, elaborado para que haja um lapso temporal entre a incubação da vontade popular e a aprovação de políticas e um procedimento formal de tomada de decisão que inclui diversas instâncias e instituições.

Essas ameaças, além de serem de difícil identificação, já que as medidas antidemocráticas e iliberais frequentemente são formalmente legítimas, também dificultam a atuação das cortes constitucionais como *locus* de resistência através do controle de constitucionalidade. Justamente por isso, cogita-se, no presente artigo, a possibilidade de que elas atuem para garantir a observância de determinados procedimentos democráticos que asseguram que preferências momentâneas não serão imediata e acriticamente convertidas em decisões políticas.

Não se desconhece os riscos e as ameaças de intervenções judiciais contra um poder executivo amparado pela vontade popular. Seja porque as cortes podem ser vítimas de medidas de "empacotamento", seja porque elas próprias podem recorrer a táticas populistas que, por si sós, enfraquecem a democracia, seja porque a atuação em casos politicamente carregados pode minar a independência e a legitimidade das cortes. Não obstante, acredita-se que há um espaço de intervenção possível e – quem sabe – desejável a ser discutido e considerado. A fim de minimizar os riscos de que o remédio seja pior do que a doença, essas intervenções devem se limitar à criação de incentivos para a rearticulação política, restabelecendo os procedimentos que protegem o governo de uma hiperresponsividade prejudicial à democracia, sem pretensão de substituir a política e resolver a questão. Na lição de Roberto Gargarella. "a tarefa judicial deve se repensar, tendo em conta as tendências mais ameaçadoras que a sociedade em questão enfrenta".[66]

## Referências

ARGUELHES, Diego Werneck. Juízes falando pelo povo: populismo judicial para além das decisões judiciais. *In*: BOLONHA, Carlos; OLIVEIRA, Fábio Corrêa Souza de Oliveira. *30 anos da Constituição de 1988*: uma jornada democrática inacabada. Belo Horizonte: Fórum, 2019.

BALKIN, Jack M. Constitutional crisis and constitutional rot. *In*: GRABER, Mark A.; LEVINSON, Sanford; TUSHNET, Mark. *Constitutional democracy in crisis?* Nova Iorque: Oxford University Press, 2018.

BARROSO, Luís Roberto. *Curso de Direito Constitucional Contemporâneo*. 6. ed. Saraiva, 2017.

BARROSO, Luis Roberto. Technological revolution, democratic recession and climate change: the limits of Law in a Changing World. *CCDP, 2019-009*, p.18, set. 2019.

COLE, David. *Engines of liberty*: the power of citizen activists to make constitutional law. New York: Basic Books, 2016.

---

[66] GARGARELLA, Roberto. La revisión judicial em democracias defectuosas. *Rev. Bras. Polit. Públicas*, Brasília, v. 9, n. 2, p. 153-169, 2019.

DEMOCRATIC ALLIANCE V. PRESIDENT OF THE REPUBLIC OF SOUTH AFRICA – [2012] ZACC 26.

FREEDOM HOUSE. *Democracy in retreat*: freedom in the world 2019. 2019. Disponível em: https://freedomhouse.org/sites/default/files/Feb2019_FH_FITW_2019_Report_ForWeb-compressed.pdf. Acesso em 20 out. 2019.

GARGARELLA, Roberto. La revisión judicial em democracias defectuosas. *Rev. Bras. Polit. Públicas*, Brasília, v. 9, n. 2, p. 153-169, 2019.

GINSBURG, Tom; HUQ, Aziz Z. Defining and tracking the trajectory of liberal constitutional democracy. *In*: GRABER, Mark A.; LEVINSON, Sanford; TUSHNET, Mark. *Constitutional democracy in crisis?* Nova Iorque: Oxford University Press, 2018.

GRABER, Mark A. What's in Crisis? The postwar constitutional paradigm, transformative constitutionalism, and the fate of constitutional democracy. *In*: GRABER, Mark A.; LEVINSON, Sanford; TUSHNET, Mark. *Constitutional democracy in crisis?* Nova Iorque: Oxford University Press, 2018.

GRABER, Mark A.; LEVINSON, Sanford; TUSHNET, Mark. Constitutional democracy in crisis? *In*: GRABER, Mark A.; LEVINSON, Sanford; TUSHNET, Mark. *Constitutional democracy in crisis?* Nova Iorque: Oxford University Press, 2018.

GRIMM, Dieter. *Constituição e política*. (Tradução Geraldo de Carvalo). Belo Horizonte: Del Rey, 2006.

ISSACHAROFF, Samuel. Judicial review in troubled times: stabilizing democracy in a second best world. *New York University School of Law*, jun. 2019. Disponível em: https://ssrn.com/abstract=3298966. Acesso em 20 out. 2019.

ISSACHAROFF, Samuel. Populism versus democratic governance. *In*: GRABER, Mark A.; LEVINSON, Sanford; TUSHNET, Mark. *Constitutional democracy in crisis?* Nova Iorque: Oxford University Press, 2018.

KUO, Ming-Sung. Against instantaneous democracy. *International Journal of Constitutional Law*, v. 17, Issue 2, p. 554-575, abr. 2019.

LEVITSKY, Steven; ZIBLATT, Daniel. *Como as democracias morrem*. (Tradução Renato Aguiar). Rio de Janeiro: Zahar, 2018.

MOUNK, Yascha. *The people vs. democracy*: why our freedom is in danger and how to save it. Cambridge, Massachusetts: Harvard University Press, 2018.

MOUNK, Yascha; FOA, Roberto Stefan. The democratic disconnect. *Journal of Democracy*, v. 27, n. 3, p. 5-17, jul. 2016. Disponível em: https://doi.org/10.1353/jod.2016.0049. Acesso em 21 out. 2019.

MUDDE, Cas; KALTWASSER, Cristóbal Rovira. *Studying populism in comparative perspective*: reflections on the contemporary and future research agenda. 51 (13) Comp. Pol. Stud. 1667-1693 (2018).

MULLER, Jan-Werner. *What is populism?* Pennsylvania: University of Pennsylvania Press, 2016.

NATIONAL PROSECUTING ACT 32 de 1998, §13(1)(b) (S. Afr.).

SABEL, Charles F; SIMON, Willian H. *Destabilization rights*: how public law litigation succeeds. 117 Harv. L. Rev. 2016, 1020 (2004).

TUSHNET, Mark. *Constitutional hardball*. 2004. Disponível em: https://scholarship.law.georgetown.edu/facpub/555. Acesso em 22 out. 2019.

URBINATI, Nadia. *Democracy disfigured*: opinion, truth and the people. Harvard: Harvard University Press, 2014.

WALDRON, Jeremy. *Political political theory*: essays on institution. Harvard: Harvard University Press, 2016.

---

Informação bibliográfica deste texto, conforme a NBR 6023:2018 da Associação Brasileira de Normas Técnicas (ABNT):

BARROSO, Luna van Brussel. Recessão democrática, populismo e um papel possível para as cortes constitucionais. *In*: COSTA, Daniel Castro Gomes da; FONSECA, Reynaldo Soares da; BANHOS, Sérgio Silveira; CARVALHO NETO, Tarcisio Vieira de (Coord.). *Democracia, justiça e cidadania*: desafios e perspectivas. Homenagem ao Ministro Luís Roberto Barroso. Belo Horizonte: Fórum, 2020. t. 1: Direito eleitoral, política e democracia. p. 99-115 ISBN 978-85-450-0748-7.

# O EQUILÍBRIO ENTRE CONSTITUCIONALISMO E DEMOCRACIA: A POSIÇÃO DO MINISTRO LUÍS ROBERTO BARROSO NA DISCUSSÃO ACERCA DO FINANCIAMENTO EMPRESARIAL DE CAMPANHAS ELEITORAIS

**CARLOS MÁRIO VELLOSO FILHO**
**JOÃO CARLOS BANHOS VELLOSO**

## Nota Prévia

Logo que ingressei na faculdade de Direito, em agosto de 2010, tive o privilégio de conhecer obras jurídicas fascinantes. A minoria, porém, me pareceu realmente útil à atividade profissional que eu viesse a exercer. Entre as exceções estavam grande parte das obras do professor Luís Roberto Barroso. Comecei pela "Interpretação e Aplicação da Constituição", livro resultante da tese que alçou o homenageado ao cargo de professor titular de Direito Constitucional da UERJ. Já na introdução dessa obra memorável, percebi que o professor Barroso realizava a posição eclética, de que sempre me falou o meu avô, Carlos Velloso, do advogado ou magistrado que também é professor: que não se prende aos temas do caso concreto, formando ilhas de conhecimento; tampouco extrapola para dissertações estéreis, que ficam longe da realidade da vida. Afinal, a importância das teorias é mesmo a diferença que elas fazem no mundo real.

A propósito, em março de 2012, quando recebi do professor Eduardo Mendonça, o convite para estagiar no escritório "Luís Roberto Barroso & Associados" pude constar o que me parece ser a característica mais marcante da personalidade do professor Luís Roberto: a vontade de fazer a diferença no mundo, no país, na vida das pessoas. No discurso emocionante que o homenageado proferiu por ocasião da missa em sufrágio da alma de seu pai, Roberto Barroso, ele repetiu, dessa vez com a voz embargada, mais ou menos isto: "é a diferença que você faz na vida das pessoas que determinará a importância da vida que levamos. A maneira como você trata as pessoas, sobretudo as que não são poderosas, diz tudo sobre você".

Enfim, o acadêmico e ministro do Supremo Tribunal Federal de primeira também é um ser humano generoso, íntegro. Algum observador externo poderá dizer que, com tantas funções importantes exercidas, o professor Luís Roberto não terá tempo para se dedicar à família. Mas é exatamente o contrário: Tereza, Luna e Bernardo são, como o homenageado sempre enfatiza, partícipes e consortes de toda a sua trajetória.

Felizes são os que têm no professor Luís Roberto Barroso um mentor de vida profissional e pessoal, um exemplo e um herói.

**João Carlos B. Velloso**

\* \* \*

Advogado recém-formado, um dos primeiros conselhos que recebi dos mais antigos foi no sentido de que, quando perdesse uma causa, abandonasse o tribunal logo após o julgamento. Isso porque, quando acreditamos no direito de nosso constituinte, temos dificuldade em aceitar uma decisão contrária. Corremos, assim, o risco de perder a cabeça e fazer uma crítica injusta ao juiz. Com o tempo, pude perceber que certos juízes nos inspiram tanta confiança que, quando deles recebemos decisão desfavorável, temos facilidade em aceitar a derrota. Luís Roberto Barroso é um desses juízes. Não só por se tratar de um dos maiores juristas da atualidade, mas, também e sobretudo, pelo seu caráter. Podemos dele discordar, mas saberemos, sempre, que as suas posições são assumidas com absoluta boa-fé e independência.

Mais do que isso: quem acompanha a sua magistratura percebe que as suas escolhas têm o bem como norte, a alteridade como método e o princípio republicano como limite intransponível.

Tenho, por isso, grande orgulho de participar desta obra, que celebra a trajetória do magistrado Luís Roberto Barroso. Que a homenagem nos sirva de inspiração!

**Carlos Mário Velloso Filho**

## Introdução

No julgamento da ADI nº 4.650/DF, o Supremo Tribunal Federal deliberou acerca da constitucionalidade do financiamento empresarial de campanhas eleitorais.[1] Na ocasião, a Corte se dividiu em três correntes distintas. A primeira, endossada pela maioria, se firmou no sentido de que o financiamento corporativo seria inconstitucional, em qualquer contexto. A segunda corrente, diametralmente contraposta à primeira, defendeu que inexistiria qualquer parâmetro na Constituição que repelisse, expressamente, doações corporativas, pelo que a prática seria legítima.

Por fim, houve a posição – intermediária – defendida pelo ministro Luís Roberto Barroso, no sentido de que a conveniência ou inconveniência do financiamento por pessoas jurídicas seria uma opção política legítima. Por conseguinte, competiria ao Legislativo decidir sobre aceitar ou rejeitar a participação de empresas no processo eleitoral. No entanto, as peculiaridades do modelo de financiamento existente no

---

[1] STF. ADI nº 4.650/DF, Rel. Min. Luiz Fux, DJe 24.02.2016.

Brasil[2] tornavam inconstitucional, no caso concreto, a possibilidade de pessoas jurídicas doarem a campanhas políticas. Nesse cenário, o financiamento corporativo seria inconstitucional, mas o Poder Legislativo teria a faculdade de, eventualmente, restabelecer o instituto, desde que os vícios do modelo então vigente fossem sanados.

Neste breve artigo, exploraremos essa solução intermediária, proposta pelo ministro Barroso, no sentido de deflagrar o diálogo institucional acerca do tema do financiamento empresarial de campanhas políticas. Embora não tenha prevalecido, essa solução certamente servirá de inspiração para a gradual implementação de uma jurisdição constitucional mais democrática no Brasil.

O texto está dividido em três tópicos. No primeiro serão feitos breves apontamentos acerca dos parâmetros, extraídos da doutrina, de deferência e autocontenção judicial no exercício do controle de constitucionalidade. Em complementação, será abordada a teoria dos diálogos institucionais, segundo a qual o Judiciário não deve ser o último e único intérprete do texto constitucional. No segundo tópico, serão estudadas questões subjacentes à ADI nº 4.650: o objeto da ação e os entendimentos que dividiram a Corte. Finalmente, o terceiro tópico será destinado ao estudo da proposta do ministro Luís Roberto Barroso.

# 1 Entre o minimalismo e o maximalismo: parâmetros de autocontenção judicial e deferência à decisão política

## 1.1 O desafio da jurisdição constitucional no Estado Democrático de Direito

A partir do segundo pós-guerra, a jurisdição constitucional, isto é, a defesa judicial da Constituição, passou a ser amplamente aceita nos modelos democráticos ao redor do globo. No entanto, os limites do exercício da fiscalização judicial ainda não são claros. De um lado, tem-se que o controle judicial é essencial para a garantia da efetividade da Constituição.[3] Assim, negar a jurisdição constitucional[4] ou atribuir ao instituto função excessivamente minimalista enfraqueceria a proteção dos direitos fundamentais e as regras do processo democrático.[5] Nos Estados Unidos, essa é a

---

[2]  Conforme será pormenorizado adiante, o ministro Luís Roberto Barroso destacou, dentre tais peculiaridades do Sistema brasileiro, (i) a possibilidade de que a empresa tomasse emprestado dinheiro público (BNDES) para financiar campanhas; (ii) a inexistência de qualquer vedação para que o agente público eleito com apoio de doações empresariais contratasse com o Poder Público; (iii) a possibilidade de a empresa doadora financiar todos os candidatos viáveis a determinado cargo, sem que o financiamento refletisse a verdadeira opção política da empresa.

[3]  HAMILTON, Alexander. *The federalist papers nº 78*. Disponível em: https://avalon.law.yale.edu/18th_century/fed78.asp. Acesso em 22 nov. 2019: "(limitações constitucionais) só podem ser preservadas, na prática, de nenhuma outra forma senão por meio das cortes judiciais, cujo dever é o de declarar írritos todos os atos contrários à Constituição. Sem isso, todos os direitos e prerrogativas equivaleriam a nada".

[4]  A negativa à jurisdição constitucional, de forma explícita, ocorre de forma bastante pontual na Academia jurídica. V., a propósito, WALDRON, Jeremy. The core of the case against judicial review. *The Yale Law Journal*, v. 115, 2006.

[5]  ELY, John Hart. *Democracy and distrust*. Cambridge: Harvard University Press, 2002; BARROSO, Luís Roberto. Contramajoritário, representativo e iluminista: os papéis dos tribunais constitucionais nas democracias contemporâneas. *Revista Direito e Práxis*, v. 9, n. 4, p. 2.171-228, dez. 2018.

crítica que se tem feito à ideia de *judicial restraint*, que prega a limitação do controle judicial de constitucionalidade a casos de leis "obviamente" contrárias à Constituição.[6]

Há precedentes – inclusive relativamente recentes – da Suprema Corte dos EUA que comprovam que o problema não se limita ao campo teórico. Em *Bowers v. Hardwick*, decidido em 1986, por exemplo, a Corte se recusou a declarar a inconstitucionalidade de lei que, na prática, visava a criminalizar relações sexuais entre pessoas do mesmo sexo (*antisodomy law*).[7] Não havia qualquer justificativa razoável a sustentar a lei, mas a Corte entendeu que inexistiria parâmetro expresso na Constituição que permitisse a invalidação da norma. Para chegar a essa conclusão, o *Justice* White, em nome da maioria, assentou que a Corte só deve reconhecer direitos como fundamentais, a permitir o exercício do *judicial review*, em duas hipóteses: quando as garantias estiverem expressamente escritas na Constituição; ou estiverem "profundamente arraigadas" na "história e cultura da Nação" (*deeply rooted in this Nation's history and traditions*). A lei foi chancelada e, somente em 2003, a Suprema Corte veio a declarar a inconstitucionalidade desse tipo de norma.[8]

De outro lado, existem os riscos do protagonismo excessivo da jurisdição constitucional. Leituras maximalistas de cláusulas abertas da Constituição poderiam acabar por permitir que as escolhas políticas dos cidadãos fossem substituídas por preferências pessoais dos magistrados. Juízes, de modo geral, não são eleitos. Por conseguinte, uma exegese inflacionada da Constituição se traduziria na asfixia da política ordinária.

Aqui também o problema não é meramente potencial. Durante a denominada Era Lochner[9] (1905-1937) uma Suprema Corte de maioria conservadora passou a invalidar, sistematicamente, políticas de intervenção econômica nos Estados Unidos. Citem-se, como exemplos, leis que impunham limites de horas para contratação de empregados[10] e normas que previam pisos salariais.[11] Ou seja, por meio de uma interpretação maximalista da cláusula do *Substantive Due Process* (14ª Emenda à Constituição dos EUA), a Corte passou a rechaçar qualquer tentativa popular de se aprovar leis que contrariassem a agenda ultraconservadora dos magistrados que compunham a Corte naquele período.

Assim, os juízes constitucionais devem estar atentos a dois riscos: o do excesso e o da omissão de jurisdição. Até que ponto a jurisdição constitucional não

---

[6]   V., sobre o tema, SCALIA, Antonin. *A Matter of interpretation*: Federal Courts and the Law. New Jersey: Princeton University Press, 1997.

[7]   ESTADOS UNIDOS. *Bowers v. Hardwick*, 478 U.S. 186 (1986).

[8]   ESTADOS UNIDOS. *Lawrence v. Texas*, 539 U.S. 558 (2003).

[9]   Entre 1905 e 1937, a Suprema Corte dos EUA, a partir de um severo ativismo conservador, passou a declarar inconstitucionais, sistematicamente, leis que interferissem na liberdade contratual. Mais de duzentas leis foram invalidadas com fundamento na cláusula do devido processo legal da Décima Quarta Emenda à Constituição estadunidense. V., sobre o tema, CHEMERINSKY, Erwin. *Constitutional law*: principles and policies. New York: Wolters Kluwer, 2015. p. 644.

[10]  ESTADOS UNIDOS. *Lochner v. New York*, 198 U.S. 45 (1905).

[11]  V. *e.g.*, ESTADOS UNIDOS. *Adkins v. Children's Hospital*, 261 U.S. 525 (1923); e ESTADOS UNIDOS. *Morehead v. New York*, 298 U.S. 587 (1936).

se traduz em prejuízo do princípio democrático?[12] Qual é o limite da defesa judicial da Constituição? Eis o desafio da jurisdição constitucional no Estado Democrático de Direito: "não ir *além* da sua missão, nem ficar *aquém* do seu dever".[13] Como já explicitado, para solucionar o dilema, a doutrina tem (i) articulado *parâmetros* de deferência e autocontenção judicial no exercício do controle de constitucionalidade; e (ii) favorecido *modelos decisórios dialógicos* que facilitam os diálogos institucionais entre os Poderes na construção do sentido da Constituição.

## 1.2 Parâmetros de deferência e autocontenção judicial no controle de constitucionalidade

O primeiro parâmetro de atenuação de deferência e autocontenção judicial diz respeito à matéria objeto de controle. Hipóteses que envolvam direitos fundamentais e regras do processo político devem ser objeto de maior escrutínio judicial. Em contraste, nos casos que não envolvam tais matérias, a ideia é que o judiciário se paute pela deferência às escolhas políticas razoáveis feitas pelo legislador.[14] Ademais, o dever de autocontenção é reforçado quando a análise da inconstitucionalidade depender do conhecimento técnico específico acerca de determinada matéria.[15]

## 1.2.1 Controle de constitucionalidade em matéria de direitos fundamentais e de proteção às regras do jogo democrático

Como é corrente, a justificativa legitimadora da jurisdição constitucional é exatamente a de que a defesa das minorias deveria ficar a cargo de órgãos insulados da política majoritária.[16] Por isso mesmo, admite-se maior interferência judicial em questões envolvendo direitos fundamentais e regras do jogo político.[17] Essa premissa

---

[12] MOREIRA, Vital. Constituição e Democracia. *In*: MAUES, Antonio G. Moreira (Org.). *Constituição e Democracia*. São Paulo: Max Limonad, 2001. p. 272, *apud*, STF. MS nº 34.518 DF, Rel. Min. Luiz Fux, DJe 31.08.2017.

[13] STF. MS nº 34.518/DF, Rel. Min. Luiz Fux, DJe 31.08.2017.

[14] MENDONÇA, Eduardo. *A democracia das massas e a democracia das pessoas:* uma reflexão sobre a dificuldade contramajoritária. *mimeo*. 2014. p. 316.

[15] MENDONÇA, Eduardo. *A democracia das massas e a democracia das pessoas:* uma reflexão sobre a dificuldade contramajoritária. *mimeo*. 2014. p. 322.

[16] Conforme relembra Eduardo Mendonça, a impossibilidade de sujeição da proteção de minorias ao processo político ordinário foi objeto de destaque em precedente do Tribunal Constitucional alemão "no qual se assentou a invalidade de legislação estadual que determinava a aposição de crucifixos nas salas de aula das escolas públicas da Baviera": "A aposição de crucifixos não se legitima igualmente pela liberdade de crença dos pais e alunos de confissão cristã. A Liberdade de crença positiva é atribuída a todos os pais e alunos, não apenas aos cristãos. O conflito daí resultante não se deixa resolver pelo princípio majoritário, uma vez que o direito fundamental à Liberdade religiosa destina-se, em considerável extensão, à proteção de minorias". (ALEMANHA, BVerfGE 93, 1. Decisão de 16.05.1995). MENDONÇA, Eduardo. *A democracia das massas e a democracia das pessoas:* uma reflexão sobre a dificuldade contramajoritária. *mimeo*. 2014. p. 274.

[17] V., MENDONÇA, Eduardo. *A democracia das massas e a democracia das pessoas:* uma reflexão sobre a dificuldade contramajoritária. *mimeo*. 2014. p. 273. De forma objetiva, Eduardo Mendonça identificou cinco elementos que devem ser considerados para se aferir o nível de escrutínio judicial em casos envolvendo direitos fundamentais: (i) a maior ou menor densidade das normas constitucionais invocadas como fundamento; (ii) a natureza ou gravidade do dano a ser evitado; (iii) a vulnerabilidade efetiva das pessoas ou interesses que se pretende resguardar; (iv) a existência ou não de uma política pública concebida com o objetivo de conciliar os interesses em jogo; (v) a complexidade da matéria submetida a exame.

foi assentada pela Suprema Corte dos EUA no célebre precedente *United States v. Carolene Products*,[18] decidido em 1938. Em *Carolene Products*, a Corte, ao chancelar medidas econômicas adotadas pelo Presidente Franklin Roosevelt durante o *New Deal*, passou a entender que o escrutínio judicial deveria ser intenso *apenas* em três hipóteses: (i) quando houvesse incompatibilidade expressa com o texto constitucional; (ii) quando a norma restringisse o direito de participação no processo político; (iii) quando estivessem em jogo direitos de minorias "discretas e insulares" (*discrete and insular minorities*). Nesse contexto, conforme já explicitado, em casos que não envolvam direitos fundamentais nem regras do jogo político, a ideia é que o judiciário se paute pela deferência às escolhas políticas razoáveis feitas pelo legislador.[19]

A adoção de postura mais ambiciosa em tais circunstâncias não se traduz em uma proibição de que o conteúdo de direitos fundamentais não possa, em qualquer medida, ser definido em deliberações majoritárias. Em vez disso, "o espaço da jurisdição continua a ser a moldura, admitindo-se apenas uma atenuação da presunção de validade dos atos submetidos a controle".[20] É dizer: dentro do razoável, o legislador poderá traçar contornos concretos a questões sensíveis, certo de que a maior intensidade de controle "não se traduz em uma preferência jurisdicional nas escolhas políticas[21] que guardem alguma relação com direitos fundamentais.

## 1.2.2 Deferência às capacidades institucionais

O apelo pela autocontenção judicial é ainda mais importante em hipóteses nas quais a decisão de inconstitucionalidade exija conhecimento técnico sobre determinada matéria. Essa postura se justifica pelo fato de que magistrados, em princípio, não dispõem da *expertise* nas variadas matérias que podem vir a ser judicializadas.[22] Com efeito, há casos em que a decisão de inconstitucionalidade demanda análises não puramente jurídicas.

Casos envolvendo a proibição ou a restrição de uso de substâncias tóxicas, por exemplo, serão inconstitucionais, ou não, a depender da nocividade da substância à saúde humana ou ao meio ambiente. Essa análise, por sua vez, precisará contar com a participação de médicos, biólogos, etc., sendo insuficiente, portanto, o conhecimento

---

[18] ESTADOS UNIDOS. *United States v. Carolene Products Company*, 304 U.S. 144 (1938). *Carolene Products* representa um dos marcos da guinada jurisprudencial da Suprema Corte estadunidense acerca do nível de escrutínio judicial no exercício do *judicial review*. Antes de *Carolene Products*, a Corte (Era Lochner) vinha adotando postura excessivamente ativista em desfavor de medidas sociais que vinham sendo implementadas pelos legisladores estaduais. A partir de *Carolene Products*, porém, a Corte passou a adotar o teste de racionalidade (*rational basis test*) para aferir a legitimidade de medidas econômicas.

[19] MENDONÇA, Eduardo. *A democracia das massas e a democracia das pessoas*: uma reflexão sobre a dificuldade contramajoritária. *mimeo*. 2014. p. 316.

[20] MENDONÇA, Eduardo. *A democracia das massas e a democracia das pessoas*: uma reflexão sobre a dificuldade contramajoritária. *mimeo*. 2014. p. 280.

[21] MENDONÇA, Eduardo. *A democracia das massas e a democracia das pessoas*: uma reflexão sobre a dificuldade contramajoritária. *mimeo*. 2014. p. 280.

[22] MENDONÇA, Eduardo. *A democracia das massas e a democracia das pessoas*: uma reflexão sobre a dificuldade contramajoritária. *mimeo*. 2014. p. 322. V., ademais, sobre o tema, SUNSTEIN, Cass; ULLMANN-MARGALIT, Edna. Second-Order decisions. *John M. Olin Program in Law and Economics Working Paper*, n. 57, 1998.

jurídico. Por isso mesmo, a solução empreendida pela doutrina é exatamente que o Poder Judiciário, em casos complexos, adote postura de qualificado minimalismo:

> Evidencia-se, à luz do exposto, que a revisão judicial das premissas empíricas que embasam determinada medida regulatória só tem lugar nas hipóteses de claro ultraje aos princípios fundamentais ou a determinado comando constitucional dirigido ao legislador. Isso porque, em regra, o Judiciário não é a sede adequada para reverter o resultado do jogo democrático.[23]

O Parlamento, em contraste, constitui um fórum melhor equipado para receber informações técnicas sobre determinado assunto. Por essa razão, "quanto mais técnica for a controvérsia, maior deverá ser a deferência do Poder Judiciário às opções políticas definidas pelo legislador ordinário".[24] Para a aferição da autocontenção em razão dos limites cognitivos do Poder Judiciário, Eduardo Mendonça propôs os seguintes critérios, de acordo com os quais o nível de minimalismo deve ser maior ou menor:

(i) a complexidade técnica da matéria discutida;

(ii) a competência e *expertise* da autoridade que produziu o ato questionado;

(iii) o nível de detalhamento e embasamento técnico do ato questionado; e

(iv) o impacto do ato impugnado, com especial atenção à possibilidade de se constatar que os seus efeitos certos ou prováveis seriam gravosos para bens e interesses protegidos constitucionalmente.[25]

Conforme já se pode adiantar, no que diz respeito à hipótese do financiamento de campanhas eleitorais, foi exatamente nessa premissa em que se baseou o voto do saudoso ministro Teori Zavascki. De forma específica, S. Exa. entendeu que o Poder Judiciário não estava em posição superior ao Congresso para apurar os efeitos práticos do financiamento de campanhas eleitorais. De fato, compreender a real relevância, na prática, que o dinheiro pode exercer no resultado de eleições, por exemplo, demanda conhecimento técnico específico que, no entender do ministro Zavascki, o Supremo Tribunal Federal não possui. Assim, apesar de ter formulado duras críticas ao modelo de doação empresarial então existente, o ministro Teori inaugurou a divergência para reconhecer a constitucionalidade das normas que permitiam o financiamento corporativo.[26]

## 1.3 Favorecimento de modelos decisórios dialógicos

Além da adoção dos parâmetros descritos em linhas anteriores, tem-se admitido modelos decisórios dialógicos que facilitam interações entre os Poderes. Nesse sentido,

---

[23] FLEURY, Thiago Lôbo. *Deferência judicial aos arranjos institucionais inerentes à separação dos poderes*: o caso amianto. *mimeo.* 2019. p. 7.

[24] STF. ADI nº 4.650/DF, Rel. Min. Luiz Fux, DJe 24.02.2016 [voto do ministro relator].

[25] MENDONÇA, Eduardo. *A democracia das massas e a democracia das pessoas*: uma reflexão sobre a dificuldade contramajoritária. *mimeo.* 2014. p. 325.

[26] STF. ADI nº 4.066/DF, Rel. Min. Luiz Fux, DJe 24.02.2016 [voto do ministro Teori Zavascki].

segundo Eduardo Mendonça, entre outras medidas, (i) a corte constitucional, em lugar de declarar a inconstitucionalidade da norma impugnada, poderá *fixar prazo* para que as instâncias políticas substituam o ato inconstitucional por outro que seja válido.[27] Ademais, (ii) a corte constitucional poderá se abster, ao exercer o controle de constitucionalidade de lei, de afirmar a supremacia de sua decisão. Com isso, estimula-se que o Parlamento, a partir da decisão do tribunal, participe do desenho de determinada política pública.

Quanto à fixação de prazos, concede-se ao Parlamento a prerrogativa de participar do processo de interpretação constitucional, estimulando a política, em vez de asfixiá-la. Nesse caso, "a decisão judicial pode vir acompanhada de diretrizes destinadas a explicitar o entendimento da Corte acerca das exigências constitucionais mínimas na matéria.[28] Definidas as exigências, o Congresso terá a possibilidade de conformar a norma, desde que não afronte o balizamento mínimo assentado pelo Judiciário.

A autorização para que o Judiciário "abra prazo" para a ação do Parlamento não implica na subordinação de um poder ao outro.[29] Ao contrário, a postura da Corte deve ser interpretada como um gesto de deferência, certo de que o Tribunal está simplesmente diferindo o poder de declarar a inconstitucionalidade da lei para privilegiar o diálogo.[30] Como não poderia deixar de ser, a consequência para eventual descumprimento do prazo não seria a aplicação de qualquer sanção, mas simplesmente a declaração de inconstitucionalidade do ato que se evitou fazer imediatamente.

Ademais, é possível que a Corte, em vez de abrir prazo para o Parlamento, apenas se abstenha de afirmar a *supremacia* de sua decisão.[31] Exemplos de afirmação da supremacia judicial podem ser extraídos tanto da jurisprudência do Supremo Tribunal Federal quanto da Suprema Corte norte-americana.[32] No Brasil, apesar da inconstância desse tipo de postura, há casos em que o STF efetivamente se abriu ao diálogo.[33] Dentre eles, vale destacar o caso da proibição da *vaquejada* no Brasil.

Como se sabe, o Supremo Tribunal Federal entendeu, em um primeiro momento, que a prática da *vaquejada*, sem prejuízo da sua importância em Estados da região

---

[27] MENDONÇA, Eduardo. *A democracia das massas e a democracia das pessoas:* uma reflexão sobre a dificuldade contramajoritária. *mimeo.* 2014. p. 367.

[28] MENDONÇA, Eduardo. *A democracia das massas e a democracia das pessoas:* uma reflexão sobre a dificuldade contramajoritária. *mimeo.* 2014. p. 368.

[29] MENDONÇA, Eduardo. *A democracia das massas e a democracia das pessoas:* uma reflexão sobre a dificuldade contramajoritária. *mimeo.* 2014. p. 368.

[30] MENDONÇA, Eduardo. *A democracia das massas e a democracia das pessoas:* uma reflexão sobre a dificuldade contramajoritária. *mimeo.* 2014. p. 367.

[31] Sobre a crítica à afirmação da supremacia judicial, v., *e.g.*, TUSHNET, Mark. *Weak Courts, strong rights:* judicial review and social welfare rights in comparative constitutional law. New Jersey: Princeton University Press, 2008; KRAMER, Larry. *The people themselves:* popular constitutionalism and judicial review. Oxford: Oxford University Press, 2004.

[32] ESTADOS UNIDOS. *City of Boerne v. Flores*, 521 U.S. 507 (1997); e STF. ADI nº 2.797/DF, Rel. Min. Sepúlveda Pertence, DJ 19.12.2006.

[33] Cite-se, como exemplo, o julgado em que o STF declarou a constitucionalidade da Lei da Ficha Limpa, em um esforço para conciliar a tese com a jurisprudência então dominante acerca da presunção de inocência. De forma específica, o STF entendeu que seria válida a norma que previu sanções a condenados em tribunais colegiados, antes do trânsito em julgado.

Nordeste do Brasil, seria demasiadamente cruel aos animais envolvidos. Por essa razão, a lei que regulamentava o esporte afrontaria o art. 225, §1º, VII, da Constituição.[34] Poucos meses após a publicação da decisão do STF, a bancada nordestina do Congresso se organizou para aprovar emenda visando a consagrar, no texto constitucional, a vaquejada como patrimônio cultural daquela população. Nesse cenário, em deferência à decisão do Parlamento, o STF negou pedidos em mandados de segurança impetrados por parlamentares para o fim de suspender a tramitação dessa PEC.[35]

Como justificativa, fez-se referência à teoria dos diálogos institucionais, para concluir que não houve recalcitrância em relação ao precedente judicial. Em vez disso, a bancada nordestina apenas teria apresentado a sua interpretação a respeito do alcance do art. 225, §1º, VII, da Constituição. Para chegar a essa conclusão, o STF considerou que o Parlamento, composto de representantes dos Estados afetados pela proibição da vaquejada, teria melhores condições para entender o significado que a prática teria à cultura local e, portanto, se mostraria um melhor intérprete da Constituição no caso concreto.

Em outro precedente, apesar de ter declarado a inconstitucionalidade da lei objeto de controle de constitucionalidade, o Supremo Tribunal Federal mostrou deferência ao argumento de que não seria adequado inibir o legislador de realizar correções à jurisprudência do Tribunal:

> O desenho institucional erigido pelo constituinte de 1988, mercê de outorgar à Suprema Corte a tarefa da guarda precípua da Lei Fundamental, não erigiu um sistema de supremacia judicial em sentido material (ou definitiva), de maneira que seus pronunciamentos judiciais devem ser compreendidos como a última palavra provisória, vinculando formalmente as partes do processo e finalizando uma rodada deliberativa acerca da temática, sem, em consequência, fossilizar o conteúdo constitucional.
>
> [...]
>
> Consectariamente, a reversão legislativa da jurisprudência da Corte se revela legítima em linha de princípio, seja pela atuação do constituinte reformador (i.e., promulgação de emendas constitucionais), seja por inovação do legislador infraconstitucional [...].[36]

\* \* \*

Em suma: apesar de inexistirem limites expressos à defesa judicial da Constituição, parece adequado que as cortes adotem mecanismos para atenuar a consequência "antidemocrática" da jurisdição constitucional. Isso porque, ao mesmo tempo em que os tribunais se mostram essenciais à efetividade das normas constitucionais, é preciso

---

[34] Constituição Federal, art. 225: "Todos têm direito ao meio ambiente ecologicamente equilibrado, bem de uso comum do povo e essencial à sadia qualidade de vida, impondo-se ao Poder Público e à coletividade o dever de defendê-lo e preservá-lo para as presentes e futuras gerações. [...] §1º: Para assegurar a efetividade desse direito, incumbe ao Poder Público: VII – proteger a fauna e a flora, vedadas, na forma da lei, as práticas que coloquem em risco sua função ecológica, provoquem a extinção de espécies ou submetam os animais à crueldade".

[35] V., *e.g.*, STF. MS nº 34.518/DF, Rel. Min. Luiz Fux, DJe 31.08.2017.

[36] STF. ADI nº 5.105/DF, Rel. Min. Luiz Fux, DJe 16.03.2016.

ter cautela para que a jurisdição não asfixie a política ordinária. A seguinte passagem de obra de Rodrigo Brandão resume os argumentos aqui apresentados:

> É fundamental para a realização dos pressupostos do Estado Democrático de Direito um desenho institucional em que o sentido da Constituição se dê através de um diálogo aberto entre as instituições, que cada um dos poderes contribua com a sua específica capacidade institucional.[37]

A posição do ministro Luís Roberto Barroso, no julgamento da ADI nº 4.650, realiza esse equilíbrio desejável. No próximo tópico o ponto será melhor abordado.

## 2    A Ação Direta de Inconstitucionalidade nº 4.650

Em 05.09.2011, o Conselho Federal da Ordem dos Advogados do Brasil ajuizou ação direta de inconstitucionalidade, em face da Lei das Eleições (Lei nº 9.504/97) e da Lei Orgânica dos Partidos Políticos (Lei nº 9.096/95), na parte em que os diplomas autorizavam o financiamento de campanhas eleitorais por parte de pessoas jurídicas. Segundo o CFOAB, o instituto do financiamento corporativo de campanhas violaria os princípios republicano (CF, art. 34); da igualdade (CF, art. 5º, *caput*); da proporcionalidade e da vedação à proteção insuficiente. Em linhas gerais, o argumento desenvolvido pelo CFOAB se dividia em dois grupos: (i) pessoas jurídicas com acesso a recursos financeiros exerciam influência gravemente desproporcional no resultado dos pleitos eleitorais; e (ii) seria ilegítima a influência de pessoas jurídicas, que não são titulares de direitos políticos, no processo político-eleitoral.[38]

Além disso, relativamente ao panorama brasileiro, "em regra, os principais doadores contribuem para partidos e candidatos rivais, que não guardam nenhuma identidade programática entre si".[39] Essa realidade demonstraria que o financiamento de campanha não constituía uma genuína expressão de qualquer preferência ideológica. Em vez disso, percebeu-se que os candidatos que recebiam mais doações eram exatamente aqueles que teriam maiores chances de êxito no pleito eleitoral, evidenciando-se a deturpação do modelo que alegadamente se justificava como um mecanismo de manifestação político-ideológica.

O julgamento de mérito iniciou-se em 11.12.2013 e, após sucessivos pedidos de vista, chegou a termo em 17.09.2015. Conforme já explicitado, no acórdão, verifica-se a existência de três posições. A *primeira* posição, adotada pelo ministro Luiz Fux, relator, assentou que o financiamento de campanhas por parte de empresas seria

---

[37] BRANDÃO, Rodrigo. *Supremacia judicial* versus *diálogos constitucionais*: a quem cabe a última palavra sobre o sentido da Constituição. Rio de Janeiro: Lumen Juris, 2017. p. 288.

[38] CUNHA, Leonardo. As doações de pessoas jurídicas a campanhas eleitorais e partidos políticos: uma análise pragmatista da decisão do Supremo Tribunal Federal. *In*: SARAIVA, Renata *et al*. (Orgs.). *Ministro Luís Roberto Barroso*: 5 anos de Supremo Tribunal Federal: homenagem de seus assessores. Belo Horizonte: Fórum, 2018. p. 71-82.

[39] STF. ADI nº 4.650/DF, Rel. Min. Luiz Fux, *DJe* 24.02.2016 (manifestação do *amicus curiae* Clínica UERJ Direitos) ir.

necessariamente ilegítimo, já que empresas não têm direito a voto. Assim, seria incoerente que estas pudessem exercer influência tão relevante no resultado do pleito pelo uso do seu poder econômico. Essa posição, que acabou sendo encampada pela maioria, pode ser considerada maximalista. De fato, segundo a posição da maioria,[40] o financiamento empresarial não seria legítimo em nenhum contexto. A vedação seria ao próprio instituto, ainda que não houvesse proibição expressa no texto constitucional.

A *segunda* posição, diretamente contraposta à primeira, foi inaugurada pelo saudoso ministro Teori Zavascki. Sem prejuízo de se apontar falhas à legislação impugnada, a segunda corrente concluiu que o Supremo Tribunal Federal não era o órgão melhor capacitado para apurar os efeitos práticos do financiamento corporativo no Brasil. Com foco no argumento de competência institucional, foi inaugurada a divergência. Em seguida, após pedido de vista, o ministro Gilmar Mendes votou no sentido de acompanhar a divergência, mas com foco no fundamento de que inexistiria parâmetro na constituição para vedar a doação de pessoas jurídicas para campanhas eleitorais. Segundo o ministro Gilmar, "a legislação ordinária é que cuida do tema, frise-se, com ampla liberdade".

Por fim, além das posições contrapostas mencionadas anteriormente, houve uma *terceira*, capitaneada pelo ministro Luís Roberto Barroso.

## 3    A posição do Ministro Luís Roberto Barroso

No entendimento do ministro Barroso, que, no dispositivo, acompanhou a maioria, a opção pelo modelo de financiamento eleitoral seria uma prerrogativa legítima do Parlamento. Afinal, a Constituição não teria procurado instituir o modelo X ou Y, de modo que vedar a doação empresarial ou permiti-la seria uma decisão estritamente política.

No entanto, especificamente em relação ao caso concreto, a regulamentação do instituto do financiamento empresarial seria incompatível com a Constituição. Rejeitando a postura maximalista endossada pela maioria, o ministro Barroso assentou que o que seria inconstitucional era a previsão de limites meramente simbólicos para as doações empresariais. Pessoas jurídicas poderiam doar para candidatos diretamente concorrentes, evidenciando que, na prática, o verdadeiro propósito desse tipo de doação não seria o de apoiar um candidato ideologicamente alinhado com a empresa doadora. Ademais, inexistiria vedação para que empresas celebrassem contratos administrativos após ter doado para determinado político. Some-se a isso o fato de que era comum que empresas privadas contraíssem empréstimos, a juros atraentes, com bancos públicos (notadamente, o BNDES) para financiar determinado(s) candidato(s).

O voto do ministro Barroso, porém, contém ressalva expressa à possibilidade de o legislador reintroduzir o financiamento por pessoa jurídica, desde que se adotasse um

---

[40]    O entendimento pela inconstitucionalidade incondicional do financiamento corporativo foi manifestado pelo relator e acompanhado pelos ministros Rosa Weber, Dias Toffoli, Ricardo Lewandowski, Marco Aurélio e Joaquim Barbosa.

modelo que fosse livre dos vícios existentes no sistema então vigente. Esse último – e não o financiamento corporativo – seria inconstitucional:

> Eu estou convencido que esta conjugação produz um resultado inconstitucional, mas não estarei pronunciando, no meu voto, a inconstitucionalidade absoluta, em toda e qualquer circunstância, de pessoa jurídica participar do financiamento eleitoral. Eu estarei declarando – e chegarei a esse ponto – a inconstitucionalidade das normas vigentes atualmente e do modelo em vigor atualmente. De modo que não iria adiante para inadmitir, *a priori,* em toda e qualquer circunstância, a vedação da participação de pessoas jurídicas, sejam empresas, sejam outras pessoas jurídicas, eventualmente num outro modelo que o Congresso pudesse vir a formatar.[41]

Ao fim, o voto intermediário propôs, expressamente, a deflagração de um diálogo institucional entre o Supremo Tribunal Federal e o Congresso Nacional para que cada um contribuísse para a formação do sentido da Constituição:

> Eu acho que, neste momento, é isso que legitima o nosso papel de avançar nesta questão e me leva à parte final do meu voto, que é uma posição de não apenas acompanhar o Ministro Luiz Fux, declarando a inconstitucionalidade dessas normas, nos termos do pedido, mas também deflagrar ou endossar um debate institucional, um diálogo institucional entre o Supremo Tribunal Federal e o Congresso Nacional a propósito da concretização de regras do jogo democrático. Não são simples opções políticas.
>
> [...]
>
> Presidente, passo, então, ao encerramento do meu voto para dizer que todas essas ideias são a favor do Legislativo. São ideias que, a meu ver, ajudarão a recolocar o Poder Legislativo no centro das discussões políticas brasileiras. O centro das discussões políticas não pode e nem deve ser o Supremo Tribunal Federal.
>
> [...]
>
> Portanto, é esse diálogo institucional que penso estarmos deflagrando neste momento e, de certa forma, concitando o Congresso para, com desprendimento pessoal e com coragem cívica, ajudar a mudar um sistema eleitoral que não serve bem ao país.[42]

Como se pode ver, a posição do ministro Luís Roberto Barroso realiza o equilíbrio salomônico desejável em relação ao exercício da jurisdição constitucional, conciliando-se "escolhas majoritariamente ancoradas com restrições constitucionalmente impostas".[43] Tem-se, de fato, garantia da efetividade da Constituição, ao mesmo tempo em que se evita o engessamento, por completo, do debate político acerca do tema. Apesar de não ter sido encampada pela maioria, a proposta aqui examinada servirá de inspiração para o controle judicial de constitucionalidade no Brasil.[44]

---

[41] STF. ADI nº 4.650/DF, Rel. Min. Luiz Fux, DJe 24.02.2016 (voto do ministro Luís Roberto Barroso).

[42] STF. ADI nº 4.650/DF, Rel. Min. Luiz Fux, DJe 24.02.2016 (voto do ministro Luís Roberto Barroso).

[43] ARABI, Abhner Youssif Mota. *A tensão institucional entre judiciário e legislativo:* controle de constitucionalidade, diálogo e legitimidade da atuação do Supremo Tribunal Federal. Curitiba: Editora Prismas, 2015. p. 44-5.

[44] Há, pelo menos, outros três casos em que o ministro Luís Roberto Barroso propôs a deflagração da matéria ao Congresso: (i) na modulação de efeitos da decisão que considerou inconstitucional a emenda que previa

## Conclusão

Como costuma dizer o ilustre homenageado, "ninguém é bom demais. Ninguém é bom sozinho" ou, citando Vinícius, "bastar-se a si mesmo é a maior solidão". A solução intermediária à questão do financiamento empresarial de campanhas eleitorais introduz, no campo institucional, a filosofia com que o ministro Barroso conduz a sua vida pessoal e profissional. As cortes constitucionais em geral – e o Supremo Tribunal Federal em particular – têm uma função de enorme importância para a consolidação do Estado Democrático de Direito. Ter esse importante papel não significa que os tribunais devem bastar-se a si mesmos. Ao contrário: como tudo na vida, a melhor solução para o sentido da Constituição decorre de um diálogo, em que cada participante reconhece as suas limitações e contribui com as suas virtudes.

## Referências

ARABI, Abhner Youssif Mota. *A tensão institucional entre judiciário e legislativo:* controle de constitucionalidade, diálogo e legitimidade da atuação do Supremo Tribunal Federal. Curitiba: Editora Prismas, 2015.

ALEMANHA, BVerfGE 93, 1.

BARROSO, Luís Roberto. *Constituição, Direito e Política:* o Supremo Tribunal Federal e os Poderes da República. Disponível em: https://www.migalhas.com.br/Quentes/17,MI225392,4104.6-Constituicao+Direito. Acesso em 22 nov. 2019.

BARROSO, Luís Roberto. Contramajoritário, representativo e iluminista: os papéis dos tribunais constitucionais nas democracias contemporâneas. *Revista Direito e Práxis*, v. 9, n. 4, p. 2.171-228, dez. 2018.

BRANDÃO, Rodrigo. *Supremacia judicial* versus *diálogos constitucionais:* a quem cabe a última palavra sobre o sentido da Constituição. Rio de Janeiro: Lumen Juris, 2017.

CHEMERINSKY, Erwin. *Constitutional law:* principles and policies. New York: Wolters Kluwer, 2015.

CUNHA, Leonardo. As doações de pessoas jurídicas a campanhas eleitorais e partidos políticos: uma análise pragmatista da decisão do Supremo Tribunal Federal. *In*: SARAIVA, Renata *et al.* (Orgs.). *Ministro Luís Roberto Barroso*: 5 anos de Supremo Tribunal Federal: homenagem de seus assessores. Belo Horizonte: Fórum, 2018.

ELY, John Hart. *Democracy and distrust.* Cambridge: Harvard University Press, 2002.

ESTADOS UNIDOS. *Adkins v. Children's Hospital*, 261 U.S. 525 (1923).

ESTADOS UNIDOS. *Bowers v. Hardwick*, 478 U.S. 186 (1986).

ESTADOS UNIDOS. *City of Boerne v. Flores*, 521 U.S. 507 (1997).

ESTADOS UNIDOS. *Lawrence v. Texas*, 539 U.S. 558 (2003).

ESTADOS UNIDOS. *Lochner v. New York*, 198 U.S. 45 (1905).

ESTADOS UNIDOS. *Morehead v. New York*, 298 U.S. 587 (1936).

---

o pagamento de precatórios em 15 anos, em que S. Exa. propôs "um modelo alternativo para o pagamento de precatórios, para viger a partir do exercício seguinte, caso o Congresso não optasse por disciplinar a matéria de modo diferente"; e (ii) no julgamento da desaposentação, o ministro Barroso propôs uma solução "a menos que o Congresso disponha de maneira diversa". BARROSO, Luís Roberto. *Constituição, Direito e Política:* o Supremo Tribunal Federal e os Poderes da República. Disponível em: https://www.migalhas.com.br/Quentes/17,MI225392,4104.6-Constituicao+Direito. Acesso em 22 nov. 2019.

ESTADOS UNIDOS. *United States v. Carolene Products Company*, 304 U.S. 144 (1938).

FLEURY, Thiago Lôbo. *Deferência judicial aos arranjos institucionais inerentes à separação dos poderes*: o caso amianto. *mimeo*. 2019.

HAMILTON, Alexander. *The federalist papers nº 78*. Disponível em: https://avalon.law.yale.edu/18th_century/fed78.asp. Acesso em 22 nov. 2019.

KRAMER, Larry. *The people themselves:* popular constitutionalism and judicial review. Oxford: Oxford University Press, 2004.

MENDONÇA, Eduardo. *A democracia das massas e a democracia das pessoas:* uma reflexão sobre a dificuldade contramajoritária. *mimeo*. 2014.

MOREIRA, Vital. Constituição e Democracia. *In*: MAUES, Antonio G. Moreira (Org.). *Constituição e Democracia*. São Paulo: Max Limonad, 2001.

SCALIA, Antonin. *A Matter of interpretation*: Federal Courts and the Law. New Jersey: Princeton University Press, 1997.

SUNSTEIN, Cass; ULLMANN-MARGALIT, Edna. Second-Order decisions. *John M. Olin Program in Law and Economics Working Paper*, n. 57, 1998.

TUSHNET, Mark. *Weak Courts, strong rights:* judicial review and social welfare rights in comparative constitutional law. New Jersey: Princeton University Press, 2008.

WALDRON, Jeremy. The core of the case against judicial review. *The Yale Law Journal*, v. 115, 2006.

---

Informação bibliográfica deste texto, conforme a NBR 6023:2018 da Associação Brasileira de Normas Técnicas (ABNT):

VELLOSO FILHO, Carlos Mário; VELLOSO, João Carlos Banhos. O equilíbrio entre constitucionalismo e democracia: a posição do Ministro Luís Roberto Barroso na discussão acerca do financiamento empresarial de campanhas eleitorais. *In*: COSTA, Daniel Castro Gomes da; FONSECA, Reynaldo Soares da; BANHOS, Sérgio Silveira; CARVALHO NETO, Tarcisio Vieira de (Coord.). *Democracia, justiça e cidadania*: desafios e perspectivas. Homenagem ao Ministro Luís Roberto Barroso. Belo Horizonte: Fórum, 2020. t. 1: Direito eleitoral, política e democracia. p. 117-130. ISBN 978-85-450-0748-7.

# SOBRE A TIPOLOGIA DAS FORMAS POLÍTICAS

JORGE MIRANDA

## Introdução geral

### I – A problemática das formas e dos sistemas políticos encontra-se no âmago do Direito Constitucional e da Ciência Política

Todavia, deparam-se terminologias e, por vezes, imbricamentos da figura que tornam difícil uma exata conceituação e uma correta diferenciação. Assim, fala-se em formas de Estado, em formas políticas, em sistemas políticos, em formas de governo, em formas institucionais, em sistemas de governo, sem, muitas vezes, haver o cuidado de distinguir com rigor.

No presente estudo, pretende-se apenas ultrapassar essas dificuldades, apontando ou lembrando noções e experiências, a partir dos quais seja possível apresentar uma tipologia.

### II – Antes de mais, o conceito de *formas de Estado*

Ele consiste no modo de o Estado dispor do seu poder em face de outros poderes de igual natureza, embora com ele integrados, em moldes de coordenação e subordinação. Ou o modo como o povo e o território[1] aparecem como fonte do poder político.

A bem conhecida contraposição básica dá-se entre Estado unitário ou simples e Estado composto ou complexo. O critério de distinção está na unidade ou pluralidade de poderes políticos: não existindo senão um poder soberano – Estado unitário ou simples; ou, pelo contrário, havendo um poder soberano na ordem interna e na

---

[1] Ou elementos clássicos do Estado, segundo JELLINEK. *Allgemeine Staatslehre*. (Trad. Teoria General del Estado). Barcelona, 1934. p. 21 e segs. e 123 e segs.) cuja razão de ser não cabe aqui discutir.

ordem externa e poderes soberanos só na ordem interna, dotados de Constituições próprias[2] – Estado composto ou complexo.

Até ao fim do absolutismo, todos os Estados eram, por natureza, unitários. Depois, ainda a maior parte dos Estados do mundo continua sob essa forma. Já Estados compostos ou complexos, ditos Estados federais, são os Estados Unidos, a Suíça, o Brasil, a Alemanha, o Canadá, a Índia, a Rússia e vários outros. Historicamente, também existiram uniões reais, quase sempre precárias, como a anglo-escocesa de 1707 e a austro-húngara de 1867 a 1918.

Das formas de Estado não nos vamos ocupar neste artigo.[3]

### III – Vamos tratar, sim, das formas de governo, dos sistemas de governo, das formas institucionais, dos regimes políticos

*Forma de governo* é a forma de uma comunidade política organizar o seu poder, de estabelecer a sua (ou do povo) maior ou menor relevância nas estruturas e no exercício do poder político, estabelecer o enquadramento da titularidade e do exercício de poder (ou, segundo certa doutrina, de distinguir governados e governantes).

Mais circunscrito, porque não atingiu a configuração externa do poder, mas apenas a sua organização interna, vem a ser o *sistema de governo*, ou sistema de órgãos e competências da função política (não da administrativa, nem da jurisdicional), com mais ou menos concentração ou desconcentração.

Muitíssimo reduzido tornou-se hoje o significado de *forma institucional* como expressão institucional e simbólica da representação e da chamada chefia do Estado. Só interessa em alguns países europeus, no Canadá, na Austrália ou na Nova Zelândia, sem afetar o substrato de monarquias parlamentares.

Noutro plano, fica o *regime político* ou conceção jurídico-política global de Estado, das suas tarefas e dos seus objetivos perante os cidadãos ou perante a comunidade política na veste de sociedade civil. Também até ao século XVII formas de governo e regimes políticos coincidiam ou confundiam-se. Após o advento do constitucionalismo, tornou-se possível separá-los, sem deixarem de se entrelaçar na órbita da Constituição material de cada Estado.

### IV – Naturalmente, no conteúdo de cada Constituição moderna avultam os direitos fundamentais e a forma política. A cada *regime político* há de corresponder uma Constituição material (e, como não podia deixar de ser, para esse conteúdo importa ainda a forma de governo)

Os princípios e as regras da Constituição formal, em que se traduz a Constituição material, abrangem umas e outras matérias.[4]

---

[2]  Se esses Estados obtiverem também soberania na ordem externa, uma qualquer união poderá ser uma confederação, como muitas que existiram.

[3]  Remetemos para o nosso *Manual de Direito Constitucional, III*. 6. ed. Coimbra, 2010. p. 276 e segs.

[4]  Cfr. LOEWENSTEIN, Karl. *Manual de Direito Constitucional, II*. 7. ed. Coimbra, 2013. p. 275 e segs. e Autores citados.

# I
## FORMAS DE GOVERNO E REGIMES POLÍTICOS
### §1º

## 1 As tipologias em geral

**I – Num relance geral pelas tipologias de governo e pelas formas políticas[5] dir-se-á antes de mais:**

a) Que nelas se encontram, como salienta, por exemplo, Norberto Bobbio,[6] quase sempre elementos de duas ordens, não só *descritivos,* mas também *prescritivos* – donde, classificações, umas *sistemáticas* e outras *axiológicas;*

b) Que as classificações axiológicas, enquanto exprimem juízos de valor sobre a sociedade política e contêm indicações de preferências vêm a ser instrumentos de intervenção com vistas a determinados modelos ou soluções – sejam esses modelos pensados a partir da idealização de uma forma concreta verificada (como Atenas ou Esparta na Antiguidade, a Inglaterra ou a Suíça na Idade Moderna), sejam pensados a partir de uma síntese de elementos bons de várias formas de governo (dando origem aos chamados governos mistos), sejam ainda pensados ao serviço de pura construção ideal ou *utopia;*[7]

c) Que as tipologias revelam sempre uma localização histórica, aparecem em ligação direta ou indireta com as situações vividas pelos seus autores – e daí as suas variações e constantes desatualizações;

d) Que, ao mesmo tempo, elas se projetam sobre a própria prática política, pelo menos, a nível de legitimidade e de apreciação dos atos dos governantes (o que mostra como os fatores culturais e ideológicos agem sobre a realidade social e política);

e) Que, apesar de essencialmente voltadas para o poder, não ignoram, muitas vezes, os elementos sociais ou os condicionamentos socioeconômicos do poder;[8]

f) Que a sua compreensão exige, para além dos elementos estritamente jurídicos, a abertura a referências interdisciplinares tanto de Ciência Política quanto de História das Ideias Políticas e de Sociologia histórica.

---

[5] Cfr., entre outros, os Autores citados em: *Manual de Direito Constitucional, III.* 6. ed. Coimbra, 2010. p. 336 e segs.

[6] BOBBIO, Norberto. *La teorie delle forme di governo nella storia del pensiero politico.* Turim: Giappichelli, 1976.

[7] À letra, utopia significa, porém (ou por isso mesmo), *não lugar, lugar inexistente, nenhures.*
Têm sido muitos os livros com construções de Cidades ideais, mais felizes ou mais justas. Entre todos, lembre-se o de Tomás Morus (*Utopia*, 1516), sendo "Utopia", uma república insular descrita por um viajante português, Rafael Hitlodeu. Para um relance panorâmico sobre o assunto, v. ANTUNES, Manuel. *Utopia, in Pólis,* p. 1465 e segs.; SERVIER, Jean. *L'Utopie.* Paris, 1979; JEAN, Georges. *Voyages en utopie.* Paris, 1994; CUNHA, Paulo Ferreira da. *Constituição, Direito e Utopia.* Coimbra, 1996.
Mas, igualmente, se conhecem antiutopias ou descrições de organizações políticas negadoras de liberdade e de felicidade das pessoas: v., por exemplo, no nosso tempo, *1984,* de George Orwell.

[8] V. já o capítulo iii do livro vi da *Política* de Aristóteles.

**II – Importa discernir tipologias clássicas (antigas e modernas) e tipologias atuais (tipologias surgidas no século XX, frente aos problemas da nossa época).**

As tipologias clássicas possuem de comum:

a) São tipologias simples – cada uma delas, ao procurar a *summa divisio*, adota, de regra, um só critério de base;
b) Conferem todo o relevo à titularidade e ao exercício do poder, numa postura tanto de observação de fatos quanto de formulação de juízos de valor;
c) O elemento prescritivo entra, por um lado, através da distinção entre formas *puras* e formas *degeneradas* e, por outro lado, através do apontar de formas mistas (desde Políbio e Cícero a Harrington, Locke e Montesquieu, mas não Bodin, Hobbes ou Rousseau).

Por seu turno, as tipologias propostas no século XX ostentam como características gerais:

a) Adotam critérios extremamente variados e, não raro, critérios múltiplos;
b) Situam-se quase todas no âmbito da democracia (pelo fato de a legitimidade democrática ser hoje dominante);
c) São mais descritivas do que prescritivas.

**III – As tipologias clássicas radicam em Platão e Aristóteles, e através de Cícero, S. Tomás de Aquino, Maquiavel, Bodin e outros prolongam-se até ao nosso tempo. E é usual contrapor tipologias tripartidas e tipologias bipartidas.**

Nas tipologias tripartidas distinguem-se *monarquia*, *aristocracia*, *democracia* (república, politeia, na expressão de Aristóteles). Nas tipologias bipartidas, ligadas a Maquiavel, *monarquia* (principado) e *república*.

**IV – As tipologias propostas nos séculos XX e XXI assentam, em grande parte, nas tipologias clássicas, revendo-as ou adaptando-as às novas condições. Mas encontram-se, igualmente, tipologias que apelam para outros critérios classificativos mais ou menos exigentes.**

De entre as primeiras, a mais coerente e a mais compreensível na prática é a dicotomia *democracia-ditadura*. Também se fala em regimes de *poder civil* e regimes de *poder militar*. E, no âmbito da democracia, em *democracia direta*, *democracia representativa* e *democracia semidireta* (a que alguns aditam a democracia semirrepresentativa), sem esquecer, noutro plano, a chamada democracia participativa, art. 2º, *in fine*, da Constituição portuguesa de 1976.

Exemplos de tipologias para além da detenção do poder: *pluralismo* e *monismo político* ou, de outra perspetiva, regimes pluripartidários e regimes monopartidários; regimes *liberais*, *autoritários* e *totalitários*; regimes *capitalistas* e *socialistas*; regimes *seculares* ou *laicos* e regimes *religiosos*.

**V – Ilustração da índole histórica das tipologias é a contraposição entre monarquia e república:**[9]

a) Até ao século XVIII, a monarquia ou principado como governo de um só, independentemente do processo da sua designação,[10] e a república (praticamente quase sempre aristocrática) como governo de um colégio ou assembleia;

b) Durante a Revolução francesa, a monarquia como governo de um só (ligado às características da monarquia absoluta) e a república como governo do povo (fundado no princípio democrático, portanto);

c) Ao mesmo tempo, nos Estados Unidos (Madison)[11] e, depois, durante a maior parte do século XIX, a república como governo representativo contraposto à democracia pura ou governo direto;

d) No século XIX conciliação entre monarquia (absoluta) e república (democrática) através de uma forma mista, a monarquia constitucional (nuns casos com prevalência do princípio monárquico – monarquia limitada; noutros com prevalência do princípio democrático – monarquia parlamentar; e noutros, ainda, com equilíbrio entre eles, embora com concentração de poderes no Rei – monarquia orleanista);

e) No século XX, desaparecimento do princípio monárquico e redução das características da monarquia (agora só constitucional) à hereditariedade da chefia do Estado.[12]

Quando muito, a contraposição entre monarquia e república acaba por se situar no mero plano das *formas institucionais*.[13]

## 2    As grandes classificações doutrinais

**I – A primeira grande classificação doutrinal a referir é a de Platão (*A República*),[14] para quem todas as formas de governo existentes tendem a ser corruptas e Estado ótimo há um só.**

---

[9]  Sem esquecer, no entanto, o sentido clássico de república como *comunidade política*, ainda patente, como se referiu, no art. 1º da Constituição portuguesa.

[10] Houve, assim, monarquias hereditárias, por cooptação (de algum modo, o Império Romano) e por eleição (monarquia visigótica, Império Germânico, Polónia, etc.).

[11] MADISON. *The Federalist*. n. 14, 1787.

[12] Cfr., por exemplo, JELLINEK. *Allgemeine Staatslehre*. (Trad. Teoria General del Estado). Barcelona, 1934. p. 536 e segs.; HAURIOU, Maurice. *Précis de Droit Constitutionnel*. 2. ed. Paris, 1929. p. 342 e segs.; CASSANDRO, Giovanni. Monarchia. *In: Enciclopedia del Diritto*, XXVI, p. 724 e segs.; *Les Monarchies*. Obra colectiva, Paris, 1986; MATEUCCI, Nicola. Repubblica. *In: Dizionario di Politica*. Obra colectiva, 3. ed. Turim, 1993. p. 960 e segs.; ROGEIRO, Nuno. República. *In: Polis*, 1997. p. 414 e segs.; BÖCKENFÖRDE, Ernst-Wolfgang. *Estudios sobre el Estado de Derecho y la Democracia*. Madrid, 2000. p. 126 e segs.; ROBERT, Jacques. La forme républicaine de gouvernement. *In: Pouvoirs*, 2003. p. 359 e segs.

[13] Em contraponto, pode entender-se que a república exprime um princípio democrático qualificado (donde, desde logo, a ausência de Chefe de Estado ou a existência de um Chefe de Estado colegial ou singular eletivo).

[14] Especialmente, livros I, VIII e IX (na tradução de PEREIRA, Maria Helena Rocha. *A República*. Lisboa, 1972. p. 24 e segs., 368 e segs. e 411 e segs.).

Reduz essas formas a quatro, segundo graus crescentes de imperfeição (ou decrescentes de perfeição):

1) a *timocracia* (governo da honra ou de homens honrados ou transição entre a Constituição ideal e a Constituição real, como seria o caso de Esparta);
2) a *oligarquia* ou forma corrupta de aristocracia;
3) a *democracia*;[15]
4) a *tirania*.

Para caracterizar essas formas de governo, Platão examina as virtudes e os vícios das respetivas classes dirigentes e a legalidade ou a ilegalidade da atuação dos governos. A passagem de uma forma a outra se dá com a mudança de gerações e com a corrupção dos seus princípios pelo excesso que conduz à discórdia.

**II – Mas, a mais célebre das análises das formas de governo pertence a Aristóteles (*Política*),[16] se bem que o critério fundamental em que assenta remonte a Heródoto.**

É um critério quantitativo – *quem governa* (se é um homem só, se são poucos ou muitos) – a que acresce um critério valorativo – *como* se governa (qual o interesse ou o bem almejado pelos governantes, se o bem geral, se o bem apenas deles).

Formas puras revelam-se: a *monarquia*, a *aristocracia* e a *politeia*. Formas degeneradas: a *tirania*, a *oligarquia* e a *democracia* (a democracia aparece como governo em favor dos pobres, tal como a oligarquia se define como governo em favor dos ricos). Cada uma dessas formas compreende subdistinções (por exemplo, quanto à monarquia, a dos tempos heroicos, a de Esparta e a despótica, do Oriente).

Como hierarquia das formas de governo, propõe Aristóteles uma muito semelhante à de Platão (sendo a forma pior a degenerescência da melhor): monarquia – aristocracia – politeia – democracia – oligarquia – tirania. Entende, porém, que o melhor governo seria uma conjugação de governos diversos, numa preocupação de mediania ou equilíbrio.

**III – Maquiavel (*O Príncipe* e *Discursos sobre a Primeira Década de Tito Lívio*), muitos séculos mais tarde, avança com uma conceção bastante diversa, no âmbito já do Estado moderno. Propõe uma bipartição, correspondente à efetiva situação do seu tempo (ao passo que na Grécia havia uma grande variedade de formas de organização): a contraposição entre *república* (que se encontrava na Itália, na Flandres e em certas cidades alemãs) e o *principado* (em rápido florescimento então).[17]**

A república é o governo de vários, sejam alguns (aristocratas) ou muitos ou todos (democracia). O principado ou monarquia, o governo de um só. Na república tem que se formar uma vontade coletiva, na monarquia não há senão uma vontade

---

[15] Democracia de Demos (povo) e Kragia (poder).

[16] Especialmente livros III, capítulos 6º e segs., IV, capítulo 3º, e VI, capítulo 3º: na edição bilingue de 1998, Lisboa. V. p. 207 e segs., 277 e segs. e 449 e segs.

[17] V., na tradução portuguesa: MAQUIAVEL. *O Príncipe*. Lisboa, 1945. p. 5 e segs.

individual. Divide os principados em *hereditários* e *novos* (estes provenientes de uma recente conquista do poder, num conceito que se aproxima do moderno conceito de ditadura). Para, além disso, não deixa de elogiar os governos mistos, exaltando, a esse propósito, também a República Romana.

**IV – Muito mais influente viria a ser, contudo, Montesquieu, cujo *De l'Esprit des Lois* compreende toda uma doutrina do governo, de que não é senão um dos aspetos a separação de poderes.**

Montesquieu agrupa as formas políticas também a partir de uma tripartição. Mas esta tripartição não obedece já ao esquema aristotélico, tende a ser uma combinação da conceção aristotélica com a análise das formas do governo em boas e más e em perfeitas e imperfeitas.

São, pois, essas formas a república, a monarquia e o despotismo. A república e monarquia vêm na linha de Maquiavel, e acrescenta-se uma terceira forma, o despotismo, o qual corresponde ao governo imperfeito.

A república é o governo de todos por um grupo, por um colégio de homens, sejam alguns, sejam todos. A monarquia é o governo de todos por um só homem, mas um só homem que exerce o poder com equilíbrio, na perspetiva do bem comum. O despotismo é o governo imperfeito, geralmente exercido por um só homem sem ter em conta o bem comum.[18]

Daqui passa Montesquieu para uma segunda classificação, agora sob os prismas prescritivo e valorativo, declarando a monarquia e a república governos moderados e contrapondo-lhes o governo despótico. E é nesta distinção fundamental que vai entroncar a separação dos poderes, porque os governos moderados se definem não já pela titularidade ou pelo exercício, mas sim, pela limitação de poder.

Ou seja, segundo uma classificação descritiva, pode haver república, monarquia, despotismo. Segundo uma classificação prescritiva, poder moderado e poder despótico.

**V – Também Kant se ocupa (na *Paz Perpétua*) da análise das formas políticas, observando a diferença das pessoas que possuem o supremo poder do Estado e o modo de governar o povo.[19]**

Só há três formas possíveis de soberania (*forma imperii*): ou a soberania é possuída por um só, por alguns ou por todos os que formam a sociedade civil. Donde, autocracia, aristocracia e democracia, ou poder do príncipe, da nobreza e do povo.

Quanto à forma de governo (*forma regiminis*) ou modo como o Estado faz uso da plenitude do seu poder, ele ou é republicano ou é despótico. O princípio republicano corresponde ao princípio político da separação do poder executivo do poder legislativo; o despotismo é o princípio da execução arbitrária pelo Estado das leis que ele a si mesmo deu (sendo, por conseguinte, a vontade pública manejada pelos governantes como sua vontade privada).

---

[18] Para MONTESQUIEU (*De l'Esprit des Lois*, livro II), que escreve considerando não só a Europa, mas também a Ásia, a república e a monarquia seriam as formas europeias de governo e o despotismo seria a forma asiática de governo. É óbvio o eurocentrismo.

[19] Na trad. de MORÃO, António. *A paz perpétua e outros opúsculos*. Lisboa, 1988. p. 127 e segs.

Das três formas de Estado, a democracia é, no sentido próprio da palavra, necessariamente, um despotismo, porque funda o poder executivo no que todos decidem sobre um e até, por vezes, contra um – se não houve o seu consentimento. Para que a forma de governo seja adequada ao conceito de direito deverá, portanto, basear-se no sistema representativo, único capaz de tornar possível uma forma republicana.

**VI – Já no século XX, Karl Loewenstein, na sua *Teoria da Constituição*, apresenta uma bipartição das formas de governo em razão de um critério de limitação:**

– Autocracia: se o poder está concentrado em alguém, seja um homem só, seja um grupo, seja um partido, seja uma assembleia;

– Constitucionalismo: se o poder está repartido por vários centros, por vários órgãos, por várias entidades.[20]

E esta classificação está diretamente relacionada com aquela que Karl Loewenstein faz das Constituições: em normativas, nominais e semânticas.[21]

**VII – Maneira de ver em estreitos moldes jurídicos é, naturalmente, a de Kelsen[22] (*Teoria Geral do Estado*). As formas de governo classificam-se segundo os processos de criação do Direito, e daí que:**

– a democracia se caracterize pela participação dos destinatários das normas jurídicas, dos governados, na formação da vontade estatal, pela autodeterminação dos governados, pela liberdade;

– e a autocracia, pelo contrário, por a vontade estatal se formar sem participação dos governados, sem autodeterminação, sem liberdade.[23]

## 3    As formas de governo modernas

**I – Para lá dos contributos filosóficos, de teoria jurídica e de Ciência política, sempre importantes, interessa-nos localizar na história moderna as seguintes formas típicas de governo:[24]**

1) A *monarquia absoluta*, forma de governo dominante até 1789;
2) O *governo representativo clássico ou liberal*, que triunfa com a Revolução Francesa e vai manifestar-se sobretudo no século XIX;
3) A *democracia jacobina* (de aplicação efêmera, mas doutrinalmente importante) ou democracia radical com direto assento em Rousseau e expressão mais perfeita na Constituição francesa de 1793 ou do ano I;

---

[20] LOEWENSTEIN, Karl. *Verfassungslehre*. (Trad. castelhana Teoria de la Constitución). Barcelona, 1964. p. 52 e segs.

[21] Cfr. LOEWENSTEIN, Karl. *Manual de Direito Constitucional, II*. 7. ed. Coimbra, 2013. p. 19-20.

[22] Cfr. KELSEN. *General Theory of Law and State*. 1945. (Trad. portuguesa Teoria Geral do Direito e do Estado). São Paulo, 1990. p. 278 e segs.

[23] Cfr. outras classificações em: *Manual de Direito Constitucional, III*. 6. ed. Coimbra, 2010. p. 336 e segs.

[24] Cfr., entre tantos, os Autores citados em: *Manual de Direito Constitucional, III*. 6. ed. Coimbra, 2010. p. 400 e segs.

4) O *governo cesarista*, identificado com Bonaparte e muito próximo (daí o nome) da pretensão de governo de Júlio César em Roma, depois continuada no império ou principado, com Augusto;

5) A *monarquia limitada*, que corresponde a uma primeira época da Restauração e a monarquia que irá prevalecer na Alemanha e na Áustria no século XIX;

6) A *democracia representativa* que, pode se dizer, é a forma de governo dominante no Ocidente desde a primeira guerra mundial;

7) O *governo leninista*, implantado na Rússia com a Revolução de 1917 e depois difundido noutros países;

8) O *governo fascista e fascizante*, que, não sendo uma forma tão homogênea como a do governo leninista, é, mesmo assim, historicamente bem demarcada;

9) O *governo islâmico*, abrangendo quer o fundamentalismo iraniano desde 1979, quer as monarquias da península arábica;

10) A *ditadura militar*, frequente nos dois últimos séculos, por períodos mais ou menos largos, em numerosos países.

Subjacentes a todas estas formas, com exceção da primeira e da última, encontram-se as conceções de povo ideológico-constitucionais.[25]

**II – A monarquia absoluta, de que os últimos exemplos europeus foram a Rússia e a Turquia antes de 1914, é a forma de governo que extrai do princípio da legitimidade monárquica o máximo de concentração do poder (e de exercício do poder) no Rei, ou no Imperador.**

**III – O governo representativo clássico ou liberal repousa numa legitimidade democrática (embora diferida ou remota); consagra a liberdade política; adota a representação política, mas com sufrágio censitário e com autonomia dos representantes; adota ainda a separação de poderes com tendências mecanicistas, pelo menos na Europa.**

Em contraposição ao governo clássico ou liberal encontra-se a democracia jacobina ou radical. Querendo agora levar às últimas consequências o princípio democrático, recusa tanto a representação política quanto a separação de poderes e limita a liberdade política

Também o governo cesarista assenta numa legitimidade democrática; todavia, atenua a representação política através do recurso ao plebiscito. E, obviamente, concentra o poder no César [ainda quando não rejeita formalmente a separação de poderes] e, por isso, não pode deixar de afetar também a liberdade política.

Repare como duas formas de democracia, duas formas de governo que tão fortemente invocam a democracia, podem chegar a resultados aparentemente tão diferentes – a democracia jacobina e o governo cesarista – ainda que não tão antagónicos em termos de pluralismo político (pois uma e outra conduzem ao monismo).

---

[25] V. *Manual de Direito Constitucional, III*. 6. ed. Coimbra, 2010. p. 84 e segs.

**IV – A quinta forma de governo é a monarquia limitada, ou seja, a monarquia que se autolimita, nomeadamente, através de Constituições outorgadas ou de Cartas Constitucionais.**[26]

Subsiste nela a legitimidade monárquica, embora já não tão pacífica e exclusivamente como acontecia na monarquia absoluta. Fundamentalmente, a diferença entre o governo representativo clássico e a monarquia limitada tem a ver com a legitimidade política e com o papel do Rei dentro do sistema político.

Embora a monarquia limitada aceite a separação de poderes, ela só se verifica no domínio deixado às instituições representativas. Em tudo o mais subsiste uma ideia de unidade política assente no Rei. E há tanto mais forte separação de poderes no domínio das instituições representativas quanto mais, por essa via, se tenta dividi-las, fracioná-las, para não porem em causa o poder do Rei.

**V – A sexta forma de governo é a democracia representativa, que, no essencial, resulta da modificação das instituições representativas pela realização do sufrágio universal, corolário lógico do princípio da legitimidade democrática. Mas o sufrágio universal gera fenómenos desconhecidos no século XIX; em especial, ligase ao enorme papel adquirido pelos partidos políticos, a ponto de alguns falarem então em Estado de partidos.**

**VI – A forma de governo leninista não confia na representação política (por causa, desde logo, da sua visão classista inspirada em Karl Marx), se bem que não adote instituições puramente comissariais, como as da forma de governo jacobina. E rejeita também o princípio da separação de poderes, se bem que a concentração de poderes se venha a dar não tanto a nível do Estado quanto a nível do partido. No fundo, o essencial ou específico da forma de governo leninista é o governo do Estado pelo partido comunista, considerado vanguarda da classe operária.**

**VII – A forma do governo fascista e fascizante não proclama perentoriamente, nem tampouco rejeita a legitimidade democrática. O que faz é substituir, como também se sabe, o povo (conjunto de cidadãos concretos) por um povo diferente (transtemporal).**

Daí, a negação do pluralismo e da separação de poderes liberal. Por outro lado, tal como o governo leninista, o governo fascista leva ao domínio do poder por um partido único, um partido ideológico de massas.[27]

**VIII – O governo fundamentalista islâmico, situado já fora dos quadros culturais e jurídicos do Estado moderno, tem como expressão mais importante a república islâmica do Irão desde 1979.**

Nele, o princípio democrático, que não rejeita, está condicionado pelo princípio teocrático, porque o povo é a comunidade de crentes. Aí reside a sua base de

---

[26] Como a Constituição francesa de 1814, a brasileira de 1824 e a portuguesa de 1926.

[27] Era, de resto, por isto não se verificar no regime de Salazar que ele não se reconduz a um verdadeiro governo fascista, é apenas dele afim.

legitimidade, pelo que, sem embargo de instituições representativas formalmente próximas das ocidentais, o poder real se acha, em última análise, no corpo de dirigentes religiosos, os *aiatolas*. E daí limites muito intensos ao pluralismo.

**IX – A ditadura militar resulta quase sempre de grave crise política ou política e social, na qual as instituições constitucionais não funcionam devidamente, o que leva as Forças Armadas a intervir. Em alguns casos decorre da ambição de poder de chefes militares.**

Geralmente, apresenta-se como transitória e destinada a durar apenas até o restabelecimento das condições normais da vida coletiva. Mas, por vezes, dura por décadas inteiras ou, então, quando o dirigente máximo recorre a plebiscito para se manter no poder ou, embora transformado em governo aparentemente civil, a ele recorre para se consolidar.

## 4    Os tipos de governos com interferência militar

**I – A este propósito, tem ainda interesse – em plano totalmente diverso do até aqui adotado – referir os tipos ou graus de interferência ou participação das Forças Armadas no processo político (porque tal se tem verificado com grande frequência um pouco por toda a parte, salvo nos países anglo-saxônicos e na Europa setentrional), com a sua consequente projeção nos regimes políticos mais ou menos caracterizados a que correspondem.[28]**

Olhando para a experiência dos últimos dois séculos, talvez se possa propor a consideração de quatro grandes tipos: governos puramente militares, governos militares ideológicos, governos de base militar e governos de vigilância militar.

**II – Assim:**
1) Governos puramente militares ou ditaduras militares em sentido restrito, em que as Forças Armadas conquistam o poder com certos objetivos – geralmente negativos em relação ao Governo derrubado, sendo o mais frequente a reposição ou o "restabelecimento da ordem"[29] – e, logo que esgotados esses objetivos, se propõem ou dizem propor-se voltar à normalidade constitucional (nova ou antiga).
2) Governos militares ideológicos ou ditaduras militares indiretas, em que as Forças Armadas têm objetivos positivos, projetos políticos próprios, mas realizam-nos através de um governo misto ou formalmente civil, ainda que presidido, quase sempre, por um militar.
   Esses sistemas compreendem uma grande variedade, em função dos diferentes condicionalismos socioeconómicos, de classe e de ideologia dominante.
   Podem apontar-se historicamente quatro grandes subtipos:

---

[28]    Cfr., sobre Portugal, numa ampla visão cultural: LOURENÇO, Eduardo. *Os militares e o poder*. Lisboa, 1975.
[29]    Foi o caso de várias ditaduras sulamericanas, entre as quais a brasileira, de 1961 a 1985.

a) Bonapartismo ou governo cesarista de estabilização pós-revolucionária;
b) Kema1ismo (de Kemal Ataturk) ou governo militar de modernização e libertação nacional e de que, ao cabo e ao resto, talvez não se afastaram muito o nasserismo, a via argelina de 1976 e a via peruana de 1968;
c) Franquismo ou variante militar do fascismo ou de regimes autoritários de direita;
d) Peronismo ou variante militar do populismo de certa época latino-americana.

3) *Governo de base militar*, em que as Forças Armadas já não governam, mas constituem o sustentáculo indispensável dos governantes e, assim, estes entram em compromisso com elas para se conservarem no poder. Trata-se tanto de regimes autoritários[30] quanto de regimes totalitários.[31]

4) *Governos de vigilância militar*, em que as instituições políticas, geralmente ou por definição democráticas, funcionam por si, mas em que as Forças Armadas não se encontram completamente fora dos procedimentos políticos para garantir o respeito da Constituição.[32] [33]

# 5   A legitimidade política

Conexo com as origens, a prática e as vicissitudes dos governos e dos regimes políticos, situa-se o problema de legitimidade.

Na Idade Média, Bártolo distinguiu *legitimidade de título* (derivada do modo de designação, segundo certos regimes) e *legitimidade de exercício* (ligada ao modo de exercício do poder, conexo com o bem comum).

No século XX, Max Weber recortou a *legitimidade tradicional*, a *carismática* e a *legal-racional.*[34]

A legitimidade tradicional repousa na tradição, nas práticas costumeiras e em determinadas crenças morais, culturais, etc. E, aqui, haveria de se salientar, historicamente, quatro subtipos, dois arcaicos ou originários e dois mais recentes. Os primeiros seriam o patriarcalismo antigo e a gerontocracia; os segundos seriam a organização patrimonial e a organização estamental.

A legitimidade carismática corresponde ao poder personalizado e abrange os casos em que o poder é reconhecido a alguém em virtude de uma qualidade, de um dom específico dessa pessoa. Assim acontece, por exemplo, quando o poder remonta a determinados fatos bélicos, a feitos de heroísmo, a grandes virtudes pessoais, a decisões políticas marcantes de um povo ou mesmo a laços de sangue.

---

[30] Como foi o salazarismo, em Portugal, de 1930 a 1974. Não por acaso nesse tempo todos os Presidentes da República foram militares de mais alta patente.

[31] Como foi o regime soviético, apoiado no Exército Vermelho.

[32] Assim, a Turquia, nos anos a seguir a 1960. E, de certo modo, Portugal, no período inicial de vigência da Constituição de 1976, com a subsistência ainda de um Conselho da Revolução, embora presidido por um Presidente eleito por sufrágio universal e direto.

[33] Cfr. a tipologia de: OELHING, Hermann. *La función política del Ejercito*. Madrid, 1967. p. 279 e segs.

[34] BÁRTOLO. *Wirtschaft und Gesellschaft*. 1922. (Trad. Economia y Sociedad). México, 1944-1969. p. 170 e segs.

A legitimidade legal-racional, essa assenta em normas jurídicas gerais e abstratas, ditadas pela razão. Forma mais avançada assinala aquilo a que Max Weber chama Estado administrativo-burocrático.

## II
## O REGIME POLÍTICO LIBERAL E A DEMOCRACIA REPRESENTATIVA

## 6   A liberdade política e o pluralismo

São diferentes a liberdade civil e a liberdade política. A primeira diz respeito às relações entre os particulares, a segunda às relações dos particulares, elevados a cidadãos, com o poder político.

A liberdade civil é muito mais antiga do que a liberdade política, encontra-se presente, com maior ou menor vigor, na história da Europa, sob o impulso do Direito Romano. A liberdade política surge com a modernidade, vai se afirmando na Inglaterra ao longo do século XVIII, é proclamada na Revolução Americana e na Revolução Francesa, parece triunfar no século XIX, mas vai ter que se defrontar, desde então, com reações e obnubilações provocadas por regimes políticos de diferentes matizes.

Como qualquer liberdade, a liberdade política (que se decompõe em liberdade de expressão, de associação, de reunião de manifestação, de deslocação, etc., e que vive paredes-meias com a liberdade religiosa e a liberdade cultural) destina-se à realização da pessoa. Todavia, por ter objeto ou por destinatário o poder político, mostra-se indissociável da participação política. Não há forma de governo favorável à liberdade que seja contrária à participação política dos cidadãos (mesmo se logo daí não tira o corolário do sufrágio universal); nem pode haver participação plena sem liberdade política.

Em síntese, pode sugerir-se que a liberdade política se traduz no enlace da *liberdade dos antigos* com a *liberdade dos modernos* (recorrendo a Benjamin Constant), no enlace da liberdade-participação com a liberdade-autonomia.[35]

## 7   Regimes liberais, *autoritários* e *totalitários*

**I – Considerando em especial o princípio da liberdade, vale a pena lembrar a conhecida tricotomia de *regimes liberais, autoritários e totalitários*. Embora muitas vezes acenada com finalidades de guerra ideológica, ela afigura-se correta nas suas bases essenciais e não encontramos denominações alternativas mais adequadas para os três tipos de regimes.**

Não se trata tanto, quantitativamente, do grau de liberdade reconhecida ou deixada às pessoas (máximo nos regimes liberais e mínimo ou inexistente nos regimes totalitários) quanto, qualitativamente, dos seguintes fatores:

---

[35]   Cfr. SARTORI, Giovanni. *Democrazia e definizioni*. 1958. (Trad. Théorie de la Démocratie). Paris, 1973. p. 222 e segs.; MIRANDA, Jorge. *Direitos Fundamentais*. 2. ed. Coimbra, 2017. p. 17-18.

a) De a liberdade – no sentido de ninguém ser obrigado a fazer ou deixar de fazer alguma coisa senão em virtude da lei – valer como princípio fundamental da ordem jurídica (regimes liberais), ainda que com desvios (regimes autoritários), ou não valer (regimes totalitários);
b) De serem garantidas e promovidas quer as liberdades civis quer as liberdades políticas (regimes liberais); só as primeiras, sendo negadas ou obliteradas as liberdades políticas (regimes autoritários); ou nem umas nem outras serem admitidas, salvo em intenso regime de restrição (regimes totalitários);
c) De o abuso da liberdade ou de outros direitos estar apenas sujeito a medidas repressivas (regimes liberais) ou estar também sujeito a controles preventivos, de grau variável (regimes autoritários e totalitários);
d) De o Estado ser neutro (regimes liberais); de não ser neutro, mas tolerar ideologias diferentes ou respeitar o direito de as perfilhar, sem quebra da primazia da sua conceção (regimes autoritários); de o Estado ter uma conceção total da vida, que pretende impor a todas as pessoas (regimes totalitários);
e) De o Estado acolher a diversidade de interesses, grupos e instituições no interior da sociedade civil (regimes liberais); de o ascendente das forças políticas dominantes não impedir a subsistência e a relevância de alguma ou algumas instituições presentes na sociedade civil (regimes autoritários); ou de o Estado ou as forças dominantes não consentirem quaisquer instituições ou grupos autónomos à sua margem (regimes totalitários);
f) De a organização política e social assentar na divisão do poder (regimes liberais); na concentração do poder político (regimes autoritários); e na concentração do poder político e social, com absorção, no limite, da sociedade pelo Estado (regimes totalitários);
g) De se admitir direito de oposição (regimes liberais) ou, embora, porventura, sob diversas formas, não se admitir direito de oposição (regimes autoritários e totalitários).

Olhando à experiência conhecida, verifica-se que os regimes liberais atuais vêm na continuidade dos regimes políticos liberais do século xix – sem embargo da profunda transformação que estes sofreram, quer no plano da fundamentação, quer no plano dos condicionalismos políticos, económicos e sociais; que os regimes autoritários têm paralelo nas numerosas autocracias de todas as épocas; e que, pelo contrário, os regimes totalitários constituem fenómenos específicos do nosso tempo, ligados à conjugação de messianismos ideológicos com partidos de massas e à utilização de processos de domínio do ensino e da comunicação social.[36]

**II – Liberdade política e liberdade económica aproximam-se, sem se confundirem.**

A liberdade económica, enquanto liberdade de comércio e indústria contraposta às limitações e aos privilégios corporativos do Antigo Regime, brotou ao mesmo tempo em que a liberdade política. Mas a evolução subsequente tem sido não pouco complexa e polêmica, como se sabe.

---

[36] Cfr. Autores citados em: *Direitos Fundamentais*. 2. ed. Coimbra, 2017. p. 33.

Com efeito, tanto a experiência do século XIX como a das últimas décadas mostra-nos que, elevada a valor primário, se torna geradora de desigualdades sociais, o que, por seu turno, enfraquece o exercício da liberdade política; assim como, em certas áreas, como a comunicação social, a tendência para a concentração de empresas reduz o pluralismo.

Em contrapartida, a sua negação e o seu apagamento, bem como o correlativo direito de propriedade por parte dos regimes marxistas-leninistas, impossibilitando o pluralismo social, tornam inviável a liberdade política e, em menor medida, algo de parecido pode aduzir-se a respeito da administrativização da ordem económica levada a cabo por regimes de tipo fascista ou fascizante.

Não tem sido fácil encontrar o equilíbrio de liberdade política, liberdade económica e direitos sociais; ou entre pluralismo político e económico ou coexistência, por vezes constitucionalmente garantida, de várias categorias de iniciativa económica e de vários sectores de propriedade dos meios de produção.

**III – Pode falar-se numa dialética histórica de pluralismo e monismo ou de sistemas políticos pluralistas e monistas. Uns entrecruzam-se com outros ou vêm a determinar outros. E, por vezes, ocorrem ciclos e não evoluções lineares.**

Relativamente recente (não chega a três séculos) e com implantação organizatória diversificada consoante os sistemas de governo, o pluralismo decorre de um património comum de respeito de direitos fundamentais, de Estado de Direito e de governo representativo.

Pelo contrário, o monismo político é algo de mais difuso em todas as épocas, mas, por causa disso, reveste múltiplas formas. Das monarquias orientais às ditaduras modernas, encontra-se o mesmo absolutismo do poder, sem dúvida; no entanto, quer as instituições quer as ideologias quer as forças sociais e políticas dominantes, todas são completamente diferentes.

Verifica-se que os sistemas monistas correspondem tanto a regimes autoritários como a totalitários e que os sistemas pluralistas coincidem com regimes liberais (politicamente).[37]

Nos regimes totalitários, o poder político absorve todos os poderes sociais; nos regimes autoritários ele impede apenas o exercício da liberdade política.

Por outro lado, enquanto as monarquias absolutas eram, até ao século XVIII, governos legítimos, na aceção de Guglielmo Fererro[38] (pela coincidência entre o princípio monárquico e o seu reconhecimento), já os regimes autoritários e totalitários contemporâneos revestem-se não apenas de uma institucionalização precária (por causa da personalização do poder ocorrido) como, ao perverterem ou subverterem o princípio democrático, muitas vezes são mesmo governos ilegítimos (sejam revolucionários ou contrarrevolucionários).

---

[37] Cfr., por exemplo, a obra coletiva editada por SEURIN, J. L. *La Démocratie Pluraliste*. Paris, 1981; ou GROSS, Feliks. Toleration and Pluralism. *In*: *Il Politico*, 1985. p. 181 e segs.; ou HÄBERLE, Peter. *Die Verfassung der Pluralismus*. 2000. (Trad. Pluralismo y Constitución). Madrid, 2002.

[38] V. FERERRO, Guglielmo. *Pouvoir – Les Génies de la Cite*. Nova Iorque, 1942, sendo legítimos os governos aceites pela coletividade, aqueles em que a coletividade acredita na sua razão de ser.

Tal como os sistemas políticos pluralistas, também não poucos sistemas monistas contemporâneos têm se servido, nas Constituições ou na prática, da eleição. Não, porém, evidentemente, com o mesmo significado que ela possui em sistemas pluralistas.

Apesar de fatores económicos, sociais e culturais nem sempre serem favoráveis e de as organizações partidárias limitarem ou condicionarem, muitas vezes, os cidadãos eleitores, a eleição em sistemas pluralistas envolve sempre uma margem útil de escolha, dentro de um ambiente de segurança frente ao poder e de livre afrontamento de ideias. E, seja mais ou menos amplo o seu objeto, sempre a eleição é ato de efetivação de responsabilidade política dos governantes e mecanismo de renovação periódica e de formação de alternâncias. Por isso, implica competição.

Diverso vem a ser o sentido de eleição em sistemas monistas, porque com ela nunca se põem em causa os governantes, sob pena de então também se pôr em causa o próprio regime.

A eleição pode servir para reforçar ou para suscitar uma imagem de legitimidade dos governantes; pode ser uma aclamação, não um ato de orientação política; pode conter todos os elementos formais ou procedimentais, faltam-lhe os elementos substantivos de uma vontade autónoma distinta do poder estabelecido.[39]

**IV – Até ao século XVIII não havia senão a atitude individual dos que, invocando a sua consciência ética, negavam a legitimidade de certos governantes ou de alguns dos atos destes; ou a atitude coletiva de insurreição, muitas vezes conduzindo à guerra civil ou internacional.**

É com o acordar da liberdade política e com o constitucionalismo que a oposição de ato moral passa a fenómeno político, dentro de um processo de luta pacífica pelo poder. E o primeiro país em que isto sucede é a Inglaterra, após as revoluções antiabsolutistas e ainda por causa do sistema parlamentar que assenta no debate contraditório entre Gabinete e "Oposição de Sua Majestade". Este exemplo vai ser mais ou menos imitado por quase toda a parte: aparecem os partidos políticos nos Estados Unidos e na Europa e dominam as monarquias constitucionais ou as repúblicas burguesas e, em Portugal, o rotativismo funciona durante meio século. Se bem que surjam correntes fora do sistema (legitimistas ou socialistas e anarquistas), assiste-se ao jogo, real ou fictício, da alternância de dois partidos no Governo.

Mas, a situação altera-se no século XX: desaparece a homogeneidade de filosofia e de classe dirigente ou dominante, sucedem-se as crises, o Parlamento deixa, muitas vezes, de ser o centro da vida política e desenvolvem-se movimentos de direitas e esquerdas, apostados em destruir a ordem política e social.

---

[39] O que se diz da eleição ainda mais deve aduzir-se acerca do referendo (ou plebiscito). Em teoria é o instituto mais democrático de participação política: os cidadãos tomam, eles, e não os seus representantes, uma decisão política. No entanto, para que seja autêntico – quer dizer, verdadeiramente livre e com confronto de ideias – requer uma democracia já enraizada e institucionalizada de que o melhor exemplo é a Suíça. Quando a democracia representativa não funciona, o referendo torna-se uma arma ao serviço de ditaduras e de candidatos a ditadores, como foram as de Napoleão Bonaparte em França e de Salazar, em Portugal, em 1933, em que as abstenções contaram como votos a favor e em muitos e muitos países na atualidade. Mas, inclusive, em democracia representativa a prática de referendo é reduzida.

Na lógica liberal, todos os partidos, mesmo os de contestação revolucionária, deveriam ser reconhecidos enquanto os seus atos não ofendessem a lei penal. Na prática, porém, o grau da sua admissibilidade tem dependido da sua atuação e dos seus programas, de circunstâncias de tempo e país, da relação de forças existentes (por exemplo, pequeno ou grande número de aderentes ou militantes de que dispõem).

Providências bastante diversas têm, pois, sido adotadas perante a oposição anticonstitucional: desde providências relativas aos funcionários públicos (indo até à exigência de "leal colaboração com as instituições") a providências que afetam a subsistência dos partidos (suspensão ou dissolução, por via administrativa ou, sobretudo, jurisdicional). Ao mesmo tempo, e com êxito igualmente variável, o Estado de Direito (liberal ou, depois, social) confia em que a participação eleitoral e parlamentar leve à integração no sistema dos próprios partidos extremistas.

**V – Na nossa época, o lugar conferido à oposição torna-se elemento definidor da forma de governo.**

A livre atividade, pelo menos de uma oposição constitucional, identifica os sistemas políticos pluralistas; aqui a maioria deve governar e a minoria deve estar na oposição, entendida como fiscalização pública dos atos do Governo ou como poder de resistência ou de garantia. E a representação de minorias e a institucionalização dos grupos parlamentares e dos partidos políticos são corolários jurídicos desse princípio.

Ao invés, os regimes totalitários recusam à oposição qualquer papel, em nome da supremacia do proletariado, da raça, do Estado da nação ou da religião. Logo, os partidos comunistas e fascistas (e agora, também os de fundamentalismo islâmico), quando chegam ao poder, impedem ou reprimem as atividades políticas dos seus adversários, relegando-os para a clandestinidade.

Por fim, os regimes autoritários ficam a meio caminho: concedendo, embora aos cidadãos, o direito de estar na oposição, o que não permitem é a organização (ou a organização permanente) de grupos divergentes da política oficial para a contestar e, muito menos, para a substituir.

Dentro dos sistemas pluralistas, a capacidade de intervenção da oposição depende, em larga medida, embora não completamente, do número e da natureza dos partidos, ou seja, da extensão em que a oposição se encontra concentrada.[40]

# III
# SISTEMAS DE GOVERNO

## 8  Sistemas de governo em geral

**I – Facilmente se vê que sistemas de governo e formas de governo não têm o mesmo conteúdo. Há formas de governo que implicam determinados sistemas de governo: assim a monarquia absoluta. Já no governo representativo clássico ou**

---

[40] DAHL, Robert A. Patterns of Opposition. *In*: *Political Opposition,*. p. 337 e segs. Fala em quatro tipos de sistemas de oposição: 1) estritamente competitivo; 2) cooperativocompetitivo; 3) coolescentecompetitivo; 4) estritamente coolescente.

liberal vamos encontrar diferentes sistemas de governo e o mesmo acontece na democracia representativa.[41]

II – No plano jurídico-constitucional, quando se pensa em sistema de governo tem-se em mente três grandes conceitos jurídicos (para além de outros menos relevantes que poderiam ser citados):

a) O da separação de poderes, pelo menos no sentido de especialização orgânico-funcional, paralelamente à fiscalização ou à colaboração dos vários órgãos para a prática de atos da mesma função;

b) O da dependência, independência ou interdependência dos órgãos quanto às condições de subsistência dos seus titulares ou quanto ao modo como certo órgão vem a projetar-se na composição concreta de outro órgão (o modo, por exemplo, como determinado órgão determina ou escolhe os titulares de outro órgão ou vem a determinar a cessação das suas funções);

c) Como conceito aí compreendido, mas que adquire autonomia, o conceito de responsabilidade política – de responsabilidade política de um órgão ou dos titulares de um órgão perante outro órgão.

III – A partir desses três princípios, a grande divisão, no plano jurídico-constitucional – e também no plano político – é a que se dá entre sistemas de governo com concentração de poderes e sistemas de governo com desconcentração de poderes.

De um lado encontram-se sistemas de governo, em que não há separação de poderes, em que, à volta de determinado órgão, se movem os demais órgãos, em que a responsabilidade política se verifica em relação apenas a um órgão.

De outra banda, acham-se os sistemas de governo em que, pelo contrário, há divisão ou, mesmo, separação de poderes; em que se verifica interdependência dos órgãos, ou em que se consegue alcançar uma independência recíproca na base da pluralidade.

## 9 Sistemas com concentração

Os sistemas de governo posteriores à Revolução Francesa com concentração de poderes são fundamentalmente quatro:

1º) *A monarquia limitada* ou o sistema de concentração de poderes que corresponde à forma de governo que é a monarquia limitada;

2º) *O sistema de governo representativo simples;*

3º) *O sistema convencional;*

4º) *O sistema de governo soviético* corresponde à forma de governo leninista.

---

[41] Para aprofundamento desta matéria, v. *Manual de Direito Constitucional, I.* 10. ed. Coimbra, 2016. Tomos 1 e 2, e Autores citados.

A monarquia limitada e o sistema representativo simples são sistemas de governo com concentração de poder no Chefe do Estado; o sistema de governo convencional, um sistema de concentração na assembleia política; o sistema de governo soviético, um sistema de concentração no partido único ou hegemónico. A monarquia limitada repousa, como se disse, na legitimidade monárquica; o sistema convencional na legitimidade democrática, e, de resto o sistema representativo simples, tanto pode dar-se em república quanto sob forma monárquica (a monarquia cesarista).

A concentração de poder resulta na monarquia limitada da subsistência do princípio monárquico, só condicionado aos casos previstos na Constituição por um Parlamento de competência reduzida; no sistema representativo simples resulta do primado representativo do Chefe do Estado; no governo convencional da tradução da unidade política na unidade de poder da assembleia; no governo soviético do monismo ideológico-partidário.

O Chefe do Estado (Rei, Imperador, Presidente da República) pode governar diretamente; ou pode governar com a colaboração de outro órgão, seja um órgão colegial, o Governo, seja um órgão singular, que neste caso se chama Chanceler. Cabe então contrapor sistema de governo imediato pelo Chefe de Estado a sistema de governo – monárquico ou representativo – de chanceler.

Os exemplos mais típicos e importantes de monarquia limitada foram os Estados alemães do século XIX; e eram também governos de chanceler. Já com monarquia simplesmente representativa, em regra, não há chanceler; na França napoleónica, o imperador era, ao mesmo tempo, Chefe do Estado e chefe do governo. Com república simplesmente representativa, pelo contrário, tanto pode haver governo direto pelo Presidente da República, quanto governo mediato, através de Chanceler; e foi este o caso da Constituição portuguesa de 1933.

O sistema de governo convencional é o sistema de governo com concentração de poderes numa assembleia; e tira o seu nome da Convenção existente na França entre 1792 e 1795. É o sistema de governo correspondente à forma de governo jacobina.

Na França revolucionária há uma só assembleia de comissários (não de representantes do povo, em sentido estrito). Na Rússia revolucionária, diferentes assembleias – os sovietes de operários, soldados e camponeses – em moldes de organização vertical de poderes. Esta é uma diferença sensível *entre* o constitucionalismo jacobino e o soviético. Mas parece que bem mais importante do que ela é a diferença que decorre do domínio das *assembleias* por um partido ideológico leninista (só que esta *diferença* deriva não tanto do sistema de governo quanto, como vimos, da forma de governo).

## 10  Sistemas de governo com desconcentração de competências

Quanto aos sistemas de governo com desconcentração de poderes, aos sistemas de governo baseados num princípio de separação de poderes, são igualmente quatro:

1º) *O sistema parlamentar;*
2º) *O sistema presidencial;*

3º) *O sistema diretorial;*

4º) *O sistema semiparlamentar.*

No sistema parlamentar, o Governo reproduz a composição conjuntural do Parlamento, depende da sua confiança, ou, pelo menos, da sua não desconfiança, é responsável politicamente perante o Parlamento, e este pode ser dissolvido, verificados certos pressupostos pelo Chefe do Estado. Tal o conceito geral; mas a concretização política assume formas extraordinariamente diferentes; e as próprias formas jurídicas podem variar extraordinariamente, desde o parlamentarismo clássico ao chamado parlamentarismo racionalizado.

O sistema de governo presidencial e o sistema de governo diretorial assentam ambos, ao invés, na independência recíproca, quanto à subsistência dos titulares, do órgão de poder executivo e do órgão de poder legislativo. Nem o primeiro responde politicamente perante o segundo, nem a assembleia pode ser dissolvida em caso algum. A diferença jurídica – porque política e historicamente consiste em muito mais que isso – entre governos presidencial e diretorial está, essencialmente, em que no primeiro o órgão de poder executivo é singular, um Presidente da República, e, no segundo, é um órgão colegial restrito, um diretório ou um conselho.

O sistema presidencial diz-se, por seu turno, perfeito, quando o único órgão constitucional do poder executivo é o Presidente, apenas coadjuvado por certos colaboradores; e diz-se imperfeito, quando a Constituição prevê a existência de Ministros com poderes próprios, ainda que totalmente dependentes do Presidente. A primeira hipótese é a dos Estados Unidos, a segunda a de alguns países da América Latina. A experiência histórica atual mostra, entretanto, que fora dos Estados Unidos o presidencialismo ou redunda em ditadura ou conduz à crise.

Em sistema parlamentar, há três órgãos políticos – Rei ou o Presidente, o Parlamento e o Governo – mas aquele ou é puramente simbólico ou as suas competências são muito reduzidas ou, para se exercerem, carecem de referenda ministerial. Em sistema presidencial e em sistema diretorial, há dois órgãos, o Parlamento e o Presidente ou o colégio diretorial. Em sistema semiparlamentar, são três os órgãos políticos ativos – não só o Parlamento e o Governo como o Presidente da República. Nesta existência de um terceiro centro autónomo de poder está o cerne da categoria do sistema semiparlamentar, ainda que o conteúdo desse poder varie bastante: pode suceder que o Governo seja tanto responsável politicamente perante o Presidente da República como perante o Parlamento, e pode suceder que a intervenção do Presidente seja mais na linha do "Poder Moderador".

O sistema juridicamente semiparlamentar tem duas manifestações históricas. No século XIX, é a monarquia orleanista (de Luís Filipe de Orleães) ou monarquia constitucional de relativo equilíbrio entre o Rei e o Parlamento, a meio caminho entre a monarquia limitada e a monarquia parlamentar. Nos séculos XX e XXI, em república, é o semipresidencialismo – ou melhor, os semipresidencialismos (tão variados eles são, em resposta a problemas políticos bem diversos).

# Nota final

As tipologias enunciadas só podem ser compreendidas a partir do conhecimento histórico. Contudo, não seria possível, neste breve excurso, traçar a história das diversas formas políticas, mesmo que só nos países em que nasceram e se desenvolveram, com as suas sucessivas vicissitudes.

Seja como for, a experiência dos últimos 100 anos revela, quase à vista desarmada, um contraste profundo:

– Entre a democracia representativa, pluralista, politicamente liberal e com Estado de Direito;

– E as ditaduras e outras autocracias.

Assim como mostra que só há democracia em funcionamento quando os militares estão completamente afastados da vida política.

# Referências

ANTUNES, Manuel. *Utopia, in Pólis*.

BÁRTOLO. *Wirtschaft und Gesellschaft*. 1922. (Trad. Economia y Sociedad). México, 1944-1969.

BOBBIO, Norberto. *La teorie delle forme di governo nella storia del pensiero politico*. Turim: Giappichelli, 1976.

BÖCKENFÖRDE, Ernst-Wolfgang. *Estudios sobre el Estado de Derecho y la Democracia*. Madrid, 2000.

CASSANDRO, Giovanni. Monarchia. *In: Enciclopedia del Diritto*, XXVI.

CUNHA, Paulo Ferreira da. *Constituição, Direito e Utopia*. Coimbra, 1996.

DAHL, Robert A. Patterns of Opposition. *In: Political Opposition*.

*Direitos Fundamentais*. 2. ed. Coimbra, 2017.

*Les Monarchies*. Obra colectiva, Paris, 1986.

*Manual de Direito Constitucional, I*. 10. ed. Coimbra, 2016. Tomos 1 e 2.

*Manual de Direito Constitucional, II*. 7. ed. Coimbra, 2013.

*Manual de Direito Constitucional, III*. 6. ed. Coimbra, 2010.

FERERRO, Guglielmo. *Pouvoir – Les Génies de la Cite*. Nova Iorque, 1942.

GROSS, Feliks. Toleration and Pluralism. *In: Il Politico*, 1985.

HÄBERLE, Peter. *Die Verfassung der Pluralismus*. 2000. (Trad. Pluralismo y Constitución). Madrid, 2002.

HAURIOU, Maurice. *Précis de Droit Constitutionnel*. 2. ed. Paris, 1929.

JEAN, Georges. *Voyages en utopie*. Paris, 1994.

JELLINEK. Allgemeine Staatslehre. (Trad. Teoria General del Estado). Barcelona, 1934.

KELSEN. *General Theory of Law and State*. 1945. (Trad. portuguesa Teoria Geral do Direito e do Estado). São Paulo, 1990.

LOURENÇO, Eduardo. *Os militares e o poder*. Lisboa, 1975.

MADISON. *The Federalist*. n. 141787.

MATEUCCI, Nicola. Repubblica. *In: Dizionario di Politica*. Obra colectiva, 3. ed. Turim, 1993.

MAQUIAVEL. *O Príncipe*. Lisboa, 1945.

MIRANDA, Jorge. *Direitos Fundamentais*. 2. ed. Coimbra, 2017.

MORÃO, António. *A paz perpétua e outros opúsculos*. Lisboa, 1988.

OELHING, Hermann. *La función política del Ejercito*. Madrid, 1967.

PEREIRA, Maria Helena Rocha. *A República*. Lisboa, 1972.

ROBERT, Jacques. La forme républicaine de gouvernement. *In*: *Pouvoirs*, 2003.

ROGEIRO, Nuno. República. *In*: *Polis*, 1997.

SARTORI, Giovanni. *Democrazia e definizioni*. 1958. (Trad. Théorie de la Démocratie). Paris, 1973.

SERVIER, Jean. *L'Utopie*. Paris, 1979.

SEURIN, J. L. *La Démocratie Pluraliste*. Paris, 1981.

---

Informação bibliográfica deste texto, conforme a NBR 6023:2018 da Associação Brasileira de Normas Técnicas (ABNT):

MIRANDA, Jorge. Sobre a tipologia das formas políticas. *In*: COSTA, Daniel Castro Gomes da; FONSECA, Reynaldo Soares da; BANHOS, Sérgio Silveira; CARVALHO NETO, Tarcisio Vieira de (Coord.). *Democracia, justiça e cidadania*: desafios e perspectivas. Homenagem ao Ministro Luís Roberto Barroso. Belo Horizonte: Fórum, 2020. t. 1: Direito eleitoral, política e democracia. p. 131-152. ISBN 978-85-450-0748-7.

# REFORMA POLÍTICA: REFLEXÕES SOBRE O SISTEMA ELEITORAL BRASILEIRO

**JOEL ILAN PACIORNIK**
**SANDRO NUNES VIEIRA**

## 1 Introdução

A democracia é o melhor regime político desenvolvido ao longo de vários séculos da experiência humana. Em seu conceito moderno estão albergados: a) a dignidade do ser humano; b) a igualdade; c) a escolha dos governantes pelo voto; d) a alternância dos mandatos; e) políticas públicas destinadas a corrigir as desigualdades sociais, etc. Enfim, o conceito é demasiadamente amplo e expressa não somente um regime político de determinado país, mas também ideais de justiça social que não podem ser contidos por limites geográficos ou culturais.

Do ponto de vista da ficção, George Orwell, na sua obra *A revolução dos bichos* ilustrou séculos de história humana para deixar gravada uma mensagem muito clara no sentido de que, independentemente das ideologias que sustentem um sistema, o autoritarismo (que é naturalmente o grande inimigo da democracia) nunca será uma solução.[1] Afinal, não importa a ideologia pela qual a opressão é exercida, pois ela sempre constituirá uma negação da natureza humana que clama pela liberdade.

Ao longo da história, principalmente nos últimos 200 (duzentos) anos, está demonstrado que o autoritarismo, seja de direita ou de esquerda, manifesto em regimes declaradamente ditatoriais ou mesmo em falsos regimes democráticos, produz resultados semelhantes do ponto de vista da violação dos direitos humanos.

É evidente que a democracia não constitui, por mera concepção linguística, uma solução pronta e acabada para os problemas emergentes da vida em uma sociedade multicultural e complexa. Como sistema político, ela assume diversas faces que se inter-relacionam e apresentam dinâmica própria de acordo com as regras adotadas em cada país.

---

[1] ORWELL, George. *A revolução dos bichos*. 1. ed. Cornélio Procópio: UENP, 2015.

Neste artigo, por exemplo, a democracia constitui o pano de fundo de uma discussão sobre um aspecto particular: a forma como são escolhidos os parlamentares no Brasil. No caso, a ideia é trazer para o âmbito do debate jurídico a eficiência, ou não, do conjunto de regras que estabeleceram na federação brasileira (União, Estados e Municípios) o regime de escolha dos membros do legislativo por meio da representação proporcional. A única exceção é o Senado Federal, cujos membros são escolhidos pelo sistema majoritário. Essa análise, entretanto, não se esgota na interpretação dos dispositivos constitucionais ou legais. Pelo contrário, também são considerados os efeitos desse sistema sobre a realidade que, de acordo com bibliografia citada no corpo do trabalho, nos coloca entre os países com maior índice de corrupção na área política.

Para atender ao propósito da pesquisa, o trabalho será estruturado em dois tópicos. No primeiro, será descrito o sistema de representação proporcional, bem como apontados os seus principais problemas. No segundo, após rápida digressão sobre o sistema distrital ou majoritário, será analisado o sistema distrital misto, que é apresentado como opção ao sistema vigente.

O tema é complexo, porque extrapola a interpretação de regras jurídicas. Há um contexto político/ideológico que permeia as alterações no sistema eleitoral. De todo modo, é a partir de reflexões sérias e descomprometidas com interesses de segmentos político-ideológicos que o debate deve amadurecer, até que seja encontrado um outro sistema que nos permita colher frutos diferentes daqueles colhidos na breve história republicana reinaugurada com a redemocratização ocorrida na década de 1980.

Na conclusão deste artigo, aponta-se o sistema distrital misto como a melhor opção para o momento histórico em que vivemos, especialmente porque a transição para o sistema distrital puro implicaria mudança abrupta e que dependeria de regulamentação de maior envergadura, sem contar as críticas sobre a sub-representação de minorias no parlamento. Ou seja, ainda que em termos de resultados o sistema distrital puro seja apontado pelos especialistas como aquele que tende a corrigir os problemas do crescimento desenfreado de partidos políticos e da corrupção política, o sistema distrital misto é indicado neste trabalho como a mudança recomendável e possível em curto prazo.

## 2 Sistema de representação proporcional

### 2.1 Origem do sistema de representação proporcional

De acordo com Jairo Nicolau, a origem do sistema de representação proporcional está relacionada ao interesse no desenvolvimento de um sistema que garantisse a representação das minorias. As principais propostas foram formuladas por matemáticos europeus entre 1850 e 1890, entre eles: Tomas Hare, Carl Andrae, Victor D'Hondt, Eduard Hagenbach-Bischoff e André Saint-Laguë. Neste período surgiram associações para defesa da representação proporcional na Suíça (1865) e na Bélgica (1881).[2]

---

[2]    NICOLAU, Jairo. *Sistemas eleitorais*. 6. ed. Rio de Janeiro: FGV, 2012. p. 44.

O primeiro país a adotar a representação proporcional foi a Bélgica, no âmbito das eleições nacionais para a Câmara dos Deputados, em 1899. Nas décadas posteriores, os seguintes países também adotaram o modelo de representação proporcional: Finlândia (1906), Suécia (19070, Holanda (1917), Suíça (1919), Noruega (1919), Alemanha (1919), Dinamarca (1920) e Áustria (1920).[3]

Entre os fatores que impulsionaram a criação do sistema de representação proporcional, podem ser destacados: a) o sistema majoritário limitava a representação política às comunidades; e b) a ideia que um sistema eleitoral deve assegurar a representação de opiniões individuais e não de comunidades ou partidos políticos. Diante disso, os eleitores deveriam ter a possibilidade de escolher entre partidos e candidatos.[4]

Na essência desse sistema estão incutidas duas preocupações. A primeira diz respeito a estabelecer um critério matemático para distribuição das cadeiras no parlamento, considerando o número de votos obtidos por cada partido como parâmetro para definição do número de vagas. A segunda relativa à criação de um sistema eleitoral que privilegiasse as ideologias minoritárias e não somente as maiores regionais.[5]

Os ideais que marcaram a criação do sistema de representação proporcional, aliás, ficaram devidamente registrados na resolução editada pela Conferência Internacional sobre representação proporcional, que se reuniu em Antuérpia nos dias 7, 8 e 9 de agosto de 1885, por convocação da Associação Reformista Belga.[6] Da resolução podem ser extraídos os seguintes trechos:

> 1. que o sistema de eleições por maioria absoluta viola a liberdade do eleitor, provoca fraude e corrupção, e pode dar uma maioria de cadeiras para uma minoria do eleitorado;
>
> 2. que a representação proporcional é o único meio de assegurar para uma real maioria do país, e uma voz efetiva para as maiorias, e exata representação para todos os grupos significativos do eleitorado;
>
> 3. que, embora as necessidades particulares de cada país sejam reconhecidas, o sistema D'Hondt de lista com divisor, adotado pela associação belga, é um avanço considerável em relação aos sistemas propostos anteriormente e constitui um meio eficiente e prático de atingir a representação proporcional.[7]

O sistema indicado por Carstairs como "maioria absoluta" é hodiernamente conhecido como majoritário ou distrital puro.

As principais variantes do sistema de representação proporcional são duas: (i) representação proporcional em lista aberta; e (ii) representação proporcional em lista fechada. Em ambas as modalidades a unidade fundamental é o partido político,

---

[3]   NICOLAU, Jairo. *Sistemas eleitorais*. 6. ed. Rio de Janeiro: FGV, 2012. p. 44.

[4]   NICOLAU, Jairo. *Sistemas eleitorais*. 6. ed. Rio de Janeiro: FGV, 2012. p. 45.

[5]   TENÓRIO, Rodrigo Antônio. *Direito eleitoral*. 1. ed. Rio de Janeiro: Método, 2014. p. 16-17.

[6]   CARSTAIRS, Andrew Mclaren. *A short history of electoral systems in Western Europe*. London: George Allen & Unwin, 2010. p. 3.

[7]   CARSTAIRS, Andrew Mclaren. *A short history of electoral systems in Western Europe*. London: George Allen & Unwin, 2010. p. 3.

pois cada agremiação apresenta nas eleições a sua lista de candidatos. Na lista aberta a ordem dos candidatos que serão proclamados eleitos depende da votação obtida por cada um, sendo que o voto do eleitor é computado duas vezes: a primeira para o partido e a segunda para o candidato escolhido. Na lista fechada, por sua vez, o voto é destinado ao partido político e os eleitos obedecerão à ordem predeterminada pela legenda, ou seja, não existe voto individualizado em um determinado candidato.

## 2.2    Representação proporcional no Brasil

No Brasil, desde a nossa primeira assembleia constituinte (1823) até a ruptura institucional de 1930, as eleições dos deputados brasileiros foram sempre guiadas pelo princípio majoritário.

O maior defensor do sistema eleitoral proporcional na república foi Joaquim Francisco de Assis Brasil. O político gaúcho editou livros sobre o tema e defendeu a representação nas câmaras legislativas de todos os setores socialmente relevantes. Além disso, trabalhou incessantemente na elaboração de modelos eleitorais que assegurassem que essa representação tivesse lugar na proporção dos votos obtidos por cada fração política. Esse esforço resultou na implantação do sistema eleitoral proporcional em nosso país através do Código Eleitoral de 1932.[8]

A utilização do sistema de representação proporcional ficou suspensa desde a implantação da ditadura do Estado Novo (1937 a 1945). Após o fim da ditadura, o sistema voltou a ser aplicado às eleições parlamentares, inclusive naquelas realizadas sob as regras do Decreto Lei nº 7.586/1945, que inseriu os partidos políticos como destinatários iniciais do voto, pois somente em segundo momento teria relevância o voto individualmente conquistado pelo candidato. A crítica que se faz ao sistema instituído diz respeito à distribuição das vagas em aberto após a distribuição inicial dos cargos, denominadas de sobras. Isso porque, no caso de restarem cargos a serem preenchidos, haveria prevalência de um princípio intrinsecamente majoritário, pelo fato de que o partido com maior número de votos levava todos os cargos das sobras. Essa deficiência somente foi corrigida no Código Eleitoral de 1950 (Lei nº 1.164/1950), que estabeleceu um critério proporcional também para a distribuição das sobras. O critério adotado foi o das maiores médias, que persiste até os dias atuais, conforme se observa da redação do artigo 109 do Código Eleitoral vigente.[9]

Na ordem constitucional inaugurada pela Constituição Federal de 1988, há expressa previsão do regime de representação proporcional para a Câmara dos Deputados (art. 45). Esta forma de eleição é replicada nas Assembleias Legislativas dos Estados e nas Câmaras de Vereadores dos Municípios por força dos arts. 32, §3º, e 27, §1º, da Constituição Federal, respectivamente.

A regulamentação infraconstitucional do sistema de representação proporcional é objeto dos artigos 105 a 113 do Código Eleitoral, bem como de resoluções editadas

---

[8]    RABAT, Márcio Nuno. Surgimento e evolução do sistema eleitoral proporcional atualmente em vigor no Brasil. *Revista Aslegis*, Brasília, v. 50, p. 28-32, set. 2013. p. 28-29.

[9]    RABAT, Márcio Nuno. Surgimento e evolução do sistema eleitoral proporcional atualmente em vigor no Brasil. *Revista Aslegis*, Brasília, v. 50, p. 28-32, set. 2013. p. 31-32.

pelo Tribunal Superior Eleitoral. Para as Eleições de 2018 foi editada a Res.-TSE nº 23.554/2017, que trata da representação proporcional em seus artigos 6º a 12.

Resumidamente, a representação proporcional está fundada na apuração matemática de alguns conceitos jurídico-eleitorais: (i) quociente eleitoral – determinado pela divisão da quantidade de votos válidos apurados pelo número de vagas a preencher. O quociente eleitoral tem a finalidade de fixar o número de votos que cada partido deve obter para ocupar uma vaga no parlamento; e (ii) quociente partidário – determinado pela divisão da quantidade de votos válidos dados para o mesmo partido ou coligação pelo quociente eleitoral. O quociente partidário determina quantas vagas cada partido terá direito a ocupar no parlamento.

Após a aplicação destes critérios de determinação da quantidade de cadeiras que cada partido ou coligação irá ocupar podem restar cadeiras vagas. Para esta hipótese é previsto um regime de distribuição de sobras (vagas não preenchidas), mediante observância do cálculo das médias.

As mais recentes inovações no sistema de representação proporcional brasileiro foram: a) a exigência de que o candidato obtenha votos em número igual ou superior a 10% do quociente eleitoral; e b) a vedação de coligações nas eleições proporcionais.

A exigência de número mínimo de votos (10% ou mais do quociente eleitoral), inserida no art. 108 do Código Eleitoral pela Lei nº 13.165/2015, teve como fundamento evitar os chamados "puxadores de voto", que mobilizam multidões em suas campanhas e acabam trazendo consigo vários candidatos com votação muitas vezes inexpressiva. Pela regra citada, a ocupação de uma cadeira não depende apenas do partido obter o quociente partidário, mas também que o candidato obtenha individualmente certo número de votos.

Relativamente à vedação de coligações em eleições proporcionais, a inovação foi inserida diretamente na Constituição Federal pela Emenda Constitucional nº 97/2017, com a finalidade de gerar maior identidade ideológica entre o eleitor e o partido político, bem como para exigir certo desempenho individual de cada partido nas eleições. Isso porque eram comuns alianças entre agremiações com ideologias completamente distintas. Nesses casos, o único objetivo era viabilizar o alcance do quociente partidário, ainda que o preço fosse uma união de partidos historicamente opositores no campo das ideias. Também eram comuns as uniões com o simples propósito de obtenção de maior tempo de propaganda eleitoral.

## 2.3    Problemas relacionados à representação proporcional

Segundo a doutrina de Luís Roberto Barroso, existem três grandes problemas relacionados à utilização do sistema da representação proporcional no Brasil, sendo eles: (i) baixa representatividade do sistema político; (ii) alto custo das campanhas; (iii) crise de governabilidade.[10] Além desses entraves, também é possível citar a corrupção política como um grande embaraço do nosso sistema eleitoral.

---

[10]    BARROSO, Luís Roberto. Reforma política no Brasil: os consensos possíveis e o caminho do meio. *In: Sistema político e direito eleitoral brasileiros – Estudos em homenagem ao Ministro Dias Toffoli.* 1. ed. São Paulo: Atlas, 2016. p. 499-500.

A baixa representatividade do sistema político se deve ao fato de que a relação entre eleitores e representantes está enfraquecida. Isso porque a maioria dos candidatos se elege pela transferência de votos, uma vez que o quociente partidário é formado pela soma de todos os votos obtidos pelos candidatos da legenda ou coligação. Vale lembrar que a primeira eleição para o legislativo com a vedação de coligações será realizada em 2020, no âmbito das eleições municipais. Em razão da transferência de votos, o eleitor vota em A, mas elege B. Esse acontecimento esvazia a fiscalização do mandato por parte do eleitor e gera falta de compromisso do candidato eleito porque sua base eleitoral é difusa, composta na prática por eleitores que não tinham o interesse na sua vitória no pleito. Além disso, as coligações entre partidos de viés ideológico contraditório conduzem ao absurdo do candidato eleito pela transferência de votos defender interesses diversos daqueles que o eleitor imaginava estar patrocinando.

Numa democracia, a representatividade política deve ser uma amostra da sociedade que representa. O atual sistema proporcional, entretanto, no intuito de assegurar representatividade de grupos sociais minoritários, acabou por fragilizá-la. Isso acontece porque o poder acaba sendo disperso em uma grande quantidade de partidos. Além disso, muitas vezes o eleitor ideologicamente ligado a um partido contribui para a eleição de candidato compromissado com outra linha ideológica. O resultado disso é a disparidade entre o objetivo do eleitor ao votar em determinado candidato e a linha defendida por outro parlamentar eleito por transferência do voto.

O alto custo das campanhas se tornou de conhecimento público em razão dos escândalos envolvendo grandes empresas patrocinadoras de campanhas desde o início da redemocratização, as quais eram beneficiadas com contratos de elevado valor no exercício do mandato dos patrocinados. Entretanto, a maior surpresa noticiada foi o fato de que as doações eram realizadas para diversos partidos opositores, revelando que os repasses não estavam relacionados à defesa ou ao patrocínio de uma determinada ideologia, mas sim, visavam a assegurar privilégios nas contratações do poder público, independentemente de quem fosse o vencedor nas eleições.

Não se ignora a atuação do Supremo Tribunal Federal na declaração de inconstitucionalidade das doações por pessoas jurídicas na ADI nº 4650. Todavia, o aumento do financiamento público dos partidos (Fundo Especial de Assistência Financeira aos Partidos Políticos) e a criação do fundo para financiamento das campanhas eleitorais (Fundo Especial de Financiamento de Campanha) deixou evidente que o sistema brasileiro emprega recursos desarrazoados nas eleições. Para se ter ideia, o TSE divulgou que o FEFC – Fundo Especial de Financiamento de Campanha distribuiu nas Eleições de 2018 o montante de R$1.716.209.431,00 (um bilhão, setecentos e dezesseis milhões, duzentos e nove mil e quatrocentos e trinta e um reais) entre os partidos que participaram das eleições gerais.[11] Este valor será sensivelmente aumentado para as eleições municipais de 2020. O Fundo Partidário, por sua vez, teve aumento exponencial nos últimos anos. A título de ilustração, em 2014 a dotação orçamentária

---

[11] TRIBUNAL SUPERIOR ELEITORAL. Fundo especial de financiamento de campanha (FEFC). 2018. Disponível em: https://www.tse.jus.br/eleicoes/eleicoes-2018/prestacao-de-contas-1/fundo-especial-de-financiamento-de-campanha-fefc. Acesso em 24 nov. 2019.

foi de R$313.494.822,00 (trezentos e treze milhões, quatrocentos e noventa e quatro mil e oitocentos e vinte e dois reais).[12] Para o orçamento de 2020 está previsto um total de R$959.000.000,00 (novecentos e cinquenta e nove milhões).[13]

A crise de governabilidade surge da dificuldade de formação de uma maioria que assegure a aprovação das propostas que levaram à eleição do chefe do Executivo. Sua origem é a fragmentação partidária. Nas Eleições 2018, foram eleitos 513 deputados federais por 30 partidos políticos. Os 3 (três) partidos com maior representação são os seguintes: 1) PT – 56 eleitos; 2) PSL – 52 eleitos; e 3) PP – 37 eleitos.[14]

Para que o executivo tenha sucesso na implantação da sua agenda política é indispensável o apoio parlamentar. No caso brasileiro, a formação de uma maioria depende da difícil negociação com inúmeras lideranças. Na prática, a maioria é formada apenas ocasionalmente, dependendo de negociações em que o Executivo obtém apoio em troca de cargos públicos ou liberação de verbas orçamentárias para projetos em benefício da base política dos parlamentares. O traço marcante do sistema de representação proporcional em vigor é o descomprometimento parlamentar com a agenda do executivo, sendo comum a existência de uma pauta legislativa em descompasso com o plano de governo planejado pelo Executivo.

O Brasil, vale destacar, possui uma das maiores taxas de fragmentação partidária em nível mundial, havendo apenas três países com índices superiores: Israel, Bélgica e Líbano.[15]

Em tese, o modelo político adotado pela Constituição tenderia a estimular a política para a realização do bem comum da sociedade. Na prática, entretanto, esta política não tem se conformado ao modelo teórico. Ao que tudo indica, um dos responsáveis por este fracasso é o sistema eleitoral de representação proporcional. Ele estimula a criação e a multiplicação de partidos, provocando a desarmonia do sistema. Inviabiliza e dificulta qualquer tipo de acordo ou composição entre o Executivo e o Legislativo. Este atrito gerado entre os poderes é que provoca a ingovernabilidade, que gera efeitos graves para a sociedade nos aspectos político, econômico e social.

Por fim, um estudo realizado por Kunicová e Ackerman analisou dados empíricos sobre os tipos de sistemas eleitorais e sua conexão com os níveis de corrupção política.[16] Os autores investigaram três categorias de sistemas eleitorais: a) sistema distrital ou majoritário com um único membro por distrito; b) representação proporcional com lista fechada; e c) representação proporcional com lista aberta. O foco do artigo foi a

---

[12] JUSTIÇA ELEITORAL. Distribuição do fundo partidário 2014 – Duodécimos. 2014. Disponível em: http://www.justicaeleitoral.jus.br/arquivos/tse-distribuicao-do-fundo-partidario-duodecimos-2014. Acesso em 20 nov. 2019.

[13] SENADO FEDERAL. Proposta de orçamento destina 54 bilhões para campanha eleitoral em 2020. Disponível em: https://www12.senado.leg.br/noticias/materias/2019/09/03/proposta-de-orcamento-destina-r-2-54-bilhoes-para-campanha-eleitoral-em-2020. Acesso em 19 nov. 2019.

[14] UOL. Quantidade de deputados federais eleitos por partido. Disponível em: https://noticias.uol.com.br/politica/eleicoes/2018/raio-x/camara/numero-de-deputados-federais-eleitos-por-partido/. Acesso em 22 nov. 2019.

[15] VIEIRA, Fabrícia Almeida. *Sistemas eleitorais comparados*. 1. ed. Curitiba: Editora Intersaberes, 2018. p. 136.

[16] KUNICOVÁ, J.; ROSE-ACKERMAN, S. Electoral rules and constitutional structures as constraints of corruption. *British journal of Political Science*, United Kingdom: Cambridge University Press, v. 35, p. 573-606, 2005. Disponível em: https://authors.library.caltech.edu/2088/. Acesso em 14 nov. 2019.

intersecção de dois amplos temas: (i) exame de regras eleitorais e seus efeitos; e (ii) explicação da corrupção política. O texto apresenta várias informações relevantes que passam a ser descritas.

Em primeiro lugar, a pesquisa empírica levou os autores a concluir que as regras eleitorais e as estruturas constitucionais podem influenciar o nível da corrupção política.

Em segundo lugar, concluíram que os sistemas de representação proporcional são mais suscetíveis a desencadear a busca por ganhos privados ilícitos que o sistema distrital (majoritário). No sistema de representação proporcional, a liderança do partido detém maiores oportunidades de corrupção, pois os parlamentares têm individualmente menores chances de ganho ilícito. No sistema distrital, a liderança do partido não tem muito poder sobre os parlamentares, então a oportunidade de renda ilícita está dividida de modo uniforme entre liderança partidária e legisladores de forma individual. No sistema distrital (majoritário) a fiscalização é mais rigorosa do que nos sistemas de representação proporcional. Em termos de descoberta dos recursos ilícitos da corrupção, o monitoramento da liderança é relativamente mais importante no sistema de representação proporcional, enquanto no sistema distrital o monitoramento do titular do cargo assume esta relevância.

É interessante que a conclusão dos autores está alinhada às descobertas realizadas nas diversas operações de combate à corrupção deflagradas no Brasil a partir do ano 2005, que revelaram grande envolvimento de lideranças partidárias em esquemas profissionais de corrupção. O Brasil, inclusive, é citado como exemplo de país que adota a representação proporcional e ao ser avaliado pela Transparência Internacional registrou elevados índices de corrupção política.

Em terceiro lugar, anotam que nos grupos menores a tendência é que os problemas relacionados à corrupção sejam menos severos que em grandes grupos. Assim, sugerem que em distritos menores há maior facilidade de fiscalização e capacidade de resolução dos problemas envolvendo políticos corruptos que em distritos de maior tamanho.

Em quarto lugar, descrevem que o sistema de representação proporcional combinado com o presidencialismo está associado a altos níveis de corrupção.

Por fim, enfatizam que o desenho da estrutura constitucional e das regras eleitorais é um ato de balanceamento que tem produzido uma ampla gama de soluções sobre o combate a corrupção política.

## 3    Alternativas ao sistema de representação proporcional: distrital puro e distrital misto

A exposição da origem do sistema de representação proporcional evidenciou que seu nascimento foi desencadeado pelas críticas ao sistema majoritário ou distrital puro. Apesar disso, o sistema distrital puro ainda é utilizado e aparece como alternativa ao sistema da representação proporcional, tanto é que várias democracias aplicam suas premissas nas eleições parlamentares. De outro lado, após a segunda guerra mundial, foi desenvolvido na Alemanha um novo sistema que combina elementos do sistema de representação proporcional e do distrital puro. O novo sistema passou a ser denominado como distrital misto.[17]

Nesse contexto, as alternativas ao sistema de representação proporcional são: (i) sistema distrital puro; e (ii) sistema distrital misto. A proposta de inovação legislativa que visa a instituir o chamado "distritão" não é objeto de investigação neste trabalho, uma vez que sua criação não afastaria os problemas encontrados no sistema de representação proporcional. Isso porque o custo das campanhas continuaria elevado e a falta de representatividade política seria apenas minorada, pois, apesar de cessar transferência de votos, ainda haveria distanciamento do eleitor em relação ao eleito, com reflexos importantes na fiscalização do exercício do mandato.

## 3.1    Sistema distrital puro

No sistema distrital puro, os candidatos que receberam mais votos são eleitos. A maioria dos países que utiliza esse modelo recorta o território em circunscrições que elegem um único representante.[18] Apesar de existirem variações no sistema distrital (sistema de dois turnos e o de voto alternativo), a forma básica - maioria simples em distrito uninominal - é a que conhecemos como sistema distrital simples. O sistema é denominado também de distrital puro, devido à intenção de diferenciá-lo do sistema distrital misto.

O sistema distrital puro é adotado em 17 países democráticos do mundo, entre eles, Reino Unido, Estados Unidos da América, Canadá, Índia e Bangladesh. O funcionamento do sistema está erigido na divisão do território em tantos distritos quantos forem os cargos na Câmara dos Deputados. Cada partido político pode apresentar 1 (um) candidato por distrito, sendo eleito aquele que obtiver maioria simples de votos.[19]

As principais críticas relacionadas ao sistema distrital puro dizem respeito (i) à delimitação dos distritos; (ii) ao esvaziamento da representação das minorias; (iii) à tendência ao bipartidarismo no cenário da disputa eleitoral; e (iv) ao risco de "paroquialização"[20] de projetos segundo os interesses exclusivos de cada distrito.

A divisão distrital, relacionada à abrangência geográfica do distrito, envolve discussões sobre o número de eleitores em cada circunscrição, a fim de que não haja grande discrepância populacional.[21] Em países que adotam o modelo federativo também há o problema da falta de identidade dos distritos que elegem os representantes da Câmara Federal e da Estadual.

O problema da representação das minorias ocorre porque, na prática, elas não detêm número de votos para eleger um candidato no âmbito do distrito, em que pese

---

[17]    ENZWEILER, Romano José. *Dimensões do sistema eleitoral*: o distrital misto no Brasil. 1. ed. Florianópolis: Editora Conceito, 2008. p. 41.

[18]    NICOLAU, Jairo. *Sistemas eleitorais*. 6. ed. Rio de Janeiro: FGV, 2012. p. 21-22.

[19]    NICOLAU, Jairo. *Sistemas eleitorais*. 6. ed. Rio de Janeiro: FGV, 2012. p. 22.

[20]    TRIBUNAL SUPERIOR ELEITORAL. *O sistema distrital misto como alternativa a ser testada*. Disponível em: http://www.tse.jus.br/imprensa/noticias-tse/arquivos/reforma-do-sistema-eleitoral. Acesso em 24 nov. 2019.

[21]    VIEIRA, Fabrícia Almeida. *Sistemas eleitorais comparados*. 1. ed. Curitiba: Editora Intersaberes, 2018. p. 54.

num contexto regional contarem com número de votos que poderia lhe assegurar uma representação em sistema que considere a quantidade de votos obtidos pelo partido.

A tendência ao bipartidarismo, por sua vez, é uma característica associada aos sistemas distritais puros, tal como analisou Duverger na obra *Os partidos políticos*.[22] Nesta obra, o autor concluiu que o multipartidarismo não encontra um ambiente propício de desenvolvimento nas disputas polarizadas do sistema majoritário. Esse fenômeno de polarização e bipartidarismo é descrito como tendência, pois existem casos de redução do número de partidos sem que tenha se evidenciado a sobrevivência de apenas dois partidos no ambiente político.

O risco da "paroquialização" decorre da proximidade do parlamentar ao distrito e a falta de interesse na promoção de projetos de abrangência ou temática regional.

De toda forma, os pontos fracos do sistema distrital puro constituem óbice de grande relevância para sua adoção no Brasil. Especialmente o fato de as minorias não conseguirem eleger seus representantes constitui argumento de enorme envergadura, haja vista que a complexa sociedade dos dias atuais possui inúmeros grupos que acabariam sem voz no parlamento, em manifesto retrocesso à democracia brasileira.

## 3.2 Sistema distrital misto

A solução para os impasses existentes nos sistemas da representação proporcional e distrital puro vem da história da Alemanha pós Segunda Guerra Mundial. A Alemanha adotou um sistema distrital durante o Império (1871-1914), bem como um sistema proporcional durante a República de Weimar (1919-1933). Durante a Assembleia Constitucional (1948), ao resolver o impasse sobre as regras que regeriam o processo eleitoral, foi criado um novo método que combinava elementos dos dois sistemas citados: uma parte dos deputados seria eleita pela representação proporcional e outra por maioria simples em distritos. Até a década de 80, apenas o México adotou o modelo misto. Na década de 90, porém, outras democracias adotaram o sistema distrital misto, quais sejam: Itália, Nova Zelândia, Japão, Rússia, Ucrânia, Hungria e Lituânia, Coreia do Sul, Filipinas, Taiwan e Tailândia.[23]

O ideal que inspirou a criação do sistema misto foi a manutenção da representação popular (especialmente das minorias) e a possibilidade de criação de um órgão funcional que assegurasse a governabilidade.[24]

De acordo com Vieira,[25] existem duas formas de combinar os sistemas de representação proporcional e distrital no sistema misto. As duas variantes do sistema misto são denominadas: paralela e de correção.

No sistema misto paralelo, uma parte dos representantes é eleita de forma majoritária e outra de forma proporcional, mas cada uma é aplicada independentemente da outra. País que adota esta modalidade de sistema misto é o Japão. O eleitor vota

---

[22] DUVERGER, Maurice. *Os partidos políticos*. 1. ed. Rio de Janeiro: Editora Guanabara, 1987.

[23] NICOLAU, Jairo. *Sistemas eleitorais*. 6. ed. Rio de Janeiro: FGV, 2012. p. 77-78.

[24] ENZWEILER, Romano José. *Dimensões do sistema eleitoral*: o distrital misto no Brasil. 1. ed. Florianópolis: Editora Conceito, 2008. p. 42.

[25] VIEIRA, Fabrícia Almeida. *Sistemas eleitorais comparados*. 1. ed. Curitiba: Editora Intersaberes, 2018. p. 54.

duas vezes: a primeira para um partido político – método proporcional de lista fechada – e a segunda para um candidato do distrito - fórmula majoritária de maioria simples. Metade das cadeiras é preenchida proporcionalmente e outra metade pelos candidatos mais votados em cada distrito eleitoral.

O sistema misto de correção também emprega duas fórmulas eleitorais. Todavia, nele as fórmulas são dependentes, pois há uma conexão entre os métodos proporcional e majoritário. Nessa modalidade, todas as cadeiras são distribuídas de acordo com o critério proporcional. Este é o sistema adotado na Alemanha. O eleitor tem direito a dois votos: um para a lista partidária e outro para um candidato ao distrito. Também é assegurado ao candidato apresentar candidatura dupla, concorrendo tanto na lista quanto no distrito. A definição de quem ocupará as cadeiras é realizada em duas etapas: (i) distribuição das cadeiras com base na fórmula proporcional; e (ii) subtração das cadeiras conquistadas com base no método proporcional pelas cadeiras obtidas na eleição distrital. O resultado é o número de vagas que serão ocupadas pelos eleitos pelo critério proporcional. Exemplo, o partido A obtém pelo critério proporcional direito a 8 (oito) vagas e elege candidatos em 5 (cinco) distritos. Nesse caso, 3 (três) vagas serão destinadas à lista partidária e 5 (cinco) aos candidatos eleitos nos distritos.

O problema surge quando o partido obtém vitória em mais distritos do que o número de vagas que tem direito pelo critério proporcional. Exemplo, o partido A obtém vitória em 9 (nove) distritos e pelo critério proporcional tem direito a 8 vagas. É essa possibilidade de disparidade entre o número de vagas obtidas no critério proporcional e na eleição distrital que dá o nome de sistema misto de correção. Assim, a característica marcante dessa variação do sistema misto é a criação de regras para superar esse tipo de problema.[26]

Isto faz com que no sistema Alemão, em havendo, em distritos, um número de eleitos superior ao número de cadeiras a que o partido faria jus pelo quociente partidário, sejam aumentadas as vagas no parlamento. Ou seja, a solução para o impasse gera um sistema de vagas flexíveis. Em contraste, no sistema proposto para o Brasil, conforme projeto de lei do Senador José Serra[27] - aprovado no Senado e em tramitação perante a Câmara dos Deputados, devido à impossibilidade de aumento do número de cargos previstos na Constituição Federal, o ajuste se faria pela retirada de vagas de partidos que não elegeram deputados em distritos.

Esse acerto no número de vagas é o responsável pela atribuição do nome "sistema distrital misto de correção".

## 3.3 Vantagens do sistema distrital misto

As vantagens do sistema misto estão no fato de que ele valoriza o que há de melhor na representação proporcional e no distrital puro. Da representação proporcional incorpora a legitimação das minorias pela possibilidade de elegerem candidatos que

---

[26] NICOLAU, Jairo. *Sistemas eleitorais*. 6. ed. Rio de Janeiro: FGV, 2012. p. 83-84.

[27] CÂMARA DOS DEPUTADOS. *Projeto de Lei nº 9.212 de 2017*. Disponível em: https://www.camara. leg.br/proposicoesWeb/prop_mostrarintegra;jsessionid=866C75C8DD600BC989077E737281A07F. proposicoesWebExterno2?codteor=1626744&filename=PL+9212/2017. Acesso em 20 nov. 2019.

promovam seus interesses. Do distrital puro advém a proximidade dos candidatos à base eleitoral, promovendo e viabilizando a fiscalização e o acompanhamento da atuação parlamentar.

Como efeito colateral da implantação do distrital misto, também se espera a diminuição do número de partidos políticos, pois a inserção da disputa nos distritos, regida pelo princípio majoritário, exige que o partido centralize suas forças na eleição de candidato único por distrito. O elemento viabilidade da candidatura passa a ser decisivo na eleição parlamentar e evita a multiplicação de concorrentes sem chances de vitória, mas que no sistema proporcional cooperam para a ampliação do quociente partidário. Assim, partidos que não possuem quadros aptos à disputa distrital perdem força política e, eventualmente, podem ser extintos. Essa possibilidade aumenta se adotado o sistema distrital misto de correção, onde os eleitos pelo critério majoritário têm preferência para ocupar as vagas no parlamento.

Além disso, a tendência à bipartidarização do sistema distrital puro é contida pela persistência de vagas escolhidas por critério proporcional. Ou seja, há uma contenção ao número de partidos sem a bipartidarização que é objeto de inúmeras críticas no sistema distrital puro.

Com a redução do número de partidos, o problema da falta de governabilidade é sensivelmente minorado, pois em tais casos o Executivo pode trabalhar para conquistar uma maioria que assegure a aprovação dos projetos do programa de governo, e isso sem o inconveniente de convencer múltiplas legendas totalmente dispersas.

Também se pode falar em um incremento da identidade ideológica entre eleitor e eleito, o que melhora o debate político porquanto as ideias da base social serão levadas à discussão no foro parlamentar. Enquanto não há esta identidade, o parlamentar não se compromete com a defesa dos interesses e ideologias daqueles que o elegem, exatamente porque não tem como identificar a quem efetivamente representa, tendo em vista a fragmentação dos votos em todo o território do Estado.

Do ponto de vista da representatividade, cada distrito terá um representante, poderá acompanhar a atuação parlamentar e o compromisso com as propostas que levaram ao voto.

O risco da "paroquialização", por fim, é suprimido pela eleição de representantes pelo critério proporcional, os quais contam com votos de toda uma região e devem expor suas propostas com vistas a atender e a formular projetos de interesse de vários distritos ou mesmo de todo o Estado.

## 4    Considerações finais

O sistema eleitoral brasileiro carece de mudanças, sobre isso não há dúvidas. As regras que disciplinam o processo eleitoral, especialmente aquelas dirigidas às eleições parlamentares, não têm impacto apenas sobre a forma de escolha dos representantes do povo na democracia. Muito pelo contrário, a pesquisa de Kunicová e Ackerman, citada ao longo deste trabalho, elucidou a conexão do sistema eleitoral com a corrupção política. É por isso que a mera renovação do parlamento não produz os efeitos esperados pela população. O déficit de confiança no poder legislativo aumenta a cada dia, pois legislatura após legislatura os problemas continuam os mesmos. Ou seja, sem alterações no conjunto de regras eleitorais, não se pode esperar resultados diferentes.

A tarefa de convencimento sobre as vantagens de outros sistemas, porém, não é das mais fáceis. Há uma cultura institucional de não se promoverem mudanças drásticas. E, mais, convencer um parlamentar que o sistema que o elegeu não é o melhor e que está associado a práticas antirrepublicanas também envolve uma consciência cívica que não é comum na sociedade brasileira.

Os riscos de que o parlamentar aprove uma reforma e posteriormente não consiga ser eleito pela mudança de critério existe. Talvez este tenha sido um dos grandes óbices que tem atrasado por décadas uma alteração substancial dos dispositivos legais sobre o tema.

O cenário atual, no entanto, tem demonstrado um grande amadurecimento da sociedade que tem se refletido na composição do parlamento. A reforma previdenciária, por exemplo, de grande repercussão na vida de milhares de brasileiros, foi aprovada no corrente ano. Ainda estão em pleno andamento discussões sobre a reforma tributária e a reforma administrativa. Ou seja, parece existir um estado de coisas que conspira para a realização de mudanças estruturais indispensáveis para o crescimento do Brasil.

Aliás, a reforma política tem o poder de trazer a tão sonhada governabilidade, e isso sem que ela seja objeto de negociações ilícitas ou mesmo pela comum troca de favores envolvendo cargos públicos e recursos orçamentários em favor da base política dos deputados apoiadores do governo.

O sistema distrital misto é apresentado neste trabalho como aquele que poderia ser implantado no Brasil. Como destacado no desenvolvimento do artigo, possui diversas vantagens e tem o potencial de entregar à sociedade uma fórmula que assegure a representação das minorias. Também pode cooperar para a diminuição da fragmentação partidária e na redução da corrupção política. A escolha entre os modelos de sistema distrital misto parece não ter muita importância, pois tanto o sistema paralelo quanto o de correção atendem aos objetivos que ensejaram a criação desse método de escolha de representantes. O sistema paralelo, não se pode negar, é de mais fácil compreensão e evita que partidos representantes de minorias e que não venceram em nenhum distrito não ocupem o cargo em razão da prioridade do eleito pelo sistema distrital, como é previsto no sistema de correção.

Os contrapontos relacionados à eventual aplicação do sistema distrital puro no âmbito municipal também se mostram de menor envergadura no contexto geral do debate, pois o ponto inegociável é que a participação das minorias deva acontecer no espectro das grandes decisões políticas e da legislação federal. No campo de atuação municipal, essas grandes discussões não são a regra, bem como correm o risco de invadir a competência legislativa da União (art. 22 da Constituição Federal). Assim, mesmo defendendo-se o distrital misto para todos os entes da federação, não parece ser um obstáculo intransponível à adoção do distrital puro nos municípios.

O elemento essencial é a adoção de um caminho alternativo que possa servir como ponto de partida para um novo contexto da sociedade brasileira. Afinal, não se pode restringir os efeitos da reforma política apenas ao método de escolha dos parlamentares. Seus reflexos incidirão sobre uma gama enorme de setores. Sem qualquer exagero, acredita-se que a reforma política irradiaria efeitos sob a ordem econômica e social.

Não é interesse da nação a existência de um parlamento fragmentado, muitas vezes composto por algumas legendas de aluguel e com debate de baixo nível ideológico.

Em que pese a grave crise da democracia representativa, marcada pelo descrédito da população sobre a efetividade do sistema, especialmente porque não consegue enxergar benefícios diretos da representação, entende-se que ela ainda seja o melhor regime político. Assim, os ajustes necessários devem ser realizados de forma urgente, o que não significa pressa, mas sim, que o tema não pode ser tratado como secundário.

Considerando a tramitação avançada de projeto que institui o sistema distrital misto no Brasil, aprovado no Senado e em análise na Comissão de Constituição, Justiça e Cidadania da Câmara dos Deputados, existe a possibilidade real de uma grande reforma política finalmente ser aprovada.

A discussão que se avizinha não é desconhecida. Os defensores da inconstitucionalidade da mudança pela via da legislação ordinária já definiram os contornos do debate que será travado na CCJC da Câmara dos Deputados. O principal argumento é que a Constituição Federal prevê o sistema proporcional nas eleições parlamentares (art. 45). Assim, a disputa majoritária nos distritos violaria a Constituição.

Do outro lado, porém, estão os defensores da constitucionalidade da proposta legislativa. A tese que advogam afirma que no sistema distrital misto proposto o número de vagas destinadas a cada partido ainda é determinado por proporcionalidade, ou seja, há o devido respeito ao mandamento constitucional. A eleição no distrito, portanto, não afeta o critério estabelecido, constituindo simples critério de atribuição das vagas.

Parece-nos acertada a opinião daqueles que defendem a constitucionalidade do projeto de lei. O ponto fundamental para esta conclusão é a constatação de que no sistema atual também existem critérios para ocupação das vagas conquistadas pelos partidos políticos com nítidos contornos majoritários. O Código Eleitoral (art. 109, §1º), por exemplo, estabelece que, após a definição do número de vagas do partido, os candidatos contemplados serão aqueles que obtiverem maior votação.

Ninguém contesta que esta aplicação de critério majoritário para definição do candidato que será considerado eleito faz parte do sistema de representação proporcional. Na proposta de distrital misto o raciocínio seria o mesmo. A fórmula prevê a manutenção da gênese da representação proporcional: cada partido deve ocupar a quantidade de cargos proporcionalmente correspondente ao número de votos obtidos na eleição. O critério majoritário da eleição distrital atua apenas no segundo momento para identificar os candidatos que ocuparão as cadeiras conquistadas proporcionalmente pelo partido.

Enfim, o objetivo dessa abordagem não é indicar uma forma pronta e acabada de sistema eleitoral. Pelo contrário, como o próprio título proclama, a intenção é refletir sobre o sistema eleitoral vigente e, de alguma maneira, conscientizar os atores políticos sobre a necessidade de mudanças inadiáveis que têm a força de alterar profundamente a história do Brasil.

# Referências

BARROSO, Luís Roberto. Reforma política no Brasil: os consensos possíveis e o caminho do meio. *In*: *Sistema político e direito eleitoral brasileiros – Estudos em homenagem ao Ministro Dias Toffoli*. 1. ed. São Paulo: Atlas, 2016.

CÂMARA DOS DEPUTADOS. *Projeto de Lei nº 9.212 de 2017*. Disponível em: https://www.camara.leg.br/proposicoesWeb/prop_mostrarintegra;jsessionid=866C75C8DD600BC989077E737281A07F.proposicoesWebExterno2?codteor=1626744&filename=PL+9212/2017. Acesso em 20 nov. 2019.

CARSTAIRS, Andrew Mclaren. *A short history of electoral systems in Western Europe*. London: George Allen & Unwin, 2010.

DUVERGER, Maurice. *Os partidos políticos*. 1. ed. Rio de Janeiro: Editora Guanabara, 1987.

ENZWEILER, Romano José. *Dimensões do sistema eleitoral*: o distrital misto no Brasil. 1. ed. Florianópolis: Editora Conceito, 2008.

JUSTIÇA ELEITORAL. Distribuição do fundo partidário 2014 – Duodécimos. 2014. Disponível em: http://www.justicaeleitoral.jus.br/arquivos/tse-distribuicao-do-fundo-partidario-duodecimos-2014. Acesso em 20 nov. 2019.

KUNICOVÁ, J.; ROSE-ACKERMAN, S. Electoral rules and constitutional structures as constraints of corruption. *British journal of Political Science*, United Kingdom: Cambridge University Press, v. 35, p. 573-606, 2005. Disponível em: https://authors.library.caltech.edu/2088/. Acesso em 14 nov. 2019.

NICOLAU, Jairo. *Sistemas eleitorais*. 6. ed. Rio de Janeiro: FGV, 2012.

ORWELL, George. *A revolução dos bichos*. 1. ed. Cornélio Procópio: UENP, 2015.

RABAT, Márcio Nuno. Surgimento e evolução do sistema eleitoral proporcional atualmente em vigor no Brasil. *Revista Aslegis*, Brasília, v. 50, p. 28-32, set. 2013.

SENADO FEDERAL. Proposta de orçamento destina 54 bilhões para campanha eleitoral em 2020. Disponível em: https://www12.senado.leg.br/noticias/materias/2019/09/03/proposta-de-orcamento-destina-r-2-54-bilhoes-para-campanha-eleitoral-em-2020. Acesso em 19 nov. 2019.

TENÓRIO, Rodrigo Antônio. *Direito eleitoral*. 1. ed. Rio de Janeiro: Método, 2014.

TRIBUNAL SUPERIOR ELEITORAL. Fundo especial de financiamento de campanha (FEFC). 2018. Disponível em: https://www.tse.jus.br/eleicoes/eleicoes-2018/prestacao-de-contas-1/fundo-especial-de-financiamento-de-campanha-fefc. Acesso em 24 nov. 2019.

TRIBUNAL SUPERIOR ELEITORAL. *O sistema distrital misto como alternativa a ser testada*. Disponível em: http://www.tse.jus.br/imprensa/noticias-tse/arquivos/reforma-do-sistema-eleitoral. Acesso em 24 nov. 2019.

UOL. Quantidade de deputados federais eleitos por partido. Disponível em: https://noticias.uol.com.br/politica/eleicoes/2018/raio-x/camara/numero-de-deputados-federais-eleitos-por-partido/. Acesso em 22 nov. 2019.

VIEIRA, Fabrícia Almeida. *Sistemas eleitorais comparados*. 1. ed. Curitiba: Editora Intersaberes, 2018.

---

Informação bibliográfica deste texto, conforme a NBR 6023:2018 da Associação Brasileira de Normas Técnicas (ABNT):

PACIORNIK, Joel Ilan; VIEIRA, Sandro Nunes. Reforma política: reflexões sobre o sistema eleitoral brasileiro. *In*: COSTA, Daniel Castro Gomes da; FONSECA, Reynaldo Soares da; BANHOS, Sérgio Silveira; CARVALHO NETO, Tarcisio Vieira de (Coord.). *Democracia, justiça e cidadania*: desafios e perspectivas. Homenagem ao Ministro Luís Roberto Barroso. Belo Horizonte: Fórum, 2020. t. 1: Direito eleitoral, política e democracia. p. 153-167. ISBN 978-85-450-0748-7.

# CRISE DO PRESIDENCIALISMO, *IMPEACHMENT* E DEMOCRACIA

**ALINE REZENDE PERES OSORIO**
**ADEMAR BORGES DE SOUZA FILHO**

## Introdução

Um bom sistema de governo deve agregar ao componente democrático – absolutamente indispensável na escolha dos representantes – condições institucionais que favoreçam a cooperação e a solução de atritos entre o Executivo e o Legislativo, permitindo a criação e a implementação de políticas públicas relevantes.

Em famoso trabalho, Juan Linz argumentou que os regimes presidenciais são mais propensos a colapsos democráticos.[1] Contrariamente aos prognósticos de Linz, após a Terceira Onda de Democratização, casos de ruptura do regime democrático na América Latina tornaram-se cada vez mais raros. Por outro lado, parece haver uma tendência emergente de colapsos presidenciais na região, ou seja, vários presidentes foram incapazes de terminar os seus mandatos.

As instituições brasileiras não têm sido capazes, porém, de absorver adequadamente graves crises de governabilidade. Tensões políticas persistentes entre o Presidente da República e o Congresso Nacional não contam com válvulas de escape previstas na Constituição. Se é verdade que impasses entre o Presidente da República e o Congresso Nacional não podem ser evitados pelo direito – eles certamente surgirão em qualquer sistema de governo democrático –, também é certo que cabe ao direito fornecer respostas adequadas para a sua superação. Isso pela simples razão de que uma crise política insolúvel gera a paralisia das instituições e, com isso, a descrença na política como forma democrática de arbitramento de conflitos.

A inexistência de mecanismos constitucionais hábeis para o enfrentamento de longos e intensos desacordos entre o Executivo e o Legislativo já havia sido apontada pelo nosso homenageado, Ministro Luís Roberto Barroso, como uma desvantagem do nosso sistema presidencialista, em proposta de reforma política elaborada em

---

[1]  LINZ, Juan. The perils of presidentialism. *Journal of Democracy*, v. 1, n. 1, p. 51-69, 1990.

2006.[2] Àquela altura, alertava que, na hipótese de o Presidente não conseguir compor maioria no Parlamento, a execução de programas de governo e de políticas públicas ficaria substancialmente prejudicada.

Na sua proposta de reforma política, formulada em período relativamente estável da política brasileira, o Ministro Barroso recordava que, se no parlamentarismo o impasse entre o Parlamento e o Governo se resolve com a queda do Governo e a formação de um novo, no nosso sistema presidencialista puro o Governo acaba se prolongando até o final do mandato sem sustentação congressual e sem condições de implementar o seu plano de ação. Antecipando o que viria a ocorrer uma década depois, o Ministro Luís Roberto Barroso afirmou: "[o] país fica sujeito, então, a anos de paralisia e de indefinição política, o que pode gerar sérios problemas econômicos e sociais, ou pelo menos, deixá-los sem solução imediata". Depois de atravessar – não sem traumas – um conturbado processo de *impeachment*, em 2016, parece ter chegado o momento de enfrentar com maior seriedade o problema da falta de mecanismos para superação de crises de governabilidade no Brasil.

O presente artigo propõe investigar quais são os fatores que influenciam os colapsos presidenciais e suas consequências para a estabilidade democrática. Nele, afirma-se que, embora esta tendência recente de remover presidentes durante crises governamentais possa ter o benefício de evitar crises de regime e permitir a sobrevivência da democracia, as causas e consequências desse fenômeno ainda não são claras e devem ser estudadas com mais cuidado. A análise dos recentes processos de impeachment no Brasil (2016), Paraguai (2012) e Equador (2005) evidenciam que as relações entre o Executivo e o Legislativo – e, mais especificamente, a falta de maiorias estáveis no Congresso – são a principal fonte de colapsos presidenciais na América Latina. Em segundo lugar, este estudo comparativo sugere que a interrupção de mandatos presidenciais também pode produzir instabilidade democrática a longo prazo.

## 1 Estabilidade democrática *versus* Colapsos presidenciais na América Latina

Democracias presidenciais são definidas por Arend Lijphart pela presença de três elementos essenciais: (i) o chefe de governo é eleito para um mandato fixo e sua continuidade no poder não dependente do apoio do Legislativo, de modo que ele só pode ser destituído do cargo em circunstâncias extraordinárias (via impeachment); (ii) o chefe de governo é eleito popularmente; e (iii) o Executivo é um órgão unitário e hierárquico. Sistemas presidenciais "puros" são assim caracterizados por uma separação estrita de poderes: os poderes executivo e legislativo são independentes,

---

[2] Cf. BARROSO, Luís Roberto. *A reforma política*: uma proposta de sistema de governo, eleitoral e partidário para o Brasil. Disponível em: http://www.luisrobertobarroso.com.br/wp-content/themes/LRB/pdf/instituto_proposta_introducao_objetivos_e_ideias_centrais.pdfcontent/themes/LRB/pdf../instituto_proposta_introducao_objetivos_e_ideias_centrais.pdf. Acesso em 24 nov. 2019.

cada um tem sua própria fonte independente de legitimação democrática e tais poderes se relacionam entre si através do esquema de freios e contrapesos.[3]

A pergunta que este artigo busca analisar é a seguinte: os regimes presidenciais são inerentemente instáveis? Juan Linz, em relevante artigo, argumentou que os mandatos fixos e outras características estruturais dos sistemas presidencialistas criam uma rigidez que tende a produzir impasses políticos e, como não há mecanismos institucionais para lidar com tais conflitos – com exceção do impeachment –, o regime se torna mais propenso a colapsos democráticos.[4] No entanto, suas previsões pessimistas de que o presidencialismo estaria fadado a causar o fracasso da democracia na América Latina revelaram-se (pelo menos parcialmente) erradas.

Ao contrário dos prognósticos de Linz, após a Terceira Onda de Democratização, diversos países latino-americanos que adotaram sistemas presidencialistas foram capazes de consolidar regimes democráticos relativamente estáveis e os casos de mudança de regime na região tornaram-se cada vez mais raros. Por exemplo, a análise do V-Dem (*Varieties of Democracy*)[5] demonstra que os níveis de democracia na América Latina melhoraram consideravelmente desde a Terceira Onda da Democracia e têm sido relativamente constantes nos últimos 25 anos. Com poucas e notáveis exceções (nomeadamente, Cuba, Haiti, Nicarágua e Venezuela), a maioria dos países latino-americanos pontuou mais de 0,5 (em uma escala de 0 a 1) no Índice de Democracia Eleitoral[6] nesse período, alcançado, assim, um padrão médio de democracia eleitoral, medido por fatores como sufrágio, eleições limpas, executivo eleito, liberdade de associação e liberdade de expressão.

---

[3]  LIJPHART, Arend. *Patterns of democracy*: government forms and performance in thirty-six countries. New Haven: Yale University Press, 2012.

[4]  LINZ, Juan. The perils of presidentialism. *Journal of Democracy*, v. 1, n. 1, p. 51-69, 1990.

[5]  V-DEM. *Global Standards, local knowledge*. Disponível em: https://www.v-dem.net/en/. Acesso em 25 nov. 2019.

[6]  O índice mede a extensão de realização máxima do ideal de democracia eleitoral, formado pelos seguintes fatores: liberdade de associação, direito ao voto, eleições limpas, executivo eleito e liberdade de expressão. V-DEM. *Variable graph*. Disponível em: https://www.v-dem.net/en/analysis/VariableGraph/. Acesso em 29 nov. 2019.

Gráfico 1: Níveis de democracia na América Latina[7]

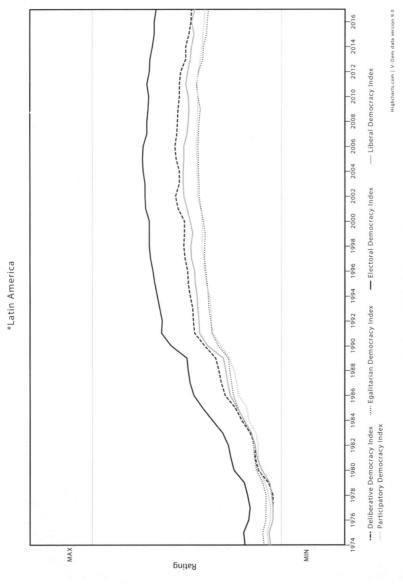

Fonte: V-DEM. *Variable graph.*

---

[7] V-DEM. *Variable graph.* Disponível em: https://www.v-dem.net/en/analysis/VariableGraph/. Acesso em 29 nov. 2019.

De acordo com o "*Economist Intelligence Unit – EIU Democracy Index*", dos 20 países latino-americanos selecionados, 12 são democracias (plenas ou falhas), apenas Cuba e Venezuela são considerados regimes autoritários e 6 (seis) países são considerados regimes híbridos (incluindo Bolívia, Equador, Haiti, Honduras e Nicarágua).[8]

Tabela 1: EIU Democracy Index na América Latina em 2017[9]

| País | Classificação em 2017 |
| --- | --- |
| Argentina | Democracia Falha |
| Bolívia | Regime híbrido |
| Brasil | Democracia Falha |
| Chile | Democracia Falha |
| Colômbia | Democracia Falha |
| Costa Rica | Democracia Falha |
| Cuba | Regime autoritário |
| República Dominicana | Democracia Falha |
| Equador | Regime híbrido |
| El Salvador | Democracia Falha |
| Guatemala | Regime híbrido |
| Haiti | Regime híbrido |
| Honduras | Regime híbrido |
| México | Democracia Falha |
| Nicarágua | Regime híbrido |
| Panamá | Democracia Falha |
| Paraguai | Democracia Falha |
| Peru | Democracia Falha |
| Uruguai | Democracia plena |
| Venezuela | Regime autoritário |

Fonte: Economist Intelligence Unit.

---

[8] Fonte: ECONOMIST INTELLIGENCE UNIT. Disponível em: https://www.eiu.com/topic/democracy-index. Acesso em 01 dez. 2019.

[9] Fonte: ECONOMIST INTELLIGENCE UNIT. Disponível em: https://www.eiu.com/topic/democracy-index. Acesso em 01 dez. 2019.

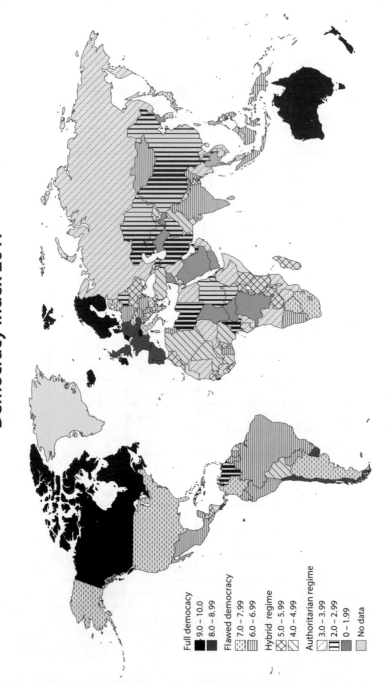

Mapa 1 – EIU Democratic Index 2016 – Mundo[10]

Fonte: ECONOMIST INTELLIGENCE UNIT.

---

[10] Fonte: ECONOMIST INTELLIGENCE UNIT. Disponível em: https://www.eiu.com/topic/democracy-index. Acesso em 02 dez. 2019.

Por outro lado, parece haver uma tendência emergente de "colapsos presidenciais" na região. Após a terceira onda de democratização, mais de 20 presidentes não cumpriram os seus mandatos. O fenômeno da interrupção de presidências tem sido interpretado pelos estudiosos como um sinal da "parlamentarização" do presidencialismo e como outra evidência de que a análise de Juan Linz estava errada: os mandatos presidenciais fixos implicam menos rigidez do que se esperava.

Este artigo propõe investigar quais são os fatores que influenciam os colapsos presidenciais e suas consequências para a estabilidade democrática. Para este objetivo, nos próximos tópicos, faremos uma breve revisão da literatura a respeito do debate presidencialismo *versus* parlamentarismo (Tópico 2) e sobre a parlamentarização do presidencialismo (Tópico 3). Na sequência, no Tópico 4, faremos uma comparação entre os três casos mais recentes de impeachment na América Latina – Brasil (2016), Paraguai (2012) e Equador (2005).

## 2    O debate presidencialismo *versus* parlamentarismo

Há extensa literatura discutindo as vantagens e as desvantagens relativas de governos parlamentaristas e presidencialistas. Ao longo das últimas décadas, os estudiosos debateram se e em que medida regimes parlamentaristas são mais propícios à consolidação democrática e à estabilidade do que regimes presidencialistas. Há, em síntese, duas correntes principais sobre o assunto: uma normativamente favorecendo os sistemas parlamentaristas; outra argumentando que não é possível definir abstratamente qual regime é mais estável e que, portanto, é necessário avaliar histórica, social e empiricamente os arranjos institucionais concretos. Entre estas duas posições, há um número de estudiosos que aceitaram pelo menos parcialmente as conclusões de Linz a respeito dos fatores desestabilizadores inerentes ao presidencialismo, mas introduziram outras variáveis institucionais na análise.

### 2.1    Superioridade do sistema parlamentarista

A formulação clássica da corrente que atesta a superioridade do sistema parlamentarista afirma que o parlamentarismo é mais adequado do que o presidencialismo, para promover estabilidade política democrática. Juan Linz,[11] o maior expoente deste ponto de vista, emprega uma abordagem dedutiva para demonstrar que o parlamentarismo é um sistema de governo mais estável e apto a levar à consolidação democrática do que o presidencialismo.

De acordo com Linz, regimes presidencialistas têm várias características estruturais que tendem a produzir instabilidade política, incluindo: (i) a legitimação democrática dual do presidente e do legislativo, que favorece conflitos entre Poderes (ambos podem reivindicar que representam a "vontade do povo" e o presidente pode alegar que detém um mandato pessoal); (ii) o resultado das eleições presidenciais

---

[11]    LINZ, Juan. The perils of presidentialism. *Journal of Democracy*, v. 1, n. 1, p. 51-69, 1990.

(majoritárias, em que o vencedor leva tudo) produz um "jogo de soma zero" (um partido ganha, os outros perdem), que gera conflito e polarização (uma vez que coloca mais dificuldades para formar maiorias legislativas estáveis); (iii) as eleições presidenciais proporcionam incentivos ao personalismo e ao desrespeito à oposição; e (iv) mandatos presidenciais fixos criam uma rigidez que torna o presidente menos propenso a se envolver em arranjos colaborativos (por exemplo, coalizões e esquemas de compartilhamento de poder) com outros atores políticos, aumentando assim os riscos de impasses institucionais e colapsos democráticos.[12] Portanto, o perigo do presidencialismo é que as crises do governo tendem com maior frequência a se tornarem crises de regime.[13]

Tais hipóteses atraíram grande atenção acadêmica. Alguns trabalhos concordaram quase inteiramente com as afirmações de Linz, seja do ponto de vista teórico ou empírico. Este é o caso de Arturo Valenzuela[14] e Bolivar Lamounier,[15] que defendem a adoção de sistemas parlamentaristas como instrumentos para reduzir os riscos de fracasso democrático.

Alfred Stepan e Cindy Skach reuniram dados para avaliar empiricamente a teoria de Linz e demonstrar a existência de uma associação mais forte entre parlamentarismo e consolidação democrática.[16] Os autores concluíram que as propensões decorrentes da adoção da estrutura parlamentar – tais como maior propensão à formação de maiorias legislativas, para permitir a governança em um esquema multipartidário, para permitir a remoção do cargo de chefe do executivo, e para fornecer maior grau de continuidade ministerial, além de carreiras governamentais mais longas – favorecem a consolidação da democracia.[17] Deve-se notar, no entanto, que não há consenso sobre essa análise empírica. Timothy Power e Mark Gasiorowski, por exemplo, refutam as conclusões de Stepan e Skach ao encontrarem evidências empíricas de que o tipo de regime não influencia a manutenção da democracia em países menos desenvolvidos.[18]

Fred Riggs também argumentou que a adoção da fórmula presidencialista necessariamente conduz a maiores dificuldades em sustentar a democracia, quando comparada à fórmula parlamentarista.[19] Ele afirmou que nos governos presidencialistas é inerentemente mais difícil para o presidente alcançar os graus de representatividade e legitimidade necessários para a sobrevivência do regime. Na mesma linha, Pippa

---

[12] LINZ, Juan. The perils of presidentialism. *Journal of Democracy*, v. 1, n. 1, p. 51-69, 1990.

[13] LINZ, Juan. *The breakdown of democratic regimes*: crisis, breakdown, and reequilibration. Baltimore: Johns Hopkins University Press, 1978.

[14] VALENZUELA, Arturo. Latin america: presidentialism in crisis. *Journal of Democracy*, v. 4, p. 3-16, 1993.

[15] LAMOUNIER, Bolivar. *A opção parlamentarista*. São Paulo: Sumaré, 1991.

[16] STEPAN, Alfred; SKACH, Cindy. Presidentialism and parliamentarism in comparative perspective. *In*: LINZ, Juan; VALENZUELA, Arturo. *The failure of presidential democracy*: comparative perspectives. Baltimore: Johns Hopkins University Press, 1993. v. 1.

[17] STEPAN, Alfred; SKACH, Cindy. Presidentialism and parliamentarism in comparative perspective. *In*: LINZ, Juan; VALENZUELA, Arturo. *The failure of presidential democracy*: comparative perspectives. Baltimore: Johns Hopkins University Press, 1993. v. 1.

[18] POWER, Timothy; GASIOROWSKI, Mark. Institutional design and democratic consolidation in the third world. *Comparative Political Studies*, v. 30, n. 2, p. 123-155, 1997.

[19] RIGGS, Fred. Presidentialism versus parliamentarism: implications for representativeness and legitimacy. *International Political Science Review*, v. 18, n. 3, p. 253-278, 1997.

Norris conclui que a afirmação de Linz de que os poderes executivos parlamentares têm melhor desempenho que os poderes executivos presidenciais em termos de democratização e de prevenção de colapso democrático é confirmada por evidências sistemáticas, mesmo depois de levar em consideração fatores culturais, sociais e econômicos.[20]

## 2.2 Instabilidade de governos presidencialistas depende de outras variáveis

Outros acadêmicos, embora tenham admitido a correção da análise linziana a respeito dos fatores inerentemente desestabilizadores do presidencialismo – pelo menos em parte –, introduziram outras variáveis na análise.

Shugart e Carey identificaram a heterogeneidade efetiva dos regimes presidencialistas (que eles classificaram em três tipos: "presidencialismo puro", "premier-presidencialismo" e "presidencialismo-parlamentar") e os vários aspectos institucionais que afetam a estabilidade do regime (*e.g.*, os poderes constitucionais do presidente, a força e a coesão partidárias, as regras eleitorais e as restrições à reeleição).[21] Contudo, embora tenham afirmado que "não há justificativa para a alegação de Linz e outros de que o presidencialismo é inerentemente mais propenso a crises que levam ao colapso"[22] e reconhecido que o presidencialismo tem possíveis vantagens sobre o parlamentarismo (por exemplo, maior *accountability* e freios e contrapesos mútuos), os autores continuaram afirmando que o conflito entre os Poderes é inerente ao presidencialismo.

Scott Mainwaring também concorda com a tese de que os governos presidencialistas são, em princípio, menos propensos à estabilidade democrática do que os governos parlamentaristas, mas acrescenta a variável do sistema partidário.[23] O autor compara democracias estáveis em 1992 (países que tinham pelo menos 25 anos de democracia ininterrupta) de acordo com o índice de Rae da fragmentação do sistema partidário e com o número efetivo de partidos e verifica que apenas 4 (quatro) das 31 democracias estáveis adotaram o presidencialismo e que todos esses países possuíam pequeno número de partidos efetivos.

Mainwaring, então, argumenta que a estabilidade democrática está ameaçada em governos presidenciais que possuem sistemas multipartidários. Segundo o autor, essa combinação: (i) tem maior probabilidade de produzir imobilismo e conflito entre Poderes; (ii) permite a formação de partidos extremistas favorecendo a polarização ideológica; e (iii) dificulta a construção de coalizões estáveis, uma vez que não há

---

[20] NORRIS, Pippa. *Driving democracy*: do power-sharing institutions work? Cambridge: Cambridge University Press, 2008.

[21] SHUGART, Matthew S.; CAREY, John M. *Presidents and assemblies*: constitutional design and electoral dynamics. Cambridge: Cambridge University Press, 1992.

[22] SHUGART, Matthew S.; CAREY, John M. *Presidents and assemblies*: constitutional design and electoral dynamics. Cambridge: Cambridge University Press, 1992. p. 42.

[23] MAINWARING, Scott. *Juan Linz, presidentialism, and democracy*: a critical appraisal. 1993. Disponível em: https://kellogg.nd.edu/documents/1437. Acesso em 13 dez. 2019.

instrumentos eficazes para produzir maiorias legislativas. Sistemas multipartidários podem, assim, agravar os problemas associados ao presidencialismo e, como um presidente incapaz de formar coalizões no parlamento não pode ser substituído por meios institucionais, "o esforço para se livrar de uma pessoa incompetente ou impopular pode destruir o regime".[24]

## 2.3 O presidencialismo não é necessariamente mais instável que o parlamentarismo

Os pressupostos normativos da análise Linz sobre a comparação entre o presidencialismo e o parlamentarismo também foram fortemente rejeitados por alguns estudiosos do tema. Cheibub emprega um conjunto de dados relativos às democracias de 1946 a 2002 para demonstrar que não existe nexo de causalidade entre a adoção do sistema presidencialista e colapsos democráticos.[25] Embora reconheça que regimes presidencialistas têm sido historicamente mais sujeitos a regressões ao autoritarismo, Cheibub argumenta que a fonte de fragilidade nas democracias presidencialistas não é inerente ao sistema: "instituições presidenciais não causam a instabilidade das democracias presidenciais".[26]

Cheibub demonstra empírica e teoricamente que, ao contrário do que Linz sugeriu, o presidencialismo não produz necessariamente dificuldades para a formação de coalizões, governos minoritários, impasses e falência democrática. Em verdade, segundo ele, a instabilidade democrática em determinados países pode ser explicada por outros fatores sociais, institucionais e históricos exógenos à escolha do sistema de governo, em especial por uma história de ditaduras militares e a presença de um exército forte. O autor sugere que tal nexo causal deriva do fato aleatório de que países em democratização após o fim de ditaduras militares adotaram mais frequentemente sistemas presidencialistas (66%), e não sistemas parlamentares (28%).[27] Assim, Cheibub conclui que governos presidencialistas podem ser tão estáveis quanto parlamentaristas.

Na mesma linha, Dieter Nohlen desafia a análise de Juan Linz argumentando que não há uma forma de estruturação do Poder Executivo que seja preferível "a priori"; em vez disso, o desempenho dos sistemas adotados para o Executivo deve ser avaliado à luz de arranjos institucionais concretos e contextos históricos, sociais, políticos e culturais particulares.[28] O autor afirma que, em vez de simplesmente alterar o sistema de governo para o presidencialista, a forte tradição presidencialista e a histórica fragilidade dos partidos políticos na América Latina recomendam a melhoria

---

[24] MAINWARING, Scott. *Juan Linz, presidentialism, and democracy*: a critical appraisal. 1993. p. 208. Disponível em: https://kellogg.nd.edu/documents/1437. Acesso em 13 dez. 2019.

[25] CHEIBUB, José Antonio. *Presidentialism, parliamentarism, and democracy*. Cambridge: Cambridge University Press, 2007.

[26] CHEIBUB, José Antonio. *Presidentialism, parliamentarism, and democracy*. Cambridge: Cambridge University Press, 2007. p. 6.

[27] CHEIBUB, José Antonio. *Presidentialism, parliamentarism, and democracy*. Cambridge: Cambridge University Press, 2007. p. 22.

[28] NOHLEN, Dieter. El presidencialismo comparado. *Revista del Instituto de altos estudios Europeos*, n. 1, p. 6-23, 2013.

do sistema presidencialista a partir da introdução de instrumentos parlamentaristas que proporcionam maior flexibilidade à relação Executivo-Legislativo.[29]

Giovani Sartori participou do debate e argumentou contra os dois sistemas – "nem presidencialismo nem parlamentarismo" –, defendendo o sistema semipresidencialista de governo.[30] De acordo Sartori, o contexto (principalmente as estruturas partidárias) deve ser considerado na determinação do melhor sistema: o parlamentarismo pode ser tão instável quanto o presidencialismo quando as condições necessárias para o seu bom funcionamento não estão presentes.

## 3  Parlamentarização do presidencialismo na América Latina

A literatura sobre a parlamentarização do presidencialismo na América Latina tem duas abordagens distintas. A primeira abordagem diz respeito à introdução formal nas constituições dos países latino-americanos de dispositivos e controles típicos ou inspirados em sistemas parlamentaristas. A segunda e principal abordagem refere-se aos casos de interrupção dos mandatos presidenciais como adaptação funcional dos mecanismos parlamentaristas.

## 3.1  Introdução de mecanismos parlamentaristas em sistemas presidencialistas – a atenuação do presidencialismo

Em relação à primeira abordagem, Jorge Carpizo chama a atenção para o fato de que vários países latino-americanos recentemente adotaram em suas constituições mecanismos existentes nos sistemas parlamentaristas.[31] A partir desses mecanismos constitucionais relacionados às relações executivo-legislativo, o autor classificou os sistemas presidencialistas na América Latina em cinco categorias: (i) *presidencialismo puro*: é o sistema presidencial típico, exemplificado pelo modelo americano; (ii) *presidencialismo predominante*: sistema presidencialista que favorece excessivamente os poderes presidenciais, prejudicando assim o equilíbrio entre o Executivo e o Legislativo; (iii) *presidencialismo temperado*: sistema presidencialista que favorece excessivamente os poderes do Congresso, prejudicando também o equilíbrio entre os Poderes; (iv) *presidencialismo com nuances parlamentares*: sistema presidencialista com seus típicos pesos e contrapesos, mas que incorpora alguns instrumentos inspirados em sistemas parlamentaristas, como a moção de censura contra um ou grupo de ministros; e (v) *presidencialismo parlamentar*: é um sistema presidencialista que possui controles existentes nos sistemas parlamentaristas.

---

[29] NOHLEN, Dieter. El presidencialismo comparado. *Revista del Instituto de altos estudios Europeos*, n. 1, p. 6-23, 2013.

[30] SARTORI, Giovani. Neither presidentialism nor parliamentarism. *In*: LINZ, Juan; VALENZUELA, Arturo. *The failure of presidential democracy*: the case of Latin America. Baltimore: Johns Hopkins University Press, 1994. v. 2.

[31] CARPIZO, Jorge. Propuesta de una tipología del presidencialismo latino-americano. *In*: *Homenaje post mortem a Manuel Gutiérrez de Velasco y Aranda. Instituto de Administración Pública de México*. Toluca: Ed. Cigome, 2009.

Os sistemas políticos na América Latina tradicionalmente fundaram-se sobre um predomínio excessivo do Poder Executivo frente ao Poder Legislativo. A última onda de constitucionalização na região, engendrada em contextos de redemocratização, adotou a mitigação do *hiperpresidencialismo* como um dos pilares das novas Constituições. Carlos Bernal Pulido afirma que "esse pensamento inspirou a inclusão de diversos mecanismos de controle parlamentar nas constituições mais recentes da América Latina". Para o prestigiado Professor colombiano,

> apesar de provenientes de um sistema distinto ao presidencialismo, considerou-se que a inclusão da moção de censura, das perguntas e interpelações, junto ao tradicional juízo político ou impeachment, equilibrariam as relações entre o Executivo e o Legislativo e, de passagem, dariam mais vigor ao pluralismo político.[32]

Nesse contexto, José de Jesús Henríquez alude ao surgimento de duas novas formas de presidencialismo na América Latina, com a atenuação dos Poderes presidenciais. De um lado, o *presidencialismo com características parlamentares*, no qual o Congresso Nacional pode censurar um Ministro de Estado, por voto de uma maioria qualificada, mas a decisão final sobre a sua demissão permanece com o Presidente da República. Esse modelo foi adotado pela Bolívia, Costa Rica, El Salvador, Nicarágua, Panamá e Paraguai. De outro lado, o *presidencialismo parlamentarizado*, marcado pela especial circunstância de que a censura do Congresso Nacional ao Ministro de Estado, também por maioria qualificada, conduz automaticamente à sua remoção ou demissão, independentemente da vontade do Presidente da República.

Esse modelo de *presidencialismo parlamentarizado* foi incorporado às Constituições da Argentina, Colômbia, Guatemala, Peru, Uruguai e Venezuela. A diferença fundamental entre esses dois tipos de presidencialismo atenuado e os sistemas semipresidencialista ou parlamentarista puro[33] está no fato de que, naqueles, o Presidente segue sendo o centro do sistema político-constitucional, na medida em que continua concentrando as funções de Chefe de Estado e de Governo. Mesmo nos países que adotam a função de Chefe de Gabinete (Argentina) ou Presidente do Conselho de Ministros (Peru e Uruguai), os ocupantes desses cargos não são considerados como Chefes do Governo, precisamente pelo fato de que podem ser removidos livremente pelo Presidente.

Alguns exemplos podem ilustrar o modo de funcionamento dessa forma atenuada de presidencialismo. A reforma constitucional de 1994 na Argentina criou a figura do Chefe de Gabinete – um equivalente funcional ao nosso Ministro-Chefe da Casa Civil –, nomeado e destituído livremente pelo Presidente da República, mas

---

[32] PULIDO, Carlos Libardo Bernal. Direitos fundamentais, juristocracia constitucional e hiperpresidencialismo na América Latina. *Revista Jurídica da Presidência*, v. 17, n. 111, p. 18-19, 2015.

[33] No parlamentarismo, o chefe de governo é escolhido pelos próprios parlamentares, não diretamente pelo povo. Ele responde politicamente perante os parlamentares. Se o elegem, é coerente que possam substituí-lo sempre que sua atuação não corresponder ao que consideram conveniente ou oportuno. Para substituir o chefe de governo – o primeiro ministro –, basta se aprovar uma "moção de desconfiança". As razões para fazê-lo são simplesmente políticas, inexistindo qualquer parâmetro material previamente estabelecido em que se deva fundamentar a reprovação.

responsável politicamente perante o Congresso Nacional, que pode removê-lo do seu cargo por maioria absoluta dos membros de cada uma das Casas Legislativas, sem necessidade de fundamentação (artigos 100 e 101 da Constituição da Argentina). Os demais Ministros de Estado não são responsáveis perante o Congresso. Para José de Jesús Henríquez, o Chefe de Gabinete argentino é um representante do Presidente e também uma válvula de escape em caso de surgimento de crises, bloqueios ou enfrentamentos graves entre o Executivo e o Legislativo.

A Constituição colombiana de 1991 estabeleceu a moção de censura contra os Ministros de Estado por assuntos relacionados às suas funções, devendo ser proposta pela décima parte dos membros da Casa Legislativa em que se origine. Para ser aprovada, deve contar com o voto da maioria absoluta dos parlamentares, em sessão conjunta de ambas as Casas, e tem como consequência direta a destituição do cargo. No Peru, após um longo processo que se inicia com a convocação do Ministro para responder questionamentos, o Congresso também pode, por voto da maioria absoluta, censurá-lo, após o que o Ministro deve renunciar e o Presidente da República é obrigado a aceitar a renúncia em 72 horas.

O sistema de censura mais complexo é, sem dúvidas, o vigente no Uruguai. A Constituição desse país prevê igualmente que os Ministros perdem os seus cargos ou por decisão do Presidente da República ou pelo procedimento de censura da maioria absoluta do total do Congresso por proposta de qualquer de suas Casas Legislativas. A censura no Uruguai pode atingir um só Ministro ou o Conselho de Ministros. O Presidente da República poderá aceitar ou vetar o voto de censura quando este tenha sido pronunciado por menos de dois terços do Congresso. Se o Presidente vetar a censura, o Congresso ainda pode, por voto de três quintos dos parlamentares, reafirmar o voto de censura, caso em que o Ministro ou o Conselho de Ministros deve deixar os seus cargos. No caso de a decisão do Congresso de manter a censura ocorrer pelo voto de menos de três quintos dos seus componentes, o Presidente poderá manter os Ministros censurados no cargo e dissolver as Casas Legislativas, convocando novas eleições de Senadores e Deputados. Se o Poder Executivo não cumprir a convocatória eleitoral ou a Corte Eleitoral demorar mais de 90 dias para fazê-lo, as Casas Legislativas dissolvidas voltarão a exercer suas competências. Eleitas as novas Câmaras legislativas, se reunirão para decidir se manterão ou não a censura. Se a censura for mantida, o Presidente continua o seu mandato, mas todo o Conselho de Ministros cai, mesmo quando a censura tenha sido dirigida a apenas um Ministro.

É, portanto, amplamente difundida, na América Latina, a instituição da moção de censura contra um Ministro específico ou contra um conjunto de Ministros – Gabinete ou Conselho de Ministros.[34] São doze os países da região que adotam esse modelo atenuado de presidencialismo.[35] É importante recordar que a moção de censura se dá

---

[34] Ademais, dois países na América Latina - Peru e Uruguai - contemplam a moção de confiança por parte do Legislativo como condição prévia para a composição do Conselho de Ministros de Estado.

[35] Como visto, em seis deles – que adotaram um modelo de presidencialismo parlamentarizado – a censura tem como efeito a demissão automática do Ministro censurado (Argentina, Colômbia, Guatemala, Peru, Uruguai e Venezuela) e em outros seis – que criaram um sistema presidencialista com características parlamentares – a

por motivos de mera conveniência, bastando que o Congresso entenda que o Ministro ou o conjunto de Ministros não tem realizado uma adequada gestão administrativa. Não se confunde com o *impeachment* ou com juízo político, que depende da demonstração de que o Ministro tenha incorrido em alguma causa de responsabilidade ou infração prevista na Constituição.

As experiências constitucionais recentes na América Latina convergiram, assim, para a adoção de um sistema que denominamos *presidencialista atenuado*, chamado por Nohlen de *sistema presidencialista com funcionamento parlamentarista*.[36] Nele, o Presidente continua respondendo diretamente ao povo, que o elegeu, ao passo que um Ministro ou um grupo de Ministros de Estado respondem simultaneamente ao Presidente e ao Congresso Nacional. Quando o Parlamento passa a dispor da competência para emitir juízo de censura ao Ministro de Estado, o Poder Legislativo passa a contar com um poderoso mecanismo institucional para removê-lo do cargo – diretamente (no presidencialismo parlamentarizado) ou com a participação do Presidente (no presidencialismo com características parlamentares). Afinal, mesmo nos países que exigem que haja a confirmação da moção de censura pelo Presidente da República, não se pode desprezar a forte repercussão política da censura ministerial na opinião pública e nas relações entre o Executivo e o Legislativo.

A remoção de um ou mais Ministros de Estado dos seus cargos por força de decisão ou recomendação do Legislativo constitui interessante mecanismo de diálogo entre os Poderes. Em situações de crise de governabilidade marcadas por um impasse persistente entre o Executivo e o Legislativo, o Parlamento pode, preservando o mandato popular do Presidente da República, exigir a renovação do Governo, seja pela substituição de um Ministro especial (encarregado da interlocução com o Legislativo) ou de um Conselho de Ministros.

## 3.2 Interrupções de mandatos presidenciais

Em uma abordagem diferente, muitos estudiosos argumentam que os frequentes casos de interrupções dos mandatos presidenciais nas últimas décadas representam a parlamentarização dos sistemas presidencialistas no sentido de que os sistemas presidencialistas podem operar de forma similar aos sistemas parlamentaristas diante de crises.

Carey examinou 11 casos de crises de governo na América Latina e, ao perceber que em 9 (nove) deles foi o Legislativo que sobreviveu ao conflito, concluiu que a tendência de substituição de presidentes representa uma "convergência com os sistemas parlamentaristas", pois mitiga a natureza fixa dos mandatos presidenciais.[37] Segundo o

---

demissão posterior à censura depende de decisão do Presidente da República (Bolívia, Costa Rica, El Salvador, Nicarágua, Panamá e Paraguai).

[36] NOHLEN, D.; FERNÁNDEZ, M. *Presidencialismo renovado*: instituciones y cambio político en América Latina. Caracas: Nueva Sociedade, 1998.

[37] CAREY, J. M. Presidential versus parliamentary government. *In*: MENARD, C.; SHIRLEY, M. M. (Ed.). *Handbook of new institutional economics*. Dordrecht: Springer, 2005. p. 91-122.

autor, "as constituições latino-americanas permanecem presidencialistas, mas os meios de solucionar as crises de governo na região se assemelharam ao parlamentarismo".[38]

De forma semelhante, Marsteintredet e Berntzen analisaram 20 casos de encerramento prematuro do mandato do presidente na América Latina desde a terceira onda de democratização e criaram uma tipologia para ajudar a compreender as consequências das interrupções de regimes presidenciais na região.[39] Os autores categorizaram interrupções bem-sucedidas dos mandatos de presidentes na América Latina da seguinte forma: (1) remoções presidenciais não democráticas por golpes, invasões estrangeiras ou assassinatos: Haiti em 1991 e 2004 e Equador em 2000; (2) remoções democráticas de presidentes por impeachment: Brasil em 1992, Venezuela em 1993 e Paraguai em 1999; (3) remoções democráticas de presidentes por declaração de capacidade: Equador em 1997 e 2005; (4) remoções democráticas de presidentes por renúncia: Argentina em 1989, 2001/2002 e 2003, Peru em 2000 e 2001, Guatemala em 1993, Bolívia em 1985, 2001, 2003, 2005 (Mesa) e 2005 (Rodriguez) e República Dominicana em 1996; e (5) remoções democráticas de presidentes por recall.

Marsteintredet e Berntzen afirmam que esta tipologia indica uma flexibilização (ou "parlamentarização") dos regimes presidencialistas na região, tendo em vista que 14 dos 20 casos de interrupções presidenciais seguiram procedimentos não previstos na constituição e afetaram uma das características principais do regime presidencialista, a "sobrevivência independente do executivo e legislativo".[40] Segundo os autores, essas interrupções são "equivalentes funcionais" de mecanismos típicos de sistemas parlamentares (por exemplo, voto de desconfiança e eleições antecipadas). Então, Marsteintredet e Berntzen concluem que tais fatos enfraquecem a teoria linziana de que o presidencialismo é um sistema rígido e fadado ao fracasso democrático: "as interrupções presidenciais na América Latina não são equivalentes ao colapso democrático", pois apenas 3 (três) dos 20 casos de presidências interrompidas resultaram em regimes autoritários, enquanto que os demais exemplos constituíram apenas saídas para administrar crises dentro do regime democrático.

Em outro artigo, Marstreintredt analisa as diferentes motivações dos atores políticos para promover a remoção do presidente – *e.g.*, escândalos presidenciais, violação aos princípios democráticos pelo presidente ou oposição a políticas públicas – e discute as implicações positivas e negativas para a democracia em cada cenário.[41] O autor então observa que a destituição antecipada do presidente, motivada por oposição a políticas públicas, é o caso mais sensível para a democracia, já que neste caso não há uma base sólida para o impeachment e, portanto, a interrupção da presidência e das

---

[38] CAREY, J. M. Presidential versus parliamentary government. *In*: MENARD, C.; SHIRLEY, M. M. (Ed.). *Handbook of new institutional economics*. Dordrecht: Springer, 2005. p. 116.

[39] MARSTEINTREDET, Leiv; BERNTZEN, E. Reducing the perils of presidentialism in Latin America through Presidential Interruptions. *Comparative politics*, v. 41, n. 1, p. 83-101, 2008.

[40] MARSTEINTREDET, Leiv; BERNTZEN, E. Reducing the perils of presidentialism in Latin America through Presidential Interruptions. *Comparative politics*, v. 41, n. 1, p. 83-101, 2008.

[41] MARSTEINTREDET, Leiv. Variation of executive instability in Presidential Regimes. Three types of Presidential Interruption in Latin America. 2009. Disponível em: https://papers.ssrn.com/sol3/papers.cfm?abstract_id=1451592. Acesso em 25 nov. 2019.

próprias políticas de governo até então vigentes envolve preocupações democráticas que não estão em jogo nas outras situações.[42]

Com foco na multiplicação de impeachments na América Latina, Pérez-Liñán observa um novo padrão de instabilidade na região: há colapsos de governos, como os casos do Brasil, Venezuela, Guatemala, Equador, Paraguai, Peru, Argentina e Bolívia, mas sem colapsos democráticos e golpes militares.[43] O livro argumenta que o "paradoxo da estabilidade democrática em meio à instabilidade do governo" pode ser explicado por um clima desfavorável a intervenções militares, desencadeado por diversos fatores, entre eles: (i) o fim da Guerra Fria; (ii) o aprendizado com as experiências de ditaduras militares nas décadas de 60 e 70; e (iii) a nova política externa dos Estados Unidos favorável à democracia.

Nesse contexto, Pérez-Liñán apresenta em seu livro uma análise aprofundada de seis processos de impeachment em países latino-americanos, quais sejam: os do Brasil (Collor, 1992), Venezuela (Carlos Andrés Pérez, 1993), Colômbia (Ernesto Samper, 1996 – absolvido pelo Congresso), Equador (Abdalá Bucaram, 1997), Paraguai (Raúl Cubas, 1999; Luis Gonzáles Macchi, 2003 – absolvido pelo Congresso). Em todos esses casos, o autor notou que (i) a intervenção militar estava fora da mesa; (ii) a cobertura da mídia desempenhou um papel importante; (iii) a destituição do Presidente foi mais fácil quando o presidente não teve o apoio da maioria do Congresso, e (iv) manifestações populares contra o presidente foram um importante fator na remoção do presidente.

À luz dessas observações, Pérez-Liñán concluiu que os processos de impeachment podem ter se tornado um mecanismo de responsabilização "social" e "espasmódica", que só é acionado quando os presidentes perdem o apoio do Congresso e da população.[44] Finalmente, o autor afirma que a relação entre as crises presidenciais e a instabilidade democrática tem sido ambígua e, embora se possa afirmar que os regimes presidencialistas estão "desenvolvendo traços 'parlamentares'", essa tendência de instabilidade presidencial não deve ser vista através de lentes excessivamente otimistas.[45]

Outros estudos sobre o tema têm apontado que o insuficiente apoio partidário do Presidente no Congresso tem uma das variáveis mais importantes das interrupções presidenciais. É o caso das análises de Baumgartner e Kada; Hochstetler; Pérez-Liñán; Mustapic.[46] A título exemplificativo, Mustapic defende a ideia de que apenas são

---

[42] MARSTEINTREDET, Leiv. Variation of executive instability in Presidential Regimes. Three types of Presidential Interruption in Latin America. 2009. p. 28. Disponível em: https://papers.ssrn.com/sol3/papers.cfm?abstract_id=1451592. Acesso em 25 nov. 2019.

[43] PÉREZ-LIÑÁN, Aníbal. *Presidential impeachment and the new political instability in Latin America*. Cambridge, UK: Cambridge University Press, 2007.

[44] PÉREZ-LIÑÁN, Aníbal. *Presidential impeachment and the new political instability in Latin America*. Cambridge, UK: Cambridge University Press, 2007.

[45] PÉREZ-LIÑÁN, Aníbal. *Presidential impeachment and the new political instability in Latin America*. Cambridge, UK: Cambridge University Press, 2007.

[46] BAUMGARTNER, Jody C.; KADA, Naoko. *Checking executive power*: presidential impeachment in comparative perspective. Westport: Praeger, 2003; PÉREZ-LIÑÁN, Aníbal. *Presidential impeachment and the new political instability in Latin America*. Cambridge, UK: Cambridge University Press, 2007; HOCHSTETLER, Kathryn. Rethinking presidentialism: challenges and presidential falls in south America. *Comparative Politics*, v. 38, n. 4, p. 401-418, 2006; MUSTAPIC, Ana María. Presidentialism and early exits: the role of congress. *In*: LLANOS,

acionados mecanismos parlamentares para solucionar crises entre o Presidente e o Legislativo quando é possível formar maiorias parlamentares em oposição ao Presidente. O desenho institucional adotado, especialmente em relação à dificuldade do Presidente na formação de coalizões contra tentativas de impeachment, é, portanto, um fator que influencia a ocorrência de interrupções presidenciais.[47]

## 4  "Parlamentarização" do presidencialismo na América Latina: evidências dos recentes processos de *impeachment* no Brasil, Paraguai e Peru

A América Latina é a região onde o presidencialismo é mais difundido e também onde mudanças de regime entre ditadura e democracia têm sido mais frequentes ao longo da história. No entanto, mais recentemente, após a Terceira Onda da Democratização, a região testemunhou apenas alguns casos de mudança de regime. Como discutido anteriormente, enquanto o colapso da democracia tem se tornado cada vez mais raro, há um padrão recente de interrupções presidenciais em países latino-americanos emergentes: vários foram destituídos de seus cargos antes do término de seus mandatos. Esse fenômeno seria uma nova evidência do caráter inerentemente instável do presidencialismo? Ou seria prova de que a análise de Juan Liz sobre os perigos do presidencialismo estaria desatualizada, tendo em vista que as interrupções presidenciais têm permitido a gestão de crises de governo dentro do marco democrático? Para avaliar se as interrupções presidenciais são um fenômeno negativo ou positivo na América Latina, é necessário primeiramente pensar nas causas e nos resultados dos colapsos presidenciais.

Pérez-Liñán comparou seis casos de impeachment na América Latina (Brasil, Venezuela, Colômbia, Equador e Paraguai) e desenvolveu um conjunto de fatores institucionais e não institucionais que causam os colapsos presidenciais, quais sejam: (i) escândalos de corrupção ou acusações de abuso de poder que envolvam o presidente; (ii) um ambiente institucional hostil a intervenções militares; (iii) ausência de controle do legislativo pelo partido ou coalizão do presidente ou divisão da coalizão governamental em facções; (iv) manifestações populares contra o presidente; e (vi) a ocorrência de crises econômicas e insatisfação com o desempenho econômico do governo.[48] Segundo o autor, os dois principais fatores causais são a falta de apoio da maioria do Congresso ao presidente e os protestos em massa.

---

Mariana; MARSTEINTREDET, Leiv (Ed.). *Presidential breakdowns in Latin America*: causes and outcomes of executive instability in developing democracies. New York: Palgrave Macmillan, 2010.

[47] LLANOS, Mariana; MARSTEINTREDET, Leiv (Ed.). *Presidential breakdowns in Latin America*: causes and outcomes of executive instability in developing democracies. New York: Palgrave Macmillan, 2010. p. 6.

[48] PÉREZ-LIÑÁN, Aníbal. *Presidential impeachment and the new political instability in Latin America*. Cambridge, UK: Cambridge University Press, 2007. p. 14-15.

Tabela 2 - Impeachment na América Latina 1990-2004[49]

| País | Ano | Presidente | Sistema partidário | Coalizão apta a barrar o *impeachment* | Escândalo de corrupção/ abuso de poder | Conflito entre executivo e legislativo | Protestos populares? | Presidente foi condenado ao final do processo? |
|---|---|---|---|---|---|---|---|---|
| Brasil | 1992 | Fernando Collor | Multipartidário | Não | Sim | Sim | Sim | Sim |
| Colômbia | 1996 | Ernesto Samper | Bipartidário | Sim | Sim | Sim | Não | Não |
| Equador | 1997 | Abdalá Bucaram | Multipartidário | Não | Sim | Sim | Sim | Sim |
| Paraguai | 1999 | Raúl Cubas | Bipartidário | Não | Sim | Sim | Sim | Sim |
| Paraguai | 2002 | Luis Gonzáles Macchi | Bipartidário | Não | Sim | Sim | Não | Não |
| Venezuela | 1993 | Carlos Andrés Pérez | Multipartidário | Não | Sim | Sim | Sim | Sim |

Fonte: Adaptado de: PÉREZ-LIÑÁN, Aníbal. Presidential impeachment and the new political instability in Latin America.

---

[49] Fonte: adaptado de PÉREZ-LIÑÁN, Aníbal. *Presidential impeachment and the new political instability in Latin America*. Cambridge, UK: Cambridge University Press, 2007. p. 192, com a inclusão da variável do sistema partidários.

Neste artigo, pretendemos testar se o mesmo conjunto de variáveis explicativas pode ser aplicado a casos posteriores de impeachment na região e se os resultados desses processos reafirmam a tese de que, embora os presidentes sejam destituídos, a estabilidade democrática é mantida.

Há registro de outros três casos de impeachment presidencial na América Latina após 2004: o do Presidente equatoriano Lucio Gutiérrez, em 2005, o do presidente Fernando Lugo do Paraguai, em 2012, e o da presidente do Brasil, Dilma Rousseff, em 2016.

## 4.1    Equador: Lucio Gutiérrez, 2005

Lucio Gutiérrez foi eleito presidente do Equador em 2003 por uma votação apertada e foi removido do cargo por impeachment pelo Congresso 27 meses depois, sob o argumento de abandono do cargo. Sua coalizão (a aliança PSP-PK) conquistou um pequeno número de assentos no Congresso.[50] Quando foi destituído, não havia nenhuma crise econômica: pelo contrário, o Equador era uma economia em rápida ascensão, com crescimento médio do PIB de 4,5%, e com taxas de desemprego e pobreza em declínio.[51] Contudo, seus eleitores estavam insatisfeitos com a mudança em sua plataforma econômica, que adquiriu contornos neoliberais. Além disso, Gutiérrez não conseguiu obter maioria estável no Congresso. Devido ao seu isolamento político, uma coalizão de partidos usou um pequeno escândalo de corrupção para iniciar um processo de impeachment contra ele,[52] mas Gutiérrez conquistou sua absolvição por meio de acordos com partidos e da compra de apoio individual de congressistas.[53]

Após o processo de impeachment, para reconquistar o controle das instituições, o Presidente equatoriano substituiu 27 dos 31 membros da Suprema Corte, em clara violação à Constituição.[54] Após o "empacotamento" da Corte, houve grandes manifestações por sete noites em Quito, principalmente por setores da classe média e por estudantes. Os protestos nas ruas continuaram mesmo depois que a presidência declarou estado de emergência. Quando os manifestantes invadiram o Congresso, este rapidamente deliberou dissolver o Supremo Tribunal e expulsar Gutiérrez por

---

[50]   MARTÍNEZ, Christopher A. Democratic tradition and the failed presidency of Lucio Gutierrez in Ecuador. *Bulletin of Latin American research*, v. 37, n. 3, p. 321-338, 2018; ZAMOSC, Leon. Popular impeachments: Ecuador in Comparative Perspective. *In*: SZNAJDER, Mario; RONIGER, Luis; FORMENT, Carlos (Ed.). *Shifting the frontiers of citizenship*: the Latin American experience Boston: Brill, 2013. p. 257.

[51]   MARTÍNEZ, Christopher A. Democratic tradition and the failed presidency of Lucio Gutierrez in Ecuador. *Bulletin of Latin American research*, v. 37, n. 3, p. 321-338, 2018; ZAMOSC, Leon. Popular impeachments: Ecuador in Comparative Perspective. *In*: SZNAJDER, Mario; RONIGER, Luis; FORMENT, Carlos (Ed.). *Shifting the frontiers of citizenship*: the Latin American experience Boston: Brill, 2013. p. 250.

[52]   ZAMOSC, Leon. Popular impeachments: Ecuador in Comparative Perspective. *In*: SZNAJDER, Mario; RONIGER, Luis; FORMENT, Carlos (Ed.). *Shifting the frontiers of citizenship*: the Latin American experience Boston: Brill, 2013. p.258.

[53]   ZAMOSC, Leon. Popular impeachments: Ecuador in Comparative Perspective. *In*: SZNAJDER, Mario; RONIGER, Luis; FORMENT, Carlos (Ed.). *Shifting the frontiers of citizenship*: the Latin American experience Boston: Brill, 2013. p. 258-9.

[54]   ZAMOSC, Leon. Popular impeachments: Ecuador in Comparative Perspective. *In*: SZNAJDER, Mario; RONIGER, Luis; FORMENT, Carlos (Ed.). *Shifting the frontiers of citizenship*: the Latin American experience Boston: Brill, 2013. p. 259.

abandono de cargo (por 60 votos a 0 (zero)). No caso, a remoção do Presidente, conforme a análise de Zamosc, decorreu da combinação de políticas equivocadas, isolamento político e manifestações populares.[55]

## 4.2 Paraguai: Fernando Lugo, 2012

Fernando Lugo foi eleito presidente do Paraguai em 2008 e foi destituído do cargo em 2012, apenas 10 meses antes da próxima eleição, sob a alegação de mau desempenho de suas funções.[56] Tratou-se de um processo rápido: em 21 de junho de 2012, a Câmara dos Deputados votou pelo impeachment de Lugo (por 76 dos 80 votos); no mesmo dia, o Senado autorizou o Presidente a apresentar sua defesa no dia seguinte; e, no dia seguinte, após um julgamento rápido, Lugo foi condenado e destituído (por 39 dos 45 votos).[57]

O impeachment não foi desencadeado pela prática de qualquer violação constitucional supostamente cometida por Fernando Lugo ou por qualquer indício de envolvimento em escândalos de corrupção. O que, então, levou ao impeachment? O Paraguai tem um sistema presidencial bipartidário e a eleição de Lugo interrompeu 61 anos de hegemonia do Partido Colorado no governo do país. Fernando Lugo era um político de esquerda que foi eleito com uma plataforma de reforma agrária com 41% dos votos. Ele conseguiu vencer a eleição formando uma nova coalizão, mas após sua eleição não obteve apoio do Congresso para aprovar as reformas propostas, levando ao imobilismo.[58] O isolamento do presidente no Congresso e a divisão partidária foram as principais causas do impeachment. No entanto, o evento imediato que desencadeou o processo foi uma operação policial contra manifestantes sem terra, em uma disputa de terras que acabou com 17 mortes. O Congresso responsabilizou o Presidente Lugo pelo evento, sem que houvesse qualquer investigação ou indício de participação dele no ocorrido, e na semana seguinte o destituiu de seu cargo.[59] Não houve protestos em massa exigindo o impeachment do presidente, mas sua popularidade havia diminuído devido à sua incapacidade de implementar reformas e à cobertura desfavorável da imprensa.

## 4.3 Brasil: Dilma Rousseff, 2016

Dilma Rousseff foi eleita Presidente do Brasil em 2014 e foi destituída do cargo em 2016 em razão de alegada violação à lei orçamentária ("pedaladas fiscais" para

---

[55] ZAMOSC, Leon. Popular impeachments: Ecuador in Comparative Perspective. *In*: SZNAJDER, Mario; RONIGER, Luis; FORMENT, Carlos (Ed.). *Shifting the frontiers of citizenship*: the Latin American experience Boston: Brill, 2013. 2013.

[56] SZUCS, Rebecca. A democracy's poor performance: the impeachment of Paraguayan President Fernando Lugo. *Geo. Wash. Int'l L. Rev*, v. 46, n. 2, p. 409-436, 2014.

[57] SZUCS, Rebecca. A democracy's poor performance: the impeachment of Paraguayan President Fernando Lugo. *Geo. Wash. Int'l L. Rev*, v. 46, n. 2, p. 409-436, 2014. p. 409.

[58] SZUCS, Rebecca. A democracy's poor performance: the impeachment of Paraguayan President Fernando Lugo. *Geo. Wash. Int'l L. Rev*, v. 46, n. 2, p. 409-436, 2014. p. 414.

[59] SZUCS, Rebecca. A democracy's poor performance: the impeachment of Paraguayan President Fernando Lugo. *Geo. Wash. Int'l L. Rev*, v. 46, n. 2, p. 409-436, 2014.

disfarçar déficit nas contas e decretos de crédito suplementar). No entanto, não houve consenso sobre se tais fatos constituiriam, de fato, violação à lei orçamentária passível de impeachment, até mesmo porque os antecessores de Dilma, Lula e Fernando Henrique Cardoso haviam feito a mesma manobra. Além disso, embora a Presidente Dilma não tenha sido diretamente acusada de corrupção, seu partido estava envolvido em uma série de escândalos e centenas de políticos estavam sob investigação, no âmbito da Operação Lava Jato, por lavagem de dinheiro, corrupção e outros crimes.

Na época, ademais, o Brasil estava enfrentando a pior crise econômica em décadas (com uma contração da economia de 3,8% apenas em 2015). Nesse contexto, a popularidade da presidente Dilma despencou: os índices de reprovação de seu governo atingiram mais de 70% no final de 2015. Não bastasse, mais de 20 protestos populares foram organizadas contra a presidente desde a sua eleição. Segundo informações da mídia, o maior protesto em São Paulo contabilizou mais de 500 mil manifestantes. Em abril de 2016, quando a Câmara dos Deputados autorizou a abertura do processo de impeachment contra Dilma, a coalizão do governo nessa Casa Legislativa tinha praticamente se dissolvido: apenas 137 parlamentares – *i.e.*, 26,5% do total – permaneceram leais à presidente. Em 31 de agosto do mesmo ano, o Senado brasileiro condenou Dilma à perda do cargo, por 61 votos a 20.

## 5 Conclusão

A análise comparativa dos recentes casos de impeachment no Brasil (2016), Paraguai (2012) e Equador (2005), combinada com a investigação conduzida por Pérez-Liñán,[60] e forneceu alguns *insights* sobre as causas e os resultados das interrupções presidenciais na América Latina.

Em relação às causas, a única variável que permaneceu constante em todos os seis casos de afastamento de Presidente foi o fraco apoio parlamentar. No Paraguai, por exemplo, Fernando Lugo perdeu o cargo devido ao impasse entre o Executivo e o Legislativo, mesmo na ausência de escândalos de corrupção ou manifestações populares. No Equador, Lucio Gutiérrez foi destituído de seu mandato por abuso de poder e ausência de maioria estável no parlamento, apesar do excelente desempenho econômico do governo. Isso evidencia que a ausência de apoio presidencial no Legislativo – mais especificamente, a incapacidade do presidente em construir e manter uma maioria estável – é a principal fonte de colapsos presidenciais na América Latina. A visão *linziana* está, portanto, correta, no que se refere à afirmação de que o presidencialismo favorece os conflitos entre os Poderes.

---

[60] PÉREZ-LIÑÁN, Aníbal. *Presidential impeachment and the new political instability in Latin America*. Cambridge, UK: Cambridge University Press, 2007. p. 192.

Tabela 3 - *Impeachment* presidencial na América Latina 2005-2017[61]

| País | Ano | Presidente | Sistema partidário | Coalizão apta a barrar o *impeachment* | Escândalo de corrupção/ abuso de poder | Conflito entre executivo e legislativo | Protestos populares? | Presidente foi condenado ao final do processo? |
|---|---|---|---|---|---|---|---|---|
| Brasil | 2016 | Dilma Rousseff | Multipartidário | Não | Não | Sim | Sim | Sim |
| Paraguai | 2012 | Fernando Lugo | Bipartidário | Não | Não | Sim | Não | Sim |
| Equador | 2005 | Lucio Gutiérrez | Multipartidário | Não | Sim | Sim | Sim | Sim |

Fonte: Elaborado pelos autores, a partir de adaptação de: PÉREZ-LIÑÁN, Aníbal. Presidential impeachment and the new political instability in Latin America.

---

[61] Fonte: elaboração própria a partir de adaptação de PÉREZ-LIÑÁN, Aníbal. *Presidential impeachment and the new political instability in Latin America*. Cambridge, UK: Cambridge University Press, 2007. p. 192, para casos diferentes.

No que diz respeito às consequências das interrupções presidenciais para a estabilidade democrática, é possível traçar duas possíveis implicações, que podem ser mais bem compreendidas a partir dos exemplos do Brasil e do Paraguai.

No Brasil, houve sério questionamento sobre a legitimidade constitucional do impeachment da presidente Dilma Rousseff. Uma parte relevante dos brasileiros considerou que a retirada da Presidente Dilma do cargo foi um "golpe". Essa análise parece ter se tornado mais evidente depois que o pedido de impeachment do Presidente Michel Temer, que sucedeu Rousseff no cargo, não foi nem mesmo submetido à votação na Câmara dos Deputados, apesar de gravações que o implicaram diretamente em escândalos de corrupção. Embora ainda não tenha havido um colapso democrático no Brasil, a instabilidade democrática criada por esse episódio recente é evidente. Segundo o Latinobarómetro, de 2015 a 2016, o apoio democrático no Brasil despencou, passando de 54% para 32%.[62]

Já no Paraguai, como mencionado, a Constituição permite o impeachment devido ao "mau desempenho". Este padrão aberto pode ser considerado como um equivalente funcional de uma moção de desconfiança no sistema parlamentarista. Neste cenário, o impeachment pode ser constitucionalmente usado como uma ferramenta partidária para destituir um presidente que perdeu o apoio do Congresso. O problema no caso de Lugo não é tanto a legitimidade do impeachment em si, já que é possível argumentar que havia base constitucional para sua destituição. Em vez disso, o risco é que, como não há parâmetros para definir o que constitui mau desempenho, o Presidente torne-se refém do Congresso e que impeachments se tornem tão frequentes que promovam a desestabilização do regime democrático ao longo do tempo. Esta não é uma possibilidade remota, já que 3 (três) dos 8 (oito) casos de impeachment na América Latina ocorreram no Paraguai.

Portanto, embora o fenômeno recente de remoção de presidentes durante crises governamentais possa ter o benefício de evitar crises de regime e permitir a sobrevivência democrática, é preciso ter cautela para avaliar suas consequências. Ainda que os casos de impeachment analisados não tenham provocado rupturas democráticas imediatas, há sinais de abalos à estabilidade democrática nos países analisados.

## Referências

BARROSO, Luís Roberto. *A reforma política*: uma proposta de sistema de governo, eleitoral e partidário para o Brasil. Disponível em: http://www.luisrobertobarroso.com.br/wp-content/themes/LRB/pdf/instituto_proposta_introducao_objetivos_e_ideias_centrais.pdfcontent/themes/LRB/pdf../instituto_proposta_introducao_objetivos_e_ideias_centrais.pdf. Acesso em 24 nov. 2019.

BAUMGARTNER, Jody C.; KADA, Naoko. *Checking executive power*: presidential impeachment in comparative perspective. Westport: Praeger, 2003.

---

[62] Fonte: LATINOBARÓMETRO. *Licitación pública*. 2016. Disponível em: http://www.latinobarometro.org/latContents.jsp. Acesso em 02 dez. 2019.

CAREY, J. M. Presidential versus parliamentary government. *In*: MENARD, C.; SHIRLEY, M. M. (Ed.). *Handbook of new institutional economics*. Dordrecht: Springer, 2005.

CARPIZO, Jorge. Propuesta de una tipología del presidencialismo latino-americano. *In*: *Homenaje post mortem a Manuel Gutiérrez de Velasco y Aranda. Instituto de Administración Pública de México*. Toluca: Ed. Cigome, 2009.

CHEIBUB, José Antonio. *Presidentialism, parliamentarism, and democracy*. Cambridge: Cambridge University Press, 2007.

HOCHSTETLER, Kathryn. Rethinking presidentialism: challenges and presidential falls in south America. *Comparative Politics*, v. 38, n. 4, p. 401-418, 2006.

LAMOUNIER, Bolivar. *A opção parlamentarista*. São Paulo: Sumaré, 1991.

LLANOS, Mariana; MARSTEINTREDET, Leiv (Ed.). *Presidential breakdowns in Latin America*: causes and outcomes of executive instability in developing democracies. New York: Palgrave Macmillan, 2010.

LATINOBARÓMETRO. *Licitación pública*. 2016. Disponível em: http://www.latinobarometro.org/latContents.jsp. Acesso em 02 dez. 2019.

LIJPHART, Arend. *Patterns of democracy*: government forms and performance in thirty-six countries New Haven: Yale University Press, 2012.

LINZ, Juan. *The breakdown of democratic regimes*: crisis, breakdown, and reequilibration. Baltimore: Johns Hopkins University Press, 1978.

LINZ, Juan. The perils of presidentialism. *Journal of Democracy*, v. 1, n. 1, p. 51-69, 1990.

MAINWARING, Scott. *Juan Linz, presidentialism, and democracy*: a critical appraisal. 1993. Disponível em: https://kellogg.nd.edu/documents/1437. Acesso em 13 dez. 2019.

MARSTEINTREDET, Leiv; BERNTZEN, E. Reducing the perils of presidentialism in Latin America through Presidential Interruptions. *Comparative politics*, v. 41, n. 1, p. 83-101, 2008.

MARSTEINTREDET, Leiv. Variation of executive instability in Presidential Regimes. Three types of Presidential Interruption in Latin America. 2009. Disponível em: https://papers.ssrn.com/sol3/papers.cfm?abstract_id=1451592. Acesso em 25 nov. 2019.

MARTÍNEZ, Christopher A. Democratic tradition and the failed presidency of Lucio Gutierrez in Ecuador. *Bulletin of Latin American research*, v. 37, n. 3, p. 321-338, 2018.

MUSTAPIC, Ana María. Presidentialism and early exits: the role of congress. *In* LLANOS, Mariana; MARSTEINTREDET, Leiv (Ed.). *Presidential breakdowns in Latin America*: causes and outcomes of executive instability in developing democracies. New York: Palgrave Macmillan, 2010.

NOHLEN, D.; FERNÁNDEZ, M. *Presidencialismo renovado*: instituciones y cambio político en América Latina. Caracas: Nueva Sociedade, 1998.

NOHLEN, Dieter. El presidencialismo comparado. *Revista del Instituto de altos estudios Europeos*, n. 1, p. 6-23, 2013.

NORRIS, Pippa. *Driving democracy*: do power-sharing institutions work? Cambridge: Cambridge University Press, 2008.

PÉREZ-LIÑÁN, Aníbal. *Presidential impeachment and the new political instability in Latin America*. Cambridge, UK: Cambridge University Press, 2007.

POWER, Timothy; GASIOROWSKI, Mark. Institutional design and democratic consolidation in the third world. *Comparative Political Studies*, v. 30, n. 2, p. 123-155, 1997.

PULIDO, Carlos Libardo Bernal. Direitos fundamentais, juristocracia constitucional e hiperpresidencialismo na América Latina. *Revista Jurídica da Presidência*, v. 17, n. 111, p. 18-19, 2015.

RIGGS, Fred. Presidentialism versus parliamentarism: implications for representativeness and legitimacy. *International Political Science Review*, v. 18, n. 3, p. 253-278, 1997.

SARTORI, Giovani. Neither presidentialism nor parliamentarism. *In*: LINZ, Juan; VALENZUELA, Arturo. *The failure of presidential democracy*: the case of Latin America. Baltimore: Johns Hopkins University Press, 1994. v. 2.

SHUGART, Matthew S.; CAREY, John M. *Presidents and assemblies*: constitutional design and electoral dynamics. Cambridge: Cambridge University Press, 1992.

STEPAN, Alfred; SKACH, Cindy. Presidentialism and parliamentarism in comparative perspective. *In*: LINZ, Juan; VALENZUELA, Arturo. *The failure of presidential democracy*: comparative perspectives. Baltimore: Johns Hopkins University Press, 1993. v. 1.

SZUCS, Rebecca. A democracy's poor performance: the impeachment of Paraguayan President Fernando Lugo. *Geo. Wash. Int'l L. Rev*, v. 46, n. 2, p. 409-436, 2014.

VALENZUELA, Arturo. Latin america: presidentialism in crisis. *Journal of Democracy*, v. 4, p. 3-16, 1993.

V-DEM. *Global Standards, local knowledge*. Disponível em: https://www.v-dem.net/en/. Acesso em 25 nov. 2019.

V-DEM. *Variable graph*. Disponível em: https://www.v-dem.net/en/analysis/VariableGraph/. Acesso em 29 nov. 2019.

ZAMOSC, Leon. Popular impeachments: Ecuador in Comparative Perspective. *In*: SZNAJDER, Mario; RONIGER, Luis; FORMENT, Carlos (Ed.). *Shifting the frontiers of citizenship*: the Latin American experience Boston: Brill, 2013.

---

Informação bibliográfica deste texto, conforme a NBR 6023:2018 da Associação Brasileira de Normas Técnicas (ABNT):

OSORIO, Aline Rezende Peres; SOUZA FILHO, Ademar Borges de. Crise do presidencialismo, impeachment e democracia. *In*: COSTA, Daniel Castro Gomes da; FONSECA, Reynaldo Soares da; BANHOS, Sérgio Silveira; CARVALHO NETO, Tarcisio Vieira de (Coord.). *Democracia, justiça e cidadania*: desafios e perspectivas. Homenagem ao Ministro Luís Roberto Barroso. Belo Horizonte: Fórum, 2020. t. 1: Direito eleitoral, política e democracia. p. 169-193. ISBN 978-85-450-0748-7.

# LIBERDADE DE EXPRESSÃO NAS REDES SOCIAIS: O CASO DAS *FAKE NEWS* NAS ELEIÇÕES PRESIDENCIAIS BRASILEIRAS DE 2018

**CARLOS BASTIDE HORBACH**

## Introdução

O exercício da cidadania, compreendido em seu sentido mais estrito, ou seja, como o direito fundamental de votar e ser votado, é condicionado por uma série de outros direitos fundamentais, que conferem dimensão concreta às garantias do Estado democrático de direito.

Assim, sua compreensão constitucionalmente adequada passa pela identificação da correlação existente, por exemplo, com as liberdades de expressão, de opinião, de informação, de reunião, entre outras que promovem a higidez da democracia e do debate eleitoral que lhe é ínsito.

Na atualidade, especialmente após as eleições presidenciais norte-americanas ocorridas em 2016, a prática cidadã consciente e livre vem sendo colocada em xeque por um fenômeno que não é novo, mas que adquiriu desde então dimensões surpreendentes, qual seja: a disseminação de informações falsas, as chamadas *fake news*, com o específico objetivo de influenciar nos processos eleitorais.

Ante tal realidade, as democracias ocidentais têm procurado combater a desinformação por uma série de medidas, que vão desde a formação digital e midiática de eleitores, até a promulgação de novas leis de regulamentação do debate eleitoral, com severas punições aos responsáveis pela difusão de notícias inverídicas.

Essas ações, voltadas a manter a liberdade de informação dos atores do cenário democrático, são, por sua vez, acusadas de representar um entrave à liberdade de expressão desses mesmos atores, os quais passariam a ter suas manifestações submetidas a um amplo e constante controle estatal. O Estado passaria, assim, a ser o árbitro do que seria, ou não, *fake news*, numa função que lhe permitiria, em suma, afirmar o que seria a verdade.

É evidente, nesse quadro, a tensão existente entre as medidas voltadas à proteção da liberdade de informação do eleitor e a liberdade de expressão daqueles que participam do debate político, o que igualmente se verificou nas eleições presidenciais brasileiras de 2018.

Na disputa pela Presidência da República, diferentes candidatos acusaram os adversários de disseminação de notícias falsas, cobrando das autoridades constituídas providências que reduzissem o seu impacto nas escolhas dos eleitores. No segundo turno das eleições presidenciais, ambos os contendores foram acusados de produzir ou difundir desinformação, sofrendo decisões desfavoráveis por parte do Tribunal Superior Eleitoral (TSE), órgão judicial responsável pelo controle da propaganda nas eleições presidenciais.

O objeto do presente estudo é exatamente o modo como o problema das *fake news* foi enfrentado pelas autoridades eleitorais brasileiras no pleito de 2018, com foco nas eleições presidenciais, por sua repercussão nacional, e no impacto verificado na liberdade de expressão dos eleitores.

Para tanto, inicialmente será examinada a razão pela qual a disseminação de notícias falsas adquiriu uma dimensão sem precedentes, o que se relaciona com o aumento de pessoas com acesso à internet. Em seguida serão expostas as tentativas de se conceituar o que sejam *fake news*, tarefa crucial para que se possa definir o correto tratamento jurídico do problema e sua relação com a liberdade de expressão. Finalmente, serão expostas a legislação e a jurisprudência brasileiras sobre o tema, para que se possa avaliar em que medida a atuação do Estado no combate à desinformação tolheu, ou não, a liberdade de expressão do cidadão brasileiro ao longo do pleito de 2018.

## *Fake news*: fatores de potencialização

Como antes anotado, a disseminação de notícias falsas em tempos de eleição não é acontecimento novo, estando presente há muito no jogo político-eleitoral do ocidente. Entretanto, uma verdadeira revolução nos meios de informação propiciada pela internet, que evoluiu de modo frenético nos últimos 20 anos, fez com que adquirisse contornos antes inimagináveis.

Atualmente, mais de três bilhões de pessoas têm acesso à internet ao redor do mundo, o que representa, aproximadamente, 46% da população mundial. Em países desenvolvidos, esse percentual é muito superior, como se pode verificar nos Estados Unidos (88,5% da população), no Reino Unido (92,6%), na Holanda (93,7%) ou na Noruega (98%).[1]

O Brasil ocupa a quarta posição em números absolutos de usuários da internet, com aproximadamente 140 milhões de pessoas com acesso à rede, o que representa 66,4% de sua população.

O elevado acesso à internet trouxe consigo uma mudança radical nos hábitos das pessoas. Atualmente, o indivíduo compra *on line*, ele se comunica por meios

---

[1] Conforme informações do *site*: INTERNET LIVE STATS. *Internet users by country*. 2016. Disponível em: http://www.internetlivestats.com/internet-users-by-country/. Acesso em 29 nov. 2019.

eletrônicos, ele se informa pela *internet*, ele namora *on line*.[2] Todas essas novas práticas, que inauguraram uma "vida virtual", demandaram respostas do direito. Como se dá a tributação de uma compra e venda *on line*?[3] Qual é o grau de sigilo que cobre a correspondência por *e-mail*?[4] Como se configura a liberdade de imprensa na internet?[5] Existe o adultério virtual?[6]

Se a internet afetou esses campos tão comezinhos do cotidiano, não poderia deixar de afetar uma das dimensões naturais da pessoa humana, qual seja: a sua dimensão política, que apresenta sua faceta mais concreta nos processos eleitorais. Se o homem compra, se comunica, se informa e namora virtualmente, é certo que também por meio virtual é chamado a exercer a sua cidadania. E essa cidadania virtual ou *on line* passa a ser alvo das ações legítimas de partidos políticos e de candidatos, cujos assessores de *marketing* se especializam nos meios e na linguagem próprios da *internet*.

Candidatos e partidos buscam, pois, conquistar esse novo campo do debate eleitoral, lançando mão de diversos recursos, com maior ou menor legitimidade, para formar a opinião do eleitor. Ademais, os próprios eleitores, ante a liberdade própria da rede mundial de computadores, tornam-se agentes privilegiados do proselitismo político, produzindo, de modo espontâneo e voluntário, material de campanha para os seus candidatos.

A tudo isso se soma o fato de que a internet se transformou no principal meio de informação dos indivíduos, gerando uma mudança radical no modo como as notícias são produzidas, divulgadas e assimiladas. Essa nova realidade pode ser resumida em cinco aspectos fundamentais.

O primeiro aspecto diz respeito à rapidez com que a informação circula na internet, criando um novo tempo para as notícias. Os jornais tradicionais ou mesmo os telejornais têm um sistema de editoria que controla o fluxo de informação nas redações. A necessidade de divulgar as notícias em tempo real acabou com a checagem dos editores nos veículos *on line*. Os tradicionais instrumentos de controle das informações veiculadas pela imprensa não se apresentam como eficazes na internet, na qual vigora a máxima "publicar agora, corrigir depois" (*publish now, correct later*).

Essa realidade naturalmente mina, perante o destinatário, a confiabilidade das notícias, colocando os conteúdos produzidos por grandes veículos em posição não muito distinta daqueles oriundos de fontes menos conhecidas. Ante a confusão das fontes, mais difícil para quem busca a notícia identificar o que é verdadeiro e

---

[2] COLETA, Alessandra Menezes Dela; COLETA, Marília Ferreira; GUIMARÃES, José Luiz Guimarães. O amor pode ser virtual? O relacionamento amoroso pela internet. *Psicologia em Estudo*, Maringá, v. 13, n. 2, p. 277-285, abr./jun. 2008. p. 277.

[3] Esse tema foi apreciado pelo Supremo Tribunal Federal, em repercussão geral, no julgamento, por exemplo, do RE nº 680.089, Rel. Min. Gilmar Mendes, DJe de 03.12.2014.

[4] Esse é o caso da discussão sobre o sigilo dos e-mails funcionais, decidido pelo Tribunal Superior do Trabalho, por exemplo, no julgamento do RR nº 613/2000-013-10-00.7, Rel. Min. João Oreste Dalazen, julgado em 18.05.2005.

[5] SUSSMAN, Leonard R. Censor dot Gov: the Internet and press freedom 2000. *Journal of Government Information*, v. 27, n. 5, p. 537-545, Set./Out. 2000. p. 537.

[6] A Justiça do Distrito Federal, em primeira instância, reconheceu a infidelidade virtual como causa para o divórcio e para a condenação do cônjuge infiel ao pagamento de indenização por danos morais. Cf. Proc. nº 2005.01.1.118170-3, 2ª Vara Cível de Brasília.

o que é falso, num processo que diminui o senso crítico e aumenta o campo para a desinformação.

Ademais, no que seria o segundo aspecto caracterizador da nova realidade informacional, há o que se pode chamar de "customização da informação", ou seja, a faculdade que tem hoje o leitor de programar as notícias que deseja receber, isolando-se em relação às demais.

Enquanto o leitor de um jornal tradicional é exposto à opinião de diferentes articulistas, com concepções muitas vezes variadas, e as análises de jornalistas que examinam os mesmos fatos a partir de diferentes ângulos, na internet, o indivíduo seleciona o que quer ver a partir de suas próprias concepções e crenças políticas. O simples ato de folhear um jornal ou uma revista já expõe o leitor a informações que ordinariamente ele não buscaria, mas que – por diferentes razões – podem chamar a sua atenção. O mesmo não ocorre, ordinariamente, nos canais virtuais de informação ou nas redes sociais, o que – mais uma vez – contribui para a diminuição do senso crítico.

Reforçando a "customização", há um terceiro aspecto relativo à busca por informação em ambientes de conforto. Os veículos que propagam as informações na internet não têm como função primordial informar, mas sim, fornecer diferentes tipos de entretenimento, de modo a manter o indivíduo conectado o maior tempo possível. Desse modo, as informações disponibilizadas são cuidadosamente selecionadas de acordo com os gostos do leitor, por meio de algoritmos de filtragem.

Nesse contexto, o indivíduo que se informa pela internet somente obtém notícias que de algum modo lhe agradem, criando o que se tem chamado de "câmaras de eco" e "bolhas de conforto",[7] num processo que evidencia a disparidade dos objetivos e das funções dos veículos de imprensa e das diferentes redes sociais:

> As missões do jornalismo e das plataformas da internet são fundamentalmente distintas: o jornalismo tenta fornecer uma série de fatos que são necessários para o indivíduo, mas que podem ser desconfortáveis, tudo inserido num contexto próprio para manter os seus usuários informados. Plataformas da internet objetivam fornecer informações desejadas e prazerosas, com o intuito de manter seus usuários felizes e interessados.[8]

O quarto aspecto a ser destacado é a pulverização das fontes. A internet transformou cada indivíduo num potencial produtor de conteúdos, cada um é um "jornalista" que dispõe de veículos de baixíssimo custo para difundir os seus pensamentos.

Houve a difusão daquilo que autores americanos têm chamado de *cheap speech*, ou seja, o "discurso barato", qualquer pessoa com um *smartphone* pode produzir

---

[7] BARON, Sandra; CROOTOF, Rebecca. *Fighting fake news*: workshop report. New Haven: Yale University. 2017. p. 5. Disponível em: https://law.yale.edu/system/files/area/center/isp/documents/fighting_fake_news_-_workshop_report.pdf. Acesso em 12 dez. 2019.

[8] BARON, Sandra; CROOTOF, Rebecca. *Fighting fake news*: workshop report. New Haven: Yale University. 2017. p. 10. Disponível em: https://law.yale.edu/system/files/area/center/isp/documents/fighting_fake_news_-_workshop_report.pdf. Acesso em 12 dez. 2019.

informação e, igualmente, difundi-la de modo amplo a baixíssimo custo. Como ensina Richard L. Hasen, analisando a realidade norte-americana:

> Não há dúvida que o discurso barato aumentou as facilidades e diminuiu drasticamente o custo de obtenção de informação, bem como incentivou a criação e o consumo de conteúdos de fontes radicalmente diversas. Mas a economia do discurso barato também fragilizou instituições de mediação e de estabilização da democracia americana, tais como jornais e partidos políticos, com negativas consequências sociais e políticas.[9]

A moderna tecnologia, por outro lado, permite que essas "notícias baratas" sejam produzidas com um acabamento quase profissional, fazendo com que – na aparência – pouco difiram das notícias oriundas dos grandes conglomerados de mídia.

Com isso, fica cada vez mais difícil para o indivíduo filtrar as informações e avaliar a fidedignidade das informações. E, mais, "na prática, o modo como as notícias são apresentadas faz com que seja notadamente difícil separar fato, opinião e valoração",[10] tornando muitas vezes impossível a checagem e o controle da autenticidade da informação.

Por fim, o quinto aspecto que potencializa a difusão de *fake news* é o modelo de negócio das plataformas de internet, que acaba por privilegiar o exótico, o que choca, o que foge do padrão. Nos canais tradicionais de informação, como os grandes jornais ou as grandes emissoras de TV, o valor dos anúncios depende da credibilidade do veículo, que faz com que tenha um maior número de leitores ou telespectadores. O conteúdo é um fator que reforça a lucratividade do negócio: quanto maior a credibilidade, mais se cobra pela veiculação de anúncios.

Na internet, a lógica é outra: *click for cash*. Quanto maior o número de acessos, maior o valor do anúncio. Desse modo, quanto mais atrativa, chamativa ou apelativa for a informação, maior o lucro da plataforma que a apresenta.

O anunciante paga hoje por *clicks* e *views*, não por notícias. Assim, os produtores de conteúdo que dominam a arte da distração são os que mais lucram nesse sistema; o qual despreza os mecanismos de checagem e de equilíbrio que caracterizaram a imprensa ocidental nos últimos tempos: a liberdade de imprensa sempre foi associada e limitada por outros direitos individuais, pela autorregulação e pela ética profissional que encorajavam acuidade e um jornalismo responsável,[11] aspectos que restam fragilizados na lógica do *click for cash*.

É nesse novo ambiente de mídia, sintetizado nesses cinco aspectos, que o fenômeno das *fake news* – que não é novo, repita-se – se prolifera e ganha novos contornos, gerando a grande preocupação que hoje se tem com o tema, seja no campo eleitoral, seja em outras áreas do debate público.

---

[9] HASEN, Richard L. Cheap speech and what it has done (to American democracy). *First Amendment Law Review*, v. 16, Symposium 2017, p. 200-231, 2018. p. 201.

[10] TAMBINI, Damian. Fake news: public policy responses. *Media Police Brief*, London: Media Policy Project, London School of Economics and Political Science, v. 20, p. 6, 2017.

[11] TAMBINI, Damian. Fake news: public policy responses. *Media Police Brief*, London: Media Policy Project, London School of Economics and Political Science, v. 20, p. 11, 2017.

Mas, afinal, o que são *fake news*? Essa expressão da língua inglesa não é unívoca, sendo que o próximo item deste estudo busca fixar parâmetros de sua conceituação, de modo a tornar o tratamento normativo da questão o mais preciso possível.

## Caracterizando as *fake news*

Como destacado, a expressão *fake news* é pouco clara e pouco precisa, especialmente do ponto de vista jurídico. Nesse contexto de imprecisão, são diversas as tentativas de sistematização do tema, sendo bastante difundida no Brasil a tipologia de notícias falsas desenvolvida pela pesquisadora da *JFK School of Government* da *Harvard University*, Claire Wardle.

Segundo Wardle,[12] são sete os tipos de notícias falsas que circulam nos meios digitais. O primeiro tipo corresponde à sátira ou paródia, cujos conteúdos não têm intenção de gerar desinformação, mas apresentam potencial de enganar, especialmente ante o baixo senso crítico dos leitores. Não raro é possível verificar o compartilhamento, em redes sociais, de notícias produzidas por canais satíricos da internet como sendo verídicas. No Brasil, isso constantemente ocorre com os conteúdos do sítio *Sensacionalista*, que se apresenta aos leitores como "um jornal isento de verdade".

Os demais tipos apresentados pela pesquisadora norte-americana são mais próximos daquilo que intuitivamente se compreende como sendo desinformação. A "falsa conexão" ocorre quando manchetes, imagens ou legendas transmitem ao leitor uma percepção incorreta do que realmente é o conteúdo da notícia. Já o "conteúdo enganoso" se caracteriza pela utilização fraudulenta de uma informação para pessoas, ideias ou instituições. O "falso contexto" consiste no deslocamento de uma notícia genuína de seu ambiente original, gerando uma compreensão equivocada para o leitor. O "conteúdo impostor" é aquele que atribui a determinadas fontes, sejam elas pessoas, entidades, organizações, afirmações que não são suas, buscando legitimar falsamente essas afirmações. Há, por outro lado, "conteúdo manipulado" quando uma informação ou ideia verdadeira é manipulada para enganar o público. E, por fim, o "conteúdo fabricado" é aquele integralmente produzido para o fim de enganar aquele que busca informação, totalmente falso.[13]

Em linhas gerais, a definição de *fake news* deve focar notícias que, com diferentes graus de manipulação, são disfarçadas de modo a parecer um produto legítimo da imprensa. Efetivamente, o termo *fake news* deve corresponder ao falseamento dos fatos, não a declarações de opinião, sendo que essas falsidades devem apresentar um grau de credibilidade, de significado e de importância. Por fim, *fake news* compreendem falsidades deliberadas, mas não erros acidentais ou enganos acidentais.[14]

---

[12] WARDLE, Claire. Fake news. It's complicated. First Draft. Disponível em: https://medium.com/1st-draft/fake-news-its-complicated-d0f773766c79. Acesso em: 06 fev. 2020.

[13] POLITIZE! *Notícias falsas e pós-verdade: o mundo das fake news e da (des)informação.* Disponível em: http://www.politize.com.br/noticias-falsas-pos-verdade/. Acesso em 11 dez. 2019.

[14] CALVERT, Clay; VINING, Austin. Filtering fake news through a lens of Supreme Court observations and adages. *First Amendment Law Review*, v. 16, Symposium 2017, p. 153-177, 2018. p. 160.

Ademais, é importante destacar que a utilização da expressão *fake news* tem também uma finalidade política muito clara de desautorizar vozes críticas a determinados grupos ou políticos. *Fake news* seria, assim, um insulto, inserido numa semântica de agressão à imprensa de um modo geral. Nesse sentido, a utilização da expressão acaba sendo uma ameaça à liberdade de imprensa e de informação como um todo.[15]

Por fim, é necessário destacar que o maior risco associado às *fake news* é o fato de que elas desvalorizam e deslegitimam as fontes dotadas de expertise, as autoridades nos diferentes assuntos, e minam o conceito de dados objetivos, num processo que erode a habilidade que a sociedade tem – ou deveria ter – para interagir em discussões racionais embasadas em fatos compartilhados.[16] E isso ocorre em todos os campos, não só na política, como se pode verificar nos diferentes casos de notícias falsas sobre vacinas, por exemplo.

Esse fenômeno das *fake news* é, hoje, universal, desafiando respostas ágeis por parte do direito e das instituições estatais. Nessa perspectiva, serão analisadas a seguir diferentes experiências estrangeiras no tratamento jurídico das notícias falsas, tendo como referencial primeiro a proteção à liberdade de expressão dos envolvidos nos diferentes campos do debate público.

## Direito e *fake news*: experiências estrangeiras

A análise do tratamento jurídico das chamadas *fake news* ganha muito a partir do cotejo das experiências estrangeiras, as quais possibilitam inúmeras aproximações, assim como são diversas as utilidades do emprego do método comparado no direito moderno.

Das diferentes funções da comparação jurídica listadas por Zweigert e Kötz, duas podem ser especialmente destacadas no exame a ser desenvolvido no presente estudo. Inicialmente, o direito comparado tem como objetivo propiciar ao jurista o conhecimento pleno da sua ciência, que não se limita a técnicas de interpretação e aplicação das normas de seu ordenamento nacional, mas compreende também a descoberta de modelos de prevenção e de solução dos conflitos sociais. Assim, o primeiro fim da comparação é a geração, mediante a compreensão das normas estrangeiras, de um maior número de alternativas para a solução de problemas concretos com que se depara o jurista. O direito comparado, pois, enriquece o suprimento de soluções do jurista, qualificando-o para a preservação da paz social.[17]

---

[15] TAMBINI, Damian. Fake news: public policy responses. *Media Police Brief*, London: Media Policy Project, London School of Economics and Political Science, v. 20, p. 4, 2017.

[16] BARON, Sandra; CROOTOF, Rebecca. *Fighting fake news*: workshop report. New Haven: Yale University. 2017. p. 3. Disponível em: https://law.yale.edu/system/files/area/center/isp/documents/fighting_fake_news_-_workshop_report.pdf. Acesso em 12 dez. 2019.

[17] ZWEIGERT, Konrad; KÖTZ, Hein. *Introduction to comparative law*. 3. ed. (Trad. Tony Weir). Oxford: Clarendon, 2011. p. 15. Scarciglia, com fundamento em Ackerman, registra que esse movimento de acúmulo de conhecimentos por meio do direito comparado tem levado a uma verdadeira revolução macrocomparativa: "O fenômeno – definido com a expressão 'revolução macrocomparativa' – vai incidir não só no modo – e nos lugares – de conhecimento do direito estrangeiro, mas vai também favorecer novas combinações de

A segunda função do direito comparado aqui relevante seria, na visão dos autores alemães, o auxílio aos legisladores, que "ao redor do mundo têm percebido que em muitos assuntos boas leis não podem ser produzidas sem o recurso do direito comparado, seja na forma de estudos gerais ou na de relatórios especialmente produzidos sobre o tópico em questão".[18] Essa, aliás, é certamente a mais antiga das funções do direito comparado, pois "sempre se pensou que o conhecimento dos direitos estrangeiros era de importância primeira para o legislador", como demonstram as obras de Platão e Aristóteles.[19]

Entretanto, a realização plena das funções em questão somente se manifesta quando escolhidos os corretos objetos a serem comparados, bem como quando determinados de maneira adequada os padrões de comparação. "O que comparar" e "como comparar" são questões fundamentais para o sucesso dessa ampliação do suprimento de soluções de que dispõe o jurista e também para o aprimoramento da legiferação.

Nesse quadro surgem como significativamente relevantes os critérios de proximidade e prestígio, que permitem aferir um maior ou menor grau de efetividade na comparação. O sucesso do exercício comparativo dependerá, em muito, da proximidade entre o sistema estrangeiro e aquele que recebe a influência, sendo mais forte o vínculo se pertencem à mesma família de direitos,[20] se gozam de experiências comuns ou se vivenciam os mesmos problemas concretos.

Ainda quanto à questão da proximidade, é importante anotar que sua determinação nem sempre é possível e que a avaliação dessas conexões dependerá de fatores múltiplos, em especial no campo do direito constitucional.[21] Roberto Scarciglia,[22] por exemplo, não aceita a utilização do modelo de famílias jurídicas – amplamente divulgado a partir dos anos 1950 por meio da obra de René David – ao direito constitucional, uma vez que teriam sido desenvolvidas sob a égide de um pensamento privatista.

---

formantes (neo-formants), reconhecíveis ao comparatista mediante o auxílio da história, pela cultura de um povo, pela evolução das fórmulas políticas ou por outros fatores que, combinados entre si, incidem no jogo de formantes". (SCARCIGLIA, Roberto. *Introducción al derecho constitucional comparado.* (Trad. Juan José Ruiz). Madrid: Dykinson, 2011. p. 74).

[18] ZWEIGERT, Konrad; KÖTZ, Hein. *Introduction to comparative law.* 3. ed. (Trad. Tony Weir). Oxford: Clarendon, 2011. p. 16.

[19] ANCEL, Marc. *Utilidade e método do direito comparado.* (Trad. Sérgio Porto). Porto Alegre: Sergio Antonio Fabris Editor, 1980. p. 18-20.

[20] BELL, John. The relevance of foreign examples to legal development. *Duke Journal of Comparative & International Law,* v. 21, p. 451, 2011.

[21] Isso não significa que os critérios de proximidade não devam ser estritamente definidos, muito antes pelo contrário. Isso porque, como registra Mark Tushnet, os trabalhos de direito constitucional comparado são, não raro, "insuficientemente sensíveis às diferenças nacionais, que geram divergências nos direitos constitucionais locais. Ou, em outras palavras, os acadêmicos do direito constitucional comparado tendem para uma implícita, mas insuficientemente defendida, preferência por uma aproximação universalista do estudo jurídico comparativo em relação à particularista". (TUSHNET, Mark. Comparative constitutional law. *In*: REIMANN, Matthias; ZIMMERMANN, Reinhard (Ed.). *The oxford handbook of comparative law.* Oxford: Oxford University, 2006. p. 1256).

[22] Roberto Scarciglia (2011, p. 87).

De qualquer modo, o critério de proximidade facilita a comparação, possibilitando que se retire o maior proveito possível do cotejo entre ordenamentos e evitando que sejam importados para um determinado sistema problemas e soluções que lhe são completamente estranhos.

No campo específico das *fake news*, o aproveitamento de experiências estrangeiras depende da identificação do problema a ser comparado e, exatamente, da proximidade dos ordenamentos a serem examinados.

No contexto brasileiro, a comparação poderia partir, inicialmente, de aspectos institucionais, sintetizados na seguinte pergunta: como o aparato estatal está aparelhado para o enfrentamento das *fake news*? Essa aproximação orgânica esbarraria, porém, em limitações decorrentes do critério de proximidade, já que a Justiça Eleitoral brasileira é fenômeno original, que não encontra paralelos.

De fato, um organismo que congrega funções administrativas – compreendendo aí o exercício do poder de polícia nas eleições –, normativas, consultivas e jurisdicionais no campo eleitoral é um traço institucional muito próprio da realidade brasileira, o que dificulta o aproveitamento de exemplos estrangeiros.

Para além dessa "comparação institucional", é possível buscar, num plano mais amplo, objetos de pesquisa que se encontrem presentes na pauta de discussões de diferentes países, especialmente temas de fundo, relacionados com os bens jurídicos que são afetados pela proliferação de *fake news* ou que podem ser vulnerados pelas ações estatais que as combatem.

Nesse último campo, é indiscutível a recorrência da discussão em torno da tensão existente entre o combate às *fake news* e a liberdade de expressão, direito fundamental intimamente relacionado com o exercício da cidadania e com a construção de um efetivo regime democrático. Em suma, deve-se questionar até que ponto uma ação diligente do Estado contra a proliferação de *fake news* não acarreta um déficit no discurso democrático e na liberdade que os órgãos de imprensa têm para informar, para difundir as notícias.

Também nessa discussão o critério de proximidade deve ser perseguido, de modo a permitir que a busca de soluções para os problemas com a disseminação de notícias falsas no Brasil seja inspirada pelos ordenamentos que guardam maiores semelhanças com o direito brasileiro.

Em tema de liberdade de expressão, o Atlântico Norte separa duas concepções bastante distintas, que podem ser depreendidas da simples leitura dos documentos normativos básicos que consagram esse direito fundamental.

De um lado, há a experiência norte-americana, que se pauta pela norma inscrita na Primeira Emenda à Constituição dos Estados Unidos, segundo a qual,

> o Congresso não fará lei relativa ao estabelecimento de religião ou proibindo o livre exercício desta, ou restringindo a liberdade de expressão ou de imprensa, ou o direito do povo de reunir-se pacificamente e dirigir petições ao governo para a reparação de seus agravos.

A interpretação que a Suprema Corte americana conferiu à Primeira Emenda ao longo dos anos consagra um verdadeiro *laissez faire* discursivo nos Estados Unidos, sendo constitucionalmente reconhecido o direito de mentir, como reafirmado em 2012 no julgamento do caso *United States v. Alvarez*.

No sistema norte-americano, as ações estatais de combate às *fake news* são, por força da Primeira Emenda, altamente limitadas, o que faz com que os autores acabem recomendando medidas relacionadas a organizações não governamentais, aos provedores de aplicação e de acesso ou às próprias entidades da mídia. Ante a uma liberdade de expressão praticamente absoluta, pouco resta ao poder público no combate à proliferação de notícias falsas.

As propostas debatidas nos Estados Unidos são basicamente de medidas não governamentais para o combate das *fake news*. A primeira delas é o incentivo à criação de agências de checagem de fatos (*fact-checking*), num processo que permitiria combater a desinformação com um maior acesso da população a notícias corretas e submetidas a um controle de fontes que garanta a sua fidedignidade.

Essa alternativa de ação tem o mérito de proteger ao máximo a liberdade de expressão, mas sua eficácia no contexto atual tem sido questionada. Inicialmente, as próprias agências de checagem de fatos sofrem ataques em sua parcialidade, o que acaba por diminuir a eficácia de suas avaliações e por reforçar o discurso impulsionado pelas notícias falsas.

Ademais, a checagem de fatos exige uma estrutura ampla de pesquisa de fontes e de acesso à informação, com custos consideráveis. Assim, as agências de *fact-checking* são poucas e não conseguem responder tempestiva a integralmente à pletora de *fake news* que circula nas redes sociais. Especialmente no campo das eleições, a checagem de fatos consegue acompanhar os grandes pleitos, mas as disputas locais ficam fora de seu alcance, até mesmo porque os veículos tradicionais de imprensa estão cada vez menos presentes no interior dos grandes países, como os Estados Unidos.[23]

Muito próxima da checagem está a ideia de se criar uma lista de sítios, notícias e postagens livres de *fake news*, que receberiam um selo de confiabilidade ou, para utilizar a expressão inglesa, um *trustmarker*. Mais uma vez, questões simples põem em xeque a execução da proposta: quem faz essa lista de sítios confiáveis? Quais os critérios a serem utilizados? Quem controla a execução desse serviço? Em que medida seria possível mapear todo o universo virtual que está disponível na rede mundial de computadores?

Uma terceira proposta debatida no contexto norte-americano é a remodelagem do negócio praticado pelas plataformas de internet, afastando-se a lógica do *click for cash*. Se não houvesse lucro pelo simples ato de acessar uma determinada página, não haveria, por consequência, estímulo à divulgação de notícias sensacionalistas ou manipuladas para chamar a atenção de internautas. O obstáculo a essa remodelagem é evidente: como esperar a alteração de um modelo de negócio a partir da ação daqueles que lucram com ele?

---

[23] HASEN, Richard L. Cheap speech and what it has done (to American democracy). *First Amendment Law Review*, v. 16, Symposium 2017, p. 200-231, 2018. p. 209.

Igualmente dependente das próprias plataformas é a ideia de se aprimorar os algoritmos que ordenam a distribuição de informação nas redes sociais. Com isso, seria possível um mapeamento automático de *fake news*, com a veiculação de alertas para aqueles que buscam determinadas notícias. Aqui o problema que se põe é a definição dos critérios para essa filtragem, que sempre poderão expressar as preferências dos programadores, com a introdução de um viés nas plataformas e nos buscadores da internet e, por consequência, com a possibilidade de imposição de censura.

Por fim, muito debatida é a educação midiática, a formação do consumidor para que identifique notícias falsas e seja capaz de separar, por si mesmo, as fontes confiáveis daquelas que podem ser instrumentos de disseminação de desinformação. A medida é altamente louvável e necessária, entretanto, sua implantação requer tempo e seus resultados não são infalíveis, já que pessoas instruídas e com altos níveis de formação igualmente são vulneráveis às notícias falsas.

De qualquer modo, todas essas medidas pressupõem um conjunto de pessoas e de organizações que convivem nos ambientes virtuais com boa-fé, o que nem sempre ocorre. Quando as ações dos atores da desinformação são deliberadas, o arcabouço normativo norte-americano, vinculado a uma concepção quase absoluta da liberdade de expressão, não tem respostas mais incisivas, além da reafirmação da própria liberdade de expressão.

É o que pode ser sintetizado na seguinte passagem do voto do *Justice* Brandeis no julgamento, pela Suprema Corte dos Estados Unidos, do caso *Whitney v. California* (1927), um dos grande precedentes sobre liberdade de expressão: "if there be time to expose through discussion the falsehood and fallacies, to avert the evil by the process of education, the remedy to be applied is more speech, not enforced silence".

Por outro lado, o constitucionalismo europeu e, posteriormente, o direito comunitário estabelecem limites claros à liberdade de expressão, buscando a proteção de outros bens juridicamente relevantes. Desse modo, uma declaração constitucionalmente legítima nos Estados Unidos pode gerar, por exemplo, uma condenação criminal na Alemanha.

A Convenção Europeia de Direitos do Homem expressa essa compreensão, como se pode depreender da redação de seu art. 10:

Liberdade de expressão

1. Qualquer pessoa tem direito à liberdade de expressão. Este direito compreende a liberdade de opinião e a liberdade de receber ou de transmitir informações ou ideias sem que possa haver ingerência de quaisquer autoridades públicas e sem considerações de fronteiras. O presente artigo não impede que os Estados submetam as empresas de radiodifusão, de cinematografia ou de televisão a um regime de autorização prévia.

2. O exercício destas liberdades implica deveres e responsabilidades, pode ser submetido a certas formalidades, condições, restrições ou sanções, previstas pela lei, que constituam providências necessárias, numa sociedade democrática, para a segurança nacional, a integridade territorial ou a segurança pública, a defesa da ordem e a prevenção do crime, a protecção da saúde ou da moral, a proteção da honra ou dos direitos de outrem, para impedir a divulgação de informações confidenciais, ou para garantir a autoridade e a imparcialidade do poder judicial.

Esses deveres de responsabilidade referidos no art. 10(2) da Convenção permitem, no contexto europeu, uma maior interferência do Estado no discurso público, limitando a liberdade de expressão em nome dos valores constitucionalmente relevantes que são mencionados no dispositivo. Assim, a remoção de conteúdos das redes sociais e a punição de determinadas manifestações antijurídcas se tornam possíveis, o que incrementa a efetividade do combate às *fake news*.

Exemplo maior desse processo é a lei alemã de tutela jurídica das redes sociais ou, em alemão, a *Netzwerkdurchsetzungsgesetz (NetzDG)*, de outubro de 2017. Essa lei impõe às plataformas da internet a primeira responsabilidade pela identificação e remoção de notícias falsas ou de postagens tachadas de "obviamente ilegais", punindo-as com multas de até 50 milhões de euros por falhas na execução desse controle.

A legislação alemã ainda instituiu um severo sistema de notificação e remoção de conteúdos (*notice and take down*). As plataformas são obrigadas a manter canais auditáveis de denúncia de notícias falsas e ou manifestações ilegais, como as que expressam discursos de ódio, assumindo o dever de removê-las no prazo de 24 horas ou, em casos complexos e justificados, em, no máximo, 7 dias.

Como garantia da liberdade de expressão, a lei germânica prevê que as plataformas responsáveis pela remoção de conteúdos garantam a sua restauração, nos casos em que se tenha uma limitação indevida ou desproporcional ao discurso dos usuários.

Ainda no contexto europeu, são inúmeras as decisões judiciais que limitam a manifestação nas redes sociais, com reflexos nos processos eleitorais, seja para coibir notícias falsas, seja para limitar o impacto de informações potencialmente lesivas, como ocorre no caso do direito ao esquecimento, consagrado, entre outras decisões do Tribunal de Justiça da União Europeia, no caso *Google vs. Agência Espanhola de Proteção de Dados e Mario Costeja Gonzalez*.

Tendo presentes os traços mais marcantes desses dois sistemas de proteção da liberdade de expressão e suas repercussões no campo do combate às *fake news*, é possível examinar a legislação brasileira e o modo como foi aplicada no decorrer do processo eleitoral de 2018 para o cargo de Presidente da República.

## *Fake news* e direito eleitoral brasileiro

A Constituição brasileira de 1988 segue o modelo europeu: não há uma liberdade de expressão absoluta, como se pode depreender do disposto nos incisos IV e V do art. 5º do texto constitucional e de uma série de decisões do Supremo Tribunal Federal e do Superior Tribunal de Justiça.

Entretanto, nas discussões sobre *fake news*, não raro surge o argumento de que a intervenção do Estado no combate à sua proliferação seria uma censura, uma violação à liberdade de expressão, direito esse que teria – na visão desses críticos – uma dimensão tão ampla quanto aquela que se retira da Primeira Emenda à Constituição americana.

Essa tendência pode decorrer do fato de que os provedores de aplicação comumente associados à difusão de notícias falsas são, em sua grande maioria, empresas norte-americanas, sendo natural que busquem transpor para o Brasil os ambientes normativos com os quais estão acostumados em seu país de origem e que viabilizou – ao longo dos anos – a gestão de seus negócios.

Entretanto, por mais que essas plataformas tenham sido desenvolvidas em contextos de liberdade de expressão exacerbada, o impacto de sua utilização no Brasil deve ser medido sob a métrica da Constituição Federal, cujas normas se aproximam muito mais daquelas que vigoram na União Europeia e em Estados europeus que já enquadraram legalmente as *fake news*, como é o caso da Alemanha, por meio da citada *NetzDG*.

Ou seja, ao contrário do que muito se argumenta, não se tem no Brasil o mesmo contexto de blindagem do discurso que se verifica nos Estados Unidos, sendo dada ao Estado – por meio de seus diferentes órgãos, como a Justiça Eleitoral – a competência para coibir violações à honra, à intimidade, à imagem, bem como para garantir o respeito pela dignidade da pessoa humana.

E essas competências estão presentes no plexo de poderes da Justiça Eleitoral, na qualidade de ente promotor da integridade dos pleitos no Brasil.

As regras sobre propaganda eleitoral, que se aplicam ao ambiente virtual, permitem o controle de conteúdos que sejam contrários à honra, à imagem, à intimidade, às diferentes crenças, bem como daqueles que gerem a desinformação.

Assim, a Justiça Eleitoral pode determinar, com base no art. 57-D da Lei das Eleições (Lei nº 9.504/1997), a remoção de conteúdos "que contenham agressões ou ataques a candidatos em sítios da internet, inclusive redes sociais". Essas remoções devem ser efetuadas com todos os cuidados, para afetar na menor escala possível a liberdade de expressão.

Essa é a orientação que se tem no art. 33 da Resolução nº 23.551/2017, do Tribunal Superior Eleitoral, segundo o qual a atuação da Justiça Eleitoral em relação "a conteúdos divulgados na internet deve ser realizada com a menor interferência possível no debate democrático".

Por outro lado, as decisões devem ser precisas na indicação dos conteúdos ilegais, permitindo às plataformas que atuem de maneira cirúrgica na remoção dos conteúdos e tolhendo a liberdade de expressão dos usuários na medida no necessário. Nesse sentido, o art. 33, §3º, da Resolução nº 23.551/2017, passou a exigir que as petições iniciais das representações relativas a postagens na internet contenham, sob pena de nulidade, a indicação das respectivas URLs.

Ao longo da campanha presidencial de 2018, o Tribunal Superior Eleitoral foi provocado para a remoção de conteúdos publicados em diferentes redes sociais, sendo bastante parcimonioso no deferimento de ordens judiciais para tal fim.

Nesse período foram distribuídas 448 representações aos três ministros indicados para exercer a função de juízes auxiliares da propaganda eleitoral, na forma do art. 96, §3º, da Lei das Eleições. Dessas, somente um décimo discutiam notícias falsas em redes sociais, sendo bastante reduzido o número de provimentos de remoção de conteúdo.

Dos três juízes auxiliares da propaganda, o Ministro Luís Felipe Salomão adotou uma postura de defesa mais ampla da liberdade de expressão, identificando a internet como um ambiente privilegiado de debate político, no qual não haveria espaço para censura, mas somente para a concessão de direito de resposta. Nesse sentido, o decidido, por exemplo, na Representação nº 0601697-79, cuja decisão foi publicada em 17.10.2018.

Já os Ministros Sérgio Banhos e Carlos Horbach aplicaram o disposto no art. 57-D da Lei das Eleições, determinando a remoção de postagens veiculadores de *fake news*, por se enquadrarem na categoria de "afirmações sabidamente inverídicas" a que se refere a legislação eleitoral, bem como de outras cuja ilegalidade decorria de sua natureza caluniosa, injuriosa ou difamatória.

Essas decisões, entretanto, foram raras, até mesmo porque foram adotados critérios objetivos a ensejar a interferência jurisdicional no debate político levado a cabo na internet. Nesse contexto, considerou-se a existência de contraditório na própria rede social: se nos comentários lançados na postagem já se esclarecia que ela continha notícia falsa, promovendo-se o esclarecimento do usuário, não haveria razão para a intervenção jurisdicional. Por outro lado, somente seria justificada a interferência judicial nos casos em que as postagens impugnadas tivessem capacidade de atingir um número considerável de eleitores, apresentando, portanto, potencial lesivo ao equilíbrio das eleições. Como exemplo de decisão empregando esses critérios, pode ser citada a Representação nº 0601765-21, rel. Min. Sérgio Banhos, publicada em 17.10.2018.

Ademais, os julgados nessa matéria buscaram identificar quais conteúdos poderiam ser efetivamente classificados como *fake news*, de modo a não se promover a remoção de manifestações amparadas pela liberdade de expressão. Assim, postagens que repercutiam matérias jornalísticas acompanhadas de comentários dos usuários, por mais ácidas e incisivas que fossem, não foram enquadradas como conteúdos passíveis de remoção, como decidido na Representação nº 0601274-14, rel. Min. Carlos Horbach, publicada em 18.09.2018. Do mesmo modo, charges e as chamadas "memes" também não foram consideradas *fake news*, exatamente porque pressupõe a manipulação da verdade como objeto de humor, tal como decidido na Representação nº 0601727-09, rel. Min. Carlos Horbach, publicada em 17.10.2018.

Além de remover conteúdos, também pode a Justiça Eleitoral assegurar o direito de resposta na internet, na forma do art. 57-D da Lei das Eleições, de modo a restabelecer a verdade, promovendo a correta informação do eleitor. Nas eleições presidenciais de 2018, a maior parte dos direitos de resposta foram dirigidos a redes sociais, nas quais os usuários foram obrigados a publicar, com o mesmo destaque e mesma duração das postagens ofensivas, os esclarecimentos dos candidatos, como se pode verificar no julgamento da Representação nº 0600934-70, rel. Min. Carlos Horbach, publicada em 15.09.2018, que envolveu a plataforma *Youtube*.

A legislação brasileira proíbe, ainda, a utilização da internet com o objetivo de falsear a origem das informações, como preconizado pelo art. 57-B da Lei das Eleições, bem como tipifica como crime "a contratação direta ou indireta de grupo de pessoas com a finalidade específica de emitir mensagens ou comentários na internet para ofender a honra ou denegrir a imagem de candidato, partido ou coligação" (art. 57-H, §1º, da Lei das Eleições), o que busca impedir o desenvolvimento de redes artificiais de difusão de notícias falsas.

É, por fim, importante registrar que, desde 1965, o Código Eleitoral prevê, em seu art. 323, o crime de veiculação de informação sabidamente falsa na propaganda eleitoral, no que é totalmente aplicável à internet e às modernas *fake news*.

## Considerações finais

A realidade das *fake news*, como visto, não passou ao largo das eleições presidenciais brasileiras de 2018, estando presentes no Brasil os mesmos motivos que potencializam a sua disseminação ao redor do mundo.

O ordenamento constitucional brasileiro, ao contrário do que ocorre em outros países, como os Estados Unidos, por exemplo, permite restrições à liberdade de expressão, em especial para a garantia de valores constitucionalmente consagrados, não consubstanciando essas restrições a atos quaisquer de censura. Nesse contexto, a legislação eleitoral brasileira confere ao Poder Judiciário ferramentas idôneas para controlar a lisura do debate eleitoral em meio virtual, retirando conteúdo, suspendendo acesso a aplicações e responsabilizando aqueles que promovem a desinformação e que dela se beneficiam.

O Tribunal Superior Eleitoral e os demais órgãos da Justiça Eleitoral têm os instrumentos necessários para combater de modo diligente as *fake news* e o fizeram ao longo das eleições presidenciais de 2018, ainda que orientados pelo princípio da mínima intervenção, de modo a resguardar ao máximo a liberdade de expressão.

Ou seja, mesmo aparelhado para o enfrentamento dos desafios postos pelas *fake news*, o TSE optou pela autocontenção, demonstrando que as novas tecnologias são passíveis de submissão ao regime jurídico das liberdades públicas, preservando-se os direitos fundamentais associados à plena realização do regime democrático.

## Referências

ANCEL, Marc. *Utilidade e método do direito comparado*. (Trad. Sérgio Porto). Porto Alegre: Sergio Antonio Fabris Editor, 1980.

BARON, Sandra; CROOTOF, Rebecca. *Fighting fake news*: workshop report. New Haven: Yale University. 2017. Disponível em: https://law.yale.edu/system/files/area/center/isp/documents/fighting_fake_news_-_workshop_report.pdf. Acesso em 12 dez. 2019.

BELL, John. The relevance of foreign examples to legal development. *Duke Journal of Comparative & International Law*, v. 21, 2011.

CALVERT, Clay; VINING, Austin. Filtering fake news through a lens of Supreme Court observations and adages. *First Amendment Law Review*, v. 16, Symposium 2017, p. 153-177, 2018.

COLETA, Alessandra Menezes Dela; COLETA, Marília Ferreira; GUIMARÃES, José Luiz Guimarães. O amor pode ser virtual? O relacionamento amoroso pela internet. *Psicologia em Estudo*, Maringá, v. 13, n. 2, p. 277-285, abr./jun. 2008.

DAVID, René. *Os grandes sistemas do direito contemporâneo*. 2. ed. (Trad. Hermínio Carvalho). São Paulo: Martins Fontes, 1993.

HASEN, Richard L. Cheap speech and what it has done (to American democracy). *First Amendment Law Review*, v. 16, Symposium 2017, p. 200-231, 2018.

INTERNET LIVE STATS. *Internet users by country*. 2016. Disponível em: http://www.internetlivestats.com/internet-users-by-country/. Acesso em 29 nov. 2019.

POLITIZE! *Notícias falsas e pós-verdade: o mundo das fake news e da (des)informação*. Disponível em: http://www.politize.com.br/noticias-falsas-pos-verdade/. Acesso em 11 dez. 2019.

SCARCIGLIA, Roberto. *Introducción al derecho constitucional comparado*. (Trad. Juan José Ruiz). Madrid: Dykinson, 2011.

SUSSMAN, Leonard R. Censor dot Gov: the Internet and press freedom 2000. *Journal of Government Information*, v. 27, n. 5, p. 537-545, Set./Out. 2000.

TAMBINI, Damian. Fake news: public policy responses. *Media Police Brief*, London: Media Policy Project, London School of Economics and Political Science, v. 20, p. 4-11, 2017.

TUSHNET, Mark. Comparative constitutional law. *In*: REIMANN, Matthias; ZIMMERMANN, Reinhard (Ed.). *The oxford handbook of comparative law*. Oxford: Oxford University, 2006.

WARDLE, Claire. Fake news. It's complicated. First Draft. Disponível em: https://medium.com/1st-draft/fake-news-its-complicated-d0f773766c79. Acesso em: 06 fev. 2020.

ZWEIGERT, Konrad; KÖTZ, Hein. *Introduction to comparative law*. 3. ed. (Trad. Tony Weir). Oxford: Clarendon, 2011.

---

Informação bibliográfica deste texto, conforme a NBR 6023:2018 da Associação Brasileira de Normas Técnicas (ABNT):

HORBACH, Carlos Bastide. Liberdade de expressão nas redes sociais: o caso das *fake news* nas eleições presidenciais brasileiras de 2018. *In*: COSTA, Daniel Castro Gomes da; FONSECA, Reynaldo Soares da; BANHOS, Sérgio Silveira; CARVALHO NETO, Tarcisio Vieira de (Coord.). *Democracia, justiça e cidadania*: desafios e perspectivas. Homenagem ao Ministro Luís Roberto Barroso. Belo Horizonte: Fórum, 2020. t. 1: Direito eleitoral, política e democracia. p. 195-210. ISBN 978-85-450-0748-7.

# REFORMA POLÍTICA E O PARLAMENTARISMO

### IVES GANDRA DA SILVA MARTINS

Honra-me participar de livro em homenagem ao caro amigo e eminente jurista, Ministro Luís Roberto Barroso, uma das mais belas expressões da história do constitucionalismo brasileiro.

Nada obstante algumas divergências doutrinárias, no curso de nossa longa amizade e convivência em livros, palestras e trabalhos "pro bono" a favor de um repensar da Federação brasileira, não posso deixar de reconhecer em Luís Roberto Barroso uma permanente inquietação em tornar o Brasil uma nação de mais em mais respeitável no concerto mundial. É possível que esta sua visão de uma Pátria maior tenha-o levado a abraçar o consequencialismo jurídico em suas palestras, livros, artigos e até mesmo em decisões judiciais.

Muito mais velho que o eminente Professor, continuo, entretanto, na visão dos constitucionalistas que, ao defenderem a harmonia e a independência dos poderes, continuam a se bater para que o Poder Judiciário deva ser apenas um legislador negativo, confirmando a visão do Ministro Dias Toffoli, ao declarar, em repetidas palestras, que cabe ao Poder Legislativo pensar o futuro, ao Executivo administrar o presente e ao Judiciário decidir sobre o passado.

O tema escolhido pelos ilustres coordenadores, Ministros Reynaldo Soares da Fonseca, Tarcísio Vieira Neto, Sérgio Silveira Banhos e o Professor Daniel Gomes da Costa não poderia ser mais atual, tendo sempre sido da preocupação do preclaro homenageado, como deste velho professor de direito, inclusive quando juntos trabalhamos, em 2012, na Comissão nomeada pelo Presidente do Senado José Sarney para repensar o pacto federativo.

Eu mesmo, quando presidi por dois anos a Comissão de Reforma Política da OAB-SP, comissão esta de altíssimo nível que, entre seus 12 membros, contava com figuras do porte dos ministros Alexandre de Moraes e Nelson Jobim, dos Professores Ney Prado, Dirceu Torrecillas, Almino Afonso, Dalmo Dallari, José Afonso da Silva (vice-presidente), Maria Garcia e Samantha Ribeiro Meyer Pflug, lutei para apresentar, com meus eminentes pares, sugestões, e o fizemos, em 12 anteprojetos ao governo federal, infelizmente, não examinados pela Comissão do Congresso à época, do

Presidente Temer, mais preocupada com o financiamento das campanhas do que com uma reforma política. À ocasião, em nossos anteprojetos articulados, defendemos: (1) o voto distrital misto, com eleições proporcionais para metade dos representados e não o voto em lista, a fim de não haver a eternização dos donos de partidos, num país com tal pulverização de legendas; (2) cláusula de barreira; (3) equilíbrio de representação populacional para a Câmara dos Deputados, já que a igualdade entre unidades federativas é dada no Senado, assim como muitas outras sugestões.

Não chegamos a avançar em tema que me é muito caro, desde os tempos que presidi o Partido Libertador em São Paulo, entre 1962 e 1964, qual seja: o sistema parlamentar de governo, o qual chegara a ser discutido e aprovado na Comissão de Sistematização da Constituinte, em 1987, sendo derrubado no Plenário pelo Grupo "Centrão", em face da pressão do então Presidente Sarney e dos parlamentares liderados pelo Deputado Roberto Cardoso Alves.

É este tema que volto a debater neste artigo, resgatando posições que remontam aos bancos acadêmicos do Largo de São Francisco (1954/58).

É fundamental lembrar que, das 20 maiores democracias do mundo, 19 são parlamentaristas e apenas os Estados Unidos são presidencialista, segundo Arend Lijphart, em seu livro *Democracies,* cujas edições da década de 80 continuam atuais.

Passo a expor brevemente minha posição.

Apesar de ter votado, no plebiscito, pelo parlamentarismo monárquico, sem ser monarquista, o certo é que, em 1984, como solução para sair do sistema político anterior, a eleição direta era o melhor caminho. Engajei-me inteiramente na luta, que permitiu, num primeiro passo, a eleição de Tancredo Neves. A sua vitória sobre o candidato do Governo e, depois, a Emenda Constitucional nº 26/86 geraram a mais democrática Constituição do País: a de 1988.

Vivemos hoje uma democracia, graças aos méritos desta Constituição que, apesar de sua excessiva pormenorização e defeitos inequívocos, traz na espinha dorsal os anticorpos jurídicos para a estabilidade das instituições e a garantia do regime democrático, assegurando os direitos individuais e o equilíbrio dos Poderes, que se autocontrolam.

Deve-se tal equilíbrio ao fato de nossa lei suprema ter sido estruturada para um sistema parlamentar de governo, ideal, como já disse, frustrado nas discussões finais do texto, em plenário da Constituinte, com o que alguns dos mecanismos de controle dos poderes, próprios do parlamentarismo, remanesceram no texto brasileiro.

Inicialmente, convém ressaltar que os autores divergem sobre a conformação conceitual do presidencialismo e do parlamentarismo, entendendo uns que correspondem a autênticos sistemas e outros a regimes jurídicos de exercício do poder. Particularmente, prefiro a expressão sistema a regime, por ser o regime uma ordenação inserida num sistema. Neste artigo, entretanto, fugirei do debate semântico e concentrarei minhas reflexões sobre os aspectos que os diferenciam.

Neste ponto, três são os tipos clássicos de sistemas de governo, a saber: o parlamentar, o presidencial e o misto. No presente estudo abordarei, pois, cada um deles.

Não se pode dizer que o parlamentarismo principiou na Inglaterra. A tripartição dos poderes já era conhecida na Grécia, sendo que Aristóteles falou em Poder de Legislar, de Executar e de Julgar.

Existe um consenso de que o modelo inglês deve ser compreendido como o início do moderno parlamentarismo, que se inaugura em 1688, quando os Stuarts deixaram o poder, derrubados por uma revolução não sangrenta, e Guilherme de Orange deu origem a uma nova dinastia colocada pelo povo. Por essa razão, ao consultar a Câmara dos Comuns para organizar o seu governo, o fez de acordo com a vontade dos representantes do povo, isso, em 1689.

Na minha visão pessoal, as sementes do parlamentarismo encontram-se na revolução dos barões ingleses contra João Sem Terra, em 1214, que terminou por impor ao monarca perdulário uma "Constituição" (Magna Carta Baronorum), em 1215. Por ela, os direitos dos súditos restavam assegurados, os barões passavam a influenciar na decisão do monarca e os tributos não podiam ser aumentados no próprio ano, mas deveriam ser propostos no ano anterior para serem cobrados no seguinte.

Este princípio chamado de "princípio da anualidade" objetivava permitir ao súdito de sua majestade saber o que deveria destinar às arcas do tesouro real e aquilo que poderia ficar para os seus negócios, podendo, assim, planejar sua vida pelo período de um ano.

A gradativa perda de poder da Câmara dos Lordes para a criação da Câmara dos Comuns, ocorrida nos séculos seguintes, culminou com a revolta de Crownwell e a decapitação do rei inglês, acusado de traição à pátria por seus vínculos com outros países continentais.

Antes, todavia, da implantação da monarquia parlamentar, a Inglaterra conhecera monarcas absolutos, nada obstante a Magna Carta Baronorum, sendo Henrique VIII – cujos insuperáveis desejos de alcova alteraram inclusive a religião oficial do arquipélago – e sua filha Isabel, exemplos marcantes de um poder sem limites sobre as leis e sobre as representações populares.

Somente a partir de 1688 instala-se, pela primeira vez, um sistema parlamentar de governo, em que o rei é mero Chefe de Estado, mas não do governo, sendo este escolhido pelos representantes do povo, eleitos para a Câmara dos Comuns, isto é, eleitos pelos cidadãos da Grã-Bretanha.

É este sistema de governo que predomina na Inglaterra até hoje, sendo o Parlamento o responsável pela escolha dos governantes e o rei o responsável pelo poder moderador e fiscalizador do Parlamento e do governo.

O regime presidencialista, por sua vez, não possui raízes tão remotas. Decorre de uma opção dos Estados Unidos, quase 100 anos depois, ao se libertarem da Inglaterra pela revolução que surgiu por causa do aumento da carga tributária gerada pelas leis "Towsend".

Por ele, o presidente da República é eleito diretamente pelo povo e governa o país ao lado do Parlamento, também eleito de igual forma, mas cuja função reside exclusivamente em produzir as leis e controlar o governo.

No presidencialismo americano, o presidente assume até hoje a chefia do Estado (representação do país) e a chefia do governo (administração do país), cabendo ao Parlamento controlar seus atos ao lado do Judiciário, e promulgar as leis, cuja constitucionalidade é examinada pelos magistrados americanos. A força do Parlamento, que é reconhecidamente a mais forte Casa Legislativa de todos os países presidencialistas, decorre da sua origem britânica, ao ponto de muitos autores entenderem que o sistema de governo americano ou é um "Parlamentarismo Presidencial" ou é um "Presidencialismo Parlamentar". O Parlamento nunca foi dissolvido e, muitas vezes, impôs aos presidentes suas normas, como, por exemplo, ao manter os direitos e as garantias individuais, com o apoio da Suprema Corte, durante a guerra entre o Norte e o Sul, apesar de o Presidente Lincoln desejar suspender aquelas garantias naquele período.

São esses os dois sistemas de governo que, mantidos em seus países de origem, foram seguidos pelas outras nações.

Para que se possa compreender os sistemas de governo é fundamental, porém, que se esclareça um outro ponto de particular relevância, que é a forma de Estado.

Os países hoje são unitários ou federativos.

Nos países unitários, o governo é central e suas decisões valem para todo o território, nos limites da Constituição. Não há nos países unitários esferas autônomas de poder. A França é um país unitário, assim como Espanha, Portugal, Itália e outros, muito embora os governos municipais, distritais ou regionais gozem de uma certa liberdade de ação em assuntos de seu peculiar interesse.

Nos países federativos, ao contrário, há esferas autônomas de poder.

A diferença entre autonomia e soberania reside na limitação da "autonomia" em face do Poder Central e na ilimitada capacidade que a "soberania" oferta ao Poder de dizer e fazer cumprir a lei. Os Estados "soberanos" só encontram limite na soberania de outros países em sua área de influência. As comunidades "autônomas" estão sujeitas ao Poder Central.

Após a independência dos Estados Unidos, discutiu-se longamente, na preparação da Constituição, se os Estados deveriam ser "confederados" ou "federados". Na "Confederação", Estados "soberanos" se unem numa comunidade de interesses, como ocorre hoje com a União Europeia. Na "Federação", Estados "autônomos" subordinam-se a um Poder Central, que, todavia, respeita as esferas de poder outorgadas pela Constituição, no concernente à liberdade política, administrativa e financeira definidas pela lei suprema.

O custo político da Federação é maior do que o dos países unitários, posto que há necessidade, em uma democracia, da eleição e escolha dos governantes nas diversas esferas de poder, o que não ocorre nos países unitários, na maior parte das vezes. Nestes, muitas vezes existem eleições para as esferas de poder "não autônomas", mas em "concepção unitária" do Poder Central, como ocorre na França e na Inglaterra.

Decidiram os constituintes da Filadélfia que os Estados Unidos deveriam ser uma "Federação" de Estados autônomos e não uma "confederação" de Estados soberanos. Os "Estados" autônomos são representados perante a comunidade das nações pelo poder central, enquanto os Estados "soberanos" se autorrepresentam.

As grandes federações do mundo são os Estados Unidos, o Canadá, a Alemanha, a Áustria, a Austrália, a Suíça, sendo o Brasil e a Argentina também países federativos.

O Brasil é a única federação entre as nações desenvolvidas que dá ao Município esfera própria e autônoma de poder, o que se pode atribuir à força do municipalismo na formação histórica brasileira.

Neste aspecto, conta com mais 5.500 entidades federativas de burgos, que possuem a tríplice autonomia que caracteriza uma federação, ou seja: autonomia financeira, autonomia administrativa e autonomia política.

Diante deste quadro, existem questões que são reiteradamente suscitadas.

Argumenta-se que as Federações não podem possuir regimes parlamentares, pela multiplicação das esferas de poder. A Alemanha, entretanto, é uma federação e seu regime é parlamentarista.

O sistema parlamentar de governo no Brasil, após as turbulências do primeiro reinado, da regência e do início do reinado de D. Pedro II, teve início em 1847, sendo eliminado em 1889 com a proclamação da República. O período republicano foi mais turbulento que o monárquico. São Paulo e Minas comandavam o processo até 1930, sabendo-se de antemão quem seria o Presidente, independentemente das eleições, com intentonas como a dos 18 do Forte ou a Revolução de Isidoro. Getúlio impôs uma ditadura de 30 a 45, quando foi derrubado, voltando ao poder por eleições em 1950 e suicidando-se em 54. Houve a deposição de dois Presidentes em 55 (Café Filho e Carlos Luz). Eleito Juscelino, sofreu duas tentativas de golpes (Aragarças e Jacareacanga), anistiando, todavia, os militares rebeldes. Jânio renunciou em 1961. Jango foi afastado em 1964 e apenas em 1985 ocorreu a redemocratização, graças à luta dos advogados, utilizando-se a maior das armas para o seu sucesso, qual seja: a palavra.

Com a Constituição de 1988, após o plebiscito de 1993, adotou o Brasil, a forma definitiva do presidencialismo.

O presidencialismo clássico não é o americano. Este foi apenas o primeiro sistema criado. A tradição inglesa de Parlamento forte fez da experiência americana uma experiência ímpar, pois que o Parlamento nunca perdeu sua dignidade, desde a preparação da Carta Magna daquele país, este ano completando 232 anos, pois promulgada com sete artigos em 1787.

O presidencialismo clássico, entretanto, foi aquele desenvolvido por todos os países que procuraram copiar a solução americana, sem a mesma tradição parlamentar.

Hegel, que contestou Montesquieu, de quem foi aluno espiritual, pretendia criar um poder ideal, ao contrário do Mestre, que não se iludia sobre a natureza humana.

O presidencialismo clássico, em que na figura de um homem só se concentra a essência do poder, torna-o mais vulnerável às tentações próprias de quem detém a força e, com o tempo, com ele se identifica, transformando aqueles sobre os quais governa, não em seus superiores a quem deveria servir, mas em seus inferiores os quais devem lhe obedecer.

O sistema presidencial de governo tem como seu núcleo básico a rígida separação de poderes, na medida em que cabe ao Legislativo produzir a lei, ao Executivo executá-la e ao Judiciário julgar sua constitucionalidade ou garantir sua aplicação.

Nos diversos sistemas presidenciais, o Presidente eleito pelo povo governa, mas necessita obter do Legislativo os meios legais para fazê-lo. Por esta razão, Montesquieu, relembro, dizia que, no sistema de controle tripartido, "o poder controla o poder".

No Brasil, após a Constituição de 1988, o modelo presidencialista adotado ofertou mais força ao Congresso Nacional, o que fez, pela primeira vez, do Presidente um governante mais fraco que no passado, e do Parlamento um Congresso mais forte que os anteriores.

A razão deste enfraquecimento do Executivo perante o Legislativo deveu-se ao fato de todo o perfil da Constituição de 1988 ter sido preparado para um governo parlamentar, como já disse, apenas na undécima hora tendo optado, os constituintes, pelo sistema presidencialista.

No momento em que houve súbita mudança de rota no decorrer dos trabalhos da Constituinte, não mais foi possível alterar os demais dispositivos, com o que o Brasil já tem, hoje, um sistema mais semelhante ao americano, com acentuado fortalecimento do Congresso Nacional.

Nem por isso, o Presidente da República, que governa com seus ministros por ele escolhidos e é escolhido por voto direto, individual e secreto, perdeu o direito de legislar em casos de urgência e relevância.

Assim é que, por medidas provisórias, pode editar normas com força de lei, que vigorarão por 60 dias (artigo 62 da Constituição Federal) devendo ser posteriormente aprovadas pelo Congresso. Rejeitadas ou não aprovadas nesse período, perdem a sua eficácia, podendo ser preservado o período de sua vigência provisória, se nada dispuser o Congresso em 60 dias para regular as relações jurídicas das medidas provisórias nascentes. Pode haver prorrogação pelo mesmo prazo.

Pode ainda legislar por leis delegadas (artigo 68). A própria expressão esclarece que lei delegada é aquela produzida pelo Executivo com poderes autorizados pelo Legislativo.

Pode, todavia, o Poder Legislativo, no sistema presidencial brasileiro, sustar atos do Poder Executivo para preservar as prerrogativas do Congresso (artigo 49 inciso XL).

Os dois poderes, contudo, subordinam-se ao Poder Judiciário, no que tange à matéria de interpretação do Direito e sua aplicação a casos concretos.

Pelo §2º do artigo 103 da CF/88, o Poder Judiciário não pode legislar nem mesmo nas inconstitucionalidades por omissão do Legislativo, dispositivo que o Supremo Tribunal Federal nunca respeitou.

No sistema presidencial brasileiro, o Presidente é eleito por quatro anos com um vice-presidente (artigo 77).

Na ausência temporária dos dois ou na vacância do cargo, seus sucessores são o presidente da Câmara, do Senado e do Supremo Tribunal Federal, pela ordem (artigo 80).

Se o presidente e o vice não puderem governar, será declarada a vacância do cargo, devendo ser realizada eleição para o seu preenchimento em 90 dias, a não ser que a referida vacância se dê nos últimos dois anos, quando o Presidente será escolhido pelo Congresso Nacional em 30 dias (artigo 81).

De forma a possibilitar o regular exercício do poder, o Presidente pode escolher livremente os ministros de Estado, sem prévia consulta ao Congresso, sendo ainda assistido por dois Conselhos (da República e da Defesa Nacional) para assuntos de segurança ou de especial relevância (artigos 84, 89, 90 e 91).

No entanto, em casos de improbidade administrativa, violência às instituições ou crime comum, o Presidente pode sofrer processo de *impeachment*, com a possibilidade de ser afastado de suas funções (artigos 85 e 86).

O parlamentarismo clássico é o inglês ou o belga, posto que neles o chefe de governo é realmente aquele que governa.

O parlamentarismo clássico pressupõe o bipartidarismo ou o pluripartidarismo. Nos países em que o bipartidarismo dominou durante muito tempo, como na Inglaterra, tal parlamentarismo revestiu a forma de governo majoritário, ou seja, o partido que ganhava as eleições, em cada departamento, levava a totalidade dos votos. Hoje, o pluripartidarismo começa a infiltrar-se na Inglaterra. Nos países em que o pluripartidarismo prevalece, o modelo é consensual. O partido ou a coligação vencedora governa com participação de muitos partidos; inclusive de partidos minoritários.

O governo decorre, pois, de um consenso político, reflete-o e se orienta em tal linha. A Inglaterra tem, nos últimos anos, visto o fortalecimento de outras correntes partidárias, impondo, pela primeira vez, no atual governo, a busca de apoio com legendas menores.

No Brasil, para o plebiscito de 1993, diversos movimentos surgiram em defesa do sistema parlamentar de governo.

A corrente republicana, de maior força, propôs um modelo semelhante àquele hoje em vigor na França e em Portugal.

O Chefe de Estado seria o Presidente da República eleito por pleitos diretos, no estilo do sistema presidencial vigente.

O Presidente da República, todavia, não governaria. Representaria o país em solenidades, receberia a indicação do Congresso para a formação do governo e poderia, nos casos colocados na Constituição, dissolver o Congresso antes do tempo para uma consulta popular.

O Gabinete, com um Primeiro Ministro escolhido pelo Parlamento, seria quem governaria. O Parlamento detectaria as diversas correntes de opinião e escolheria um Gabinete que tivesse apresentado o plano de governo mais adequado para o momento.

Pela proposta republicana, o Gabinete escolhido não poderia ser dissolvido nos primeiros seis meses.

Por outro lado, o Congresso, se derrubasse sucessivos gabinetes, poderia ser dissolvido pelo Presidente da República com antecipação das eleições regulares. Na proposta republicana, o gabinete seria escolhido por deputados e senadores.

Prevaleceu o presidencialismo no plebiscito.

Assim, no parlamentarismo republicano, o Presidente eleito diretamente pelo povo tem sempre mais expressão política que o Primeiro Ministro e, em momento de crise, pode deflagrar processo de reformulação do sistema de governo. A França viveu esta experiência nos choques entre Chirac e Mitterrand, quando aquele era Primeiro Ministro, com filosofia de governo diversa do Presidente francês.

Há países, notadamente as Federações, que são bicamerais. Quase sempre a Casa Alta (Senado) representa as unidades federativas. Assim ocorre nos Estados Unidos e no Brasil.

No sistema presidencialista, o sistema bicameral não oferta problemas, embora o mesmo não se dê no sistema parlamentar.

A Câmara dos Lordes, na Inglaterra, por exemplo, não tem direito a voto para a escolha do primeiro-ministro e de seu Gabinete.

Por outro lado, o parlamentarismo republicano pretende ser consensual ou pluripartidário.

Na Grã-Bretanha, o sistema é majoritário. O partido que ganha as eleições (há o bipartidarismo) forma o gabinete com elementos apenas de sua facção política e o partido que perde fica na oposição até as próximas eleições.

Nos países pluripartidários, a formação do Gabinete é determinada por acordo firmado entre os partidos, razão pela qual Lijphart chama tal sistema parlamentar de "consensual".

Entre os instrumentos de controle do Gabinete pelo Legislativo estão a moção de censura e o voto de confiança.

Pela moção de censura, nas exposições dos Ministros que compõem o Gabinete perante o Parlamento, pode este censurar determinada linha da política governamental, impedindo que seja seguida, sem, entretanto, determinar a queda do Gabinete.

Pelo voto de confiança, se solicitado ao Parlamento e este negá-lo, o Gabinete deve renunciar e esperar a indicação de um novo Governo.

Neste ponto, ressalto que a expressão "voto de confiança", nos sistemas parlamentares de governo – cujo início dá-se em 1689, relembro, na Inglaterra, com o Governo de Orange, momento em que se separam as funções de Chefe de Estado e Chefe de Governo –, tem especial significado. Equivale a saber se o Chefe de Governo continua ou não a merecer o apoio do povo para governá-lo, expresso pela manifestação de seus representantes no Parlamento.

Isso porque o parlamentarismo é, por excelência, o sistema de governo representativo, visto que toda a sua conformação resta plasmada a partir das conquistas populares de coparticipação, no excelente laboratório em que a Inglaterra se transformou, por muitos séculos, para a experiência democrática.

O sistema parlamentar de governo propicia a plenitude do exercício democrático, em face de todas as correntes de pensamento nacional poderem ser representadas nas Casas Legislativas, permitindo, por outro lado, que, nas composições que se fazem necessárias para a formação de Gabinetes, os parlamentares escolhidos pelo povo exerçam sua força de representação, na indicação, participando e controlando o Gabinete encarregado de governar o país.

Os governos de um homem só, assim como aqueles originados das absolutas e despóticas monarquias ou ditaduras, não podem conviver com o sistema parlamentar, pois que neste a representatividade popular é essencial e não naqueles.

O presidencialismo, ao contrário, surge – nos modelos conhecidos, exceção feita à solução americana, que se constitui em um parlamentarismo presidencial – como versão atual das monarquias absolutas do passado.

O Presidente, uma vez eleito, é titular absoluto e, responsável por seu mandato, nomeando ministros e auxiliares, sem qualquer necessidade de controle e à revelia da vontade popular, eis que o eleitor que o escolhe tem os seus direitos políticos restritos ao voto periódico e nada mais.

Com pertinência, Raul Pilla entendia ser o presidencialismo um sistema de governo de "irresponsabilidade a prazo certo". Uma vez eleito o Presidente da República, o povo deveria suportá-lo, bom ou mau, até o fim do mandato. Se muito ruim, apenas a ruptura institucional poderia viabilizar a sua substituição, posto que a figura do *impeachment* é aplicável somente à inidoneidade administrativa e não à incompetência.

Contrariamente, o parlamentarismo é o sistema de governo da "responsabilidade a prazo incerto". O governo apenas se mantém enquanto merecer a confiança do eleitor. Se não, será substituído, com a crise política encontrando remédio institucional para sua solução.

O sistema parlamentar é, por outro lado, um sistema conquistado pelo povo. Nasce de suas aspirações e reinvindicações. Assim foi na Inglaterra e em todos os países em que se instalou.

Já o presidencialismo, pelos seus resquícios monárquicos, torna o Presidente da República um monarca não vitalício, constituindo-se em sistema outorgado pelas elites políticas dominantes, que sobre escolherem entre elas aqueles nomes que serão ofertados à disputa eleitoral, necessitam dos eleitores apenas para sua indicação.

Em outras palavras, no sistema parlamentar, o eleitor controla o Parlamento e este controla o governo, durante o mandato legislativo. No sistema presidencial, sobre não ter o eleitor o poder de escolha de uma gama variada de candidatos, mas somente entre os poucos elencados pela elite, sua participação política resume-se, exclusivamente, ao depósito de um voto na urna e nada mais.

O sistema parlamentar, para permitir esta corrente de mútuos controles, deve se alicerçar no voto distrital, de um lado, e no direito de dissolução do Congresso por parte do Poder Moderador, de outro. Este poder moderador existe nos sistemas parlamentares republicanos e monárquicos, sendo efetivo no republicano e dinástico no monárquico. Pode ser misto.

Na primeira estaca do sistema, o voto distrital permite que o eleitor conheça, conviva e controle o seu representante, que, por seu lado, depende da reeleição, no distrito em que vive e pelo qual concorre, de representar condignamente aqueles que nele depositaram o voto e a confiança.

Graças ao voto distrital, o Parlamento se transforma, efetivamente, na Casa de representantes de todos os segmentos e correntes do pensamento político, econômico e social de uma nação. A própria escolha, pelo parlamentar, do Gabinete que deve governar o país, será sempre exercitada com a preocupação de intuir a vontade de seu eleitor. Sua participação na escolha do governo e no seu controle, em verdade, transforma-o em *longa manus* da vontade popular.

Por outro lado, o direito do Chefe de Estado de dissolver o Congresso, se este derrubar Gabinetes constituídos, com muita frequência, traz elemento de estabilização às relações entre Parlamento e Gabinete, visto que, se "irresponsável" o Parlamento, poderá o Chefe de Estado consultar novamente o eleitor para saber se aquele Parlamento continua a merecer a confiança de seu eleitorado.

E a própria separação da figura de Chefe de Estado da do Chefe de Governo não permite que o Chefe de Estado seja envolvido em crises políticas, fator de equilíbrio que o presidencialismo não pode ofertar pela confusão na mesma pessoa de duas representações.

Não é sem razão que nas 21 únicas democracias estáveis que o mundo conheceu, sem solução de continuidade, de 1945 até 1984, 20 eram parlamentares e uma única presidencial (a americana).

Por outro lado, a experiência latino-americana, com o modelo presidencialista, é penosa, na medida em que a falta de mecanismos para solução de crises políticas tem levado todos os países que o adoraram, a regimes pendulares, os quais vão da ditadura à democracia precária e desta à ditadura.

O presidencialismo é, portanto, um sistema tendente à democracia, mas inibido pela sua origem e pela pouca confiabilidade do homem no poder, razão pela qual não poucas vezes trabalha contra a democracia.

O parlamentarismo, pela sua própria formulação de conquista popular, é um sistema plenamente democrático, motivo por que, nas muitas crises por que passa, encontra sempre formas renovadas de preservação da democracia e da vontade popular.

Entre o parlamentarismo puro e o presidencialismo puro colocam-se os sistemas mistos, como o francês e o americano.

Mister se faz, todavia, rápida observação: nos sistemas parlamentares puros, os partidos políticos se fortalecem e passam a representar as aspirações populares.

No presidencialismo puro, as estruturas partidárias são fracas, meros instrumentos institucionais para que as personalidades, nem sempre com elas identificadas, possam alçar-se ao poder.

Os partidos políticos são, portanto, instrumento do povo no parlamentarismo e das elites políticas dominantes no presidencialismo.

Os sistemas mistos parlamentaristas de que falávamos são aqueles em que se procura solução intermediária, ofertando menos participação governamental ao Chefe de Governo, que o dirige ao lado do Chefe de Estado.

Assim é que o Presidente da República, na França e em Portugal, indica determinados ministros que divergem e discutem com o chefe de governo a política que deva ser adotada no país.

A solução não nos parece ideal, na medida em que, por ser o Presidente da República não demissível e sê-lo o primeiro-ministro, nos impasses criados, se pertencentes a coligações partidárias ou partidos diversos, nem sempre encontram mecanismos de solução fácil, no arsenal jurídico-institucional.

Uma das críticas que os presidencialistas fazem ao sistema parlamentar de governo é a instabilidade econômica que as quedas de Gabinete podem provocar.

No sistema presidencialista brasileiro, frases mal interpretadas pela imprensa, segundo as autoridades, se proferidas pelo Presidente ou pelos Ministros da área econômica, são capazes de elevar o dólar, derrubar a Bolsa, pressionar a inflação ou criar pânico no mercado.

Segundo os presidencialistas, se tais fatos ocorrem em sistema mais estável, que dizer o que ocorrerá em cada queda de Gabinete e escolha de um novo.

Acontece que a maioria dos países que adotam o sistema parlamentar tem um mecanismo importante para enfrentar as crises políticas, qual seja: a independência do Banco Central.

Se o sistema de governo é parlamentar e os gabinetes podem ou não durar, em face do sucesso da política implantada, o Banco Central deve ser autônomo, com sua direção sendo eleita com mandato certo por um período determinado de anos (5, 6, 7 ou 8 anos), de tal maneira que as crises políticas não afetem a estabilidade econômica.

O Banco Central tem como função administrar a moeda. Dar-lhe estabilidade. Não permitir que seja corroída pela inflação.

Na proposta parlamentarista monárquica, o Banco Central seria autônomo, com diretoria eleita por prazo certo e com proibição absoluta de financiamento do Tesouro Nacional. A função do Banco Central seria, pois, a de garantir a estabilidade da moeda, não permitindo a sua corrosão pela inflação.

Em menor ou maior escala, tal independência do Banco Central ocorre em todos os países parlamentares civilizados.

É que a moeda é o grande elemento de estabilização de uma economia. Administrada sem interferências políticas, permite o controle adequado da inflação.

Não sem razão, os economistas declaram que a moeda, o contrato e a propriedade devem ser assegurados pelos sistemas jurídicos para a estabilidade econômica.

É de se lembrar que no presidencialismo americano, o Sistema de Reserva Federal (Banco Central) é autônomo.

O segundo aspecto de particular relevância para que o sistema parlamentar seja eficaz é o da burocracia profissionalizada.

Muitos dos críticos do sistema parlamentar alegam que, nas quedas de Gabinete, a Administração Pública resta desorganizada, visto que cada governo cria uma nova administração. Ora, até que o novo governo comece a administrar, haveria solução de continuidade em relação às administrações anteriores. Em outras palavras, o país ficaria parado durante a escolha de um Gabinete e no início dos trabalhos do novo Governo. Esta crítica não procede.

É que no Brasil formou-se a tradição presidencialista de que cada governo deve mudar, por inteiro, a Administração anterior. Conserva apenas os funcionários dos escalões inferiores e reformula, com amigos pessoais e sem experiência administrativa, todos os quadros superiores.

Dessa forma, cada Presidente, Governador ou Prefeito termina por começar a governar com pleno domínio da máquina, apenas alguns meses após a assunção ao cargo.

No sistema parlamentar de governo, de rigor, inexiste tal forma de procedimento típico do sistema presidencial.

Como há soluções institucionais para as crises políticas no sistema parlamentar – o que não existe no sistema presidencial, a não ser o traumático processo de *impeachment* –, os países que o adotam esculpem uma burocracia profissionalizada. Desta forma, nas crises políticas, o país continua a ser administrado por quadros de servidores especializados, ocupantes dos postos mais destacados do plano de carreira. Tais funcionários gerem a coisa pública, independentemente de controles políticos.

O que é, pois, burocracia profissionalizada? É a carreira do servidor público assegurada por concurso, promoção e estabilidade.

No Brasil atual, o servidor público concursado pode chegar no máximo a ser Chefe de Seção. Os demais cargos, denominados "cargos de confiança", são preenchidos por amigos dos que detêm o poder. No sistema parlamentar, a burocracia profissionalizada leva o servidor público à antessala do poder político.

O jornal *O Estado de São Paulo*, em 03.01.2015, página 03, mostrou que o Governo Dilma tinha mais de 113.000 servidores não concursados, enquanto Barack Obama tinha 4.000 e Ângela Merkel 600!!!

Outro aspecto de particular relevância diz respeito ao voto distrital. No Brasil, o sistema presidencial desconhece tal imprescindível realidade, tornando o eleitor um cidadão sem qualquer autoridade sobre o seu representante.

Pelo regime de eleições proporcionais em cada Estado, os deputados podem receber votos dos eleitores de todos os municípios, com o que não têm responsabilidade perante eles.

Uma vez eleitos, não respeitam nem os partidos a que se filiaram, nem aqueles que neles votaram, por não saberem quem são. Só voltarão a pensar no cidadão alguns meses antes das próximas eleições.

Os eleitores não participam do Governo, portanto, no regime proporcional, senão através da digitação de um nome nas urnas eletrônicas.

O voto distrital, contrariamente, permite o controle do eleito por seu eleitor.

Com efeito, o representante é obrigado a residir há algum tempo no distrito por onde concorrerá. Cada Estado é dividido em um determinado número de distritos. O candidato, pelo sistema distrital só poderá obter votos dentro de seu distrito, cabendo a cada partido indicar um candidato para aquela região. Ou mais, se a lei permitir.

Uma vez eleito, seu eleitor sabe onde ele reside, como procurá-lo, como apresentar suas reivindicações, assim como de que forma controlá-lo.

Um deputado eleito desta maneira certamente terá maior cuidado em cumprir suas promessas eleitorais, pois por elas será cobrado.

Cria-se, pois, um sistema em que o eleitor não é um mero detentor do direito de votar, sem qualquer outra ação, mas um real fiscalizador de seu representante no distrito em que está domiciliado.

Alguns países adotam o sistema eleitoral misto, ou seja, uma parte do Congresso é eleita pelo sistema distrital e outra pelo sistema proporcional ou em lista.

Aqueles que preferem o sistema proporcional podem concorrer em todo o Estado. Preservam-se, desta forma, as possibilidades das grandes lideranças nacionais, que não ficam restritas exclusivamente à sua base distrital. Permite-se, de outro lado, que as lideranças locais apareçam e prestem sua colaboração sob o controle do eleitor.

A Alemanha, que adota o sistema distrital misto, para o voto não distrital exige que os candidatos participem de uma lista de partidos e cada partido pelo percentual eleitoral que obteve elegerá os primeiros candidatos de sua lista. A lista pela ordem numérica será feita dentro dos partidos, exigindo, pois, maior fidelidade de seus membros. Estes subirão, com o tempo, na lista, se desejarem concorrer pela eleição em lista, até chegarem ao topo da mesma.

Este é o sistema vigente na Alemanha. Portugal segue sistema semelhante.

Outros três institutos jurídicos políticos necessários para o funcionamento do parlamentarismo são a fidelidade partidária, a representação populacional e a redução do número de partidos.

Costuma-se criticar, no Brasil, o parlamentarismo, em tese reconhecido como um sistema mais civilizado de governo, à luz da inexistência de partidos políticos. A tese é simples: enquanto o país não tiver partidos políticos, o país não pode ser parlamentarista, visto que este sistema depende dos partidos políticos.

Tenho rebatido esta crítica dizendo que enquanto o país não for parlamentarista, o Brasil não terá partidos políticos. Só o parlamentarismo possibilita o surgimento de partidos ideológicos fortes. Normalmente, um partido de direita, um de esquerda e um de centro, com pequenas variações como de centro esquerda e centro direita.

Os países presidencialistas não têm partidos políticos fortes, visto que, no presidencialismo, os partidos são menos importantes que as pessoas. Estas é que governam e não as estruturas partidárias. Os Estados Unidos não têm partidos políticos ideológicos. Os dois existentes são patrimonialistas (Partido Republicano e Democrata) e têm conotação liberal.

O Brasil não possui partidos políticos. Possui conglomerados, legendas de aluguel, e alguns deles lutando para ter perfil de partido político, sem o conseguirem plenamente.

A necessidade de redução do número de partidos é, pois, imposição, assim como o estabelecimento da fidelidade partidária. Ninguém é dono de seu voto. Goza o candidato, no sistema parlamentar de governo, da estrutura partidária, por isso não pode deixá-la sem perder, em regra, seu mandato para o seu suplente imediato.

Com a fidelidade partidária, os partidos se fortalecem no parlamentarismo e facilitam a reaglutinação de ideias em torno de programas de governo.

Outro aspecto relevante para um funcional sistema parlamentar de governo é a reformulação da representação dos Estados no Parlamento.

Hoje, praticamente 2/3 do Congresso são controlados por 1/3 dos eleitores nacionais e, via reflexa, 1/3 do Congresso por 2/3 dos eleitores. Criaram-se duas categorias de eleitores, os de primeira linha, que são da região norte-nordeste-centro-oeste, e os de segunda linha, que estão na região centro-sul.

Se o país não reformular a representação para reduzir tais distorções, correr-se-á o risco de se ter um Parlamento capaz de formar Gabinetes constituídos pela expressão maior do menor número de eleitores e não a representação paritária de todos os eleitores.

Cada brasileiro deveria ter o mesmo valor e a mesma densidade eleitoral, razão pela qual se impõe a reformulação da representação nacional no Parlamento brasileiro. É de se lembrar que a igualdade federativa encontra-se no Senado, onde cada Estado tem o mesmo número de Senadores. Não na Câmara dos Deputados.

O sistema parlamentar de governo é um sistema de controles mútuos. O eleitor controla o Parlamento que, por seu turno, controla o Gabinete. O Chefe de Estado, por outro lado, controla o Parlamento através do mecanismo da dissolução antecipada do Congresso e da convocação de novas eleições, se a Casa Legislativa eleita não der sustentação a sucessivos Gabinetes, provocando sucessivas crises políticas.

O Chefe de Estado, no sistema parlamentar monárquico, é o Rei, que tudo observa e tem como função precípua, nos termos constitucionais, defender o povo contra os governos.

Nos republicanos, o chefe de Estado desenvolve essas funções, eleito direta ou indiretamente.

Se um Parlamento aprova sucessivos votos de desconfiança para os Gabinetes, por intermédio do Parlamento, cabe ao Chefe de Estado consultar o povo, com novas eleições, perguntando-lhe se aquele Parlamento que não confia nos Gabinetes que elege continua, por sua vez, a merecer a confiança do povo.

Em algumas monarquias, o poder de dissolução antecipada é instrumento político, que pode ser usado pelo próprio Chefe de Governo, como é o caso da Inglaterra, em que o sistema, todavia, é majoritário. Até há pouco, apenas dois partidos disputavam o poder sem dar chance a outros, visto que no sistema distrital nunca conseguiam, em nenhum distrito, obter cadeiras, derrotando os candidatos do Partido Trabalhista ou Conservador.

Hoje, o quadro já mudou com o aparecimento de novas estruturas partidárias, como já disse atrás.

No mais das vezes, entretanto, tal defesa da cidadania é exercida pelo Monarca, nos termos da própria Constituição ou pelo Presidente, nas Repúblicas Parlamentares.

No Brasil, a dissolução incondicionada do Congresso seria fundamental para que o parlamento fosse responsável. Se a Constituição criar hipóteses raras e de difícil ocorrência para a dissolução, uma certa irresponsabilidade passará a revestir o Congresso. Na dissolução incondicionada, não.

Dizem os políticos que o que mais apavora os parlamentares é a eleição. E ter que, mais cedo do que se esperava, enfrentar novas eleições, por não ter sido o Parlamento responsável ao administrar crises políticas ou ao escolher Gabinetes, é algo que termina por gerar maior responsabilidade nos congressistas.

Nas Federações, por fim, nada impede que o sistema parlamentar possa ser adotado nas demais unidades federativas. À evidência, nestas circunstâncias, não há necessidade de um Chefe de Estado para as unidades federativas das demais esferas.

O sistema parlamentar funcionaria, no Brasil, com regras definidas para as hipóteses de dissolução antecipada, que poderia ser deflagrada pelo último Chefe de Governo ou pelo Chefe de Estado.

## Conclusão

Com base em todo o exposto, entendo que o momento é de amadurecimento das instituições e o Brasil necessita, de uma vez por todas, abandonar aquelas que trazem resquícios das monarquias absolutas, visto que, no presidencialismo, o Poder Executivo é hipertrofiado e os Poderes Legislativo e Judiciário enfraquecidos.

Só teremos plenitude democrática e uma carta suprema mais estável, se abandonarmos, definitivamente, o sistema presidencial de governo, principal causa de todas as crises políticas que vivemos no século XX e começo do XXI.

Estou convencido de que apenas sairemos das crises sucessivas em que o país tem se envolvido politicamente, com dois *impeachments* presidenciais dos 5 (cinco) eleitos, um atentado que quase levou à morte o atual presidente, o encarceramento de um terceiro presidente, assim como prisão provisória, rapidamente suspensa, de um quarto presidente, eleito como vice-presidente, se adotarmos o parlamentarismo.

Aos 84 anos, não renuncio aos meus ideais dos 18 anos, quando entrei na Faculdade de Direito da USP, de lutar pelo mais moderno e mais controlável dos poderes pelo povo, em que a "responsabilidade a prazo incerto" do Parlamentarismo impõe-se à "irresponsabilidade a prazo certo" do presidencialismo.

Vale pelo menos a pena refletirmos sobre o tema, principalmente no livro em homenagem a tão ilustre jurista, oportunidade esta que não poderia perder de prestar-lhe minha admiração, uma vez mais.

## Referências

BARACHO, José Alfredo de Oliveira. *Regimes Políticos*. São Paulo: Ed. Resenha Tributária, 1977.

BARACHO, José Alfredo de Oliveira. *Simpósio Minas Gerais e a Constituinte*, Fase I, Ed. Assembleia Legislativa do Estado de Minas Gerais, abril de 1986.

BASTOS, Celso Ribeiro. *Curso de Direito Constitucional*. Belo Horizonte: Ed. Saraiva, 1989.

BASTOS, Celso Ribeiro; MARTINS, Ives Gandra da Silva. *Comentários à Constituição do Brasil*. Belo Horizonte: Ed. Saraiva, 1988-1998. 15 v.

BOBBIO, Norberto. *Teoria das Formas de Governo*. Brasília: Ed. UnB, 1997.

CORRÊA, Oscar Dias. *A Constituição de 1988 Contribuição Crítica*. Rio de Janeiro: Forense Universitária, 1991.

CRETELLA JR., J. *Comentários à Constituição 1988*. Rio de Janeiro: Forense Universitária, 1989. v. 1-4.

FERREIRA FILHO, Manoel Gonçalves. *Comentários à Constituição Brasileira*. Belo Horizonte: Ed. Saraiva, 1986.

FERREIRA, Pinto. *Comentários à Constituição Brasileira*. Belo Horizonte: Saraiva, 1989.

GRAÇA WAGNER, José Carlos. *Os partidos políticos*. Brasília: Editora PrND; IASP, 1985. (Curso Modelo Político Brasileiro, VI).

HART. *The Concept f Law*. Oxford: Ed. Clarendon, 1962.

LIJPHARD, Arend. *Democracies*. New Haven: Ed. Yale University Press, 1984.

LOCKE, John. *Dois tratados do Governo Civil*. São Paulo: Martins Fontes, 1998.

LOEWENSTEIN, Karl; DERECHO, Ariel. *Teoria de Ia Constitución*. Barcelona: Ariel, 1986.

MARTINS, Ives Gandra da Silva. *A separação de poderes no Brasil*. Brasília: Editora PrND; IASP, 1985. (Curso Modelo Político Brasileiro, IV).

MARTINS, Ives Gandra da Silva. *O Direito em frangalhos*. Belém: CEJUP, 1989.

MARTINS, Ives Gandra da Silva. *Roteiro para uma Constituição*. Rio de Janeiro: Ed. Forense, 1987.

MARTINS, Ives Gandra; BASTOS, Celso (Coord.). *Parlamentarismo ou Presidencialismo?* Rio de Janeiro: Ed. Forense; Acad. Internacional de Direito Econômico e Economia, 1987. (Série Realidade Brasileira, II).

MONTESQUIEU, Charles de Secondat. Baron de. *O espírito das leis*. São Paulo: Martin Claret, 2010.

OLIVEIRA, Raymundo Farias de. Males congênitos do nosso Presidencialismo. *Jornal O Estado de S. Paulo*, p. 44, 11 jan. 1987.

RATACHESKI, Alir. *Do parlamentarismo, na futura Constituição*. Curitiba: Imprimax, 1985.

SOUZA JR., Cezar Saldanha de. *A crise da Democracia no Brasil*. Rio de Janeiro: Forense Universitária, 1978.

TEIXEIRA, J. H. Meirelles. *Curso de Direito Constitucional*. Rio de Janeiro: Forense Universitária, 1991.

WEBER, Max. *Duas vocações*: Política e Científica. Brasília: Ed. UnB, 1991.

WINTER, Luís Alexandre Carta. *O Parlamentarismo e a experiência Brasileira*. Curitiba: Dias Editora, 1983.

ZIPPELIUS, Reinhold. *Teoria geral do Estado*. 3. ed. Trad. Karin Praefke-Aires Coutinho. J. J. Gomes Canotilho (Coord.). Lisboa: Fundação Calouste Gulbenkian, 1997.

---

Informação bibliográfica deste texto, conforme a NBR 6023:2018 da Associação Brasileira de Normas Técnicas (ABNT):

MARTINS, Ives Gandra da Silva. Reforma política e o parlamentarismo. *In*: COSTA, Daniel Castro Gomes da; FONSECA, Reynaldo Soares da; BANHOS, Sérgio Silveira; CARVALHO NETO, Tarcisio Vieira de (Coord.). *Democracia, justiça e cidadania*: desafios e perspectivas. Homenagem ao Ministro Luís Roberto Barroso. Belo Horizonte: Fórum, 2020. t. 1: Direito eleitoral, política e democracia. p. 211-226. ISBN 978-85-450-0748-7.

# INDIVISIBILIDADE DA CHAPA NAS ELEIÇÕES MAJORITÁRIAS

**LUIZ EDSON FACHIN**
**FRANCISCO GONÇALVES SIMÕES**

## 1   Introdução

A questão que se propõe é a seguinte: pode o Judiciário Eleitoral acolher a pretensão de postulantes aos cargos eletivos distribuídos pelo sistema majoritário de cindirem suas chapas, de modo que o candidato a titular do cargo, ou o seu vice, possa sustentar isoladamente sua candidatura?

O debate perpassa a compreensão da questão sob o enfoque de um regime de governo democrático, desempenhando a função de instrumento para a garantia de observância da vontade popular, e deve ser filtrada pelas normas constitucionais que assentam que a eleição de Presidente, Governador e Prefeito importa na eleição do vice-candidato registrado na mesma chapa. Por fim, cumpre cotejar o tema, sob o pálio da existência de um ato de vontade, com as hipóteses legais de substituição de candidatos em casos de inelegibilidade, renúncia, indeferimento ou cancelamento de registro eleitoral e, por fim, de falecimento.

O tema ainda encontra campo aberto de discussão nos julgados do C. Tribunal Superior Eleitoral, conforme se extrai das discussões havidas durante o julgamento do Recurso Especial Eleitoral nº 93-09.2016.6.05.0113 (Relator Min. Luís Roberto Barroso, Publicação: *DJe* de 16.8.2019), revelando-se de fundamental importância para as eleições de 2020, a serem realizadas em 5.570 Municípios da República Federativa do Brasil.

É, pois, na democracia e para a democracia que se volta essa reflexão de natureza acadêmica.

## 2   O valor da indivisibilidade das chapas como elemento do Estado de Direito Democrático

O conceito de Estado de Direito democrático não raro é desafiador, uma vez que permite que nele se agreguem diversos condicionantes, elementos mínimos e, para cada um desses significantes, o desenvolvimento de um significado próprio da ordem democrática, informado por uma ideologia própria. Há, nada obstante, patamares indispensáveis.

Um desses pressupostos é o integral respeito à Constituição que construiu o Estado e a sociedade em 1988.

A Constituição da República é a antítese do regime autoritário. O Estado de Direito democrático e suas cláusulas pétreas inseridas na Constituição de 1988 colhem sua melhor síntese no discurso que o então Presidente da Assembleia Constituinte proferiu por ocasião da cerimônia de promulgação do texto. Disse Ulysses Guimarães: "[...] discordar, sim. Divergir, sim. Descumprir, jamais. Afrontá-la, nunca [...]". Sustentar, ainda que em tese, atos de exceção de qualquer forma ou natureza não corresponde ao que a Constituição construiu; ao contrário, ofende a democracia, os direitos e as garantias individuais.

Para os fins do debate proposto, é suficiente reconhecer que se apresenta como saliente sintoma positivo de um Estado de Direito democrático realizar-se eleições periódicas, nas quais o sufrágio é exercido de forma livre, igualitária, secreta e universal, consubstanciando-se num importante instrumento para a caracterização de uma democracia.

Por se tratar do conceito necessário para o aprofundamento da questão, não se deve limitar o conceito de democracia por meio da simples repetição do seu significado originário na língua grega, adotando-se, aqui, a compreensão de Bonavides, de que é:

> Aquela forma de exercício da função governativa em que a vontade soberana do povo decide, direta ou indiretamente, todas as questões de governo, de tal sorte que o povo seja sempre o titular e o objeto, a saber, o sujeito ativo e o sujeito passivo do poder legítimo.[1]

Acrescente-se à percepção de que a vontade do povo decide as questões de governo a pertinente observação de Neto, no sentido de que, atualmente, distinguem-se, na democracia, três aspectos fundamentais, dentre os quais:

> É um princípio legitimador, ou seja, faz do demos, o povo, o detentor capaz de efetuar escolhas, decidindo, portanto, como ordenar a sociedade mediante o consenso. Nesse ponto, não é aceitável a autoinvestidura, a supressão de poderes e direitos. Seria, como bem expressou Abrahan Lincoln, no discurso realizado em Gettysburg, em 19 de novembro de 1863, 'that government of the people, by the people, for the people'.[2]

Dentro desses limites, haure-se que a vontade manifestada pelo povo, por meio do voto, deve ser respeitada, em todas as suas dimensões.

Nessa senda, revela-se comum a afirmação de que a alternância do exercício do poder é um dos elementos constitutivos da própria ideia de democracia, com a

---

[1]  BONAVIDES, Paulo. A democracia direta, a democracia do terceiro milênio. *In*: BONAVIDES, Paulo. *A Constituição aberta*. 2. ed. São Paulo: Malheiros, 1996. p. 17.

[2]  NETO, José Guerra de Andrade Lima. Democracia: um instituto em constante construção. *In*: *Revista do Tribunal Regional Eleitoral de Pernambuco*, Recife, v. 15, n. 1, p. 14, dez. 2014.

remissão de que o povo[3] é o único titular do poder e da escolha de seus representantes para o exercício de cargos eletivos.

Contudo, cumpre assentar um contraponto. O regime democrático deve observar as condições necessárias para que a escolha feita pela população no certame eleitoral, elegendo representantes para o desempenho de um conjunto de programas de governo, seja respeitada e cumprida.

Não se está, por meio dessa afirmação, concedendo uma espécie de "cheque em branco" aos eleitos para que imponham, por quaisquer meios, as ideias e os projetos expostos durante a campanha eleitoral, sendo salutar a advertência de imperioso cumprimento e respeito à Constituição Federal e ao ordenamento jurídico pátrio.

O que se defende, dentro do campo restrito de análise aqui apresentado, é que a percepção de que a alternância de poder está adstrita ao entendimento de que à população deve-se propiciar a escolha de determinado projeto de governo e a sua experimentação para que possa, ao final, decidir pela reeleição daquele conjunto de propostas ou pela adoção de projeto diverso.

Em outros termos, a ideia de alternância de poder não se resume à simples sucessão governamental por integrantes de uma oposição, revelando-se mais consentânea com o entendimento de que incumbe ao eleitorado realizar escolhas conscientes, informadas e periódicas sobre os rumos que julga válidos para o governo, inclusive, quanto à eventual manutenção, ou não, do conjunto de propostas e ideias que lograram êxito no ciclo eleitoral imediatamente anterior.

Ao se transpor a questão do exercício do sufrágio com vistas à eleição de representantes do povo para o debate que se trava quanto à indivisibilidade das chapas formadas para a disputa de cargos no Poder Executivo, cumpre anotar, no ponto, distinção necessária quanto ao sistema eleitoral de distribuição de cargos adotado pela República Federativa do Brasil.

Como se sabe, o constituinte originário optou por adotar sistemas diferentes de distribuição de cargos conforme o cargo eletivo em disputa. Para aqueles vinculados ao Poder Executivo e aos integrantes do Senado da República utiliza-se o sistema majoritário, enquanto para todos os demais cargos do Poder Legislativo emprega-se o sistema proporcional, na modalidade de lista aberta.

Limita-se a presente discussão às disputas regidas pelo sistema majoritário,[4] com maior ênfase nos cargos do Poder Executivo, tanto em razão da existência de

---

[3] Não se desconhece a existência de amplo debate acadêmico sobre o conceito de povo e, sem adentrar profundamente à questão, prestigia-se conceito que atribui ao "povo" o exercício de capacidade eleitoral ativa, como o exposto por Afonso Arinos de Melo Franco, na edição de 22.8.1963 do Jornal do Brasil, e trazido por Paulo Bonavides: "Povo, no sentido jurídico, não é o mesmo que população, no sentido demográfico. Povo é aquela parte da população capaz de participar, através de eleições, do processo democrático, dentro de um sistema variável de limitações, que depende de cada país e de cada época". (BONAVIDES, Paulo. *Ciência Política*. 10. ed. São Paulo: Malheiros, 2000. p. 91).

[4] A doutrina classifica o sistema majoritário como simples ou absoluto. Embora a distinção não afete o resultado do presente estudo, registra-se a distinção, como exposta por Alvim: "Nesse sistema, pode-se exigir maioria relativa, quando baste que o candidato contabilize mais votos do que seus adversários, dispensando-se a obtenção de qualquer percentual, ou maioria absoluta, quando dele se exija que alcance número equivalente ao primeiro número inteiro acima da metade dos votos apurados, isto é, cinquenta por cento mais um. Quando se exija maioria absoluta, a vitória no certame pode demandar a realização de um segundo turno,

escassos registros jurisprudenciais – no tocante à divisibilidade/cindibilidade de chapas formadas para concorrer a cargos no Senado Federal[5] – quanto em razão da distinção de funções exercidas primariamente pelo Poder Executivo e pelo Poder Legislativo, distinção que permite diálogo com a compreensão de que o princípio da indivisibilidade das chapas opera como instrumento garantidor da democracia.

Exposta a limitação de contexto, e sem adentrar na discussão sobre as vantagens e desvantagens da permissão de reeleição para os cargos do Poder Executivo, é certo que da realização de eleições periódicas florescem benefícios para a população e para os partidários de determinado projeto de governo. Aquela se beneficia da possibilidade de renovar sua escolha quanto aos rumos e balizas que devem orientar a conduta de seus representantes eleitos na gestão da coisa pública, ou de substituí-la, caso a opção não se revele compatível com seus anseios. Estes, a seu turno, colhem a oportunidade de desempenhar a função pública eletiva e lhe imprimir sua visão de mundo, com a possibilidade de renovação de mandatos, caso a gestão seja aprovada pela população.

Seja por uma perspectiva, seja por outra, infere-se a essencialidade da questão temporal e constata-se a necessidade de existência de salvaguardas normativas assegurando que o cumprimento do mandato eletivo permitirá a transmutação das propostas de campanha em atos de gestão, propiciando aos eleitos que demonstrem a sua aptidão para o exercício da função e a aplicabilidade de suas ideias e projetos.

Ressalte-se, também, que, durante o curso do mandato, os eleitores poderão experimentar e avaliar o desempenho do governante e seu projeto de governo.

É sob esse prisma temporal que comparece, na qualidade de valor garantidor da democracia, a inserção da indivisibilidade das chapas no sistema majoritário de distribuição de cargos.

A racionalidade que se busca preservar por meio dessa unicidade é que haverá duas pessoas, igualmente eleitas por voto direto, igualitário, secreto e universal, para o desempenho de determinado projeto de governo.

O governo é de propostas e ideias, e não individualizado e centralizado na pessoa do governante, conforme o princípio da impessoalidade que rege a Administração Pública (art. 37, *caput* e §1º, da Constituição Federal de 1988).

As chapas formadas para a disputa no sistema majoritário de distribuição de cargos possuem papel mais alargado do que a mera garantia de sucessão do titular,

---

caso em que se fala de um sistema de dupla volta, também conhecido como ballotage. [...] No ordenamento pátrio, o sistema majoritário por maioria absoluta foi adotado para o 1º turno das eleicões de Presidente e Vice-Presidente, Governador e Vice-Governador, assim como as de Prefeito e Vice-Prefeito de cidades com mais de 200 mil eleitores (arts. 28, 29, II, 32, §2º, 46 e 77, 2º, CF), ao passo que o sistema majoritário de maioria relativa rege o 2º turno dos pleitos mencionados, além dos certames de Senador e, ainda, de Prefeito e Vice-Prefeito de Municípios cujo eleitorado não atinja a marca de 200 mil eleitores". (ALVIM, Frederico Franco. *Curso de Direito Eleitoral*. 2. ed. Curitiba: Juruá, 2016. p. 101-102).

5 Em pesquisa realizada no sítio eletrônico do Tribunal Superior Eleitoral (http://www.tse.jus.br/jurisprudencia/ decisoes/jurisprudencia) com o emprego dos vocábulos "senador" e "indivisibilidade", retornaram quatro resultados, dos quais apenas dois são de natureza judicial eleitoral: Recurso Ordinário nº 2098, Acórdão, Relator Min. Arnaldo Versiani, Publicação: *DJE* - Diário de justiça eletrônico, Volume, Tomo 147/2009, Data 4.8.2009, Página 103-104; e o RECURSO CONTRA EXPEDIÇÃO DE DIPLOMA nº 703, Acórdão, Relator Min. Felix Fischer, Publicação: *DJE* - Diário de justiça eletrônico, Volume, Tomo 166/2009, Data 1.9.2009, Página 38-39. Os outros dois registros tratam de *habeas corpus* abordando o tema da indivisibilidade da ação penal pública e uma Instrução para formação de Resolução de registro de candidaturas no ano de 2006.

servindo como elemento de endosso do cumprimento da vontade expressa pelo eleitorado nas urnas e, num segundo momento, permitindo a formação de vontade consciente e informada da população quanto à escolha eleitoral pela alternância ou manutenção de poder.

O tratamento da questão não se encontra restrito ao campo dos valores e princípios informadores da democracia e do Estado de Direito Democrático, encontrando reflexos também no ordenamento jurídico pátrio.

## 3  O tratamento normativo do tema

### 3.1  Nas Constituições Federais

A história constitucional brasileira revela variações quanto à aplicabilidade do princípio da indivisibilidade das chapas para cargos no Poder Executivo. Um breve percurso pode ser útil.

A Constituição Imperial de 1824 deixou de tratar do tema, que também não foi regulado pela Constituição da República dos Estados Unidos do Brasil de 1891, lendo-se apenas no art. 41, parágrafo único, que a eleição do presidente e do vice-presidente era simultânea.

O regime constitucional inaugurado em 1934 previu apenas a existência do Presidente da República, como se extrai de seu Capítulo III, Seção I, inexistindo, portanto, endereçamento da questão. A disposição normativa manteve-se durante a vigência da Constituição de 1937.

A redação original da Carta Constitucional de 1946[6] reinstituiu a figura do Vice-Presidente da República, ainda que de forma lacônica, incumbindo à Emenda Constitucional nº 9 de 1964 a reforma do *caput* do art. 81 e a inclusão do §4º em seu texto, inovando no tratamento da indivisibilidade das chapas para os cargos de Presidente e Vice-Presidente da República nos seguintes termos:

> Art. 81. O Presidente da República será eleito, em todo o País, cento e vinte dias antes do têrmo do período presidencial, por maioria absoluta de votos, excluídos, para a apuração desta, os em branco e os nulos. (Redação dada pela Emenda Constitucional nº 9, de 1964).
>
> [...]

---

[6]  Relata Olivar Coneglian que "[h]ouve tempos, no Brasil, em que a eleição do vice era nominal ou isolada: a) a chapa majoritária podia ter os dois candidatos; titular e vice; b) um partido podia registrar apenas o titular; c) um partido podia registrar apenas candidato a vice; d) o eleitor votava no titular e podia votar em qualquer vice, pois o voto não era vinculado.
Na eleição de 1960, o candidato a presidente Jânio Quadros tinha em sua chapa, como candidato a vice-presidente, Milton Campos. O candidato a presidente Mal. Henrique Teixeira Lott foi registrado com o candidato a vice João Goulart. Foram eleitos Jânio Quadros e João Goulart. E este assumiu a presidência da República, com a renúncia de Jânio". (CONEGLIAN, Olivar. *Eleições*: radiografia da Lei nº 9.504/97. 9. ed. Curitiba: Juruá, 2016. p. 28).

§4º O Vice-Presidente considerar-se-á eleito em virtude da eleição do Presidente com o qual se candidatar, devendo, para isso, cada candidato a Presidente registrar-se com um candidato a Vice-Presidente. (Incluído pela Emenda Constitucional nº 9, de 1964).

A mesma racionalidade sobre a indivisibilidade da chapa presidencial foi mantida na Constituição de 1967, ainda que tenha ocorrido a instituição de um Colégio Eleitoral em detrimento de eleições diretas e universais, como se lê em seu art. 79, §1º, que o "Vice-Presidente, considerar-se-á eleito com o Presidente registrado conjuntamente e para igual mandato, observadas as mesmas normas para a eleição e a posse, no que couber".

Anote-se, por zelo, que a Emenda Constitucional nº 1, de 1969, manteve disposição análoga em seu art. 77, §1º.

Reinstituído entre nós o Estado de Direito democrático, com a promulgação da Constituição Federal de 1988, manteve-se a previsão de que a eleição para os cargos de Presidente e Vice-Presidente da República ocorre por meio de chapa unificada. Nesse sentido, o texto do art. 77, §1º:

Art. 77. A eleição do Presidente e do Vice-Presidente da República realizar-se-á, simultaneamente, no primeiro domingo de outubro, em primeiro turno, e no último domingo de outubro, em segundo turno, se houver, do ano anterior ao do término do mandato presidencial vigente. (Redação dada pela Emenda Constitucional nº 16, de 1997).

§1º A eleição do Presidente da República importará a do Vice-Presidente com ele registrado.

No presente regime constitucional, a regra de eleição conjunta também se estende aos Governadores e Vice-Governadores, aos Prefeitos e Vice-Prefeitos, não por força do princípio da simetria, mas em decorrência de expresso comando constitucional, como se vê nos arts. 28, *caput*, e 29, inciso II:

Art. 28. A eleição do Governador e do Vice-Governador de Estado, para mandato de quatro anos, realizar-se-á no primeiro domingo de outubro, em primeiro turno, e no último domingo de outubro, em segundo turno, se houver, do ano anterior ao do término do mandato de seus antecessores, e a posse ocorrerá em primeiro de janeiro do ano subseqüente, observado, quanto ao mais, o disposto no art. 77.

Art. 29. [...]

II - eleição do Prefeito e do Vice-Prefeito realizada no primeiro domingo de outubro do ano anterior ao término do mandato dos que devam suceder, aplicadas as regras do art. 77, no caso de Municípios com mais de duzentos mil eleitores; (Redação dada pela Emenda Constitucional nº 16, de 1997).

Extrai-se, em suma, do texto constitucional, como expõe Almeida, que, no sistema vigente, o Vice-Presidente da República é registrado e eleito conjuntamente com o Presidente, seja pelo mesmo partido, seja por partidos coligados. Não é possível, [...], que o eleitor vote em um candidato a Presidente de uma chapa e em candidato a Vice de outra.[7]

## 3.2    Na legislação infraconstitucional vigente

No plano infraconstitucional, há dois diplomas normativos que capturam atenção para o tema.

O primeiro deles é o Código Eleitoral (Lei nº 4.737/65) que, apesar de vigente desde a ordem constitucional de 1946, foi editado após a EC nº 09/64, de modo que já contemplou a concepção de indivisibilidade de chapas que concorrem a cargos eletivos no Poder Executivo, como se vê em seu art. 91, *caput*:

> Art. 91. O registro de candidatos a presidente e vice-presidente, governador e vice-governador, ou prefeito e vice-prefeito, far-se-á sempre em chapa única e indivisível, ainda que resulte a indicação de aliança de partidos.

Já sob a vigência da Constituição Federal de 1988, foi editada a Lei Geral das Eleições (Lei nº 9.504/97), na qual se repetiu a norma contida nos dispositivos constitucionais já transcritos, nos seguintes termos:

> Art. 2º Será considerado eleito o candidato a Presidente ou a Governador que obtiver a maioria absoluta de votos, não computados os em branco e os nulos.
>
> [...]
>
> §4º A eleição do Presidente importará a do candidato a Vice-Presidente com ele registrado, o mesmo se aplicando à eleição de Governador.
>
> Art. 3º Será considerado eleito Prefeito o candidato que obtiver a maioria dos votos, não computados os em branco e os nulos.
>
> §1º A eleição do Prefeito importará a do candidato a Vice-Prefeito com ele registrado.

A reprodução da norma constitucional pela legislação ordinária não escapou à atenção da doutrina, sendo pertinente a anotação de Coneglian, no sentido de que:

> Do ponto de vista exclusivamente acadêmico, seria melhor que essa regra estivesse apenas na Lei, sem se alçar à condição de norma constitucional. Para aqueles que entendem que nossa Constituição é muito prolixa e constitucionaliza tudo, esse é um ponto que podia ser eliminado da Constituição, sem qualquer prejuízo ao direito.[8]

---

[7]    ALMEIDA, Fernando Dias Menezes de. Comentários ao art. 82. *In*: CANOTILHO, J. J. Gomes; MENDES, Gilmar Ferreira; SARLET, Ingo Wolfgang (Coords). *Comentários à Constituição do Brasil*. 2. ed. São Paulo: Saraiva, 2018. p. 1280.

[8]    CONEGLIAN, Olivar. *Eleições*: radiografia da Lei nº 9.504/97. 9. ed. Curitiba: Juruá, 2016. p. 27.

Retomando o argumento, extrai-se da harmonia de todos os textos normativos expostos o que a doutrina define como princípio da unicidade ou indivisibilidade da chapa, que na lição de Medeiros traduz a compreensão que:

> A chapa majoritária não pode sobreviver sem seus dois componentes, titular e vice: ausente um deles por qualquer motivo, fulmina-se a candidatura do companheiro, se não houver a devida substituição. Do mesmo modo, os votos atribuídos a um dos candidatos aproveitam necessariamente o seu companheiro de chapa.[9]

A aplicação desses dispositivos normativos e do próprio princípio da indivisibilidade das chapas incide sobre a integralidade do processo eleitoral.

Iniciando-se pela convenção partidária, indica Castro que o

> partido/coligação indicará seus candidatos às eleições majoritárias, formando as chapas, que incluem o titular (Presidente, Governador, Senador e Prefeito) e os vices ou suplentes (vice-presidente, vice-governador e vice-prefeito e 2 suplentes de senador).[10]

Ato contínuo ocorre no registro das candidaturas, momento em que se ressalta o alerta feito por Decomain, autor de nomeada e também egresso da Faculdade de Direito da centenária UFPR, mesmo sem mencionar os candidatos a Prefeito e vice, de que o debatido princípio opera de maneira tal que "não se admite candidatura isolada aos cargos de Vice-Presidente e Vice-Governador"[11] e, no mesmo sentido, complementa Cândido, que o "pedido de registro, destarte, deve ser de chapa completa, não subsistindo uma candidatura sem a outra", de modo que "deve-se indeferir o pedido de registro de candidatura de um nome a Governador, por exemplo, se não for substituído o nome de seu Vice julgado inelegível na mesma chapa e vice-versa".[12] O arremate é atribuído a Pinheiro, Sales, Freitas, de que é "indivisível o registro de candidatos".[13]

Também se sente os efeitos do princípio da indivisibilidade da chapa na propaganda eleitoral, uma vez que a legislação pertinente exige que sempre se faça presente e legível o nome do candidato à vice, inclusive estabelecendo limites mínimos proporcionais ao nome do candidato titular.

No dia do certame eleitoral, depreende-se a incidência do princípio no momento do exercício do sufrágio, pois como ilustra Oliveira "é proibido consignar-se o voto para o candidato a Governador de uma chapa e ao candidato a Vice-Governador de outra".[14]

---

[9] MEDEIROS, Marcílio Nunes. *Legislação Eleitoral Comentada e Anotada artigo por artigo*. Salvador: JusPodivm, 2017. p. 740.

[10] CASTRO, Edson de Resende. *Teoria e Prática do Direito Eleitoral*. 5. ed. Belo Horizonte: Del Rey, 2010. p. 100.

[11] DECOMAIN, Pedro Roberto. *Eleições*: comentários à Lei nº 9.504/97. Florianópolis: Obra Jurídica, 1998. p. 10.

[12] CÂNDIDO, Joel J. *Direito Eleitoral Brasileiro*. 16. ed. São Paulo: Edipro, 2016. p. 357, ambos.

[13] PINHEIRO, Célia Regina de Lima; SALES, José Edvaldo Pereira; FREITAS, Juliana Rodrigues. *Comentários à Lei das Eleições*: Lei nº 9.504/1997, de acordo com a Lei nº 13.165/2015. Belo Horizonte: Fórum, 2016. p. 15.

[14] OLIVEIRA, João Paulo. *Direito Eleitoral*. 3. ed. Salvador: JusPodivm, 2019. p. 209.

Finalizada a contagem dos votos, o princípio da indivisibilidade da chapa permite afirmar, conforme resumem Lucon e Vigliar, que a

> chapa una e indivisível significa que o voto atribuído ao Presidente, Governador ou Prefeito, automaticamente se estende aos respectivos vices. Ou seja, hoje, não há possibilidade de se eleger, isoladamente, o candidato a vice, haja vista ser a unidade inerente ao sistema majoritário.[15]

Em suma, conclui-se que nosso ordenamento jurídico assenta normas na Constituição Federal e na legislação ordinária que permitem estribar o princípio da indivisibilidade das chapas registradas para a disputa de cargos eletivos no Poder Executivo, produzindo efeitos em todos os momentos do processo eleitoral, desde as convenções partidárias até a proclamação dos eleitos.

Fixadas essas premissas normativas, que devem ser lidas em conjunto com o valor da indivisibilidade das chapas no Estado de Direito Democrático, seria açodado apontar que se trata de um dogma inafastável.

A existência de decisões da Corte Superior Eleitoral, nas quais houve a flexibilização do dito princípio, indica a necessidade de se cotejar a racionalidade desses julgados com as balizas fixadas anteriormente, para que se possa colher, ao final, um conjunto seguro de elementos para a tomada de decisão que importe, ou não, na cisão das chapas formadas para a disputa de cargos eletivos no Poder Executivo.

## 4   Do reconhecimento da possibilidade de cindir chapas pela Justiça Eleitoral

O Tribunal Superior Eleitoral já se debruçou sobre o princípio da indivisibilidade de chapas e, embora se colha de seus julgados exemplos em que se manteve íntegra a aplicação desse princípio, há uma linha de entendimentos que permite a sua relativização.

O presente estudo toma como ponto de partida o acórdão proferido no Recurso Especial Eleitoral nº 93-09.2016.6.05.0113, já referenciado, do qual se extrai que a origem do entendimento permissivo da superação do mencionado princípio está no julgamento dos Embargos de Declaração no Agravo Regimental no Recurso Especial Eleitoral nº 83-53.2016.6.09.0080, redator para o acórdão o Min. Luiz Fux, acórdão de 26.6.2018. Neste, encontram-se os seguintes fundamentos pertinentes para o presente debate:

> Em outras palavras: a impossibilidade do registro de uma chapa majoritária incompleta não deve conduzir, inexoravelmente, à total invalidação dos votos por ela amealhados, sobretudo quando a desarticulação da composição política (i) desponte de uma circunstância superveniente a um deferimento prévio ou inicial (o que gera para a chapa uma expectativa mínima no sentido de que a decisão positiva possa ser restaurada por este

---

[15] LUCON, Paulo Henrique dos Santos; VIGLIAR, José Marcelo Menezes. *Código Eleitoral Interpretado*. 3. ed. São Paulo: Altas, 2013. p. 123.

Tribunal Superior); (ii) ocorra em momento tardio, impossibilitando a substituição do candidato afetado; e (iii) incida sobre o candidato a Vice, sem a presença de circunstâncias excepcionais que o retirem da condição de mero adjunto no processo de canalização da preferência eteitoral. E não há qualquer heterodoxia nesse raciocínio.

Verifica-se que a proposta de flexibilização do princípio da indivisibilidade da chapa assenta-se em três premissas: a) o requerimento de registro de candidatura do candidato à vice é indeferido; b) que tenha havido o deferimento do pedido de registro de candidatura na origem; c) que o posterior julgamento que acarreta prejuízo à integralidade da chapa ocorra depois de encerrado o prazo legalmente previsto para a operação de substituição de candidatos ao pleito majoritário (art. 13, §3º, da Lei nº 9.504/97).

Cumpre, então, investigar, se tais premissas encontram óbice na concepção exposta alhures, quanto à inserção do princípio da indivisibilidade das chapas no ordenamento jurídico e seu papel no funcionamento da democracia, de modo a se revelarem aptas para afastarem as normas, de assento constitucional e infraconstitucional, de que as chapas compostas para a disputa de cargos do Poder Executivo são unas e incindíveis. É o que segue, uma a uma.

a) O indeferimento do pedido de registro de candidatura deve recair apenas sobre o candidato a vice:

O raciocínio que conduziu à premissa debatida acolhe como verdadeira uma segunda premissa afirmativa de que o eleitorado brasileiro costuma personalizar as candidaturas aos cargos do Poder Executivo na figura do candidato titular em detrimento da adoção de uma orientação calcada em critérios de política partidária e da exposição de programas de governo.

A premissa debatida colide com aquela consistente no reconhecimento da indivisibilidade das chapas como valor fundante da democracia representativa, pois rechaça a compreensão de que ambos os candidatos, de forma una e indivisível, são garantidores da execução futura das propostas e dos projetos de campanha.

Como já realçado alhures, trata-se de sustentação acadêmica apenas para fins de debate.

E quanto à percepção geral de que o candidato à vice não goza de identificação com o eleitorado e, portanto, seu alijamento da chapa indivisível pudesse ocorrer sem prejuízo do candidato titular, a fácil constatação de dissonância oriunda da história nacional, que se revela contumaz em apresentar hipóteses que desautorizam essa compreensão.

Há casos em que a formação de coligações partidárias aquilatou a quantidade de recursos do fundo partidário e de propaganda eleitoral gratuita que o candidato à vice agregou à chapa indivisível, sendo incalculável o impacto desses fatores sobre a formação da vontade do eleitorado.

De outro vértice, deve-se frisar que é possível a formação de chapas nas quais o candidato titular tem forte apelo popular e que seu vice, em contraposição, transita livremente em meios industriais e outros que valorizam a estabilidade e a lucratividade dos mercados em patamar superior às necessidades da população, de modo que a candidatura plurissubjetiva usufrui de apelo a um maior espectro de atores sociais.

Por fim, não se pode perder de vista que o exercício do sufrágio goza da prerrogativa de ser secreto, de forma que não se revela razoável a presunção de homogeneidade no contexto da descoberta que motiva cada eleitor a fazer a sua escolha no dia do certame eleitoral, devendo-se ressaltar a possibilidade de que o voto seja informado justamente em razão do candidato a vice representar algum valor caro ao eleitor ou, ainda, em manifestação de expressa rejeição ao candidato adversário.

A soma dessas ponderações indica que a premissa adotada no julgamento já citado não se revela perfeitamente amoldável a todas as hipóteses já encontradas na história eleitoral brasileira e, diante de um conjunto suficiente de elementos que valida o papel e a importância do candidato à vice, pode ser afastada.

b) Que tenha havido o deferimento do pedido de registro de candidatura na origem:

Aqui, revela-se necessário estabelecer, desde logo, a distinção da competência originária para o conhecimento, processamento e julgamento dos pedidos de registro de candidatura. De saída, sem embargo, impende registrar a razoabilidade do argumento, agora submetido à problematização.

A leitura dos arts. 22, inciso I, alínea 'a', 29, inciso I, alínea 'a' e 35, inciso XII, todos do Código Eleitoral, permite resumir a questão da competência, como o fez Gonçalves, nos seguintes termos: "a competência é dos juízes eleitorais, nas eleições municipais (Prefeito e Vereador), do TRE, nas eleições estaduais (Senador, Governador, Deputados Estadual, Distrital e Federal), e do TSE nas eleições para Presidente da República".[16]

Mantenha-se em perspectiva que essa premissa dialoga com a terceira – que admite a existência de indeferimento posterior do pedido de registro de candidatura – para se concluir que é necessário o manejo de recurso apto contra a decisão de deferimento do registro de candidatura.

Essa percepção da existência de uma fase recursal exclui da racionalidade analisada as hipóteses em que o indeferimento do registro de candidatura ao cargo de Presidente da República, ou de seu vice, estejam calcadas em fundamentos infra-constitucionais, importando em vulneração do princípio constitucional da isonomia (art. 5º, inciso II e art. 102, inciso III, alínea 'a', ambos da Constituição Federal).

Nesse ponto, também se revela o enfraquecimento da premissa pelo contraste com o tratamento uniforme e coeso contido na Constituição Federal para todos os cargos em disputa pelo sistema majoritário de votação.

Acrescente-se, ademais, que as situações que autorizam a juízo de excepcionalidade quanto ao princípio da isonomia exigem a demonstração de um discrímen suficiente para tanto. A existência de uma decisão anterior da Justiça Eleitoral, no sentido do deferimento da pretensão eleitoral, como elemento informador da boa-fé do candidato, revela-se insuficiente para esse intento.

---

[16] GONÇALVES, Luiz Carlos dos Santos. *Direito Eleitoral*. 3. ed. São Paulo: Atlas, 2018. p. 191.

Inicialmente, porque embora se deva sempre prestigiar o exercício da jurisdição originária, não se descarta a hipótese de *error in judicando* ou de *error in procedendo* na análise do pedido de registro de candidatura a ser corrigido pela instância imediatamente superior no exercício regular de sua competência.

Acrescente-se que a estruturação da hipótese analisada exige a existência anterior de alguma forma de impugnação ao requerimento de registro de candidatura e, a seu tempo e modo, o manejo de recurso apropriado, devendo-se alertar, no ponto, que a incerteza quanto ao resultado do julgamento das instâncias superiores impede que se atribua à expectativa de decisão recursal de procedência a força suficiente para afastar comando normativo de assento constitucional.

Ou seja, a expectativa da parte de manutenção da decisão recursal, especialmente em um sistema jurídico que ainda não internalizou completamente o sistema de precedentes oriundo da *commom law* (arts. 926 e 927, c/c 15, todos do Código de Processo Civil) e tampouco o papel de Cortes Superiores de precedentes, revela-se mais como uma manifestação de esperança do que uma expectativa fundada de direito calcada no entendimento solidificado e reiterado da jurisprudência.

É certo, em contraponto, que não se pode reconhecer, *ab initio*, agir o candidato, cujo registro foi impugnado, com má-fé, ao manter-se ativo na disputa eleitoral. Ressalte-se, em verdade, que a legislação eleitoral lhe permite prosseguir na campanha e na prática de todos os atos a ela inerentes até que o seu registro de candidatura seja decidido pelo Estado-Juiz, como bem se infere no art. 16-A da Lei nº 9.504/97.

> Art. 16-A. O candidato cujo registro esteja sub judice poderá efetuar todos os atos relativos à campanha eleitoral, inclusive utilizar o horário eleitoral gratuito no rádio e na televisão e ter seu nome mantido na urna eletrônica enquanto estiver sob essa condição, ficando a validade dos votos a ele atribuídos condicionada ao deferimento de seu registro por instância superior.

Desse modo, mesmo afastada a presunção de má-fé, é relevante frisar que a permissão legal transcrita condiciona a validade dos votos auferidos pelo candidato impugnado ao ulterior deferimento de seu pedido de registro de candidatura e, ao mesmo tempo, atribui a ambos os integrantes da chapa o ônus de suportar os efeitos da decisão final do Poder Judiciário, uma vez que o indeferimento do pedido de registro de um dos integrantes da chapa poderá fulminar ambas as candidaturas.

Em outras palavras, incumbe aos dois integrantes da chapa uma e indivisível aceitarem a álea de prosseguir com os atos de campanha, mesmo que o pedido de registro de candidatura de um deles tenha sido impugnado.

Repele-se, no ponto, qualquer pretensão de reconhecimento de responsabilidade objetiva, pois a decisão de lançarem-se candidatos em chapa indivisível é precedida de debates e entabulações políticas.

A prévia ciência dos elementos que podem lastrear a impugnação do pedido de registro de candidatura, e sua aceitação posterior, importa no reconhecimento de que o candidato sem máculas aceita vincular o desfecho de sua pretensão à de seu companheiro de chapa.

Portanto, mesmo admitida a boa-fé do candidato impugnado sob o pálio do art. 16-A da Lei das Eleições, há expressa previsão, no mesmo dispositivo, que regula a situação jurídica advinda do indeferimento do pedido de registro de candidatura e o faz em harmonia com o conjunto de normas constitucionais e infraconstitucionais que rege o tema. Assim, revela-se insuficiente a premissa para autorizar a cisão da chapa.

Ainda tratando da hipótese de candidato cujo requerimento de registro foi impugnado, há argumento de que deve ser protegida a boa-fé da parcela do eleitorado que exerceu o direito de voto em favor do candidato cujo registro de candidatura foi entendido hígido, porém, a proposição encerra evidente paralogismo. É baldrame de relativa solidez, a merecer, por isso, reflexão.

Num primeiro aspecto, assim se assumiria como verdadeira a concepção de que todos os eleitores votam apenas e isoladamente no candidato titular, ignorando o vice. Como já exposto, essa afirmação pretende validar racionalidade única à riqueza plural que marca o contexto da descoberta do eleitorado nacional.

Ademais, a admissão de que a manifestação de boa-fé da população, por meio das urnas eletrônicas para a escolha de seus representantes, é suficiente para afastar a incidência do texto constitucional importará no reconhecimento de que também poderá afastar a legislação infraconstitucional, na qual se encontram, por exemplo, as causas de inelegibilidade e as condições de elegibilidade.

Admitir-se-á, por fim, a produção de chancela popular da conduta contrária à lei por meio de adoção da consequência "resultado vitorioso nas urnas" como condição apta a permitir, aos candidatos, o descumprimento do ordenamento jurídico. Trata-se de teratologia que a diretriz do julgamento em comento não agasalha, por certo. Contudo, é hipótese factível, no limite da tese.

A análise mais detida do argumento encerra a exposição de sua inaplicabilidade à realidade e aos perigos sistêmicos que se encerram na sua aplicação, desautorizando a sua compreensão como suficiente e apto a afastar a incidência das normas constitucionais e legais que afirmam a indivisibilidade das chapas majoritárias.

Em conclusão, seja em razão do indevido enfraquecimento do princípio da isonomia, seja pela ausência de demonstração de elemento válido de discrímen para validar a racionalidade de flexibilização da norma constitucional que prevê a indivisibilidade das chapas formadas para a disputa de cargos eletivos no Poder Executivo, é possível igualmente superar a premissa ora analisada.

c) Que o posterior julgamento que acarreta prejuízo à integralidade da chapa ocorra depois de encerrado o prazo legalmente previsto para a operação de substituição de candidatos ao pleito majoritário:

A tese de flexibilização do princípio da indivisibilidade da chapa adota, nesse ponto, o contexto temporal das hipóteses de substituição de candidaturas, nos moldes do art. 13 da Lei nº 9.504/97. Lê-se no mencionado dispositivo:

> Art. 13. É facultado ao partido ou coligação substituir candidato que for considerado inelegível, renunciar ou falecer após o termo final do prazo do registro ou, ainda, tiver seu registro indeferido ou cancelado.

§1º A escolha do substituto far-se-á na forma estabelecida no estatuto do partido a que pertencer o substituído, e o registro deverá ser requerido até 10 (dez) dias contados do fato ou da notificação do partido da decisão judicial que deu origem à substituição. (Redação dada pela Lei nº 12.034, de 2009).

§2º Nas eleições majoritárias, se o candidato for de coligação, a substituição deverá fazer-se por decisão da maioria absoluta dos órgãos executivos de direção dos partidos coligados, podendo o substituto ser filiado a qualquer partido dela integrante, desde que o partido ao qual pertencia o substituído renuncie ao direito de preferência.

§3º Tanto nas eleições majoritárias como nas proporcionais, a substituição só se efetivará se o novo pedido for apresentado até 20 (vinte) dias antes do pleito, exceto em caso de falecimento de candidato, quando a substituição poderá ser efetivada após esse prazo. (Redação dada pela Lei nº 12.891, de 2013).

O dispositivo legal regula o procedimento de substituição de candidatos, inclusive quanto ao procedimento interno dos partidos, ou coligações, para a nova escolha, contudo, a premissa que se propõe debater trata apenas da regra contida no §3º, que estabelece o prazo máximo de 20 (vinte) dias, antes do pleito,[17] para que se opere a substituição.

A crítica da premissa passa, inicialmente, pelo contraste do prazo legal de substituição com os prazos para o processamento dos pedidos de registro de candidatura e, após, pela análise individualizada das hipóteses de substituição.

## 4.1   Da efetividade do prazo para a substituição de candidatos

Revela-se pertinente a observação de Silva de que a redução da duração do processo eleitoral, com a postergação da data de protocolo dos requerimentos de registro de candidatura para 15 de agosto, pode acarretar situação "mais célere possível para a tramitação de uma impugnação de registro de candidatura, observa-se que no dia 12 de setembro, 20 dias antes do pleito, o processo de registro de candidatura ainda estará tramitando na primeira instância".[18]

Acrescenta o autor que, na hipótese mais breve possível, observados os prazos para a produção de provas, "a sentença será prolatada depois de 15 de setembro e o julgamento em grau de recurso pelos Tribunais Regionais Eleitorais somente ocorreria após as eleições".[19]

---

[17]   Em razão da previsão constitucional de que o primeiro turno das eleições majoritárias ocorra sempre no primeiro domingo do mês de outubro (arts. 28, *caput*, 29, inciso II, 32, §2º e 77, *caput*), é possível que o certame ocorra entre os dias 1º e 7 de outubro, impossibilitando a fixação de uma data limite específica para as substituições de candidatos.

[18]   SILVA, Luis Gustavo Motta Severo da. A Redução do Período de Registro de Candidatura e seu Reflexo sobre a Substituição de Candidatos. *In*: NORONHA, João Otávio; KIM, Richard Pae (Coords). *Sistema Político e direito eleitoral brasileiro*: estudos em homenagem ao Ministro Dias Toffoli. São Paulo: Atlas, 2016. p. 482. (O cálculo foi feito com relação às eleições de 2016, ocorridas em 02 de outubro, e sem a fase de produção de provas).

[19]   SILVA, Luis Gustavo Motta Severo da. A Redução do Período de Registro de Candidatura e seu Reflexo sobre a Substituição de Candidatos. *In*: NORONHA, João Otávio; KIM, Richard Pae (Coords). *Sistema Político e direito eleitoral brasileiro*: estudos em homenagem ao Ministro Dias Toffoli. São Paulo: Atlas, 2016. p. 482.

Conquanto, respeitável a preocupação decorrente da incompatibilidade do prazo limite para o protocolo do requerimento de registro fixado na Lei nº 9.504/97 com o lapso temporal exigido para o processamento do registro de candidatura segundo o procedimento dos arts. 3º a 11 da Lei Complementar nº 64/90, deve-se ponderar que essa medição de prazos parte dos limites temporais da legislação, sendo necessário apontar, contudo, que os partidos e coligações podem atuar para se afastarem deles.

Nessa senda, frise-se que o art. 8º, *caput*, da Lei das Eleições, permite que as convenções partidárias ocorram entre os dias 20.7 e 5.8 do ano eleitoral, e que o art. 11, *caput*, do mesmo diploma, estabelece apenas que 15.8 do ano eleitoral é a data limite para o protocolo do requerimento de registro de candidatura.

Nesse contexto, inexistem óbices legais a que os partidos políticos se preparem e organizem para realizarem suas convenções partidárias no início do período legalmente permitido e que antecipem o ajuizamento dos requerimentos de registro de candidatura, auferindo, desse modo, tempo suficiente para operarem substituições de candidatos.

A questão foi levantada por Mascarenhas, ao afirmar ser "de todo aconselhável que os partidos realizem suas convenções logo nos primeiros dias do termo inicial",[20] e complementada pela observação de Coneglian de que o "dia 15 de agosto é o último dia de pedido de registro. Ou seja, os registros podem ser pedidos desde o dia 20 de julho (primeiro dia para as convenções) até o dia 15 de agosto".[21]

Ressalte-se que a soma dos prazos previstos na Lei Complementar nº 64/90 para o registro de candidaturas, com o processamento de uma ação de impugnação, é de 45 (quarenta e cinco) dias. Acrescente-se a esse lapso o prazo legal de substituição, que é de 20 (vinte) dias, de modo que é possível o processamento e o julgamento do pedido de registro de candidaturas, em dois níveis de jurisdição, e com a observância do prazo legal de substituição de candidatos, no período de 65 (sessenta e cinco) dias.

Assim, se as convenções partidárias forem realizadas e o requerimento de registro de candidatura protocolado até o dia 27 de julho, o cumprimento dos prazos legais permite, sem prejuízos e a despeito de a eleição ocorrer no dia 1º de outubro, a substituição de candidatos após o julgamento do recurso eleitoral competente.

Acrescente-se que a natureza eletrônica dos feitos de pedido de registro de candidaturas traduz-se em maior celeridade no seu processamento e permite, mediante o esforço da Justiça Eleitoral, o cumprimento desses prazos.

Ou seja, a questão temporal não deveria servir como argumento para a superação da legislação, mas sim, como estímulo à organização e diligência das greis na sua preparação para a disputa de eleições.

## 4.2 Das hipóteses legais de substituição

O *caput* do art. 13 da Lei das Eleições estabelece cinco hipóteses que autorizam a substituição de candidatos. Da análise individualizada de cada uma delas, extrai-se a

---

[20] MASCARENHAS, Paulo. *Lei Eleitoral Comentada*. 8. ed. Leme: Mundo Jurídico, 2010. p. 25.
[21] CONEGLIAN, Olivar. *Eleições*: radiografia da Lei nº 9.504/97. 9. ed. Curitiba: Juruá, 2016. p. 99.

melhor compreensão de suas estruturas e de suas eventuais similitudes, permitindo a sua subsunção às premissas anteriormente fixadas relativas à incidência do princípio da indivisibilidade das chapas formadas para a disputa de cargos no Poder Executivo. Tais hipóteses revelam opção do legislador que pode excepcionar a indivisibilidade da chapa.

### 4.2.1 Candidato cujo registro de candidatura foi indeferido

O requerimento de registro de candidatura é o instrumento processual por meio do qual almeja o cidadão demonstrar à Justiça Eleitoral o preenchimento de todas as condições de elegibilidade e a inocorrência de causas de inelegibilidade para, ao final, obter o deferimento de sua pretensão de se tornar candidato.

Entretanto, pode haver situações nas quais não se demonstra o cumprimento desses requisitos legais, acarretando então o indeferimento do requerimento de registro de candidatura.

O tratamento legislativo do tema reside no art. 11, §10, da Lei nº 9.504/97:

> As condições de elegibilidade e as causas de inelegibilidade devem ser aferidas no momento da formalização do pedido de registro da candidatura, ressalvadas as alterações, fáticas ou jurídicas, supervenientes ao registro que afastem a inelegibilidade.

Apesar de o texto legal indicar que eventuais irregularidades no cumprimento desses pressupostos necessários ao deferimento do requerimento de registro, frise-se o alerta de Jorge, Liberatto e Rodrigues de que "não são apenas os vícios existentes antes do pedido de registro que autorizam a substituição do (pré) candidato. Aqueles que, detectados no curso da campanha, forem aptos a indeferir o registro também permitem a substituição".[22]

A arguição judicial de descumprimento desses requisitos pode ocorrer por meio de AIRC – Ação de Impugnação ao Registro de Candidatura – ou, em razão da constatação, de ofício, de falha no requerimento de registro, havendo, em ambas as situações, a necessária observância dos princípios constitucionais da ampla defesa e do contraditório.

Confirmada a falha no preenchimento desses pressupostos, ocorrem o indeferimento do requerimento de registro de candidatura e a autorização legal para a substituição do candidato, desde que respeitado o prazo de 20 (vinte) dias antes da realização do pleito (art. 13, §3º, da Lei das Eleições).

A hipótese aqui tratada tem o contorno, já analisado, da ciência de determinada situação juridicamente deduzida que pode conduzir ao indeferimento da candidatura cumulada com a manifestação de vontade do cidadão em prosseguir com sua campanha, sob os auspícios do art. 16-A da Lei das Eleições.

---

[22] JORGE, Flávio Cheim; LIBERATO, Ludgero; RODRIGUES, Marcelo Abelha. *Curso de Direito Eleitoral*. 2. ed. Salvador: JusPodivm, 2017. p. 519.

Assim, a manifestação da vontade dos integrantes da chapa em dar continuidade à empreitada eleitoral aponta para a aceitação do risco de que o indeferimento do requerimento de registro ocorra após o período em que a legislação permite a substituição de integrantes da chapa e prejudique a ambos.

Extrai-se, nesses casos, um menor grau de prevalência de situação de excepcionalidade – o julgamento de indeferimento do requerimento de registro – que legitime a superação, no caso concreto, do princípio da indivisibilidade da chapa, e, em maior grau, a incidência dos efeitos do dito indeferimento e de suas consequências jurídicas previamente aceitas pelos candidatos ao cargo majoritário.

Em consequência, admitir o rompimento do caráter plurissubjetivo da chapa poderia transferir para a sociedade o efeito de suportar o ônus jurídico da conduta dos candidatos e, em segundo momento, importar em prejuízo do valor democrático representado pela indivisibilidade da chapa.

## 4.2.2 Candidato considerado inelegível

Em princípio, seria possível confundir a presente hipótese com a anterior, haja vista a necessidade de uma decisão judicial. Contudo, colhe-se na lição de Jorge, Liberatto, Rodrigues a seguinte distinção:

> O (pré) candidato pode ser considerado inelegível em diversos momentos durante a seara eleitoral. Se o for no bojo do pedido de candidatura ou da ação incidental que o impugna (AIRC), tal hipótese já estará abrangida pelo canso anterior, qual seja, o indeferimento do registro.
>
> Sendo assim, os casos de inelegibilidade a que alude o art. 13 da Lei nº 9.504/97 referem-se àqueles que surgirem posteriormente ao trânsito em julgado do pedido de registro, que levam à sua desconstituição, isto é, à famosa 'cassação do registro'.[23]

Trata-se de casos em que há prática de ilícitos eleitorais durante a campanha eleitoral, tais como atos de abuso de poder, condutas vedadas aos agentes públicos em campanha e a prática de captação ilícita de sufrágio.

É de se anotar, contudo, que, nesses casos, o princípio da indivisibilidade das chapas produz um efeito processual. Isso porque – mesmo que a sanção de inelegibilidade seja imposta a apenas um dos integrantes da chapa – há a previsão legal de cassação do registro de todos os beneficiados pela prática de condutas vedadas aos agentes públicos em campanha (art. 73, §5º, da Lei nº 9.504/97) e de atos de abuso de poder (art. 22, inciso XIV, da LC 64/90).

Quanto à captação ilícita de sufrágio, proscrita pelo art. 41-A da Lei das Eleições, apesar de ausente a previsão legal expressa, ressalta Zilio que "[t]ratando-se de eleição majoritária, é necessária a inclusão do vice ou do suplente, já que a cassação

---

[23] JORGE, Flávio Cheim; LIBERATO, Ludgero; RODRIGUES, Marcelo Abelha. *Curso de Direito Eleitoral*. 2. ed. Salvador: JusPodivm, 2017. p. 520.

do mandato atinge a todos os componentes da chapa; é caso de litisconsórcio passivo necessário unitário".[24]

Uma vez que a decisão judicial que considera inelegível um dos candidatos ao cargo majoritário produz o efeito de cassar o registro de ambos os integrantes da chapa majoritária, é rarefeita a latitude hermenêutica suficiente para debater a possibilidade de sua cindibilidade.

Registre-se, apenas, que o candidato cujo registro foi cassado em razão de conduta individual de seu companheiro pode compor nova chapa substitutiva da anterior, desde que respeitado o prazo legal.

### 4.2.3 Candidato cujo registro de candidatura foi cancelado

A hipótese do cancelamento de registro deve ser entendida à luz do art. 14 da Lei das Eleições, cuja redação é:

> Art. 14. Estão sujeitos ao cancelamento do registro os candidatos que, até a data da eleição, forem expulsos do partido, em processo no qual seja assegurada ampla defesa e sejam observadas as normas estatutárias.
>
> Parágrafo único. O cancelamento do registro do candidato será decretado pela Justiça Eleitoral, após solicitação do partido.

Extrai-se do texto legal que o processo de expulsão do filiado ao partido político encontra-se no campo de incidência da eficácia horizontal dos direitos fundamentais, sendo obrigatória a observância dos princípios da ampla defesa e do contraditório, além das regras previstas no estatuto partidário atinentes ao tema. Atente-se, ainda, que o cancelamento do registro somente poderá ser decretado pela Justiça Eleitoral após solicitação do partido político.

Nessa medida, cumpre à Justiça Eleitoral verificar se foram atendidos os requisitos exigidos no art. 14 da Lei das Eleições para deferir o cancelamento do registro, sendo de valia o alerta de Jorge, Liberatto e Rodrigues, no sentido de que:

> Não deverá julgar se foi justa ou injusta a expulsão, mas sim, se os requisitos do devido processo legal e do cumprimento das regras estatutárias foram atendidos, pois deve preservar o direito fundamental do cidadão ao exercício da capacidade eleitoral passiva, evitando casuísmos e oportunismos partidários que violem a democracia.[25]

A questão, porém, convida a um segundo nível de discussão desvelado por refração colhida pelo prisma temporal.

A instauração, o processamento e o julgamento de um processo de expulsão partidária, com a observância das mencionadas garantias constitucionais, exigem um lapso temporal mínimo, vale dizer, não ocorre por ato instantâneo ou impetuoso.

---

[24]  ZILIO, Rodrigo López. *Direito Eleitoral*. 6. ed. Porto Alegre: Verbo Jurídico, 2018. p. 687.

[25]  JORGE, Flávio Cheim; LIBERATO, Ludgero; RODRIGUES, Marcelo Abelha. *Curso de Direito Eleitoral*. 2. ed. Salvador: JusPodivm, 2017. p. 523.

Além disso, a constatação de fatos que autorizem a legítima instauração dessa espécie de procedimento administrativo indica, com razoável segurança, um desalinhamento entre o candidato e a grei partidária.

Não se afasta a percepção de que o início do processo expulsório pode ser anterior ou posterior ao protocolo judicial do requerimento de registro de candidatura, porém, essa distinção não opera efeitos para a finalidade da substituição de um dos integrantes da chapa majoritária.

Isso porque, em ambos os casos, o partido político e o candidato assumem o risco de prosseguirem com a candidatura sem saber, com segurança, quando se encerrará o procedimento. Porquanto também aqui se depreende a aceitação de um risco quanto à demora na finalização do procedimento com o potencial, aferido no caso concreto, de inviabilizar o exercício da faculdade prevista no art. 13 da Lei das Eleições.

A questão pode revelar, ainda, contornos políticos mais delicados quando se averigua a existência de boa-fé da grei em lançar como candidato um filiado seu que está sob o risco de ser expulso do partido; do próprio cidadão que aceita ser candidato em tal situação; da possibilidade de a agremiação política concluir o processo expulsório após o prazo fatal de substituição de candidatos e, com isso, se autoexcluir do processo eleitoral; e, caso não comunique a expulsão à Justiça Eleitoral, também se alijar da participação em futuro governo integrado pelo filiado expulso. Conquanto instigantes, essas indagações escapam do contexto do presente estudo, ficando reservadas, portanto, para maior reflexão em momento oportuno.

Retomando, as balizas apresentadas indicam que a hipótese normativa, autorizadora de substituição em razão do cancelamento do registro, também agasalharia a existência de ato expresso de vontade que aceita os riscos inerentes ao cancelamento do registro, tanto da grei quanto do candidato.

Assim, em harmonia com a racionalidade exposta alhures, em item anterior, a presença do elemento volitivo desestimula o reconhecimento de que a hipótese normativa constitua situação apta a excepcionar o princípio da indivisibilidade da chapa, com o efeito secundário de transferir para a sociedade civil as consequências jurídicas dos atos *interna corporis*, logo, imunes ao crivo do eleitorado, dos partidos políticos.

## 4.2.4 Renúncia

O conceito de renúncia, segundo Pontes de Miranda, é a "disposição, em virtude da qual o titular de direito, pretensão, ou ação, afasta aquele, ou uma dessas, de si, sem que, por isso, outrem adquira o direito, a pretensão à ação. É retirada: anuncia o titular que se retira da relação jurídica (*re-nuntia*)".[26]

A transposição do conceito para o âmbito deste estudo importa a sua restrição à pretensão de se tornar candidato, ou ao status de candidato apto a ser votado, já

---

[26] PONTES DE MIRANDA, Francisco Cavalcanti. *Tratado de Direito Privado – Tomo III – Negócios Jurídicos. Representação. Conteúdo. Forma. Prova*; atualizado por Mello, Marcos Bernandes de; Ehrhardt Jr., Marcos. São Paulo: Editora Revista dos Tribunais, 2012. p. 220.

constituído judicialmente, a depender do momento em que se opera a renúncia em relação ao processamento do requerimento de registro de candidatura.

O estudo da renúncia, sob o prisma do tempo no processo eleitoral, aponta ser relevante a verificação de sua ocorrência, inclusive com a comunicação tempestiva ao Juízo Eleitoral para homologação,[27] permitindo a substituição de candidatos dentro do prazo fixado no art. 13, §3º, da Lei das Eleições.

Nos casos em que se revela possível a substituição dos candidatos, nada há para se acrescentar ao debate. De outro lado, o questionamento emerge das hipóteses em que o momento da comunicação da renúncia à Justiça Eleitoral impede que se opere, regularmente, a substituição do candidato renunciante.

Dentro desse foco, ainda mais restrito, investigam-se as hipóteses em que a renúncia é motivada por: i) desentendimento entre os companheiros de chapa; ii) formação de conluio, com o companheiro de chapa ou com seus adversários políticos, com finalidade eleitoral.

Nas hipóteses de dissenso entre os integrantes da chapa, deve-se rememorar que os candidatos conheciam os efeitos do rompimento do vínculo que os uniu na disputa eleitoral.

Ademais, merece questionamento, à luz da constatada dificuldade da construção de um consenso entre ambos os candidatos, se seriam habilitados a trabalharem em harmonia para a implementação de um conjunto comum de propostas de governo, e quais obstáculos essa situação representaria na reafirmação do valor da indivisibilidade das chapas para a democracia, como ora se sustenta.

Nos casos de conluio com adversários políticos, a presença de um ato de torpeza pode ser forte elemento definidor do afastamento das regras constitucionais e legais que garantem o princípio da indivisibilidade da chapa.

Agrega-se ao argumento o exame do momento em que ocorre a renúncia, ou seja, se dentro do prazo possível para a regular substituição do candidato, ou não, como elemento temporal que pode subsidiar futuro debate sobre a ocorrência de fraude. Contudo, esse é o limite que se lhe atribui.

Partindo-se dessas balizas, constata-se, desde logo, prejuízo ao candidato que resta isolado em chapa plurissubjetiva.

Nessa situação, é possível que o candidato isolado reste derrotado, cenário do qual se poderá extrair a deturpação da normalidade e da legitimidade das eleições, autorizando o futuro ajuizamento de Ação de Impugnação de Mandato Eletivo, em razão da fraude (art. 14, §9º, da CF).

Em razão do resultado das eleições ser desfavorável à chapa unipessoal, bem como por força da aplicação do art. 224 do Código Eleitoral, eventual julgamento de

---

[27] A exigência de homologação pela Justiça Eleitoral não está prevista na Lei nº 9.504/97, tampouco no art. 101 do Código Eleitoral. Contudo, à luz da compreensão de que já houve a provocação da jurisdição, ou seu exaurimento, exige-se que o magistrado competente homologue a renúncia à pretensão de se tornar candidato ou, ainda, ao status de candidato apto a receber votos, anteriormente constituído. Nesse sentido, colhe-se a regulamentação expedida pelo C. Tribunal Superior Eleitoral para as eleições de 2018, no art. 65 da Res. 23.548/17.

procedência da AIME importará na realização de novas eleições, tornando infrutífero o diálogo sobre o afastamento do princípio da indivisibilidade das chapas.

Porém, de outro vértice, se a chapa prejudicada pelo conluio se sagrar vencedora, seria possível, em tese, o ajuizamento de demanda para a demonstração da fraude com o objetivo de obstar a cassação do registro em função da posterior quebra da unicidade da chapa.

Considere-se que o afastamento imediato da possibilidade de cisão da chapa vencedora poderia representar uma chancela concedida pelo Estado-Juiz ao intento original dos praticantes de fraude, que é obstar a vitória de seu adversário no certame eleitoral.

Merece distinção, por igual, que aqui o ato volitivo que tem por escopo prejudicar o processo eleitoral não é praticado por um dos candidatos em favor da própria chapa, mas sim, em seu detrimento e, em segundo plano, em detrimento da vontade expressa pelo eleitorado.

O conjunto dessas circunstâncias constitui substrato suficiente para provocar a manifestação da Justiça Eleitoral, almejando-se impedir que a fraude perpetrada produza seus efeitos. Entretanto, é mister reconhecer a dificuldade de produção dessa espécie de prova de modo a evidenciar a necessidade de superação do princípio da indivisibilidade das chapas.

A questão, portanto, deve ser mantida em aberto, devendo ser analisada conforme os contornos do caso concreto, com o norte de evitar que os efeitos do ato de torpeza, devidamente provados em processo judicial, prevaleçam no caso concreto.

## 4.2.5 Morte

A morte, diferentemente das outras quatro causas autorizadoras da substituição de candidatos, é evento incerto no tempo, e que independe de ato de vontade do cidadão.

O que se pode afirmar, com segurança, como expõe Gomes, é que "no caso de falecimento, extingue-se a própria personalidade da pessoa do candidato, porquanto a existência da pessoa natural termina com a morte".[28]

Essa distinção foi captada pelo legislador infraconstitucional, na medida em que se estabeleceu regra de exceção para a substituição de candidatos em caso de morte, dispensando a observância da baliza temporal de 20 (vinte) dias antes do pleito, como se lê na parte final do §3º do art. 13, da Lei das Eleições.

Observa-se, apenas, a regra de que o pedido de substituição deve ser protocolado no prazo de 10 (dez) dias após o evento morte. Nesse ponto, porque inexistente um prazo legal máximo para a substituição de candidatos da chapa majoritária, é que se revela admissível a hipótese de cindibilidade das chapas majoritárias, desde que constatada a presença de mais um elemento temporal.

Admitindo-se que o falecimento de um dos candidatos da chapa majoritária ocorra nos dias que antecedem as eleições, incumbe ao partido, ou coligação, indicar

---

[28] GOMES, José Jairo. *Direito Eleitoral*. 14. ed. São Paulo: Altas, 2018. p. 424.

o candidato substituto à Justiça Eleitoral e requerer, ainda que em sede de ação cautelar, prazo suficiente para apresentar a documentação exigida para demonstrar a regularidade do novel requerimento de registro de candidatura.

Contudo, nas situações em que o lapso de tempo existente entre o falecimento do candidato e a realização das eleições não se revele suficiente para o protocolo do pedido de substituição, ou mesmo de medida cautelar anteriormente mencionada, deve-se aceitar a possibilidade de que o candidato supérstite prossiga, de forma isolada, com sua candidatura.

Ressalte-se que a inexistência de manifestação de vontade, que contribui para a concretização da causa autorizadora da substituição, aliada ao impedimento temporal, que impede o exercício regular dessa faculdade legal, constroem uma situação imprevisível e que impede o candidato, mesmo aquele diligente, de adotar as medidas judiciais necessárias para recompor a chapa majoritária.

Admite-se que essa situação concreta somente incidirá em quantidade mínima de casos, o que demonstra a sua absoluta excepcionalidade e, em razão da inexistência de condutas possíveis ao candidato sobrevivente para suprir a composição da sua chapa, deve ser admitida a cisão desta.

## 5    Conclusões

Reitera-se que o texto que apresentamos é uma reflexão acadêmica que problematiza uma questão e seu respectivo enfrentamento, sem descurar nem afastar outras hipóteses igualmente possíveis e racionais.

Examinada a questão da indivisibilidade das chapas formadas para concorrer aos cargos eletivos no Poder Executivo, desde o prisma valorativo até o seu cotejo com as hipóteses de substituição de candidatos, pode-se extrair as seguintes conclusões.

A unicidade das chapas revela-se como instrumento importante para garantir que o conjunto de propostas e projetos escolhidos pelo povo para ser implantado no Município, Estado, Distrito Federal, ou mesmo na União, seja observado e cumprido durante o mandato, pois assegura a manutenção de um núcleo de pessoas comprometidas com aqueles ideais.

No ordenamento jurídico pátrio, o princípio da indivisibilidade das chapas está protegido tanto por normas com assento constitucional (arts. 28, caput, 29, inciso II e 77, §4º) quanto por normas infraconstitucionais (art. 91 do Código Eleitoral e arts. 2º, §4º e 3º, §1º, ambos da Lei nº 9.504/91), sendo aplicado aos cargos disputados pelo sistema majoritário.

A Justiça Eleitoral já decidiu, em julgados esparsos, por admitir a cindibilidade das chapas majoritárias, estabelecendo parâmetros para a incidência dessa compreensão.

Contudo, a filtragem proposta para a questão, a partir do reconhecimento da importância da indivisibilidade das chapas para a concretização da democracia, do conjunto legislativo harmônico sobre o tema, propõe novos parâmetros para esse entendimento.

Acrescente-se aos elementos de filtro o contraste do princípio debatido com as hipóteses normativas de substituição de candidatos (art. 13, da Lei nº 9.504/97), do qual se colhe a percepção de que as escolhas conscientes de candidatos em assumirem os riscos de uma candidatura *sub judice* não se revelam suficientes, per se, para imunizarem seus companheiros de chapa contra os efeitos do indeferimento do requerimento de registro de candidatura.

Assim, seria necessário agregar um elemento de excepcionalidade à hipótese, para autorizar que a Justiça Eleitoral quebre o princípio da indivisibilidade das chapas nos casos em que ocorre o indeferimento do requerimento de registro de candidatura, da declaração de que um dos candidatos da chapa una é inelegível e nos casos de cancelamento de registro.

O tratamento da renúncia, em princípio, adota a mesma racionalidade, devendo-se alertar para o conjunto de circunstâncias distintas que envolvem a hipótese de conluio de um dos integrantes da chapa com os adversários políticos, e, para a possibilidade de intervenção do Poder Judiciário, a partir de conjunto probatório sólido, atuar flexibilizando o princípio da indivisibilidade das chapas para impedir a concretização dos efeitos da fraude perpetrada.

Quanto ao falecimento de um dos candidatos que integra a chapa indivisível, a situação pode ser distinta das demais em razão da inexistência de ato de vontade que aceite os riscos de futuro prejuízo à regularidade da chapa e, desde que se verifique que o lapso temporal existente entre o evento morte e a realização do prélio eleitoral é insuficiente para a adoção de medidas judiciais suficientes para a substituição do candidato falecido, caracteriza-se situação de excepcionalidade que autoriza a superação pontual do princípio da indivisibilidade das chapas.

Por fim, remarque-se que essa digressão – como assentado no início – se dá nos marcos do Estado de Direito democrático.

Logo, ao contrário do sentido de expressões cuja formulação se atribui a Walter Benjamin, que teria vincado o tempo humano da modernidade como era *"sans rêve et sans merci"*, o singelo estudo posto a debate ainda conjuga o futuro como verbo substantivado pela esperança. Soma-se aos justos anseios pela *suspensão da descrença*.

## Referências

ALMEIDA, Fernando Dias Menezes de. Comentários ao art. 82. *In*: CANOTILHO, J. J. Gomes; MENDES, Gilmar Ferreira; SARLET, Ingo Wolfgang (Coords). *Comentários à Constituição do Brasil*. 2. ed. São Paulo: Saraiva, 2018.

ALVIM, Frederico Franco. *Curso de Direito Eleitoral*. 2. ed. Curitiba: Juruá, 2016.

BONAVIDES, Paulo. A democracia direta, a democracia do terceiro milênio. *In*: BONAVIDES, Paulo. *A Constituição aberta*. 2. ed. São Paulo: Malheiros, 1996.

BONAVIDES, Paulo. *Ciência Política*. 10. ed. São Paulo: Malheiros, 2000.

CÂNDIDO, Joel J. *Direito Eleitoral Brasileiro*. 16. ed. São Paulo: Edipro, 2016.

CASTRO, Edson de Resende. *Teoria e Prática do Direito Eleitoral*. 5. ed. Belo Horizonte: Del Rey, 2010.

CONEGLIAN, Olivar. *Eleições*: radiografia da Lei nº 9.504/97. 9. ed. Curitiba: Juruá, 2016.

DECOMAIN, Pedro Roberto. *Eleições*: comentários à Lei nº 9.504/97. Florianópolis: Obra Jurídica, 1998.

GOMES, José Jairo. *Direito Eleitoral*. 14. ed. São Paulo: Altas, 2018.

GONÇALVES, Luiz Carlos dos Santos. *Direito Eleitoral*. 3. ed. São Paulo: Atlas, 2018.

JORGE, Flávio Cheim; LIBERATO, Ludgero; RODRIGUES, Marcelo Abelha. *Curso de Direito Eleitoral*. 2. ed. Salvador: JusPodivm, 2017.

LUCON, Paulo Henrique dos Santos; VIGLIAR, José Marcelo Menezes. *Código Eleitoral Interpretado*. 3. ed. São Paulo: Altas, 2013.

MASCARENHAS, Paulo. *Lei Eleitoral Comentada*. 8. ed. Leme: Mundo Jurídico, 2010.

MEDEIROS, Marcílio Nunes. *Legislação Eleitoral Comentada e Anotada artigo por artigo*. Salvador: JusPodivm, 2017.

NETO, José Guerra de Andrade Lima. Democracia: um instituto em constante construção. *In*: *Revista do Tribunal Regional Eleitoral de Pernambuco*, Recife, v. 15, n. 1, p. 14, dez. 2014.

OLIVEIRA, João Paulo. *Direito Eleitoral*. 3. ed. Salvador: JusPodivm, 2019.

PINHEIRO, Célia Regina de Lima; SALES, José Edvaldo Pereira; FREITAS, Juliana Rodrigues. *Comentários à Lei das Eleições*: Lei nº 9.504/1997, de acordo com a Lei nº 13.165/2015. Belo Horizonte: Fórum, 2016.

PONTES DE MIRANDA, Francisco Cavalcanti. *Tratado de Direito Privado – Tomo III – Negócios Jurídicos. Representação. Conteúdo. Forma. Prova*; atualizado por Mello, Marcos Bernandes de; Ehrhardt Jr., Marcos. São Paulo: Editora Revista dos Tribunais, 2012.

SILVA, Luis Gustavo Motta Severo da. A Redução do Período de Registro de Candidatura e seu Reflexo sobre a Substituição de Candidatos. *In*: NORONHA, João Otávio; KIM, Richard Pae (Coords). *Sistema Político e direito eleitoral brasileiro*: estudos em homenagem ao Ministro Dias Toffoli. São Paulo: Atlas, 2016.

ZILIO, Rodrigo López. *Direito Eleitoral*. 6. ed. Porto Alegre: Verbo Jurídico, 2018.

---

Informação bibliográfica deste texto, conforme a NBR 6023:2018 da Associação Brasileira de Normas Técnicas (ABNT):

FACHIN, Luiz Edson; SIMÕES, Francisco Gonçalves. Indivisibilidade da chapa nas eleições majoritárias. *In*: COSTA, Daniel Castro Gomes da; FONSECA, Reynaldo Soares da; BANHOS, Sérgio Silveira; CARVALHO NETO, Tarcisio Vieira de (Coord.). *Democracia, justiça e cidadania*: desafios e perspectivas. Homenagem ao Ministro Luís Roberto Barroso. Belo Horizonte: Fórum, 2020. t. 1: Direito eleitoral, política e democracia. p. 227-250. ISBN 978-85-450-0748-7.

# LOS DERECHOS POLÍTICOS ELECTORALES DE LAS MUJERES EN LA REPÚBLICA ARGENTINA. EL CAMINO HACIA LA PARIDAD DE GÉNERO[1]

**ELENA ISABEL GÓMEZ**

## 1 Consideraciones generales

Desde antiguo se reconoció a la igualdad como igualdad formal, ya la Declaración de los Derechos del Hombre y del Ciudadano de 1789 señalaba que "[l]os hombres nacen y permanecen libres e iguales en derechos. Las distinciones sociales sólo pueden fundarse en la utilidad común" (cf. artículo 1).

El artículo 16[2] de la Constitución histórica de 1853/60 de la Argentina consagró el principio de igualdad formal, así lo reconoció la Corte Suprema de Justicia de la Nación (CS) al interpretar la cláusula constitucional como "igualdad ante iguales circunstancias".[3] Desde esta perspectiva, la igualdad implica neutralidad en el trato del Estado respecto de los particulares ó, en otras palabras, imparcialidad ante los gobernados.[4]

---

[1] El presente trabajo es una actualización de la ponencia presentada en co-autoría con BERRA, Elisabeth Inés, titulada *"Los derechos políticos electorales de las mujeres. Un supuesto de desigualdad estructural"* para el XXIV Encuentro de Profesores de Derecho Constitucional. *A 25 años de la Reforma de 1994*. Panel I: Los derechos en la Constitución Nacional. (BERRA, Elisabeth Inés. Los derechos políticos electorales de las mujeres. Un supuesto de desigualdad estructural. *XXIV Encuentro de Profesores de Derecho Constitucional. A 25 años de la Reforma de 1994*. Panel I: Los derechos en la Constitución Nacional).

[2] Artículo 16, Constitucional Nacional: "La Nación Argentina no admite prerrogativas de sangre, ni de nacimiento: no hay en ella fueros personales ni títulos de nobleza. Todos sus habitantes son iguales ante la ley, y admisibles en los empleos sin otra condición que la idoneidad. La igualdad es la base del impuesto y de las cargas públicas".

[3] Corte Suprema de Justicia de la Nación Argentina Fallos 16:118, *"Criminal c/ Olivar Guillermo"*, (1875); Fallos 123:106, *"Sánchez Viamonte, Julio en autos con Giustinian, Emilio"*, (1916); Fallos 124:122, *"Santoro, Cayetano c/ Frias, Estela"*, (1916); Fallos 151:359, *"Don Eugenio Díaz Vélez c/ Pcia de Bs. As. s/ inconstitucionalidad del impuesto"*, sentencia del 20.6.1928; entre muchos otros.

[4] BASTERRA, Marcela I. Desde las acciones positivas en razón del género al 'gender mainstreaming', veinticinco años después de la reforma constitucional. *En: Revista de Derecho* Público: 25 años de la reforma constitucional de 1994 – I, Santa Fe: Rubinzal - Culzoni Editores, 2019. p. 14.

Pese a ello, esta concepción resultaba a todas luces insuficiente para dar respuesta a la disímil situación en la que se encuentran los grupos desaventajados, el reconocimiento no resultaba extensivo ni suficiente para las mujeres.

En efecto, los derechos de participación política de las mujeres no eran iguales a los de los varones y, si bien, la Constitución garantizaba los derechos, el silencio legislativo durante años avaló la postergación en el ejercicio de los mismos.

Fue recién en el siglo XX cuando se comenzó a concebir la idea que se requerían algunas medidas legislativas, por medio de la admisión de "acciones positivas", para que la igualdad formal se transformara en realidad para las mujeres.

En ese contexto, la reforma constitucional de 1994 importó un salto cualitativo en materia de igualdad, con la consagración del concepto de "igualdad real de oportunidades" donde las acciones afirmativas aparecen como la columna vertebral de esta nueva concepción. Ello es así, ya que reconoce que existe una desigualdad estructural de base que exige un rol activo por parte del Estado, que se traduce en mecanismos especiales de tutela para quienes han padecido una discriminación histórica.[5]

A la vez, del rol trascendental que tiene el sistema interamericano que por medio del artículo 75, inciso 22 de la C.N dotó de jerarquía constitucional a diversos instrumentos internacionales en materia de derechos humanos.

Los derechos políticos se identifican como un derecho humano de importancia fundamental ya que "junto con otros derechos como la libertad de expresión, la libertad de reunión y la libertad de asociación […], hacen posible el juego democrático".[6]

Sabido es que la evolución de los derechos políticos y su profuso desarrollo por parte del sistema protectorio de los derechos humanos en las últimas décadas, lo identifican como "un derecho humano de 'importancia fundamental' ya que junto con otros derechos como la libertad de expresión, la libertad de reunión y la libertad de asociación […], hacen posible el juego democrático".[7]

El sufragio y la elegibilidad son las condiciones que elevan al súbito del Estado a la categoría de ciudadano.[8] De ahí que el pluralismo y la participación importen un elemento esencial de la vida democrática. Por consiguiente, uno de los ejes centrales que constituyen la estabilidad y el desarrollo de las instituciones democráticas es la participación política, ya que, en definitiva, robustece los pilares básicos del Estado de derecho.

En la actualidad se viene produciendo un acrecentamiento en el alcance de los derechos políticos, por un lado, para integrar otros derechos en el paraguas de un derecho más general y medular a la democracia: el derecho a la participación

---

[5] Además se incorporaron de manera expresa los derechos políticos en los artículos 37 y 38 de la Constitución Nacional, que hasta ese entonces encontraban base normativa en el artículo 33 C.N como una derivación del principio de soberanía del pueblo y de la forma republicana de gobierno.

[6] Caso Castañeda Gutman vs. Estados Unidos Mexicanos, Sentencia de 6 de agosto de 2008, Serie C nº **184,** párr. 140.

[7] Corte IDH, caso: *"Castañeda Gutman vs. Estados Unidos Mexicanos"*, Sentencia del 6 de agosto de 2008, párr. 140.

[8] VANOSSI, Jorge Reinaldo A. *Estado de Derecho*. Ciudad de Buenos Aires: Editorial Astrea, 2008. p. 500.

política; y por el otro, la ampliación ciudadana producto de los procesos de integración supranacionales.[9]

Ninguna duda hay de que los derechos de participación política ocupan un lugar eminente en la democracia representativa, cuya esencia radica en el derecho fundamental que tiene la ciudadanía a participar en los asuntos públicos y elegir libremente a sus gobernantes.

En tal sentido, se sostiene que "[e]n el sistema de protección internacional de los derechos humanos, la participación política es el derecho político por excelencia ya que reconoce y protege el derecho y el deber de los ciudadanos de participar en la vida política de su país".[10]

Así, se ha dicho que los derechos políticos "propician el fortalecimiento de la democracia y el pluralismo político"[11] dado que "el ejercicio efectivo de los [mismos] constituye un fin en sí mismo y, a la vez, un medio fundamental que las sociedades democráticas tienen para garantizar los demás derechos humanos previstos en la Convención".[12]

Por ello,

> [e]l derecho al voto es uno de los elementos esenciales para la existencia de la democracia y una de las formas en que los ciudadanos ejercen el derecho a la participación política. Este derecho implica que los ciudadanos puedan elegir libremente y en condiciones de igualdad a quienes los representarán.[13]

La participación de las mujeres en la "arena política" ocupa en la actualidad un lugar de destacada importancia en la agenda pública, y en este escenario los derechos políticos guardan una estrecha vinculación con el derecho a la igualdad.

La discriminación por cuestiones de género se ubica con más fuerza en el centro del debate público en forma más o menos reciente. De manera genérica la situación de vulnerabilidad extrema a la que es sometida la mujer es percibida como un asunto de legítima preocupación por la ciudadanía, lo que obliga al Estado a introducir el tema de manera prioritaria en la agenda pública.[14]

---

[9]   DALLA VIA, Alberto R. Los derechos políticos en el Sistema Interamericano de Derechos Humanos. *Justicia Electoral. Revista del Tribunal Electoral del Poder Judicial de la Federación*, México, v. 1, n. 8, p. 16, 2011.

[10]  GARCÍA ROCA, Javier; DALLA VÍA, Alberto, R. *Los derechos políticos y electorales*: un orden público democrático. Buenos Aires: La ley, 2013. p. 3.

[11]  Corte IDH, caso *"Castañeda Gutman vs. Estados Unidos Mexicanos"*, Sentencia del 6 de agosto de 2008, párr. 141; caso *"Yatama vs. Nicaragua"*, sentencia del 23 de junio de 2005, Párr. 192.

[12]  Corte IDH, caso "Castañeda Gutman", citado en DALLA VÍA, Alberto R. La participación política y la reforma electoral en la Argentina. *Anales de la Academia Nacional de Ciencias Molales y Políticas*. Disponible en: https://www.ancmyp.org.ar/categoria.asp?id=461, Tomo XXXVIII, 2011. Comunicación del académico Alberto Ricardo Dalla Vía en sesión privada de la Academia Nacional de Ciencias Morales y Políticas, el 13 de julio de 2011.

[13]  Corte IDH, Caso *"Yatama vs. Nicaragua"*, sentencia del 23 de junio de 2005, párr. 198.

[14]  BASTERRA, Marcela I. La capacitación obligatoria de los agentes estatales en la temática de género. La 'Ley Micaela' y el enfoque gender mainstreaming", LL del 27.2.2019. p. 1. Cita Online: AR/DOC/413/2019.

Recordemos que al hablar de las mujeres como personas en situación de vulnerabilidad, no nos estamos refiriendo a una minoría cuantitativa, como sucede con la mayoría de los grupos vulnerables, sino que es

> un sector de la población que, desde un contexto histórico hasta el actual, sufre discriminación por cuestión, entre muchas otras, de género. Si bien es cierto que se ha avanzado en el empoderamiento de las mujeres, también lo es que aún no se sitúan en el lugar que les corresponde dentro de nuestra sociedad.[15]

Por ello, hay que destacar como a través de la lucha continua para la conquista y reivindicación del ejercicio efectivo del derecho de participación política, en algunos países como en Argentina se han dictado recientemente normas de paridad para el acceso a los cargos públicos a fin de remover los obstáculos que impedían que las mujeres puedan postularse a cargos de elección popular.[16]

El presente trabajo se centra en la participación político-electoral de las mujeres en la Argentina para cargos de elección popular.

## 2    La desigualdad de género en Argentina

### 2.1    Antecedentes

La "lucha" por la igualdad de las mujeres es de larga data, destacándose -entre otras- el reclamo por la participación política y el acceso a espacios de decisión. En nuestro país, siguiendo la tendencia que se presentaba a nivel global, se excluyó a las mujeres de los derechos electorales.[17] Esta circunstancia dio lugar a uno de los primeros pronunciamientos del Alto Tribunal sobre la temática en autos "Lanteri Renshaw, Julieta".[18]

Julieta Lanteri, nacida en Italia, al adquirir la ciudadanía argentina fue la primera mujer en votar en 1911-50 años antes que se reconociera el voto femenino a nivel federal-.

La promulgación de la ley de voto universal, secreto y obligatorio[19] (conocida popularmente como "Ley Sáenz Peña") que comprendía a quienes se encontraban inscriptos en el padrón electoral, la inscripción se basaba en el registro del servicio militar, y por consecuencia excluía a las mujeres. Ante este escenario Lanteri solicita a las autoridades militares ser enrolada, lo que fue denegado y motivó la apelación

---

[15]    Manual para fortalecer la igualdad y erradicar la violencia de género de la Comisión de Derechos Humanos del Estado de México. OLVERA GARCÍA, Jorge (Coord.). *Colección CODHEM*. p. 27. Disponible en: https://biblio.juridicas.unam.mx/bjv/detalle-libro/5930-manual-para-fortalecer-la-igualdad-y-erradicar-la-violencia-de-genero-de-la-comision-de-derechos-humanos-del-estado-de-mexico-coleccion-codhem. Acceso en 24 nov. 2019.

[16]    Ley nº 27.412 (B.O. 15.12.2017).

[17]    Ley nº 346, sancionada el 1.10.1869.

[18]    CSJN. Fallos 154:283, *"Lanteri Renshaw, Julieta p/solicita se ordene su enrolamiento en su carácter de argentina naturalizada"*, (1929).

[19]    Ley nº 8.871, publicada en el B.O. del 26.3.1912.

al Ministerio de Guerra y Marina, recurso que también fue rechazado. Entonces, argumentando que la ley le impedía votar pero no ser candidata ya que la Constitución utilizaba el término ciudadano de manera genérica, y por ende no debía interpretarse que excluyera a las mujeres - máxime cuando la ley electoral tampoco las mencionaba dentro de las excepciones- se presentó en 1919 como candidata a diputada nacional.[20]

En 1926 fue sancionada la Ley nº 11.386[21] que sujeta el derecho a votar al enrolamiento militar. Con base en esta legislación Lanteri requiere a las autoridades militares el enrolamiento correspondiente, petición que no prospero y cuya denegatoria fue confirmada en sede judicial.

Así las cosas la causa llega a la Corte Suprema de Justicia de la Nación (CS) que ratifica la decisión de la Alzada, para así decidir sostuvo que

> [...] si bien es exacto, como se afirma, que ninguna ley prohíbe en términos expresos la inscripción de la mujer ciudadana en los registros de enrolamiento, no es menos cierto que por obvios fundamentos de todo orden, está evidentemente exenta y aún excluida de ese deber.

Por su parte, agrega que

> [p]uede, sin duda, ser materia de controversia la legitimidad y conveniencia de que la mujer actúe en la vida pública por el ejercicio legal de los derechos electorales, y desde luego que el voto calificado de la mujer instruida influiría más eficazmente en el progreso de las instituciones políticas que el sufragio inconsciente o venal del electoral analfabeto; pero lo que no parece discutible, lo que la ley no ha necesitado prohibir expresamente para que no sea razonablemente permitido, es el supuesto de la "mujer-soldado", desplazada de su sitio natural y de su noble misión social y humana, por las exigencias de una carga pública que no podría sobrellevar con eficacia si le seria impuesta por determinación justificada.

Siguiendo esta línea de pensamiento, concluye que

> [l]a igualdad ante la ley [...] como los derechos y garantías que de él emanan, no tienen, pues, carácter absoluto, y si por diversidad de situaciones y circunstancias la igualdad legal es sólo relativa entre un hombre y otro, debe serlo al menos con igual razón, en casos como el de autos, entre un hombre y una mujer, de fundamental disparidad en el orden de la naturaleza.
>
> La ciudadanía, por lo demás, no implica siempre el mismo conjunto de atributos, derechos y deberes, pues todo ello varía a virtud de múltiples circunstancias relativas a edad, aptitudes morales o físicas, incapacidades del mismo orden. etc., y con mayor fundamento si la desigualdad de situación se establece por razón del sexo.

---

[20]   NEGRI, Juan Javier. Julieta Lanteri, una pionera del feminismo. *Diario La Nación*, edición impresa del 22 fev. 2018.

[21]   Ley nº 11.386, publicada en publicada en el B.O. del 25.10.1926.

El reconocimiento de los derechos políticos de la mujer a nivel federal va a llegar recién en 1947 a través de la Ley nº 13.010.[22]

Esta legislación únicamente fue conducente para hacer efectivo el sufragio femenino en su faz activa pero no garantizo el acceso a cargos legislativos. Lo que se evidencia si se tiene en cuenta que desde 1952 hasta 1983 el promedio de diputadas nacionales fue de 6.33%, es decir que a pesar de estar previsto normativamente el derecho a elegir y ser elegidas, se optó por candidatos masculinos;[23] cómo bien se destacaba la "política seguía siendo cosa de varones".

En el plano internacional, en un principio la normativa no era sustancialmente diferente ya que si bien la Declaración Universal de Derechos Humanos (DUDH) de 1948, en su artículo 1º dispone: "Todos los seres humanos nacen libres e iguales en dignidad y derechos y, dotados como están de razón y conciencia, deben comportarse fraternalmente los unos con los otros". Por otra parte, en el artículo 21.2 contempla el derecho de acceso, en condiciones de igualdad, a las funciones públicas de su país. Lo cierto es que a pesar de haber empleado una terminología amplia, esa "universalidad" también excluía a las mujeres, y la expresión en "condiciones de igualdad" era entendida desde una concepción formal.

En este marco, cabe recordar la inveterada doctrina de la CS en cuanto señala que

[l]a igualdad establecida por el artículo 16 de la Constitución [...] no es otra cosa que el derecho a que no se establezcan excepciones o privilegios que excluyan a unos de lo que, en iguales circunstancias se concede a otros; de donde se sigue que la verdadera igualdad consiste en aplicar la ley en los casos ocurrentes, según las diferencias constitutivas de ellos.[24]

## 2.2 La "ley de cupo femenino"

En el año 1991 se sanciona la Ley nº 24.012[25] denominada popularmente "ley de cupo femenino". La misma modificó el Código Electoral Nacional y dispuso que las listas, para ser oficializadas, debieran tener mujeres en un mínimo del 30% de los cargos a elegir y en proporciones con posibilidad de resultar electas. Así, Argentina se convirtió en el primer país de América Latina en aplicar un sistema de cuotas con el objeto de garantizar la efectiva integración de la mujer en la actividad política.

Es que sin duda alguna la finalidad de esta legislación fue erradicar la postergación femenina en las listas de candidatos a cargos electivos, para la cual se especificaron los niveles de representación para cada sexo en las listas partidarias. De esta forma el sistema jurídico argentino incorporó una herramienta para remediar el histórico desequilibro existente entre hombres y mujeres en el Congreso de la Nación.

---

[22]  Ley nº 13.010, publicada en el B.O. del 27.9.1947.

[23]  SABSAY, Daniel A. *El cupo femenino en la conducción de los partidos políticos*. LL 2017-D, p. 48. Cita Online: AR/DOC/1534/2017.

[24]  CS. *"Don Eugenio Díaz Vélez c/ Pcia de Bs. As. s/ inconstitucionalidad del impuesto"*, sentencia del 20.6.1928.

[25]  Ley nº 24.012, publicada en el B.O. del 3.12.1991.

Poco tiempo después fue sancionado el decreto reglamentario -Decreto nº 379/93,[26] - esta normativa fue objeto de varios pronunciamientos judiciales en cuanto a su interpretación.

Los efectos de esta legislación han sido los siguientes: 1) ampliación del acceso de las mujeres a los cuerpos legislativos, 2) acceso a posiciones de liderazgo en las comisiones parlamentarias, 3) aumento de la actividad legislativa, 4) inclusión de temáticas vinculadas a las mujeres en la agenda legislativa, 5) garantía de la libertad positiva de las mujeres para representar a la ciudadanía sin conformar necesariamente representación de género, 6) mayor relevancia de los proyectos de género, 7) visibilización de la actividad política como tarea de varones y mujeres, 8) facilitación de la relación entre mujeres representantes y movimientos de mujeres, y 9) protección y ampliación de los derechos de las mujeres.[27]

## 2.3 La participación política de las mujeres en la reforma constitucional de 1994

La reforma constitucional de 1994 profundizó el camino que empezaba a delinearse con la ley de cupo, al consagrar con la máxima jerarquía normativa el principio de no discriminación. Así en el artículo 75, inciso 23 CN estableció la competencia del Congreso para

> legislar y promover medidas de acción positiva que garanticen la igualdad real de oportunidades y de trato, y el pleno goce y ejercicio de los derechos reconocidos por esta Constitución y por los Tratados Internacionales vigentes sobre derechos humanos, en particular respecto de los niños, las mujeres, los ancianos y las personas con discapacidad.

Mientras que el artículo 37 de la Constitución Nacional contiene una aplicación particular de este principio en materia político-electoral al consagrar específicamente la "igualdad real de oportunidades entre varones y mujeres para el acceso a cargos electivos y partidarias".

En concordancia, la disposición transitoria segunda, especificó que "[l]as acciones positivas a que alude el Artículo 37 en su último párrafo no podrán ser inferiores a las vigentes al tiempo de sancionarse esta Constitución y durarán lo que la ley determine".

A mayor abundamiento, no puede soslayarse que la igualdad de oportunidades entre varones y mujeres también encuentra fundamento en los instrumentos internacionales de derechos humanos que adquieren jerarquía constitucional de conformidad con el artículo 75, inciso 22 de la CN.

Así se incorpora un concepto material del derecho a la igualdad, caracterizado por una mayor intervención estatal con el fin de remediar desigualdades preexistentes. Las medidas de acción positivas constituyen una tendencia superadora del principio de

---

[26] Decreto nº 379/1993, publicado en el B.O. del 11.03.1993.

[27] PODER CIUDADANO. *Las mujeres al Congreso: La cuota o el 'cupo' femenino*. Disponible en: http://www.poderciudadano.org. Acceso en 29 nov. 2019.

igualdad formal, dado que permiten establecer una tutela diferenciada para aquellos individuos o grupos de personas que se encuentran en una situación particularmente vulnerable en relación al goce de sus derechos.

Recientemente, la Corte Suprema de Justicia de la Nación ha señalado que

> [e]n el marco que plantea la Constitución de 1994, la igualdad debe ahora ser entendida no solo desde el punto de vista del principio de no discriminación, sino también desde una perspectiva estructural que tiene en cuenta al individuo en tanto integrante de un grupo. El análisis propuesto considera el contexto social en el que se aplican las disposiciones, las políticas públicas y las prácticas que de ellas se derivan, y de qué modo impactan en los grupos desventajados, si es que efectivamente lo hacen.[28]

En Estados Unidos la discriminación de las mujeres precipitó específicos estándares de desconfianza para examinar la inconstitucionalidad de las normas.[29] Recordemos, al respecto, que en la nota al pie nº 4 del caso United States v. Carolene Products Co[30] se acuñó el término "categoría sospechosa" tendiente identificar si una regulación a un derecho civil afectaba o no el principio de igualdad.

Lo particular de esta teoría es que

> existe una presunción de que quienes pertenecen a alguna de las categorías así definidas se encuentran en una situación vulnerable. El examen estricto, con su exigencia agravada de justificación, permite que a través del control judicial se detecte si la distinción efectuada carece de justificación racional, por obedecer a prejuicios o estereotipos.[31]

En cuanto al derecho internacional de los derechos humanos, puede verse que un cambio significativo comienza en la década del '60, de ahí que el Pacto Internacional de Derechos Civiles y Políticos (PIDCyP) de 1966, en su artículo 25 consagra los derechos políticos, enfatizando que su ejercicio no puede estar sujeto a distinciones de raza, color, sexo, idioma, religión, opinión política o de otra índole, origen nacional o social, posición económica, nacimiento o cualquier otra condición social de conformidad con el artículo 2º del mencionado instrumento.

En similar sentido, la Convención Americana de Derechos Humanos (CADH) de 1969, contempla en su artículo 23 los derechos políticos excluyendo de las causales por las que puede reglamentarse su ejercicio a cuestiones de sexo.

Ya con mayor énfasis, la Convención para la Eliminación de Todas las Formas de Discriminación contra la Mujer (CEDAW) de 1979, le encomienda a los Estados la adopción de medidas tendientes a

---

[28] (cf. Fallos 340:1795).

[29] RIBIERI, Pablo. El principio de Igualdad. AA.VV. *Corte Suprema de Justicia de la Nación. Máximos precedentes. Derecho Constitucional.* MANILI, Pablo L. (Director). Buenos Aires: Ed. La Ley, 2013. t. 1, p. 920.

[30] Corte Suprema de los Estados Unidos, 304 EE.UU. 144, del 25 de abril de 1938.

[31] TREACY, Guillermo F. Categorías sospechosas y control de constitucionalidade. *Revista Lecciones y Ensayos*, n. 89, Facultad de Derecho - Universidad de Buenos Aires, p. 199, 2011.

[…] eliminar la discriminación contra la mujer en la vida política y pública del país y, en particular, garantizarán a las mujeres, en igualdad de condiciones con los hombres, el derecho a: a) Votar en todas las elecciones y referéndums públicos y ser elegibles para todos los organismos cuyos miembros sean objeto de elecciones públicas; b) Participar en la formulación de las políticas gubernamentales y en la ejecución de éstas, y ocupar cargos públicos y ejercer todas las funciones públicas en todos los planos gubernamentales; c) Participar en organizaciones y en asociaciones no gubernamentales que se ocupen de la vida pública y política del país. (Artículo 7º).

Como puede observarse, ésta última aparece como el punto de inflexión en el desarrollo del tema objeto de este estudio, en tanto toma como punto de partida la discriminación estructural e histórica hacia las mujeres. Ello toda vez, que su objetivo está dirigido a modificar los patrones socioculturales de conducta con el fin de erradicar las prácticas consuetudinarias que estén basadas en la idea de inferioridad de las mujeres.

Además, en la CEDAW, el artículo 4º prescribe:

1. La adopción por los Estados Partes de medidas especiales de carácter temporal encaminadas a acelerar la igualdad de facto entre el hombre y la mujer no se considerará discriminación en la forma definida en la presente Convención, pero de ningún modo entrañará, como consecuencia, el mantenimiento de normas desiguales o separadas; estas medidas cesarán cuando se hayan alcanzado los objetivos de igualdad de oportunidad y trato.

Por su parte, el Comité para la Eliminación de la Discriminación contra la Mujer[32] recomendó expresamente

[…] la aplicación de medidas especiales de carácter temporal en la educación, la economía, la política y el empleo, respecto de la actuación de mujeres en la representación de sus gobiernos a nivel internacional y su participación en la labor de las organizaciones internacionales y en la vida política y pública.

Sentado lo expuesto, es del caso mencionar que la discriminación positiva o inversa ha sido fuertemente cuestionada en el entendimiento que menoscaba el principio de igualdad -máxime cuando se aplica a categorías sospechosas-. Sin embargo, se ha interpretado que no afectarían la igualdad, en sentido estricto, si esas medidas fuesen temporarias, hasta tanto las barreras culturales que limitan la igualdad cedan y los prejuicios desaparezcan.[33]

Por su parte, la Corte IDH ha apuntado que la noción de igualdad

---

[32] Comité para la Eliminación de la Discriminación contra la Mujer, Recomendación General nº 25, "Medidas especiales de carácter temporal (párrafo 1 del artículo 4 de la Convención sobre la eliminación de todas las formas de discriminación contra la mujer)", 30º período de sesiones, (2004), párrafo 37.

[33] GELLI, Maria Angélica. *Constitución de la Nación Argentina. Comentada y concordada.* 5ta. Edición ampliada y actualizada. Ciudad de Buenos Aires: La Ley, 2018. p. 689.

se desprende directamente de la unidad de naturaleza del género humano y es inseparable de la dignidad esencial de la persona, frente a la cual es incompatible toda situación que, por considerar superior a un determinado grupo, conduzca a tratarlo con privilegio; o que, a la inversa, por considerarlo inferior, lo trate con hostilidad o de cualquier forma lo discrimine del goce de derechos que sí se reconocen a quienes no se consideran incursos en tal situación de inferioridad. No es admisible crear diferencias de tratamiento entre seres humanos que no se correspondan con su única e idéntica naturaleza.[34]

Toda la ciudadanía tiene un derecho constitucionalmente protegido a participar en las elecciones en igualdad de condiciones con los demás ciudadanos,[35] por ende si se otorga el derecho al sufragio pasivo a algunos y se lo niega a otros, debe determinarse si tales exclusiones son necesarias para promover un interés apremiante del Estado ya que se trata de categorías sospechosas.

En tal sentido, se considera que el Estado tiene que probar que la privación de derechos es necesaria y responde a un interés legítimo; además, debe demostrar que la clasificación no excluye a demasiadas personas, y, finalmente, que no hay otras maneras razonables para alcanzar el objetivo del Estado con una menor carga.

Como se desprende de lo expuesto, el marco normativo inserto en la reforma constitucional de 1994 se inspira en un modelo de participación política igualitaria entre varones y mujeres sin discriminación alguna admitiendo acciones para alcanzar esta finalidad.

## 2.4 Lineamientos jurisprudenciales antes de la sanción de la ley de paridad

El estudio jurisprudencial permite identificar diferentes etapas; en un primer momento, previo a la reforma de 1994, si bien el Alto Tribunal[36] ratificó la vigencia de la aplicación directa de la ley de cupo femenino, reconociéndole el carácter de norma de orden del público, lo cierto es que la aplicación de la legislación y su decreto reglamentario presentaba diferentes particularidades que impedían una interpretación uniforme.

A partir de la reforma constitucional de 1994, puede verse un viraje jurisprudencial donde se extiende la legitimación para impugnar las listas de candidaturas a quienes no las integran. En este sentido, puede verse lo decidido en "Merciadri de Morini".[37]

---

[34] Corte IDH, OC n° 18/03 Condición Jurídica y Derechos de los Migrantes Indocumentados, del 17 de Septiembre de 2003, párr. 87; entre otras.

[35] Corte Suprema de los Estados Unidos, casos *Evans* v *Cornman*, 398 EE.UU. 419, 421-422, 426 (1970); *Kramer* v. *Unión Libre El Distrito Escolar*, 395 EE.UU. 621, 626-628 (1969), *Cipriano* v. *ciudad de Baton Rouge*, 395 701 EE.UU., 706 (1969), *Harper* v. *Virginia, la Junta de Elecciones*, 383 EE.UU. 663, 667 (1966); *Carrington* v. *Rash*, 380 EE.UU. 89, 93-94 (1965), entre otros.

[36] CSJN, Fallos 316:2030 *"Darci Beatriz Sampietro s/ impugnación lista de candidatos a diputados nacionales del Partido Justicialista- Distrito Entre Ríos"*, (1993).

[37] CSJN, Fallos 318:986, "Merciadri de Morini, Maria Teresa s/ presentación (Unión Civica Radical)", (1995).

Este cambio de criterio fue particularmente relevante, ya que removió el obstáculo que impedía visualizar el conflicto real que era la ubicación de las mujeres en las listas en lugares elegibles. Ello por cuanto, con anterioridad quienes integraban las listas eran reticentes a cuestionar las mismas por las "represalias" partidarias.

Independientemente persistían los problemas de interpretación, en relación al cómputo de los lugares en las listas que debían ser ocupados por mujeres. Lo que motivo el dictado de un nuevo decreto - Decreto n° 1246/2000.[38] Tal modificación fue producto de que la petición de María Merciadri de Morini[39] - sostenía que el Estado había violado el artículo 23, CADH y ley n° 24.012 al permitir que en la oferta electoral de una agrupación política que renovaba cinco bancas se ubicase una sola mujer en el cuarto lugar de la lista- fue declarada admisible por la Comisión Interamericana de Derechos Humanos.

En el informe que aprueba la solución amistosa, la CIDH destaca

> los esfuerzos desplegados por ambas partes para lograr esta solución basada en el objeto y fin de la Convención. Como la Comisión ha señalado en otras ocasiones, la consecución de la participación libre y plena de la mujer en la vida política es una prioridad para nuestro hemisferio. En este sentido, la Ley n° 24.012 tiene el propósito de lograr la integración efectiva de la mujer en la actividad política, y el Decreto n° 1246 dictado como producto de la solución lograda tiene el objetivo complementario de garantizar el cumplimiento eficaz de dicha Ley.[40]

Con posterioridad el decreto n° 1246/2000 fue modificado por el decreto n° 451/2005.[41] Este último explica en sus fundamentos que el propósito de la ley n° 24.012 fue lograr la integración efectiva de las mujeres en la actividad política, mediante medidas de acción positiva, para lo cual fijó que las listas de candidatos a cargos electivos debían integrarse con un mínimo del 30% de mujeres. Sin embargo, el decreto n° 1246/2000 contrarió dicha finalidad al establecer, entre otras pautas, la alternancia de los sexos en la conformación de las citadas listas, transformando en máximo, el porcentual mínimo legalmente reglado lo que importa una discriminación de carácter negativo.

Siguiendo este orden de ideas el decreto n° 451/2005 prescribe:

> Cuando algún partido político, confederación o alianza, se presentara por primera vez o no renovara ningún cargo o bien renovara UNO (1) o DOS (2) cargos, en UNO (1) de los DOS (2) primeros lugares de la lista deberá nominarse siempre, como mínimo, una mujer. No se considerará cumplido el artículo 6° del Código Electoral Nacional cuando, en el supuesto de que se renueven UNO (1) o DOS (2) cargos, se incluya una sola candidata mujer ocupando el tercer término de la lista. Cuando se renovaran más

---

[38]    Decreto n° 1246/2000, publicado en el B.O. del 04.01.2001.

[39]    CIDH, Informe n° 102/99, Caso 11.307, Argentina, del 27 de septiembre de 1999.

[40]    CIDH, Informe n° 103/01, Caso 11.307, Argentina del 11 de Octubre de 2001, párr. 16.

[41]    Decreto n° 451/2005, publicado en *Boletín Oficial* n° 30648 del 6 de mayo de 2005.

de DOS (2) cargos, debe figurar una mujer como mínimo, en alguno de los TRES (3) primeros lugares.

Esta nueva reglamentación permite dar por finalizado el debate sobre la ubicación de las mujeres en las listas, ya que establece un criterio uniforme de renovación. Al respecto, la Cámara Nacional Electoral (CNE) asumiendo el rol de garante del cumplimiento de las medidas que procuran la igualdad real de oportunidades entre mujeres y varones para el acceso a cargos electivos, sostuvo:

> ... no basta que las listas estén compuestas por un mínimo de treinta por ciento de mujeres sino que además es necesario que tal integración se concrete de modo que -con un razonable grado de probabilidad- resulte su acceso a la función legislativa en la proporción mínima establecida por la ley y aquél sólo puede existir si se toma como base para el cómputo la cantidad de bancas que el partido renueva.[42]

La Ley nº 26.571[43] que instaura las elecciones primarias, abiertas, simultáneas y obligatorias (PASO) prescribe que se debe cumplir el cupo femenino en las listas de precandidatos a cargos electivos, así como en las modificaciones a Ley nº 23.298[44] en las elecciones internas de los partidos políticos.

El canon interpretativo que comienza a desarrollarse con posterioridad a la reforma fue profundizándose cada vez más y extendiendo su ámbito de aplicación al interior de los partidos políticos. Así, en la causa "Villar, c/Unión Popular"[45] la CNE enfatizó que:

> las acciones positivas a las que hace referencia el mencionado artículo 37 no solo tienen el objeto de asegurar la igualdad real de oportunidades entre varones y mujeres para el acceso a cargos electivos sino que, también, deben entenderse dirigidas hacia el interior de los partidos, es decir, en relación con la integración de los órganos partidarios.

## 3  La paridad de género en la integración de las listas para cargos públicos electivos

### 3.1  La Ley de Paridad de Género

Con la sanción de la "Ley de Paridad de Género en Ámbitos de Representación Política"[46] en el año 2017, el Congreso viene a dar observancia a la manda constitucional emanada del artículo 37 de la CN.

---

[42]  CNE, Expte. nº 3453/2001, *"Incidente de oficialización de candidatos a Diputados y Senadores Nacionales del Partido "Unión del Centro Democrático"- Elecciones 14 de octubre de 2001"*, Sentencia del 17.9.2001; Expte. nº 3466/2001, *"Partido Acción por la República s/personería jurídico político -incidente Oficialización Candidatos"*, Sentencia del 25.9.2001; entre muchos otros.

[43]  Ley nº 26.571, publicada en el B.O. del 14.12.2009.

[44]  Ley nº 23.298, publicada en el B.O. del 25.10.1985.

[45]  CNE, Expte. nº CNE 6713/2016/CA1, Causa: *"Villar, Daniel Osvaldo c/Unión Popular O.N. s/formula petición – Unión Popular O.N."*, Sentencia del 20.4.2017.

[46]  Ley nº 27.412, publicada en el B.O. del 15.12.2017.

Así lo destacaba la senadora Odarda que en el debate parlamentario, que manifestaba que:

> [...] este importante proyecto de ley, que no hace más que poner en ejecución uno de los mandatos más claros de la Constitución Nacional reformada en el año 94, que tiene la manda clara de acciones concretas para garantizar la igualdad de oportunidades de hombres y mujeres, en este caso en el Poder Legislativo.[47]

La normativa dispone, en primer lugar, que

> las listas de candidatos/as que se presenten para la elección de senadores/as nacionales, diputados/as nacionales y parlamentarios/as del Mercosur deben integrarse ubicando de manera intercalada a mujeres y varones desde el/la primer/a candidato/a titular hasta el/la último/a candidato/a suplente. (Artículo 1º).

Es decir que obliga a garantizar la paridad en las listas de candidatos a cargos electivos y agrega, como elemento definitorio, que una vez electas/os, en caso de vacancia quién debe ocupar la representación de la agrupación política es quién continua en el orden de la lista de igual género que el de producida la vacancia. Con ello, la paridad de género no solo se manifiesta en la integración de la oferta electoral sino también, en lo que se refiere a la representación electiva.

En segundo término, en lo que respecta a las PASO establece que: "Las listas de precandidatos [...] deben cumplir con los siguientes requisitos: a) Número de precandidatos igual al número de cargos titulares y suplentes a seleccionar, respetando la paridad de género" (artículo 5). De esta manera, asegura la paridad en las elecciones primarias.

En tercer lugar, declara que la paridad de género debe ser respetada también en las elecciones periódicas de autoridades y organismos partidarios (artículos 6º y 7º).

Por último, incorpora dentro de las causales que dan lugar a la caducidad de la personalidad política de los partidos "[...] la violación de la paridad de género en las elecciones de autoridades y de los organismos partidarios, previa intimación a las autoridades partidarias a ajustarse a dicho principio".

En el derecho público local, existen numerosas provincias que han sancionado leyes que garantizan la paridad de género en el acceso a cargos electivos y/o partidarios.[48]

Estas normativas suponen un salto cualitativo en relación al mandato constitucional, esto es asegurar la igualdad real de oportunidades entre hombres y mujeres a través de la implementación de acciones positivas.

---

[47]  Cámara de Senadores de la Nación, Período de sesiones 134, 16a Reunión - 6a Sesión ordinaria, del 19 de octubre de 2016.

[48]  A título de ejemplo pueden mencionarse las siguientes: Ciudad Autónoma de Buenos Aires, Ley nº 6.031; Buenos Aires, Ley nº 14.848; Catamarca, Ley nº 5.539; Chaco, Ley nº 2923-Q; Córdoba, Ley nº 8.901; Entre Ríos, Ley nº 10.012; Formosa, Ley nº 1.679; Mendoza, Ley nº 9.100, Río Negro, Ley nº 3.717; entre otras.

Poco tiempo después esta normativa fue reglamentada por el Decreto nº 171/2019,[49] como pauta interpretativa genérica apunta que el género del candidato/a es determinado

… por el sexo reconocido en el Documento Nacional de Identidad vigente al momento del cierre del padrón electoral, independientemente de su sexo biológico o, en su defecto, constancia de la rectificación del sexo inscripta en el Registro Nacional de las Personas. (Artículo 12).

## 3.2 Jurisprudencia

Con anterioridad a la sanción de la ley nº 27.412, la Cámara Nacional Electoral -máximo Tribunal en materia electoral- analizó en el caso "Ciudad Futura",[50] la admisibilidad de una lista integrada en su totalidad por mujeres.

En el mismo, el voto mayoritario entendió que

[n]uestro plexo jurídico de base es claro y terminante: 'igualdad real de oportunidades entre varones y mujeres para el acceso a los cargos electivos y partidarios'. Con esa expresión no se refirió solo a la mujer sino a los representantes de los dos géneros, y mal puede, en la consecución del objetivo o finalidad de resguardar la representación igualitaria, conceder como válida y razonable la conformación de una lista solo integrada por personas de un mismo género -sea hombre o mujer- y mediante el mecanismo de asegurar efectivamente una concreta posibilidad de acceso a los cargos.

Es decir, dicha previsión constitucional (art. 37 C.N.) es directamente operativa, por lo que no es preciso que una reglamentación legal aclare lo que su interpretación armónica y coherente muestra con evidencia.

Agregando, que

[...] la intención del constituyente así como la de los congresistas tuvo como intención asegurar la igualdad de trato en el ámbito de lo político para varones y mujeres; pues, si bien es cierto la posición de desigualdad socio-cultural vigente en nuestro Estado, así como en muchas naciones del mundo, que tuvo como destinatario esencial la protección en particular de la mujer quien conformaba el colectivo desprotegido en el ámbito de esta actividad, jamás pudo estar en la télesis de las normas el consagrar una igualdad generando una desigualdad.

Ya con la sanción de la ley de paridad, pero con anterioridad del dictado del decreto reglamentario Decreto nº 171/2019, el Juzgado Federal con competencia electoral

---

[49]   Decreto nº 171/2019, publicado en el B.O. del 8.3.2019.

[50]   CNE, Expte. No CNE nº 5385/2017/1/CA1, *"Incidente de Ciudad Futura Nro. 202 – distrito Santa Fe en autos Ciudad Futura Nro. 202 – distrito Santa Fe s/elecciones primarias – elecciones 2017"*, sentencia del 13.7.2017.

nº 1 de la Capital Federal, se expidió en el caso "Galmarini c/Poder Legislativo"[51] en cuanto al reemplazo de una banca legislativa. En el caso, se subrayó que

[l]a sanción de la ley de paridad de género en ámbitos de representación política (nº 27.412) es el resultado de un trabajo llevado a cabo por muchos sectores representativos de las sociedad, con la colaboración no solo de los partidos políticos que cuentan con representación parlamentaria sino también de Organizaciones no Gubernamentales, Organizaciones de Derechos Humanos y de la Justicia Electoral y que ofrece una herramienta que permite garantizar en igual medida la representación del hombre y de la mujer.

Siguiendo esta pauta, destacó que

[l]a ley nº 27.412 sancionada el 22 de noviembre de 2017 no especifica el comienzo de aplicación de sus disposiciones, de modo tal que, para el reemplazo de la diputada renunciante resulta aplicable de manera inmediata dicha normativa. Habida cuenta que la renuncia de la Diputada Nacional […] se hizo efectiva el 18 de diciembre de 2018, siendo que a esa fecha ya se encontraba vigente la ley de paridad de género nº 27.412 sancionada con fecha 22 de noviembre de 2017.

Respecto a la aplicación de la ley nº 27.412 y al alcance de su decreto reglamentario, la Cámara Nacional Electoral se expidió por primera vez en el caso "Crexell",[52] con motivo del proceso electoral del 2019, *dónde ante el fallecimiento* de el primer candidato a senador nacional -luego de las elecciones primarias abiertas, simultáneas y obligatorias- se discutía si debía encabezar la lista la candidata mujer que le seguía en orden o debía ser integrada con el primer candidato suplente por su condición de varón.

El máximo Tribunal en materia electoral, recordó que

la 'igualdad real de oportunidades' que el artículo 37 de la Constitución Nacional procura garantizar mediante la implementación de acciones afirmativas (cf. artículo 75 inciso 23) implica un accionar progresivo por parte del Estado tendiente a remover los obstáculos a una mayor participación,

en concordancia con la disposición transitoria segunda de la ley fundamental que señala que "[l]as acciones positivas a que alude el articulo 37 en su último párrafo no podrán ser inferiores a las vigentes al tiempo de sancionarse esta Constitución y durarán lo que la ley determine".

A su vez, destacó que

---

[51]  Juzgado CyCF nº 1, *"Galmarini, Malena y otros c/Poder Legislativo- Cámara de Diputados de la Nación s/ Amparo"*, Sentencia del 5.6.2019.

[52]  CNE. Expte. nº CNE 6459/2019/CA1 "Juntos por el Cambio s/oficialización de candidaturas. Elección general - comicios 27 de octubre de 2019" del 24.10.2019.

las acciones afirmativas establecen un trato formalmente desigual orientado a lograr una igualdad material". En este sentido, dijo que "nuestro país ha seguido los principios consagrados en el orden internacional que en materia electoral y de partidos políticos se pronuncian claramente en favor de una participación igualitaria y sin discriminaciones fundadas en meros prejuicios entre varones y mujeres, contenidos en la Convención Americana sobre Derechos Humanos, en el Pacto de Derechos Civiles y Políticos y en la Convención contra toda forma de Discriminación de la Mujer.

Asimismo, aclaró que

nuestro poder legislativo reguló la paridad de forma tal que la ley nº 27.412 solo puede ser entendida como una medida más de acción positiva para tratar de equilibrar la situación de un grupo de la sociedad históricamente postergado en materia de participación política, las mujeres.

En cuanto a quien le corresponde encabezar la lista de senadores nacionales por la provincia de Neuquén, el Tribunal advirtió que

la aplicación directa de la pauta de sustitución por personas del mismo género, prevista en el citado artículo 7º del Decreto nº 171/2019, conduce a una solución contradictoria con la finalidad esencial de la ley que reglamenta (27.412), pues implica que un candidato suplente sea ubicando con prelación a una candidata titular.

Por tal razón, concluyó que

el propósito final de la ley que reglamenta, que es la protección de la mujer en cuanto a las oportunidades efectivas de acceder a cargos públicos electivos. Ello, en particular, teniendo en cuenta que se trata de una candidatura al Senado Nacional, cuya elección se rige por el sistema de lista incompleta, con solo dos postulantes titulares (cf. arts. 54 de la Constitución Nacional y 156 a 157 del *Código* Electoral Nacional).

Este criterio fue confirmado por la Corte Suprema de Justicia de la Nación.[53] Ante la presentación de un recurso extraordinario contra la resolución de la Cámara Nacional Electoral, la Corte Suprema de Justicia de la Nación se expidió sobre el caso, confirmando la sentencia de Cámara y constituyendo el primer precedente sobre la ley de paridad de género en la representación política federal argentina.

## 4  Reflexiones finales

En Argentina desde la reforma constitucional del año 1994 comienza una redefinición del principio de igualdad y, se consagra específicamente una acción

---

[53]  CS. Expte. CNE nº 6459/2019/1/RH1 "Juntos por el Cambio s/oficialización de candidaturas. Elección general - comicios 27 de octubre de 2019" del 12.11.2019.

positiva para la participación política de las mujeres, cuyo tratamiento expreso está previsto en el artículo 37 de la Constitución Nacional.

Si bien, la cuestión comienza a gestarse con anterioridad a 1994 -con la adopción en 1991 de la ley de cupo femenino- lo cierto es que en ese momento se plasma con la máxima jerarquía normativa en nuestro sistema jurídico tal concepción.

En efecto, la Convención reformadora da un paso más allá al acuñar el concepto de "igualdad real de oportunidades entre hombres y mujeres". Esta manda constitucional es la que da origen y sustento a la Ley de Paridad que viene a zanjar los cuestionamientos que padecía la ley de cupo, en tanto era considerada una medida de discriminación inversa.

Si bien, la ley de paridad vino a consagrar la previsión constitucional de 1994 aún queda un largo camino por recorrer para que efectivamente exista en el ámbito político una participación igualitaria entre hombres y mujeres, dado que todavía faltan legislaciones tendientes a incorporar la paridad de género en los ámbitos de decisión política como así también protocolos sobre la violencia política que sufren las mujeres.

Ya que como se ha sostenido la participación y representación política de las mujeres en condiciones de equidad constituye "una meta ineludible de las democracias".[54]

## Referencias

BASTERRA, Marcela I. Desde las acciones positivas en razón del género al 'gender mainstreaming', veinticinco años después de la reforma constitucional. *En: Revista de Derecho Público*: 25 años de la reforma constitucional de 1994 – I, Santa Fe: Rubinzal - Culzoni Editores, 2019.

BERRA, Elisabeth Inés. Los derechos políticos electorales de las mujeres. Un supuesto de desigualdad estructural. *XXIV Encuentro de Profesores de Derecho Constitucional. A 25 años de la Reforma de 1994.* Panel I: Los derechos en la Constitución Nacional.

DALLA VÍA, Alberto R. La participación política y la reforma electoral en la Argentina. *Anales de la Academia Nacional de Ciencias Molales y Políticas.* Disponible en: https://www.ancmyp.org.ar/categoria.asp?id=461, Tomo XXXVIII, 2011.

DALLA VIA, Alberto R. Los derechos políticos en el Sistema Interamericano de Derechos Humanos. *Justicia Electoral. Revista del Tribunal Electoral del Poder Judicial de la Federación*, México, v. 1, n. 8, p. 16, 2011.

GARCÍA ROCA, Javier; DALLA VÍA, Alberto, R. *Los derechos políticos y electorales*: un orden público democrático. Buenos Aires: La ley, 2013.

GELLI, Maria Angélica. *Constitución de la Nación Argentina. Comentada y concordada.* 5ta. Edición ampliada y actualizada. Ciudad de Buenos Aires: La Ley, 2018.

HERNÁNDEZ MONZOY, Andira. Equidad de género y democracia interna de los partidos políticos. Políticas partidarias para la inclusión política de las mujeres en América Latina. *TEPJF*, México, p. 33, 2011.

NEGRI, Juan Javier. Julieta Lanteri, una pionera del feminismo. *Diario La Nación*, edición impresa del 22 fev. 2018.

---

54   HERNÁNDEZ MONZOY, Andira. Equidad de género y democracia interna de los partidos políticos. Políticas partidarias para la inclusión política de las mujeres en América Latina. *TEPJF*, México, p. 33, 2011.

OLVERA GARCÍA, Jorge (Coord.). *Colección CODHEM*. p. 27. Disponible en: https://biblio.juridicas.unam.mx/bjv/detalle-libro/5930-manual-para-fortalecer-la-igualdad-y-erradicar-la-violencia-de-genero-de-la-comision-de-derechos-humanos-del-estado-de-mexico-coleccion-codhem. Acceso en 24 nov. 2019.

PODER CIUDADANO. *Las mujeres al Congreso: La cuota o el 'cupo' femenino*. Disponible en: http://www.poderciudadano.org. Acceso en 29 nov. 2019.

RIBIERI, Pablo. El principio de Igualdad. AA.VV. *Corte Suprema de Justicia de la Nación. Máximos precedentes. Derecho Constitucional*. MANILI, Pablo L. (Director). Buenos Aires: Ed. La Ley, 2013. t. 1.

SABSAY, Daniel A. *El cupo femenino en la conducción de los partidos políticos*. LL 2017-D, p. 48. Cita Online: AR/DOC/1534/2017.

TREACY, Guillermo F. Categorías sospechosas y control de constitucionalidad. *Revista Lecciones y Ensayos*, n. 89, Facultad de Derecho - Universidad de Buenos Aires, p. 199, 2011.

VANOSSI, Jorge Reinaldo A. *Estado de Derecho*. Ciudad de Buenos Aires: Editorial Astrea, 2008.

---

Informação bibliográfica deste texto, conforme a NBR 6023:2018 da Associação Brasileira de Normas Técnicas (ABNT):

GÓMEZ, Elena Isabel. Los derechos políticos electorales de las mujeres en la república argentina. El camino hacia la paridad de género. *In*: COSTA, Daniel Castro Gomes da; FONSECA, Reynaldo Soares da; BANHOS, Sérgio Silveira; CARVALHO NETO, Tarcisio Vieira de (Coord.). *Democracia, justiça e cidadania*: desafios e perspectivas. Homenagem ao Ministro Luís Roberto Barroso. Belo Horizonte: Fórum, 2020. t. 1: Direito eleitoral, política e democracia. p. 251-268. ISBN 978-85-450-0748-7.

# REPENSANDO OS PARTIDOS POLÍTICOS

**HENRIQUE NEVES DA SILVA**

## Introdução

Ao votar pelo reconhecimento de repercussão geral no recurso extraordinário em que se discutem as candidaturas avulsas no Brasil, o eminente Ministro Luís Roberto Barroso – a quem esta obra é dedicada – realçou alguns aspectos do quadro atual dos partidos políticos no Brasil, destacando que:

> As agremiações com maior expressão no cenário nacional tiveram membros citados em colaborações premiadas e denunciados em escândalos de corrupção [...]. Pesquisas de opinião indicam que o grau de confiança dos cidadãos nos partidos políticos é atualmente baixíssimo [...]. E levantamentos empíricos da ONG Transparência Brasil sugerem que o domínio familiar sobre os partidos se encontra em ascensão, tornando menos acessível ao cidadão comum a candidatura política por meio dessas instituições [...].[1]

Realmente, a compreensão popular sobre a função dos partidos políticos não tem sido percebida com bons olhos por grande parte da população, especialmente porque as agremiações recebem altos recursos públicos, além daqueles que são destinados às campanhas dos candidatos nos anos eleitorais.

É interessante notar que há 10 anos, em 2009, o valor dos recursos públicos que compõem o Fundo Partidário era de R$155.448.144,00[2] e existiam 11.970.296 eleitores filiados[3] aos 25 partidos políticos até então existentes.

Atualmente, a parcela de recursos públicos para 2019 foi orçada em R$810.050.743,00 para um universo de 15.712.340 eleitores filiados a 32 partidos

---

[1]   STF, ARE nº 1054490 QO / RJ, Rel. Min. Luis Roberto Barroso, DJe 8.3.2018.

[2]   JUSTIÇA ELEITORAL. *Distribuição do fundo partidário 2009*. Disponível em: http://www.justicaeleitoral.jus.br/ arquivos/tse-fundo-partidario-duodecimos-2009. Acesso em 29 nov. 2019.

[3]   TRIBUNAL SUPERIOR ELEITORAL. *Estatísticas do eleitorado – Eleitores filiados*. Disponível em: http://www. tse.jus.br/eleitor/estatisticas-de-eleitorado/filiados. Acesso em 02 dez. 2019.

políticos, dos quais apenas 27 têm direito ao recebimento de verba pública, em razão da cláusula de desempenho criada pela Emenda Constitucional nº 97, de 2017.

Esses dados demonstram que, no Brasil, em 10 anos, o número de partidos políticos subiu 28% (chegou a 40% no momento em que eram 35 partidos); a quantidade de filiados aumentou pouco mais de 31% no período em que o eleitorado ascendeu de 130,6 milhões para 147,4 milhões, representando uma variação menor do que 13%; e o valor do Fundo Partidário cresceu cerca de 420%, o que, descontadas a inflação verificada nesses 10 (dez) anos (72%), reflete um aumento real de cerca de três vezes e meio.

O descompasso entre o crescimento das agremiações, do eleitorado e do número de filiados em relação ao crescimento do valor do orçamento público destinado ao Fundo Eleitoral é evidente e também pode ser verificado a partir do valor originalmente previsto no inciso IV do art. 39 da Lei nº 9.096/95, que previa a formação do Fundo Partidário com: "dotações orçamentárias da União em valor nunca inferior, cada ano, ao número de eleitores inscritos em 31 de dezembro do ano anterior ao da proposta orçamentária, multiplicados por trinta e cinco centavos de real, em valores de agosto de 1995".

Trinta e cinco centavos, em valores de agosto de 1995 atualizados para dezembro de 2018, correspondem a R$2,08. Aplicando-se o cálculo sobre o número de eleitores existentes em dezembro de 2018 (147.160.965), o valor do Fundo Partidário para 2019, considerada apenas a parcela orçamentária, deveria ser de pouco mais de 306 milhões de reais. O valor estabelecido, 810 milhões, corresponde a mais de duas vezes e meia o mínimo legalmente previsto.

Indica-se que este gigantesco aumento derivaria da proibição das doações das pessoas jurídicas, que foram declaradas inconstitucionais pelo STF. Contudo, tais doações geralmente visavam ao financiamento das campanhas eleitorais e, para isso, a partir das Eleições de 2018, além dos recursos do Fundo Partidário, foi criado o Fundo Especial de Financiamento de Campanhas Eleitorais – FEFC, que para as eleições daquele ano atingiu o valor de R$1.716.209.431 e as estimativas para 2020 partem de, no mínimo, dois bilhões de reais.

Em suma, os valores arcados pelos cofres públicos a cada ano e, especialmente, nos anos eleitorais são altíssimos, contrapondo as habituais restrições orçamentárias a que todo o país precisa se submeter.

Neste artigo, não se pretende discutir a necessidade de os partidos políticos serem subsidiados pelo Estado, como ocorre em vários países e, no Brasil, está expressamente previsto no §3º do art. 17 da Constituição Federal. Nem se abordará de forma central a importância e a necessidade de preservação dos partidos políticos, cuja existência deriva do pluralismo político, fundamento do Estado Democrático de Direito e da própria República (CF, art. 1º, IV).

A pretensão deste rápido estudo é a de demonstrar a necessidade de os partidos políticos e da legislação a eles imposta serem modernizados, por meio de ações internas e com ajustes no texto legal. Isso porque o custo dos partidos brasileiros não pode ser atribuído apenas à vontade dos políticos. Os valores anteriormente apresentados também decorrem da intrincada e burocrática estrutura que é exigida dos partidos políticos, ainda que a Constituição da República lhes garanta autonomia para definir a sua estrutura interna. O apego a modelos e normas antigas faz com que os partidos continuem a ser tratados como instituições antiquadas não adaptadas à fluidez da realidade atual.

Assim, em atenção ao honroso convite dos organizadores desta relevante coletânea de artigos, o que se pretende é dar início à discussão sobre a necessidade de repensarmos as instituições democráticas, em especial os partidos políticos, como forma de permitir a sua modernização para que a sua função natural de intermediar o exercício do poder possa ser exercida com efetividade e economicidade.

Esta necessidade de sempre discutir as instituições é uma das principais características do Ministro Luís Roberto Barroso, justamente homenageado nesta obra por sua eterna inquietação na defesa do patrimônio público e da funcionalidade do Estado.

## Histórico dos partidos políticos

Os primeiros partidos políticos – *Wighs*, com o perfil liberal, e *Tories*, conservador – surgiram na Inglaterra, no final do século XVII. A sua existência, até onde se sabe, não foi regulamentada.

As primeiras regras sobre a atuação dos partidos políticos nos Estados Unidos surgiram em 1866, nos estados da Califórnia e de Nova Iorque.[4] Na Califórnia, com a edição da "*Porter Law*", permitiu-se a realização de eleição primária com a participação de qualquer associação política voluntária ou partido, ao passo que, em Nova Iorque, estipularam-se infrações relativas à prática de fraude, suborno ou intimidação de eleitores em assuntos partidários.

No Brasil Império, o Partido Liberal e o Partido Conservador se formaram na metade do século XIX e, a partir de então e até a proclamação da República, alternaram-se no exercício do poder. Não houve maior regulamentação legal das atividades partidárias daquela época.

O Código Eleitoral de 1932, ao transferir a tarefa de realizar eleições para o Poder Judiciário com a criação da Justiça Eleitoral, previu que deveriam ser considerados como partidos políticos para efeito da legislação eleitoral de então:

> 1)os que adquirirem personalidade jurídica, mediante inscrição no registro a que se refere o art. 18 do Código Civil de 1916; 2) os que, não a tendo adquirido, se apresentarem para os mesmos fins, em caráter provisório, com um mínimo de quinhentos eleitores; 3) as associações de classe legalmente constituídas. (Decreto nº 21.074, de 1932, art. 99).

Em seguida, obrigou-se qualquer deles a

---

[4] WIGTON, Robert C. *The parties in Court. American Political Parties under the Constitution. Lexigton Books.* Disponível em: https://books.google.com.br/books?id=rhlmAgAAQBAJ&pg=PA4&lpg=PA4&dq=porter+law+1866+california+political+party&source=bl&ots=2qZZe2nqDY&sig=ACfU3U11JiC8hErNFl0u8fsEC6CmEkcKOg&hl=pt-BR&sa=X&ved=2ahUKEwiElpneq5XmAhUOq1kKHfUnCFoQ6AEwCnoECAgQAQ#v=onepage&q=porter%20law%201866%20california%20political%20party&f=false (). Acesso em 29 nov. 2019.

comunicar por escrito ao Tribunal Superior e aos Tribunais Regionais das regiões em que atuarem a sua constituição, denominação, orientação política, seus órgãos representativos, o endereço de sua sede principal, e o de um representante legal pelo menos. (parágrafo único).

A partir da edição do Código de 32, houve o reconhecimento legal dos direitos aos partidos políticos de: requerer informações da Justiça Eleitoral (art. 18, 3 e 28,5); impugnar a inscrição de eleitores (art. 43), requerer a sua exclusão (art. 51) ou defender o direito do eleitor não ser excluído (art. 52); registrar lista de candidatos nas eleições proporcionais (art. 58); reclamar contra a omissão do nome do eleitor no momento da votação (art. 63, §1º); permanecer no local de votação (art. 76) e examinar a identidade do eleitor (art. 81, 2º); acompanhar a lacração da urna (art. 85, a) e vigiar o seu transporte (art. 85, §3º); impugnar a apuração (art. 89) e apresentar recursos (art. 94); nomear delegados e fiscais para examinar o processo eleitoral (arts. 100 e 102); e, acompanhar os atos e diligências judiciais (art. 111).

Naquela época, os partidos podiam registrar a lista de candidatos até cinco dias antes da eleição, o que também podia ser feito por grupo de cem eleitores (art. 58, 1º) e o candidato que não estivesse registrado era considerado avulso (art. 58, 1º, parágrafo único).

Apesar da previsão legal de 1932 e do esboço de referência na Constituição de 1934 (art. 170, 9º), o Golpe de 1937 extinguiu a Justiça Eleitoral e os Partidos Políticos.

Em 1945, diante das pressões e no ocaso do Estado Novo, os Partidos retornaram ao cenário nacional por meio do Decreto-Lei nº 7.586/1945 – conhecido como Lei Agamenon – que restabeleceu a Justiça Eleitoral e regulou as eleições em todo o país. Os partidos passaram a deter o monopólio das candidaturas nos termos do art. 39 da referida norma: "Somente podem concorrer às eleições candidatos registrados por partidos ou alianças de partidos".

Na Constituição de 1946, os partidos políticos passaram a ter a designação "nacional". Atribuiu-se à Justiça Eleitoral, a competência para registrar e cassar o registro dos Partidos Políticos (art. 119, I). A União Democrática Nacional – UDN, o Partido Social Democrata – PSD e o Partido Trabalhista Brasileiro – PTB foram os que mais se destacaram.

Com o golpe militar de 1964, a nação sofreu novo revés. Todas as agremiações foram fundidas em apenas dois partidos: a ARENA (Aliança Renovadora Nacional), que representava a situação e o MDB (Movimento Democrático Brasileiro), que exercia, sem maior liberdade, uma pseudoposição ou, como se acostumou dizer, uma "oposição controlada".

O Bipartidarismo foi extinto em 1979. Surgiram seis partidos em 1980 (PMDB, PDS, PTB, PT, PDT e PP). O número foi posteriormente reduzido para cinco, diante da incorporação do PP pelo PMDB.

Naquela época, os partidos eram criados na forma prevista na Lei Orgânica dos Partidos Políticos – Lei nº 5.682/71, com as alterações introduzidas pela Lei nº 6.767/79. Considerava-se que os partidos políticos, vistos como "pessoas jurídicas de direito público interno, destinam-se a assegurar, no interesse do regime democrático, a autenticidade do sistema representativo e a defender os direitos humanos fundamentais, definidos na Constituição" (art. 2º).

A criação dos partidos obedecia a um ritual que, em suma, previa a criação de uma comissão executiva nacional provisória após a obtenção do registro civil, a qual requeria o registro provisório da agremiação perante o TSE e designava as comissões executivas provisórias estaduais, que, por sua vez, designavam as comissões provisórias municipais, as quais eram incumbidas de realizar as convenções e constituir os órgãos definitivos do partido nos municípios, que, por sua vez, constituíam os órgãos definitivos nos estados para que elegessem o órgão definitivo nacional.

Todo o processo de criação dos partidos políticos deveria ocorrer no prazo de um ano, nos termos do art. 12 da LOPP:

> Art. 12. O partido que, no prazo de 12 (doze) meses, a contar da decisão do Tribunal Superior Eleitoral, prevista no art. 9º, não tenha realizado convenções em pelo menos 9 (nove) Estados e em 1/5 (um quinto) dos respectivos Municípios, deixando de eleger, em convenção, o diretório nacional, terá sem efeito os atos preliminares praticados, independente de decisão judicial.

Admitia-se, contudo, a formação imediata do partido definitivo quando 10% dos fundadores da agremiação eram membros do Congresso Nacional ou quando demonstrado o apoio mínimo de 5% do eleitorado nacional, dispersado em, ao menos, 9 (nove) estados, com o mínimo de 3% do eleitorado de cada um deles (art. 14).

A lógica, portanto, fazia com que os partidos políticos, tratados como pessoas jurídicas de direito público, fossem criados mediante a designação de comissões provisórias em escala descendente, da Nacional para as municipais, seguidas de uma escala ascendente de formação dos órgãos definitivos por meio da realização de convenções.

Esse quadro foi radicalmente modificado a partir da Constituição de 1988, quando a criação dos Partidos Políticos foi inserida no título dos Direitos e Garantias Fundamentais, conforme a redação original do art. 17:

> Art. 17. É livre a criação, fusão, incorporação e extinção de partidos políticos, resguardados a soberania nacional, o regime democrático, o pluripartidarismo, os direitos fundamentais da pessoa humana e observados os seguintes preceitos:
>
> I - caráter nacional;
>
> II - proibição de recebimento de recursos financeiros de entidade ou governo estrangeiros ou de subordinação a estes;
>
> III - prestação de contas à Justiça Eleitoral;
>
> IV - funcionamento parlamentar de acordo com a lei.
>
> §1º É assegurada aos partidos políticos autonomia para definir sua estrutura interna, organização e funcionamento, devendo seus estatutos estabelecer normas de fidelidade e disciplina partidárias.

Posteriormente, o §1º do art. 17 foi alterado pela Emenda Constitucional 52, de 2006, como resposta do Congresso Nacional à exigência do TSE de os partidos, dado o caráter nacional previsto no inciso I do caput do art. 17, observarem coerência na formação de suas coligações, o que se convencionou chamar de verticalização.

Em 2017, sobreveio nova alteração do §1º para, além de manter a liberdade não vinculada para formação das coligações, proibir a sua realização nas eleições proporcionais e garantir liberdade para os partidos estipularem o prazo de duração dos seus órgãos permanentes e provisórios. O texto atual tem a seguinte redação:

> §1º É assegurada aos partidos políticos autonomia para definir sua estrutura interna e estabelecer regras sobre escolha, formação e duração de seus órgãos permanentes e provisórios e sobre sua organização e funcionamento e para adotar os critérios de escolha e o regime de suas coligações nas eleições majoritárias, vedada a sua celebração nas eleições proporcionais, sem obrigatoriedade de vinculação entre as candidaturas em âmbito nacional, estadual, distrital ou municipal, devendo seus estatutos estabelecer normas de disciplina e fidelidade partidária.

Na Constituição Federal de 1988, além das funções inerentes ao processo eleitoral, os partidos também foram contemplados com a legitimidade para impetrar mandado de segurança coletivo (art. 5º, LXX, a); denunciar irregularidades perante o Tribunal de Contas da União (art. 74, §2º); propor a ação direta de inconstitucionalidade e a ação declaratória de constitucionalidade (art. 103, VIII); além de ser garantida a imunidade tributária de seus patrimônios, rendas e serviços (art. 150, VI, c).

A liberdade da criação de partidos políticos foi reforçada pelo Ato das Disposições Constitucionais Provisórias – ADCT, permitindo-se, nos primeiros seis meses após a sua promulgação, que no mínimo trinta parlamentares federais criassem um partido provisório (ADCT, art. 6º).

Com isso, em 1989, na primeira eleição presidencial após a ditadura militar, vinte e dois partidos políticos disputaram o pleito e, em 1990, dezenove agremiações elegeram parlamentares.

Em seguida, por meio da Lei nº 9.096/95, que substituiu a antiga Lei Orgânica dos Partidos Políticos, reconheceu-se às agremiações partidárias natureza de pessoa jurídica de direito privado (art. 1º), o que foi reforçado pelo Código Civil Brasileiro de 2002 (art. 44, V).

A partir do novo modelo, foi extinta a figura do partido político com registro provisório. Estabeleceu-se que a sua criação, após o registro civil, só seria admitida quando demonstrado o seu caráter nacional por meio da obtenção do apoiamento de 0,5% dos votos outorgados na última eleição para a Câmara dos Deputados, distribuídos em ao menos um terço dos estados, observado o mínimo de 0,1% do eleitorado de cada um deles.

Em 2007, o Tribunal Superior Eleitoral (TSE), ao responder à Consulta nº 1.398, reconheceu que os candidatos são obrigados a observar fidelidade aos partidos pelos quais foram eleitos nas eleições proporcionais e, ao se desfiliarem sem justa causa, a respectiva vaga deveria ser ocupada pelo suplente. Entendeu-se, em suma, que o sistema proporcional eleitoral brasileiro computa o voto do eleitor em primeiro lugar para o partido político e somente em segundo plano para o candidato escolhido. Assim, o direito à representação política pertence ao partido político, ainda que representado pelo candidato eleito.

A interpretação foi contestada perante o Supremo Tribunal Federal (STF) em três mandados de segurança.[5] O STF, contudo, manteve o entendimento consagrado na consulta e determinou que o TSE, como instituição organizadora das eleições, regulamentasse em caráter provisório as hipóteses de justa causa para desfiliação do candidato eleito, sem a perda do direito de exercer o mandato, o que foi feito por meio da Resolução nº 22.610/2007, a qual estipulou, dentre outras hipóteses, a possibilidade de o candidato deixar o partido pelo qual foi eleito para agremiação recém-fundada.

Aponta-se, de forma relativamente recorrente, que, a partir dessas decisões, o número de partidos políticos no Brasil aumentou de forma exagerada, especialmente em razão da hipótese de desfiliação para criação de novos partidos, contemplada pelo TSE. Porém, cabe observar que, em 2018, trinta e cinco agremiações nacionais estavam ativas no país, com registro no TSE. Desse número, apenas oito foram efetivamente criadas depois de 2008. Os outros vinte e sete partidos, ainda que com nomes diferentes, já existiam antes das decisões do TSE e do STF anteriormente referidas.

Em contrapartida, dos 32 partidos hoje existentes, apenas 14 foram formados antes da edição da Lei nº 9.096/95. Este dado parece demonstrar que o número atual de partidos pode decorrer do impacto na redução dos critérios para a criação das agremiações, com a diminuição do percentual de apoio popular de 5% previsto na antiga LOPP para funcionamento imediato e os 0,5% previstos na atual lei dos partidos políticos.

Ademais, a hipótese de formação de novo partido político como justa causa para a desfiliação dos candidatos eleitos foi estabelecida pelo TSE "em contexto excepcional e transitório, tão somente como mecanismo para salvaguardar a observância da fidelidade partidária enquanto o Poder Legislativo, órgão legitimado para resolver as tensões típicas da matéria, não se pronunciar",[6] ao passo que, com a edição da Lei nº 13.165/2010, tal hipótese não foi contemplada pelo Congresso Nacional, permitindo-se que os candidatos eleitos pelo sistema proporcional mudem de partido apenas quando houver mudança substancial ou desvio reiterado do programa partidário, grave discriminação pessoal ou no período específico dos 30 dias que antecedem o prazo de filiação partidária necessário para concorrer nas eleições (Lei nº 9.096/95, art. 22-A).

Em suma, ao contrário do que se imagina, é possível sustentar que a alteração legislativa relativa à relativização dos critérios de aferição do caráter nacional dos partidos políticos teve mais efeito na formação de novas agremiações do que as decisões proferidas pelo TSE e STF já mencionadas.

A redução de tais critérios faz com que hoje em dia existam 76 partidos políticos em formação no TSE, com tantos outros anunciados. Se todos fossem registrados, haveria impossibilidade de ser atribuído um número de dois dígitos para identificação de cada partido.

---

[5]    MS nº 26.604, rel. Min. Cármen Lúcia, DJe de 3.10.2008; MS nº 26.603, rel. Min. Celso de Mello, DJe de 19.12.2008; MS nº 26602, rel. Min. Eros Grau, DJe de 17.10.2008.

[6]    ADI nº 3999, rel. Min. Joaquim Barbosa, DJe de 16.4.2009.

## A crise de representatividade dos partidos políticos

O número de partidos políticos tem sido considerado como um dos principais fatores de comprometimento da governabilidade brasileira, o que acaba por denegrir a percepção de sua imagem pela população.

Como aponta Sérgio Victor:

> Esse cenário de intensa fragmentação do quadro partidário, que não pode ser comparado ao multipartidarismo regulado por cláusulas de desempenho dos sistemas parlamentares europeus, proporciona o surgimento de legendas não competitivas e não representativas, as quais prejudicam a análise do eleitor quanto à distinção entre governo e oposição, visto que são legendas criadas para se manterem como satélites na órbita do governo federal, sem identidades bem delineadas.[7]

Os desafios da democracia não são novos e não ocorrem apenas no Brasil.

De qualquer forma, no Brasil, como já apontado, o nível de confiança nos partidos políticos é baixíssimo. Conforme pesquisa nacional realizada pelo Datafolha, divulgada em julho de 2019: "apenas 4% dos entrevistados dizem confiar muito nas siglas, e 36% um pouco. Há três meses esses índices foram de 5% e 39% respectivamente".[8]

Este nível de reprovação deve ser analisado de acordo com a origem histórica da criação e atuação das agremiações partidárias.

Os partidos, após a fase em que retratavam apenas o exercício do poder familiar, foram formados basicamente para representar interesses específicos da sociedade, a partir da união de pessoas inspiradas por ideias ou movidas por interesses semelhantes. Com o propósito de exercer o poder, surgiram os partidos de notáveis e os partidos de massa, alguns concentrados na defesa de interesses específicos de determinada classe. No Brasil, a própria composição da Câmara dos Deputados observava a necessidade de se reconhecer voz ativa a determinados setores da sociedade, como se via no artigo 23, §§1º e 3º da Constituição Federal de 1934, que reservava um quinto das vagas existentes aos representantes profissionais da lavoura e pecuária; da indústria; do comércio e transporte; e das profissões liberais e funcionários públicos.

Nos dias atuais, porém, a defesa individualizada de determinadas profissões não encontra mais espaço, considerada a multiplicidade de questões políticas que precisam ser diariamente decididas.

Essa multiplicidade de escolhas também foi observada por Norberto Bobbio, em uma de suas palestras,[9] quando o renomado filósofo político afirmava não acreditar que a internet seria uma forma apta a permitir a completa substituição da democracia representativa pela democracia direta, tendo em vista a necessidade dos eleitores serem

---

[7] VICTOR, Sérgio Antônio Ferreira. *Presidencialismo de coalizão*: exame do atual sistema de governo brasileiro. São Paulo: Saraiva, 2015. p. 153-154.

[8] FOLHA DE SÃO PAULO. *Confiança nas forças armadas segue como a maior, diz Datafolha; nos partidos e a menor.* 2019. Disponível em: https://www1.folha.uol.com.br/poder/2019/07/confianca-nas-forcas-armadas-segue-como-a-maior-diz-datafolha-nos-partidos-e-a-menor.shtml. Acesso em 29 nov. 2019.

[9] Palestras reunidas na obra: BOBBIO, Norberto. *O futuro da democracia*. São Paulo: Paz Terra, 2000.

representados por pessoas qualificadas para dirimir os mais diferentes assuntos, além do natural desinteresse que a repetição do processo decisório traria, suplantando a empolgação natural dos primeiros temas pela escassez de representatividade nos debates seguintes.

Por outro lado, a tendência à formação de oligarquias partidárias sempre esteve presente nos debates sobre os partidos políticos. Ao estudar o Partido Social Democrático alemão, Robert Michels, no início do século passado, introduziu o debate sobre a Lei Férrea (ou Lei de Bronze) das oligarquias que acabavam por minar a ideia de uma democracia organizacional. Nas palavras do autor:

> [...] a lei sociológica fundamental que rege inelutavelmente os partidos políticos pode ser assim formulada: a organização é a fonte de onde nasce a dominação dos eleitos sobre os eleitores, dos mandatários sobre os mandantes, dos delegados sobre os que delegam. Quem diz organização, diz oligarquia.[10]

A esta compreensão, Maurice Duverger respondeu com maestria:

> O esquema de Michels corresponde, em parte, à realidade. Aqueles que exercem uma autoridade tentam geralmente conservá-la, rodear-se de pessoas que lhe são fiéis, colocá-las no seu lugar quando tem os dirigentes a criar uma visão comum das coisas, que difere mais ou menos dos outros membros do grupo. Robert de Jouvenel dizia: "há menos diferença entre dois deputados de partidos opostos do que entre um deputado e um militante do mesmo partido". Em todas as organizações, os "responsáveis" tendem a se opor aos aderentes, a formar um círculo interior mais ou menos fechado e a perpetuar-se no interior deste por processos autocráticos. O facto de eles formarem uma pirâmide de graus múltiplos e entrecruzados nada muda a isto: desenvolve-se, geralmente, entre os dirigentes dos diferentes escalões, uma solidariedade mais forte do que aquele que os une à "base". Manifesta-se uma tendência oligárquica na maior parte das organizações, mesmo democráticas.
>
> Mas ela não se manifesta por todo o lado com a mesma força e as organizações democráticas resistem a isso melhor que outras. Ao fazer incidir todas as atenções sobre a tendência oligárquica nos partidos socialistas e nos sindicatos operários, o conservador Robert Michels fez esquecer que ela é muito mais forte nas organizações não democráticas. Isto refere-se, em primeiro lugar, aos processos formais de investidura e de controle dos dirigentes. A eleição dos dirigentes pelos membros da organização, o segredo do voto, a renovação regular dos mandatos, as reuniões de assembleias ou de congressos para fiscalizar as decisões do "círculo interior", tudo isso põe limites ao desenvolvimento de uma oligarquia.[11]

Em outras palavras, ainda que se reconheça na prática a existência de uma tendência natural à formação de oligarquias partidárias, o antídoto está na previsão de

---

[10] MICHELS, Robert. *Sociologia dos Partidos Políticos*. Brasília: Ed. Universidade de Brasília, 1982. p. 237-238.

[11] DURVEGER, Maurice. *Sociologia da política*: elementos de ciência política. Coimbra: Ed. Almedina, 1983. p. 209-210.

mecanismos democráticos que permitam a aferição da legitimidade de seus dirigentes de forma periódica, mediante processos de consulta aos filiados.

Na mesma linha, José Afonso da Silva ensina:

> A ideia que sai do texto constitucional é a de que os partidos hão que se organizar em funcionar em harmonia com o regime democrático e que sua estrutura interna também fica sujeita ao mesmo princípio. A autonomia é conferida na suposição de que cada partido busque, de acordo com suas concepções, realizar uma estrutura interna democrática. Seria incompreensível que uma instituição resguardasse o regime democrático se internamente não observasse o mesmo regime.[12]

Com efeito. Não há dúvidas que a Constituição da República assegura plena autonomia para as agremiações estabelecerem as suas regras de organização interna. Nenhum direito, porém, é absoluto. A autonomia assegurada pelo §1º do art. 17 da Constituição da República se submete, assim como todos os dispositivos complementares, ao comando das regras estabelecidas no *caput* do dispositivo que, ao garantir a livre criação dos partidos políticos, resguarda a soberania nacional, o regime democrático, o pluripartidarismo, os direitos fundamentais da pessoa humana.

Este tema tem sido discutido pelo Congresso Nacional e pela Justiça Eleitoral, especialmente no que tange ao prazo de duração das comissões provisórias eternizadas em diversos partidos políticos a partir de reiterada e insistente prática. Este aspecto, contudo, não será examinado neste artigo, posto que o que se propõe à discussão diz respeito à própria necessidade da existência de tais comissões provisórias.

Na Alemanha, para citar mais um exemplo sobre os problemas partidários vivenciados, Dieter Grimm, ao examinar as agremiações alemãs e a crise decorrente dos escândalos de doações ilegais que também lá se verificou, aponta que a existência de interesses comuns entre as agremiações partidárias pode contaminar a atividade fiscalizadora por elas exercida, explicitando que:

> [...] tudo indica que esses anseios oligopolistas dos partidos políticos, que são prejudiciais a sua função medianeira entre povo e Estado e a transformam em instâncias de poder onipresentes, constituem-se na causa mais profunda da aversão aos partidos que atualmente se torna cada vez mais visível.[13]

Como se vê, portanto, a crise de representatividade dos partidos políticos não é um tema apenas brasileiro. Ela tem se agravado e tem sido estudada no mundo todo, com a indicação de vários outros fatores que contribuem para o descrédito das agremiações.

---

[12] SILVA, José Afonso da. *Comentário contextual à constituição*. 6. ed. São Paulo: Ed. Malheiros, 2009. p. 222.

[13] GRIMM, Dieter. *Constituição e Política*. (Trad. Geraldo de Carvalho; Coord. e supervisão Luiz Moreira). Belo Horizonte: Del Rey, 2006. p. 55.

Em recente estudo realizado pelo International Idea,[14] a situação global foi examinada a partir de vários pontos, alertando-se que, conquanto os números absolutos demonstrem que a democracia tem se alastrado para um maior número de países, a sua qualidade, em geral, tem deteriorado.

No referido estudo, ao tratar sobre a crise de representatividade dos partidos políticos, foram apontados vários fatores que contribuem para a sua existência. Em primeiro plano tratou-se do risco que o populismo representa para os sistemas partidários, tendo em vista que a democracia depende da efetiva representação, por meio de partidos políticos e líderes aptos a construir e a responder soluções políticas para os anseios da sociedade. Os atores populistas, porém, sob a escusa de atender de qualquer forma às vontades comuns, frequentemente mostram desrespeito pelas instituições de controle governamental que protegem o pluralismo político e buscam o exercício irrestrito do poder.

Em outro ponto, dentre os vários existentes, destaca-se que o questionamento de muitos cidadãos sobre a capacidade dos partidos políticos tradicionais lidarem com os desafios e crises atuais aumenta a apatia e a desconfiança em relação a eles. O excesso de promessas de campanha e sua baixa efetivação no curso dos mandatos contribuem para o descrédito da classe política.

Registra-se, também, o retrocesso democrático que é gradualmente implementado por pessoas democraticamente eleitas, mediante o enfraquecimento das instituições e dos meios de controle, em sacrifício das liberdades civis.

Indica-se, porém, que tal retrocesso pode ser combatido pela efetividade de um parlamento forte e da participação da sociedade civil organizada.

Neste ponto, porém, cabe acrescentar que a participação da sociedade civil organizada, apesar de ser evidentemente benéfica para a democracia, acaba diminuindo a representação política dos partidos, que são substituídos pelos movimentos sociais que surgem de tempos em tempos, para a defesa de questões específicas ou mesmo para manifestação de uma oposição generalizada à situação vivenciada.

Em paralelo, nas casas parlamentares, diante da multiplicidade de assuntos e opiniões, a concentração de interesses assemelhados não tem sido implementada no âmbito partidário, mas sim, pela formação de frentes parlamentares suprapartidárias para a defesa de questões individualizadas. Confira-se, neste sentido, a constante formação das chamadas "bancadas", constituída por parlamentares de diferentes agremiações, para defesa de ponto de vista sobre assunto exclusivo.

Retornando-se ao texto divulgado pelo International Idea, também é importante destacar as conclusões sobre os meios de comunicação social instantâneos hoje existentes, os quais constituem ferramenta apta a facilitar o acesso de informação aos cidadãos e permitem o acesso direito dos eleitores aos governantes, sem a intermediação da imprensa ou do próprio partido político, como antes era necessário. Não se desconhece, contudo, que se tais tecnologias reduzem o custo de organização de ações coletivas e protestos, elas também podem ser utilizadas – como tem ocorrido

---

[14] INTERNATIONAL IDEA. *The global state of democracy*. 2019. Disponível em: https://www.idea.int/publications/catalogue/global-state-of-democracy-2019?lang=en. Acesso em 29 nov. 2019.

com frequência – para disseminação de rumores e desinformação em uma escala nunca experimentada.

Realmente, é paradoxal que a mesma ferramenta que contribui para a melhoria da qualidade da democracia é justamente aquela que tem sido utilizada com frequência para deteriorá-la.

Certo, porém, é que, a partir das conclusões expostas no levantamento realizado pelo Internacional Idea, é possível verificar que os partidos políticos precisam se adaptar à nova realidade e interagir com os seus filiados – e com a própria sociedade – de maneira ágil e instantânea, como forma de permitir o exercício democrático e legítimo da pressão popular sobre os governantes, a partir de múltiplos pontos de vista. Nos dias atuais, a falta de transparência no processo decisório e o encastelamento das altas cúpulas partidárias parecem ser o caminho mais curto para o esquecimento popular.

Isto, contudo, especialmente por conta da mencionada má-utilização das redes sociais e dos meios de comunicação social, não significa dizer que os anseios populares momentâneos autorizem a edição de leis instantâneas, desprovidas dos debates prévios e dos necessários estudos para aferição do seu alcance.

As legislações de emergência, produzidas em clima de exaltação, protesto e oportunismo, nem sempre são duradoras e, ao contrário do que propõem, trazem efeitos perniciosos para a democracia. Recorde-se, nesse ponto, que os atos institucionais baixados em decorrência do golpe militar de 1964 empolgavam:

> [...] fundamentos e propósitos que visavam a dar ao País um regime que, atendendo às exigências de um sistema jurídico e político, assegurasse autêntica ordem democrática, baseada na liberdade, no respeito à dignidade da pessoa humana, no combate à subversão e às ideologias contrárias às tradições de nosso povo, na luta contra a corrupção [...].[15]

Por essa razão é que a Constituição da República prevê um rito próprio para a edição das leis e, especialmente, das emendas à Constituição, cuja edição não é permitida na vigência de intervenção federal, de estado de defesa ou de estado de sítio (CF, art. 60, §1º) e dependa da votação em dois turnos em ambas as Casas do Congresso Nacional (CF, art. 60, §2º). Não tem sido estranho, contudo, em alguns casos, o aceleramento do processo legislativo em relação a matérias tidas como de alta relevância popular ou que estejam submetidas ao princípio da anualidade.

Assim, conclui-se, neste ponto, que a sobrevivência dos partidos políticos depende de eles corrigirem a antiquada postura de únicos detentores da intermediação entre os eleitores e os eleitos, cabendo-lhes implementar ações internas que permitam maior efetividade na comunicação entre quem outorga o poder e quem o exerce, sempre em nome do povo. De igual forma, os partidos políticos precisam estabelecer canais de comunicação com os movimentos sociais e unificar sua posição sobre os temas tratados pelas bancadas parlamentares, para que haja unicidade do discurso partidário.

---

[15] Preâmbulo do Ato Institucional nº 1, de 9 de abril de 1964, reiterado em vários outros.

Essa adaptação, contudo, não pode significar o desprezo pelo debate interno dos temas relevantes a serem abordados pelo partido, nem justifica a adoção de medidas ou a edição de leis de ocasião que visem apenas a resolver um problema ou aplacar a insatisfação do momento, sem preocupação com os efeitos futuros que ela pode causar.

## Natureza dos partidos políticos

Outro ponto que merece ser repensado diz respeito à natureza jurídica dos partidos políticos que, por definição legal, como visto, são tratados como pessoas jurídicas de direito privado (Lei nº 9.096/95, art. 1º e Código Civil, art. 44, V).

Realmente, não se pode olvidar que os partidos políticos se caracterizam pela reunião de pessoas privadas que buscam ascender e exercer o poder, normalmente pelos meios legais. Além do mais, a autonomia partidária prevista na Constituição da República estabelece uma área indevassável para que o poder estatal não interfira na condução e na ideologia dos partidos políticos. Admitir a intromissão nos assuntos partidários, além do retrocesso às práticas do tempo do bipartidarismo, implicaria em inadmissível permissão para que o próprio objeto da disputa democrática ou o seu ocupante temporário interviesse sobre a atuação dos concorrentes que buscam alcançar os cargos em eleições livres, legítimas e periódicas.

Assim, considerada a natureza dos seus componentes e a independência que as agremiações devem ter da função estatal, há lógica em se estabelecer que a agremiação é uma pessoa jurídica de direito privado.

Não obstante, os partidos políticos não podem ser comparados, de forma linear, às demais pessoas de direito privado. Eles, apesar de formados substancialmente por cidadãos, exercem um múnus público na democracia representativa, ao agir como organismos intermediários para o exercício do poder estatal. Além disso, como já demonstrado, recebem vultosos subsídios dos cofres públicos e a sua própria existência depende dos registros e anotações que são examinados e realizadas na Justiça Eleitoral.

Sobre o último ponto, o eminente Ministro Sepúlveda Pertence demonstrou, de forma lapidar, a natureza bifronte dos partidos políticos, que impõem que seus órgãos partidários e dirigentes sejam registrados na Justiça Eleitoral:

> [...] Toda prerrogativa eleitoral ativa se traduz na titularidade de direitos-função, em cujo exercício se conjugam, de um lado, a atuação de um direito público subjetivo do cidadão ou da coletividade organizada de cidadãos que dele seja titular e, de outro, o desempenho de função pública de órgão parcial da formação da vontade eleitoral do Estado.

> Creio que, com essa natureza bifronte de suas prerrogativas, tem a ver a duplicidade do status do partido político, que está à base do regime do art. 17, §2º, CF, a teor do qual, "[o]s partidos políticos, após adquirirem personalidade jurídica, na forma da lei civil, registrarão seus estatutos no Tribunal Superior Eleitoral".

> Instrumentos do exercício plural da cidadania, os partidos, enquanto titulares de direitos públicos subjetivos, são associações civis, como tal constituídos: reinam aí os princípios

da liberdade de criação (CF, art. 17. Caput) e da autonomia para definir sua estrutura interna, organização e funcionamento (art. 17, §1º).

Não obstante, porque os partidos não são apenas titulares de direitos subjetivos, mas por imposição da natureza de suas prerrogativas, são, também e simultaneamente, órgãos de função pública no processo eleitoral, ao mesmo passo em que a liberdade e a autonomia constituem os princípios reitores de sua organização e de sua vida interna, é imperativo que se submetam ao controle da Justiça Eleitoral, na extensão em que o determine a lei, sobre a existência e a validade dos atos de sua vida de relação, cuja eficácia invertem no desenvolvimento do processo das eleições.

Sob esse prisma é que se legitima a exigência de registro nos Tribunais Eleitoras da composição de órgãos dirigentes dos partidos políticos: o registro e a sua publicidade visam primacialmente a propiciar à Justiça Eleitoral e a terceiros interessados a verificação da imputabilidade a cada partido dos atos de repercussão externa que, em seu nome, pratiquem os que se pretendam órgãos de manifestação da vontade partidária. [...].[16]

Portanto, há de se verificar que, apesar da natureza de direito privado prevista na legislação em vigor, os partidos políticos não podem ser considerados como simples associações civis, pois as agremiações, por intermédio dos órgãos que os constituem, exercem atividades de caráter essencialmente público ao desempenharem suas atividades e participarem das eleições com propósitos que, nos termos da lei, se destinam "a assegurar, no interesse do regime democrático, a autenticidade do sistema representativo e a defender os direitos fundamentais definidos na Constituição Federal" (Lei nº 9.096/95, art. 1º).

Em suma, neste quadro, é necessário que se discuta a natureza jurídica dos partidos políticos que, apesar de constituídos como pessoas jurídicas de direito privado, exercem relevantes atividades de direito público essenciais à democracia, o que denota a existência de um caráter híbrido.

## Transparência partidária

Outro ponto que merece atenção diz respeito à sempre necessária transparência das atividades partidárias, especialmente no que tange ao uso dos recursos públicos que lhe são destinados. Os partidos, como já explicitado, exercem relevantes ações de interesse público e, para tanto, recebem vultosa subvenção estatal.

A necessidade de os partidos políticos observarem o princípio da transparência já foi afirmada pelo Supremo Tribunal Federal, asseverando-se sobre as doações eleitorais que transitam pelos partidos políticos que

os princípios democrático e republicano repelem a manutenção de expedientes ocultos no que concerne ao funcionamento da máquina estatal em suas mais diversas facetas. É

---

[16] A exposição contida no voto, proferida pelo Ministro Sepúlveda Pertence, no Recurso Especial nº 9.467 (DJ de 21.5.1992).

essencial ao fortalecimento da Democracia que o seu financiamento seja feito em bases essencialmente republicanas e absolutamente transparentes.[17]

Parece apropriado, nesse sentido, considerar que as agremiações partidárias se enquadram no disposto no art. 2º da Lei nº 12.527/2011, que estipula hipótese própria para a aplicação da Lei de Acesso à Informação, nos seguintes termos:

> Art. 2º Aplicam-se as disposições desta Lei, no que couber, às entidades privadas sem fins lucrativos que recebam, para realização de ações de interesse público, recursos públicos diretamente do orçamento ou mediante subvenções sociais, contrato de gestão, termo de parceria, convênios, acordo, ajustes ou outros instrumentos congêneres.

Com a aceitação da aplicação desta norma aos partidos políticos, caberia igualmente a aplicação do disposto no art. 8º da mencionada lei, de forma a obrigar que os órgãos partidários, independentemente de provocação, divulgassem em local de fácil acesso, as informações de interesse coletivo ou geral por eles produzidas e custodiadas, inclusive no que tange aos registros de quaisquer repasses ou transferências de recursos financeiros e despesas realizadas (Lei nº 12.527/2011, art. 8º, II e III), assim como em relação às informações sobre os contratos realizados (inc. IV); dados gerais de acompanhamento dos programas, ações, projetos e obras (inc. V); e respostas a perguntas mais frequentes da sociedade (inc. VI).

A divulgação desses dados seria feita pela internet, nas páginas dos partidos políticos, nos municípios com mais de 10.000 habitantes (Lei nº 12.527/2011, art. 8º, §§2º e 4º) e, sem dúvida, contribuiria para o restabelecimento da confiança dos partidos políticos e da segurança de suas atividades.

Além disso, a divulgação instantânea desses dados também beneficiaria as próprias agremiações, posto que a eventual identificação de uma falha – o que poderia ser levantada por qualquer pessoa – permitiria a adoção de medidas contemporâneas para a solução do problema, ao contrário do que ocorre atualmente quando, somente após alguns anos, os partidos políticos são instados pela Justiça Eleitoral, nos processos de prestação de contas, a apresentar documentos que, a essa altura, já se tornaram antigos ou, em muitos casos, de difícil acesso.

## Estruturas burocráticas

As alterações na legislação partidária têm sido realizadas muitas vezes em conjunto com as reformas eleitorais, as quais são sempre editadas às vésperas do ano que antecede a eleição vindoura, por força do art. 16 da Constituição da República. Como resultado, a legislação tem se transformado em uma embaralhada colcha de retalhos, de difícil compreensão para os operadores do direito e impossível interpretação da sociedade.

---

[17] ADI nº 5394, rel. Min. Alexandre de Moraes, Tribunal Pleno, DJe de 18.2.2019.

A falta de uma legislação organizada e que não sofra tantas alterações também contribui para o descrédito dos partidos políticos. Imagina-se que é mais fácil para os políticos alterar a lei do que cumpri-la. Porém, em respeito à verdade, não se pode desconsiderar que muitas alterações legislativas derivam do entendimento do TSE sobre pontos não tratados na lei dos partidos políticos ou em razão da mudança da jurisprudência sobre os temas previstos.

Nesse passo, as reformas legislativas derivam do diálogo institucional entre a Justiça Eleitoral e o Congresso Nacional, ora estabilizando na lei o entendimento consagrado pela Justiça Eleitoral, ora legalizando a matéria em sentido diametralmente oposto. Em contrapartida, nem todas as alterações passam pelo crivo da constitucionalidade exercido pelo STF.

Tais discussões, com suas idas e vindas, aliada aos altos valores de recursos públicos destinados aos partidos políticos, também parecem contribuir para a crise de representatividade das agremiações, por passarem sensação de desorganização sobre tema essencial à democracia representativa.

Para amenizar esse quadro, como já apontado anteriormente, os partidos políticos precisam ser modernizados em vários aspectos, a partir de reformas internas que visem a aproximar as agremiações da sociedade. Mas, não se acredita que essas ações próprias e internas sejam suficientes para a plena aceitação das agremiações, especialmente em razão da constante crítica sobre a quantidade de dinheiro público que lhes é endereçado.

Como já dito, não se pretende negar a necessidade ou a conveniência de os órgãos partidários serem subsidiados pelos cofres públicos. Porém, algumas medidas que dependem de alterações legislativas poderiam ser pensadas e discutidas para reduzir os custos de manutenção dos partidos políticos no Brasil, sem detrimento das suas importantes ações.

Sobre essa questão, primeiramente, é necessário verificar que os recursos provenientes do Fundo Partidário somente podem ser aplicados nos termos do art. 44 da Lei nº 9.096/95. Logo, são recursos com destinação vinculada.

Do total recebido pelos partidos políticos, 20%, no mínimo, devem ser destinados à criação e manutenção de instituto ou fundação de pesquisa e de doutrinação e educação política (Lei nº 9.096/95, art. 44, IV); 5%, no mínimo, devem ser destinados a programas de incentivo da participação feminina na política (inc. V). Com a aplicação desses percentuais, as demais atividades partidárias são custeadas, em regra, com 75% do valor dos repasses do Fundo Partidário. A limitação imposta ao uso de recursos para pagamento de pessoal, observados os limites de 50% para o órgão nacional e 60% para os órgãos estaduais e municipais (inciso I), demonstra que este tipo de despesa acaba sendo um dos principais gastos das agremiações.

As despesas com pessoal, por sua vez, estão necessariamente interligadas ao número de órgãos estaduais e municipais que o partido possua. Parece evidente que quanto maior for o número de órgãos, maior será o número de pessoas que precisam ser contratadas e vice-versa.

Neste ponto é que se põe à reflexão se o modelo atual praticado efetivamente reflete a adoção de um padrão organizacional econômico. Comparando a atividades de um partido às empresas comerciais – que também são pessoas jurídicas de direito privado –, parece claro que nenhum empresário buscaria abrir uma filial em cada município do país para comercializar seus produtos. Os estabelecimentos são situados apenas nas localidades em que o volume do negócio justifique os seus custos, sem prejuízo da atuação dos representantes comerciais autorizados em outras praças.

No caso dos partidos políticos, o artigo 4º da Lei nº 9.504/97 dispõe que somente podem disputar o pleito os partidos que tenham "até a data da convenção, órgão de direção constituído na circunscrição, de acordo com o respectivo estatuto".

Do mesmo modo, o Código Eleitoral, de 1965, prevê que "[s]omente poderão inscrever candidatos os partidos que possuam diretório devidamente registrado na circunscrição em que se realizar a eleição" (art. 90).

A interpretação literal do dispositivo do Código Eleitoral, aliás, por fazer referência à necessidade da existência de diretório – órgão definitivo, eleito – impediria que os partidos disputassem as eleições por meio de comissões provisórias. Entretanto, por força da interpretação sistemática e de acordo com o princípio democrático de permitir que haja amplitude da disputa, tem-se compreendido que a regra do art. 90 do Código Eleitoral deve ser interpretada de acordo com o disposto no art. 4º da Lei das Eleições, bastando a existência de órgão de direção – provisório ou definitivo – para que o partido possa participar da eleição e lançar candidatos.

Certo, porém, é que os partidos, por definição constitucional, possuem caráter nacional (CF, art. 17, I) e, portanto, uma vez autorizado o seu funcionamento pelo registro dos seus estatutos no TSE, eles deveriam ser, em tese, autorizados a lançar candidatos em qualquer eleição realizada no país.

Porém, se determinada agremiação desejasse lançar candidatos em todas as eleições municipais, de acordo com a regra prevista nos dispositivos citados, seria necessária a criação de 5.570 órgãos de direção municipal. Imaginando-se que cada um desses órgãos contratasse apenas uma pessoa para cuidar das suas atividades administrativas e que esta contratação se desse pelo valor de um salário mínimo (R$980,00), cada partido político, somente neste item, teria que dispender cerca de 66 milhões de reais por ano. Se os 32 partidos atualmente existentes adotassem essa prática, o total da despesa para a contratação de apenas um funcionário por partido e por município seria superior a 2,1 bilhões de reais.

Diante do custo, não é estranho que os partidos que recebem menos recursos e os que não recebem nenhum não disputem todas as eleições municipais, mas apenas algumas, em sacrífico do caráter nacional exigido pela Constituição.

Por outro lado, este fator – aliado à preservação do poder partidário – também pode ser compreendido como elemento que contribui para a criação de comissões provisórias eternas que, na prática, atuam apenas durante o período eleitoral para atender à legislação vigente e não cumprem obrigações mínimas fora do período eleitoral.

Parece ser recomendável, assim, que se discuta com a seriedade e o tempo necessários, a possibilidade de os partidos políticos lançarem candidatos independentemente da existência de órgãos provisórios ou definitivos na circunscrição do pleito, nos municípios com menos de 10.000 eleitores.

Provavelmente, a primeira objeção que se apresentaria para esta ideia seria relacionada à necessidade de os partidos prestarem contas à Justiça Eleitoral e responderem de forma solidária pelos atos praticados por seus candidatos, em face à responsabilidade que detém sobre a propaganda partidária (Código Eleitoral, art. 242).

Entretanto, este aparente empecilho é de fácil remoção. Dispensar a formação de órgãos partidários nos municípios menores não significa que a agremiação não precisaria ser representada na circunscrição do pleito. Aliás, para que ela participe, é essencial que os filiados escolham os candidatos do partido em procedimentos livres e legítimos. Porém, a organização das convenções ou outra forma de escolha democrática, como a realização de prévias, por exemplo, assim como a prática de todos os demais atos necessários ao processo eleitoral são medidas que podem ser realizadas ou coordenadas por um representante partidário designado pelo órgão estadual para empreender tais ações, com responsabilidade, inclusive, de apresentar as contas partidárias e responder por eventuais abusos que venham a ser cometidos.

Em tese, aliás, tal representação poderia ser realizada não apenas por um representante, mas por comissão de representantes com experiência na organização de eleições para atuar apenas no período eleitoral. Ao contrário das eternas comissões provisórias, a comissão de representantes seria composta por pessoas experientes, com finalidades específicas e prazo de duração correspondente ao período eleitoral.

Para a validação da ideia, porém, é fundamental que se insista na necessidade dos partidos políticos se submeterem ao regime democrático, ou seja, não se está propondo que apenas uma pessoa ou uma comissão de pessoas possa decidir de forma definitiva sobre as candidaturas lançadas na circunscrição do pleito. A atuação dos representantes, na forma aqui idealizada, teria apenas o condão de organizar os processos de escolha para que todos os filiados pudessem, livremente, indicar, pela vontade da maioria, os candidatos que disputarão as eleições e deliberar sobre a formação de coligações nas eleições majoritárias, observadas as diretrizes nacionais.

O segundo ponto de possível dúvida sobre esta proposta diria respeito ao acompanhamento do exercício do mandato pelos partidos, sejam os vitoriosos, sejam os de oposição. A dificuldade também não se confirma. Nada impede que, no caso de êxito nas eleições ou verificado o interesse específico do partido na localidade, os órgãos partidários possam ser criados de forma definitiva para atuarem ao longo do mandato. A dispensa da obrigação da constituição de órgão para disputar a eleição não significa uma proibição da sua criação, até porque a conveniência da sua existência é questão afetada à autonomia partidária.

Aliás, neste ponto, apesar de todo o avanço implementado pelo legislador constituinte originário em prol da autonomia organizacional dos partidos políticos, nota-se que na Lei nº 9.096/95, ao se regulamentar o art. 17 da Constituição da República, não se abandonou o antigo esquema de organização da revogada Lei Orgânica dos Partidos Políticos. Ao contrário, adotou-se a mesma divisão hierárquica anterior, com a designação de órgãos partidários municipais, estaduais e nacional, com admissão deles serem provisórios ou definitivos, sem se perceber que antes, o provisório só servia à formação do definitivo e não à substituição de todas as suas funções.

O terceiro ponto que precisa ser enfrentado nesta proposta, este com maior relevância, aliás, diz respeito à inegável proximidade entre o órgão partidário municipal e o cidadão filiado que tem nele o primeiro ponto de acesso ao partido político. Realmente, a inexistência de um órgão partidário em determinada localidade dificultaria que o eleitor ali residente pudesse ter a sua voz ouvida e considerada pelo partido político. Essa realidade, contudo, já é verificada em todos os municípios em que os partidos políticos não estão organizados ou não disputam as eleições. Ademais, ela está necessariamente vinculada à existência de quantidade mínima de filiados que justifique a criação de um órgão de representação partidária.

Nesse sentido, é importante notar que a legitimidade de um partido político para disputar determinado pleito não deveria ser aferida exclusivamente a partir da existência de um órgão partidário na localidade. Se os partidos existem para representar os interesses dos filiados que o formam, parece ser possível afirmar que a legitimidade partidária pressupõe a existência de um número mínimo de filiados na localidade. De outra forma, não haveria quem ser representado.

No quadro atual, porém, em tese, o órgão partidário local não precisa ter nenhum filiado, senão os que pretendem se lançar como candidatos. Em princípio, portanto, os candidatos apresentados por um partido político podem representar todo o universo de filiados no município, o que faria com que a escolha das candidaturas se transformasse em uma espécie de autorrepresentação.

Neste ponto, vale lembrar que o caráter nacional dos partidos políticos, no momento da sua criação, é aferido pelo apoio de eleitores que representem, no mínimo, 0,5% dos votos dados em todo o país para a eleição de deputado federal, em pelo menos 1/3 dos estados, observado o mínimo de 0,1% do eleitorado de cada um, conforme já dito anteriormente.

Ocorre, porém, que após o adimplemento desses requisitos, essenciais ao registro dos estatutos partidários perante a Justiça Eleitoral, nenhuma outra forma de aferição da legitimidade das agremiações é exigida ou realizada para sobrevivência do partido político, ressalvada a obtenção de número mínimo de votos nas eleições para Câmara dos Deputados para possibilitar o acesso aos recursos públicos e ao rádio e à televisão.

De acordo com os dados do Tribunal Superior Eleitoral,[18] hoje em dia, apenas 10 (dez) partidos possuem um número de filiados superior ao número atual de apoiamentos necessários à criação de um novo partido.

Em suma, conforme a legislação vigente, a legitimidade das agremiações é aferida não pelo número de pessoas que a compõem, mas pelo número de pessoas que manifestaram apoio (o qual se confunde com uma quase não objeção) à sua existência, em muitos casos, há décadas.

É sintomático que algumas agremiações que não alcançaram a cláusula de desempenho introduzida pela Emenda Constitucional nº 97, de 2017, tenham experimentado um forte abandono de seus filiados e foram incorporadas por outras agremiações. Há, contudo, outras que resistem em números que demonstram que

---

[18] TRIBUNAL SUPERIOR ELEITORAL. *Estatísticas do eleitorado – Eleitores filiados*. Disponível em: http://www.tse.jus.br/eleitor/estatisticas-de-eleitorado/filiados. Acesso em 02 dez. 2019.

o partido se encaminha para a extinção por redução do quadro de filiados, sem que haja previsão legal para regulamentar este tipo de situação na legislação vigente. Há apenas remissão às hipóteses de extinção previstas no estatuto partidário (Lei nº 9.096/95, art. 27), com previsões legais relativas ao patrimônio somente no que tange à extinção das fundações partidárias (Lei nº 9.096/95, art. 53, §2º, I).

Dentro do objetivo deste texto rápido, também parece ser recomendável o desenvolvimento de estudos com maior profundidade sobre a necessidade de se resguardar um grau mínimo de representatividade para que o partido possa continuar suas atividades, medida pelo número de filiados ou até de votos obtidos em determinado número de eleições. Sem que exista número relevante de pessoas representadas e sem que existam votos, a manutenção das agremiações em estágio de letargia é apenas retórica.

## Conclusão

A partir do histórico dos partidos políticos e das demais considerações postas neste aligeirado artigo, a primeira conclusão a que se chega é a mais evidente: os partidos políticos, na sua formatação atual, são instituições que não contam com a confiança da população. A ausência de credibilidade nas agremiações partidárias é um contrassenso em si, posto que elas existem justamente para que uma parcela da sociedade possa ter confiança na atuação do partido, em defesa dos seus interesses comuns.

A crise de representatividade dos partidos políticos atinge várias democracias no mundo, não sendo um problema exclusivamente brasileiro. A adoção de medidas para superar a tensão existente passa pela modernização dos partidos políticos, por meio da adoção de medidas internas que permitam a sua adaptação aos novos meios de comunicação social e aos movimentos sociais, sem que a popularidade ou o populismo sirvam à adoção de medidas que favoreçam o retrocesso democrático.

As ações individuais e internas dos partidos políticos não são as únicas a serem implementadas, a manutenção de organizações burocráticas e complexas, como é exigido pela legislação partidária vigente, precisa ser reexaminada, permitindo a edição de um texto legal simples, organizado e de fácil compreensão.

Como temas possíveis de discussão em relação aos problemas vivenciados, sugere-se que seja examinada a necessidade de se impor aos órgãos partidários a adoção dos parâmetros previstos na Lei de Acesso à Informação, no que diz respeito à divulgação dos dados financeiros das agremiações.

De igual forma, é necessário que se compreenda que os partidos políticos, apesar de formados como pessoas jurídicas de direito privado, exercem função eminentemente pública, o que revela caráter, no mínimo, híbrido das agremiações partidárias.

Considera-se, ainda, ser possível discutir a real necessidade dos partidos políticos constituírem órgãos partidários nos pequenos municípios brasileiros, admitindo-se, em relação a eles, que sejam estabelecidas formas de representação momentânea para organizar a atuação do partido nas eleições, com inafastável respeito à vontade dos filiados.

Por fim, acredita-se que a legitimidade dos partidos políticos para disputar as eleições, em seus diversos níveis, assim como a sua própria subsistência, deve ser necessariamente verificada a partir da efetiva representatividade que a agremiação possua na circunscrição do pleito.

Muitas das questões e propostas apresentadas neste artigo obviamente dependem da atuação do Congresso Nacional. Entretanto, a formulação dessas ideias esparsas, que precisam ser aprofundadas, é animada pelas palavras do justo homenageado, Ministro Luís Roberto Barroso, proferidas no julgamento da repercussão geral no ARE nº 1.054.490, citado no início deste texto:

> Numa democracia, nenhum tema é tabu. E, portanto, se há algum espaço da vida institucional que não está funcionando bem, as pessoas bem-intencionadas patrioticamente devem se debruçar sobre essas questões, participar do debate e pensar soluções que aprimorem o modelo institucional. Proteger a Constituição e aprimorar as instituições faz parte do núcleo da nossa missão constitucional.

## Referências

BOBBIO, Norberto. *O futuro da democracia*. São Paulo: Paz Terra, 2000.

DURVEGER, Maurice. *Sociologia da política*: elementos de ciência política. Coimbra: Ed. Almedina, 1983.

FOLHA DE SÃO PAULO. *Confiança nas forças armadas segue como a maior, diz Datafolha; nos partidos e a menor.* 2019. Disponível em: https://www1.folha.uol.com.br/poder/2019/07/confianca-nas-forcas-armadas-segue-como-a-maior-diz-datafolha-nos-partidos-e-a-menor.shtml. Acesso em 29 nov. 2019.

GRIMM, Dieter. *Constituição e Política*. (Trad. Geraldo de Carvalho; Coord. e supervisão Luiz Moreira). Belo Horizonte: Del Rey, 2006.

INTERNATIONAL IDEA. *The global state of democracy*. 2019. Disponível em: https://www.idea.int/publications/catalogue/global-state-of-democracy-2019?lang=en. Acesso em 29 nov. 2019.

JUSTIÇA ELEITORAL. *Distribuição do fundo partidário 2009*. Disponível em: http://www.justicaeleitoral.jus.br/arquivos/tse-fundo-partidario-duodecimos-2009. Acesso em 29 nov. 2019.

MICHELS, Robert. *Sociologia dos Partidos Políticos*. Brasília: Ed. Universidade de Brasília, 1982.

SILVA, José Afonso da. *Comentário contextual à constituição*. 6. ed. São Paulo: Ed. Malheiros, 2009.

TRIBUNAL SUPERIOR ELEITORAL. *Estatísticas do eleitorado – Eleitores filiados*. Disponível em: http://www.tse.jus.br/eleitor/estatisticas-de-eleitorado/filiados. Acesso em 02 dez. 2019.

VICTOR, Sérgio Antônio Ferreira. *Presidencialismo de coalizão*: exame do atual sistema de governo brasileiro. São Paulo: Saraiva, 2015.

WIGTON, Robert C. *The parties in Court. American Political Parties under the Constitution. Lexigton Books*. Disponível em: https://books.google.com.br/books?id=rhlmAgAAQBAJ&pg=PA4&lpg=PA4&dq=porter+law+1866+california+political+party&source=bl&ots=2qZZe2nqDY&sig=ACfU3U11JiC8hErNFl0u8fsEC6CmEkcKOg&hl=pt- BR&sa=X&ved=2ahUKEwiElpneq5XmAhUOq1kKHfUnCFoQ6AEwCnoECAgQAQ#v=onepage&q=porter%20law%201866%20california%20political%20party&f=false (). Acesso em 29 nov. 2019.

Informação bibliográfica deste texto, conforme a NBR 6023:2018 da Associação Brasileira de Normas Técnicas (ABNT):

SILVA, Henrique Neves da. Repensando os partidos políticos. *In*: COSTA, Daniel Castro Gomes da; FONSECA, Reynaldo Soares da; BANHOS, Sérgio Silveira; CARVALHO NETO, Tarcisio Vieira de (Coord.). *Democracia, justiça e cidadania*: desafios e perspectivas. Homenagem ao Ministro Luís Roberto Barroso. Belo Horizonte: Fórum, 2020. t. 1: Direito eleitoral, política e democracia. p. 269-290. ISBN 978-85-450-0748-7.

# VARIAÇÕES SOBRE UM TEMA DE TODOS: DEMOCRACIA[1]

**ODETE MEDAUAR**

## 1 Prólogo

Com muita honra participo desta justíssima e merecia homenagem ao Professor, Constitucionalista de escol e Ministro do Supremo Tribunal Federal, Luís Roberto Barroso.

Desde que iniciei a leitura de suas obras e o conheci pessoalmente, em atividades acadêmicas, congressos e eventos sociais, nasceu e cresceu minha admiração, não só por seus profundos conhecimentos do direito constitucional e do direito em geral, suas publicações empenhadas na plena efetividade dos preceitos da Constituição, sua atuação como professor, advogado e, agora, Ministro do Supremo Tribunal Federal, mas, ainda, por seu elevado quilate como ser humano. Estrela brilhante no firmamento jurídico, o Ministro Luís Roberto Barroso recebe, hoje, por seus méritos, fortes aplausos por onde passa, de que fui testemunha, por exemplo, na XXIII Conferência Nacional da Advocacia Brasileira, realizada em São Paulo, em 2017.

## 2 Democracia e seu fascínio

Rápida consulta, de 15 minutos, efetuada no site da Livraria Cultura, sob o nome "democracia", revela cerca de 200 (duzentas) obras dedicadas ao tema, com variados títulos, sem exaurir todas as páginas do site. A literatura sobre democracia é vastíssima.

Sem dúvida, a democracia exerce fascínio, desde a antiguidade até agora, como tipo de Estado e de governo, nos estudiosos da filosofia, da ciência política, das ciências sociais, do direito constitucional, da filosofia do direito, da história das ideias

---

[1] Lembrando, novamente, da bela e difundida "Variação sobre um Tema de Paganini", a Variação sobre o 24º Capricho, composto por Paganini para violino solo, adaptado para piano por Sergei Rachmaninoff, intitulo este artigo em homenagem ao Ministro Luís Roberto Barroso.

política e, agora, em profissionais de campos diversos, dada a sua invocação em outros setores da vida da sociedade, ao se mencionar, por exemplo, a democracia na escola.

Mencionada como a ideia política mais poderosa do mundo, a palavra *democracia* ou os adjetivos *democrático* e *democrática* figuram em preâmbulos e nos primeiros artigos de inúmeras constituições dos Estados contemporâneos, para qualificar o Estado e o governo do País, como por exemplo: do Brasil – 1988 (Preâmbulo e art. 1º), Alemanha – 1949 (art. 20), Espanha – 1978 (art. 1º), Itália – 1947 (art. 1º), Portugal – 1976 (art. 2º), Suécia – 1994 (art. 1º), França – 1958 (art. 1º). Na dicção de Cassese, "o termo 'democracia' indica regimes antigos e modernos, entre si muito diversos, e vem sendo usado genericamente como sinônimo de 'governo' ou de 'bom governo'".[2]

Até governantes de Estados notoriamente totalitários ou autoritários apreciam intitular "democráticos" seus países e governos. Homenagem do "vício" à "virtude"? Tentativa de enquadrar, em padrões comuns da verdadeira democracia, feições bem diferentes?

Após séculos de estudos e vivência da democracia, após transformações antigas e recentes na vida da sociedade e dos Estados é possível caracterizar a democracia? É viável cogitar de elementos comuns nas diversas concepções de democracia? Ainda que se detectem conceitos diversos, parece haver o que se poderia chamar de "sensação", "intuição" ou "percepção" de elementos essenciais da democracia.

## 3    Caracterizações da democracia no tocante a tipo de Estado e tipo de governo

Muito difundida se tornou a afirmação do presidente norte-americano Abraham Lincoln, efetuada em 1863, para identificar a democracia: "governo do povo, pelo povo e para o povo" ("government of the people, by the people, for the people").

Para José Afonso da Silva, "a democracia é um processo de convivência social em que o poder emana do povo, há de ser exercido, direta ou indiretamente, pelo povo e em proveito do povo".[3]

Mostra-se inviável aventar a literalidade da afirmação de Lincoln para a realidade da vida política. Daí a observação de Cassese a respeito:

> Esta simples definição põe não poucos problemas. Em primeiro lugar, de quem é composto o povo? Depois, como se organiza? Em terceiro lugar, é mesmo o povo, diretamente, que faz ouvir sua voz na democracia? Enfim, como o povo faz ouvir a própria voz?[4]

O valor das palavras de Lincoln, reiteradas ao longo do tempo, está em salientar, de início, que o governo não pertence ao governante, mas ao povo ("do povo"); isso porque muitos governantes pautam-se por *"le gouvernement c'est moi"*, o governo

---

[2]    CASSESE, Sabino. *La democrazia e i suoi limiti*. Milão: Mondadori, 2018. p. 9.
[3]    SILVA, José Afonso da. *Curso de direito constitucional positivo*. 42. ed. São Paulo: Malheiros, 2019. p. 128.
[4]    CASSESE, Sabino. *La democrazia e i suoi limiti*. Milão: Mondadori, 2018. p. 11.

sou eu, também com o sentido de "o governo é meu". Em segundo lugar, lembram que o governo se destina ao povo (" para o povo"), não a determinados segmentos do mundo político e da sociedade. E que se exerce em favor do povo ("pelo povo").

Na dicção de Luís Roberto Barroso, pode-se considerar a democracia

> em uma dimensão predominantemente formal, a que inclui a ideia de governo da maioria e de respeito aos direitos fundamentais... A democracia em sentido material, contudo, que dá alma ao Estado constitucional de direito, é, mais que o governo da *maioria*, o governo para *todos*.[5]

Conforme Bobbio, a democracia, entendida como contraposta a todas as formas de governo autocrático, é "caracterizada por um conjunto de regras (primárias ou fundamentais) que estabelecem *quem* está autorizado a tomar as decisões coletivas e com quais *procedimentos*".[6] O mesmo autor complementa, na sequência:

> É indispensável uma terceira condição: é preciso que aqueles chamados a decidir ou a eleger os que deverão decidir sejam colocados diante de alternativas reais e postos em condição de escolher entre uma e outra. Para que se realize esta condição é necessário que aos chamados a decidir sejam garantidos os assim denominados direitos de liberdade, de opinião, de expressão das próprias opiniões, de reunião, de associação, etc...[7]

Os ideais, as concepções e a prática da democracia vêm atravessando longo tempo, enfrentando duas grandes guerras, no século XX, a ascensão de vários totalitarismos, a ocorrência de graves crises econômicas mundiais, por exemplo, e, no momento atual, surgem dúvidas a respeito de sua sobrevivência.

## 4    Democracia em crise? Fim da democracia?

No rol de livros indicados no site da Livraria Cultura encontram-se inúmeros títulos aventando o fim, o ocaso da democracia. Por exemplo (sem a menção do autor, mas na língua original): La Filosofia ante o ocaso de la democracia; Democracia agônica; Ainda se pode falar de democracia? Democracia: o Deus que falhou; Vida e morte da democracia; Poderes selvagens: a crise da democracia; Democracia em risco; Tchau, querida democracia; El eclipse de la democracia; Democracia em pedaços; A democracia interrompida; La democracia non ha sobrevivido.

Despertam atenção três obras:

---

[5]    BARROSO, Luís Roberto. *Curso de direito constitucional contemporâneo*: os conceitos fundamentais e a construção do novo modelo. São Paulo: Saraiva, 2009. p. 418.

[6]    BOBBIO, Norberto. *O futuro da democracia*: uma defesa das regras do jogo. (Trad. Marco Aurélio Nogueira). Rio de Janeiro: Ed. Paz e Terra, 1986. p. 19.

[7]    BOBBIO, Norberto. *O futuro da democracia*: uma defesa das regras do jogo. (Trad. Marco Aurélio Nogueira). Rio de Janeiro: Ed. Paz e Terra, 1986. p. 20.

a) *O povo contra a democracia*, de Yasha Mounk, publicado no Brasil em 2019. Sem adentrar seu conteúdo, o título expressa uma contradição, pois se a democracia teoricamente é o governo emanado do povo, com exercício focado no povo e em seu favor, como poderia o povo ficar contra a democracia?[8]

b) *Como as democracias morrem*, de Steven Levitsky e Daniel Ziblatt, ambos professores da Universidade de Harvard, 2ª impressão publicada em 2019 no Brasil, editora Zahar. Dedicam muitas páginas à ascensão e ao governo de Donald Trump. Tratam da ascensão e do governo de Fujimori (Peru), de Hugo Chavez (Venezuela) de Erdogan (Turquia); de Orban (Hungria). Discorrem sobre Mussolini, Hitler e outros governantes.[9]

c) *Como a democracia chega ao fim*, de David Runciman, professor de política na Universidade de Cambridge, publicado no Brasil pela editora Todavia, em 2018. Também focaliza Donald Trump. Trata da situação histórica e atual de vários países e seus governantes, ao longo do tempo, como Grécia, França, Zimbabue, Egito, Turquia, China; e se dedica ao poder de grandes empresas mundiais, do Google e do Facebook, por exemplo.[10]

Sabino Cassese, conhecidíssimo professor, autor no campo do direito público, magistrado da Corte Constitucional durante nove anos, deu à sua palestra na Faculdade de Direito do Largo São Francisco, no dia 6 de novembro de 2019 (a qual a subscritora deste assistiu e anotou),[11] o seguinte título: "A democracia no mundo está em crise?" Mencionou livros sobre o fim da democracia e apresentou alguns indicadores de "doença" da democracia, como, por exemplo: a) redução do número de eleitores que votam, apresentando os percentuais da Itália; b) redução dos filiados aos partidos políticos, em proporção maior do que o aumento da população; usou a expressão "partidos líquidos",[12] dizendo haver muitos partidos que não são realmente partidos, nem ostentam o nome de "partido"; c) reduzida comunicação entre dois modelos de formação da opinião pública: o digital e o não digital; d) "cansaço das democracias", nome atribuído por Cassese, por exemplo, a elevados custos na proteção de alguns interesses coletivos e difusos; citou o exemplo de construção do aeroporto na China, terminada em quatro anos, e da construção de parte do aeroporto de Heatrow, na Inglaterra, que demorou vinte anos; a proteção de tais direitos exige tempo e vários procedimentos, colocando para os países a questão de pagar ou não pagar esses custos, quadro que se repete em outros assuntos.

---

[8]    MOUNK, Yasha. *O povo contra a democracia*. Rio de Janeiro: Cia. das Letras, 2019.

[9]    LEVITSKY, Steven; ZIBLATT, Daniel. *Como as democracias morrrem*. 2. ed. Rio de Janeiro: Editora Zahar, 2019.

[10]   RUNCIMAN, David. *Como a democracia chega ao fim*. São Paulo: Editora Todavia, 2018.

[11]   Pareceu relevante, à subscritora deste, expor as linhas gerais da palestra de Sabino Cassese, autor conhecido e difundido no mundo ocidental, poliglota fluente, professor visitante em conceituadas universidades norte-americanas e francesas, que ministra palestras em várias partes do mundo e, segundo relatou, participou, durante os nove anos como magistrado da Corte Constitucional da Itália, das reuniões periódicas de Cortes Constitucionais dos países, destinadas ao intercâmbio de ideias e questões aí ventiladas.

[12]   A expressão "partidos líquidos" remete a obras do sociólogo Zigmunt Bauman: *Modernidade líquida; Tempos líquidos; Vida líquida; Amor líquido; Medo líquido*. No livro *Modernidade líquida*, Bauman se refere à *sociedade líquida*, onde predominam incertezas, instabilidade, e as relações são fluidas e frágeis.

## 5 "Anticorpos" da democracia

Na referida palestra, Cassese afirmou que a democracia vai sobreviver a esses tempos, há pontes que estão se criando no mundo; países que têm comércio entre si não fazem guerra; além do mais, a democracia tem "anticorpos", apontando os seguintes:

a) A democracia é formada de várias democracias, em sentido eleitoral. Em vários países há também eleições em nível regional e local. Nos países integrantes da União Europeia há eleições para o Parlamento Europeu. Cassese mencionou que metade do seu trabalho na Corte Constitucional envolvia conflitos entre normas emitidas por vários entes integrantes da estrutura de poder da Itália. E afirmou ser o conflito importante para a democracia, pois serve para o controle do poder.

b) Importância de haver diversidade de tempo de mandatos entre os poderes, pois assim o presente controla o passado e o passado controla o presente.

c) Outro "anticorpo": a "correção epistocrática", ou seja, a atuação das Cortes Constitucionais, revelando que o Legislativo e o Executivo não são poderes ilimitados, respondendo os órgãos democráticos perante outro poder.

d) As Constituições nacionais devem abrigar e respeitar um mínimo de normas que são universais, que não podem ser modificadas: os direitos humanos.

Em seu livro *La democrazia e i suoi limiti*,[13] Cassese indica a chamada *democracia deliberativa* como reforço da democracia, mediante consultas públicas, sondagens de opinião, participação e debate. Para o mesmo autor, essenciais para a democracia são: a tolerância, a discussão pública, a busca de consenso;[14] "os sistemas democráticos demonstram possuir capacidade inigualável de garantir a segurança, a justiça e de distribuir os resultados do desenvolvimento econômico".[15]

Por sua vez, os autores supra citados, cujos dois livros ostentam nomes catastróficos para a democracia, anunciando sua morte ou fim, suavizam o alcance dos respectivos títulos, mencionando aspectos favoráveis à democracia e sua proteção.

Assim, no livro *Como as democracias morrem*, seus autores se referem a *grades de proteção* da democracia, citando o exemplo dos Estados Unidos, mas algumas se aplicam a outros Estados: grande riqueza nacional, ampla classe média, sociedade civil vibrante.[16] Sem foco em determinado país, ressaltam a importância de *regras informais* para o funcionamento de uma democracia, que não estão na Constituição, nas leis, mas são conhecidas e respeitadas, salientando-se duas: a) *tolerância mútua*, no sentido de que rivais têm o mesmo direito de existir, competir pelo poder e governar e de que oponentes políticos não são inimigos;[17] b) *reserva institucional*, significando evitar ações,

---

[13] CASSESE, Sabino. *La democrazia e i suoi limiti*. Milão: Mondadori, 2018. p. 99, 101-102.

[14] CASSESE, Sabino. *La democrazia e i suoi limiti*. Milão: Mondadori, 2018. p. 106.

[15] CASSESE, Sabino. *La democrazia e i suoi limiti*. Milão: Mondadori, 2018. p. 8.

[16] LEVITSKY, Steven; ZIBLATT, Daniel. *Como as democracias morrrem*. 2. ed. Rio de Janeiro: Editora Zahar, 2019. p. 102.

[17] LEVITSKY, Steven; ZIBLATT, Daniel. *Como as democracias morrrem*. 2. ed. Rio de Janeiro: Editora Zahar, 2019. p. 102.

que embora respeitem a letra das normas legais, desatendem ao seu espírito;[18] dão o exemplo de um jogo: os jogadores não devem incapacitar ou antagonizar o outro time, a ponto de que este se recuse a jogar de novo no dia seguinte.[19]

De seu lado, Runciman informa estar a ciência política contemporânea preocupada, buscando entender a persistência da democracia, como a democracia continua a funcionar.[20] Prossegue dizendo que as eleições regulares continuam a ser o grande *alicerce* da política democrática, mas envolvem também corpos legislativos democráticos, tribunais independentes e imprensa livre.[21] E traz sua visão positiva quanto à democracia, nos seguintes trechos:

> a maior parte das democracias se acostumou à ideia de que não existe alternativa;[22]

> a democracia moderna proporciona dignidade; cada habitante dos Estados democráticos pode manifestar o que pensa e é defendido quando outros querem silenciá-lo; e proporciona benefícios a longo prazo: as vantagens da estabilidade, prosperidade e paz; a combinação de todos é de grande atração e irresistível.[23]

Na página 233 o autor, de forma contraditória, parece navegar entre a afirmação da sobrevivência da democracia e a afirmação do seu fim.[24]

## 6 Democracia como valor, democracia como direito

Verifica-se, então, que ao lado de considerações alarmistas a respeito da sobrevivência da democracia, apresentam-se afirmações no sentido da sua manutenção e força no mundo atual.

É comum encontrar levantamentos sobre o aumento progressivo de países democráticos nas últimas décadas, o que reforça visões otimistas sobre sua permanência.

Outro aspecto relevante deve ser salientado: a Assembleia Geral das Nações Unidas aprovou, em 2005, uma Resolução que dispõe, no item 135, o seguinte:

> A democracia é um valor universal, fundado sobre a livre expressão da vontade dos povos para determinar os próprios sistemas políticos, econômicos, sociais e culturais e sua plena participação a todo aspecto da sua vida.

A democracia, então, representa um valor de espectro global.

---

[18] LEVITSKY, Steven; ZIBLATT, Daniel. *Como as democracias morrrem*. 2. ed. Rio de Janeiro: Editora Zahar, 2019. p. 107.

[19] LEVITSKY, Steven; ZIBLATT, Daniel. *Como as democracias morrrem*. 2. ed. Rio de Janeiro: Editora Zahar, 2019. p. 107.

[20] RUNCIMAN, David. *Como a democracia chega ao fim*. São Paulo: Editora Todavia, 2018. p. 9.

[21] RUNCIMAN, David. *Como a democracia chega ao fim*. São Paulo: Editora Todavia, 2018. p. 10.

[22] RUNCIMAN, David. *Como a democracia chega ao fim*. São Paulo: Editora Todavia, 2018. p. 180.

[23] RUNCIMAN, David. *Como a democracia chega ao fim*. São Paulo: Editora Todavia, 2018. p. 181.

[24] RUNCIMAN, David. *Como a democracia chega ao fim*. São Paulo: Editora Todavia, 2018. p. 233.

Além disso, encontra-se na literatura sobre o tema, como na supra citada obra de Cassese,[25] a referência a um emergente direito a governo democrático ou direito à democracia. Esta percepção decorre, em especial, de artigo da autoria de Thomas M. Franck, publicado no *American Journal of International Law*, vol. 86, 1992, p. 46ss, sob o título: *The emerging right do democratic governance*.[26] Franck afirma que os governos cada vez mais reconhecem que sua legitimidade depende da compatibilidade às expectativas normativas da comunidade dos Estados; isto levou à emergência da expectativa da comunidade: buscar, o governante, a validação do seu poder governamental no consentimento dos governados; "democracia, então, está em vias de se tornar um direito global, um direito que será promovido e protegido, cada vez mais, pelos processos coletivos internacionais".[27] [28]

Independentemente de crises, ameaças, visões catastróficas, a democracia se estende a campos diversos do Estado como um todo e das escolhas eleitorais estritamente políticas, ressaltando-se, em primeiro lugar, a democracia administrativa.

## 7    Democracia administrativa

Desde a década de 60 do século XX assiste-se à concepção da democracia administrativa. Salienta-se, no período, a afirmação de Jean Rivero,[29] no sentido de que havia na França incompatibilidade absoluta entre as concepções de democracia lá vigentes e a ação administrativa, pois para a Administração o indivíduo permanecia como súdito; a democracia, assim, era considerada somente sob o aspecto de modo de designação de poder, mas democracia significa também modo de exercício do poder. Desse modo, a democracia transpõe o limitar do voto nas urnas para chegar ao exercício do poder pelo vencedor das eleições.

A partir de então, medidas surgiram em vários ordenamentos do mundo ocidental visando à democracia administrativa, por exemplo: motivação como regra e não exceção; publicidade como regra e não exceção, participação de cidadãos em várias tomadas de decisões; garantias de contraditório e ampla defesa; consultas públicas; audiências públicas; busca de acordo e consenso; meios consensuais de solução de litígios, como a arbitragem, a mediação, a transação.

Outra faceta dos vínculos entre democracia e Administração Pública é lembrada por Cassese:

---

[25]    CASSESE, Sabino. *La democrazia e i suoi limiti*. Milão: Mondadori, 2018. p. 82 e 119.

[26]    FRANCK, Thomas M. The emerging right do democratic governance. *American Journal of International Law*, v. 86, p. 46 ss, 1992.

[27]    FRANCK, Thomas M. The emerging right do democratic governance. *American Journal of International Law*, v. 86, p. 46 ss, 1992.

[28]    O mesmo autor tem artigo publicado na *University of Richmond Law Review*, v. 29, n. 1, 1994, sob o título *The democratic entitlement*, mencionando, no início, seu intuito de repensar, re-teorizar a tendência no sentido de realização do direito à democracia. Uma análise do referido artigo de Thomas Franck, de 1992, se encontra no artigo de Susan Marks, *What has become of the emerging right to democratic governance?* publicado no *European Journal of International Law*, v. 22, maio 2011, p. 507-524.

[29]    No artigo 'A propos des metamorfoses de l'administration d'aujourd'hui: democratie et aministration, in *Pages de doctrine*, v, 1, 1980, p. 253-264 (publicado pela primeira vez em 1965, em *Mélanges offerts à René Savatier*).

O governo democrático necessita de instrumentos para a realização das políticas públicas propostas ao eleitorado e por este aprovadas pelo voto; estes instrumentos são constituídos pela administração pública e sua qualidade é condição de sucesso da democracia, porque sem isso não se completa o circuito democrático: preferências populares- formulação de políticas públicas- sua realização concreta- satisfação popular e consequente aceitação dos seus governantes... Não basta eleger uma força política. Esta deve servir-se de aparato, seguir procedimentos definidos por lei, realizar a gestão de pessoas chamadas a fazer funcionar a 'máquina'.[30]

## 8    Democracia fora do âmbito público-estatal

## 8.1    Democracia no setor privado

Vários títulos de livros com a palavra "democracia" sugerem a extensão da democracia para âmbitos privados, embora em alguns possa haver incentivos ou algumas atuações estatais. Na referida consulta ao site da Livraria Cultura podem ser encontrados os seguintes títulos, por exemplo: Democracia cultural; Educación y democracia; Liberdade a dois: a democracia nos relacionamentos contemporâneos; A Pedagogia, a democracia, a escola; Saúde e democracia; Democracia y universidad; As ruas e a democracia; Aborto e democracia; A democracia corintiana; Democracia midiática.

Pode-se lembrar, ainda: Democracia sindical; Democracia nos condomínios residenciais e comerciais; Democracia societária.

## 8.2    Democracia na esfera global

A democracia hoje também se amplia para além das fronteiras do Estado nacional. Sob dois ângulos se apresenta o tema.

No primeiro, encontram-se atuações de organismos internacionais ou regionais (por exemplo, União Europeia) na promoção, incentivo e defesa da democracia. Assim, por exemplo, a Assembleia Geral das Nações Unidas, em setembro de 2000, declarou que a ONU promove a democracia e apoia a sua consolidação, tendo criado e financiado um fundo para tanto, o *United Nations Democracy Found*; esse Fundo atua mediante o financiamento de iniciativas da sociedade civil, a qual exerce pressão sobre governos nacionais a fim de aumentar o nível de democracia dos ordenamentos nacionais.[31]

Outro exemplo: com autorização da Assembleia Geral em 1991, o Secretário-Geral da ONU criou um órgão para lidar com pedidos, vindos de membros dos Estados, de assistência na organização, condução e monitoramento de eleições nacionais e, ainda, ajuda para assegurar e certificar o caráter correto do processo eleitoral.

No segundo aspecto, organismos internacionais adotam práticas democráticas no seu âmbito interno. Cassese[32] cita a Organização Internacional do Trabalho, que

---

[30]    CASSESE, Sabino. *La democrazia e i suoi limiti*. Milão: Mondadori, 2018. p. 37-38.

[31]    CASSESE, Sabino. *La democrazia e i suoi limiti*. Milão: Mondadori, 2018. p. 81 e 84.

[32]    CASSESE, Sabino. *La democrazia e i suoi limiti*. Milão: Mondadori, 2018. p. 83-85.

adota a representação tripartite (Estado, trabalhadores, empregadores) nas suas decisões essenciais; e menciona o órgão regulador global da Internet, ICANN, ente privado que aplica: o direito de ser ouvido; o direito de ser informado; o princípio da transparência, etc.

# 9 Conclusão

Ideal, valor, princípio, direito, tipo de governo, modo de exercício do poder político e de outros poderes, presente no âmbito dos Estados nacionais e na esfera global, invocada no setor privado, a democracia vem permeando a convivência humana, em seus vários aspectos, há longo tempo. Resistiu a períodos de Guerras internacionais e conflitos internos dos Estados, a períodos de profundo desrespeito a direitos essenciais do ser humano e chegou até aqui, suscitando caudal de estudos a seu respeito. E quando paira sobre a democracia ameaça verdadeira ou imaginada, vozes se levantam para defendê-la e preservá-la. Daí a validade e a atualidade da célebre frase de Winston Churchill, pronunciada em 1947: "Ninguém quer dizer que a democracia seja perfeita ou sempre sensata. Na verdade, a democracia é a pior forma de governo que existe, com exceção de todas as outras forma experimentadas de tempos em tempos".

## Referências

BARROSO, Luís Roberto. *Curso de direito constitucional contemporâneo*: os conceitos fundamentais e a construção do novo modelo. São Paulo: Saraiva, 2009.

BOBBIO, Norberto. *O futuro da democracia*: uma defesa das regras do jogo. (Trad. Marco Aurélio Nogueira). Rio de Janeiro: Ed. Paz e Terra, 1986.

CASSESE, Sabino. *La democrazia e i suoi limiti*. Milão: Mondadori, 2018.

FRANCK, Thomas M. The emerging right do democratic governance. *American Journal of International Law*, v. 86, p. 46 ss, 1992.

LEVITSKY, Steven; ZIBLATT, Daniel. *Como as democracias morrrem*. 2. ed. Rio de Janeiro: Editora Zahar, 2019.

MOUNK, Yasha. *O povo contra a democracia*. Rio de Janeiro: Cia. das Letras, 2019.

RUNCIMAN, David. *Como a democracia chega ao fim*. São Paulo: Editora Todavia, 2018.

SILVA, José Afonso da. *Curso de direito constitucional positivo*. 42. ed. São Paulo: Malheiros, 2019.

---

Informação bibliográfica deste texto, conforme a NBR 6023:2018 da Associação Brasileira de Normas Técnicas (ABNT):

MEDAUAR, Odete. Variações sobre um tema de todos: democracia. *In*: COSTA, Daniel Castro Gomes da; FONSECA, Reynaldo Soares da; BANHOS, Sérgio Silveira; CARVALHO NETO, Tarcisio Vieira de (Coord.). *Democracia, justiça e cidadania*: desafios e perspectivas. Homenagem ao Ministro Luís Roberto Barroso. Belo Horizonte: Fórum, 2020. t. 1: Direito eleitoral, política e democracia. p. 291-299. ISBN 978-85-450-0748-7.

# EMENDA CONSTITUCIONAL Nº 97/2017: REFLEXÕES SOBRE A CLÁUSULA DE DESEMPENHO E O FIM DAS COLIGAÇÕES PARTIDÁRIAS

**PEDRO PAES DE ANDRADE BANHOS**

## 1 Notas introdutórias: reforma política, multipartidarismo e coligações partidárias no Brasil

A relação entre política e sociedade há muito se mostra complexa. São recorrentes os questionamentos sobre a interação entre os representantes, os partidos políticos e os eleitores, bem como quais procedimentos possibilitariam a aproximação destes no polo de tomada de decisões.

No cenário político atual de hostilidade perante a classe política, fica ainda mais evidente o distanciamento entre eleitores e representantes. De fato, o cidadão da era digital não mais se satisfaz com o "depósito" de seu voto nas urnas eletrônicas. Pelo contrário, nos dizeres de Mônica Caggiano, os eleitores estão exigentes, tornando essencial que a representação política seja capaz de "propiciar aos cidadãos participação no epicentro das decisões políticas".[1]

Nessa perspectiva, Tarcisio Viera de Carvalho Neto ensina:

> A democracia almejada, enquanto instituição dinâmica, viva e em constante edificação, deve exigir do cidadão engajado participação substancial não só na fabricação das regras do jogo democrático, mas também no controle diuturno do uso que em seu nome se faz do poder político. Além disso, para uma necessária legitimação, deve propiciar os meios materiais de participação popular.[2]

---

[1] CAGGIANO, Mônica Herman Salem. Distúrbios da Democracia. Representação política e suas patologias. A Reforma Eleitoral no Brasil atende a essas disfunções? *In*: CARVALHO NETO, Tarcísio Vieira de; FERREIRA, Telson Luíz Cavalcante (Coord.) *Direito Eleitoral – Aspectos materiais e processuais*. São Paulo: Migalhas, 2016. p. 81.

[2] CARVALHO NETO, Tarcísio Vieira de. Democracia digital. *In*: *Reforma política*: Brasil república: em homenagem ao Ministro Celso de Mello. Brasília: OAB, Conselho Federal, 2017. p. 195.

Por sua vez, Luís Roberto Barroso, ao tratar da importância das reformas políticas para o aumento da legitimidade democrática, explica:

> É indispensável: (i) *no que diz respeito ao sistema eleitoral*, um modelo que favoreça uma maior aproximação e identificação entre cidadãos e agentes políticos eleitos, com visibilidade *accountability* reforçadas; e (ii) *no que diz respeito ao eleitorado*, uma cidadania mais consciente e ativa, disposta a acompanhar com um mínimo de interesse o desempenho de seus representantes.[3]

Nessa toada, o presente trabalho busca apurar as possíveis repercussões da Emenda Constitucional nº 97/2017 – que introduziu a cláusula de desempenho gradativa e a vedação das coligações partidárias nas eleições proporcionais – frente aos desafios observados no sistema político-eleitoral brasileiro, que parece clamar por aperfeiçoamento.

De modo a delimitar o tema, dentre as mais variadas vicissitudes identificadas no cenário político brasileiro, merecem detida atenção a vasta quantidade de partidos políticos com representação no Congresso Nacional e a possibilidade de formação de coligações partidárias.

Ao examinar essas questões, Luís Roberto Barroso aponta que:

> A possibilidade de coligações e a ausência de cláusula de barreira contribuem para manter vivas legendas vazias de representatividade e conteúdo programático, produzindo uma fragmentação no Legislativo que acaba exigindo o 'toma lá dá cá' do fisiologismo.[4]

Nessa perspectiva, o autor identifica como vícios do sistema partidário brasileiro a multiplicidade de partidos com baixa consistência ideológica e a reduzida identificação popular.[5] Atento a essa realidade, argumenta que as regras eleitorais acabam por fomentar a criação de novas legendas, cujos objetivos se voltam, prioritariamente, ao acesso ao fundo partidário e ao tempo de rádio e televisão.[6]

De fato, no tocante aos partidos políticos, a realidade brasileira é crítica. Por exemplo, como resultado das eleições realizadas em 2018 para o cargo de deputado federal, 30 agremiações partidárias conseguiram eleger representantes.[7]

---

[3] BARROSO, Luís Roberto. Reforma política no Brasil: os consensos possíveis e o caminho do meio. *In: Sistema político e direito eleitoral brasileiro*: estudos em homenagem ao ministro dias Toffoli. São Paulo: Atlas, 2016. p. 500.

[4] BARROSO, Luís Roberto. Trinta anos da Constituição: a República que ainda não foi. *In: 30 anos da Constituição brasileira*: democracia, direitos fundamentais e instituições. Rio de Janeiro: Forense, 2018. p. 564.

[5] BRASIL. Supremo Tribunal Federal. *ADI nº 5311 MC*. Rel. Min. Cármen Lúcia, Tribunal Pleno, julgado em 30.09.2015, DJ 03.02.2016. Voto dos Ministros Luís Roberto Barroso e Dias Toffoli. p. 73-76.

[6] BARROSO, Luís Roberto Barroso. *O momento institucional brasileiro e uma agenda para o futuro*. Palestra realizada na Oxford University. Disponível em: http://luisrobertobarroso.com.br/wp-content/uploads/2017/08/Oxford-Momento-institucional-brasileiro-e-uma-agenda-para-o-futuro.pdf. Acesso em 15 nov. 2019.

[7] CÂMARA DOS DEPUTADOS. *Bancada da eleição de 2018 para Deputado Federal*. Disponível em: https://www.camara.leg.br/deputados/bancada-na-eleicao. Acesso em 13 nov. 2019.

Com efeito, a proliferação e a multiplicidade exacerbada de partidos acaba por dificultar a governabilidade e a efetiva representação dos interesses gerais da sociedade na esfera política.

A complexidade do sistema partidário brasileiro foi elucidada pelo Ministro Dias Toffoli, quando do julgamento da Ação Direta de Inconstitucionalidade nº 5.311, em que argumentou que o número de legendas prejudica a governabilidade, favorece coalizões e gera instabilidade institucional. Ao lado disso, identificou o continuado desvirtuamento do papel dos partidos políticos no Brasil.[8]

Sobre a temática, André Ramos Tavares adverte que o sistema pluripartidário pode acentuar – a despeito de assegurar o pluralismo político – crises institucionais, uma vez que possibilita a multiplicação de "legendas de aluguel", bem como propicia outros distúrbios relativos à "perpetuação de partidos sem real vocação para defesa de uma ideologia, de um segmento social, ou mesmo sem real interesse de se firmar como alternativa útil de representação política".[9]

Por sua vez, Giovanni Sartori identificou que "provavelmente nenhum país no mundo atual é tão avesso aos partidos como o Brasil – na teoria e na prática. Os políticos se relacionam com os seus partidos como 'partidos de aluguel'".[10]

Para Scott Mainwaring, "o Brasil é um caso excepcional de fragilidade partidária. [...] No Brasil, os partidos aparecem e desaparecem com assombrosa frequência".[11]

Já Manoel Gonçalves Ferreira Filho, ao tratar da (in)governabilidade no Brasil, ensina que "é necessário diminuir o número de partidos, por meio de exigência de representatividade mínima. E fortalecê-los pela disciplina, em proveito de sua coerência e da valorização de seu programa".[12]

Diante desse cenário, reconhece-se que é "inimaginável a fórmula democrática à míngua de partidos políticos".[13] Por outro lado, é urgente e necessário se repensar o papel dos partidos políticos, de modo a realocá-los em seu lugar de relevância no jogo democrático.

Não bastasse os desafios decorrentes do multipartidarismo no Brasil, a possibilidade de formação das coligações partidárias traz consigo problemáticas que

---

[8] BRASIL. Supremo Tribunal Federal. *ADI nº 5311 MC*. Rel. Min. Cármen Lúcia, Tribunal Pleno, julgado em 30.09.2015, DJ 03.02.2016. Voto dos Ministros Luís Roberto Barroso e Dias Toffoli. p. 112.

[9] TAVARES, André Ramos. A jurisprudência sobre partidos políticos no Supremo Tribunal Federal: entre eleições, poder econômico e democracia. *In: Sistema político e direito eleitoral brasileiros*: estudos em homenagem ao Ministro Dias Toffoli, Admar Gonzaga Netto *et al.*: coordenação João Otávio de Noronha, Richard Pae Kim. São Paulo: Atlas 2016. p. 46.

[10] SARTORI, Giovanni. *Engenharia constitucional*: como mudam as constituições. (Trad. Sérgio Bath). Brasília: UnB, 1996. p. 112.

[11] MAINWARING, Scott P. *Sistemas partidários em novas democracias*: o caso do Brasil. (Trad. Vera Pereira). Porto Alegre: Mercado Aberto; Rio de Janeiro: FGV, 2001. p. 33.

[12] FERREIRA FILHO, Manoel Gonçalves. Governabilidade e revisão constitucional: ensaio sobre a (in) governabilidade brasileira especialmente em vista da Constituição de 1988). *Revista de Direito Administrativo*, Rio de Janeiro, v. 193, p. 1-11, jul. 1993. p. 11. Disponível em: http://bibliotecadigital.fgv.br/ojs/index.php/rda/article/view/45767/47094. Acesso em 2 nov. 2019.

[13] CARVALHO NETO, Tarcísio Vieira de. Partidos políticos. *In: 30 anos da Constituição Brasileira*: democracia, direitos fundamentais e instituições. Rio de Janeiro: Forense, 2018. p. 468.

derivam das expressivas distorções entre as agendas programáticas e ideológicas dos partidos que as compõem. Sobre essa questão, Augusto Aras explica que:

> O enfraquecimento dos partidos tem colocado a questão da coerência partidária em segundo plano, pois, quando não detém de força para governar, as agremiações realizam coalizões e, na busca de vencer o certame, celebram coligações que não apresentam nenhuma harmonia com seu ideário e programa.[14]

Nesse contexto, não é incomum observar a celebração de coligações partidárias incoerentes, transitórias e com agendas programáticas disformes, que acabam por prejudicar a harmonia, a clareza e o programa político das legendas, afetando, direta e indiretamente, o reconhecimento do voto pelo eleitorado.

Diante disso, pretende-se, no próximo tópico, examinar a declaração da inconstitucionalidade da cláusula de barreira então prevista na Lei dos Partidos Políticos para, em seguida, analisar a cláusula de desempenho instituída pela Emenda Constitucional nº 97/2017.

## 2 Da inconstitucionalidade da cláusula de barreira da Lei dos Partidos Políticos à cláusula de desempenho da Emenda Constitucional nº 97/2017

O princípio da separação dos poderes, na quadra atual, merece uma nova leitura para conectar as noções de limitações dos Poderes à interdependência entre eles,[15] em busca de compreender a crise de representatividade e as novas interações entre Poderes estabelecidas no Brasil.

Nessa perspectiva, cumpre analisar a superação pelo Congresso Nacional, por meio da Emenda Constitucional nº 97/2017, dos obstáculos identificados pelo Supremo Tribunal Federal, quando, no julgamento das Ações Diretas de Inconstitucionalidade nº 1.351 e nº 1.354, a Corte declarou, em 2006, a inconstitucionalidade da cláusula de barreira prevista na Lei dos Partidos Políticos (Lei nº 9.096/1995).

Fábio Quintas explica que a referida declaração de inconstitucionalidade teve como principal fundamento o princípio da razoabilidade, de modo que "a implementação de uma cláusula de barreira ou desempenho não seria *per se* incompatível com a Constituição".[16]

---

[14] ARAS, Augusto. *Fidelidade Partidária*: efetividade e aplicabilidade. 1. ed. Rio de Janeiro: LMJ Mundo Jurídico, 2016. p. 123.

[15] Karl Loewenstein desenvolve estudos propondo uma nova tripartição das funções do Estado (decisão política fundamental, execução da decisão e controle político), defendendo a interpenetrabilidade entre os Poderes, funcionando todos de forma harmônica, para atingir os fins almejados pelo Estado de Direito, respeitando-se os limites e os direitos fundamentais. LOEWENSTEIN, Karl. *Teoría de la constitución*. 2. ed. 4. reimp. Barcelona: Ariel, 1986. p. 108.

[16] QUINTAS, Fábio Lima. A cláusula de desempenho estabelecida pela Emenda constitucional nº 97: possibilidade de diálogo constitucional entre o STF e o poder constituinte derivado? *In*: *Interesse público*, v. 21, n. 115, p. 85-102, mai./jun. 2019. p. 97.

Da leitura do acórdão, extraem-se do voto do Relator, Ministro Marco Aurélio Mello, os seguintes fundamentos:

> Sob o ângulo da razoabilidade, distancia-se do instituto diploma legal que, apesar da liberdade de criação de partidos políticos prevista na Constituição Federal, admite a existência respectiva e, em passo seguinte, inviabiliza o crescimento em termos de representação.
>
> [...]
>
> Mostra-se imprópria a existência de partidos políticos com deputados eleitos e sem o desempenho parlamentar cabível, cumprindo ter presente que, a persistirem partidos e parlamentares a ele integrados, haverá, em termos de funcionamento parlamentar, o esvaziamento da atuação das minorias.[17]

Por sua vez, o Ministro Gilmar Ferreira Mendes registrou em seu voto que a cláusula de barreira prevista na Lei dos Partidos Políticos violava o princípio da proporcionalidade e o princípio da igualdade de chances. Asseverou também que a referida cláusula "não representa[va] nenhum avanço, mas sim, um patente retrocesso em termos de reforma política, na medida em que intensifica[va] as deformidades de nosso singular sistema eleitoral proporcional".[18]

É interessante observar que, ao rever o tema posteriormente, Gilmar Ferreira Mendes advertiu que os efeitos práticos dessa decisão foram negativos, uma vez que, como decorrência daquele entendimento firmado pela Suprema Corte, incentivou-se a criação desenfreada de novos partidos políticos que também teriam acesso ao fundo partidário e receberiam tempo de propaganda em caráter nacional.[19]

Por sua vez, Luís Roberto Barroso considera o referido julgado como um dos casos de ativismo judicial tidos por ele como infelizes.[20]

De notar que, após o interregno de pouco mais de uma década da declaração de inconstitucionalidade da cláusula de barreira prevista na Lei dos Partidos Políticos, o Congresso Nacional promulgou a Emenda Constitucional nº 97/2017, norma que pode ser considerada uma superação – salutar – por parte do Poder Legislativo de decisão, proferida no âmbito de controle concentrado pelo Supremo Tribunal Federal.

Em outra passagem, Fábio Quintas explica que "não é necessariamente viciada a ação dos órgãos políticos voltada a superar decisão do STF para alcançar os mesmos resultados anteriormente vetados pela jurisdição constitucional". Além disso, ressalta:

---

[17] BRASIL. Supremo Tribunal Federal. *ADI nº 1351*. Rel. Min. Marco Aurélio, Tribunal Pleno, julgado em 07.12.2006, DJ 30.03.2007. Voto dos Ministros Marco Aurélio Mello e Gilmar Ferreira Mendes. p. 54-55.

[18] BRASIL. Supremo Tribunal Federal. *ADI nº 1351*. Rel. Min. Marco Aurélio, Tribunal Pleno, julgado em 07.12.2006, DJ 30.03.2007. Voto dos Ministros Marco Aurélio Mello e Gilmar Ferreira Mendes. p. 162.

[19] MENDES, Gilmar Ferreira. Apresentação do direito eleitoral brasileiro: financiamento de campanha, cláusula de barreira, fidelidade partidária e reeleição. In: *Direito eleitoral comparado*. Belo Horizonte: Fórum, 2018. p. 70.

[20] BARROSO, Luís Roberto Barroso. *O momento institucional brasileiro e uma agenda para o futuro*. Palestra realizada na Oxford University. Disponível em: http://luisrobertobarroso.com.br/wp-content/uploads/2017/08/Oxford-Momento-institucional-brasileiro-e-uma-agenda-para-o-futuro.pdf. Acesso em 15 nov. 2019.

Na verdade, essa reação pode ser vista numa perspectiva dialógica, dado que a análise serena dos fundamentos da decisão do Tribunal Constitucional não significa apenas uma sanção ao Poder Político, mas também a indicação de problemas constitucionais que, se superados pelo órgão político, criam um espaço para modificação da medida pretendida e o levantamento das barreiras constitucionais, sem comprometer o objetivo da legislação original.[21]

Sob essa óptica, cumpre salientar que, em 31.1.2019, o PRTB ajuizou a Ação Direta de Inconstitucionalidade nº 6.063, questionando a constitucionalidade da Emenda Constitucional nº 97/2017.[22] É curioso observar que a referida ação fora protocolizada um dia antes do início da nova legislatura. Como será visto adiante, o PRTB não elegeu parlamentares no pleito eleitoral de 2018, tampouco alcançou o mínimo exigido na primeira regra de transição da cláusula de desempenho da referida emenda constitucional.

Nessa parte, a tendência de redução gradual da quantidade de partidos políticos com representação no Congresso Nacional, como efeito da cláusula de desempenho prevista na referida emenda, repercutirá diretamente no rol – ampliado, diga-se de passagem – de legitimados para propor ação direta de inconstitucionalidade.

Feitas essas breve considerações, no próximo tópico serão investigadas as disposições da referida emenda constitucional, apresentando, para tanto, reflexões sobre os possíveis efeitos dessa norma nos próximos pleitos eleitorais e suas repercussões nas futuras composições do Congresso Nacional.

## 3 Análise dos efeitos da Emenda Constitucional nº 97/2017

Após alterações no texto original da Proposta de Emenda Constitucional nº 282/2016, foi aprovada e promulgada a Emenda Constitucional nº 97/2017, que, em síntese, alterou a redação do artigo 17 da Constituição Federal, para prever a vedação das coligações nas eleições proporcionais a partir do pleito eleitoral de 2020 e a cláusula de desempenho de forma gradual.[23]

No tocante à cláusula de desempenho, é fundamental o exame das regras de transição, levando em consideração, nessa análise, o fato de que a primeira regra já fora aplicada no pleito eleitoral de 2018. Confira-se:

---

[21] QUINTAS, Fábio Lima. A cláusula de desempenho estabelecida pela Emenda constitucional nº 97: possibilidade de diálogo constitucional entre o STF e o poder constituinte derivado? *In: Interesse público*, v. 21, n. 115, p. 85-102, mai./jun. 2019. p. 99.

[22] BRASIL. Supremo Tribunal Federal. *ADI nº 6063*. Rel. Min. Celso de Mello. Petição inicial. Ver também: CONJUR. *PRTB questiona no STF validade da emenda instituindo a cláusula de barreira*. Disponível em: https://www.conjur.com.br/2019-fev-01/prtb-questiona-stf-validade-clausula-barreira. Acesso em 13 nov. 2019.

[23] CF. Art. 17, §1º: "É assegurada aos partidos políticos autonomia para definir sua estrutura interna e estabelecer regras sobre escolha, formação e duração de seus órgãos permanentes e provisórios e sobre sua organização e funcionamento e para adotar os critérios de escolha e o regime de suas coligações nas eleições majoritárias, vedada a sua celebração nas eleições proporcionais, sem obrigatoriedade de vinculação entre as candidaturas em âmbito nacional, estadual, distrital ou municipal, devendo seus estatutos estabelecer normas de disciplina e fidelidade partidária". (Redação dada pela EC nº 97/2017).

a) Nas eleições de 2018, os partidos devem atingir 1,5% dos votos válidos, distribuídos em pelo menos um terço das unidades da Federação, sendo necessário, em cada uma delas, alcançar o mínimo de 1% de votos válidos, ou pelo menos 9 (nove) deputados eleitos em pelo menos um terço das unidades da Federação;

b) Já nas eleições de 2022, o percentual aumenta para 2% dos votos válidos, distribuídos em pelo menos um terço das unidades da Federação, sendo necessário, em cada uma delas, alcançar o mínimo de 1% de votos válidos, ou pelo menos 11 deputados eleitos distribuídos em pelo menos um terço das unidades da Federação;

c) Em 2026, o índice passará para 2,5% dos votos válidos distribuídos em pelo menos um terço das unidades da Federação, sendo necessário, em cada uma delas, alcançar o mínimo de 1,5% de votos válidos, ou pelo menos 13 deputados eleitos distribuídos em pelo menos um terço das unidades da Federação;

d) E, somente a partir das eleições de 2030, o acesso ao fundo partidário, às propagandas gratuitas de rádio e televisão, bem como o direito ao funcionamento parlamentar se restringirão àqueles partidos políticos que atingirem 3% dos votos válidos, distribuídos em pelo menos um terço das unidades da Federação, sendo necessário, em cada uma delas, alcançar o mínimo de 2% de votos válidos, ou pelo menos 15 deputados eleitos distribuídos em pelo menos um terço das unidades da Federação.

Após examinar a referida norma, e em atenção aos desafios apresentados no início deste trabalho, entende-se que, nos moldes previstos, a vedação da celebração de coligações em eleições proporcionais e a cláusula de desempenho gradativa devem ser considerados avanços ao sistema político-eleitoral brasileiro.

Primeiro, porque "quanto mais amplo for o uso das coligações, maior a probabilidade de observarmos distorções na representação dos partidos".[24] Essas distorções são evidentes no momento posterior às votações em que candidatos sem votos suficientes acabam se elegendo pelo somatório de votos obtidos pela coligação.

No Brasil, é recorrente a celebração de coligações incoerentes, formadas na disputa eleitoral, que muitas vezes não levam em consideração as agendas programáticas e ideológicas de cada partido, resultando em alianças teoricamente incompatíveis. Esse quadro prejudica a governabilidade, a representatividade e a transparência na identificação do voto pelo eleitorado, bem como intensifica a fragmentação partidária.

Nessa parte, Tarcisio Vieira de Carvalho Neto esclarece que a norma busca "fortalecer os partidos em sua individualidade, reduzindo ou mesmo extinguindo a necessidade de formação de alianças e coalizões de ocasião, frequentemente fisiológicas".[25]

---

[24] NICOLAU, Jairo. *Representantes de quem?*: os (des)caminhos do seu voto da urna à Câmara dos Deputados. 1. ed. Rio de Janeiro: Zahar, 2017. p. 53.

[25] CARVALHO NETO, Tarcísio Vieira de. Partidos políticos. *In: 30 anos da Constituição Brasileira*: democracia, direitos fundamentais e instituições. Rio de Janeiro: Forense, 2018. p. 462.

Segundo, porque a cláusula de desempenho adotada prioriza aqueles partidos que conseguirem atingir níveis eleitorais suficientes para representação parlamentar. Isso não significa dizer que novos partidos não poderão ser criados e registrados, nem mesmo que as minorias sociais deixarão de ser representadas na esfera política. Ao contrário, a medida possibilitará, de forma gradual, a redução do número de partidos políticos com baixa representatividade parlamentar, o que não implica em violação ao princípio do pluralismo político, tampouco significa menor representatividade das minorias.

Nessa abordagem, entende-se que o multipartidarismo exacerbado aqui identificado não pode ser encarado como resultado de uma ampla diversidade ideológica, nem mesmo deve ser reconhecido como reflexo do princípio constitucional do pluralismo político. O que parece certo afirmar, por outro lado, é que os partidos políticos brasileiros, em geral, não possuem agendas programáticas e ideológicas coerentes e acabam por seguir, prioritariamente, os rumos e os interesses deliberados tão somente por suas cúpulas partidárias.[26]

Além disso, compreende-se que a pluralidade de ideias não deriva da quantidade de partidos políticos em exercício no Congresso Nacional, mas sim, de instrumentos que possibilitem a participação dos mais diversos setores da sociedade na tomada de decisões, dentro ou fora, do partido.

Nesse sentido, deve-se ter em mente a diferença entre a representação social e a representação parlamentar. É dever de todos os partidos políticos defender os interesses dos variados setores da sociedade. E, mais, existem formas de participação, por vezes mais eficientes, que possibilitam às minorias sociais, por meio da organização de grupos de pressão, promoverem ações – judiciais e/ou políticas – a fim de atingir seus objetivos e defender os mais distintos interesses.[27]

Sobre o tema, Gilmar Ferreira Mendes reconhece que a cláusula de desempenho implementada pela emenda constitucional assegura "maior equilíbrio e estabilidade ao sistema político brasileiro, na medida em que respeita a segurança jurídica e prestigia o princípio da igualdade de chances entre os competidores da disputa eleitoral".[28]

Por essas razões, considera-se, em síntese, que os institutos – cláusula de desempenho e vedação das coligações partidárias – são avanços, pois possibilitam:

---

[26] Não por outra razão, a estrutura interna dos partidos políticos vem sendo objeto de estudos, os quais revelam a importância de uma real e substantiva democracia intrapartidária. Sobre o tema, ver artigo de Tarcisio Viera de Carvalho, que examina a democracia intrapartidária na jurisprudência do TSE no tocante à duração das comissões provisórias. CARVALHO NETO, Tarcísio Vieira de. Direito político e eleitoral: democracia intrapartidária à luz da jurisprudência do TSE: a delicada questão da duração razoável das comissões provisórias. In: *Revista do advogado*, v. 38, n. 138, p. 21-30, jun. 2018.

[27] Richard Pae Kim defende que "a realidade hoje [...] revela que sempre há mecanismos políticos para uma efetiva participação das minorias partidárias, que não podem ser confundidas com as minorias sociais. Estas, diga-se de passagem, devem ser sujeitos de proteção por todos os partidos políticos, diante dos princípios constitucionais da solidariedade que traz ínsita a ideia de pluralidade social". KIM, Richard Pae. Representação Política e Multipartidarismo. In: *Sistema político e direito eleitoral brasileiros*: estudos em homenagem ao Ministro Dias Toffoli, Admar Gonzaga Netto et al.: coordenação João Otávio de Noronha, Richard Pae Kim. São Paulo: Atlas 2016. p. 563.

[28] MENDES, Gilmar Ferreira. Apresentação do direito eleitoral brasileiro: financiamento de campanha, cláusula de barreira, fidelidade partidária e reeleição. In: *Direito eleitoral comparado*. Belo Horizonte: Fórum, 2018. p. 71.

i) o aumento da governabilidade, da transparência e da identificação do voto pelo eleitorado, na medida em que se afasta a possibilidade de celebração de coligações partidárias incoerentes e com agendas político-ideológicas disformes; e ii) a redução do número exacerbado de partidos políticos com representatividade no Parlamento, pois se limita, por critérios de desempenho eleitoral de forma progressiva, o direito ao funcionamento parlamentar, o acesso ao fundo partidário e à propaganda gratuita de rádio e televisão.

Todavia, diferentemente do texto original da proposta de emenda constitucional que lhe deu origem, a Emenda Constitucional nº 97/2017 não prevê a criação da federação de partidos, instituto esse que possibilitaria a união dos partidos com ideais semelhantes e considerados minorias parlamentares, o que possivelmente os fortaleceria na disputa por espaço político.

Além disso, a referida emenda prevê o fim das coligações partidárias tão somente às eleições proporcionais, não se estendendo essa vedação às coligações formadas nas eleições majoritárias. Nessa parte, apenas a título de reflexão, indaga-se: a fim de se alcançar a devida coerência política, em termos de agenda programática e ideológica, por que não se pensar em tornar obrigatória a verticalização das coligações nas eleições majoritárias?

Sobre essa questão, Luís Roberto Barroso elenca os pontos positivos da verticalização, asseverando que seria "um instrumento eficiente para o fortalecimento dos partidos políticos, assegurando sua autenticidade programática e a coerência das propostas políticas nacionais".[29] E, mais, explica o autor que, da verticalização decorreria, também, "a impossibilidade de alianças oportunistas com partidos nanicos e legendas de aluguel, mitigando os efeitos da fragmentação partidária".[30]

Feitas essas considerações, é certo afirmar que, como decorrência da referida Emenda Constitucional, novos desafios já estão sendo impostos aos partidos políticos e aos representantes, especialmente no tocante às estratégias políticas que deverão ser adotadas nas eleições regidas pelas regras vigentes. Afinal, a vedação das coligações nas eleições proporcionais – aplicável a partir das eleições de 2020 – e a incidência das regras de transição da cláusula de desempenho têm sinalizado aos partidos considerados minorias parlamentares a necessidade de novas composições, coalizões ou até mesmo fusões para sobreviverem no cenário político brasileiro.

Nesse prisma, não há dúvidas de que a adoção da cláusula de desempenho, e suas limitações ao fundo partidário e ao tempo de televisão e rádio, resultará na exclusão das denominadas "legendas de aluguel". Portanto, será possível observar, mesmo que de forma gradual, a redução do número de partidos políticos em exercício no Congresso Nacional.

Todavia, também é certo afirmar que os partidos com linhas ideológicas definidas terão dificuldades, alavancadas de forma progressiva, no acesso ao fundo

---

[29] BARROSO, Luís Roberto. A reforma política: uma proposta de sistema de governo, eleitoral e partidário para o Brasil. *In: Revista de direito do Estado, RDE*, n. 3, p. 287-360, jul./set. 2006. p. 353.

[30] BARROSO, Luís Roberto. A reforma política: uma proposta de sistema de governo, eleitoral e partidário para o Brasil. *In: Revista de direito do Estado, RDE*, n. 3, p. 287-360, jul./set. 2006. p. 353.

partidário e ao tempo de rádio e televisão. Assim, se, de um lado, a redução de partidos no Congresso Nacional tende a propiciar maior estabilidade e governabilidade, de outro, os partidos minoritários tendem a sofrer com as consequências dessas regras, especialmente no tocante à representatividade.

Nesse contexto, são significativos os efeitos da referida Emenda Constitucional nas eleições de 2018, em que se aplicou a primeira regra de transição da cláusula de desempenho. De acordo com o Departamento Intersindical de Assessoria Parlamentar (DIAP), como resultado do pleito eleitoral de 2018, dos 30 partidos que conseguiram eleger parlamentares, 9 (nove) não atingiram a cláusula de desempenho (PCdoB, REDE, PATRI, PHS, PRP, PMN, PTC, PPL e DC). Além disso, 5 (cinco) partidos não elegeram parlamentares, tampouco atingiram a cláusula de desempenho (PRTB, PMB, PCB, PSTU e PCO).[31]

Ao todo, no pleito eleitoral de 2018, 14 partidos não alcançaram o mínimo estabelecido na primeira regra de transição prevista na Emenda Constitucional em análise.

Dessa primeira amostra, extrai-se que a cláusula de desempenho gradativa tende a reduzir a quantidade de partidos políticos com representação no Congresso Nacional, o que propiciará um aprimoramento no sistema partidário brasileiro. Além disso, espera-se que a vedação das coligações partidárias nas eleições proporcionais – que terá efeito a partir das eleições proporcionais municipais de 2020 – possibilite o aperfeiçoamento na relação entre representantes e representados, em particular, na identificação do voto pelo eleitorado.

## 4    Notas conclusivas

Nesse artigo examinou-se a Emenda Constitucional nº 97/2017, que instituiu a cláusula de desempenho gradativa e a vedação das coligações partidárias nas eleições proporcionais. Nessa abordagem, analisou-se o cenário político atual, em que a crise de representatividade e a fragmentação partidária se fazem presentes, buscando apresentar, para tanto, reflexões sobre os efeitos da referida norma nos próximos pleitos eleitorais.

Como resultado, constatou-se, em síntese, que: i) as reformas políticas devem primar pelo aumento da legitimidade democrática; ii) é preciso aprimorar a relação entre representantes e representados, especialmente no tocante à identificação do voto pelo eleitorado; iii) deve-se repensar o papel dos partidos políticos no Brasil, haja vista a importância das agremiações partidárias para contextos democráticos; iv) a multiplicidade exacerbada de partidos políticos no Brasil e a possibilidade de formação de coligações incoerentes prejudica a governabilidade, a transparência e a identificação do voto pelo eleitorado; e v) a cláusula de desempenho gradativa e a

---

[31]    DIAP. Departamento Intersindical de Assessoria Parlamentar. *Eleições 2018*: 14 partidos não atingiram a cláusula de barreira. Disponível em: http://www.diap.org.br/index.php/noticias/agencia-diap/28518-eleicoes-2018-14-partidos-nao-atingiram-a-clausula-de-barreira. Acesso em 12 nov. 2019.

vedação das coligações partidárias nas eleições proporcionais, previstas na Emenda Constitucional nº 97/2017, são avanços ao sistema político-eleitoral brasileiro.

## Referências

ARAS, Augusto. *Fidelidade Partidária*: efetividade e aplicabilidade. 1. ed. Rio de Janeiro: LMJ Mundo Jurídico, 2016.

BARROSO, Luís Roberto Barroso. *O momento institucional brasileiro e uma agenda para o futuro*. Palestra realizada na Oxford University. Disponível em: http://luisrobertobarroso.com.br/wp-content/uploads/2017/08/Oxford-Momento-institucional-brasileiro-e-uma-agenda-para-o-futuro.pdf. Acesso em 15 nov. 2019.

BARROSO, Luís Roberto. A reforma política: uma proposta de sistema de governo, eleitoral e partidário para o Brasil. *In*: *Revista de direito do Estado, RDE*, n. 3, p. 287-360, jul./set. 2006.

BARROSO, Luís Roberto. Reforma política no Brasil: os consensos possíveis e o caminho do meio. *In*: *Sistema político e direito eleitoral brasileiro*: estudos em homenagem ao ministro dias Toffoli. São Paulo: Atlas, 2016.

BARROSO, Luís Roberto. Trinta anos da Constituição: a República que ainda não foi. *In*: *30 anos da Constituição brasileira*: democracia, direitos fundamentais e instituições. Rio de Janeiro: Forense, 2018.

BRASIL. Supremo Tribunal Federal. *ADI nº 1351*. Rel. Min. Marco Aurélio, Tribunal Pleno, julgado em 07.12.2006, DJ 30.03.2007. Voto dos Ministros Marco Aurélio Mello e Gilmar Ferreira Mendes.

BRASIL. Supremo Tribunal Federal. *ADI nº 5311 MC*. Rel. Min. Cármen Lúcia, Tribunal Pleno, julgado em 30.09.2015, DJ 03.02.2016. Voto dos Ministros Luís Roberto Barroso e Dias Toffoli.

BRASIL. Supremo Tribunal Federal. *ADI nº 6063*. Rel. Min. Celso de Mello. Petição inicial.

CAGGIANO, Mônica Herman Salem. Distúrbios da Democracia. Representação política e suas patologias. A Reforma Eleitoral no Brasil atende a essas disfunções? *In*: CARVALHO NETO, Tarcísio Vieira de; FERREIRA, Telson Luíz Cavalcante (Coord.) *Direito Eleitoral – Aspectos materiais e processuais*. São Paulo: Migalhas, 2016.

CARVALHO NETO, Tarcísio Vieira de. Democracia digital. *In*: *Reforma política*: Brasil república: em homenagem ao Ministro Celso de Mello. Brasília: OAB, Conselho Federal, 2017.

CARVALHO NETO, Tarcísio Vieira de. Direito político e eleitoral: democracia intrapartidária à luz da jurisprudência do TSE: a delicada questão da duração razoável das comissões provisórias. *In*: *Revista do advogado*, v. 38, n. 138, p. 21-30, jun. 2018.

CARVALHO NETO, Tarcísio Vieira de. Partidos políticos. *In*: *30 anos da Constituição Brasileira*: democracia, direitos fundamentais e instituições. Rio de Janeiro: Forense, 2018.

CÂMARA DOS DEPUTADOS. *Bancada da eleição de 2018 para Deputado Federal*. Disponível em: https://www.camara.leg.br/deputados/bancada-na-eleicao. Acesso em 13 nov. 2019.

CONJUR. *PRTB questiona no STF validade da emenda instituindo a cláusula de barreira*. Disponível em: https://www.conjur.com.br/2019-fev-01/prtb-questiona-stf-validade-clausula-barreira. Acesso em 13 nov. 2019.

DIAP. Departamento Intersindical de Assessoria Parlamentar. *Eleições 2018*: 14 partidos não atingiram a cláusula de barreira. Disponível em: http://www.diap.org.br/index.php/noticias/agencia-diap/28518-eleicoes-2018-14-partidos-nao-atingiram-a-clausula-de-barreira. Acesso em 12 nov. 2019.

FERREIRA FILHO, Manoel Gonçalves. Governabilidade e revisão constitucional: ensaio sobre a (in) governabilidade brasileira especialmente em vista da Constituição de 1988). *Revista de Direito Administrativo*, Rio de Janeiro, v. 193, p. 1-11, jul. 1993. Disponível em: http://bibliotecadigital.fgv.br/ojs/index.php/rda/article/view/45767/47094. Acesso em 2 nov. 2019.

KIM, Richard Pae. Representação Política e Multipartidarismo. *In*: *Sistema político e direito eleitoral brasileiros*: estudos em homenagem ao Ministro Dias Toffoli, Admar Gonzaga Netto *et al.*: coordenação João Otávio de Noronha, Richard Pae Kim. São Paulo: Atlas 2016.

LOEWENSTEIN, Karl. *Teoría de la constitución*. 2. ed. 4. reimp. Barcelona: Ariel, 1986.

MAINWARING, Scott P. *Sistemas partidários em novas democracias*: o caso do Brasil. (Trad. Vera Pereira). Porto Alegre: Mercado Aberto; Rio de Janeiro: FGV, 2001.

MENDES, Gilmar Ferreira. Apresentação do direito eleitoral brasileiro: financiamento de campanha, cláusula de barreira, fidelidade partidária e reeleição. In: *Direito eleitoral comparado*. Belo Horizonte: Fórum, 2018.

NICOLAU, Jairo. *Representantes de quem?*: os (des)caminhos do seu voto da urna à Câmara dos Deputados. 1. ed. Rio de Janeiro: Zahar, 2017.

QUINTAS, Fábio Lima. A cláusula de desempenho estabelecida pela Emenda constitucional nº 97: possibilidade de diálogo constitucional entre o STF e o poder constituinte derivado? *In*: *Interesse público*, v. 21, n. 115, p. 85-102, mai./jun. 2019.

SARTORI, Giovanni. *Engenharia constitucional*: como mudam as constituições. (Trad. Sérgio Bath). Brasília: UnB, 1996.

TAVARES, André Ramos. A jurisprudência sobre partidos políticos no Supremo Tribunal Federal: entre eleições, poder econômico e democracia. *In*: *Sistema político e direito eleitoral brasileiros*: estudos em homenagem ao Ministro Dias Toffoli, Admar Gonzaga Netto *et al*.: coordenação João Otávio de Noronha, Richard Pae Kim. São Paulo: Atlas 2016.

---

Informação bibliográfica deste texto, conforme a NBR 6023:2018 da Associação Brasileira de Normas Técnicas (ABNT):

BANHOS, Pedro Paes de Andrade. Emenda Constitucional nº 97/2017: reflexões sobre a cláusula de desempenho e o fim das coligações partidárias. *In*: COSTA, Daniel Castro Gomes da; FONSECA, Reynaldo Soares da; BANHOS, Sérgio Silveira; CARVALHO NETO, Tarcisio Vieira de (Coord.). *Democracia, justiça e cidadania*: desafios e perspectivas. Homenagem ao Ministro Luís Roberto Barroso. Belo Horizonte: Fórum, 2020. t. 1: Direito eleitoral, política e democracia. p. 301-312. ISBN 978-85-450-0748-7.

# SEMIPRESIDENCIALISMO: INSTRUMENTO DE SUPERAÇÃO DAS CRISES INSTITUCIONAIS DECORRENTES DO PRESIDENCIALISMO DE COALIZÃO?

**TIAGO PAES DE ANDRADE BANHOS**

## 1 Relação intrínseca entre as teorias da separação dos poderes e os sistemas de governo

Separação dos poderes e sistemas de governo são temáticas indissociáveis e que, constantemente, são objetos centrais das obras de Direito Constitucional e de Ciência Política. A necessidade de interpretá-las conjuntamente deriva do fato de que é indispensável a anterior análise da distribuição dos poderes para que se possa compreender determinado arranjo institucional e o sistema de governo adotado.

Nesse sentido, José Gomes Canotilho leciona que os sistemas de governo se referem "à posição jurídico-constitucional recíproca dos vários órgãos de soberania e respectivas conexões e independências políticas, institucionais e funcionais".[1]

Também sob esse prisma, Luís Roberto Barroso ensina que o sistema de governo "identifica os mecanismos de distribuição horizontal do poder político e, consequentemente, o modo como se articulam os Poderes do Estado, notadamente, o Executivo e o Legislativo".[2]

Desse modo, o presente tópico tratará da interação entre as teorias da separação dos poderes e sua relação intrínseca com os sistemas de governo, visando, assim, compreender como as movimentações institucionais influenciam na distribuição das funções do poder e, consequentemente, no formato e nas características de determinado sistema de governo.

---

[1] CANOTILHO, José Joaquim Gomes. *Direito constitucional e teoria da constituição*. 7. ed. Coimbra: Almedina, 2003. p. 573.

[2] BARROSO, Luís Roberto. A reforma política: uma proposta de sistema de governo, eleitoral e partidário para o Brasil. *Revista de Direito do Estado*, n. 3, p. 3-34, jul./set. 2006. p. 9.

Destaca-se que é de extrema complexidade definir quem idealizou a teoria da separação dos poderes. Entretanto, Nuno Piçarra[3] se dispôs a essa missão e, em seu entendimento, a teoria proposta por John Locke é pioneira quanto à separação dos poderes, de modo que credita ao filósofo inglês a sua criação.

De todo modo, concordando, ou não, com a visão do autor português, é possível alcançar um consenso, qual seja, o de verificar qual foi o autor capaz de refinar a teoria existente e inseri-la na posição central das discussões do Direito Constitucional e da Ciência Política em que se encontra.

Constata-se, portanto, que o refinamento da teoria da separação dos poderes deve ser atribuído à Montesquieu,[4] que produziu a teoria denominada por Manoel Gonçalves Ferreira Filho de "receita de arte política".[5] Desse modo, Montesquieu foi capaz de produzir modelo que pode ser manipulado e adaptado com êxito a diversas realidades institucionais.

Ressalta-se que o modelo proposto por Montesquieu foi analisado na obra de Sérgio Resende de Barros, que concluiu que:

> O modelo de separação de poderes que se tornou clássico correspondeu, na origem, a um sistema de equilíbrio inercial, decorrente da divisão do poder estatal em três partes, ditas poderes, separadas rigorosamente por três funções distintas: a legislativa, a executiva e a judicial. Era, pois, uma divisão funcional do poder. Porém, seu objetivo principal era político. Não era tanto aprimorar o funcionamento do poder, mas limitá-lo em sua expansão e garantir o que na época era o valor maior a defender perante e contra o absolutismo do rei: a liberdade do indivíduo.[6]

Nessa perspectiva, é possível concluir que a teoria proposta por Montesquieu se enquadra à realidade institucional por ele vivenciada, na medida em que a maior preocupação do filósofo francês, ao conceber um modelo de separação rígida dos poderes e que não há interdependência entre eles, era a de proteger as liberdades individuais, coibindo, assim, excessos por parte dos detentores dos poderes.

Para tanto, Montesquieu utiliza a premissa de que todo homem, ao ser investido de poder, tenderá a abusar dele, a não ser que encontre limite. Desse modo, entende que somente um poder é capaz de limitar o outro, vislumbrando-se, assim, a ideia de freios e contrapesos.[7]

---

[3] PIÇARRA, Nuno. *A separação dos poderes como doutrina e princípio constitucional*: um contributo para o estudo das suas origens e evolução. Coimbra: Coimbra Editora, 1989.

[4] MONTESQUIEU, Charles-Louis de Secondat, Barão de La Brède e de. *O espírito das leis*. 3. ed. São Paulo: Martins Fontes, 2005.

[5] FERREIRA FILHO, Manoel Gonçalves. *A democracia no limiar do século XXI*. São Paulo: Saraiva, 2001. p. 120.

[6] BARROS, Sérgio Resende de. Medidas provisórias. *Revista da Procuradoria-Geral do Estado de São Paulo*, n. 53, p. 69-81, jun. 2000. p. 69.

[7] MONTESQUIEU, Charles-Louis de Secondat, Barão de La Brède e de. *O espírito das leis*. 3. ed. São Paulo: Martins Fontes, 2005. p. 166-167.

Diante dessa premissa, Montesquieu prevê a "faculdade de estatuir"[8] e a "faculdade de impedir"[9] que significam, respectivamente, a capacidade que os poderes terão de ingerência de decidir positivamente sobre determinado tema e de vetar o que houvera sido decidido por outro poder. Percebe-se, portanto, clara demonstração de limitação de um poder sobre o outro.

A teoria de Montesquieu não previa a sobreposição de um poder sobre o outro, de modo que os três poderes deveriam, ao menos em tese, formar uma inação. Por essas razões, autores como Gustavo Vieira apontam que a teoria proposta pelo filósofo francês não ambicionava ser facilmente exercida.[10] Entretanto, ainda na visão do referido autor, serviu com maestria na proteção das liberdades individuas, como rede protetora de excesso de poder por parte de seus detentores e na missão de evitar a degeneração do sistema político.[11]

Feita a análise da teoria proposta por Montesquieu, para que se possa compreender a relação intrínseca entre a separação dos poderes e os sistemas de governo, faz-se necessário também o aprofundamento nas proposições de Benjamin Constant[12] acerca da temática.

O modelo de Benjamin Constant, diferentemente do proposto por Montesquieu, não previa a tripartição dos poderes, e sim, a tetrapartição dos poderes, criando, assim, a figura do Poder Moderador. Em sua visão, deveria ocorrer a cisão do Poder Executivo, de modo em que a chefia de Estado e a chefia de governo estariam dissociadas.[13] Isto é, a chefia de governo estaria a cargo do Poder Executivo, enquanto a chefia de Estado faria parte do Poder Moderador, que seria um poder neutro, capaz de conservar a ordem e manter harmoniosa a relação entre os poderes.[14]

Fábio de Sousa Coutinho, ao analisar as proposições de Benjamin Constant, elucida a importância do Poder Moderador no arranjo institucional:

> O Poder Executivo, o Poder Legislativo e o Poder Judiciário são três forças que devem cooperar, cada um por sua parte, com o movimento geral. Mas quando essas forças desarrumadas se cruzam, se entrechocam, se embaraçam, faz-se necessária uma força que as devolva a seus lugares. Esta força não pode estar no interior de uma delas, pois serviria para destruir as outras. É preciso que ela esteja de fora, que ela seja neutra de

---

[8] MONTESQUIEU, Charles-Louis de Secondat, Barão de La Brède e de. *O espírito das leis*. 3. ed. São Paulo: Martins Fontes, 2005. p. 176.

[9] MONTESQUIEU, Charles-Louis de Secondat, Barão de La Brède e de. *O espírito das leis*. 3. ed. São Paulo: Martins Fontes, 2005. p. 175.

[10] VIEIRA, Gustavo Afonso Sabóia. Bases e dilemas institucionais do presidencialismo de coalizão. *Revista de Informação Legislativa – RIL*, v. 54, n. 215, p. 117-137, jul./set. 2017. Disponível em: http://www12.senado.leg.br/ril/edicoes/54/215/ril_v54_n215_p117. Acesso em 25 nov. 2019.

[11] VIEIRA, Gustavo Afonso Sabóia. Bases e dilemas institucionais do presidencialismo de coalizão. *Revista de Informação Legislativa – RIL,* v. 54, n. 215, p. 117-137, jul./set. 2017. Disponível em: http://www12.senado.leg.br/ril/edicoes/54/215/ril_v54_n215_p117. Acesso em 25 nov. 2019.

[12] CONSTANT, Benjamin. Princípios de política. *In*: CONSTANT, Benjamin. *Escritos de política*. São Paulo: Martins Fontes, 2005.

[13] CONSTANT, Benjamin. Princípios de política. *In*: CONSTANT, Benjamin. *Escritos de política*. São Paulo: Martins Fontes, 2005. p. 19.

[14] CONSTANT, Benjamin. Princípios de política. *In*: CONSTANT, Benjamin. *Escritos de política*. São Paulo: Martins Fontes, 2005. p. 19.

todo jeito, porque sua ação se explica por toda parte onde se faz necessário que ela seja aplicada.[15]

É possível concluir, portanto, que a teoria de Benjamin Constant se revela menos rígida do que o modelo proposto por Montesquieu. Sérgio Antônio Ferreira Victor, ao abordar a temática, aponta que, na tetrapartição dos poderes, os Poderes Executivo, Legislativo e Judiciário estariam protegidos pelo manto do Poder Moderador, que tem como função precípua a manutenção do equilíbrio, bem como tornar viável a colaboração entre os poderes.[16]

Pimenta Bueno também dedica parte de seus estudos à análise do Poder Moderador, compreendo-o como o "poder de suprema inspeção da nação, de manter os outros poderes dentro de suas respectivas órbitas e concorrendo harmoniosamente para o bem-estar nacional".[17]

Diante das características do modelo de Benjamin Constant, diversos autores, dentre os quais se destaca Sérgio Antônio Ferreira Victor, compreendem que essa visão da separação dos poderes é o aperfeiçoamento da teoria de Montesquieu, na medida em que flexibiliza a relação e a interação entre os poderes.[18]

De notar que a visão contemporânea acerca da separação dos poderes se influência em grande extensão nas proposições apresentadas durante este tópico. Todavia, a perspectiva atual é a de interdependência entre os poderes, e não mais a sua separação.

Carlos Blanco de Morais[19] e Nuno Piçarra[20] demonstram em suas obras que as teorias tradicionais da separação dos poderes não se fazem presentes no contexto atual.

Para Carlos Blanco de Morais, nem mesmo a Constituição norte-americana, principal exemplar do modelo proposto por Montesquieu, foi capaz de preservar a separação rígida entre os poderes.[21]

Por sua vez, Nuno Piçarra leciona que as constituições europeias, ao atribuírem funções legislativas aos governos, exerceram importante papel na relativização da teoria tradicional, possibilitando maior interação entre os poderes.[22]

---

[15] COUTINHO, Fábio de Sousa. *Leituras de direito político*. Brasília: Thesaurus, 2004. p. 70.

[16] VICTOR, Sérgio Antônio Ferreira. *Presidencialismo de coalizão*: exame do atual sistema de governo brasileiro. São Paulo: Saraiva, 2015. p. 72.

[17] BUENO, José Antônio Pimenta. Direito público brasileiro e análise da Constituição do Império *apud* SOUSA, Paulino José Soares de. Ensaio sobre o direito administrativo. *In*: CARVALHO, José Murilo de (Org.). Visconde do Uruguai. São Paulo: Editora 34, 2002. p. 335.

[18] VICTOR, Sérgio Antônio Ferreira. *Presidencialismo de coalizão*: exame do atual sistema de governo brasileiro. São Paulo: Saraiva, 2015. p. 72.

[19] MORAIS, Carlos Blanco de. *Curso de direito constitucional*: Tomo I – a lei e os actos normativos no ordenamento jurídico português. Coimbra: Coimbra Editora, 2008.

[20] PIÇARRA, Nuno. *A separação dos poderes como doutrina e princípio constitucional*: um contributo para o estudo das suas origens e evolução. Coimbra: Coimbra Editora, 1989.

[21] MORAIS, Carlos Blanco de. *Curso de direito constitucional*: Tomo I – a lei e os actos normativos no ordenamento jurídico português. Coimbra: Coimbra Editora, 2008. p. 39-40.

[22] PIÇARRA, Nuno. *A separação dos poderes como doutrina e princípio constitucional*: um contributo para o estudo das suas origens e evolução. Coimbra: Coimbra Editora, 1989. p. 262.

Nessa perspectiva, o contexto atual é de cooperação entre as instituições, cooperação esta que deverá ser mantida a partir do diálogo institucional que visará proteger as funções e competências constitucionalmente previstas para cada um dos poderes. Deve-se analisar, portanto, a interação entre os poderes, consubstanciada com a limitação do poder pelo poder, e não mais a sua separação estanque.

Sob essa ótica, Christine Peter destaca que:

> As acomodações entre as funções de poder passam a ser muito mais visíveis e o diálogo muito mais intenso. Assim, não mais se cogita de poderes estanques, com competências bem definidas ou pré-definidas, mas poderes interdependentes que constroem coletivamente e cooperativamente suas competências constitucionais na tensão permanente e imanente da força da história e dos acontecimentos.[23]

Verificada a relação intrínseca entre as teorias da separação dos poderes e os sistemas de governo, o presente artigo abordará, no próximo tópico, a realidade institucional que circunda o presidencialismo no Brasil, a partir de um exame da tradição presidencial brasileira e das crises institucionais que decorrem desse sistema de governo.

## 2 Diagnóstico do presidencialismo no Brasil: exame do presidencialismo de coalizão e das crises institucionais vivenciadas no arranjo institucional brasileiro

Para que se possa compreender a realidade institucional que circunda o sistema de governo brasileiro, faz-se necessária anterior análise de sua História Constitucional. Desse modo, destaca-se que, desde a Constituição de 1891, a temática dos sistemas de governo faz parte do debate político brasileiro.

Rememora-se que, durante a Constituinte de 1891, foram contrastados os sistemas de governo puros por excelência,[24] quais sejam: o presidencialismo e o parlamentarismo, tendo prevalecido a corrente presidencial, seguindo os moldes do sistema de governo norte-americano.

Nessa perspectiva, Lênio Streck leciona que:

> Com a proclamação da República, poucas coisas foram modificadas em *terrae brasilis*. O imperador saiu de cena e, em seu lugar, surgiu o regime presidencialista, numa imitação malfeita do sistema construído pelos Estados Unidos no Século XVIII.[25]

---

[23] SILVA, Christine Oliveira Peter da. *Transjusfundamentalidade*: diálogos judiciais transnacionais sobre direitos fundamentais. 2013. 274 f. Tese (Doutorado em Direito). Brasília: Universidade de Brasília, 2013. p. 44.

[24] SARTORI, Giovanni. *Engenharia Constitucional*. Brasília: Editora Universidade de Brasília, 1996.

[25] STRECK, Lênio Luiz. Os dilemas do estado constitucional: entre a democracia e o presidencialismo de coalizão. *In*: LAZARI, Rafael de; BERNARDI, Renato. (Orgs.) *Crise Constitucional*: espécies, perspectivas e mecanismos de superação. Rio de Janeiro: Lúmen Juris, 2015. p. 5.

Entretanto, a adoção do regime presidencial é alvo de críticas e questionamentos desde a sua implementação, destacando-se a carta aberta escrita por Sylvio Romero a Ruy Barbosa, na qual são tecidas fortes críticas ao sistema de governo, em especial, à ausência de flexibilidade necessária ao jogo democrático, à dificuldade de controle político do Poder Executivo e ao desprestígio ao Poder Legislativo.[26]

O debate acerca do sistema de governo retornou ao centro das atenções também nas Constituintes de 1946 e 1988, bem como nos plebiscitos de 1963 e 1993, tendo, em todas essas oportunidades, prevalecido a corrente presidencialista, corroborando a tradição presidencial brasileira.

Entretanto, isso não significa dizer que o parlamentarismo nunca foi adotado no contexto institucional brasileiro. Até porque esse sistema de governo chegou a ser implementado de forma emergencial, durante o período de 1961 a 1963, na administração de João Goulart.

Feita essa breve contextualização da temática no arranjo institucional brasileiro, o presente artigo passa a tratar, com maior aprofundamento, das discussões sobre a temática durante a Constituinte de 1988 e o Plebiscito de 1993, na medida em que o arcabouço constitucional ora vivenciado deriva dessas ocasiões, isto é, da escolha do Constituinte e da ratificação por parte do eleitorado.

A definição do sistema de governo é ponto nevrálgico de toda Carta Política, não sendo diferente na Constituição brasileira de 1988. Paulo Bonavides e Paes de Andrade elucidam, em sua obra conjunta, a importância da discussão, na medida em que pela primeira vez na Constituinte se alcançou quórum máximo de 559 parlamentares tomando parte na votação.[27]

Conforme destacado anteriormente, a preferência da Assembleia Constituinte recaiu sobre o sistema presidencial, tendo se verificado 343 votos a favor desse sistema, 213 contrários e que defendiam, consequentemente, o sistema parlamentar, bem como 3 (três) abstenções.[28]

Todavia, mesmo diante do êxito da corrente presidencialista, o Ato das Disposições Constitucionais Transitórias previa, em seu art. 2º,[29] que seria realizado plebiscito, no dia 7 de setembro de 1993, para que o eleitorado pudesse ratificar, ou não, as escolhas dos Constituintes acerca da forma e do sistema de governo a serem adotados no Brasil. Objetivava-se, assim, legitimar as escolhas da Assembleia Constituinte.

Na ocasião, foram contrastadas a República e a Monarquia como formas de governo e o presidencialismo e o parlamentarismo como sistemas de governo, tendo o eleitorado ratificado as escolhas dos Constituintes, optando pela manutenção da tradição brasileira republicana presidencial.

---

[26] ROMERO, Sylvio. *Parlamentarismo e presidencialismo na república brasileira*: cartas ao conselheiro Ruy Barbosa. Rio de Janeiro: Companhia Impressora, 1893.

[27] BONAVIDES, Paulo; ANDRADE, Paes de. *História constitucional do Brasil*. Brasília: OAB Editora, 2008. p. 468.

[28] BONAVIDES, Paulo; ANDRADE, Paes de. *História constitucional do Brasil*. Brasília: OAB Editora, 2008. p. 468.

[29] Art. 2º, do Ato das Disposições Constitucionais Transitórias: "No dia 7 de setembro de 1993, o eleitorado definirá, através de plebiscito, a forma (república ou monarquia constitucional) e o sistema de governo (parlamentarismo ou presidencialismo) que devem vigorar no País".

Ocorre que, diferentemente da previsão otimista da Assembleia Constituinte ao adotar o presidencialismo como sistema de governo, observa-se, no arranjo institucional brasileiro, o fenômeno denominado por Sérgio Abranches, ainda em 1988, de "presidencialismo de coalizão".[30]

Na visão de Sérgio Abranches, o presidencialismo de coalizão é decorrente da movimentação institucional entre os Poderes Executivo e Legislativo, na medida em que o Presidente da República, com o intuito de aprovar projetos de interesse de sua administração, fica obrigado a lotear seus ministérios com aliados da base de governo, entre outras práticas que visam exclusivamente a angariar apoio para a sua administração.

Trata-se, portanto, de condição necessária para que o Presidente da República tenha governabilidade, mesmo que, em decorrência dessas atitudes, o interesse público seja desprestigiado em favor de interesses privados.

Outra característica do presidencialismo de coalizão brasileiro é o excesso de poder nas mãos do chefe do Poder Executivo, dentre as quais se destacam o poder legislativo na elaboração de medidas provisórias, o poder de veto – parcial ou total –, e o controle da agenda.

Entretanto, a concentração de poder no Presidente da República o coloca em situações de extrema exposição. Isso porque atua como chefe de Estado e chefe de governo, possibilitando, assim, desgastes à sua imagem e o enfraquecimento de sua governabilidade.

Nessa perspectiva, Marcelo Tavares aponta que,

> como, no fim, tudo diz respeito ao Executivo, qualquer crise na Administração é problema do presidente, submetendo-o à hiper exposição pública, que causa erosão do cacife eleitoral conquistado democraticamente.[31]

Também sobre o excesso de poder que detém o chefe do Poder Executivo brasileiro, Sérgio Resende de Barros enuncia que:

> Cada vez mais ganha uso o termo que cunhei para designar a deturpação do presidencialismo no Brasil: *presidentismo*. Entre nós, tradicionalmente, não há presidencialismo, mas sim, *presidentismo*, pois, em verdade, não temos um 'Presidente da República', mas uma 'República do Presidente', caracterizada pela hipertrofia do Poder Executivo: a exagerada concentração de poderes, inclusive do poder-função de legislar, nas mãos do Presidente da República. Essa situação é uma das causas dos conflitos de Poderes que atormentam o Estado brasileiro.[32]

---

[30] ABRANCHES, Sérgio Henrique. O presidencialismo de coalizão: o dilema institucional brasileiro. *Dados – Revista de Ciências Sociais*, v. 31, n. 1, p. 21, 1988.

[31] TAVARES, Marcelo Leonardo. Semipresidencialismo no Brasil: por que não? *Revista de Informação Legislativa – RIL*, v. 54, n. 215, p. 59, jul./set. 2017. Disponível em: http://www12.senado.leg.br/ril/edicoes/54/215/ril_v54_n215_p59. Acesso em 25 nov. 2019.

[32] BARROS, Sérgio Resende de. Medidas provisórias. *Revista da Procuradoria-Geral do Estado de São Paulo*, n. 53, p. 69-81, jun. 2000. p. 81.

Nesse cenário, o presidencialismo brasileiro vislumbra clara situação contraditória. Isso porque, de um lado, o chefe do Executivo tem poder extremamente personalizado, de modo que não se submete a controle por parte do Legislativo e, de outro lado, é refém de sua coalizão, dependendo dela para governar de maneira estável e capaz de impor sua agenda de governo.

É possível, portanto, iniciar um diagnóstico do presidencialismo de coalizão, verificando, assim, seus desafios e enfrentamentos. Inicia-se o exame a partir da verificação de diversas peculiaridades e disfunções no seu funcionamento, dentre as quais se destacam o multipartidarismo exacerbado, os desafios de governabilidade, as instáveis coalizões e a política de distribuição de ministérios como forma de angariar apoio ao governo.

O multipartidarismo exacerbado é facilmente constatado a partir da simples verificação do número de partidos com representatividade no Congresso Nacional. Giovanni Sartori afirma que poucos países são tão avessos a partidos políticos como o Brasil e, na visão do autor, isso deriva do próprio comportamento dos políticos para com as suas agremiações, na medida em que violam constantemente suas diretrizes básicas, sempre visando fazer parte da coalizão que aparenta ser a mais promissora.[33]

Por sua vez, os desafios de governabilidade e as instáveis coalizões derivam, em grande extensão, de um efeito cascata produzido pelo sistema proporcional em um ambiente multipartidário. Isso porque é quase impossível que o partido do Presidente da República consiga obter 50% das cadeiras no Legislativo, de modo que terá que, necessariamente, dialogar com os demais partidos para que possa impor a sua agenda.

Cenário ainda mais complexo é o observado em eleições parelhas para Presidência da República, na medida em que nenhum candidato foi capaz de conquistar grande superioridade de votos e terá que enfrentar uma sociedade polarizada. Não fosse o bastante, os parlamentares brasileiros são eleitos de forma personalizada, de modo que são prestigiados aspectos individuais em detrimento das diretrizes e ideologias partidárias.

Sob essa óptica, Sérgio Antônio Ferreira Victor elucida o instável contexto institucional brasileiro:

> As consequências que se podem esperar da combinação de um sistema presidencialista com representação proporcional são a dificuldade de construção e manutenção de maiorias estáveis no Parlamento, a ocorrência de barganhas sucessivas entre membros do Poder Legislativo e o Poder Executivo, o que gera a dificuldade sistêmica de o Estado responder aos anseios do eleitorado no que concerne à produção de políticas públicas e, por fim, põe em risco o próprio regime democrático, ameaçado pela instabilidade, inoperância e patronagem.[34]

---

[33] SARTORI, Giovanni. *Engenharia Constitucional*. Brasília: Editora Universidade de Brasília, 1996. p. 112.

[34] VICTOR, Sérgio Antônio Ferreira. *Presidencialismo de coalizão*: exame do atual sistema de governo brasileiro. São Paulo: Saraiva, 2015. p. 90-91.

Diante de um claro cenário de instabilidade, somado ao Congresso Nacional extremamente atomizado, o Presidente da República terá que enfrentar a supervalorização dos partidos pequenos, na medida em que, para que possa obter maioria, será indispensável a sua adesão à coalizão. Nessa perspectiva, Afonso Arinos destaca a ocorrência de maiorias precárias e flutuantes:

> A atomização das maiorias, principalmente na Câmara, retira de qualquer partido a possibilidade de controlar a situação, seja nas comissões, seja em plenário. Os pequenos partidos podem adquirir uma importância desmesurada, muito maior do que seu peso numérico, sempre que o resultado das votações for apertado. Maiorias flutuantes e precárias, integradas por grupos que se aproximam sem se juntar, impõem uma constante necessidade de transação, às vezes no pior sentido da barganha, de troca de favores, até de chantagens e corrupções.[35]

Ainda sobre a temática, Alexis de Tocqueville afirma que os partidos pequenos em um sistema multipartidário e de extrema fragmentação, "em geral, não têm fé política. Como não se sentem elevados e sustentados por grandes objetivos, seu caráter é marcado por um egoísmo que se manifesta ostensivamente em cada um de seus atos".[36]

Não bastasse o multipartidarismo exacerbado, os desafios de governabilidade e as instáveis coalizões, o contexto institucional brasileiro ainda presencia a distribuição frequente das pastas ministeriais como forma de angariar apoio político.

De notar que o principal objeto de disputa entre a base aliada são os ministérios, uma vez que, a partir de sua obtenção, os partidos da coalizão terão acesso a cargos de diversos escalões e ampliação de sua influência. Configura-se, então, uma clara disfunção, na medida em que as pastas ministeriais deveriam ser órgãos técnicos e de assessoria do chefe do Executivo. Entretanto, na realidade brasileira, de modo geral, nada mais são do que cadeiras destinadas a membros da coalizão vencedora do trâmite eleitoral.

Ao lado disso, é ainda mais disfuncional o cenário quando o Presidente da República se vê pressionado por sua base aliada a criar novos ministérios, com o intuito único e exclusivo de acomodar seus apoiadores, sem qualquer benefício para a eficiência da administração pública.

Evidente, portanto, a ocorrência do fenômeno da *pork barrel politics*, que é o "termo utilizado na língua inglesa para indicar fisiologismo, gasto público com o fim de atender demanda não propriamente de interesse público, mas sim, favorecer alguém ou um grupo especifico".[37]

---

[35] FRANCO, Afonso Arinos de Melo. *Evolução da crise brasileira*. Rio de Janeiro: Topbooks, 2005. p. 91.

[36] TOCQUEVILLE, Alexis de. *A democracia na América*: leis e costumes de certas leis e certos costumes políticos que foram naturalmente sugeridos aos americanos por seu estado social democrático. (Trad. Eduardo Brandão. Prefácio, bibliografia e cronologia François Furet). 2. ed. São Paulo: Martins Fontes, 2005. p. 200.

[37] TAVARES, Marcelo Leonardo. Semipresidencialismo no Brasil: por que não? *Revista de Informação Legislativa – RIL*, v. 54, n. 215, p. 59, jul./set. 2017. Disponível em: http://www12.senado.leg.br/ril/edicoes/54/215/ril_v54_n215_p59. Acesso em 25 nov. 2019.

Diante desse cenário, constatadas flagrantes mazelas no arranjo institucional brasileiro, questiona-se se a solução para as crises ora vivenciadas será encontrada apenas em outro sistema de governo. Por essas razões, o próximo tópico do presente artigo analisará a viabilidade de se adotar, no contexto brasileiro, o semipresidencialismo como sistema de governo.

## 3 Implementação do semipresidencialismo como instrumento de superação das crises institucionais decorrentes do presidencialismo de coalizão

O presente artigo se dedicou a analisar, inicialmente, a relação intrínseca entre as teorias da separação dos poderes e os sistemas de governo, debruçando-se, com maior ênfase, nos modelos tradicionais propostos por Montesquieu e Benjamin Constant, bem como analisou a visão contemporânea, destacando-se a visão de Carlos Blanco de Morais e Nuno Piçarra.

Em seguida, buscou-se realizar diagnóstico, a partir da História Constitucional brasileira, do sistema de governo existente no Brasil, adentrando no fenômeno denominado de presidencialismo de coalizão e nas crises institucionais que o circundam na contemporaneidade.

Diante desse cenário, o presente tópico examinará o sistema semipresidencial de governo, verificando, assim, os seus traços estruturais e as possíveis alterativas desse sistema de governo aos arranjos institucionais instáveis.

Nessa perspectiva, importante rememorar a definição do regime semipresidencial proposta por Giovanni Sartori. Em sua visão, para que se possa verificar a presença do semipresidencialismo, devem ser preenchidos, necessariamente, cinco elementos caracterizadores. São eles:

> (a) o chefe de Estado (presidente) é eleito por votação popular – de forma direta ou indireta -, com mandato determinado; (b) o chefe de Estado compartilha o poder executivo com um primeiro-ministro, em uma estrutura dupla de autoridade com os três seguintes critérios de definição; (b.1) embora independente do parlamento, o presidente não tem o direito de governar sozinho ou diretamente, e, portanto, sua vontade deve ser canalizada e processada pelo seu governo; (b.2) inversamente, o primeiro ministro e seu gabinete independem do presidente, na medida em que dependem do parlamento; estão sujeitos à confiança e/ou a não confiança parlamentar, pelo que precisam do apoio da maioria do parlamento; (b.3) a estrutura dupla de autoridade do semipresidencialismo permite diferentes equilíbrios e a oscilação de prevalências do poder dentro do Executivo, estritamente sob a condição de que subsista a autonomia potencial de cada componente do Executivo.[38]

Por sua vez, Maurice Duverger define os elementos caracterizadores do semipresidencialismo de forma mais sucinta, na medida em que entende que basta a

---

[38] SARTORI, Giovanni. *Engenharia Constitucional*. Brasília: Editora Universidade de Brasília, 1996. p. 147.

ocorrência conjunta de três características estruturais, quais sejam: (i) Presidente eleito por votação popular; (ii) Presidente com mandato determinado; e (iii) Primeiro-Ministro politicamente responsável perante o Parlamento.[39]

Diante das características estruturais do semipresidencialismo, é possível concluir que esse sistema híbrido por excelência tem, entre suas principais características, a maior flexibilidade nos diálogos institucionais, evitando o agravamento das crises e permitindo sua superação de maneira simplificada.

Isso porque o semipresidencialismo possui dinâmica própria, na medida em que combina características do presidencialismo e do parlamentarismo, mas estimula relações próprias que permitem que sejam evitados choques entre o Poder Executivo e o Poder Legislativo, bem como possibilita, em casos de crise institucional, saídas menos traumáticas, especialmente quando comparado ao sistema presidencial.

De notar que o sistema semipresidencial teve êxito na implementação no contexto francês e português, permitindo a superação de instabilidades institucionais, bem como promovendo a governabilidade e resgatando determinadas virtudes republicanas que, eventualmente, foram esvaziadas durante o período de crise política.

O contexto institucional brasileiro é de forte crise institucional, com descrença perante a classe política, na medida em que, segundo diversos autores, os representantes não seriam capazes de atender aos anseios da sociedade. Nesse sentido, Luís Roberto Barroso elucida que "vive-se no Brasil um momento delicado, em que a atividade política desprendeu-se da sociedade civil. Como consequência, perdeu a identidade com ela".[40]

Conforme destacado no diagnóstico realizado sobre o presidencialismo de coalizão, verifica-se que o sistema presidencial de governo, tal como está posto na realidade brasileira, tem incentivado práticas que privilegiam o interesse privado em desfavor do interesse público e, por diversas vezes, tem sido avesso à moralidade.

Diante dessa realidade, o semipresidencialismo surge como alternativa para crise política institucional vivenciada. Dentre as virtudes apontadas a esse sistema de governo, está o fato de que, por se tratar de um sistema híbrido, congregará virtudes do presidencialismo e do parlamentarismo, bem como poderá ser capaz de retirar certas vicissitudes verificadas nos sistemas puros. Nessa perspectiva, Luís Roberto Barroso aponta que:

> O semipresidencialismo é a síntese de experiências políticas diversas vividas por inúmeras democracias contemporâneas maduras. Por ser um sistema híbrido, desenvolvido racionalmente, tem a possibilidade de conciliar aspectos positivos de cada um dos modelos puros, com o expurgo de algumas de suas disfunções.[41]

---

[39] DUVERGER, Maurice. *O regime semi-presidencialista de Maurice Duverger*. São Paulo: Sumaré, 1993. p. 45.

[40] BARROSO, Luís Roberto. A reforma política: uma proposta de sistema de governo, eleitoral e partidário para o Brasil. *Revista de Direito do Estado*, n. 3, p. 3-34, jul./set. 2006. p. 3.

[41] BARROSO, Luís Roberto. A reforma política: uma proposta de sistema de governo, eleitoral e partidário para o Brasil. *Revista de Direito do Estado*, n. 3, p. 3-34, jul./set. 2006. p. 34.

Importante destacar que o sistema semipresidencial não significa mera releitura estanque dos institutos existentes nos sistemas puros. Muito pelo contrário. Trata-se, em verdade, de modelo com identidade própria e provido de unidade e coerência. Desse modo, o semipresidencialismo seria capaz de adequar as principais virtudes dos sistemas puros e inseri-los na realidade brasileira, proporcionando, assim, aumento na (i) governabilidade; (ii) flexibilidade; e (iii) estabilidade.

Antes de adentrar na capacidade do semipresidencialismo de aumentar a governabilidade, faz-se necessário apontar que as taxas de governabilidade do presidencialismo brasileiro, diferentemente do que se possa imaginar, são altas.[42] Todavia, são baseadas em uma maioria flutuante e precária,[43] sendo imprescindíveis diversas investidas do Executivo sobre o Legislativo, o que torna disfuncional o atual sistema.

Ocorre que, com a implementação do semipresidencialismo, a lógica de formação das maiorias seria invertida, na medida em que o Governo derivará da maioria parlamentar vencedora do pleito eleitoral, tornando-se desnecessária a incessante busca pela formação de maiorias instáveis, tais como presenciadas no atual sistema de governo. A maioria parlamentar passará a funcionar como sustentáculo do Governo.

De notar que a evolução também será vislumbrada no que tange as agremiações políticas. Isso porque o poder de barganha dos parlamentares tenderá a ser reduzido, favorecendo-se, assim, as legendas, de modo que passarão a assumir papel fundamental na estrutura parlamentar.

Ademais, ao tratar especificamente da maior flexibilidade proporcionada pelo regime semipresidencial de governo, vislumbra-se que os mecanismos de substituição do Presidente da República no presidencialismo, dentre os quais se destacam o *impeachment* e o *recall*, são de alta complexidade e de longa duração, tornando-os formas mais traumáticas de superação de crises políticas.

No presidencialismo de coalizão, utilizando como referencial temporal a vigência da Constituição de 1988, o mecanismo de *impeachment* já foi aplicado em duas ocasiões e, muito embora se possa dizer que as instituições e os freios e contrapesos se sustentaram, o sistema de governo por si só e seus mecanismos de controle merecem aprimoramento.

Importante ressaltar, ainda, que, no arcabouço jurídico brasileiro, o processo de *impeachment*[44] se limita a analisar suposto crime de responsabilidade cometido pelo Presidente da República, de modo que não é possível aplicá-lo para superação de crises políticas vivenciadas pelo Governo, como nos casos de perda de apoio da base aliada no Congresso Nacional.

---

[42] LIMONGI, Fernando. Presidencialismo e governo de coalizão. *In*: AVRITZER, Leonardo; ANASTASIA, Fátima. (Orgs.) *Reforma política no Brasil*. Belo Horizonte: Editora UFMG, 2006. p. 238.

[43] FRANCO, Afonso Arinos de Melo. *Evolução da crise brasileira*. Rio de Janeiro: Topbooks, 2005. p. 91.

[44] Art. 86 da Constituição brasileira de 1988: Admitida a acusação contra o Presidente da República, por dois terços da Câmara dos Deputados, será ele submetido a julgamento perante o Supremo Tribunal Federal, nas infrações penais comuns, ou perante o Senado Federal, nos crimes de responsabilidade. §1º O Presidente ficará suspenso de suas funções: II – nos crimes de responsabilidade, após a instauração do processo pelo Senado Federal §2º Se, decorrido o prazo de cento e oitenta dias, o julgamento não estiver concluído, cessará o afastamento do Presidente, sem prejuízo do regular prosseguimento do processo.

Nesse cenário, as crises de cunho exclusivamente político não poderão ser resolvidas por esse mecanismo, de modo que a tendência é a de que se alastrem e prejudiquem o desenvolvimento de pautas de interesse da sociedade. Produz-se, consequentemente, um vácuo no qual o país permanece em estado de espera.

Por sua vez, o semipresidencialismo possui, dentre as suas características estruturais, a possibilidade de alteração do Governo em decorrência da perda da confiança por parte do Poder Legislativo. Esse traço estrutural permite que uma eventual crise política seja resolvida em um breve intervalo de tempo e com alta efetividade. Não há, portanto, a limitação da via estreita do *impeachment*, evitando-se, assim, que o país não possa seguir o seu curso sob nova direção.

De notar que o Primeiro-Ministro também possui a faculdade de dissolver o Parlamento, quando entender que o Poder Legislativo não está coerente com a vontade popular. Essa via de mão dupla garante ao sistema semipresidencial maior flexibilidade quando comparado ao presidencialismo.

Nessa perspectiva, Luís Roberto Barroso aponta que a principal vantagem que o semipresidencialismo herda do parlamentarismo são os mecanismos céleres de substituição do Governo:

> A principal vantagem que o semipresidencialismo herda do parlamentarismo repousa nos mecanismos céleres para a substituição do Governo, sem que com isso se provoquem crises institucionais de maior gravidade. O Primeiro Ministro pode ser substituído sem que tenha de se submeter aos complexos e demorados mecanismos do impeachment e do recall. Por outro lado, se quem está em desacordo com a vontade popular não é o Primeiro-Ministro (ou não é apenas ele), mas o próprio Parlamento, cabe ao Presidente dissolvê-lo e convocar novas eleições.[45]

Ademais, a implementação do semipresidencialismo permite, ainda, maior estabilidade ao arranjo institucional. Isso porque, a partir da existência de Executivo bicéfalo – divisão clara de competências entre o Presidente da República e o Primeiro-Ministro –, o Presidente passa a assumir a função de Poder Moderador, garantindo a estabilidade institucional, enquanto as questões políticas cotidianas, que produzem maior desgaste político, ficarão a cargo do Primeiro-Ministro.

Importante ressaltar que o maior desgaste do Primeiro-Ministro será, sem maiores traumas, resolvido, na medida em que os mecanismos de substituição são mais flexíveis e permitem a rápida solução da crise vivenciada. Ao tratar do Executivo bicéfalo, Luís Roberto Barroso leciona que:

> O semipresidencialismo como assinalado preserva a escolha do Presidente da República por via de eleição direta, fórmula que se incorporou à tradição brasileira, e dá a ele um papel próximo ao do Poder Moderador, devendo agir como estadista e fiador das instituições. O Primeiro-Ministro, a seu turno, estará no front mais inóspito da disputa política e das transformações sociais, sujeito a embates e turbulências. Em caso de perda da base de sustentação parlamentar ou popular, o Governo (isto é, o Primeiro-Ministro

---

[45] BARROSO, Luís Roberto. A reforma política: uma proposta de sistema de governo, eleitoral e partidário para o Brasil. *Revista de Direito do Estado*, n. 3, p. 3-34, jul./set. 2006. p. 18-19.

e seu Gabinete) pode ser destituído e substituído por outro, indicado pelo Presidente da República e chancelado pela maioria parlamentar.[46]

Extrai-se, portanto, que a engenharia institucional brasileira tende a ser receptiva à implementação do sistema semipresidencial de governo como forma de superação das crises vivenciadas. Destaca-se, ainda, que a mera introdução de institutos estanques não será capaz de reordenar o arranjo institucional, até porque não foram concebidos para serem aplicados separadamente.

## 4 Notas finais

Neste artigo examinou-se a evolução da teoria da separação dos poderes, verificando-se, assim, que, na contemporaneidade, os diálogos institucionais têm sido resolvidos de forma mais harmônica e com maior eficiência, quando analisados sob a óptica da interdependência dos poderes.

Analisou-se, também, a tradição presidencial brasileira e as crises institucionais experimentadas por esse sistema de governo. Foram verificadas, consequentemente, diversas vicissitudes inerentes ao presidencialismo de coalizão, dentre as quais se destacam o multipartidarismo exacerbado, os desafios de governabilidade, as instáveis coalizões e a política de distribuição de ministérios como forma de angariar apoio ao governo.

Como resultado, a discussão acerca da implementação, ou não, de novo sistema de governo retornou às discussões políticas centrais. Desse modo, constatou-se, em síntese, que: (i) o presidencialismo de coalizão brasileiro terá inúmeras dificuldades para superar as vicissitudes que lhes são inerentes; (ii) a realidade institucional brasileira tende a ser receptiva à implementação do sistema semipresidencial de governo; e (iii) o semipresidencialismo deve ser encarado como passo importante na superação das crises político-institucionais vivenciadas, na medida em que possibilitará maior governabilidade, flexibilidade e estabilidade ao arranjo institucional brasileiro.

## Referências

ABRANCHES, Sérgio Henrique. O presidencialismo de coalizão: o dilema institucional brasileiro. *Dados – Revista de Ciências Sociais*, v. 31, n. 1, p. 21, 1988.

BARROS, Sérgio Resende de. Medidas provisórias. *Revista da Procuradoria-Geral do Estado de São Paulo*, n. 53, p. 69-81, jun. 2000.

BARROSO, Luís Roberto. A reforma política: uma proposta de sistema de governo, eleitoral e partidário para o Brasil. *Revista de Direito do Estado*, n. 3, p. 3-34, jul./set. 2006.

BONAVIDES, Paulo; ANDRADE, Paes de. *História constitucional do Brasil*. Brasília: OAB Editora, 2008.

BUENO, José Antônio Pimenta. Direito público brasileiro e análise da Constituição do Império *apud* SOUSA, Paulino José Soares de. Ensaio sobre o direito administrativo. *In*: CARVALHO, José Murilo de (Org.). Visconde do Uruguai. São Paulo: Editora 34, 2002.

---

[46] BARROSO, Luís Roberto. A reforma política: uma proposta de sistema de governo, eleitoral e partidário para o Brasil. *Revista de Direito do Estado*, n. 3, p. 3-34, jul./set. 2006. p. 5-6.

CANOTILHO, José Joaquim Gomes. *Direito constitucional e teoria da constituição*. 7. ed. Coimbra: Almedina, 2003.

CONSTANT, Benjamin. Princípios de política. *In*: CONSTANT, Benjamin. *Escritos de política*. São Paulo: Martins Fontes, 2005.

COUTINHO, Fábio de Sousa. *Leituras de direito político*. Brasília: Thesaurus, 2004.

DUVERGER, Maurice. *O regime semi-presidencialista de Maurice Duverger*. São Paulo: Sumaré, 1993.

FRANCO, Afonso Arinos de Melo. *Evolução da crise brasileira*. Rio de Janeiro: Topbooks, 2005.

FERREIRA FILHO, Manoel Gonçalves. *A democracia no limiar do século XXI*. São Paulo: Saraiva, 2001.

LIMONGI, Fernando. Presidencialismo e governo de coalizão. *In*: AVRITZER, Leonardo; ANASTASIA, Fátima. (Orgs.) *Reforma política no Brasil*. Belo Horizonte: Editora UFMG, 2006.

MONTESQUIEU, Charles-Louis de Secondat, Barão de La Brède e de. *O espírito das leis*. 3. ed. São Paulo: Martins Fontes, 2005.

MORAIS, Carlos Blanco de. *Curso de direito constitucional*: Tomo I – a lei e os actos normativos no ordenamento jurídico português. Coimbra: Coimbra Editora, 2008.

PIÇARRA, Nuno. *A separação dos poderes como doutrina e princípio constitucional*: um contributo para o estudo das suas origens e evolução. Coimbra: Coimbra Editora, 1989.

ROMERO, Sylvio. *Parlamentarismo e presidencialismo na república brasileira*: cartas ao conselheiro Ruy Barbosa. Rio de Janeiro: Companhia Impressora, 1893.

SARTORI, Giovanni. *Engenharia Constitucional*. Brasília: Editora Universidade de Brasília, 1996.

SILVA, Christine Oliveira Peter da. *Transjusfundamentalidade*: diálogos judiciais transnacionais sobre direitos fundamentais. 2013. 274 f. Tese (Doutorado em Direito). Brasília: Universidade de Brasília, 2013.

SOUSA, Paulino José Soares de. Ensaio sobre o direito administrativo. *In*: CARVALHO, José Murilo de. (Org.). *Visconde do Uruguai*. São Paulo: Editora 34, 2002.

STRECK, Lênio Luiz. Os dilemas do estado constitucional: entre a democracia e o presidencialismo de coalizão. *In*: LAZARI, Rafael de; BERNARDI, Renato. (Orgs.) *Crise Constitucional*: espécies, perspectivas e mecanismos de superação. Rio de Janeiro: Lúmen Juris, 2015.

TAVARES, Marcelo Leonardo. Semipresidencialismo no Brasil: por que não? *Revista de Informação Legislativa – RIL*, v. 54, n. 215, p. 59, jul./set. 2017. Disponível em: http://www12.senado.leg.br/ril/edicoes/54/215/ril_v54_n215_p59. Acesso em 25 nov. 2019.

TOCQUEVILLE, Alexis de. *A democracia na América*: leis e costumes de certas leis e certos costumes políticos que foram naturalmente sugeridos aos americanos por seu estado social democrático. (Trad. Eduardo Brandão. Prefácio, bibliografia e cronologia François Furet). 2. ed. São Paulo: Martins Fontes, 2005.

VICTOR, Sérgio Antônio Ferreira. *Presidencialismo de coalizão*: exame do atual sistema de governo brasileiro. São Paulo: Saraiva, 2015.

VIEIRA, Gustavo Afonso Sabóia. Bases e dilemas institucionais do presidencialismo de coalizão. *Revista de Informação Legislativa – RIL*, v. 54, n. 215, p. 117-137, jul./set. 2017. Disponível em: http://www12.senado.leg.br/ril/edicoes/54/215/ril_v54_n215_p117. Acesso em 25 nov. 2019.

---

Informação bibliográfica deste texto, conforme a NBR 6023:2018 da Associação Brasileira de Normas Técnicas (ABNT):

BANHOS, Tiago Paes de Andrade. Semipresidencialismo: instrumento de superação das crises institucionais decorrentes do presidencialismo de coalizão? *In*: COSTA, Daniel Castro Gomes da; FONSECA, Reynaldo Soares da; BANHOS, Sérgio Silveira; CARVALHO NETO, Tarcisio Vieira de (Coord.). *Democracia, justiça e cidadania*: desafios e perspectivas. Homenagem ao Ministro Luís Roberto Barroso. Belo Horizonte: Fórum, 2020. t. 1: Direito eleitoral, política e democracia. p. 313-327. ISBN 978-85-450-0748-7.

# MAQUINAÇÃO ELITISTA OU DEFENSORA DA LISURA DAS ELEIÇÕES? A JUSTIÇA ELEITORAL NA BERLINDA

**LUIZ CARLOS DOS SANTOS GONÇALVES**

"[...] o filme da democracia brasileira é bom. Temos andado, no geral, na direção certa, embora certamente não na velocidade desejada. É sempre bom relembrar: a história é um caminho que se escolhe, e não um destino que se cumpre. Ao longo dos anos, a Constituição tem sido uma boa bússola. Sobre o desencanto de uma República que ainda não foi, precisamos que ela nos oriente em um novo começo [...]".

Luís Roberto Barroso.[1]

## I

A organização das eleições brasileiras, nas quais cerca de cento e quarenta milhões de eleitores estão aptos a votar, é um caso internacional de sucesso. Em 2018, após uma conflagrada disputa, foi possível saber quais eram os vencedores pouco tempo após o fechamento das urnas. Os incidentes ocorridos ao longo das votações foram quase todos relacionados à ordem de apresentação dos diversos cargos em disputa e à ânsia de alguns em promover repercussão nas mídias sociais. O sistema eletrônico de votação, ao final, confirmou a vitória de tantos que, ao longo da campanha, punham em dúvida a confiabilidade das urnas. A utilização de dados biométricos avançou consideravelmente[2] e o cancelamento de milhares de títulos, que chegou a ser levado em Arguição de Preceito Fundamental ao Supremo Tribunal Federal (ADPF nº 541), mostrou-se acertado. Eram, com presumidas exceções, eleitores que já não tinham aquele domicílio eleitoral ou que, até, já não contavam entre os vivos. As

---

[1]   BARROSO, Luís Roberto. *Trinta anos da Constituição*: a República que ainda não foi. Disponível em: https://luisrobertobarroso.com.br. Acesso em 20 nov. 2019.

[2]   "Nas eleições de 2018, estavam aptos a votar 87.363.098 eleitores por meio da identificação biométrica, (59,31% do eleitorado total de 147.306.275) em 2.793 municípios (48,65% do total, de 5.570)". TRIBUNAL SUPERIOR ELEITORAL. *Biometria*. Disponível em: http://www.tse.jus.br/eleitor/biometria/biometria. Acesso em 20 nov. 2019.

controvérsias relacionadas ao regramento eleitoral foram levadas à Justiça Eleitoral e consta que, pouco mais de um ano desde o pleito, já foram quase todas julgadas. Esse feito é notável em razão do curto intervalo fixado pela legislação eleitoral entre o pedido de registro de candidatura e a data das eleições, bem assim como a pletora de temas que acabam demandando pronunciamento jurisdicional, como as contas da campanha dos candidatos. Decisões do Supremo Tribunal Federal (ADI nº 5.617) e do Tribunal Superior Eleitoral (Consulta nº 0600252-18.2018.6.00.0000) asseguraram às candidaturas femininas o mínimo de recursos compatíveis com a exigência de quotas para os cargos proporcionais. Aqueles que burlaram tais quotas estão sendo investigados ou já respondendo a processos por fraude.

Diante da enormidade dos problemas nacionais, da desigualdade econômica à educação de má qualidade, da insegurança crônica das grandes cidades aos baixos índices de coleta de esgoto, parecia razoável a expectativa de que, ao menos em relação à organização das eleições e à confiança no método judicial de organizá-las, poderíamos nós, brasileiros, nos orgulhar de termos, desde 1932, feito a coisa certa. Essa expectativa se robusteceu ao vermos os acontecimentos da vizinha República Boliviana, na qual a tentativa de obtenção de um quarto mandato consecutivo por parte de um governante contou com o beneplácito de uma Corte Eleitoral posta sob suspeição. O resultado foi uma conflagração civil e um pronunciamento cívico-militar que levou à renúncia do mandatário. A Organização dos Estados Americanos divulgou relatório apontando indícios de manipulação e fraude nas apurações.[3]

Entretanto, esse caso de sucesso está na berlinda, por boas e por não tão boas razões. O direito constitucional de opinião e crítica, evidentemente, não precisa prestar vassalagens a consensos ou supostos consensos, notadamente quando o alvo são entidades e órgãos públicos.

A Justiça Eleitoral está sob ataque de dois dos mais influentes segmentos políticos brasileiros. Por um lado, à direita, volta-se a preconizar a impressão dos votos, procedimento que, além de encarecer o procedimento e fazer a festa de quem produz impressoras, expõe a risco o segredo da escolha do eleitor. A impressão do voto não será dada ao votante, mas ele poderá vê-la rapidamente, procedimento fadado a gerar incompreensões e tumultos. Essa desconfiança na urna é trecho de um estranhamento mais amplo, voltado para a própria Justiça Eleitoral. Para um determinado setor da opinião, ainda no campo à direita, trata-se de uma "jabuticaba" brasileira, a merecer pronta extinção de um governo pró-negócios, como se almeja fazer, também, com a Justiça do Trabalho. Chega-se a mencionar a inexistência, nos Estados Unidos da América, de instituição semelhante, como se, naquele país, a organização das eleições fosse exemplar.

À esquerda, há grande ressentimento em relação à aplicação da Lei da Ficha Limpa, que impediu uma candidatura presidencial em razão de condenação por órgão colegiado, vinda da Justiça Comum. Quem conhece a jurisprudência do Tribunal

---

[3] ORGANIZAÇÃO DOS ESTADOS AMERICANOS (OEA). *Relatório final da auditoria das eleições na Bolívia: houve manipulação e graves irregularidades que impossibilitaram a validação dos resultados*. 2019. Disponível em: https://www.oas.org/pt/centro_midia/nota_imprensa.asp?sCodigo=P-109/19. Acesso em 20 nov. 2019.

Superior Eleitoral sabe que não cabe à Justiça Eleitoral reformar a decisão prolatada por outro ramo do Judiciário, certa ou incerta. Há até uma súmula neste teor, a de nº 41:

> Não cabe à Justiça Eleitoral decidir sobre o acerto ou o desacerto das decisões proferidas por outros Órgãos do Judiciário ou dos Tribunais de Contas que configurem causa de inelegibilidade.

Mas, este detalhe não foi suficiente para impedir a atração de mágoas. O Judiciário eleitoral entrou na conta de instituições que não favoreceriam a democracia, ao menos em seu aspecto de respeito à soberania popular. Nessa linha, Leonardo Avritzer diz que:

> No caso da Justiça Eleitoral, processos visando à anulação de resultados eleitorais começaram a abundar na corte ainda nos anos 1990. Nesse período, abriram-se diferentes vias não eleitorais de suspensão do mandato de prefeitos e, na década seguinte, o processo se estendeu aos governadores. Tão grave quanto o fato de mandatos serem suspensos judicialmente é o nível de intervenção no resultado eleitoral que os Tribunais Regionais Eleitorais e o Tribunal Superior Eleitoral se permitiram realizar.[4]

Embora referido autor elogie certos momentos da organização das eleições, como o trabalho dos voluntários, a padronização dos processos e a cédula única, seu viés é de severa restrição a este ramo do Judiciário, sustentando que:

> A estrutura de supremacia judicial em relação às decisões eleitorais não foi extinta e que o único papel exercido pelo TSE no que concerne às regras eleitorais foi o de deixar o resultado sub judice da mesma maneira como o fez nas eleições de 2014.[5]

Há um outro campo, igualmente político, no qual se trava uma guerra de atrito, com o Tribunal Superior Eleitoral num dos polos. Trata-se da correção, via legislação, das resoluções ou da jurisprudência firmada pela Justiça Eleitoral. Os exemplos são múltiplos, indo da questão sobre se a rejeição de contas de campanha impediria a concessão da quitação eleitoral, até a proibição legal para o Ministério Público celebrar compromissos de ajustamento na esfera eleitoral, ao tempo de permanência dos diretórios "provisórios" dos partidos. Como apontou Fernando Neisser:

> Indignados com o que enxergam como ingerência na competência própria do Congresso Nacional, os parlamentares reagem aprovando novas normas, que tentam anular aquelas interpretações. Em novo movimento de reação, seguem-se decisões por parte dos tribunais, negando eficácia a tais mudanças. E o ciclo prossegue.[6]

---

[4]  AVRITZER, Leonardo. *O pêndulo da democracia*. São Paulo: Todavia, 2019. p. 42-43.

[5]  AVRITZER, Leonardo. *O pêndulo da democracia*. São Paulo: Todavia, 2019. p. 62.

[6]  NEISSER, Fernando. As mudanças na lei eleitoral aprovadas na Câmara são positivas? NÃO. *Folha de São Paulo*, edição de 14.09.2019.

Não raro, o Poder Legislativo vale-se até de seu poder constituinte reformador para infirmar a jurisprudência da Corte Eleitoral, como dão exemplo as Emendas nº 52 (contra a verticalização das eleições) e 97 (contra o prazo para o funcionamento dos diretórios provisórios dos partidos).

Não se pode deixar de registrar, ademais, a opinião desfavorável à Justiça Eleitoral, vinda de setores do Ministério Público, após a decisão do Supremo Tribunal Federal no Inquérito nº 4.435, que reconheceu a validade do artigo 35 do Código Eleitoral. Para além da razoável constatação de que a Justiça Eleitoral não tem a mesma estrutura da Justiça Federal para o processamento de casos criminais complexos, questionou-se a composição dos tribunais eleitorais, que inclui advogados. Pedro Barbosa Pereira Neto, em outra clave, argumenta que:

> Não procede a afirmativa de que todas as Justiças se acham nas mesmas condições de enfrentar a criminalidade de poder. Quando o STF reduziu o alcance do foro por prerrogativa de função (AP nº 937), abrindo mão de parte de uma competência constitucional, tinha como pano de fundo exatamente o reconhecimento de que não detinha condições de levá-la a bom termo. Não há nenhum menoscabo nisso, apenas o reconhecimento de um dado da realidade. Se o STF e o STJ não conseguiram dar bom encaminhamento às suas competências criminais estatuídas na CF, por que razão a Justiça Eleitoral conseguirá fazê-lo, e de forma ampliada?[7]

Autores de nomeada, por sua vez, questionam o papel normativo, consultivo e administrativo da Justiça Eleitoral, que seria incompatível com a separação dos poderes. Veem concentração de poderes diante da subsequente atribuição sem dirimir, jurisdicionalmente, as controvérsias eleitorais. Por todos, Eneida Desiree Salgado:

> Não existe um poder legislativo da Justiça Eleitoral, ao lado de suas competências jurisdicional e administrativa. A Constituição não o reconhece. Não acolhe sequer seu poder regulamentar, o que invalida até mesmo essa competência. A competência para a expedição de normas gerais e abstratas, ainda que secundárias, deve ter sede constitucional.[8]

E, em livro publicado em espanhol:

> El problema central de la estructura de la gobernanza electoral, o del sistema de control de las elecciones, es que em Brasil, una misma autoridad reúne los tres níveles de operación. La justicia electoral brasileña establece las reglas de la competición democrática, organiza el juego electoral y soluciona los conflictos derivados de las reglas y de su aplicación. Como si no fuera suficiente, lá única posibilidad de provocar la reforma de la decisión (normativa, administrativa o jurisdiccional) es presentar recurso al Supremo Tribunal

---

[7] PEREIRA, Pedro Barbosa. *Supremo, a Justiça Eleitoral e o retrocesso institucional*. Disponível em: https://www.acachacaeleitoral.com/blog/o-supremo-a-justi%C3%A7a-eleitoral-e-o-retrocesso-institucional. Acesso em 20 nov. 2019.

[8] SALGADO, Eneida Desiree. *Princípios Constitucionais Eleitorais*. 2. ed. Belo Horizonte: Editora Fórum, 2015.

Federal, de cuyos once ministros, tres son miembros del Tribunal Superior Electoral y no se declaran impedidos de apreciar dicho recurso.[9]

Para não parecer que estamos em uma jornada de exclusiva defesa - plena de susceptibilidades e avessa à críticas legítimas - do atual sistema de Justiça Eleitoral, é hora de fazermos, nós mesmos, algumas observações.

## II

Em primeiro lugar, não há como deixar de indicar a falha geral de todo o sistema de Justiça Eleitoral, incluindo aí o Ministério Público Eleitoral e a Polícia Judiciária Eleitoral, que não logrou detectar e desvendar – a não ser muitos anos depois – o fabuloso esquema de financiamento ilegal das campanhas políticas, com dinheiro público desviado. Ainda que seja possível opor restrições à Operação Lava Jato, ela merece o elogio de ter revelado como funcionou, de fato, o financiamento de campanhas eleitorais no Brasil, com doações eleitorais sendo utilizadas como forma de pagamento de malfeitos administrativos ou como lavagem de dinheiro. Os mecanismos legais e institucionais para verificação do abuso do poder econômico e para coibir doações de fontes criminosas simplesmente não funcionaram.

## III

Em segundo lugar, criticamos o predomínio dos Tribunais de Justiça na composição dos Tribunais Regionais Eleitorais. É natural que, tendo nos juízes estaduais os órgãos judiciários nas zonas eleitorais, a direção dos Tribunais Regionais Eleitorais espelhe essa realidade. Ocorre que o Presidente e o Corregedor-Regional Eleitoral serão desembargadores do Tribunal de Justiça e que este mesmo Tribunal é que escolherá dois outros membros, da classe dos juízes de direito, e formará a lista sêxtupla para a escolha dos dois juristas pelo Presidente da República. A Ordem dos Advogados do Brasil não participa da escolha dos juristas da Corte. E não há nenhum representante do Ministério Público, tudo nos termos da Constituição Federal, art. 121. É muito poder. Fora os membros indicados em linhas anteriores, apenas um juiz federal ou desembargador federal comporá a lista dos julgadores. Onde fica o propalado caráter federal da Justiça Eleitoral? A União Federal, que custeia esse ramo do Judiciário, não poderia indicar mais alguns de seus juízes e desembargadores? Não haveria maior transparência com a participação da OAB? E, por que o Ministério Público, que também está na linha de frente nas zonas eleitorais, não pode contribuir com um julgador?

---

9   SALGADO, Eneida Desiree. *Administración de las Elecciones y jurisdicción electoral*: un análisis del modelo mexicano y una crítica a la opción brasilera. México: Universidad Nacional autónoma de México - Instituto de Investigaciones Jurídicas, 2016. p. 213.

## IV

Possivelmente, como decorrência do método de composição de seus tribunais, a Justiça Eleitoral está muito longe de representar, em seus corpos diretivos, a pluralidade de gênero e raça que se encontra no eleitorado brasileiro. As mulheres representam 52% do eleitorado brasileiro, segundo o TSE.[10] Já a população afrodescendente, de acordo com dados do IBGE, é majoritária em nosso país.[11] Fernanda de Carvalho Lage diz que:

> Em relação à participação feminina na ocupação de cargos na Justiça Eleitoral, em média, as mulheres ocuparam somente de 15 a 23% dos cargos de Presidente, Vice-Presidente, Corregedora ou Ouvidora nos últimos dez anos.[12]

A autora prossegue explanando que:

> As razões para essa presença feminina menor são claras: tratam-se de posições escolhidas com proeminente participação dos tribunais de justiça. Como estes são formados, em grande maioria, por homens, a escolha para a composição dos TREs e, até, para a formação das listas de advogados, costuma recair sobre homens.

Não conhecemos dados sobre o percentual de afrodescendentes nos tribunais eleitorais. A aposta é que esta participação seja reduzida.

Não se trata de medir a participação de gêneros e raças nos tribunais eleitorais com uma régua, marcada em milímetros. Isso seria empobrecedor. Todavia, não há como furtar-se à constatação de que há predomínio branco e masculino na composição das cortes, indicando que os critérios para a escolha dos membros não têm sido pluralistas.

A Justiça que organiza as eleições numa sociedade díspar e plural como a brasileira deve espelhar, em sua estruturação e funcionamento, estas mesmas disparidade e pluralidade. O eleitor já não é o "homem bom" da terra, como se dizia na época do império, título que mal conseguia esconder seu caráter discriminatório e censitário. O eleitor brasileiro no século XXI é, principalmente, uma eleitora, majoritariamente negra ou parda, jovem, citadina, atenta, esperançosa.

---

[10] TRIBUNAL SUPERIOR ELEITORAL. *Mulheres e eleitorado brasileiro.* Disponível em: http://www.tse.jus.br/imprensa/noticias-tse/2018/Marco/mulheres-representam-52-do-eleitorado-brasileiro. Acesso em 20 nov. 2019.

[11] "Entre 2012 e 2016, enquanto a população brasileira cresceu 3,4%, chegando a 205,5 milhões, o número dos que se declaravam brancos teve uma redução de 1,8%, totalizando 90,9 milhões. Já o número de pardos autodeclarados cresceu 6,6% e o de pretos, 14,9%, chegando a 95,9 milhões e 16,8 milhões, respectivamente. É o que mostram os dados sobre moradores da Pesquisa Nacional por Amostra de Domicílios Contínua 2016, divulgados hoje pelo: IBGE. *População chega a 205,5 milhões, com menos brancos e mais pardos e pretos.* 2019. Disponível em: https://agenciadenoticias.ibge.gov.br/agencia-noticias/2012-agencia-de-noticias/noticias/18282-populacao-chega-a-205-5-milhoes-com-menos-brancos-e-mais-pardos-e-pretos. Acesso em 20 nov. 2019.

[12] LAGE. Fernanda de Carvalho. *Processo Civil Eleitoral sob uma perspectiva feminista.* Rio de Janeiro: Lúmen Juris, 2019. p. 23-24.

## V

A Justiça Eleitoral precisa ser mais transparente em seus gastos. Eleições são caras, não há dúvida, mas a cidadania tem o direito de conhecer o padrão de custos deste ramo do Judiciário, de maneira clara e acessível. Não basta publicar os dados contábeis enviados para exame do Tribunal de Contas, os percentuais de rubrica orçamentária a que fez jus e quão próximo se está dos limites da Lei de Responsabilidade Fiscal. Avançou-se na transparência dos atos propriamente jurisdicionais, com as páginas da Justiça Eleitoral na internet e a transmissão das sessões do TSE. No plano administrativo, há mais por fazer. O cidadão tem o direito a acompanhar a execução orçamentária da Justiça Eleitoral, com indicações claras de compras, gastos, aquisições, salários, diárias, despesas de manutenção e outras. São exigências feitas aos candidatos e aos partidos e devem se dirigir ao Judiciário. Esta transparência poderá colaborar com o aperfeiçoamento da Justiça Eleitoral e com a obtenção de ainda maior apoio junto à sociedade.

## VI

Apresentadas algumas das críticas que a Justiça Eleitoral tem sofrido, é o momento de contra-argumentar.

A Justiça Eleitoral surgiu, na República Velha, após fracassadas experiências de organização das eleições por órgãos do Poder Executivo, somadas com o papel de homologação do resultado do Poder Legislativo, o "sistema de verificação de poderes".

Há um trecho eloquente de Assis Brasil, em seu *Manifesto aos Riograndenses*, de 1925, sobre qual era o grau de confiança na organização e apuração das eleições brasileiras:

> Ninguém tem certeza de ser alistado eleitor; ninguém tem certeza de votar, se porventura for alistado; ninguém tem certeza de que lhe contém o voto, se porventura votou; ninguém tem certeza de que esse votado, mesmo depois de contado, seja respeitado na apuração; no chamado terceiro escrutínio, que é arbitrária e descaradamente exercido pelo déspota substantivo ou pelos déspotas adjetivos, conforme o caso for da representação nacional ou das locais.

A criação da Justiça Eleitoral, portanto, não foi um experimento imaginativo, mas o aprendizado vindo de experiências negativas em relação à organização e apuração das eleições.

É certo que a concentração de poderes na Justiça Eleitoral é significativa.

Trata-se do único ramo do Judiciário que, além de ter importantes tarefas administrativas (e que, de nenhum modo, são internas ao funcionamento do próprio órgão), pode responder consultas, convocar tropas e editar normas (ainda que de caráter secundário) que vão reger as eleições.

A convocação de tropas não deixa de ser uma modalidade de poder de polícia essencial para assegurar a tranquilidade e a ordem em disputas eleitorais que podem ser acirradas, quase às portas da violência. Ainda que a organização das eleições fosse dada a um órgão administrativo autônomo, esse tipo de atuação demandaria escrutínio judicial.

Não vemos, na possibilidade de resposta à consultas, maior gravame. Ao contrário, é sabido que tais consultas não podem se referir a casos concretos, ou ser respondidas em tempos de eleição. Formamos opinião no sentido de que, uma vez respondida a consulta, a própria Corte fica vinculada ao respondido. A consulta serve, destarte, para prover segurança jurídica, diante de uma legislação eleitoral extensa e, por vezes, marcada por ilogicidades.

A solução da organização administrativa das eleições por um novo órgão, composto, quiçá, também por representantes dos partidos políticos (como no México)[13] não é ruim. Em tese, impediria o contágio entre a atividade administrativa e jurisdicional, dando maior isenção aos julgadores. Entretanto, seria uma inovação, um experimento que poderia ou não dar certo, buscando a resolução de um problema que valoramos menor. Em desfavor desta alteração está a tradição brasileira de judicializar tudo ou quase tudo, autorizada pelo artigo 5º, XXXV, da Constituição,[14] que se apresenta com muita intensidade ao sabor das paixões das campanhas eleitorais. O temor é que este órgão administrativo acabe sendo uma "instância de (breve) passagem", incumbindo ao Judiciário Eleitoral a fixação de cada passo organizativo. Temos também uma grande quantidade de partidos políticos registrados. Um órgão administrativo integrado por trinta e tantos partidos pode ter algumas dificuldades em funcionar.

O "empréstimo" de Ministros do Supremo Tribunal Federal para atuarem no Tribunal Superior Eleitoral se dá em razão de uma particularidade deste ramo judiciário, que não tem uma carreira autônoma de julgadores. Já fomos favoráveis à criação de uma Justiça Eleitoral com quadro próprio de juízes, desembargadores e ministros, assim como de um Ministério Público Eleitoral com seus promotores e procuradores. Já não somos mais. Os escassos recursos públicos brasileiros devem ser destinados, na maior medida possível, à educação, à saúde, à segurança e ao transporte, não à criação de novas e custosas estruturas judiciais ou ministeriais.

O tradicionalismo que emprestamos ao exercício dessas muitas funções pela Justiça Eleitoral não serve, porém, para fazermos ouvidos moucos aos alertas sobre os perigos de a Justiça Eleitoral exercer, como típicas, as funções administrativas, normativas e judiciárias. *Sit et in quantum,* não vemos razões para a profunda alteração institucional que se propugna. Oxalá elas nunca surjam.

---

[13] Art. 41, V, da Constituição dos Estados Unidos Mexicanos: "La organización de las elecciones federales es una función estatal que se realiza a través de un organismo público autónomo denominado Instituto Federal Electoral, dotado de personalidad jurídica y patrimonio propios, en cuya integración participan el Poder Legislativo de la Unión, los partidos políticos nacionales y los ciudadanos, en los términos que ordene la ley. En el ejercicio de esta función estatal, la certeza, legalidad, independencia, imparcialidad y objetividad serán principios rectores".

[14] "XXXV - a lei não excluirá da apreciação do Poder Judiciário lesão ou ameaça a direito".

# VII

Questão complexa refere-se ao Poder Normativo da Justiça Eleitoral. Eneida Desiree Salgado tem razão ao apontar que ele não tem explícita autorização constitucional. Trata-se, então, de discutir a recepção de norma infralegal, o Código Eleitoral, especificamente seu artigo 22, segundo o qual compete ao TSE: "IX - expedir as instruções que julgar convenientes à execução deste Código".

Na contenda entre Poder Legislativo e Justiça Eleitoral, a Lei nº 9.504/97 tratou de delimitar o terreno:

> Art. 105. Até o dia 5 de março do ano da eleição, o Tribunal Superior Eleitoral, atendendo ao caráter regulamentar e sem restringir direitos ou estabelecer sanções distintas das previstas nesta Lei, poderá expedir todas as instruções necessárias para sua fiel execução, ouvidos, previamente, em audiência pública, os delegados ou representantes dos partidos políticos. [...]

Este conflito é informado por um aspecto do maior interesse: quando legislam sobre normas eleitorais, os membros do Congresso Nacional não se esquecem de sua própria condição de políticos eleitos, das campanhas que fizeram e das limitações que suportaram. E pensam em melhorar a própria situação em eleições futuras. O artigo 17 da Constituição foi objeto de seguidas alterações para atender a tais propósitos:

> §1º É assegurada aos partidos políticos autonomia para definir sua estrutura interna e estabelecer regras sobre escolha, formação e duração de seus órgãos permanentes e provisórios e sobre sua organização e funcionamento e para adotar os critérios de escolha e o regime de suas coligações nas eleições majoritárias, vedada a sua celebração nas eleições proporcionais, sem obrigatoriedade de vinculação entre as candidaturas em âmbito nacional, estadual, distrital ou municipal, devendo seus estatutos estabelecer normas de disciplina e fidelidade partidária.

A menção à desvinculação entre candidaturas em âmbito nacional, estadual, distrital ou municipal veio pela Emenda Constitucional nº 52, em resposta às decisões do TSE que firmaram a chamada "verticalização das eleições", obrigando conformidade partidária nas coligações estaduais e nacionais. O trecho relativo à duração dos órgãos permanentes e provisórios dos partidos veio com a Emenda nº 97, para, supostamente, transformar em eternos o que o próprio vernáculo sugere ser efêmero.

As resoluções do TSE são normas secundárias, cujo papel deve ser o de detalhar a lei e indicar a interpretação que a ela tem sido dada. Elas são justificadas pela relativa desorganização da legislação eleitoral, ainda regida por um documento vetusto, o Código Eleitoral, ora desmentido ora confirmado pela Lei nº 9.504/97. E, a despeito de imensa, a normativa eleitoral consegue ser omissa em aspectos essenciais, recomendando, por receio da anomia, instruções que servem como alerta e apelo ao legislador.

A Lei das Eleições é, a cada ano ímpar, alterada de modo mais amplo ou menos amplo pelas chamadas "reformas eleitorais", que podem vir, como *deus ex machina*, sem nenhuma discussão com a sociedade. A Lei nº 13.877, de 27 de setembro de 2019, por exemplo, que trouxe a "minirreforma eleitoral de 2019" teve tramitação urgente, quase sem debate parlamentar ou informação à sociedade. Isso contrasta com as audiências públicas que devem ser realizadas para que as Resoluções sejam feitas.

Não se trata de dar às instruções o papel que a Constituição deu à lei, ou transformar os juízes em legisladores não eleitos, mas de reconhecer que as resoluções são imprescindíveis para o bom êxito, até aqui, da administração e jurisdição eleitorais. Elas provêm segurança jurídica, cumprem o papel excelente de uniformizar a interpretação da legislação eleitoral, país afora, diante dos quase seis mil juízes eleitorais e vinte e sete tribunais eleitorais. Evitam assim que ideologias, idiossincrasias e maneirismos hermenêuticos – naturais diante da enormidade de órgãos judiciários e ministeriais - desigualem as chances dos candidatos. É certo que se pode dizer que, por meio das Resoluções, o Tribunal Superior impõe sua própria ideologia, suas próprias idiossincrasias e maneirismos. O risco é real e não há como eximir a Corte Superior da responsabilidade pelo papel e pelo poder que exerce. Ocorre que a composição plural do TSE – incluindo Ministros do Supremo Tribunal Federal e do Superior Tribunal de Justiça, além de advogados escolhidos pelo Presidente da República – todos com mandatos temporários, colabora para depurar tais riscos ou, quando menos, para dar a eles boa publicidade.

## VIII

Ao final, cabe refletir sobre a crítica que se faz à Justiça Eleitoral, de desrespeitar a soberania popular quando cassa mandatários eleitos ou obsta, por força da lei das inelegibilidades, a própria candidatura de quem não reúne condições para tanto. Será uma intervenção indevida, um obstáculo à vontade dos eleitores, um conluio da burocracia com as elites? É induvidoso que a soberania popular legitima o exercício do poder, como consta do artigo 1º, parágrafo único, e do artigo 14 de nossa Constituição. O problema desta crítica é que ela parece sugerir que o respeito à soberania significa aceitar o resultado matemático das eleições, independentemente do modo como alguém chegou até ele. Esse ponto de vista ignora que as eleições não podem ser um "vale-tudo", com candidatos furando o olho e chutando as partes baixas uns dos outros. Há regras da própria Constituição e da legislação eleitoral que tutelam a disputa justa, o respeito ao caráter competitivo da eleição e a lisura do pleito. O desrespeito a tais regras *deslegitima* o resultado eleitoral. A crer naquela versão da soberania popular, a Justiça Eleitoral ficaria relegada a julgar somente os derrotados nas urnas, visto que os vitoriosos gozariam de imunidade... Escrevemos sobre isso, anteriormente, em texto que intitulamos *Justiça para os vencedores* (2012), apontando quão equivocadas seriam decisões judiciais rigorosas com quem perdeu e complacentes com quem ganhou as eleições. Se a Justiça caísse em tal armadilha, estaria sinalizando que, em eleições futuras, nenhuma diatribe, nenhum desrespeito, nenhum abuso seria sindicado, a não ser para os perdedores.

Vemos com preocupação esta interpretação simplista do que é a soberania popular. Ela está no cerne de governos populistas e, até, despóticos, que procuram legitimar com seguidas consultas populares o desrespeito a direitos fundamentais, entre os quais, o de eleições limpas, transparentes e confiáveis. Condiz com o fenômeno das "democracias iliberais", como as chama Yascha Mounk (2019). A democracia não se compraz com votações que outorguem poderes plenos, limitem direitos fundamentais ou conspurquem quem serve de contrapeso e controle. Há limites para maiorias circunstanciais.

Não há democracia sem instituições democráticas.

Quando o Poder Judiciário aplica a válida legislação preexistente, de maneira equânime, sem favorecimentos ou perseguições, para assegurar disputas justas, ele está exercendo igualmente o seu quinhão de soberania.

O resultado das urnas não autoriza a Justiça a se omitir em fazer justiça. Sob pena de que ela se impregne de um indesejado "governismo", em prejuízo do direito de oposição.

Comedimento é uma virtude. A Justiça Eleitoral não é e nem pode ser o centro das atenções nos pleitos eleitorais.[15] A ribalta deve ser ocupada pelos partidos e candidatos e, principalmente, pelo eleitor, não por juízes e promotores. A Justiça comedida deve exercer, todavia, o seu necessário papel contramajoritário. Cabe a ela zelar pelo cumprimento das regras eleitorais e pela lisura e legitimidade da disputa, independentemente do resultado das urnas ou das estruturas de poder de fato.

Esta análise é igualmente válida para a atuação do Judiciário Eleitoral no sentido de fazer valer as limitações constitucionais ou legais às candidaturas. O fato de que concorrer a cargos públicos é um direito fundamental, assegurado pela Declaração Universal dos Direitos Humanos[16] e pelo Pacto de São José da Costa Rica[17] – bem como por nossa Constituição – não significa que seja um direito ilimitado. Os próprios textos mencionados admitem o estabelecimento de limites.[18] A Lei da Ficha Limpa,

---

[15] Opinião que se aplica igualmente ao Ministério Público Eleitoral. Escrevemos, com Eugênio José Guilherme de Aragão, então Vice-Procurador Geral Eleitoral: "Interpretações exacerbadas da lei, seguidas de má vontade pra com a atividade política (e seus objetivos, linguagens e rituais, tão distintos daqueles do ambiente judicial) podem contribuir para que a função ministerial eleitoral se mostre sectária ou intolerante. É nesse momento que, juntos, Ministério Público Eleitoral e Justiça Eleitoral deixam de ser os árbitros das eleições livres e limpas e passam a ser protagonistas de um jogo que não é deles".

[16] Artigo 21 - 1. Toda a pessoa tem o direito de tomar parte na direcção dos negócios, públicos do seu país, quer directamente, quer por intermédio de representantes livremente escolhidos. 2.Toda a pessoa tem direito de acesso, em condições de igualdade, às funções públicas do seu país. 3. A vontade do povo é o fundamento da autoridade dos poderes públicos: e deve exprimir-se através de eleições honestas a realizar periodicamente por sufrágio universal e igual, com voto secreto ou segundo processo equivalente que salvaguarde a liberdade de voto.

[17] Artigo 23 - Direitos políticos - 1. Todos os cidadãos devem gozar dos seguintes direitos e oportunidades: a) de participar da condução dos assuntos públicos, diretamente ou por meio de representantes livremente eleitos; b) de votar e ser eleito em eleições periódicas, autênticas, realizadas por sufrágio universal e igualitário e por voto secreto, que garantam a livre expressão da vontade dos eleitores; e c) de ter acesso, em condições gerais de igualdade, às funções públicas de seu país. 2. A lei pode regular o exercício dos direitos e oportunidades, a que se refere o inciso anterior, exclusivamente por motivo de idade, nacionalidade, residência, idioma, instrução, capacidade civil ou mental, ou condenação, por juiz competente, em processo penal.

[18] Declaração Universal dos Direitos Humanos, art. 29: "Artigo 29 - 1.O indivíduo tem deveres para com a comunidade, fora da qual não é possível o livre e pleno desenvolvimento da sua personalidade. 2. No exercício

ainda que imperfeita, é o melhor diploma legislativo de nossa história no sentido de conciliar o direito de candidatura com a proteção da probidade administrativa, da lisura e da legitimidade das eleições.

## IX

A democracia vive, mundo afora e Brasil adentro, um momento de inquietude. David Van Reybrouck, em seu provocativo estudo denominado *Contra as Eleições* assevera que:

> Os sintomas da doença de que sofre a democracia ocidental são tão numerosos quando vagos, mas se colocamos juntos o abstencionismo, a instabilidade eleitoral, a hemorragia dos partidos, a impotência administrativa, a paralisia política, o medo das eleições, a penúria do recrutamento, o desejo compulsivo de aparecer, a febre eleitoral crônica, o estresse midiático extenuante, a desconfiança, a indiferença e outras convalescências, vemos se desenhar uma síndrome, a síndrome da fadiga democrática.[19]

E, note-se que o autor escreveu *antes* da ascensão de regimes populistas na Europa, Ásia e Américas e *antes* das "fake news" terem inundado a internet com maledicências, agressões covardes e mentiras puras. E ele não escreveu num país que precisa lutar contra a infame desigualdade e contra as sofríveis condições educacionais, como o nosso.

Esta inquietude nos conduz à pergunta se, em nosso país, a Justiça Eleitoral está contribuindo para a fadiga democrática ou se ela, ao contrário, é elemento de estabilidade e reafirmação da democracia. Nossa resposta, a despeito das críticas que assinamos e das outras que procuramos contestar, é favorável à Justiça Eleitoral. O espaço a percorrer não desmente a distância já percorrida desde a República Velha e suas eleições falsificáveis. A Constituição, como diz o Ministro Barroso na epígrafe deste texto, é uma boa bússola. E ela reconheceu a Justiça Eleitoral que veio de 1932.

O desafio de se manter à altura de tarefa tão gigantesca, como a de zelar por eleições livres, justas e confiáveis, é incessante. Sugerimos aumentar a pluralidade no rol dos julgadores, melhorar a transparência dos gastos e aprimorar a lida com o abuso do poder político e econômico. Seguimos confiantes de termos uma Justiça Eleitoral que nos orgulha.

---

deste direito e no gozo destas liberdades ninguém está sujeito senão às limitações estabelecidas pela lei com vista exclusivamente a promover o reconhecimento e o respeito dos direitos e liberdades dos outros e a fim de satisfazer as justas exigências da moral, da ordem pública e do bem-estar numa sociedade democrática. 3. Em caso algum estes direitos e liberdades poderão ser exercidos contrariamente e aos fins e aos princípios das Nações Unidas. Pacto de São José da Costa Rica: Artigo 32 - Correlação entre deveres e direitos. 1. Toda pessoa tem deveres para com a família, a comunidade e a humanidade. 2. Os direitos de cada pessoa são limitados pelos direitos dos demais, pela segurança de todos e pelas justas exigências do bem comum, em uma sociedade democrática.

[19] REYBROUCK, David Van. *Contra as Eleições*. (Trad. Flávio Quintale). Belo Horizonte/Veneza: Editora Âyné, 2017. p. 44.

# Referências

AVRITZER, Leonardo. *O pêndulo da democracia*. São Paulo: Todavia, 2019.

BARROSO, Luís Roberto. *Trinta anos da Constituição*: a República que ainda não foi. Disponível em: https://luisrobertobarroso.com.br. Acesso em 20 nov. 2019.

GONÇALVES, Luiz Carlos dos Santos. Justiça para os Vencedores. *In*: RAMOS, André de Carvalho (Org.). *Temas de Direito Eleitoral no Século XXI*, Brasília/DF: ESMPU - Escola Superior do Ministério Público da União, v. 1, p. 203-215, 2012.

GONCALVES, Luiz Carlos dos Santos; ARAGÃO, Eugenio José Guilherme de. In: PAE KIM, Richard; NORONHA, João Otávio de (Orgs.). *Sistema Político e Direito Eleitoral Brasileiros. Estudos em homenagem ao Ministro Dias Toffoli*. São Paulo: Gen/Atlas, 2016.

IBGE. *População chega a 205,5 milhões, com menos brancos e mais pardos e pretos*. 2019. Disponível em: https://agenciadenoticias.ibge.gov.br/agencia-noticias/2012-agencia-de-noticias/noticias/18282-populacao-chega-a-205-5-milhoes-com-menos-brancos-e-mais-pardos-e-pretos. Acesso em 20 nov. 2019.

LAGE. Fernanda de Carvalho. *Processo Civil Eleitoral sob uma perspectiva feminista*. Rio de Janeiro: Lúmen Juris, 2019.

NEISSER, Fernando. As mudanças na lei eleitoral aprovadas na Câmara são positivas? NÃO. *Folha de São Paulo*, edição de 14.09.2019.

ORGANIZAÇÃO DOS ESTADOS AMERICANOS (OEA). *Relatório final da auditoria das eleições na Bolívia: houve manipulação e graves irregularidades que impossibilitaram a validação dos resultados*. 2019. Disponível em: https://www.oas.org/pt/centro_midia/nota_imprensa.asp?sCodigo=P-109/19. Acesso em 20 nov. 2019.

PEREIRA, Pedro Barbosa. *Supremo, a Justiça Eleitoral e o retrocesso institucional*. Disponível em: https://www.acachacaeleitoral.com/blog/o-supremo-a-justi%C3%A7a-eleitoral-e-o-retrocesso-institucional. Acesso em 20 nov. 2019.

REYBROUCK, David Van. *Contra as Eleições*. (Trad. Flávio Quintale). Belo Horizonte/Veneza: Editora Âyné, 2017.

SALGADO, Eneida Desiree. *Princípios Constitucionais Eleitorais*. 2. ed. Belo Horizonte: Editora Fórum, 2015.

SALGADO, Eneida Desiree. *Administración de las Elecciones y jurisdicción electoral*: un análisis del modelo mexicano y una crítica a la opción brasilera. México: Universidad Nacional autónoma de México - Instituto de Investigaciones Jurídicas, 2016.

TRIBUNAL SUPERIOR ELEITORAL. *Biometria*. Disponível em: http://www.tse.jus.br/eleitor/biometria/biometria. Acesso em 20 nov. 2019.

TRIBUNAL SUPERIOR ELEITORAL. *Mulheres e eleitorado brasileiro*. Disponível em: http://www.tse.jus.br/imprensa/noticias-tse/2018/Marco/mulheres-representam-52-do-eleitorado-brasileiro.

---

Informação bibliográfica deste texto, conforme a NBR 6023:2018 da Associação Brasileira de Normas Técnicas (ABNT):

GONÇALVES, Luiz Carlos dos Santos. Maquinação elitista ou defensora da lisura das eleições? a justiça eleitoral na berlinda. *In*: COSTA, Daniel Castro Gomes da; FONSECA, Reynaldo Soares da; BANHOS, Sérgio Silveira; CARVALHO NETO, Tarcisio Vieira de (Coord.). *Democracia, justiça e cidadania*: desafios e perspectivas. Homenagem ao Ministro Luís Roberto Barroso. Belo Horizonte: Fórum, 2020. t. 1: Direito eleitoral, política e democracia. p. 329-341. ISBN 978-85-450-0748-7.

# FINANCIAMENTO PARTIDÁRIO E CAMPANHA ELEITORAL NO BRASIL – PONTOS CRÍTICOS DESTA COLCHA DE RETALHOS

**MARCELO WEICK POGLIESE**

Instigado pelo convite que me foi formulado pelo Prof. Dr. Daniel Castro e diante da oportunidade de refletir um pouco mais sobre a temática no Congresso Alagoano de Direito Municipal e Eleitoral (dezembro/2019), em mesa de debate compartilhada com o Prof. Adriano Soares da Costa, entendi que o tema *Financiamento partidário e campanha eleitoral no Brasil* seria uma excelente temática para ser desenvolvida nesta singela contribuição à obra coletiva em homenagem ao Ministro Luís Roberto Barroso.

Primeiro, porque o financiamento partidário e das campanhas eleitorais no Brasil tem sido uma das questões mais atormentadoras desde a redemocratização, sendo, inclusive, mola propulsora, direta ou indiretamente, para os processos de impeachment das gestões Fernando Collor de Melo e Dilma Vana Rousseff.

Segundo, porque o homenageado participou do julgamento do Supremo Tribunal Federal (ADI nº 4650) que culminou, em setembro de 2015,[1] com o fim do modelo até então vigente de doação de pessoas jurídicas para partidos políticos e campanhas eleitorais. E, desse modo, longe de se tentar alcançar a qualidade dos debates lançados em *A razão e o voto – Diálogos constitucionais com Luís Roberto Barroso,*[2] permite-se aqui, a partir do mencionado julgado, utilizar parte da metodologia naquela obra aplicada para, em respeitoso diálogo constitucional, apontar sete pontos críticos e sugerir alguns caminhos para o seu aprimoramento institucional.

O *primeiro ponto crítico* está justamente nas consequências práticas da decisão do STF na ADI nº 4650 no desenho institucional híbrido de financiamento brasileiro, mediante quatro fontes formais de custeio: 1) Fundo Partidário; 2) Fundo Especial

---

[1] O julgamento encerrou-se em setembro de 2015, porém o acórdão da ADI nº 4650 só foi publicado em março de 2016.

[2] VIEIRA, Oscar Vilhena; GLEZER, Rubens (Org.). *A razão e o voto – Diálogos constitucionais com Luís Roberto Barroso.* Rio de Janeiro: FGV Editora, 2017.

de Campanhas Eleitorais; 3) Doação de pessoas físicas – via direta ou por intermédio de plataforma computacional – crowdfunding; 4) e, por fim, o Autofinanciamento.

Se, de um lado, houve a evidente preocupação do Supremo Tribunal Federal, quando do julgamento da ADI nº 4650, em encontrar um ponto desejável entre o mercado e a política em nossa democracia, evitando-se a perpetuação de um balcão de negócios[3] ou a consolidação de uma irreversível plutocracia, do outro, inevitavelmente, navegou o STF em águas revoltas, utilizando-se não só de uma hermenêutica aberta e de esvaziamento do espaço político,[4] mas também lançou todo o sistema democrático de financiamento a um limbo e um caos normativo que levou o nosso país a constituir às pressas um retalhado e insano modelo de financiamento público de partidos e campanhas eleitorais.

Lógico que o Supremo Tribunal Federal, no julgamento da ADI nº 4650, não consignou uma condenação genérica a participação de qualquer empresa na geração de recursos para campanhas políticas e partidos políticos;[5] porém, ao condená-la nos termos do modelo até então vigente, sem aplicar as técnicas mais modernas de interpretação conforme a Constituição ou a declaração de inconstitucionalidade sem redução de texto, o Supremo Tribunal Federal simplesmente, como assim também o fez no julgamento da fidelidade partidária, não se atentou para as consequências, com o porvir, e, assim, atuou de forma desordenada, com baixa capacidade institucional[6] e resolutiva diante daquilo que pretendia, e o fez desconstruir, utilizando-se, ademais, de uma fundamentação preponderantemente principiológica e metajurídica.

Sabe-se que a última campanha eleitoral que adotou o modelo de financiamento declarado inconstitucional pelo STF foram as eleições nacionais de 2014. Naquela oportunidade, segundo dados do Tribunal Superior Eleitoral, as fontes oficiais de arrecadação foram assim distribuídas:[7]

---

[3] Fragmento do voto do Ministro Luís Roberto Barroso na ADI nº 4650 – fls. 123. Disponível em: http://redir. stf.jus.br/paginadorpub/paginador.jsp?docTP=TP&docID=10329542. Acesso em 14 dez. 2019.

[4] FARIA, Adriana Ancona de; DIAS, Roberto. O direito, a política e a vanguarda no STF: riscos democráticos. *In*: VIEIRA, Oscar Vilhena; GLEZER, Rubens (Org.). *A razão e o voto – Diálogos constitucionais com Luís Roberto Barroso*. Rio de Janeiro: FGV Editora, 2017. p. 288.

[5] Fragmento do voto do Ministro Luís Roberto Barroso na ADI nº 4650 – fls. 125. Disponível em: http://redir. stf.jus.br/paginadorpub/paginador.jsp?docTP=TP&docID=10329542. Acesso em 14 dez. 2019.

[6] FARIA, Adriana Ancona de; DIAS, Roberto. O direito, a política e a vanguarda no STF: riscos democráticos. *In*: VIEIRA, Oscar Vilhena; GLEZER, Rubens (Org.). *A razão e o voto – Diálogos constitucionais com Luís Roberto Barroso*. Rio de Janeiro: FGV Editora, 2017. p. 305.

[7] Tabela com dados compilados do TSE organizada por: MANCUSO, Wagner Pralon; HOROCHOVSKI, Rodrigo Rossi; CAMARGO, Neilor Fermino. Financiamento eleitoral empresarial direto e indireto nas eleições nacionais de 2014. *In*: *Rev. Bras. Ciênc. Polít*, Brasília, n. 27, set./dez. 2018. Disponível em: http://dx.doi.org/10.1590/0103-335520182701. Acesso em 13 dez. 2019.

| Fonte | Valor (R$) | %Percentual |
|---|---|---|
| Empresas | 3.031.864.138,09 | 72,92 |
| Pessoas Físicas | 556.860.093,90 | 13,39 |
| Recursos próprios | 377.006.656,10 | 9,07 |
| Fundo Partidário | 189.346.946,12 | 4,55 |
| Doações pela Internet | 1.591.836,42 | 0,04 |
| Doações não identificadas | 641.549,83 | 0,02 |
| Rendimentos de aplicações financeiras | 452.993,52 | 0,01 |
| Comercialização de bens e realização de eventos | 2.230,00 | 0,00 |
| **Total** | **4.157.766.443,98** | **100,00** |

Fonte: TSE

Portanto, mais de 95% dos recursos arrecadados nas eleições nacionais de 2014 foram provenientes de fontes privadas, com evidente preponderância do dinheiro empresarial. Ademais, verificou-se que a rede de financiamento das eleições de 2014 foi altamente conectada,

> na medida em que mais de 90% dos participantes apresentam vínculos diretos ou indiretos entre si, formando um componente gigante que abrange praticamente a totalidade das transações representadas pelas doações de campanha, interligando-se a praticamente 98% dos eleitos.[8]

Sem uma saída institucional e consensual para um efetivo modelo substitutivo de financiamento privado de campanhas eleitorais, o contexto pós-julgamento da ADI nº 4650 exigiu a construção pelo Poder Legislativo de um atabalhoado redesenho do formato das fontes de financiamento político, com claro viés para o fortalecimento da fonte pública de patrocínio da democracia e da política partidária.

Inicialmente, duas capengas soluções foram encontradas pelo Congresso Nacional: 1) turbinar os recursos destinados ao Fundo Partidário, a fim de lhe emprestar mais força econômica para esta fonte de financiamento; 2) constituir uma nova e robusta fonte de arrecadação, o denominado Fundo Especial de Campanhas Eleitorais (FEFC), instituído pela Lei nº 13.487/2017 e nº 13.488/2017, introduzindo, respectivamente os artigos 16-C e 16-D à Lei das Eleições (Lei nº 9.504/97).

O crescimento do Fundo Partidário – FP foi visivelmente perceptível na parte referente às dotações orçamentárias da União (que, ao lado das multas, penalidades, doações e outros recursos financeiros que lhes forem atribuídos por lei, compõem o conjunto financeiro do FP). Do ano de 2014 para o ano de 2015, o aumento foi de mais

---

[8] JUNCKES, Ivan Jairo *et al*. Poder e democracia: uma análise da rede de financiamento eleitoral em 2014 no Brasil. *In: Rev. bras. Ci. Soc.*, São Paulo, v. 34, n. 100, 2019. Disponível em: http://dx.doi.org/10.1590/3410006/2019. Acesso em 13 dez. 2019.

de R$497.000.000,00 em termos absolutos, o que, proporcionalmente, representa um acréscimo em relação ao ano anterior de mais de 158%. Eis a tabela com a evolução do Fundo Partidário dos últimos seis anos:[9]

| ANO | Distribuição Dotação Orçamentária – R$ | Distribuição Multas – R$ | TOTAL |
|---|---|---|---|
| 2014 | 313.494.822,00 | 58.460.772,00 | 371.955.594,00 |
| 2015 | 811.285.000,00 | 56.284.772,00 | 867.569.772,00 |
| 2016 | 737.890.048,00 | 81.241.412,00 | 819.131.460,00 |
| 2017 | 665.790.581,07 | 75.933.441,73 | 741.724.022,76 |
| 2018 | 780.357.505,03 | 108.377.585,03 | 888.735.090,06 |
| 2019 | 810.050.743,00 | 117.699.817,00 | 927.750.560,00[10] |

Fonte: TSE

Em paralelo, o Fundo Especial de Financiamento de Campanhas Eleitorais (FEFC) constituído em 2017 já nasceu com forte desempenho de captação, também a partir de dotações orçamentárias específicas, além de 30% do total de recursos destinados às denominadas emendas parlamentares pela Lei Orçamentária Anual.

Nas Eleições de 2018, o FEFC alcançou a marca de R$1.716.209.431,00,[11] assim distribuídos entre os partidos políticos. Somando-se aos valores provenientes do Fundo Partidário em 2018,[12] vê-se que foram investidos nas campanhas eleitorais em 2018 o importe de R$2.090.347.351,74 em recursos públicos, praticamente mais de 66% do total de recursos aplicados nas Eleições de 2018 (visto que os recursos privados foram da ordem de R$1.049.403.742,19 – mais de 33% do total do financiamento efetivado nas campanhas eleitorais daquele ano).

A análise dos dados das eleições de 2014 (pré-julgamento da ADI nº 4650) e das eleições de 2018 ratifica a assertiva de que houve uma inconteste inversão da dinâmica do financiamento eleitoral no Brasil: da hegemonia dos recursos privados (2014) para a preponderância dos recursos públicos (2018). As doações de pessoas físicas (via direta

---

[9] Tabela organizada pelo autor, dados TSE. (TRIBUNAL SUPERIOR ELEITORAL. *Fundo partidário*. Disponível em: http://www.tse.jus.br/partidos/fundo-partidario-1/fundo-partidario. Acesso em 12 dez. 2019).

[10] No Projeto de Lei Orçamentária Anual para 2020, encaminhado pelo Poder Executivo ao Congresso Nacional projeta-se uma receita a ser distribuída pelo Fundo Partidário (2020) na ordem de R$959.015.755,00 em dotações orçamentárias, além de R$121.401.295,00 em multas, o que poderá totalizar R$1.080.417.050,00 em distribuição para os Partidos Políticos em 2020. (BRASIL. Ministério da Economia. *Orçamentos da União exercício financeiro 2020*. Disponível em: https://www.camara.leg.br/internet/comissao/index/mista/orca/orcamento/OR2020/proposta/proposta.pdf. Acesso em 12 dez. 2019).

[11] TRIBUNAL SUPERIOR ELEITORAL. *Fundo especial de financiamento de campanha (FEFC)*. 2018. Disponível em: http://www.tse.jus.br/eleicoes/eleicoes-2018/prestacao-de-contas-1/fundo-especial-de-financiamento-de-campanha-fefc. Acesso em 11 dez. 2019.

[12] Segundo dados do TSE, foram injetados nas campanhas eleitorais de 2018 o valor de R$374.137.920,74 decorrente do Fundo Partidário disponível naquele ano. (TRIBUNAL SUPERIOR ELEITORAL. *Quantitativo e situação dos candidatos*. 2018. Disponível em: http://www.tse.jus.br/eleicoes/estatisticas/estatisticas-eleitorais. Acesso em 12 dez. 2019).

ou por intermédio do crowdfunding) foram muito aquém das expectativas daqueles que entendiam que o engajamento das redes sociais poderia estimular a participação do cidadão no processo de financiamento da política.

Por óbvio, em tempos de redução do fôlego arrecadatório de receitas públicas pela União está cada vez mais difícil sustentar o aumento gradativo do Fundo Partidário – FP e do Fundo Especial de Financiamento de Campanhas Eleitorais – FEFC.[13] E essa crise orçamentária nacional alia-se a uma crescente histeria da dita opinião pública, que combate com todo o ímpeto, dentro de um evidente processo social de criminalização da política e de desconfiança da democracia, a destinação de recursos públicos para esta finalidade, sem apresentar, evidentemente, uma saída econômica para alicerçar todo o custo da máquina democrática em nosso país.

Ademais, quanto mais se destaca a relevância dos recursos públicos no financiamento dos partidos políticos e das campanhas eleitorais,[14] mais se projetam tentativas de agressão à autonomia privada das agremiações, insculpida no art. 17 da Constituição Federal. Isso porque com o ingresso de recursos públicos em maior monta nas estruturas partidárias começa-se a defender o endurecimento dos órgãos de fiscalização no que se refere ao uso e destinação desses recursos, o que poderá comprometer a própria liberdade de auto-organização dos partidos políticos brasileiros.

Schilickmann evidencia a galopante alteração orgânica (e não normativa) do modelo de financiamento brasileiro para uma matriz cada vez mais pública, a ponto de apontar que, a curto prazo, se estará diante de um regime exclusivamente público de patrocínio das campanhas eleitorais e dos partidos políticos.[15]

Por isso que, em um futuro próximo, pode se estar diante de um perigoso recrudescimento do fenômeno da *cartorização* e da burocratização[16] dos partidos políticos, com a inserção de regras destinadas à administração pública na relação entre as agremiações partidárias e prestadores de serviços (a exemplo de regras de licitação para aquisição de bens e serviços e endurecimento das regras de prestação de contas).

Esta preocupação também é destacada por Santano, quando destaca que a preponderância ou a exclusividade do financiamento público pode acarretar a petrificação do sistema de partidos, desigualdades entre as pequenas e grandes

---

[13] Na discussão para a aprovação da LOA/2020, houve uma verdadeira quebra de braço dentro do Congresso Nacional entre o Poder Executivo e o Poder Legislativo. Alguns líderes parlamentares pretendiam aprovar um aporte de 3,8 bilhões de reais para o FEFC. Porém, prevaleceu a posição da equipe econômica do Governo Federal e os valores para o FEFC na LOA/2020 foram consolidados em 2 bilhões. Em paralelo, o TSE aprovou a Resolução nº 23.605/2019 estabelecendo as diretrizes gerais para a gestão e distribuição dos recursos do Fundo Especial de Financiamento de Campanha.

[14] Dados apontam que 2/3 dos países do mundo já possuem algum tipo de modelo de financiamento público direto aos partidos políticos. Fonte: FALGUERA, Elin; JONES, Samuel; OHMAN, Magnus. *Financiamento de partidos políticos e campanhas eleitorais*: um manual sobre financiamento político. Rio de Janeiro: FGV Editora, 2015.

[15] SCHILICKMANN, Denise Goulart. O fim das doações empresariais: o impacto do julgamento da ADI nº 4650 pelo Supremo Tribunal Federal sobre o financiamento das campanhas eleitorais no Brasil. In: FUX, Luiz; PEREIRA, Luiz Fernando Casagrande; AGRA, Walber de Moura. *Tratado de Direito Eleitoral – Financiamento e prestação de contas*. Belo Horizonte: Editora Fórum, 2018. v. 5, p. 75.

[16] O professor Adriano Soares da Costa, no Congresso Alagoano de Direito Municipal e Eleitoral, ocorrido em 13 de dezembro de 2019, fez uma alerta para os riscos do atual modelo de financiamento no Brasil estar jogando os partidos políticos para um processo irreversível de burocratização e cartorização da política.

agremiações e riscos de perpetuação das estruturas de direção e da consequente eliminação de qualquer boa governança de democracia intrapartidária.[17] Zovatto também alerta para os riscos da estatização ou ossificação dos partidos políticos com o predomínio do dinheiro público no custeio das campanhas eleitorais.[18]

Por isso que o Conselho da Europa pontua como boa prática que o patrocínio financeiro estatal deve estar limitado às "contribuições razoáveis" e não deve "interferir na independência dos partidos políticos",[19] o que, aplicando-a ao contexto atual brasileiro, aponta para a recomendação de uma melhor equalização e harmonização entre as fontes públicas e as fontes privadas de recursos à política e às campanhas eleitorais.

A tudo isto se acrescenta uma outra questão decorrente da predominância formal dos recursos públicos no financiamento da política: a possibilidade de aumento da ocultação da doação de pessoas jurídicas em campanhas eleitorais. No instante em que ainda se mantém vedada esta opção, as relações eventualmente espúrias entre candidatos e pessoas jurídicas permanecerão cada vez mais oblíquas e obscuras, acobertadas pelo caminho do caixa dois, como assim aconteceu em outros tempos. Nesse sentido, em matéria de financiamento da política e das campanhas eleitorais, as luzes sempre são bem melhores que as trevas.

Um dos caminhos para se melhor harmonizar o sistema consiste na elaboração de estudos para o restabelecimento da participação das pessoas jurídicas no financiamento de campanhas eleitorais e partidos políticos, atrelando-os a uma proposta consistente de regulamentação do lobby no Brasil.

Decerto, há muitos que sustentam que a regulamentação do lobby seria prejudicial na medida em que criaria barreiras de entrada para os menos abastados economicamente, além de eventualmente obstaculizar as relações entre representantes de interesses e parlamentares. Há os que defendem a ausência de custo-benefício na efetivação do controle e fiscalização das atividades dos lobistas; e, na ausência destas ferramentas de contenção, a legalização do lobby seria instrumento negativo de ratificação estatal de interesses e negociatas escusas.

Ocorre que não dá para fechar os olhos para o que ocorre em todo o país capitalista: as relações evidentes de interesse do poder econômico e os poderes legislativo, executivo e judiciário. Assim, ao invés de negar o óbvio, necessária se faz a construção de uma institucionalidade política que de fato promova mais deliberação, a densificação da transparência[20] e accountability. Portanto, regulamentar o lobby é essencial, a fim de tornar o processo decisório (executivo e legislativo) e as relações

---

[17] SANTANO, Ana Cláudia. *O financiamento da política*: teoria geral e experiências no direito comparado. 2. ed. Curitiba: Íthala, 2016. p. 125.

[18] ZOVATTO, Daniel. Financiamento dos partidos e campanhas eleitorais na América Latina: uma análise comparada. *Opinião Pública*, Campinas, v. 11, n. 2, p. 287-336, out. 2005. p. 300.

[19] FALGUERA, Elin; JONES, Samuel; OHMAN, Magnus. *Financiamento de partidos políticos e campanhas eleitorais*: um manual sobre financiamento político. Rio de Janeiro: FGV Editora, 2015. p. 469.

[20] AGRA, Walber de Moura. As várias formas de abuso de poder como acinte ao financiamento eleitoral. *In*: FUX, Luiz; PEREIRA, Luiz Fernando Casagrande; AGRA, Walber de Moura. *Tratado de Direito Eleitoral – Financiamento e prestação de contas*. Belo Horizonte: Editora Fórum, 2018. v. 5, p. 100.

entre os interesses de grupos privados e dos agentes públicos mais transparentes, com maior participação e controle.

A OCDE – Organização para a Cooperação e Desenvolvimento Econômico – recentemente destacou que um dos eventuais ganhos para o Brasil em termos de desenvolvimento dos níveis de integridade institucional e transparência pública seria a implementação de medidas regulamentadoras do lobismo e todas as situações dele decorrentes.[21]

Diversos países possuem normas que regulamentam o Lobby, a exemplo dos Estados Unidos,[22] Canadá, França, Chile, Austrália, Áustria, Polônia, Hungria, Eslovênia, Holanda, Alemanha e México. O Conselho da Europa recentemente emitiu recomendação aos seus países membros quanto à necessidade de regulamentação da referida atividade.[23]

O Brasil tem se preparado para enfrentar a questão da interferência do poder econômico na tomada de decisão das atividades executivas e parlamentares. Dentre os quatro eixos para uma boa regulação desta área, o Brasil já instituiu a Lei de Acesso à Informação (Lei nº 12.527/2011), a Lei da Empresa Livre (Lei nº 12.846/2013 – também denominada Lei Anticorrupção) e a Lei de Conflitos de Interesses (Lei nº 12.813/2013). Resta, portanto, instituir a Lei do Lobby.

Regulamentar o lobby consiste, dentre outras questões, em: 1) apresentar uma definição clara e precisa dos limites materiais e espaciais do lobbying e dos lobistas; 2) definir procedimentos de registro, controle e transparência; 3) divulgar e controlar os gastos dos lobistas e de seus empregadores ou clientes; 4) exigir a prestação de contas; 5) exigir o detalhamento das atividades e das relações entre lobistas e políticos e/ou agentes públicos; 6) definir a competência institucional de controle, dotando o órgão com independência e autonomia para o gerenciamento das informações e eventuais sanções; 7) tipificar ilícitos e eventuais sanções; 8) consolidar regras de quarentena (casos de *revolving doors*).

Ultrapassada esta primeira reflexão, necessário se faz apresentar o *segundo ponto crítico* objeto deste artigo, refere-se à discutível solução adotada pelo Congresso Nacional, por intermédio da Lei nº 13.165/2015, para a definição de parâmetros máximos (teto) de gastos em todas as esferas de campanhas eleitorais majoritárias e proporcionais.[24]

---

[21] OECD. *Governança pública*. 2015. Disponível em: https://www.oecd.org/policy-briefs/brasil-fortalecer-a-integridade-para-o-crescimento-sustenavel.pdf. Acesso em 11 dez. 2019.

[22] Os Estados Unidos da América enfrentam a questão do lobby desde o século XIX, na Era das Ferrovias. Em 1946, foi instituída a Federal Regulation of Lobbyng Act; posteriormente, em 1995, a Lobbyng Discloure Act, contendo mais critérios; e, enfim, em 2007, a Lei de Liderança Honesta e do Governo Aberto (Honest Leadership and Open Government).

[23] Vide: COUNCIL OF EUROPE. *Recommendation of the Committee of Ministers to member States on the legal regulation of lobbying activities in the context of public decision making*. Decisão em 22.03.2017. Disponível em: https://search.coe.int/cm/Pages/result_details.aspx?ObjectId=0900001680700a40. Acesso em 12 dez. 2019.

[24] Vide redação dos artigos 5º, 6º e 7º da Lei nº 13.165/2015:
Art. 5º O limite de gastos nas campanhas eleitorais dos candidatos às eleições para Presidente da República, Governador e Prefeito será definido com base nos gastos declarados, na respectiva circunscrição, na eleição para os mesmos cargos imediatamente anterior à promulgação desta Lei, observado o seguinte: *(Revogado pela Lei nº 13.488, de 2017)* I - para o primeiro turno das eleições, o limite será de: *(Revogado pela Lei nº 13.488,*

O grande equívoco quando da migração do regime de sem para com teto legal foi instituir limites máximos de campanha atrelando-se ao "percentual do maior gasto declarado para o cargo na eleição imediatamente anterior à promulgação da Lei" (art. 5º, incisos I e II da referida Lei), sendo que, no caso de Municípios de até 10.000 eleitores, criou-se uma opção normativa: Prefeito (R$100.000,00) e Vereador (R$10.000,00) ou o que for maior nos termos da regra geral (parágrafo único do art. 5º da referida Lei).

E por que se afirma que isto foi um enorme erro? Porque não há lógica nem regional, nem local, tampouco relação custo/eleitor que se sustente. Ao utilizar os gastos declarados da eleição imediatamente anterior, a legislação subestima ou desconsidera (1) as evidentes disparidades regionais nos custos das campanhas eleitorais, como também (2) a possibilidade dos limites aplicados e declarados nas eleições anteriores terem sido superdimensionados ou subdimensionados– este, em particular, pode ser considerado um fenômeno perfeitamente compreensível em um ambiente no qual a utilização de recursos não contabilizados era prática corriqueira.

Alguns exemplos foram apresentados no referido Congresso Alagoano de Direito Eleitoral, a saber: Para o Município de Maceió, o limite de gastos para Prefeito nas eleições de 2016 foi de R$4.504.729,69,[25] tendo um universo de 579.962 eleitores aptos a votar (relação R$7,76/eleitor). Já a segunda maior cidade do Estado de Alagoas, Arapiraca, com apenas 135.998 eleitores aptos a votar, possuía um limite máximo de gastos para a campanha de Prefeito em 2016 que alcançava R$1.963.837,57 (ou seja, R$14,44/eleitor). Ora, o que justifica termos essa discrepância de gastos por eleitor tão gritante em cidades do mesmo Estado?

Esse disparate também se evidencia quando se compara os limites máximos de gastos eleitorais em 2016 nas capitais brasileiras,[26] a saber:

---

*de 2017)*; a) 70% (setenta por cento) do maior gasto declarado para o cargo, na circunscrição eleitoral em que houve apenas um turno; *(Revogado pela Lei nº 13.488, de 2017)*; b) 50% (cinquenta por cento) do maior gasto declarado para o cargo, na circunscrição eleitoral em que houve dois turnos; *(Revogado pela Lei nº 13.488, de 2017)*; II - para o segundo turno das eleições, onde houver, o limite de gastos será de 30% (trinta por cento) do valor previsto no inciso I. *(Revogado pela Lei nº 13.488, de 2017)*. Parágrafo único. Nos Municípios de até dez mil eleitores, o limite de gastos será de R$100.000,00 (cem mil reais) para Prefeito e de R$10.000,00 (dez mil reais) para Vereador, ou se o estabelecido no *caput* for maior. *(Revogado pela Lei nº 13.488, de 2017)*.

Art. 6º O limite de gastos nas campanhas eleitorais dos candidatos às eleições para Senador, Deputado Federal, Deputado Estadual, Deputado Distrital e Vereador será de 70% (setenta por cento) do maior gasto contratado na circunscrição para o respectivo cargo na eleição imediatamente anterior à publicação desta Lei. *(Revogado pela Lei nº 13.488, de 2017)*.

Art. 7º Na definição dos limites mencionados nos artigos 5º e 6º, serão considerados os gastos realizados pelos candidatos e por partidos e comitês financeiros nas campanhas de cada um deles. *(Revogado pela Lei nº 13.488, de 2017)*.

[25] Para as eleições de 2020, projeta-se o limite máximo de R$5.225.486,44 para o primeiro turno das eleições em Maceió – Alagoas.

[26] Tabela organizada pelo autor. Fonte: http://www.tse.jus.br/eleicoes/eleicoes-anteriores/eleicoes-2016/prestacao-de-contas/divulgacao-dos-limites-legais-de-campanha. Acesso em 11 dez. 2019.

| Estado | Capital | Limite de gastos – 1T | Eleitores Aptos | Limite R$/eleitor |
|---|---|---|---|---|
| AC | Rio Branco | R$222.066,85 | 241.196 | 0,92 |
| AL | Maceió | R$4.504.729,69 | 579.962 | 7,77 |
| AP | Macapá | R$1.182.802,88 | 277.688 | 4,25 |
| AM | Manaus | R$8.977.801,98 | 1.257.129 | 7,14 |
| BA | Salvador | R$14.679.383,56 | 1.948.154 | 7,53 |
| CE | Fortaleza | R$12.408.490,10 | 1.692.712 | 7,33 |
| ES | Vitória | R$6.457.662,00 | 232.829 | 27,73 |
| GO | Goiânia | R$5.683.083,86 | 957.161 | 5,93 |
| MA | São Luís | R$3.142.045,97 | 659.779 | 4,76 |
| MT | Cuiabá | R$9.004.367,05 | 415.100 | 21,69 |
| MS | Campo Grande | R$6.679.971,85 | 595.174 | 11,22 |
| MG | Belo Horizonte | R$26.697.376,47 | 1.927.460 | 13,85 |
| PA | Belém | R$1.414.386,25 | 1.043.219 | 1,35 |
| PB | João Pessoa | R$2.465.246,00 | 489.028 | 5,04 |
| PR | Curitiba | R$9.571.089,80 | 1.289.215 | 7,42 |
| PE | Recife | R$6.607.443,14 | 1.119.271 | 5,90 |
| PI | Teresina | R$2.191.795,79 | 531.953 | 4,12 |
| RJ | Rio de Janeiro | R$19.858.352,08 | 4.898.045 | 4,05 |
| RN | Natal | R$5.490.293,93 | 534.582 | 10,27 |
| RS | Porto Alegre | R$5.849.383,99 | 1.098.515 | 5,36 |
| RO | Porto Velho | R$2.957.334,54 | 319.939 | 9,24 |
| RR | Boa Vista | R$1.830.123,37 | 203.575 | 8,98 |
| SC | Florianópolis | R$3.628.198,44 | 316.261 | 11,47 |
| SP | São Paulo | R$45.470.214,12 | 8.886.324 | 5,11 |
| SE | Aracaju | R$3.763.115,71 | 397.228 | 9,47 |
| TO | Palmas | R$7.765.256,92 | 172.344 | 45,05 |

Fonte: Elaborada pelo autor.

Qual é a razão para que os gastos *per capita* (eleitor) em Palmas (R$45,05), Vitória (R$27,73) ou Cuiabá (R$21,69) sejam tão superiores aos gastos *per capita* (eleitor) de São Paulo (R$5,11), Rio de Janeiro (R$4,05), Salvador (R$7,53) ou Belo Horizonte (R$13,85), consideradas as quatro maiores capitais do país em termos eleitorais?

Além disso, como justificar que o gasto *per capita* (eleitor) em Rio Branco – AC seja apenas de R$0,91, enquanto a capital de seu Estado vizinho (Porto Velho – RO) aumenta para R$9,24? Como as capitais do Sul do país podem ter valores *per capita* (eleitor) tão discrepantes – vide Porto Alegre (R$5,36), Curitiba (R$7,42) e Florianópolis (R$11,47)?

Nas campanhas eleitorais para o Governo dos Estados em 2018, o art. 6º da Lei nº 13.488/2017 trouxe a limitação de gastos máximos em valores absolutos, a partir de seis faixas de número de eleitores.[27] Todavia, observa-se que esta divisão em faixas potencializou negativamente as diferenças entre os Estados da Federação na relação limite de gastos/eleitor, como se vê na tabela a seguir:

| Sigla | Estado | Limite de gastos – 1T | Eleitores Aptos | Limite R$/eleitor |
|---|---|---|---|---|
| AC | Acre | R$2.800.000,00 | 547.873 | 5,11 |
| AL | Alagoas | R$5.600.000,00 | 2.188.140 | 2,55 |
| AP | Amapá | R$2.800.000,00 | 511.524 | 5,47 |
| AM | Amazonas | R$5.600.000,00 | 2.425.918 | 2,30 |
| BA | Bahia | R$14.000.000,00 | 10.388.754 | 1,34 |
| CE | Ceará | R$9.100.000,00 | 6.342.684 | 1,43 |
| DF | Distrito Federal | R$5.600.000,00 | 2.086.133 | 2,68 |
| ES | Espírito Santo | R$5.600.000,00 | 2.755.424 | 2,03 |
| GO | Goiás | R$9.100.000,00 | 4.452.427 | 2,04 |
| MA | Maranhão | R$9.100.000,00 | 4.536.377 | 2,00 |
| MT | Mato Grosso | R$5.600.000,00 | 2.330.725 | 2,40 |
| MS | Mato Grosso do Sul | R$4.900.000,00 | 1.878.107 | 2,60 |
| MG | Minas Gerais | R$14.000.000,00 | 15.706.144 | 0,89 |
| PA | Pará | R$9.100.000,0 | 5.496.889 | 1,65 |
| PB | Paraíba | R$5.600.000,00 | 2.865.578 | 1,95 |
| PR | Paraná | R$9.100.000,00 | 7.975.223 | 1,14 |
| PE | Pernambuco | R$9.100.000,00 | 6.572.437 | 1,38 |

(continua)

---

[27] Art. 6º O limite de gastos nas campanhas dos candidatos às eleições de Governador e Senador em 2018 será definido de acordo com o número de eleitores de cada unidade da Federação apurado no dia 31 de maio de 2018, nos termos previstos neste artigo. §1º Nas eleições para Governador, serão os seguintes os limites de gastos de campanha de cada candidato: I - nas unidades da Federação com até um milhão de eleitores: R$2.800.000,00 (dois milhões e oitocentos mil reais); II - nas unidades da Federação com mais de um milhão de eleitores e de até dois milhões de eleitores: R$4.900.000,00 (quatro milhões e novecentos mil reais); III - nas unidades da Federação com mais de dois milhões de eleitores e de até quatro milhões de eleitores: R$5.600.000,00 (cinco milhões e seiscentos mil reais); IV - nas unidades da Federação com mais de quatro milhões de eleitores e de até dez milhões de eleitores: R$9.100.000,00 (nove milhões e cem mil reais); V - nas unidades da Federação com mais de dez milhões de eleitores e de até vinte milhões de eleitores: R$14.000.000,00 (catorze milhões de reais); VI - nas unidades da Federação com mais de vinte milhões de eleitores: R$21.000.000,00 (vinte e um milhões de reais).

(conclusão)

| Sigla | Estado | Limite de gastos – 1T | Eleitores Aptos | Limite R$/eleitor |
|---|---|---|---|---|
| PI | Piauí | R$5.600.000,00 | 2.355.180 | 2,37 |
| RJ | Rio de Janeiro | R$14.000.000,00 | 12.410.983 | 1,12 |
| RN | Rio Grande do Norte | R$5.600.000,00 | 2.373.092 | 2,35 |
| RS | Rio Grande do Sul | R$9.100.000,00 | 8.358.401 | 1,08 |
| RO | Rondônia | R$4.900.000,00 | 1.175.891 | 4,16 |
| RR | Roraima | R$2.800.000,00 | 331.492 | 8,44 |
| SC | Santa Catarina | R$9.100.000,00 | 5.070.696 | 1,79 |
| SP | São Paulo | R$21.000.000,00 | 33.037.175 | 0,63 |
| SE | Sergipe | R$4.900.000,00 | 1.572.064 | 3,11 |
| TO | Tocantins | R$4.900.000,00 | 1.039.708 | 4,71 |

Fonte: Dados oficiais do Tribunal Superior Eleitoral. Tabela elaborada pelo autor.

Não há critério objetivo que justifique que os custos por eleitor em São Paulo (R$0,63%), Minas Gerais (R$0,89), Rio de Janeiro (R$1,12) ou Rio Grande do Sul (R$1,08) sejam tão inferiores aos custos de Roraima (R$8,44), Amapá (R$5,47) ou Acre (R$5,11).

Os resultados das análises destes dados são ainda mais preocupantes quando se verifica a contundente dissonância de tetos de gastos utilizados como parâmetro para as eleições aos Governos Estaduais de 2018 em comparação com o tratamento dado às eleições das capitais em 2016:

| Estado/Eleição 2018 | Limite de gastos – 1T | Capital/Eleição 2016 | Limite de gastos – 1T |
|---|---|---|---|
| Acre | R$2.800.000,00 | Rio Branco | R$222.066,85 |
| Alagoas | R$5.600.000,00 | Maceió | R$4.504.729,69 |
| Amapá | R$2.800.000,00 | Macapá | R$1.182.802,88 |
| Amazonas | R$5.600.000,00 | Manaus | R$8.977.801,98 |
| Bahia | R$14.000.000,00 | **Salvador** | R$14.679.383,56 |
| Ceará | R$9.100.000,00 | **Fortaleza** | R$12.408.490,10 |
| Espírito Santo | R$5.600.000,00 | **Vitória** | R$6.457.662,00 |
| Goiás | R$9.100.000,00 | Goiânia | R$5.683.083,86 |
| Maranhão | R$9.100.000,00 | São Luís | R$3.142.045,97 |
| Mato Grosso | R$5.600.000,00 | **Cuiabá** | R$9.004.367,05 |
| Mato Grosso do Sul | R$4.900.000,00 | **Campo Grande** | R$6.679.971,85 |
| Minas Gerais | R$14.000.000,00 | **Belo Horizonte** | R$26.697.376,47 |

(continua)

(conclusão)

| Estado/Eleição 2018 | Limite de gastos – 1T | Capital/Eleição 2016 | Limite de gastos – 1T |
|---|---|---|---|
| Pará | R$9.100.000,0 | Belém | R$1.414.386,25 |
| Paraíba | R$5.600.000,00 | João Pessoa | R$2.465.246,00 |
| Paraná | R$9.100.000,00 | **Curitiba** | R$9.571.089,80 |
| Pernambuco | R$9.100.000,00 | Recife | R$6.607.443,14 |
| Piauí | R$5.600.000,00 | Teresina | R$2.191.795,79 |
| Rio de Janeiro | R$14.000.000,00 | **Rio de Janeiro** | R$19.858.352,08 |
| Rio Grande do Norte | R$5.600.000,00 | Natal | R$5.490.293,93 |
| Rio Grande do Sul | R$9.100.000,00 | Porto Alegre | R$5.849.383,99 |
| Rondônia | R$4.900.000,00 | Porto Velho | R$2.957.334,54 |
| Roraima | R$2.800.000,00 | Boa Vista | R$1.830.123,37 |
| Santa Catarina | R$9.100.000,00 | Florianópolis | R$3.628.198,44 |
| São Paulo | R$21.000.000,00 | **São Paulo** | R$45.470.214,12 |
| Sergipe | R$4.900.000,00 | Aracaju | R$3.763.115,71 |
| Tocantins | R$4.900.000,00 | **Palmas** | R$7.765.256,92 |

Fonte: Dados oficiais do Tribunal Superior Eleitoral. Tabela elaborada pelo autor.

Em 10 Estados da Federação (Bahia, Ceará, Espírito Santo, Mato Grosso, Mato Grosso do Sul, Minas Gerais, Paraná, Rio de Janeiro, São Paulo de Tocantins) os tetos de gastos impostos pela Lei nº 13.488/2017 foram inferiores aos aplicados nas eleições de suas respectivas capitais no pleito de 2016, o que demonstra a total falta de critério objetivo de uma ou de outra definição, ou de ambas.

Isto se torna mais evidente quanto se compara a relação de limites de gastos *per capita* (eleitor) entre as eleições estaduais de 2018 e as eleições das respectivas capitais ocorridas em 2016:

| Estado/Eleição 2018 | Limite R$/eleitor | Capital/Eleição 2016 | Limite R$/eleitor |
|---|---|---|---|
| Acre | 5,11> | Rio Branco | 0,92 |
| Alagoas | 2,55< | Maceió | 7,77 |
| Amapá | 5,47> | Macapá | 4,25 |
| Amazonas | 2,30< | Manaus | 7,14 |
| Bahia | 1,34< | Salvador | 7,53 |
| Ceará | 1,43< | Fortaleza | 7,33 |
| Espírito Santo | 2,03< | Vitória | 27,73 |

(continua)

(conclusão)

| Estado/Eleição 2018 | Limite R$/eleitor | Capital/Eleição 2016 | Limite R$/eleitor |
|---|---|---|---|
| Goiás | 2,04< | Goiânia | 5,93 |
| Maranhão | 2,00< | São Luís | 4,76 |
| Mato Grosso | 2,40< | Cuiabá | 21,69 |
| Mato Grosso do Sul | 2,60< | Campo Grande | 11,22 |
| Minas Gerais | 0,89< | Belo Horizonte | 13,85 |
| Pará | 1,65> | Belém | 1,35 |
| Paraíba | 1,95< | João Pessoa | 5,04 |
| Paraná | 1,14< | Curitiba | 7,42 |
| Pernambuco | 1,38< | Recife | 5,90 |
| Piauí | 2,37< | Teresina | 4,12 |
| Rio de Janeiro | 1,12< | Rio de Janeiro | 4,05 |
| Rio Grande do Norte | 2,35< | Natal | 10,27 |
| Rio Grande do Sul | 1,08< | Porto Alegre | 5,36 |
| Rondônia | 4,16< | Porto Velho | 9,24 |
| Roraima | 8,44< | Boa Vista | 8,98 |
| Santa Catarina | 1,79< | Florianópolis | 11,47 |
| São Paulo | 0,63< | São Paulo | 5,11 |
| Sergipe | 3,11< | Aracaju | 9,47 |
| Tocantins | 4,71< | Palmas | 45,05 |

Fonte: Dados oficiais do Tribunal Superior Eleitoral. Tabela elaborada pelo autor.

Em 23 capitais, o custo *per capita* (eleitor) para composição do teto de gastos nas eleições para Prefeito em 2016 foram superiores ao custo *per capita* (eleitor) para a composição do limite máximo para a escolha do seu respectivo Governador de Estado, com exceção de Rio Branco (AC), Macapá (AP) e Belém (PA).

E, mais: como justificar que o limite de gasto *per capita* (eleitor) na eleição para Prefeito de São Paulo seja R$5,11 enquanto para a eleição de Governador de São Paulo seja de R$0,63? Obviamente, a extensão territorial e o universo de eleitores de uma eleição de Governo do Estado são bem superiores a uma eleição em Capital. Não há, portanto, qualquer critério objetivo para esta distinção.

Infelizmente, para as eleições de 2020 se projetam as mesmas disparidades, visto que se mantêm os parâmetros de limites máximos de gastos eleitorais totalmente ilógicos. Isto porque a Lei nº 13.878/2019[28] repete as regras utilizadas para o pleito

---

[28] Art. 1º A Lei nº 9.504, de 30 de setembro de 1997, passa a vigorar com as seguintes alterações: "Art. 18-C. O limite de gastos nas campanhas dos candidatos às eleições para prefeito e vereador, na respectiva circunscrição,

de 2016, alterando apenas a aplicação do IPCA em substituição do INPC para fins de atualização monetária (utilizando-se os mesmos tetos das eleições de 2016 como base de cálculo).[29]

Vê-se que não há sistema coerente de financiamento de campanhas eleitorais que se sustente qualitativamente com uma ausência de critérios seguros e consistentes na definição de tetos de gastos de campanha.

Da forma como estão postas, as próprias regras voláteis de teto de gastos perpetuam um cenário de faz de conta, estimulando doações ocultas e não contabilizadas.

O *terceiro ponto crítico* que merece reflexão neste artigo consiste na ausência de norma jurídica que define o mínimo de metodologia para a distribuição dos recursos públicos injetados nas campanhas eleitorais por intermédio do FP e FEFC. E isso se torna mais contundente em época de eleições municipais. Explica-se:

Ao invés de se criar uma metodologia mínima para a referida divisão dos recursos, a legislação eleitoral simplesmente delegou à cúpula nacional dos partidos políticos a definição de critérios e a efetiva distribuição entre os diversos candidatos, sejam nas eleições estaduais, sejam nas eleições municipais. Há, portanto, uma desarrazoada concentração de poder nas cúpulas partidárias, o que faz com que quem não tem acesso ou não é alinhado aos dirigentes nacionais de seus respectivos partidos dificilmente terá acesso aos referidos recursos públicos em sua campanha eleitoral.

Para as eleições de 2020 estarão em disputa 5.568 cargos de Prefeito e 57.942 cargos de vereador. Se forem levados em consideração os pedidos de registro de candidaturas realizados em 2016, as eleições de 2020 poderão ultrapassar mais de 490.000 candidaturas.[30]

Fazer com que os recursos públicos para campanha cheguem efetivamente na ponta é um desafio imenso. Dentre as soluções sugeridas para superação desses desafios estão a criação de marcos legais para a efetiva consolidação de uma democracia intrapartidária e a definição mínima de critérios de distribuição regional e de candidaturas preferenciais.

O *quarto ponto crítico* a ser enfrentado no atual modelo reside na questão dos novos contornos dados ao autofinanciamento.

Nas eleições de 2018, ainda foi autorizada a possibilidade de financiamento integral da campanha via recurso do próprio candidato, regulado pelos artigos 17, inciso I, 18, 22, 29, §1º e 33, §1º, todos da Resolução nº 23.553 do Tribunal Superior

---

será equivalente ao limite para os respectivos cargos nas eleições de 2016, atualizado pelo Índice Nacional de Preços ao Consumidor Amplo (IPCA), aferido pela Fundação Instituto Brasileiro de Geografia e Estatística (IBGE), ou por índice que o substituir. Parágrafo único. Nas campanhas para segundo turno das eleições para prefeito, onde houver, o limite de gastos de cada candidato será de 40% (quarenta por cento) do limite previsto no *caput* deste artigo.

29   IPCA Acumulado (2016/2019) - Algo em torno de 16,5%.

30   Segundo dados do TSE, em 2016 foram 496.927 registros de candidaturas, sendo 469.134 aptas e 27.792 inaptas. Para Prefeito, foram 16.568 candidaturas (média 2,98 por vaga); e, para o cargo de Vereador, foram 463.405 candidaturas (média 3,04 por vaga).

Eleitoral,[31] embora ocorrida a revogação do §1º-A, do art. 23 da Lei nº 9.504/97 pela Lei nº 13.488/2017 (art. 11).[32]

Naquela época se discutia se, além das questões de ordem jurídica-formal, a proibição ao autofinanciamento integral *per si* neutralizaria a força do poder econômico nas eleições, ou lançaria nosso modelo de financiamento para um terreno cada vez mais hipócrita, subterrâneo e oculto. Isso porque já existe um limite legal de receitas e gastos para todas as campanhas eleitorais, independentemente do uso de recursos públicos ou privados, próprios ou de terceiros (pessoas físicas).

Ademais, as melhores práticas para financiamento das campanhas eleitorais apontam para a maximização da transparência em detrimento de mecanismos proibitivos que só estimulam a vida política marginal.

Como se ainda não bastasse, a probabilidade de fraude ou abuso do poder econômico não se manifesta apenas no autofinanciamento. Pode ser também detectada em supostas doações individuais simuladas de terceiros, pulverizadas a partir de um patrocínio oculto triangulado por fonte vedada, por exemplo.

A vedação ao autofinanciamento integral também pode inibir o surgimento de novos atores políticos, não tão próximos às preferências do *establishment* das corporações partidárias.

Para as eleições de 2020 surge uma nova redação à Lei Eleitoral. O Art. 23, §2º-A, Lei nº 9.504, atualizada pela Lei nº 13.878/2019, autoriza que o candidato poderá usar recursos próprios em sua campanha até o total de 10% (dez por cento) sobre o montante (limite) previsto para gastos de campanha no cargo em que concorrer. Assim, não só se proibiu o autofinanciamento integral, como também se criou um sublimite muito baixo para o exercício do direito do candidato em acreditar, com seus recursos, em sua própria política.

Em municípios maiores, nos quais os limites de gastos são altos para a disputa dos cargos de Prefeito e Vereador, o sublimite do autofinanciamento talvez não seja tão sentido pelos candidatos. Ocorre que essa não é a situação da maioria dos municípios, principalmente para a disputa dos cargos de vereador.

Será muito difícil que os recursos públicos cheguem a todos os rincões de nosso país; muitas candidaturas à Prefeito e vereador não receberão um real sequer das verbas provenientes do Fundo Partidário e do Fundo Especial de Campanha Eleitoral. Além de ficarem órfãos desses recursos públicos, certamente terão muitas dificuldades de estimular a doação de pessoas físicas (modalidade de financiamento cada vez mais em curva de baixa). Restaria, então, o autofinanciamento, porém agora limitado a 10% do limite global estipulado para sua campanha. Portanto, se estivermos diante de uma parcela dos Municípios brasileiros no qual o limite máximo para gastos com vereador não ultrapassa R$10.000,00 (dez mil reais), o candidato ao referido cargo

---

[31] Publicado no DJe-TSE de 02.02.2018.

[32] Naquela oportunidade, o TSE entendeu em manter a possibilidade do autofinanciamento integral, posto que sua previsão normativa teria sido revogada após o lapso temporal de um ano antes da eleição, o que feriria o princípio da anualidade eleitoral (ou anterioridade eleitoral), previsto no art. 16, da Constituição Federal. Registre-se, ainda, que a Resolução nº 23.553 foi objeto de ADI nº 5914 (Relator Ministro Dias Toffoli), porém, não foi julgada antes do pleito eleitoral de 2018.

talvez será obrigado a paralisar sua campanha ao atingir o sublimite de R$1000,00 (um mil reais) ou, o que de plano não se aconselha, continuar gerindo por intermédio de receitas e gastos ocultos.

Por isso que se defende que a melhor opção - diante do interesse do legislativo de limitar o autofinanciamento - seria exigir o teto em valores absolutos ou um percentual sobre o rendimento do exercício financeiro anterior do candidato que pretende patrocinar a si próprio.

O *quinto ponto crítico* que o atual modelo apresenta diz respeito ao financiamento das candidaturas femininas.

Sabe-se que até os dias de hoje os partidos não aplicam o mínimo de 5% do Fundo Partidário para a criação de programas de promoção e difusão da participação política das mulheres. Esta obrigação está contida na Lei dos Partidos Políticos (Lei nº 9.096/96).

Verifica-se, ainda, outras questões que dificultam sobremodo o efetivo e eficaz financiamento das candidaturas femininas: 1) menos de 10% dos cargos dos Diretórios partidários são preenchidos por mulheres; e são os diretórios, principalmente o nacional, que realmente concretizam a destinação dos recursos do FP e do FEFC; 2) candidaturas laranjas (fictícias), constituídas com o único intuito de cumprir a quota mínima de 30% de gênero na nominata das candidaturas proporcionais de cada um dos partidos; 3) destinação indiscriminada para campanhas femininas em "casadinha" com parlamentares homens em processo de reeleição (fenômeno constatado nas eleições de 2018).

Sobre o tema do financiamento das candidaturas femininas projeta-se para 2020 algumas novas situações: 1) com o fim das coligações para as eleições proporcionais, caberá aos partidos políticos, até os seis meses que antecedem o pleito, aumentar as filiações qualitativas de mulheres nos quadros partidários; novas filiadas que realmente tenham interesse em se engajar na política e que se habilitariam, por consequência, a concorrer a cargos majoritários e proporcionais; 2) ademais, haverá, indubitavelmente, após o precedente do Tribunal Superior Eleitoral no julgamento do RESPE nº 19.392[33] (Valença-PI), o recrudescimento do combate às candidaturas fictícias; 3) e, ainda, a Justiça Eleitoral será muito mais rígida quanto à aplicação das regras do Fundo Partidário[34] e do Fundo Especial de Financiamento de Campanhas Eleitorais, especialmente para fins de cumprimento do mínimo de 30% de aplicação para as candidaturas femininas.[35]

O *sexto ponto crítico* refere-se ao financiamento da pré-campanha. É fundamental a legislação e a jurisprudência nacionais serem mais claras na definição de como financiar a pré-campanha e, principalmente, como permitir que nomes não consolidados na política e na opinião pública possam se projetar e alcançar o calendário das convenções com viabilidade de, não somente vencê-las, mas também atingir a vitória no pleito eleitoral.

---

[33] Julgado em 17.09.2019.

[34] Ação Direta de Inconstitucionalidade (ADI) nº 5.617/2018. Julgado em 15.05.2018.

[35] Consulta TSE n° 0600252-18.2018.6.00.0000. Julgado em 22.05.2018.

Sabe-se que a legislação eleitoral brasileira fez a opção em encurtar o lapso temporal entre a definição dos candidatos, os respectivos registros de candidaturas e o dia das eleições, ou seja, aquilo que estaria absorvido pelo período efetivo de campanha eleitoral. Mas, por outro lado, compensou essa diminuição com a possibilidade da denominada pré-campanha, talvez inspirada nas prévias americanas ou pragmaticamente criada para evitar uma enxurrada de multas contra pré-candidatos que se enquadravam na chamada propaganda antecipada irregular.

Para enfrentar essa problemática, três vetores precisam ser considerados:

1. se o objetivo é fomentar o debate e a democracia interna dos partidos políticos, é falacioso pensar que isso seria possível sem investimento financeiro de qualquer espécie. Isso porque o processo de convencimento dos convencionais não é apenas direto; os convencionais precisam, na verdade, acreditar na viabilidade do pré-candidato e isso só é possível quando este se mostra para a população em geral, ou seja, quando suas ideias extrapolam o ambiente interno dos partidos e se projetam pela coletividade – público-alvo final de qualquer candidato que pretenda se ver vitorioso em seu projeto político;

2. a legislação desconsidera que o principal palco midiático em qualquer processo político no mundo não é mais isoladamente as grandes grades de comunicação social (rádio, TV, revista e jornal), mas também as redes sociais e outras plataformas computacionais de comunicação e informação. Sabe-se que um trabalho de consolidação de imagem de um pré-candidato e de afirmação de sua viabilidade eleitoral (não só para vencer a primeira etapa, que é a convenção, mas também para se chegar à fase do micro processo eleitoral em condições reais de competitividade) exige planejamento e investimento pessoal e financeiro, próprio ou de terceiro (pessoas físicas do próprio partido político). Ocorre que, muitas vezes, este pré-candidato não concorre patrocinado pelo *establishment* partidário. Então, se a ele é vedada a realização de gastos na pré-campanha com recursos seus ou de doações oriundas de pessoas físicas, restará ao pleiteante (*a*) abandonar precipitadamente a pré-campanha, (*b*) iniciar o processo efetivamente eleitoral com uma evidente baixa densidade de atração de votos, ou (*c*) simplesmente se jogar no perigoso mundo dos gastos ocultos ou sub-reptícios;

3. da forma como está posto este conjunto restritivo de normas quanto ao emprego de recursos na pré-campanha, ficará cada vez mais difícil um pré-candidato concorrer contra figuras de personalidades midiáticas e sociais já consolidadas. Muitos destes já possuem milhares de seguidores nas redes sociais ou fãs de seus trabalhos em Rádio e TV; muitos deles, por óbvio, projetados ao estrelato por força de impulsionamento prévio ou em razão de outras estratagemas de comunicação ou mercado.

Por isso, se agora ao pré-candidato é facultado percorrer todo um curso de tempo defendendo suas ideias e opiniões numa pré-campanha, com a possibilidade, inclusive, de participação em eventos, entrevistas e/ou outras atividades permitidas por Lei,[36] desde que não haja pedido explícito de voto, a ele também dever ser conferida a igualdade de oportunidades e segurança jurídica para que possa empregar recursos financeiros em sua pré-campanha (próprio, de terceiros ou públicos), não necessariamente decorrentes dos que eventualmente seriam recebidos pelo partido no qual está filiado.

Finalmente, o *sétimo e último ponto crítico,* referente aos gastos de campanha vinculados aos serviços contábeis e advocatícios. Em bom momento, o Congresso Nacional enfrentou o tema e retirou essas duas categorias profissionais de um limbo normativo que poderia lança-las ao mesmo processo de descrédito e marginalização que passa a classe política.

A Lei nº 13.887/2019 alterou a Leis das Eleições[37] e a Lei dos Partidos Políticos[38] e passou a autorizar que estes profissionais contábeis e advocatícios possam ser remunerados, nos termos da lei, com recursos oriundos do Fundo Partidário e/ou do Fundo Especial de Financiamento de Campanha Eleitoral. Assim, não somente autorizou a destinação dos recursos públicos que abastecem ambos os fundos para pagamento de honorários contábeis e advocatícios, como também estipulou que esses gastos[39] não compõem o teto global de despesas das campanhas eleitorais do candidato ou do partido, tampouco podem ser considerados como bens estimáveis em dinheiro.

Além disso, permitiu que pessoas físicas que queiram ajudar o seu candidato ou partido político possam se responsabilizar financeiramente pelo pagamento desses

---

[36] Art. 36-A. – Lei nº 9.504/97 - Não configuram propaganda eleitoral antecipada, desde que não envolvam pedido explícito de voto, a menção à pretensa candidatura, a exaltação das qualidades pessoais dos pré-candidatos e os seguintes atos, que poderão ter cobertura dos meios de comunicação social, inclusive via internet: I - a participação de filiados a partidos políticos ou de pré-candidatos em entrevistas, programas, encontros ou debates no rádio, na televisão e na internet, inclusive com a exposição de plataformas e projetos políticos, observado pelas emissoras de rádio e de televisão o dever de conferir tratamento isonômico; II - a realização de encontros, seminários ou congressos, em ambiente fechado e a expensas dos partidos políticos, para tratar da organização dos processos eleitorais, discussão de políticas públicas, planos de governo ou alianças partidárias visando às eleições, podendo tais atividades ser divulgadas pelos instrumentos de comunicação intrapartidária; III - a realização de prévias partidárias e a respectiva distribuição de material informativo, a divulgação dos nomes dos filiados que participarão da disputa e a realização de debates entre os pré-candidatos; IV - a divulgação de atos de parlamentares e debates legislativos, desde que não se faça pedido de votos; V - a divulgação de posicionamento pessoal sobre questões políticas, inclusive nas redes sociais; VI - a realização, a expensas de partido político, de reuniões de iniciativa da sociedade civil, de veículo ou meio de comunicação ou do próprio partido, em qualquer localidade, para divulgar ideias, objetivos e propostas partidárias; VII - campanha de arrecadação prévia de recursos na modalidade prevista no inciso IV do §4º do art. 23 desta Lei.

[37] Art. 17. As despesas da campanha eleitoral serão realizadas sob a responsabilidade dos partidos, ou de seus candidatos, e financiadas na forma desta Lei. Parágrafo único. Para fins do disposto no caput deste artigo, os gastos advocatícios e de contabilidade referentes a consultoria, assessoria e honorários, relacionados à prestação de serviços em campanhas eleitorais e em favor destas, bem como em processo judicial decorrente de defesa de interesses de candidato ou partido político, *não estão sujeitos a limites de gastos ou a limites que possam impor dificuldade ao exercício da ampla defesa.*

[38] Art. 44. Os recursos oriundos do Fundo Partidário serão aplicados: (...) VIII - na contratação de serviços de consultoria contábil e advocatícia e de serviços para atuação jurisdicional em ações de controle de constitucionalidade e em demais processos judiciais e administrativos de interesse partidário, bem como nos litígios que envolvam candidatos do partido, eleitos ou não, relacionados exclusivamente ao processo eleitoral.

[39] Art. 26 §4º (Lei nº 9.504, atualizada pela Lei nº 13.887/2019) - As despesas com consultoria, assessoria e pagamento de honorários realizadas em decorrência da prestação de serviços advocatícios e de contabilidade no curso das campanhas eleitorais serão consideradas gastos eleitorais, mas serão excluídas do limite de gastos de campanha.

profissionais. E, quando assim o fizerem,[40] estarão os patrocinadores totalmente desvinculados do limite individual de doação política do qual seriam obrigados a respeitar (10% sobre a base de seus próprios rendimentos no exercício financeiro anterior – doação declarada; ou, até um mil UFIRS, para doações diretas não sujeitas à contabilização).[41]

## Conclusão

O Brasil possui um modelo de financiamento da política e das eleições simbolizado por uma verdadeira colcha de retalhos. Aqui se tentou enfrentar alguns de seus furos.

A realidade brasileira ensina que a metodologia que em nosso país se adota para criação de normas de financiamento é o da simples experimentação tardia, sem análises e projeções preordenadas, sem testes prévios de aferição de problemas, causas e consequências.

Desse modo, assim como se fez em outras áreas do Direito, faz-se necessário a construção normativa de um sistema efetivo de financiamento que gere, a partir de estudos sobre a possibilidade de retorno de doações de pessoas jurídicas e em conformidade com a posição majoritária do STF e os organismos internacionais (Conselho Europeu, OCDE e Transparência Internacional), uma equalização mais adequada entre a fonte pública e a fonte privada de recursos.

## Referências

AGRA, Walber de Moura. As várias formas de abuso de poder como acinte ao financiamento eleitoral. *In*: FUX, Luiz; PEREIRA, Luiz Fernando Casagrande; AGRA, Walber de Moura. *Tratado de Direito Eleitoral – Financiamento e prestação de contas*. Belo Horizonte: Editora Fórum, 2018. v. 5.

BRASIL. Ministério da Economia. *Orçamentos da União exercício financeiro 2020*. Disponível em: https://www.camara.leg.br/internet/comissao/index/mista/orca/orcamento/OR2020/proposta/proposta.pdf. Acesso em 12 dez. 2019.

COUNCIL OF EUROPE. *Recommendation of the Committee of Ministers to member States on the legal regulation of lobbying activities in the context of public decision making*. Decisão em 22.03.2017. Disponível em: https://search.coe.int/cm/Pages/result_details.aspx?ObjectId=0900001680700a40. Acesso em 12 dez. 2019.

FALGUERA, Elin; JONES, Samuel; OHMAN, Magnus. *Financiamento de partidos políticos e campanhas eleitorais*: um manual sobre financiamento político. Rio de Janeiro: FGV Editora, 2015.

---

[40] Art. 23 §10 (Lei nº 9.504, atualizada pela Lei nº 13.887/2019) - O pagamento efetuado por pessoas físicas, candidatos ou partidos em decorrência de honorários de serviços advocatícios e de contabilidade, relacionados à prestação de serviços em campanhas eleitorais e em favor destas, bem como em processo judicial decorrente de defesa de interesses de candidato ou partido político, não será considerado para a aferição do limite previsto no §1º deste artigo e não constitui doação de bens e serviços estimáveis em dinheiro.

[41] Art. 27 (Lei nº 9.504, atualizada pela Lei nº 13.887/2019) - Qualquer eleitor poderá realizar gastos, em apoio a candidato de sua preferência, até a quantia equivalente a um mil UFIR, não sujeitos a contabilização, desde que não reembolsados. §1º Fica excluído do limite previsto no caput deste artigo o pagamento de honorários decorrentes da prestação de serviços advocatícios e de contabilidade, relacionados às campanhas eleitorais e em favor destas. §2º Para fins do previsto no §1º deste artigo, o pagamento efetuado por terceiro não compreende doação eleitoral.

FARIA, Adriana Ancona de; DIAS, Roberto. O direito, a política e a vanguarda no STF: riscos democráticos. *In*: VIEIRA, Oscar Vilhena; GLEZER, Rubens (Org.). *A razão e o voto – Diálogos constitucionais com Luís Roberto Barroso*. Rio de Janeiro: FGV Editora, 2017.

JUNCKES, Ivan Jairo *et al.* Poder e democracia: uma análise da rede de financiamento eleitoral em 2014 no Brasil. *In*: *Rev. bras. Ci. Soc.*, São Paulo, v. 34, n. 100, 2019. Disponível em: http://dx.doi.org/10.1590/3410006/2019. Acesso em 13 dez. 2019.

MANCUSO, Wagner Pralon; HOROCHOVSKI, Rodrigo Rossi; CAMARGO, Neilor Fermino. Financiamento eleitoral empresarial direto e indireto nas eleições nacionais de 2014. *In*: *Rev. Bras. Ciênc. Polít*, Brasília, n. 27, set./dez. 2018. Disponível em: http://dx.doi.org/10.1590/0103-335220182701. Acesso em 13 dez. 2019.

OECD. *Governança pública*. 2015. Disponível em: https://www.oecd.org/policy-briefs/brasil-fortalecer-a-integridade-para-o-crescimento-sustenavel.pdf. Acesso em 11 dez. 2019.

SANTANO, Ana Cláudia. *O financiamento da política*: teoria geral e experiências no direito comparado. 2. ed. Curitiba: Íthala, 2016.

SCHILICKMANN, Denise Goulart. O fim das doações empresariais: o impacto do julgamento da ADI nº 4650 pelo Supremo Tribunal Federal sobre o financiamento das campanhas eleitorais no Brasil. In: FUX, Luiz; PEREIRA, Luiz Fernando Casagrande; AGRA, Walber de Moura. *Tratado de Direito Eleitoral – Financiamento e prestação de contas*. Belo Horizonte: Editora Fórum, 2018. v. 5.

TRIBUNAL SUPERIOR ELEITORAL. *Fundo especial de financiamento de campanha (FEFC)*. 2018. Disponível em: http://www.tse.jus.br/eleicoes/eleicoes-2018/prestacao-de-contas-1/fundo-especial-de-financiamento-de-campanha-fefc. Acesso em 11 dez. 2019.

TRIBUNAL SUPERIOR ELEITORAL. *Fundo partidário*. Disponível em: http://www.tse.jus.br/partidos/fundo-partidario-1/fundo-partidario. Acesso em 12 dez. 2019.

TRIBUNAL SUPERIOR ELEITORAL. *Quantitativo e situação dos candidatos*. 2018. Disponível em: http://www.tse.jus.br/eleicoes/estatisticas/estatisticas-eleitorais. Acesso em 12 dez. 2019.

VIEIRA, Oscar Vilhena; GLEZER, Rubens (Org.). *A razão e o voto – Diálogos constitucionais com Luís Roberto Barroso*. Rio de Janeiro: FGV Editora, 2017.

ZOVATTO, Daniel. Financiamento dos partidos e campanhas eleitorais na América Latina: uma análise comparada. *Opinião Pública*, Campinas, v. 11, n. 2, p. 287-336, out. 2005.

---

Informação bibliográfica deste texto, conforme a NBR 6023:2018 da Associação Brasileira de Normas Técnicas (ABNT):

POGLIESE, Marcelo Weick. Financiamento partidário e campanha eleitoral no Brasil – pontos críticos desta colcha de retalhos. *In*: COSTA, Daniel Castro Gomes da; FONSECA, Reynaldo Soares da; BANHOS, Sérgio Silveira; CARVALHO NETO, Tarcisio Vieira de (Coord.). *Democracia, justiça e cidadania*: desafios e perspectivas. Homenagem ao Ministro Luís Roberto Barroso. Belo Horizonte: Fórum, 2020. t. 1: Direito eleitoral, política e democracia. p. 343-362. ISBN 978-85-450-0748-7.

# ESTADO DA ARTE DA PARTICIPAÇÃO POPULAR NA DEMOCRACIA BRASILEIRA: RESTROSPECTO E PROGNOSE

**ALEXANDRE LIMA RASLAN**
**ANTÔNIO BARBOSA DE SOUZA NETO**

## Introdução

O processo histórico que perpassou o século XX, notadamente a partir do êxito das democracias dos Estados ocidentais sobre os regimes de governo totalitários, resultou no fortalecimento político-econômico dos Estados aliados, além de posicionar no horizonte da maioria das nações um novo ideal de relação Estado-indivíduo.

Não por acaso, a fundação das Organizações das Nações Unidas, em 24 de outubro de 1945, representa um dos vetores de força que elevariam os direitos do indivíduo a outro patamar, tudo na tentativa de evitar que o aviltamento das liberdades individuais tornasse a ocorrer na magnitude testemunhada em decorrência daquele conflito bélico.

Dos princípios das Organizações das Nações Unidas, destaca-se a promoção da cooperação internacional para resolver os problemas mundiais de caráter econômico, social, cultural e humanitário, promovendo o respeito aos direitos humanos e às liberdades fundamentais, o que põe em perspectiva a necessidade de, apesar das diferenças de qualquer ordem, considerar o indivíduo como legítimo detentor de direitos e que, ao fim e ao cabo, deve, efetivamente, ser parte integrante e finalidade última das preocupações estatais.

E, para esse fim específico, há o Conselho Econômico e Social da ONU que, em termos gerais, é encarregado das recomendações e atividades relacionadas ao desenvolvimento, comércio internacional, industrialização, recursos naturais, direitos humanos, condição da mulher, população, ciência e tecnologia, prevenção do crime, bem-estar social e muitas outras questões econômicas e sociais. Uma das funções primordiais desse Conselho é atuar na promoção do respeito aos direitos humanos e às liberdades fundamentais.

Mas, sabe-se que, sem a efetiva adesão dos países-membros àqueles princípios, é muito provável que a materialização dos respectivos objetivos seja postergada, se vier a ocorrer. Para tanto, cada Estado deve, respeitando os referidos paradigmas organizacionais, diminuir o grau de abstração de tais diretrizes e empenhar esforços para conferir a máxima eficácia aos direitos fundamentais, conforme, no caso brasileiro, impõe o art. 5º, §§1º ao 3º, da Constituição Federal.

Nesse esforço de conferir concretude aos direitos fundamentais, o art. 5º da Constituição Federal de 1988[1] prevê, dentre tantos outros direitos e deveres individuais e coletivos, que é assegurado a todos o acesso à informação e resguardado o sigilo da fonte, quando necessário ao exercício profissional (inc. XIV); que todos têm direito a receber dos órgãos públicos informações de seu interesse particular, ou de interesse coletivo ou geral, que serão prestadas no prazo da lei, sob pena de responsabilidade, ressalvadas aquelas cujo sigilo seja imprescindível à segurança da sociedade e do Estado (inc. XXXIII); e, que todos têm assegurados, independentemente do pagamento de taxas, o direito de petição aos Poderes Públicos em defesa de direitos ou contra ilegalidade ou abuso de poder, além da obtenção de certidões em repartições públicas, para defesa de direitos e esclarecimento de situações de interesse pessoal (inc. XXXIV).

A relação Estado-indivíduo, portanto, deve ser estabelecida, em regra, numa base de total transparência informacional, ainda que o resultado das deliberações possa não coincidir com o anseio da coletividade, uma vez que o exercício da democracia representativa interpõe entre o desejo coletivo e a positivação normativa, por exemplo, a atividade parlamentar, nos termos dos arts. 1º, parágrafo único, 37, §3º, 58 e 62, §2º, da Constituição Federal.[2]

E, a interpolação da participação cidadã como subsídio das decisões administrativas, como referência para a edição de atos regulamentares ou como ator na construção e implementação de políticas públicas, também enfrenta a mesma crise entre a expectativa inicial e a realidade produzida.

Justamente nesse ponto de aparente dissenso de legitimidade é que se encontra, ainda, o debate acerca da participação social na consolidação da democracia brasileira. Mas, de toda sorte, uma afirmação pode ser feita: a simples disseminação de conselhos que acolheriam setores representativos da sociedade produziu frustração, o que não deve servir de fundamento para a extinção deste importante acesso democrático.

## 1 Participação popular expressa em lei

Não raramente, o cidadão, a efetivação de seus direitos e a consolidação da democracia são termos relacionados em discussões acadêmicas nacionais e internacionais. Esta necessária conexão encontra, com o avanço de nosso ordenamento jurídico, respaldo legal em institutos de direito. O objetivo deste primeiro ponto não

---

[1] BRASIL. Constituição da República Federativa do Brasil de 1988. *Diário Oficial da União*, Brasília, 05 out. 1988. Disponível em: http://www.planalto.gov.br/ccivil_03/constituicao/constituicao.htm. Acesso em 28 nov. 2019.

[2] BRASIL. Constituição da República Federativa do Brasil de 1988. *Diário Oficial da União*, Brasília, 05 out. 1988. Disponível em: http://www.planalto.gov.br/ccivil_03/constituicao/constituicao.htm. Acesso em 28 nov. 2019.

será traçar a evolução histórica da cidadania, democracia e da participação popular, pois seriam necessários, devido à riqueza e importância dos temas, diversos e aprofundados trabalhos.

Ao contrário, procura-se delinear breve contextualização da participação popular em nosso ordenamento jurídico, apontando, para tanto, o marco legal brasileiro e seu reflexo legislativo. Deste modo, será possível compreender a importância da participação popular no contexto em que se encontra o Brasil.

Sem mais delongas, conclui-se, facilmente, após iniciais estudos do tema, que o cidadão brasileiro somente encontrou alguma participação nas tomadas de decisões e controle de políticas públicas, após o Estado Democrático de Direito ansiado pela Constituição Federal de 1988, ainda em processo de consolidação

Isto se explica, pois, como se sabe, o Brasil superava período de grave supressão de direitos individuais e coletivos. Assim, consolidaram-se métodos de construção democrática participativa em diversos trechos da Carta Magna de 1988, como no parágrafo único do art. 1º, onde se afirma que "todo poder emana do povo".[3]

Conforme destaca Vitale,[4] esta previsão inova e estabelece diretrizes da forma de governo adotada pelo Estado pós-constituição de 1988, motivando, inclusive, a participação popular como forma de consolidação da democracia em outros trechos da Carta Magna, no âmbito dos Poderes Legislativo, Executivo e Judiciário.

No Poder Legislativo, o art. 14 da Constituição Federal,[5] por exemplo, trata da soberania popular exercida por sufrágio universal e voto direto e secreto e, principalmente, do plebiscito, referendo e iniciativa popular. Estes elementos constituem institutos de democracia direta na produção legislativa.[6]

No âmbito do Poder Executivo, encontram-se disposições relativas à seguridade social – quanto ao caráter democrático e descentralizado da gestão administrativa, com a participação da comunidade – trazidas pelo art. 194, VII, da Constituição.[7] A participação da comunidade foi reafirmada no art. 198, VII e no art. 204, II.[8]

Ainda no Executivo, com foco na educação e da cultura, a Carta Magna faz uso da gestão democrática de ensino e participação da comunidade para proteção de patrimônio histórico e cultural, nos artigos 206, VI e 216, §1º.[9] Em políticas mais

---

[3] BRASIL. Constituição da República Federativa do Brasil de 1988. *Diário Oficial da União*, Brasília, 05 out. 1988. Disponível em: http://www.planalto.gov.br/ccivil_03/constituicao/constituicao.htm. Acesso em 28 nov. 2019.

[4] VITALE, Denise. Democracia e participação na gestão de políticas públicas: teoria e prática. *Bahia Análise & Dados*, Salvador, v. 17, n. 4, p. 1147-1154, jan./mar. 2008. p. 1.149. Disponível em: http://www.ijsn.es.gov.br/bibliotecaonline/Record/18191. Acesso em 26 nov. 2019.

[5] BRASIL. Constituição da República Federativa do Brasil de 1988. *Diário Oficial da União*, Brasília, 05 out. 1988. Disponível em: http://www.planalto.gov.br/ccivil_03/constituicao/constituicao.htm. Acesso em 28 nov. 2019.

[6] VITALE, Denise. Democracia e participação na gestão de políticas públicas: teoria e prática. *Bahia Análise & Dados*, Salvador, v. 17, n. 4, p. 1147-1154, jan./mar. 2008. p. 1.149. Disponível em: http://www.ijsn.es.gov.br/bibliotecaonline/Record/18191. Acesso em 26 nov. 2019.

[7] BRASIL. Constituição da República Federativa do Brasil de 1988. *Diário Oficial da União*, Brasília, 05 out. 1988. Disponível em: http://www.planalto.gov.br/ccivil_03/constituicao/constituicao.htm. Acesso em 28 nov. 2019.

[8] BRASIL. Constituição da República Federativa do Brasil de 1988. *Diário Oficial da União*, Brasília, 05 out. 1988. Disponível em: http://www.planalto.gov.br/ccivil_03/constituicao/constituicao.htm. Acesso em 28 nov. 2019.

[9] BRASIL. Constituição da República Federativa do Brasil de 1988. *Diário Oficial da União*, Brasília, 05 out. 1988. Disponível em: http://www.planalto.gov.br/ccivil_03/constituicao/constituicao.htm. Acesso em 28 nov. 2019.

amplas, determina a participação do usuário na Administração pública direta e indireta, em seu art. 37, §3º[10] e a cooperação das associações representativas no planejamento municipal, em seu art. 29, XII.[11] Tal participação nas atividades do município foi ampliada pelo Estatuto da Cidade, conforme lembra Vitale.[12]

Na esfera do Judiciário, o art. 5º da Constituição Federal garante a participação do cidadão através da Ação Popular e julgamento, pelos cidadãos, de determinados crimes, com o estabelecimento do Tribunal do Júri, em seus itens LXXIII e XXXVIII.[13]

A Constituição Federal, através dos citados artigos, motivou a edição de demais normas que implementem suas diretrizes, principalmente através de conselhos gestores de políticas públicas, audiências e consultas públicas, devidamente tratados a seguir.

## 2 Características atuais dos Conselhos Gestores

A participação popular através dos Conselhos Gestores é fruto de pressão social pela redemocratização. São instrumentos mediadores na relação entre sociedade e Estado, criados em diversas áreas, como saúde, educação e cultura, meio ambiente e defesa do consumidor. Em alguns setores, constituem condição para o repasse de verbas públicas, podendo atuar como fiscalizadores de gastos. Em outros casos, atuam somente para critério deliberativo. Portanto, são interinstitucionais, e participam ativamente da elaboração de políticas públicas, prestando suporte em suas áreas de atuação.

São milhares de conselhos na esfera federal, estadual e municipal, em todo o Brasil.

Em plano federal, por exemplo, foram constituídos, após a Constituição de 1988, o Conselho Nacional de Saúde – CNS; o Conselho Nacional do Meio Ambiente – CONAMA; o Conselho Nacional de Educação – CNE; o Conselho Nacional de Assistência Social – CNAS; o Conselho Nacional de Previdência Social – CNPS; o Conselho Nacional do Trabalho – CNTb; o Conselho Nacional do Esporte – CNE; o Conselho Nacional de Ciência e Tecnologia – CCT; o Conselho Nacional de Trânsito – CONTRAN; o Conselho de Recursos da Previdência Social – CRPS, dentre muitos outros.

Passa-se ao ponto crítico. A expansão quantitativa dos conselhos não significa, necessariamente, o sucesso da participação popular na tomada de decisões, gestão e criação de políticas públicas. Por vezes, os conselhos formam-se apenas como meio

---

[10] BRASIL. Constituição da República Federativa do Brasil de 1988. *Diário Oficial da União*, Brasília, 05 out. 1988. Disponível em: http://www.planalto.gov.br/ccivil_03/constituicao/constituicao.htm. Acesso em 28 nov. 2019.

[11] BRASIL. Constituição da República Federativa do Brasil de 1988. *Diário Oficial da União*, Brasília, 05 out. 1988. Disponível em: http://www.planalto.gov.br/ccivil_03/constituicao/constituicao.htm. Acesso em 28 nov. 2019.

[12] VITALE, Denise. Democracia e participação na gestão de políticas públicas: teoria e prática. *Bahia Análise & Dados*, Salvador, v. 17, n. 4, p. 1147-1154, jan./mar. 2008. p. 1.149. Disponível em: http://www.ijsn.es.gov.br/bibliotecaonline/Record/18191. Acesso em 26 nov. 2019.

[13] BRASIL. Constituição da República Federativa do Brasil de 1988. *Diário Oficial da União*, Brasília, 05 out. 1988. Disponível em: http://www.planalto.gov.br/ccivil_03/constituicao/constituicao.htm. Acesso em 28 nov. 2019.

a cumprir exigência legislativa. Não passam de figuras opinativas, sem qualquer vinculação com a decisão final tomada pela Administração.

Conforme relata Gohn,[14] os conselhos fazem, sim, parte do processo de gestão descentralizada e participativa. Todavia, vários pareces oficiais têm assinalado o caráter apenas consultivo, através de ações meramente opinativas. Principalmente na esfera municipal, em municípios sem tradição *organizativo-associativa*, os conselhos têm sido apenas realidade jurídico-formal.[15]

Por óbvio, os conselhos encontram outros impasses. Talvez, na esfera Federal, a representatividade seja uma questão, bem como os posicionamentos extremamente divergentes entre os membros do conselho[16] – muitas vezes pela grande desigualdade social e cultural dos membros.

Além disso, o caráter impositivo dos conselhos raramente se faz presente. Conforme ressaltado anteriormente, torna-se algo opinativo, sem cunho decisório vinculante. O ponto, portanto, parece ser a construção de pensamento final baseando-se na leitura dos membros do conselho sobre determinado tema, sem pretensão de se atingir consenso. Não parece ser absolutamente necessário haver qualquer tipo de unidade de decisão quando, em raríssimos casos e em poucos colegiados, decide-se de maneira uma. Deve-se observar, no entanto, o fim para o qual foi criado.

Sob este prisma é que o Presidente da República editou o Decreto nº 9.759/19. Buscou-se a extinção de Conselhos ineficientes, desnecessários e onerosos. Talvez, de fato, o instrumento não seja correto – cabe ao Supremo Tribunal Federal decidir – mas, a motivação parece adequada: não há cabimento na manutenção de conselhos inoperantes.

A questão parece ser a maneira brusca e alargada utilizada pela redação do Decreto para extinção de conselhos inviáveis. Englobou-se todo e qualquer conselho, inclusive os que têm papel fundamental, para atingir aqueles desnecessários ou tendenciosos, o que certamente seria revisto pelos legitimados. O fato é que o ato pelo Chefe do Executivo foi motivado pela atenção ao princípio da eficiência e boa governança pública. Nesse sentido, Gomes ressalta que:

> Contudo, além de constituir espaço democrático, aos conselhos gestores também está colocada uma questão de eficiência. Esse novo papel atribuído à sociedade, qual seja, o de contribuir para uma maior eficiência no uso dos recursos públicos, principalmente

---

[14] GOHN, Maria da Glória. Conselhos gestores e gestão pública. *Ciências Sociais Unisinos*, v. 42, n. 1, p. 5-11, jan./abr. 2006. p. 8. Disponível em: http://revistas.unisinos.br/index.php/ciencias_sociais/article/view/6008. Acesso em 28 nov. 2019.

[15] Sobre o tema, Gomes segue no mesmo sentido ao afirmar que, de fato, seria mais importante a observância à qualidade das tarefas realizadas pelo conselho, principalmente para sanar problemas como a deficiência na representatividade dos conselheiros, capacidade de deliberar, impor suas decisões e controlar as ações de governo. (GOMES, Eduardo Granha Magalhães. Conselhos gestores de políticas públicas: aspectos teóricos sobre o potencial de controle social democrático e eficiente. *Cad. EBAPE.BR*, Rio de Janeiro, v. 13, n. 4, p. 894-909, dez. 2015. p. 895. Disponível em: http://www.scielo.br/scielo.php?script=sci_arttext&pid=S1679-39512015000400013&lng=en&nrm=iso. Acesso em 25 nov. 2019).

[16] Neste ponto, vale observar também o posicionamento de Gohn: (GOHN, Maria da Glória. Conselhos gestores e gestão pública. *Ciências Sociais Unisinos*, v. 42, n. 1, p. 5-11, jan./abr. 2006. p. 9. Disponível em: http://revistas.unisinos.br/index.php/ciencias_sociais/article/view/6008. Acesso em 28 nov. 2019).

pelo exercício de controle sobre os governantes, está presente nos movimentos de reforma do Estado das últimas duas décadas, particularmente em um contexto onde a configuração tradicional dos governos, principalmente relativa à sua função executiva, cede espaço ao conceito mais amplo de "governança".[17]

Sendo assim, não há de se falar em eficiência dos conselhos de gestão quando estes não cumprem com seu papel de efetivação à participação da sociedade no processo de formação de políticas públicas, tomada de poder e controle social, essenciais à construção da democracia.

Vale destacar alguns pontos a serem evoluídos, portanto, na atividade dos conselhos gestores, quais sejam: a definição mais precisa das competências e atribuições dos conselhos e sua relação com o Poder Legislativo; a necessidade de elaboração de instrumentos jurídicos de apoio às deliberações; a definição mais precisa do que seja participação; a participação mais qualificada de pessoas, com fornecimento de informações e igualdade de condições de participação, também através de cursos de capacitação; e, talvez principalmente, dar peso político à representatividade, para de fato atingirmos os fins pelos quais os conselhos foram criados: democratização das tomadas de decisão, criação de políticas públicas e controle social.[18]

Isto não significa dizer que deverão ser excluídos *todos e quaisquer* conselhos existentes, de uma única vez e de forma unilateral. Caso qualquer extinção ou modificação de direitos desta magnitude seja realizada, deverá respeitar, ao mínimo, o rito de criação de Leis Ordinárias ou Complementares, a depender do caso. Por esta razão é que foi infeliz o Decreto nº 9.759/19, por enquanto suspenso em parte.

## 3 Participação popular por Audiências e Consultas Públicas

Outra habitual forma de participação popular faz-se através das Audiências e Consultas Públicas. São instrumentos distintos. A Audiência Pública é sessão aberta ao público, sobre tema ainda não decidido, onde se obtém a participação de pessoas e registro de diferentes opiniões acerca da questão. A Consulta Pública, por outro lado, faz-se por escrito, mediante abertura de prazo, também acerca de tema passível de decisão.

Nas palavras de Monteiro,[19] Consulta Pública é uma das etapas do processo administrativo para edição de atos normativos, como também é o planejamento, a

---

[17] GOMES, Eduardo Granha Magalhães. Conselhos gestores de políticas públicas: aspectos teóricos sobre o potencial de controle social democrático e eficiente. *Cad. EBAPE.BR,* Rio de Janeiro, v. 13, n. 4, p. 894-909, dez. 2015. p. 903. Disponível em: http://www.scielo.br/scielo.php?script=sci_arttext&pid=S1679-39512015000400013&lng=en&nrm=iso. Acesso em 25 nov. 2019.

[18] GOHN, Maria da Glória. Conselhos gestores e gestão pública. *Ciências Sociais Unisinos,* v. 42, n. 1, p. 5-11, jan./abr. 2006. p. 10. Disponível em: http://revistas.unisinos.br/index.php/ciencias_sociais/article/view/6008. Acesso em 28 nov. 2019.

[19] MONTEIRO, Vera. Art. 29 da LINDB: Regime jurídico da consulta pública. *Rev. Direito Adm.,* Rio de Janeiro, Edição Especial: Direito Público na Lei de Introdução às Normas de Direito Brasileiro – LINDB (Lei nº 13. 655/2018), p. 225-242, nov. 2018. p. 227. Disponível em: http://bibliotecadigital.fgv.br/ojs/index.php/rda/article/view/77656. Acesso em 28 nov. 2019.

elaboração de estudos e a realização de análise de impacto regulatório. Já a Audiência Pública tem como um de seus principais traços a oralidade e o debate efetivo da matéria, propiciando ao particular a troca de informações com o administrador.[20]

Não é cabível discussão acerca da importância dos institutos como forma de participação popular e consecução da democracia. Isto está consolidado. Vale ressaltar, todavia, a inovação da Lei nº 8.666/93 e os recentes avanços trazidos pelas Leis nº 13.655, de 2018, e nº 13.848, de 2019. Explica-se.

A Lei nº 9.784, de 29 de janeiro de 1999, denominada Lei de Normas Gerais de Processo Administrativo, prevê,[21] expressamente, a *possibilidade*[22] da utilização de institutos como audiência pública, consulta pública e até mecanismos diversos, como reuniões, congressos, entre outros. A norma atinge tanto o Poder Executivo, quanto o Legislativo e o Judiciário, quando meramente no desempenho da função administrativa.[23]

Nestes casos, serão instrumentos que *podem* servir à participação popular. Ademais, a simples realização de audiências públicas, por exemplo, não garante a efetiva interferência na formação da ordem jurídica. Em muitos casos – talvez até na maioria deles – a mera concretização da reunião não atinge os objetivos que motivaram sua criação no texto legal.

No Judiciário, a Lei nº 9.868, de 10 de novembro de 1999, também estabelece a *possibilidade* de realização de audiência pública em caso de necessidade de esclarecimento de matéria ou circunstância de fato ou notória insuficiência de informações existentes nos autos, no processo e julgamento da ação direta de inconstitucionalidade e ação declaratória de constitucionalidade perante o Supremo Tribunal Federal.

No caso do Legislativo, a realização de audiências públicas com entidades da sociedade civil é incumbência irrecusável, nos termos do art. 58, §2º, II, da Constituição Federal de 1988.

Além disso, o art. 27, parágrafo único, IV, da Lei nº 8.625, de 12 de fevereiro de 1993 – Lei Orgânica Nacional do Ministério Público – determina que o *parquet deverá* também promover audiências públicas. Sobre o tema, leciona Soares:

> Não impõe a lei ao Ministério Público o dever de realizar audiência pública, que é colocada como um dos instrumentos para o desempenho de sua missão institucional, e que deve ser utilizado diante de problemas mais complexos, com cuidado, porém, de um lado, para não ficar esquecido, sem aplicação, e, de outro, para não banalizá-lo.

---

[20] SOARES, Evanna. A audiência pública no processo administrativo. *Jus Navigandi,* Teresina, ano 7, n. 58, p. 259-277, 1 ago. 2002. p. 259. Disponível em: http://jus.uol.com.br/revista/texto/3145. Acesso em 28 nov. 2019.

[21] Vide artigos 31 a 34 da Lei nº 9.784/99.

[22] No entanto, Monteiro alerta para o fato de que, mesmo com relação a esta Lei, Carlos Ari Sundfeld e Jacintho Arruda Câmara afirmam que o fato de a utilização dos institutos ser facultativa não significa autorização para que a Administração venha a editar atos normativos sem consultar previamente pessoas cujos direitos serão atingidos. (MONTEIRO, Vera. Art. 29 da LINDB: Regime jurídico da consulta pública. *Rev. Direito Adm.,* Rio de Janeiro, Edição Especial: Direito Público na Lei de Introdução às Normas de Direito Brasileiro – LINDB (Lei nº 13. 655/2018), p. 225-242, nov. 2018. p. 235. Disponível em: http://bibliotecadigital.fgv.br/ojs/index.php/rda/article/view/77656. Acesso em 28 nov. 2019).

[23] SOARES, Evanna. A audiência pública no processo administrativo. *Jus Navigandi,* Teresina, ano 7, n. 58, p. 259-277, 1 ago. 2002. p. 270. Disponível em: http://jus.uol.com.br/revista/texto/3145. Acesso em 28 nov. 2019.

O juízo da conveniência e da necessidade de convocar a audiência pública – seja pelos órgãos do Ministério Público dos Estados, seja do Ministério Público da União, por seus diversos ramos, incumbidos, igualmente, da defesa dos mesmos direitos e interesses, no âmbito das Justiças Especializadas perante as quais atuam (v. Lei Complementar nº 75, de 20.5.1993) – compete ao membro (Promotor ou Procurador), que será responsável, dentro do procedimento adequado – geralmente o inquérito civil – também pela expedição do ato convocatório e do regulamento da audiência de conformidade com os objetivos perseguidos.[24]

Como se vê, trata-se de ato facultativo do agente do *parquet*, mas de extrema significância para o desempenho da missão institucional do Ministério Público.

No âmbito da Administração Pública, importante destacarmos a Resolução nº 01, de 23 de janeiro de 1986, do Conselho Nacional do Meio Ambiente – CONAMA, norma pioneira na previsão de audiências públicas para a realização de função administrativa relativa à proteção do meio ambiente no Brasil. O órgão tratou, em outras Resoluções, como a de nº 6/1986 e nº 9/1987, também da audiência pública e suas características.

Mas, foi somente no ano de 1993 que a Lei nº 8.666 – Lei de Licitações – inovou ao determinar, em seu art. 39, *caput*, a *obrigatoriedade* na realização de audiência pública em processo licitatório, em determinados casos. Confira-se:

> Art. 39. Sempre que o valor estimado para uma licitação ou para um conjunto de licitações simultâneas ou sucessivas for superior a 100 (cem) vezes o limite previsto no art. 23, inciso I, alínea "c" desta Lei, o processo licitatório será iniciado, obrigatoriamente, com uma audiência pública concedida pela autoridade responsável com antecedência mínima de 15 (quinze) dias úteis da data prevista para a publicação do edital, e divulgada, com a antecedência mínima de 10 (dez) dias úteis de sua realização, pelos mesmos meios previstos para a publicidade da licitação, à qual terão acesso e direito a todas as informações pertinentes e a se manifestar todos os interessados.[25]

Finalmente é editada norma que impõe a realização de audiência pública como requisito necessário à validação de determinado ato administrativo. No entanto, conforme denuncia Soares,[26] a doutrina não é uniforme quanto às consequências de eventual descumprimento de comando legal. Há quem sustente pela invalidade do processo diante da omissão na realização do ato,[27] ou, de maneira mais branda, pela

---

[24]  SOARES, Evanna. A audiência pública no processo administrativo. *Jus Navigandi*, Teresina, ano 7, n. 58, p. 259-277, 1 ago. 2002. p. 274. Disponível em: http://jus.uol.com.br/revista/texto/3145. Acesso em 28 nov. 2019.

[25]  BRASIL. Lei nº 8.666, de 21 de junho de 1993. Regulamenta o art. 37, inciso XXI, da Constituição Federal, institui normas para licitações e contratos da Administração Pública e dá outras providências. *Diário Oficial da União*, Brasília, 22 jun. 1993, republicado e retificado em 06 jul. 1994. Disponível em: http://www.planalto.gov.br/ccivil_03/leis/l8666cons.htm. Acesso em 28 nov. 2019.

[26]  SOARES, Evanna. A audiência pública no processo administrativo. *Jus Navigandi*, Teresina, ano 7, n. 58, p. 259-277, 1 ago. 2002. p. 277. Disponível em: http://jus.uol.com.br/revista/texto/3145. Acesso em 28 nov. 2019.

[27]  Nesta linha está Lúcia Valle Figueiredo, citada por Gustavo Henrique Justino de Oliveira (SOARES, Evanna. A audiência pública no processo administrativo. *Jus Navigandi*, Teresina, ano 7, n. 58, p. 259-277, 1 ago. 2002. p. 277. Disponível em: http://jus.uol.com.br/revista/texto/3145. Acesso em 28 nov. 2019).

nulidade do procedimento apenas quando detectado que a ausência da audiência pública ou sua invalidade acarretam em infração ao próprio interesse público.[28]

Nenhum posicionamento, no entanto, defende a vinculação dos resultados da audiência pública à decisão proferida na licitação. Não há, também, previsão legal contemporânea que o faça. A característica de não obrigatoriedade de implementação das inserções populares será devidamente tratada no último ponto deste trabalho.

A partir daí é que outras legislações determinaram a realização de audiência pública em hipóteses específicas. É o caso da Lei nº 8.987, de 1995 – concessão e permissão de serviços públicos – no art. 3º, art. 7º, I e II, art. 21, art. 29, XII e art. 30, parágrafo único.

Além disso, algumas Agências Reguladoras foram instituídas por leis que utilizaram de instrumentos como audiências e consultas públicas como requisito necessário à validação de seus atos administrativos. É o caso, por exemplo, da Lei nº 9.427, de 1996, que instituiu a Agência Nacional de Energia Elétrica – ANEEL, dispondo em seu art. 4º, §3º, que:

> O processo decisório que implicar afetação de direitos dos agentes econômicos do setor elétrico ou dos consumidores, mediante iniciativa de projeto de lei ou, quando possível, por via administrativa, será precedido de audiência pública convocada pela ANEEL.[29]

Neste caso, é obrigatória a realização de audiência pública somente quanto ao primeiro caso, qual seja: diante da iniciativa de projetos de lei que afetem direitos dos agentes econômicos do setor elétrico ou dos consumidores.

A Lei nº 9.472, de 1997 – Lei Geral das Telecomunicações – avança ao obrigar a submissão das minutas de *atos normativos* do setor de telecomunicações à consulta pública, conforme redação do art. 42:

> Art. 42. As minutas de atos normativos serão submetidas à consulta pública, formalizada por publicação no Diário Oficial da União, devendo as críticas e sugestões merecer exame e permanecer à disposição do público na biblioteca.[30]

Ademais, a Lei nº 9.478, de 1997, que dispõe sobre a política energética nacional e instituiu o Conselho Nacional de Política Energética e a Agência Nacional do Petróleo, em seu art. 19, determina que:

---

[28] É o posicionamento de Marçal Justen Filho (SOARES, Evanna. A audiência pública no processo administrativo. *Jus Navigandi*, Teresina, ano 7, n. 58, p. 259-277, 1 ago. 2002. p. 277. Disponível em: http://jus.uol.com.br/revista/texto/3145. Acesso em 28 nov. 2019).

[29] BRASIL. Lei nº 9.427, de 26 de dezembro de 1996. Institui a Agência Nacional de Energia Elétrica - ANEEL, disciplina o regime das concessões de serviços públicos de energia elétrica e dá outras providências. *Diário Oficial da União*, Brasília, 27 dez. 1996, republicado em 28 set. 1998. Disponível em: http://www.planalto.gov.br/ccivil_03/LEIS/L9427compilada.htm. Acesso em 28 nov. 2019.

[30] BRASIL. Lei nº 9.472, de 16 de julho de 1997. Dispõe sobre a organização dos serviços de telecomunicações, a criação e funcionamento de um órgão regulador e outros aspectos institucionais, nos termos da Emenda Constitucional nº 8, de 1995. *Diário Oficial da União*, Brasília, 17 jul. 1997. Disponível em: http://www.planalto.gov.br/ccivil_03/LEIS/L9472.htm. Acesso em 28 nov. 2019.

As iniciativas de projetos de lei ou de alteração de normas administrativas que impliquem afetação de direito dos agentes econômicos ou de consumidores e usuários de bens e serviços da indústria do petróleo serão precedidas de audiência pública convocada e dirigida pela ANP.[31]

Mais recentemente, a Lei nº 13.655, de 2018, alterou o art. 29 da Lei de Introdução às Normas do Direito Brasileiro – LINDB, regulando a consulta pública como *condição* obrigatória prévia à edição de atos normativos por autoridade administrativa.

Confira-se:

Art. 29. Em qualquer órgão ou Poder, a edição de atos normativos por autoridade administrativa, salvo os de mera organização interna, poderá ser precedida de consulta pública para manifestação de interessados, preferencialmente por meio eletrônico, a qual será considerada na decisão.

§1º A convocação conterá a minuta do ato normativo e fixará o prazo e as demais condições da consulta pública, observadas as normas legais e regulamentares específicas, se houver.[32]

Acerca da norma, leciona Monteiro:

O tema não é novo, mas sua previsão em norma de caráter geral para o direito público confirma que a autoridade administrativa responsável pelo ato deve consultar os interessados, avaliar as manifestações recebidas e responde-las para cumprir o dever de motivar o ato normativo. O artigo disseca a anatomia desse dever, a função que a consulta pública exerce no seu cumprimento e aponta as consequências da sua não observância.[33]

A redação, uma vez contextualizada, chama a atenção por dois motivos. Inicialmente, trata-se de norma geral, ampla, que orienta a aplicação das demais normas do direito público. Portanto, todo aquele que maneja competência administrativa, em quaisquer dos poderes, está sujeito ao dever de que trata a norma, sempre que publicar ato administrativo normativo.[34]

---

[31] BRASIL. Lei nº 9.478, de 6 de agosto de 1997. Dispõe sobre a política energética nacional, as atividades relativas ao monopólio do petróleo, institui o Conselho Nacional de Política Energética e a Agência Nacional do Petróleo e dá outras providências. *Diário Oficial da União*, Brasília, 07 ago. 1997. Disponível em: http://www.planalto. gov.br/ccivil_03/leis/L9478compilado.htm. Acesso em 28 nov. 2019.

[32] BRASIL. Lei nº 13.655, de 25 de abril de 2018. Inclui no Decreto-Lei nº 4.657, de 4 de setembro de 1942 (Lei de Introdução às Normas do Direito Brasileiro), disposições sobre segurança jurídica e eficiência na criação e na aplicação do direito público. *Diário Oficial da União*, Brasília, 26 abr. 2018. Disponível em: http://www.planalto. gov.br/ccivil_03/_Ato2015-2018/2018/Lei/L13655.htm. Acesso em 28 nov. 2019.

[33] MONTEIRO, Vera. Art. 29 da LINDB: Regime jurídico da consulta pública. *Rev. Direito Adm.*, Rio de Janeiro, Edição Especial: Direito Público na Lei de Introdução às Normas de Direito Brasileiro – LINDB (Lei nº 13. 655/2018), p. 225-242, nov. 2018. p. 226. Disponível em: http://bibliotecadigital.fgv.br/ojs/index.php/rda/article/ view/77656. Acesso em 28 nov. 2019.

[34] MONTEIRO, Vera. Art. 29 da LINDB: Regime jurídico da consulta pública. *Rev. Direito Adm.*, Rio de Janeiro, Edição Especial: Direito Público na Lei de Introdução às Normas de Direito Brasileiro – LINDB (Lei nº 13. 655/2018), p. 225-242, nov. 2018. p. 239. Disponível em: http://bibliotecadigital.fgv.br/ojs/index.php/rda/article/ view/77656. Acesso em 28 nov. 2019.

Sendo assim, estamos tratando de norma extremamente abrangente, o que acarreta em maior desenvolvimento para a luta pela democratização das escolhas e tomada de poder.

Mas não só isso. O segundo motivo, conforme defendido por Monteiro, é que a redação não deixa espaço para *opção* em realização ou não da consulta pública em edição de atos normativos por autoridade administrativa, mas vincula à sua obrigatoriedade. Trata-se de *dever*, e não de *opção*.

Segundo Monteiro, isto pode ser defendido por dois argumentos:

> Contudo, é preciso interpretar o art. 29 a partir de sua redação final. Nessa linha, há dois bons argumentos para afirmar que o "poderá" deve ser lido como dever (e não poder). O primeiro decorre da própria exceção prevista no caput do dispositivo. De fato, só faria sentido haver uma exceção se houvesse um dever, de modo que a ressalva feita aos atos "de mera organização interna" fortalece o dever de realização de consulta pública prévia relativamente aos atos administrativos normativos.
>
> Além disso, a LINDB trouxe uma única regra de transição, prevista no seu art. 2º, segundo o qual a vigência do art. 29 só se dará após decorridos 6 meses de sua publicação (realizada em 25 de abril de 2018). Só há um sentido possível para a postergação da vigência do art. 29: se a realização de consulta pública para a publicação de atos normativos fosse obrigatória.[35]

Como será demonstrado a seguir, tratarmos das consultas públicas como instrumentos *necessários* à validação de determinado ato normativo vai ao encontro da construção do direito administrativo moderno, desenvolvida nas últimas décadas. Inclusive, seguindo esta mesma linha é que a Lei nº 13.848, de 2019, em seu art. 6º, §4º, determina que a realização de audiência ou consulta pública é requisito necessário à continuidade de procedimento administrativo que altera atos normativos de interesse geral dos agentes econômicos, consumidores ou usuários dos serviços prestados pelas Agências Reguladoras atingidas pela norma.[36]

Importante tecermos alguns comentários, portanto, relativos aos novos rumos da participação popular no processo democrático brasileiro.

---

[35] MONTEIRO, Vera. Art. 29 da LINDB: Regime jurídico da consulta pública. *Rev. Direito Adm.*, Rio de Janeiro, Edição Especial: Direito Público na Lei de Introdução às Normas de Direito Brasileiro – LINDB (Lei nº 13. 655/2018), p. 225-242, nov. 2018. p. 235. Disponível em: http://bibliotecadigital.fgv.br/ojs/index.php/rda/article/view/77656. Acesso em 28 nov. 2019.

[36] BRASIL. Lei nº 13.848, de 25 de junho de 2019. Dispõe sobre a gestão, a organização, o processo decisório e o controle social das agências reguladoras, altera a Lei nº 9.427, de 26 de dezembro de 1996, a Lei nº 9.472, de 16 de julho de 1997, a Lei nº 9.478, de 6 de agosto de 1997, a Lei nº 9.782, de 26 de janeiro de 1999, a Lei nº 9.961, de 28 de janeiro de 2000, a Lei nº 9.984, de 17 de julho de 2000, a Lei nº 9.986, de 18 de julho de 2000, a Lei nº 10.233, de 5 de junho de 2001, a Medida Provisória nº 2.228-1, de 6 de setembro de 2001, a Lei nº 11.182, de 27 de setembro de 2005, e a Lei nº 10.180, de 6 de fevereiro de 2001. *Diário Oficial da União*, Brasília, 26 jun. 2019. Disponível em: http://www.planalto.gov.br/ccivil_03/_ato2019-2022/2019/lei/L13848.htm. Acesso em 28 nov. 2019.

## 4 Novos rumos da participação popular

Após a edição da Constituição Federal de 1988, o sentimento de autores brasileiros, imbuídos pelo caráter social da então recente Carta Magna, foi transcrito em estudos com a tentativa de elaborar novos caminhos à democracia brasileira como, por exemplo, através da cidadania ativa.[37] Nesta concepção, o cidadão brasileiro participa diretamente do processo de tomada de decisões através de mecanismos como o referendo, o plebiscito e a iniciativa popular, bem como dos citados conselhos gestores, orçamentos participativos, dentre outros.

No entanto, já naquele momento atentavam-se à evidente realidade citada por Benevides:

> Assim como a declaração meramente retórica de direitos não garante a sua efetiva fruição, a inclusão dos mecanismos de participação popular na Constituição não garante, por si só, que sua implementação se dará democraticamente, no contexto da cidadania ativa.[38]

A construção, portanto, evoluiu. A participação popular busca e faz parte da efetivação da democracia. No entanto, é impossível sua consolidação sem que anteriormente seja construída uma sociedade equilibrada, informada, conscientizada e, principalmente, com instituições fortificadas, independentes e desburocratizadas.

Em outras palavras, de nada adianta a inclusão da sociedade no debate para tomada de decisões e rumos administrativos e políticos, caso os participantes não detenham de conhecimento ou informações acerca da matéria a ser discutida. Portanto, a inserção de mecanismos que assegurem a participação popular, por si só, não garante a consecução do fim a que foram criados. A efetividade do instrumento está em pauta.

Neste caso, parece-nos que a saída será, sempre, a educação e a informação acessível e de qualidade – neste conceito incluímos tanto a educação em sentido amplo, ou seja, a educação social, moderna, arrojada, que engloba matérias básicas, fundamentais e de nível superior, quanto a educação em sentido estrito.

Por vezes, a pluralidade de agentes no momento do debate ou da discussão não significa que todos os participantes detêm informações precisas, corretas ou até verdadeiras,[39] mas tão somente estão cientes de que determinado debate está ocorrendo e, por um motivo ou outro, imaginam influenciar o rumo das discussões com suas participações. Isso não garante a efetividade dos mecanismos.

Sobre educação política, por exemplo, destaca Benevides:

> Essa educação – crucial para a cidadania ativa e para que se transforme o quadro atual dos vícios da representação e das eleições no Brasil – supõe, sem dúvida, uma discussão

---

[37] Sobre o tema, ver: BENEVIDES, Maria Victoria de Mesquita. Cidadania e democracia. *Lua Nova,* São Paulo, n. 33, p. 5-16, ago. 1994. Disponível em: http://www.scielo.br/scielo.php?script=sci_arttext&pid=S0102-64451994000200002&lng=en&nrm=iso. Acesso em 25 nov. 2019.

[38] BENEVIDES, Maria Victoria de Mesquita. Cidadania e democracia. *Lua Nova,* São Paulo, n. 33, p. 5-16, ago. 1994. p. 9. Disponível em: http://www.scielo.br/scielo.php?script=sci_arttext&pid=S0102-64451994000200002&lng=en&nrm=iso. Acesso em 25 nov. 2019.

[39] Principalmente diante do não tão recente fenômeno das *fake news*.

aprofundada sobre o papel dos meios de comunicação de massa como veículos a serviço do pluralismo de valores. É evidente que a educação política não pode ser entendida numa via única – só do Estado para o povo. Mas, sim, pela exigência da pluralidade de agentes políticos, e não só os partidos políticos, apesar de sua clara e necessária função pedagógica. A educação política, num contexto democrático, supõe que os próprios interessados se transformem em novos sujeitos políticos. E, assim, recuperem o sentido verdadeiro de cidadania ativa e de participação popular.[40]

Mais recentemente, o autor elucida também que, independentemente do resultado do processo, a educação política tem papel fundamental na efetividade dos instrumentos de participação popular. As campanhas informativas importam tanto para os participantes do povo, quanto para os próprios políticos e dirigentes.[41]

Para um ato normativo, por exemplo, é fundamental a participação popular técnica, precisa e aberta a todos os matizes de pensamento. No entanto, não é necessária a garantia de que as propostas ou manifestações populares sejam implementadas, mas tão somente analisadas e influenciem o debate e a tomada de decisão. Este é o rumo encontrado, ao longo dos últimos anos, por nossa construção de democracia e cidadania, e recentemente inserido nas alterações à Lei de Introdução às Normas do Direito Brasileiro.

Ainda, quanto ao ato normativo em si, Bruna[42] salienta que este só terá validade quando se demonstrar que a participação dos interessados tenha sido provada de significado prático. Assim, a validade do ato também depende da efetiva participação dos interessados.

Por óbvio, isto não quer dizer que o resultado deverá ser o que este ou aquele cidadão ou grupo defende, mas para que o ato seja válido e eficaz, a mera presença dos interessados não basta, mas sim, a participação de cidadãos informados, cientes e contextualizados no assunto. Daí estará validado o ato normativo, independentemente do resultado alcançado.

## Conclusão

Na atual cena democrática, resta claro que a democracia brasileira necessita compreender, ainda, no que consiste a participação popular e quais são os sistemas e os instrumentos que podem contribuir para a sua efetividade.

Contudo, e sem prejuízo de qualquer outra exigência ou ordem, é necessário que o cidadão passe por um processo voluntário, independente ou dirigido

---

[40] BENEVIDES, Maria Victoria de Mesquita. Cidadania e democracia. *Lua Nova,* São Paulo, n. 33, p. 5-16, ago. 1994. p. 13. Disponível em: http://www.scielo.br/scielo.php?script=sci_arttext&pid=S0102-64451994000200002&lng =en&nrm=iso. Acesso em 25 nov. 2019.

[41] BENEVIDES, Maria Victoria de Mesquita. Cidadania ativa e Democracia no Brasil. *Rev. Parlamento e Sociedade,* São Paulo, v. 4, n. 6, p. 21-31, jan./jun. 2016. p. 29. Disponível em: https://www.al.sp.gov.br/repositorio/ bibliotecaDigital/22728_arquivo.pdf. Acesso em 25 nov. 2019.

[42] BRUNA, Sérgio Varella. *Agências reguladoras*: poder normativo, consulta pública, revisão judicial. São Paulo: Revista dos Tribunais, 2003. p. 259.

metodologicamente, que promova a sua conscientização acerca da responsabilidade decorrente da atuação na cena pública, social ou política.

A obtenção dessa maturidade e a melhor identificação dos benefícios advindos da valorização da alteridade podem, com certeza, produzir resultados expressivos no processo de consolidação da ordem democrática ansiada pela Constituição Federal.

Não obstante, o Poder Público também necessita dar um passo adiante. O progresso social esperado do indivíduo ou o avanço cultural da sociedade exige que a Administração Pública em geral continue permitindo que o anseio popular exponha sua mensagem nos ambientes adequados, inclusive no processo de produção de textos normativos, legais ou regulamentares.

E, aqui, lança-se um diagnóstico conclusivo de que a quantidade de conselhos ou oportunidades de participação não garante a elevação do grau de legitimidade da atuação estatal. Impõe-se, de modo prognóstico, afirmar que a qualidade da participação deve ser compromisso da coletividade e do Poder Público, hipotecando futuro no processo contínuo e gradativo da consolidação da democracia participativa.

Enfim, é sempre salutar recordar que, na democracia, a maioria conserva o triunfo da vitória enquanto respeitar a minoria, os seus pensamentos, opiniões e suas liberdades.

## Referências

BENEVIDES, Maria Victoria de Mesquita. Cidadania ativa e Democracia no Brasil. *Rev. Parlamento e Sociedade*, São Paulo, v. 4, n. 6, p. 21-31, jan./jun. 2016. Disponível em: https://www.al.sp.gov.br/repositorio/bibliotecaDigital/22728_arquivo.pdf. Acesso em 25 nov. 2019.

BENEVIDES, Maria Victoria de Mesquita. Cidadania e democracia. *Lua Nova*, São Paulo, n. 33, p. 5-16, ago. 1994. Disponível em: http://www.scielo.br/scielo.php?script=sci_arttext&pid=S0102-64451994000200002&lng=e n&nrm=iso. Acesso em 25 nov. 2019.

BRASIL. Constituição da República Federativa do Brasil de 1988. *Diário Oficial da União*, Brasília, 05 out. 1988. Disponível em: http://www.planalto.gov.br/ccivil_03/constituicao/constituicao.htm. Acesso em 28 nov. 2019.

BRASIL. Decreto nº 9.759, de 11 de abril de 2019. Extingue e estabelece diretrizes, regras e limitações para colegiados da administração pública federal. *Diário Oficial da União*, Brasília, 11 abr. 2019. Disponível em: http://www.planalto.gov.br/ccivil_03/_ato2019-2022/2019/decreto/D9759.htm. Acesso em 28 nov. 2019.

BRASIL. Lei nº 13.655, de 25 de abril de 2018. Inclui no Decreto-Lei nº 4.657, de 4 de setembro de 1942 (Lei de Introdução às Normas do Direito Brasileiro), disposições sobre segurança jurídica e eficiência na criação e na aplicação do direito público. *Diário Oficial da União*, Brasília, 26 abr. 2018. Disponível em: http://www. planalto.gov.br/ccivil_03/_Ato2015-2018/2018/Lei/L13655.htm. Acesso em 28 nov. 2019.

BRASIL. Lei nº 13.848, de 25 de junho de 2019. Dispõe sobre a gestão, a organização, o processo decisório e o controle social das agências reguladoras, altera a Lei nº 9.427, de 26 de dezembro de 1996, a Lei nº 9.472, de 16 de julho de 1997, a Lei nº 9.478, de 6 de agosto de 1997, a Lei nº 9.782, de 26 de janeiro de 1999, a Lei nº 9.961, de 28 de janeiro de 2000, a Lei nº 9.984, de 17 de julho de 2000, a Lei nº 9.986, de 18 de julho de 2000, a Lei nº 10.233, de 5 de junho de 2001, a Medida Provisória nº 2.228-1, de 6 de setembro de 2001, a Lei nº 11.182, de 27 de setembro de 2005, e a Lei nº 10.180, de 6 de fevereiro de 2001. *Diário Oficial da União*, Brasília, 26 jun. 2019. Disponível em: http://www.planalto.gov.br/ccivil_03/_ato2019-2022/2019/lei/L13848. htm. Acesso em 28 nov. 2019.

BRASIL. Lei nº 8.666, de 21 de junho de 1993. Regulamenta o art. 37, inciso XXI, da Constituição Federal, institui normas para licitações e contratos da Administração Pública e dá outras providências. *Diário Oficial da União*, Brasília, 22 jun. 1993, republicado e retificado em 06 jul. 1994. Disponível em: http://www.planalto. gov.br/ccivil_03/leis/l8666cons.htm. Acesso em 28 nov. 2019.

BRASIL. Lei nº 9.427, de 26 de dezembro de 1996. Institui a Agência Nacional de Energia Elétrica - ANEEL, disciplina o regime das concessões de serviços públicos de energia elétrica e dá outras providências. *Diário Oficial da União*, Brasília, 27 dez. 1996, republicado em 28 set. 1998. Disponível em: http://www.planalto. gov.br/ccivil_03/LEIS/L9427compilada.htm. Acesso em 28 nov. 2019.

BRASIL. Lei nº 9.472, de 16 de julho de 1997. Dispõe sobre a organização dos serviços de telecomunicações, a criação e funcionamento de um órgão regulador e outros aspectos institucionais, nos termos da Emenda Constitucional nº 8, de 1995. *Diário Oficial da União*, Brasília, 17 jul. 1997. Disponível em: http://www. planalto.gov.br/ccivil_03/LEIS/L9472.htm. Acesso em 28 nov. 2019.

BRASIL. Lei nº 9.478, de 6 de agosto de 1997. Dispõe sobre a política energética nacional, as atividades relativas ao monopólio do petróleo, institui o Conselho Nacional de Política Energética e a Agência Nacional do Petróleo e dá outras providências. *Diário Oficial da União*, Brasília, 07 ago. 1997. Disponível em: http:// www.planalto.gov.br/ccivil_03/leis/L9478compilado.htm. Acesso em 28 nov. 2019.

BRUNA, Sérgio Varella. *Agências reguladoras*: poder normativo, consulta pública, revisão judicial. São Paulo: Revista dos Tribunais, 2003.

GOHN, Maria da Glória. Conselhos gestores e gestão pública. *Ciências Sociais Unisinos*, v. 42, n. 1, p. 5-11, jan./abr. 2006. Disponível em: http://revistas.unisinos.br/index.php/ciencias_sociais/article/view/6008. Acesso em 28 nov. 2019.

GOMES, Eduardo Granha Magalhães. Conselhos gestores de políticas públicas: aspectos teóricos sobre o potencial de controle social democrático e eficiente. *Cad. EBAPE.BR*, Rio de Janeiro, v. 13, n. 4, p. 894-909, dez. 2015. Disponível em: http://www.scielo.br/scielo.php?script=sci_arttext&pid=S1679-39512015000400013&lng=en&nrm=iso. Acesso em 25 nov. 2019.

MONTEIRO, Vera. Art. 29 da LINDB: Regime jurídico da consulta pública. *Rev. Direito Adm.*, Rio de Janeiro, Edição Especial: Direito Público na Lei de Introdução às Normas de Direito Brasileiro – LINDB (Lei nº 13. 655/2018), p. 225-242, nov. 2018. Disponível em: http://bibliotecadigital.fgv.br/ojs/index.php/rda/article/ view/77656. Acesso em 28 nov. 2019.

SOARES, Evanna. A audiência pública no processo administrativo. *Jus Navigandi*, Teresina, ano 7, n. 58, p. 259-277, 1 ago. 2002. Disponível em: http://jus.uol.com.br/revista/texto/3145. Acesso em 28 nov. 2019.

STF - SUPREMO TRIBUNAL FEDERAL. *Ação Direta de Inconstitucionalidade nº 6121*. Relator: Min. Marco Aurélio. Brasília, 22 de abril de 2019. Disponível em: http://portal.stf.jus.br/processos/detalhe. asp?incidente=5678906. Acesso em 28 nov. 2019.

VITALE, Denise. Democracia e participação na gestão de políticas públicas: teoria e prática. *Bahia Análise & Dados*, Salvador, v. 17, n. 4, p. 1147-1154, jan./mar. 2008. Disponível em: http://www.ijsn.es.gov.br/ bibliotecaonline/Record/18191. Acesso em 26 nov. 2019.

---

Informação bibliográfica deste texto, conforme a NBR 6023:2018 da Associação Brasileira de Normas Técnicas (ABNT):

RASLAN, Alexandre Lima; SOUZA NETO, Antônio Barbosa de. Estado da arte da participação popular na democracia brasileira: restrospecto e prognose. *In*: COSTA, Daniel Castro Gomes da; FONSECA, Reynaldo Soares da; BANHOS, Sérgio Silveira; CARVALHO NETO, Tarcisio Vieira de (Coord.). *Democracia, justiça e cidadania*: desafios e perspectivas. Homenagem ao Ministro Luís Roberto Barroso. Belo Horizonte: Fórum, 2020. t. 1: Direito eleitoral, política e democracia. p. 363-377. ISBN 978-85-450-0748-7.

# BREVES REFLEXÕES SOBRE MUDANÇAS LEGISLATIVAS QUE VALORIZARAM A SOBERANA VONTADE DA MAIORIA

**EDUARDO DAMIAN**

Em uma República em que a população possui o direito de eleger os seus governantes, será sempre necessária uma regulamentação sobre a forma de escolha, as regras previamente estabelecidas para que os potenciais candidatos possam confrontar suas propostas e ideias, a fim de demonstrar quem é o mais apto para o exercício do cargo eletivo. Natural que, em se tratando de uma disputa para o acesso a cargos relevantes da estrutura de poder, surja uma série de conflitos que deverão ser resolvidos pelo Estado-Juiz.

Neste cenário, a tarefa de planejar, organizar e realizar as eleições, velando pela resolução dos conflitos surgidos ao longo do processo deve ser atribuída a algum órgão dotado de legitimidade e autoridade a colocar fim ao litígio, respeitando os anseios da sociedade que se manifestou e, em tese, deseja que seus escolhidos realmente sejam imbuídos do poder de decisão política. Por tal razão, as regras de qualquer processo eleitoral precisam ser transparentes e cumpridas por instituições de inegável imparcialidade, pois estas detêm o dever de resguardar um dos mais preciosos direitos fundamentais do cidadão: o direito ao voto. E, nesse cenário, a Justiça Eleitoral Brasileira surgiu para ocupar com inegável relevância e competência tal função em nosso Estado Democrático de Direito.

A Revolução de 1930, com espírito alegadamente modernizador, permitiu a criação da Justiça Eleitoral, prevista no primeiro Código Eleitoral, o Decreto nº 21.076, de 24 de fevereiro de 1932.[1] A partir de então, exceção do período de 1937 a 1945, a Justiça Especializada deteve a competência de planejar, organizar, realizar e fiscalizar

---

[1] A observação deve ser vista com alguma ponderação. O novo regime que se instalava não contava, é certo, com apoio pulverizado nas centenas de Câmaras Municipais. Daí porque faz sentido, inclusive sob um ponto de vista estratégico, atrair para um polo central e possivelmente mais controlável a condução dos procedimentos eleitorais. Há que se recordar que, à época, o acesso à magistratura não respeitava o princípio da obrigatoriedade do concurso público, havendo larga influência política na nomeação dos membros da Justiça Eleitoral.

as eleições, apurando votos, diplomando os vencedores e solucionando, ainda, as lides surgidas ao longo do processo eleitoral.

A escolha pelo Poder Judiciário para a consecução desta tarefa não poderia ter sido mais feliz. A República Velha, também alcunhada "Café com Leite" – ante a previsibilidade dos resultados eleitorais previamente combinados entre os poderosos estados de São Paulo e Minas Gerais –, jamais conseguiu mobilizar a massa da população brasileira para participação no processo eleitoral, seja pela notória história de fraudes nos pleitos, seja por uma legislação que restringia em demasia o eleitorado, tolhendo a maioria de analfabetos deste processo, é certo que se fazia necessária uma reorganização radical das regras eleitorais.

Excluído o período do Estado Novo (1937 a 1945), a Justiça Eleitoral manteve-se, desde 1932, responsável pelo processo eleitoral, assumindo tarefas atípicas para o Poder Judiciário. Não apenas exerce a jurisdição na resolução de conflitos advindos da temática eleitoral, mas também (i) cadastra eleitores e filiados a partidos políticos; (ii) registra estes mesmos partidos; (iii) traça normas, exercendo poder regulamentar; (iv) registra candidatos, julgando eventuais impugnações suscitadas; (v) convoca mesários e outros servidores; (vi) adquire, guarda e transporta as urnas; (vii) produz as cédulas ou, mais recentemente, os programas de computador para as urnas eletrônicas; (viii) conta os votos, proclama vencedores e diploma os eleitos; (ix) disciplina e fiscaliza a propaganda eleitoral, dotada de verdadeiro Poder de Polícia; (x) julga as ações de cassação de mandato, nas hipóteses de vitória obtida através de atos ilegais.

Assim, a Justiça Eleitoral zela pela aplicação da norma ao caso concreto, observando sempre os princípios da isonomia e da legitimidade, corolários da soberania popular.

O princípio da igualdade ou da isonomia pode ser analisado em duas perspectivas: a primeira, sob o viés de equiparação processual; e, a segunda, relativa ao equilíbrio de forças em uma disputa eleitoral.

No plano processual, o princípio da igualdade se materializa na obrigatoriedade de o juiz conceder tratamento igualitário às partes, incidindo no processo eleitoral o disposto no inciso I do art. 139 do Código de Processo Civil, que assegura às partes igualdade de tratamento. Nas normas processuais eleitorais não se vislumbra dispositivo com redação semelhante, no entanto, sua aplicação é plenamente concebível diante da aplicação subsidiária e supletiva do processo civil aos feitos eleitorais, segundo dicção do art. 15 do Código de Processo Civil. Da mesma forma, o caput do art. 5º da Constituição Federal exige o tratamento igualitário da lei, afastando qualquer espécie de privilégio.

A isonomia processual eleitoral nivela as partes em maior amplitude e em diversos aspectos além das normas do processo civil ou penal. Exemplo clássico da aplicação isonômica ao processo eleitoral é a não incidência das prerrogativas processuais do Ministério Público ou Fazenda Pública. Os prazos para as instituições públicas são exatamente idênticos aos prazos conferidos a partidos políticos e candidatos e, havendo litisconsórcio, o prazo é comum, independentemente das partes que integram o polo da demanda.

Sob o ponto de vista eleitoral, a maior relevância do princípio da igualdade, previsto no caput do art. 5º da Constituição Federal, encontra-se na entrega equilibrada de meios, oportunidades e instrumentos aos candidatos na disputa de um cargo eletivo, nos limites da lei.

A igualdade, de alguma forma, está presente em diversos dispositivos da lei eleitoral, como o artigo que prevê que a propaganda eleitoral somente poderá ocorrer a partir do dia 16 de agosto do ano da eleição, ou seja, todos os candidatos estão obrigados a respeitar o termo inicial para pedir votos ao eleitor. As vedações também são extensíveis a todo e qualquer candidato, como exemplo, ninguém pode fazer propaganda eleitoral ou pedir votos no dia da eleição. A exceção no dia do pleito é a manifestação individual e silenciosa do eleitor, que encontra amparo no princípio fundamental da liberdade de expressão. O objetivo é evitar que o eleitor seja importunado, permitindo ao mesmo, se desejar, expressar sua preferência política de forma respeitosa e silenciosa.

A preocupação com a isonomia na disputa do pleito converge com a própria legitimidade do resultado das urnas, já que se um candidato se utilizou de instrumentos contrários à legislação em franco prejuízo ao seu concorrente, a eleição está viciada e deve ser anulada. O princípio da igualdade ou isonomia exerce importante caráter balizador para o julgador aferir a ocorrência de determinadas condutas no processo eleitoral. O abuso de poder econômico ou político constituem núcleos de condutas ilegais que podem ensejar a nulidade da eleição com a cassação e a declaração de inelegibilidade futura do candidato e de todos que contribuíram para a prática ilícita. Constatada a quebra de oportunidades aos candidatos e havendo gravidade na conduta praticada, poderá ocorrer a cassação do mandato eletivo e declaração de inelegibilidade daqueles que praticaram o ato ilícito.

Portanto, conclui-se que a igualdade figura entre os mais importantes princípios que se aplicam ao direito eleitoral.

A exigência de ética e moral na política vem, cada vez mais, sendo objeto dos anseios da sociedade brasileira, exausta com sucessivos escândalos de corrupção e improbidade envolvendo agentes públicos. A resposta da sociedade pode se efetivar por meio do exercício do voto direto nas eleições periódicas, escolhendo representantes imbuídos do espírito público e com vida pregressa ilibada. Outra forma relevante de participação do cidadão, com o uso de instrumento próprio da democracia, se dá através de propostas legislativas de iniciativa popular.

A moralidade no processo eleitoral deve nortear o comportamento dos candidatos e partidos políticos durante o período da disputa eleitoral, respeitando as regras do jogo previamente estipuladas, agindo de forma leal e ética com seus adversários e colaborando com a atuação da Justiça Eleitoral. Sob a ótica do período de campanha, o princípio da moralidade reside próximo ao princípio da legitimidade e lisura das eleições, ou seja, eventual desvio moral do candidato poderá ensejar quebra da isonomia na disputa, interferir no resultado do pleito e, por conta disso, poderão ser impostas sanções e consequências futuras aos candidatos e partidos políticos.

No curso do processo eleitoral, duas principais preocupações devem estar no centro das atenções: a preservação da igualdade na disputa e o respeito à legitimidade do resultado advindo das urnas. O princípio da legitimidade é outro princípio destacado no processo eleitoral jurisdicional que guarda estreita relação com a lisura das eleições. Uma eleição somente será legítima se refletir a vontade livre e consciente da maioria, observado todo o procedimento e as regras previamente estabelecidas pela legislação em vigor, sem a interferência de fatores externos distintos da livre manifestação de ideias.

O respeito pelo resultado das urnas deve vir da coletividade, que reconhece o vencedor, mesmo discordando de suas propostas, e possui a convicção de que o eleito foi escolhido na forma estabelecida pela lei, justa e corretamente.

O princípio da legitimidade encontra fundamento no art. 1º, parágrafo único da CF de 1988, que assevera que "todo poder emana do povo, que o exerce por meio de seus representantes eleitos ou diretamente, nos termos desta Constituição". Nessa esteira, toda e qualquer forma de se cometer ilegalidades numa eleição atingirá diretamente a soberania popular e o princípio da lisura das eleições.

O art. 14 da CF de 1988, precisamente em seu §9º, também ampara referido princípio ao estabelecer que:

> A Lei Complementar estabelecerá outros casos de inelegibilidade e os prazos de sua cessação, a fim de proteger a probidade administrativa, a moralidade para o exercício do mandato, considerada a vida pregressa do candidato, a moralidade e a legitimidade das eleições contra influência de poder econômico ou abuso do exercício de função, cargo ou emprego na administração direta ou indireta.

E o art. 24 da Lei Complementar n° 64/1990 diz que:

> O Tribunal formará a sua convicção pela livre apreciação dos fatos públicos e notórios, dos indícios e das presunções e prova produzida, atentando para as circunstâncias ou fatos, ainda que não alegados pelas partes, mas que preservem o interesse público da lisura eleitoral.

A infringência às regras do processo eleitoral pode atingir diferentes núcleos em diversos níveis de intensidade. Portanto, se o ato ilícito se restringiu à violação de norma atinente à propaganda eleitoral, as sanções aplicáveis mais comuns serão a proibição da conduta e a aplicação de multa eleitoral. Por outro lado, se os atos ilícitos praticados alcançarem a lisura das eleições, comprometendo a isonomia entre os candidatos, as sanções podem variar de cessação da conduta, aplicação de multa até a cassação do mandato com declaração de inelegibilidade futura e, consequentemente, nulidade do resultado da eleição parcial ou total.

A interferência na lisura das eleições ou na legitimidade do resultado das urnas é aferida, no caso concreto, por meio de diversas circunstâncias, entre as quais podem ser destacadas: i) gravidade da conduta praticada; ii) circunscrição da eleição; iii) âmbito de incidência da conduta ilícita; iv) eleitorado e cargo em disputa; v) interferência na igualdade da disputa; vi) existência de prova robusta.

O princípio da legitimidade, juntamente com os princípios da moralidade e igualdade, figura como um dos vetores de proteção da tutela jurisdicional eleitoral.

Fixadas as premissas anteriormente relacionadas, vale rememorar novidade legislativa que realça a importância da soberania popular.

O artigo 224 do Código Eleitoral ganhou nova redação na reforma eleitoral do ano de 2015, apresentando ao cenário político singela alteração legislativa com profunda repercussão jurídica e política,[2] quanto ao tema de nulidade de eleições majoritárias.

Indubitavelmente, a cassação de um mandato eletivo é medida extrema que demanda prova robusta, inconcussa de fatos que demonstrem gravidade para interferir na lisura da eleição. A gravidade da sanção de cassação gera consequências imediatas e danosas ao sistema político-administrativo até então à frente daquele cargo eletivo majoritário. De toda sorte, a prática de alternância no poder, antes da mudança legislativa, possuía um perigoso ingrediente capaz de agravar a continuidade dos serviços públicos, qual seja: a possibilidade de assunção ao cargo do segundo colocado na disputa.

A derrota nas urnas, muitas vezes, não confortava o candidato derrotado, que enxergava (às vezes até por vil estratégia de desgaste político) no processo judicial pós-eleição, a chance de obter o sonhado mandato eletivo. A motivação nem sempre republicana e a possibilidade, mesmo que remota, de assumir o mandato, encorajavam os derrotados a buscar aquilo que o eleitor não lhe entregou.

A inclusão dos parágrafos 3º e 4º do artigo 224 do Código Eleitoral fulminou as falsas expectativas de candidatos derrotados pelas urnas e, em boa hora, devolveu ao cidadão o direito de escolher, através de eleições suplementares, o detentor de mandato eletivo majoritário que poderá participar do sistema democrático de forma legítima, distante das práticas nefastas de abuso de poder e demais condutas ilícitas.

Portanto, a partir das eleições de 2016, eventual decisão judicial eleitoral, que conduza à cassação de mandato eletivo obtido pelo sistema majoritário, deverá vir acrescida de previsão de calendário para realização de eleições suplementares, momento que o eleitor poderá renovar sua manifestação de vontade. A exceção à regra que privilegia a soberania popular e a vontade do povo se dá quando a vacância vier

---

[2] Art. 224. Se a nulidade atingir a mais de metade dos votos do país nas eleições presidenciais, do Estado, nas eleições federais e estaduais, ou do município, nas eleições municipais, julgar-se-ão prejudicadas as demais votações e o Tribunal marcará dia para nova eleição dentro do prazo de 20 (vinte) a 40 (quarenta) dias.
§1º Se o Tribunal Regional, na área de sua competência, deixar de cumprir o disposto neste artigo, o Procurador Regional levará o fato ao conhecimento do Procurador Geral, que providenciará junto ao Tribunal Superior para que seja marcada imediatamente nova eleição.
§2º Ocorrendo qualquer dos casos previstos neste capítulo, o Ministério Público promoverá, imediatamente, a punição dos culpados.
§3º A decisão da Justiça Eleitoral que importe o indeferimento do registro, a cassação do diploma ou a perda do mandato de candidato eleito em pleito majoritário acarreta, ~~após o trânsito em julgado~~, a realização de novas eleições, independentemente do número de votos anulados. (Incluído pela Lei nº 13.165, de 2015). (Vide ADIN nº 5.525).
§4º A eleição a que se refere o §3º correrá a expensas da Justiça Eleitoral e será: (Incluído pela Lei nº 13.165, de 2015). (Vide ADIN nº 5.525).
I - indireta, se a vacância do cargo ocorrer a menos de seis meses do final do mandato; (Incluído pela Lei nº 13.165, de 2015). (Vide ADIN nº 5.525).
II - direta, nos demais casos.

nos últimos seis meses de mandato, período que torna inviável a realização de eleição direta suplementar, por razões de logística e economia, uma vez que a renovação do mandato far-se-á presente através do calendário ordinário de eleições.

O Supremo Tribunal Federal, nos autos da ADIN nº 5525, declarou a inconstitucionalidade da expressão "até o trânsito em julgado", visto que a exigência de decisão final de mérito deve aguardar o exaurimento das instâncias ordinárias, ao passo que a espera pelo trânsito em julgado importaria em verdadeira afronta aos princípios da celeridade e da efetividade.

A aludida mudança legislativa valoriza a renovação do pleito viciado com a participação do principal ator no processo: o eleitor. Com absoluta convicção, a mudança da lei permitirá a redução da judicialização pós-eleição, atraindo maior segurança jurídica e político-administrativa.

Na mesma linha, a fim de privilegiar a vontade soberana das urnas, a novel redação do artigo 108 do Código Eleitoral[3] surgiu para minorar as distorções do sistema proporcional que, em determinadas situações, permitia a proclamação de candidatos eleitos com baixa votação nominal, graças a votações estratosféricas de um ou outro candidato. Por conta da aplicação horizontal das regras do sistema proporcional, era comum nos depararmos com a posse de vereadores e deputados extremamente mal votados, enquanto candidatos muito bem votados amargavam a derrota.

O legislador, prestigiando novamente a vontade da maioria, decidiu incluir um mínimo razoável de desempenho pessoal de cada candidato para sagrar-se eleito. A nova redação passou a exigir do candidato a cargo proporcional a votação nominal mínima de 10% do quociente eleitoral, montante bem razoável para se aferir realmente a legitimidade na obtenção da titularidade de um mandato. Apenas a título exemplificativo, podemos destacar o caso do Município do Rio de Janeiro, onde, no pleito de 2016, a votação mínima nominal para alcançar a titularidade do mandato de vereador foi de 5.743 votos. Constata-se que o critério previsto na legislação, a contar do pleito de 2016, se mostra plenamente razoável, justo e adequado ao princípio da soberania popular.

Portanto, os dois exemplos anteriormente destacados aperfeiçoaram a busca pela preservação da maioria do eleitorado, o primeiro prestigiou a renovação do pleito em caso de cassação de cargo majoritário, enquanto o segundo minimizou distorção da eleição realizada através do sistema proporcional, com a exigência de votação nominal mínima.

Os artigos do Código Eleitoral destacados, extraídos da legislação aplicável a partir de 2016, corroboraram a relevância da vontade soberana do eleitor, presenteando o processo eleitoral com dispositivos que aprimoraram a aplicação de tão basilar princípio aos sistemas majoritário e proporcional. De fato, foram mudanças legislativas

---

[3]   Art. 108. Estarão eleitos, entre os candidatos registrados por um partido ou coligação que tenham obtido votos em número igual ou superior a 10% (dez por cento) do quociente eleitoral, tantos quantos o respectivo quociente partidário indicar, na ordem da votação nominal que cada um tenha recebido. (Redação dada pela Lei nº 13.165, de 2015).
Parágrafo único. Os lugares não preenchidos em razão da exigência de votação nominal mínima a que se refere o *caput* serão distribuídos de acordo com as regras do art. 109. (Incluído pela Lei nº 13.165, de 2015).

simples, porém, com inegável repercussão prática, garantindo à sociedade um resultado justo e ainda mais próximo da vontade da maioria.

Informação bibliográfica deste texto, conforme a NBR 6023:2018 da Associação Brasileira de Normas Técnicas (ABNT):

DAMIAN, Eduardo. Breves reflexões sobre mudanças legislativas que valorizaram a soberana vontade da maioria. *In*: COSTA, Daniel Castro Gomes da; FONSECA, Reynaldo Soares da; BANHOS, Sérgio Silveira; CARVALHO NETO, Tarcisio Vieira de (Coord.). *Democracia, justiça e cidadania*: desafios e perspectivas. Homenagem ao Ministro Luís Roberto Barroso. Belo Horizonte: Fórum, 2020. t. 1: Direito eleitoral, política e democracia. p. 379-385. ISBN 978-85-450-0748-7.

# A TRANSFORMAÇÃO DA RESPONSABILIDADE DOS INTERMEDIÁRIOS DA INTERNET

**RICARDO RESENDE CAMPOS**

## 1 Introdução

O recurso extraordinário (RE) nº 1037396 interposto pelo Facebook contra decisão da Segunda Turma Recursal Civil de Piracicaba oferece a possibilidade ao STF, em cede de repercussão geral, de enfrentar o problema de como o Brasil posiciona-se na temática da responsabilização dos intermediários da internet. Como será demonstrado a seguir, o artigo 19 do Marco Civil da Internet (Lei nº 12.965) é um produto anacrónico e generalista de uma forma inédita de regulação dos intermediários por imunidade surgida nos Estados Unidos na década de noventa sob o manto de incentivo à inovação, que não mais condiz com o atual cenário da posição das plataformas digitais na sociedade. Para compreender a atual responsabilidade dos intermediários por imunidade, há que se captar a transformação da forma de geração e circulação da informação cotidiana na sociedade moderna. Para elucidar, didaticamente, faz-se necessário dividir em 3 (três) etapas o problema da responsabilidade dos intermediários: a) fase de criação de uma nova responsabilidade por imunidade, b) momento de crise dessa responsabilidade; c) e uma última fase, a atual, de iniciativas para repensar a responsabilidade por imunidade.

A importante transformação que guia a atual discussão jurídica parte da constatação concreta de que novos gargalos comunicacionais deixaram de ser as grandes organizações televisivas e redações de jornais e passaram a ser o novo modelo de negócios centrado em plataformas digitais.[1] Assim, houve uma migração da produção e circulação de conteúdos da mídia tradicional para as plataformas digitais. A responsabilidade jurídica pela produção e circulação de conteúdos até então, entretanto, levava em conta o processo de controle editorial por redações de

---

[1] Ver artigo de Ricardo Campos, "Fake News e autorregulação regulada das redes sociais no Brasil: fundamentos constitucionais", em: CAMPOS, Ricardo; ABBOUD, Georges; NERY JR, Nelson (Orgs.). Fake news e regulação. *Revista dos Tribunais*, Sao Paulo, p. 160-180, 2018.

jornais e empresas televisivas antes de disponibilizarem conteúdos ao público em geral. Esse filtro prévio, na editoração das redações, conferia contornos legais para a responsabilização jurídica em caso de produção de conteúdo ofensivo ou falso,[2] tanto para o conteúdo produzido diretamente pela redação quanto por terceiros locados fora da redação. Existia também um direito de resposta eficaz.

## 2    O surgimento de uma nova responsabilidade jurídica

Acontece que um novo modelo de negócios da nova indústria criativa, centrado em sítios digitais e *service providers*, alterou os gargalos de produção e circulação de conteúdo, tornando-os independentes de redações e desafiando, assim, os contornos legais da responsabilidade editorial tradicional.

No inicio da década de noventa, nos USA, os primeiros problemas surgiram justamente nesse contexto, na medida em que os tribunais, especialmente nos casos *Cubby, Inc. v. CompuServe Inc* e *Stratton Oakmont, Inc. v. Prodigy Services* Co, decidiram de forma conflitante sobre a responsabilidade dos *service providers*. O problema girava em torno da questão se esses sites teriam responsabilidade, como classicamente os editores, sobre conteúdos ilegais gerados por terceiros, ou se seriam meramente distribuidores como bibliotecas, livrarias e bancas de jornal, ou seja, sem o dever de exercerem o controle de conteúdo sobre todas as publicações antes de distribuí-las.[3]

Pela insegurança jurídica gerada por decisões conflitantes, aos poucos os legisladores foram tomando posição no enfrentamento da questão da responsabilidade dos intermediários na internet. Tanto na Europa quanto nos Estado Unidos, os reguladores estatais e supranacionais começaram a desenhar um modelo de responsabilidade que se distanciasse da simples analogia aos paradigmas de regulação da circulação da informação, centrado no editor e distribuidor. Com isso, o enfrentamento da questão da responsabilidade dos intermediários deslocou-se do paradigma tradicional das grandes organizações jornalísticas para um terreno ainda incerto de uma nova economia.[4] Justamente essa incerteza imbuída no surgimento de um novo mercado e da complexidade inerente aos novos serviços digitais, a primeira fase foi marcada pela construção de uma nova responsabilidade por imunidade centrada, principalmente, no fomento tecnológico desse novo mercado.

Três foram os principais pontos angulares da construção da nova responsabilidade jurídica dos intermediários, especificadamente: Communications Decency Act (1996), Digital Millennium Copyright Act (1998) e a diretiva europeia sobre o comercio eletrônico (2000). O primeiro e influente parâmetro regulatório da responsabilidade

---

[2]    BROGI, E.; PARCU, P. L. Tue evolving regulation of the media in Europe as an instrument for freedom and plur_alism. EUI Working Paper RSCAS 2014/09, 2014. P.J. Ombelet, A. Kuczerawy, P. Valcke, Legal/ regulatory requirements analysis - Media law and Freedom of expression, Deliverable D1.2c, *REVEAL project*, 30 April 2016. p. 9.

[3]    HELBERGER, N. *et al. User-Created-Content*: supporting a participative information society, understanding the digital world, study für the European commission conducted by IDATE, TNO and IViR, Final Report 2008. p. 265.

[4]    HOWKINS, John. *The creative economy*: how people make money from ideas. Penguin, 2001. p. 88-117.

dos intermediários foi a chamada Communications Decency Act (CDA), passada no Congresso Americano em 1996 como clara resposta aos pilares fincados pelo emblemático caso *Stratton Oakmont, Inc. v. Prodigy Services Co*. Diferentemente da decisão do caso citado, o novo marco regulatório tinha dois principais objetivos: 1) promover a inovação de novos negócios no mundo digital; 2) focar no fomento da autorregulação pelos intermediários, ao encorajá-los voluntariamente a fazer o controle do conteúdo de seus usuários. Esse marco regulatório tinha especialmente como pano de fundo enfrentar o problema da circulação de conteúdos ofensivos e obscenos a menores, especialmente sexo e pornografia infantil. No tocante ao impacto dessa regulação na livre circulação da informação, a Suprema Corte norte-americana considerou inconstitucionais partes do CDA por suas amplas limitações à liberdade de expressão.[5] Apenas a sessão 230[6] ficou intacta, balizando a nova responsabilização dos intermediários da internet ao distanciá-los da responsabilidade editorial clássica.[7]

O principal caso que delineou os paramentos aplicativos da seção 230 do CDA foi o emblemático *Zenon v. AOL*,[8] cuja interpretação dada foi a de estabelecer quase que uma imunidade absoluta do *interative computer servisse*, diante de conteúdos gerados por terceiros.[9] O caso em tela tratava de ataques constantes nos chats de bate papo da AOL ao empresário Zeran. A corte não excluiu a aplicação da seção 230, mesmo após o ofendido ter emitido avisos e requerimentos com pedidos de retirada do conteúdo ofensivo perante a plataforma. Em outras palavras, os novos intermediários estariam complemente imunizados de responsabilização, mesmo o ofendido tendo emitido avisos para retirada. Nesse contexto, apenas uma decisão judicial poderia requerer a retirada do conteúdo ofensivo.[10] Assim nasceu a nova responsabilidade por imunidade para os intermediários da internet.

Para conteúdos que tocavam a propriedade intelectual, rapidamente houve uma mobilização do setor para distanciar-se do modelo de responsabilidade por imunidade. Com a Seção 202 do Digital Millennium Copyright Act (DMCA), de 1998, foi regulada a responsabilização de intermediários pela violação de direitos de autor por terceiros. A principal contribuição dessa regulação foi introduzir o procedimento de "notice and take down", estabelecendo uma limitação da responsabilização de intermediários com relação a direitos autorais na medida em que os intermediários seguissem os parâmetros de condições cumulativas da seção 512 (c). A principal

---

[5]   Reno v. ACLU, 521 U.S. 844 (1997), S. 848-860.

[6]   Secção 230, "[n]o provider or user of an interactive computer service shall be treated as the publisher or speaker of any information provided by another information content provider".

[7]   ARDIA, D. Free speech savior or shield for scoundrels: an empirical study of intermediary immunity under section 230 of the communications decency act. *Loyola of Los Angeles Law Review*, v. 43, n. 2, p. 373-506, 2010. p. 383.

[8]   Zeran v. America Online, lnc. 129 F.3d 327 (4th Cir. 1997).

[9]   Zenan v. America Online Inc. 129 F.3d 327 (4th Cir. 1997). GOLDMAN, E. The ten most important Section 230 Rulings. *Tulane Journal of Technology and Intelectual property*, v. 20, 2017. A diferença central aqui é entre editores (*publisher*), que possuem um tipo mais restrito de responsabilidade, e *content providers*, que teriam imunidade no que tange à responsabilização por terceiros.

[10]  HOLLAND, Adam; BAVITZ, Chris; HERMES, Jeff. Online intermediaries case studies series: intermediary liability in the united states. Em: *Governance of online intermediaries*, Cambridge, p. 7 ss, 2015.

contribuição desse estatuto foi possibilitar pessoas e associações representantes de autores que fossem alvos de violações de direitos autorais, de interromper a circulação de material protegido online em qualquer plataforma digital.[11]

A repercussão no campo europeu seguiu-se em pouco tempo. Proposto pela comissão europeia em 1998 e assinada pelo parlamento e conselho em 2000, a diretiva tinha como propósito a regulamentação do comércio eletrônico dentro do mercado comum europeu, acima de tudo, assegurando a livre circulação de informações dentro dos estados membros.

## 3    A crise de responsabilidade dos intermediários

Entretanto, após a consolidação de uma nova forma de responsabilidade jurídica dos intermediários, diferenciando um regime especial que protege a propriedade intelectual de um regime geral de imunidade para conteúdos não correlatos à propriedade intelectual, entrou-se num momento de crise na medida em que as plataformas digitais tornaram-se, faticamente, a infraestrutura pública da comunicação diária da sociedade. Quase que por meio de uma concessão tácita, driblando assim o regime regulatório de concessões para empresas de mídia, elas tornaram-se gestoras da infraestrutura da informação e do fluxo da comunicação social. Nesse contexto, duas turbulências recentes vieram da primavera árabe, onde protestos foram organizados por meio de plataformas digitais sem a participação de sindicatos e associações, e a crise mais grave, das eleições americanas de 2016, que acabou com a confirmação de ingerência externa tanto pela justiça americana, com condenação de russos pelo uso de mecanismos de plataformas digitais nas eleições americanas, quanto por um relatório do senado sobre a extensão da ingerência. O mesmo problema de ingerência externa ou intransparência gerada pelas plataformas no processo eleitoral repetiu-se em diversos países.

Os momentos de turbulência revelaram as consequências estruturais das plataformas digitais nas democracias modernas. Esses efeitos, especialmente sobre a estruturação da comunicação pública, recordam os efeitos da famosa "loi Chapelier", no contexto da revolução francesa. A "loi le Chapelier" do ano 14. Juni 1791 tinha como núcleo essencial o enfraquecimento das estruturas intermediárias da sociedade, como sindicatos, organizações e corporações, nas quais os processos de decisão eram organizados, estruturados e filtrados. Com a "loi le Chapelier" proibiu-se qualquer tipo de corporação, instituindo-se, assim, na França, uma forma de mediação direta entre "o interesse particular do indivíduo e o interesse geral da nação".[12] O extermínio das camadas intermediárias que estruturaram a participação popular e moldavam a esfera pública transformou, como já se sabe, os ideais da revolução francesa em uma tendência totalitária, culminado com o regime ditatorial de Napoleão Bonaparte.

---

[11]    JENNIFER, M. *Urban and Laura Quilter, efficient process or Chilling Effects - Takedown Notices under Section 512 of the Digital Millennium Copyright Act*, 22 Santa Clara High Tech. L.J. 621, 2006. p. 4 ss.

[12]    SPIROS, Simitis. Die loi le chapelier: bemerkungen zur geschichte und möglichen Wiederentdeckung des Individuums. Em: *Kritische Justiz*, v. 22, n. 2, p. 157-175, 1989.

A principal tensão atual experimentada com o impacto da estruturação da comunicação pública pelo novo modelo de negócio das plataformas digitais deriva, precisamente, da tendência de enfraquecer as camadas intermediárias, como corporações, organizações, sindicatos, partidos políticos, etc., pela nova forma de comunicação das plataformas digitais. Essa tensão é especialmente evidente pelo fato de que os Estados democráticos modernos do pós-guerra buscaram conferir um caráter constitucional de mediação entre o interesse particular e a constituição do interesse público por essas instituições ou organizações intermediárias.

## 4 Em busca de um modelo adequado para os intermediários

Passado o período de criação e ainda no momento de turbulência, um terceiro momento começou a surgir nos últimos anos. Este é marcado pela tentativa de repensar modelos com maior responsabilidade de plataformas digitais no manejo da infraestrutura pública da comunicação diária. Dois deles são os modelos alemão e português. O modelo alemão, em especial, que num primeiro momento incorporou o modelo americano de responsabilidade por imunidade com a lei de telecomunicações de 1997, acabou, por sua vez, distanciando-se deste, preliminarmente, por via judicial, com a decisão de 2012 do Bundesgerichtshof (equiparável ao STJ brasileiro) ao introduzir o procedimento de *notice-and-take-down* e o consequente dever de remoção dentro desse procedimento estabelecido para matéria não correlata da propriedade intelectual.[13] Posteriormente, no ano de 2018, foi promulgada a Netzwerkdurchsetzungsgesetz (NetzDG) a qual estabelece um novo marco regulatório das plataformas digitais. Neste estatuto, em seu §3º incisos I e II, encontra-se estabelecido um procedimento com duração de 24 horas, para remoção de conteúdos manifestamente ilegais, e 7 (sete) dias para conteúdos na zona cinzenta, sendo julgado por uma comissão após notificação. Ponto relevante também foi a criação de um regime de compliance - dever de apresentação de reports sobre o procedimento de remoção.[14]

De fato, o art. 19 do Marco Civil é um produto reproduzido de um determinado e particular momento de promoção à inovação e, por isso, de certa forma, seria um estatuto que já nasceu anacrónico, na medida em que emerge de um abismo temporal de 18 anos da legislação americana. De fato, o momento atual é completamente diferente da década de noventa. O que antes era promoção à inovação, hoje virou um mercado de monopólio pelas big "five". Jeff Kosseff assinala, num balanço dos 20 anos da criação da nova responsabilidade por imunidade, que a consequência dessa forma de responsabilidade foi que os intermediários propriamente ditos passaram a bloquear e a excluir conteúdos voluntariamente, seguindo exigências do mercado nos termos de condições de uso.[15]A exclusão das contas dos "revoltados online" (na época maior plataforma da direita) e, MBL, nos últimos anos, se deram nesse contexto

---

[13] BGH, NJW 2012, p. 150ss.

[14] Sobre a lei alemã, ver os artigos de Martin Eifert e a tradução da lei alemã no livro: CAMPOS, Ricardo; ABBOUD, Georges; NERY JR, Nelson (Orgs.). Fake news e regulação. *Revista dos Tribunais*, São Paulo, p. 160-180, 2018.

[15] KOSSEFF, Jeff. *Twenty years of intermediary immunity*: the US experience. 1 Issue. June 2017 Scripted, v. 14.

de autorregulação, que possui um viés intransparente, na medida em que a exclusão apresenta-se de certa forma como uma censura fática.

Nesse contexto também é importante perceber a sensibilidade seletiva de vários institutos e universidade que possuem centros voltados para a defesa da liberdade de expressão e direito digital. Ao menos transparece ao público estudioso da área que a sensibilidade sobre o tema da liberdade de expressão somente se torna um tema relevante e apto a movimentar sua máquina em defesa do bem maior da liberdade de expressão, quando casos que tocam os interesses das grandes empresas de plataformas digitais são atingidos. O caso do art. 19 é o mais exemplar. Outros casos relevantes, dignos de interesse público em torno da defesa da liberdade de expressão, são simplesmente relegados ao esquecimento. Um desses é a opacidade da autorregulação pelos termos e condições de uso das plataformas, levado a cabo pelas empresas,[16] seu poder de excluir e, assim, censurar, privadamente, contas e plataformas que movimentam grupos e pessoas em liberdade de expressão, até o momento nunca foi tema de grandes debates ou investiduras.[17]

Apesar de ser um produto anacrônico, o art. 19 do marco civil estruturou não apenas o modelo de negócios das maiores empresas do ramo digital "big five", mas também um ecossistema complexo que se nutre também de pequenas e médias empresas. O problema das externalidades negativas em abordar o art. 19 é fruto, em especial, da produção de um marco regulatório simplório e pouco complexo, sem distinção de seguimentos e impacto de empresas, ao criar um guarda-chuva generalista – copiando o modelo americano de 1996 (!) –, o qual abarca tanto o modelo de negócios com posições monopolistas no mercado, quanto pequenas empresas importantes no campo da inovação.

O grande desafio em enfrentar a temática decorre, primeiramente, de fugir do maniqueísmo que domina o debate brasileiro em torno do tema. Maniqueísmo esse que expressa no tom quase catastrófico de uma certa "sacralidade" do art. 19, como se a mera aproximação e mudança de forma regulatória levaria, inexoravelmente, a um situação de restrição extrema da liberdade de expressão. Ao menos não foi isso que ocorreu em outros países que não optaram pela simplória defesa de interesse das plataformas digitais, sem balancear com as deformações causadas nos pilares da constituição democrática, ou seja, interesse público. A crescente desintermediação do processo de formação da opinião pública de fato traz benefícios de uma maior conexão dentro do sistema representativo atual entre representante e representado, independentemente dos meios de comunicação tradicionais. Entretanto, esse efeito positivo não pode servir como justificava para evitar o debate e o amadurecimento das alternativas de regulação que se direcionem para adequar o modelo regulatório

---

[16] Sobre esse tema da censura privada pelas plataformas de conteúdos que normalmente seriam protegidos pela liberdade de expressão, ver: GILLESPIE; Carleton. *Custodians of the internet.* Platforms, content moderation, and the Hidden decisions that shape social media. Londres, 2018. p. 197 ss.

[17] Sobre uma forma de vinculação a direitos fundamentais dos termos e usos de plataformas digitais, ver: WIELSCH, Dan. Die Ordnung der Netzwerke. AGB - Code - Community Standarts. *In*: MARTIN EIFERT, Tobias Gostomzyk (Orgs.). *Netzwerkrecht. Die Zukunft des NetzDG und seine Folgen für die Netzwerkkommunikation.* Baden-Baden, 2018. p. 61 ss.

atual aos novos tempos em que o modelo de responsabilidade anterior já entrou em crise. Por isso mesmo, observado de longe, o cenário do debate brasileiro é envolvido por um tom de maniqueísmo simplista voltado ao não debate dos desenvolvimentos do direito comparado e à tematização dos interesses públicos em jogo.

## 5   Conclusão

O presente ensaio procurou, de forma breve, traçar algumas linhas gerais sobre o surgimento, a crise e a transformação da responsabilidade dos intermediários da internet dentro do direito comparado. O debate brasileiro tem sido conduzido por um tom catastrófico de sacralidade do art. 19 do Marco Civil, este, um quase copia e cola do estatuto americano de 1996. O abismo temporal entre a cópia e a invenção, entretanto, tornou a regulação brasileira um produto impensado e anacrônico, que aos poucos coloca o Supremo Tribunal Federal numa posição desconfortável. Olhar para o direito comparado e, acima de tudo, ter em vista a estruturação do interesse público e não apenas o interesse das plataformas digitais, seria um objetivo nobre para moldar o debate brasileiro, assim como tem sido crescentemente em diversos países.

## Referências

ARDIA, D. Free speech savior or shield for scoundrels: an empirical study of intermediary immunity under section 230 of the communications decency act. *Loyola of Los Angeles Law Review*, v. 43, n. 2, p. 373-506, 2010.

BROGI, E.; PARCU, P. L. Tue evolving regulation of the media in Europe as an instrument for freedom and plur_alism. EUI Working Paper RSCAS 2014/09, 2014. P.J. Ombelet, A. Kuczerawy, P. Valcke, Legal/regulatory requirements analysis - Media law and Freedom of expression, Deliverable D1.2c, *REVEAL project*, 30 April 2016.

CAMPOS, Ricardo; ABBOUD, Georges; NERY JR, Nelson (Orgs.). Fake news e regulação. *Revista dos Tribunais*, Sao Paulo, p. 160-180, 2018.

GILLESPIE; Carleton. *Custodians of the internet*. Platforms, content moderation, and the Hidden decisions that shape social media. Londres, 2018.

GOLDMAN, E. The ten most important Section 230 Rulings. *Tulane Journal of Technology and Intelectual property*, v. 20, 2017.

HELBERGER, N. *et al. User-Created-Content*: supporting a participative information society, understanding the digital world, study für the European commission conducted by IDATE, TNO and IViR, Final Report 2008.

HOWKINS, John. *The creative economy*: how people make money from ideas. Penguin, 2001.

HOLLAND, Adam; BAVITZ, Chris; HERMES, Jeff. Online intermediaries case studies series: intermediary liability in the united states. Em: *Governance of online intermediaries*, Cambridge, p. 7 ss, 2015.

JENNIFER, M. *Urban and Laura Quilter, efficient process or Chilling Effects - Takedown Notices under Section 512 of the Digital Millennium Copyright Act*, 22 Santa Clara High Tech. L.J. 621, 2006.

KOSSEFF, Jeff. *Twenty years of intermediary immunity*: the US experience. 1 Issue. June 2017 Scripted, v. 14.

SPIROS, Simitis. Die loi le chapelier: bemerkungen zur geschichte und möglichen Wiederentdeckung des Individuums. Em: *Kritische Justiz*, v. 22, n. 2, p. 157-175, 1989.

WIELSCH, Dan. Die Ordnung der Netzwerke. AGB - Code - Community Standarts. *In*: MARTIN EIFERT, Tobias Gostomzyk (Orgs.). *Netzwerkrecht. Die Zukunft des NetzDG und seine Folgen für die Netzwerkkommunikation*. Baden-Baden, 2018.

---

Informação bibliográfica deste texto, conforme a NBR 6023:2018 da Associação Brasileira de Normas Técnicas (ABNT):

CAMPOS, Ricardo Resende. A transformação da responsabilidade dos intermediários da internet. *In*: COSTA, Daniel Castro Gomes da; FONSECA, Reynaldo Soares da; BANHOS, Sérgio Silveira; CARVALHO NETO, Tarcisio Vieira de (Coord.). *Democracia, justiça e cidadania*: desafios e perspectivas. Homenagem ao Ministro Luís Roberto Barroso. Belo Horizonte: Fórum, 2020. t. 1: Direito eleitoral, política e democracia. p. 387-394. ISBN 978-85-450-0748-7.

---

# AS REFORMAS NO ÂMBITO DA PROPAGANDA ELEITORAL E A ASCENSÃO DAS REDES SOCIAIS

**LUIZA VEIGA**

## 1 Considerações Iniciais

Nas democracias, tem relevância central o espaço de formação da opinião pública, tanto no que tange à disputa pelas preferências populares pelos candidatos quanto no que se refere à possibilidade de participação do debate pelos eleitores, de forma que a mensagem e os meios de comunicação são objeto importante de estudo por parte do direito eleitoral.

A igualdade de participação no processo político e a liberdade de expressão, princípios diretamente relacionados à disputa pela hegemonia no campo da comunicação, o que determina, em grande medida, o resultado prático da captação de votos, leva o direito eleitoral atual a ter nos meios de comunicação um dos seus mais importantes objetos.

Nesse contexto, parte-se da premissa de que os meios virtuais representam, hoje, uma das principais fontes de informação política, assumindo um espaço fundamental no desenvolvimento do debate, consideravelmente alterado com as novas possibilidades como resultado da emergência das redes sociais como um importante espaço de articulação.

As mudanças observadas no cenário das comunicações geram novas demandas ao direito eleitoral, o que se traduz em alterações legislativas e jurisprudências, visando assegurar, em um amplo espectro, a garantia do discurso com o estímulo da participação e do engajamento político, o incremento da igualdade de participação no pleito, sem se descuidar do dever de crítica e de vigilância de possíveis abusos em sua fruição prática.

Sem embargo, busca-se, no presente texto, analisar as alterações sofridas pela Lei Eleitoral no que se refere às propagandas eleitorais e ao período de pré-campanha, bem como o posicionamento jurisprudencial quanto à caracterização da propaganda extemporânea, de forma a analisar como se deu a tutela da liberdade de expressão, bem como da igualdade de chances entre os candidatos, em um meio que sofreu as alterações previamente mencionadas, em especial, pela ascensão do uso da internet no cenário do debate político.

## 2 Evolução jurisprudencial da propaganda eleitoral extemporânea no Tribunal Superior Eleitoral

O período eleitoral, nos termos do art. 36, caput, da Lei nº 9.504/97,[1] tem início a partir de 15 de agosto. Apenas a partir dessa data é permitido ao candidato realizar propaganda eleitoral, sujeitando o beneficiário da propaganda à multa,[2] caso haja o descumprimento da norma.

O art. 36, como se observa, não contém os requisitos objetivos necessários para a caracterização da propaganda extemporânea, conferindo à jurisprudência da Corte o dever de delimitar tais balizas, o que ocasionou marcos jurisprudenciais acerca do objeto com sucessivas alterações legislativas.

Inicialmente, o Tribunal adotou uma postura mais garantista, vedando qualquer tipo de manifestação antes do período permitido, de forma que qualquer referência indireta ou mensagem subliminar que indicasse que o beneficiário poderia ser o mais apto ao exercício do cargo poderia caracterizar propaganda extemporânea.

Com efeito, sob o pretexto de proteger a igualdade de oportunidades entre os candidatos e amainar a captação antecipada de votos, o que poderia desequilibrar a disputa eleitoral, a interpretação elástica e subjetiva do que seria ou não a propaganda extemporânea conduziu a um ambiente de

> severa insegurança jurídica, porquanto os eleitores, os candidatos, a imprensa e os demais atores do processo eleitoral não dispunham de elemento objetivo, aferível de plano e de forma consentânea com o rito célere do art. 96 da Lei nº 9.504/97, indicativo dos limites da manifestação lícita.[3]

Nesse diapasão, a primeira alteração na tentativa de estabilizar esse cenário foi a edição da Lei nº 12.034/2009, a qual inseriu, no art. 36-A, quatro situações autorizadoras que não configurariam propaganda antecipada, quais sejam: i) a participação de filiados a partidos políticos ou de pré-candidatos em entrevistas, programas, encontros ou debates no rádio, na televisão e na internet, inclusive com a exposição de plataformas e projetos políticos, desde que não haja pedido de voto, observado pelas emissoras de rádio e de televisão o dever de conferir tratamento isonômico; ii) a realização de encontros, seminários ou congressos, em ambiente fechado e a expensas dos

---

[1] Art. 36. A propaganda eleitoral somente é permitida após o dia 15 de agosto do ano da eleição. (*Redação dada pela Lei nº 13.165, de 2015*).

[2] §3º A violação do disposto neste artigo sujeitará o responsável pela divulgação da propaganda e, quando comprovado o seu prévio conhecimento, o beneficiário à multa no valor de R$5.000,00 (cinco mil reais) a R$25.000,00 (vinte e cinco mil reais), ou o equivalente ao custo da propaganda, se este for maior. (*Redação dada pela Lei nº 12.034, de 2009*).

[3] TRIBUNAL SUPERIOR ELEITORAL. *Representação nº 060116194*. Acórdão, Rel. Min. Admar Gonzaga, Publicação: DJE, Data 20.03.2018. p. 5.

partidos políticos, para tratar da organização dos processos eleitorais, dos planos de governos ou das alianças partidárias, visando às eleições; iii) a realização de prévias partidárias e a sua divulgação pelos instrumentos de comunicação intrapartidária; ou iv) a divulgação de atos de parlamentares e debates legislativos, desde que não se mencione a possível candidatura, ou se faça pedido de votos ou de apoio eleitoral.

À época da edição da lei, em razão da vedação existente à realização de qualquer menção às qualidades pessoais ou a uma possível candidatura de candidato, as situações eram autorizadoras, dado o contexto de vedação que, depois das viragens jurisprudências, passaram a ser um rol exemplificativo de condutas permitidas no período de pré-campanha, conforme os avanços jurisprudências se sucederam.

Importante observar que, apesar da criação de tais hipóteses autorizadoras, foi mantido o cenário de instabilidade, dado que cabia ao Tribunal perquirir se as mensagens pronunciadas antes do período eleitoral possuíam ou não uma intenção de captar votos ou divulgar uma candidatura ao eleitorado.

A alteração seguinte foi a edição da Lei nº 12.891, em 2013, que ampliou as hipóteses permissivas do art. 36-A da Lei das Eleições.[4]

Em um espírito liberal, a Lei nº 12.891 realizou uma importante mudança, explicitando que o exercício do direito constitucional de livre manifestação do pensamento nas redes sociais não configura propaganda antecipada, ainda que envolva questões de ordem pública. Foi mantida, entretanto, a vedação, antes do período de campanha eleitoral, à promoção pessoal que contivesse, mesmo que indiretamente, ou com mensagens subliminares, o anúncio ou a indicação de futura candidatura.

Paulatinamente, a Corte adotou uma postura menos restritiva, realizando, de início, o contraponto entre a propaganda eleitoral antecipada e os atos de mera promoção pessoal. Nesse sentido, entendeu o TSE que:

> Mensagens de felicitações veiculadas por meio de outdoor configuram mero ato de promoção pessoal se não há referência a eleições vindouras, plataforma política ou outras circunstâncias que permitam concluir pela configuração de propaganda eleitoral antecipada, ainda que de forma subliminar.[5]

---

[4] Art. 36-A. Não serão consideradas propaganda antecipada e poderão ter cobertura dos meios de comunicação social, inclusive via internet: I - a participação de filiados a partidos políticos ou de pré-candidatos em entrevistas, programas, encontros ou debates no rádio, na televisão e na internet, inclusive com a exposição de plataformas e projetos políticos, observado pelas emissoras de rádio e de televisão o dever de conferir tratamento isonômico; II - a realização de encontros, seminários ou congressos, em ambiente fechado e a expensas dos partidos políticos, para tratar da organização dos processos eleitorais, discussão de políticas públicas, planos de governo ou alianças partidárias visando às eleições, podendo tais atividades ser divulgadas pelos instrumentos de comunicação intrapartidária; III - a realização de prévias partidárias e sua divulgação pelos instrumentos de comunicação intrapartidária e pelas redes sociais; IV - a divulgação de atos de parlamentares e debates legislativos, desde que não se faça pedido de votos; V - a manifestação e o posicionamento pessoal sobre questões políticas nas redes sociais. Parágrafo único. É vedada a transmissão ao vivo por emissoras de rádio e de televisão das prévias partidárias.

[5] TRIBUNAL SUPERIOR ELEITORAL. *Recurso Especial Eleitoral nº 28378*. Acórdão, Rel. Min. Arnaldo Versiani, Publicação: DJE, Data 01.10.2010. p. 21.

Quanto à propaganda na internet, decidiu a Corte que "[a]s manifestações identificadas dos eleitores na internet, verdadeiros detentores do poder democrático, somente são passíveis de limitação quando ocorrer ofensa à honra de terceiros ou divulgação de fatos sabidamente inverídicos".[6]

Nesse precedente, restou assentado que

> [a] propaganda eleitoral antecipada por meio de manifestações dos partidos políticos ou de possíveis futuros candidatos na internet somente resta caracterizada quando há propaganda ostensiva, com pedido de voto e referência expressa à futura candidatura, ao contrário do que ocorre em relação aos outros meios de comunicação social nos quais o contexto é considerado.[7]

A reforma eleitoral de 2015 (Lei nº 13.165/2015) novamente alterou o artigo 36-A da Lei nº 9.504/97.[8] A legislação acompanhou os passos liberais que já estavam sendo trilhados pelo Tribunal, buscando diminuir a subjetividade da análise da configuração de propaganda extemporânea e mitigar as proibições aos atos na pré-campanha. A nova redação passou a vedar expressamente o pedido explícito de votos, com permissão à menção à pré-candidatura, exposição de qualidades pessoais do pretenso candidato e a divulgação de projetos políticos.

O espírito da reforma, com a liberação da realização dos atos de pré-campanha, além de buscar objetividade para o parâmetro da caracterização da propaganda, pretendeu minimizar a intromissão do poder regulatório no processo político democrático, de forma a permitir ao máximo as possibilidades de circulação de ideias e aparição dos novos candidatos no espaço público.

Foi precisamente essa a justificativa da Lei nº 13.165/2015 ao estabelecer que:

> Atividades de pré-campanha serão considerados atos da vida política normal, a qualquer tempo, as manifestações que levem ao conhecimento da sociedade a pretensão de alguém de disputar eleições ou as ações políticas que pretenderia desenvolver, desde que não haja pedido explícito de votos.[9]

O que se destaca na presente análise jurisprudencial é que a postura proibitiva adotada inicialmente, além da já mencionada insegurança jurídica, gerava um cenário que limitava excessivamente o direito de expressão e o debate político anterior ao período eleitoral delimitado pela Lei.

---

[6] TRIBUNAL SUPERIOR ELEITORAL. *Recurso Especial Eleitoral nº 2949*. Acórdão, Rel. Min. Henrique Neves Da Silva, Publicação: RJTSE - Revista de jurisprudência do TSE, Data 05.08.2014.

[7] TRIBUNAL SUPERIOR ELEITORAL. *Recurso Especial Eleitoral nº 2949*. Acórdão, Rel. Min. Henrique Neves Da Silva, Publicação: RJTSE - Revista de jurisprudência do TSE, Data 05.08.2014.

[8] Art. 36-A. Não configuram propaganda eleitoral antecipada, desde que não envolvam pedido explícito de voto, a menção à pretensa candidatura, a exaltação das qualidades pessoais dos pré-candidatos e os seguintes atos, que poderão ter cobertura dos meios de comunicação social, inclusive via internet: (...).

[9] CÂMARA LEGISLATIVA. *Projeto de Lei*. Disponível em: http://www.camara.gov.br/proposicoesWeb/prop_mostrarintegra?codteor=1102056&fi. Acesso em 05 dez. 2019.

Dessa forma, optou-se por adotar uma postura de contenção da tutela da Justiça Eleitoral nos casos em que não há pedido expresso de votos, lhe cabendo apenas intervir em casos que coloquem em risco a igualdade entre os pretensos candidatos, em que haja abuso nos gastos de campanha, que esbarrem nas demais limitações da lei ou em que haja violação aos princípios constitucionais da honra e da imagem, da moralidade e da impessoalidade administrativa, entre outros.

Em termos democráticos, a excessiva limitação regulatória das manifestações dos pré-candidatos tende a desequilibrar a disputa em favor daqueles que já ocupam o cenário político e que, portanto, já estão em evidência na memória do povo, bem como daqueles candidatos que possuem mais recursos e podem arcar com um volume vultoso no período de campanha eleitoral para promover a sua candidatura.

Ao julgar o Recurso Especial nº 8518, que tratava precisamente das alterações engendradas pela reforma eleitoral, o Ministro Alexandre de Moraes consignou que, no Brasil,

> nos fechamos em oligarquias, chamadas partidos políticos, que somente a partir de agosto podem fazer campanha eleitoral. Ou seja, a verdadeira renovação é impossível. É sempre o mais do mesmo, porque as pessoas não se tornam conhecidas.[10]

A nova realidade jurisprudencial permite que os pretensos candidatos debatam as suas ideias com a sociedade, desde que por meio de ações moderadas, "que não contenham pedido de voto nem se revistam do caráter de atos ostensivos de campanha. Sem esse debate mais qualificado, dificilmente haverá a renovação política que alguns tanto almejam".[11]

No mesmo sentido, Aline Osório leciona que em um cenário de campanha eleitoral de duração reduzida "há uma tendência natural ao favorecimento de candidatos já conhecidos do eleitorado, como os detentores de cargos políticos e as celebridades. A renovação política nesse cenário fica seriamente comprometida".[12]

Dessa forma, as inovações trazidas pela reforma eleitoral têm o condão de, ao permitir que os pré-candidatos iniciem a sua promoção pessoal e a divulgação dos seus projetos, ideias e planos políticos, antes do período eleitoral, "garantir ao cidadão comum que deseje participar da disputa eleitoral um tempo maior para tentar se fazer conhecido do público e se aproximar dos eleitores".[13]

Com efeito, conforme lição de Neves Filho:

> A disputa pelo poder em um sistema democrático representativo não se faz mais pela força física, nem pela tentativa de unificação de vontades, mas por mecanismos de comunicação direta povo-poder; o que impõe a tentativa de convencer a população

---

[10]  TRIBUNAL SUPERIOR ELEITORAL. *Recurso Especial Eleitoral nº 8518*. Acórdão, Relator(a) Min. Admar Gonzaga, DJE Data 13.09.2017. p. 10.

[11]  TRIBUNAL SUPERIOR ELEITORAL. *Representação nº 060116194*. Acórdão, Rel. Min. Admar Gonzaga, Publicação: DJE, Data 20.03.2018. p. 13.

[12]  OSÓRIO, Aline. *Direito Eleitoral e liberdade de expressão*. Belo Horizonte: Ed. Fórum, 2017. p. 196.

[13]  OSÓRIO, Aline. *Direito Eleitoral e liberdade de expressão*. Belo Horizonte: Ed. Fórum, 2017. p. 193-203.

que cada um dos partidos, e seus políticos, possui as melhores soluções, entre as várias apresentadas, para administrar a coisa pública ou que já a administraram da melhor forma.[14]

Nesse sentido, para que a disputa eleitoral possa ser considerada justa, além da garantia de que o voto seja feito em liberdade, sem coação e sem pressões, é necessário que se estabeleça também um certo grau de igualdade de oportunidade entre os candidatos, o que pressupõe a garantia de que esses possam se fazer conhecidos e, assim, chegar aos eleitores, captando suas preferencias por meio de suas ideias e propostas.

O Ministro Luiz Fux, ao julgar o Agravo de Instrumento nº 924, consignou que:

> Sendo perceptível que a limitação do tempo de campanha privilegia, em medidas extensas, um conjunto de candidatos em detrimento dos demais, urge, como decorrência, dotar de garantias a liberdade antecipada do discurso, sob pena de se reduzir o sentido da celebração dos pleitos, transformando-os em meros instrumentos de transferência de poder a figuras políticas favorecidas pela inércia ou pela extremada visibilidade inerente.[15]

Em outras palavras, o debate democrático demanda um espaço público de discussão com a garantia de que tanto os eleitores quanto os pretensos candidatos possam se manifestar, seja pelos meios de comunicação tradicionais, seja pelas novas possibilidades proporcionadas pela internet, de maneira a densificar os direitos constitucionais da liberdade de expressão e de informação, tão caros ao processo democrático.

## 3    Breves considerações sobre a importância da liberdade de expressão no processo eleitoral

A Constituição Federal dotou de posição preferencial o direito fundamental à liberdade de expressão, positivando, em seu art. 5º, a liberdade de manifestação e de pensamento (inc. IV), de consciência e de crença (inc. VI), de expressão da atividade intelectual, artística, científica e de comunicação, independentemente de censura ou licença (inc. IX), o amplo acesso à informação (inc. XIV e XXXIII) e o direito de resposta (inc. V).

Em artigo próprio, a Constituição Federal tratou dos meios de comunicação social e da liberdade de imprensa, o art. 220, que estabelece que "a manifestação do pensamento, a criação, a expressão e a informação, sob qualquer forma, processo ou veículo não sofrerão qualquer restrição, observado o disposto nesta Constituição" (caput), que "nenhuma lei conterá dispositivo que possa constituir embaraço à plena

---

[14] NEVES FILHO, Carlos. *Propaganda eleitoral e o princípio da liberdade da propaganda política*. Belo Horizonte: Fórum, 2012. p. 65.

[15] TRIBUNAL SUPERIOR ELEITORAL. *Agravo de Instrumento nº 924*. Acórdão, Rel. Min. Tarcisio Vieira De Carvalho Neto, Publicação: DJE, Data 22.08.2018. p. 63.

liberdade de informação jornalística em qualquer veículo de comunicação social" (art. 1º) e que "[é] vedada toda e qualquer censura de natureza política, ideológica e artística" (art.2º).

O Ministro Luís Roberto Barroso, leciona que:

> Tanto em sua manifestação individual, como especialmente na coletiva, entende-se que as liberdades de informação e de expressão servem de fundamento para o exercício de outras liberdades: o que justifica uma posição de preferência - preferred position - em relação aos direitos fundamentais individualmente considerados.[16]

Na seara eleitoral, tais facetas do direito fundamental à liberdade de expressão podem ser traduzidas na possibilidade de compartilhar informações sobre potenciais candidatos e partidos, na liberdade de buscar informações a respeito desses mesmos sujeitos (inclusive aquelas eventualmente qualificadas como desabonadoras) e no direito de ser mantido informado.

> Em outros termos, eleitores, potenciais candidatos, partidos, meios de comunicação têm a faculdade, desde que observadas as vedações legais, de veicular, buscar e receber informações sobre os atores políticos, inclusive aquelas que assumam a forma, por exemplo, de críticas, comentários elogiosos, apresentação sobre eventuais propostas, prestação de contas à sociedade, investigação sobre a conduta de agentes públicos, entre outras.[17]

Aline Osório[18] explica que a tutela da liberdade de expressão encontra-se embasada em três principais fundamentos filosóficos: (i) a busca da verdade, (ii), a realização da democracia e (iii) a garantia da dignidade humana.

Em um âmbito político-eleitoral, a busca da verdade relaciona-se com a importância de que os eleitores

> tenham acesso a uma multiplicidade de informações sobre os candidatos e partidos, suas propostas, trajetória e reputação, favorecendo a ampla discussão pública em torno das opções eleitorais e possibilitando a tomada da decisão de voto, sem interferências estatais.[19]

Na visão de Frederico Alvim,[20] a conclusão a que se chega é que as eleições serão tanto mais democráticas quanto mais livres estejam da influência de instrumentos

---

[16] BARROSO, Luís Roberto. Colisão entre liberdade de expressão e direitos da personalidade. Critérios de ponderação. Interpretação constitucionalmente adequada do Código Civil e da Lei de Imprensa. *Revista de Direito Administrativo*, Rio de Janeiro, v. 235, p. 1-36, jan. 2004. p. 20.

[17] TRIBUNAL SUPERIOR ELEITORAL. *Representação nº 060116194*. Acórdão, Rel. Min. Admar Gonzaga, Publicação: DJE, Data 20.03.2018. p. 11.

[18] OSÓRIO, Aline. *Direito Eleitoral e liberdade de expressão*. Belo Horizonte: Ed. Fórum, 2017. p. 155.

[19] OSÓRIO, Aline. *Direito Eleitoral e liberdade de expressão*. Belo Horizonte: Ed. Fórum, 2017. p. 57.

[20] ALVIM, Frederico Franco. *Cobertura política e integridade eleitoral*: efeitos da mídia sobre as eleições. Florianópolis: Habitus, 2018. p. 45.

midiáticos que procurem exercer uma condução dirigista do eleitorado, negando-lhe o conhecimento dos fatos a partir de uma abordagem neutra ou, no mínimo, plural.

O argumento se materializa na ideia de que, em um regime democrático, é imprescindível que o exercício do sufrágio seja exercido em um ambiente em que todos os grupos e indivíduos possam expor e ter acesso ao debate, tanto entre os cidadãos votantes quanto aos candidatos que participam da disputa eleitoral.

Nesse exato sentido, a CIDH assenta expressamente que:

> A liberdade de expressão é uma pedra angular para a existência de uma sociedade democrática. É indispensável para a formação da opinião pública. É também *condito sino qua non* para que os partidos políticos, sindicatos, sociedades científicas e culturais e, em geral, todos aqueles que desejam influir sobre a sociedade possa desenvolver-se plenamente. É, enfim, uma condição para que a comunidade, no momento de exercer as suas opiniões, esteja suficientemente informada. Portanto, é possível afirmar que uma sociedade que não está bem informada não é plenamente livre.[21]

A liberdade de expressão é, como dito, essencial para garantir a qualidade do debate público, permitindo que os eleitores formem um voto informado. Owen Fiss leciona sobre a importância da formação de um debate público de qualidade de forma a possibilitar "que as pessoas votem de forma inteligente e livre, cientes de todas as opções e em posse de todas as informações relevantes".[22]

Evidentemente, como todo direito fundamental, a liberdade de expressão e o direito à informação não são direitos absolutos, encontrando limites tanto constitucionais quanto "outros que podem ser, com facilidade, considerados imanentes". Luís Roberto Barroso rememora o dever de ponderá-los com os direitos da personalidade, como a honra, a intimidade, a vida privada e a imagem (arts. 5º, X, e 220, parágrafo 1º), a segurança da sociedade e do Estado (art. 5º, XIII) e a proteção da infância e da adolescência (art. 21, XVI).[23]

No âmbito eleitoral, além dos supramencionados, os principais fundamentos que autorizam a limitação do direito à liberdade de expressão dizem respeito à igualdade da disputa eleitoral e à limitação dos gastos de campanha.

Buscando efetivar essa proteção, a lei eleitoral já estipula uma série de limitações à propaganda, como, por exemplo, a delimitação temática da propaganda partidária (art. 45 da Lei nº 9.096/95), a proibição de propaganda em bens públicos (art. 37 da Lei nº 9.504/97), a vedação do uso de outdoors (art. 39, §8º, da Lei nº 9.504/97), a limitação de propaganda em bens particulares (art. 37, §2º, da Lei nº 9.504/97), a proibição de manifestação coletiva e não silenciosa no dia da eleição (art. 39-A da Lei nº 9.504/97) e o repúdio ao conceito, imagem ou afirmação caluniosa, difamatória, injuriosa ou sabidamente inverídica, divulgado por qualquer meio (art. 58 da Lei nº 9.504/97).

---

[21] CIDH, Opinião Consultiva – OC nº 511985, §70.

[22] FISS, Owen M. Free Spich and social estruture. *Iowa Law Rev.*, v. 71, p. 1405, 1985. p. 24.

[23] BARROSO, Luís Roberto. Colisão entre liberdade de expressão e direitos da personalidade. Critérios de ponderação. Interpretação constitucionalmente adequada do Código Civil e da Lei de Imprensa. *Revista de Direito Administrativo*, Rio de Janeiro, v. 235, p. 1-36, jan. 2004. p. 22.

Quanto ao período, tanto o de propaganda eleitoral quanto o de pré-campanha, os abusos que excederem o direito à liberdade de expressão contam com "arcabouço normativo eleitoral que dispõe de instrumentos aptos a essa frenagem, entre os quais as técnicas processuais relativas à ação de investigação judicial eleitoral (AIJE) e à ação de impugnação de mandato eletivo".[24]

Ou seja, ainda que não possam ser configurados como propaganda eleitoral, os atos de promoção pessoal podem configurar abuso de poder econômico, o que impede que estejam "lastreados em documentação comprobatória, passível de aferição, entre outros, pelo Ministério Público Eleitoral e pela Justiça Eleitoral",[25] como forma de coibir irregularidades.

Diante dessas premissas, considerando a importância da liberdade de expressão para o direito eleitoral, a interpretação da corte acerca da nova redação do art. 36-A da Lei nº 9.504-97, no sentido de conferir aos pretensos candidatos a liberdade necessária para expor suas ideias, desde que por ações moderadas, que não contenham pedido de voto, conferiu ao direito fundamental à liberdade de expressão um efeito ótimo, garantindo-lhe sua ampla fruição, emoldurada por limites que previnem o seu abuso.

## 4   A ascensão da internet no processo político

A já mencionada reforma promovida na Lei das Eleições pela Lei nº 12.034/2009[26] introduziu por completo o uso da internet para a propaganda eleitoral. Por meio da edição dos artigos. 57-A e seguintes "fez desaparecer aquele temor ou aquela indefinição que ainda cercava a propaganda pela rede".[27]

O período oficial para a propaganda eleitoral na internet é o mesmo, tem início a partir do dia 16 de agosto, e a Lei Eleitoral estabelece que ela poderá ser feita das seguintes formas:

> Art. 57-B. A propaganda eleitoral na internet poderá ser realizada nas seguintes formas:
>
> I - em sítio do candidato, com endereço eletrônico comunicado à Justiça Eleitoral e hospedado, direta ou indiretamente, em provedor de serviço de internet estabelecido no País;
>
> II - em sítio do partido ou da coligação, com endereço eletrônico comunicado à Justiça Eleitoral e hospedado, direta ou indiretamente, em provedor de serviço de internet estabelecido no País;
>
> III - por meio de mensagem eletrônica para endereços cadastrados gratuitamente pelo candidato, partido ou coligação;

---

[24] TRIBUNAL SUPERIOR ELEITORAL. *Agravo de Instrumento nº 924*. Acórdão, Rel. Min. Tarcisio Vieira De Carvalho Neto, Publicação: DJE, Data 22.08.2018. p. 64.

[25] TRIBUNAL SUPERIOR ELEITORAL. *Representação nº 060116194*. Acórdão, Rel. Min. Admar Gonzaga, Publicação: DJE, Data 20.03.2018. p. 13.

[26] Art. 57-A. É permitida a propaganda eleitoral na internet, nos termos desta Lei, após o dia 5 de julho do ano da eleição. (Lei nº 12.034/2009).

[27] CONEGLIAN, Olivar. *Propaganda Eleitoral*. 13. ed. Curitiba: Juruá, 2016. p. 368.

IV - por meio de blogs, redes sociais, sítios de mensagens instantâneas e aplicações de internet assemelhadas cujo conteúdo seja gerado ou editado por:

a) candidatos, partidos ou coligações; ou

b) qualquer pessoa natural, desde que não contrate impulsionamento de conteúdos.

A reforma conduzida em 2009 passou a expressamente permitir a propaganda eleitoral no formato de mensagens pessoais e nas redes sociais, tanto por candidatos, partidos e coligações, quanto por pessoas naturais, desde que essas últimas não contratem impulsionamento de conteúdo.

O Tribunal Superior Eleitoral adotou, conforme se extrai da Resolução TSE nº 23.551, uma posição mais liberal em relação às propagandas na internet, ao dispor em seu artigo 33 que:

> Art. 33. A atuação da Justiça Eleitoral em relação a conteúdos divulgados na internet deve ser realizada com a menor interferência possível no debate democrático *(Lei nº 9.504/1997, art. 57-J)*.
>
> §1º Com o intuito de assegurar a liberdade de expressão e impedir a censura, as ordens judiciais de remoção de conteúdo divulgado na internet serão limitadas às hipóteses em que, mediante decisão fundamentada, sejam constatadas violações às regras eleitorais ou ofensas a direitos de pessoas que participam do processo eleitoral.

Quanto às propagandas pagas na internet, foram, via de regra, vedadas, contando, todavia, com duas exceções: a primeira é a contratação de propaganda paga na internet por meio de sites de jornal ou revista, de forma que quem contrata jornal ou revista para divulgar sua propaganda eleitoral pode contratar, pagando por isso, a reprodução do conteúdo no site da empresa jornalística; a segunda possibilidade é o pagamento para impulsionamento de conteúdos por partidos políticos, coligações e por candidatos.

A Lei nº 13.488/2017[28] introduziu essa possibilidade nas eleições de 2018, incorporando ao ordenamento jurídico uma conduta rotineiramente empregada na realidade fática. A partir de tal alteração, se possibilitou pagar pelos custos com a criação e a inclusão em sítios da internet e a pagar o impulsionamento de conteúdos desde que por partido, candidato ou seu representante, vedado o pagamento feito por pessoas naturais, e desde que rotulada e identificada como tal.

Frise-se que todas essas alterações foram realizadas para regular as propagandas eleitorais na internet, ou seja, aquelas realizadas durante o período de campanha, iniciada oficialmente a partir do dia 16 de agosto.

Antes desse período, com o advento da reforma promovida pela Lei nº 13.165/2015 e a consequente alteração sucedida no âmbito do art. 36-A da Lei nº 9.504/97, conforme anteriormente exposto, a regra é a de liberdade de manifestação

---

[28] Art. 57- C. É vedada a veiculação de qualquer tipo de propaganda eleitoral paga na internet, excetuado o impulsionamento de conteúdos, desde que identificado de forma inequívoca como tal e contratado exclusivamente por partidos, coligações e candidatos e seus representantes.

na internet, desde que, novamente, não haja pedido explícito de voto, sendo liberadas as exposições de qualidades pessoais e a alusão a projetos políticos.

Cabe ressaltar que, antes mesmo da edição da referida norma, o Tribunal já adotara pela via jurisprudencial, uma postura liberal para as manifestações na internet. Conforme mencionado, em 2014, decidiu que

> a propaganda eleitoral antecipada por meio de manifestações dos partidos políticos ou de possíveis futuros candidatos na internet somente resta caracterizada quando há propaganda ostensiva, com pedido de voto e referência expressa à futura candidatura, ao contrário do que ocorre em relação aos outros meios de comunicação social nos quais o contexto é considerado.[29]

As mudanças observadas no entendimento do Tribunal refletem uma tendência que vem sendo empreendida no plano fático, relacionada ao aumento exponencial do papel da internet nas eleições, tanto para as campanhas eleitorais quanto para os debates empreendidos por eleitores.

Nos últimos anos, sabidamente, as mídias sociais despontaram como atores relevantes na formação da opinião pública. São utilizadas por grande parte da população como fonte de notícia e vêm ganhado a confiança dos usuários, devido a fatores como a acessibilidade, que possibilita a troca de informações de forma direta e a oportunidade de manifestar opiniões e compartilhar conteúdos.

A ascensão das mídias sociais ocorreu em paralelo com um cenário social de perda de confiança da população nos meios de comunicação tradicionais, que têm sido percebidos como parte do sistema por meio do qual é exercido o poder e não mais como um serviço à comunidade, o que apenas fortaleceu o papel das redes sociais como fonte de informações.[30]

A desconfiança surge da percepção de que os grandes veículos de comunicação operam segundo uma lógica econômica, usando de sua visibilidade para atuar como um aparelho privado de hegemonia, usando de seu poderio "para agendar a audiência, selecionando pautas, imprimindo ou retirando ênfase às notícias ou dando continuidade às denúncias e investigações, enfim matizando acontecimentos com o fito de promover interesses setorizados, em flagrante prejuízo ao sistema político em que se inserem".[31]

Por outro lado, Aline Osório aponta que:

> As novas mídias constituem, assim, veículos de comunicação muito diferentes das mídias tradicionais. Elas são marcadas pela interatividade, pela descentralização, pelo

---

[29]  TRIBUNAL SUPERIOR ELEITORAL. *Recurso Especial Eleitoral nº 2949*. Acórdão, Rel. Min. Henrique Neves Da Silva, Publicação: RJTSE - Revista de jurisprudência do TSE, Data 05.08.2014.

[30]  HARTMAN, Ivar A M. Liberdade de manifestação política e campanhas. É preciso atenção aos algoritmos. *In*: FALCÃO, Joaquim (Org.). *Reforma eleitoral no Brasil. Legislação, democracia e internet em debate*. Rio de Janeiro: Civilização Brasileira, 2015. p. 153-164.

[31]  ALVIM, Frederico Franco. *Cobertura política e integridade eleitoral*: efeitos da mídia sobre as eleições. Florianópolis: Habitus, 2018. p. 83.

funcionamento em tempo real, pela transposição de fronteiras territoriais, pela arquitetura flexível e aberta e pelos baixos custos de acesso.[32]

Com a popularização das redes sociais, o que se observou foi uma mudança completa de paradigma no cenário dos meios de comunicação em massa, antes marcado pelo monopólio da divulgação de informações e pela escassez, consubstanciados na dificuldade e na onerosidade para veicular anúncios em jornal impresso ou na TV, e agora marcado pela abundância e facilidade no compartilhamento de conteúdos.

A facilidade de produzir e difundir informações mudou, inclusive, os atores sociais da comunicação, tendo em vista que, com as redes sociais, aumentou de maneira expressiva o número de pessoas que assumem papel de produtores e difusores de conteúdo. Desse modo, "a passagem de um modelo comunicativo baseado na separação identitária entre emissor e receptor e num fluxo comunicativo bidirecional para um modelo de circulação das informações em rede",[33] faz com que o eleitorado também seja uma importante fonte de produção de informação, em vez de meros receptores.

Certo é que as mídias sociais produziram importantes repercussões na seara eleitoral, alterando o espaço público de debate, possibilitando uma maior participação dos eleitores, aproximando a comunicação entre os candidatos e o eleitorado e facilitando a difusão em grande escala de conteúdo.

A importância do sistema de mídia para as eleições é bem explicada por Frederico Alvim ao aduzir que,

> no plano eleitoral, a dependência dos meios de comunicação exsurge como um corolário do processo de racionalização que antecede e ampara o exercício do voto: a busca por informação é natural para a formatação da convicção política que, para ser externada nas urnas, depende de uma cadeia de atividades cognitivas que reúne operações de conhecimento, internalização, comparação, seleção e descarte.[34]

As campanhas eleitorais, que antes eram restritas aos meios limitados e onerosos proporcionados por outdoors, televisão, jornais e folhetos impressos, sofreram uma revolução, passando a contar com essa ferramenta que permite divulgar informações em grande quantidade, para um público global e ilimitado, sem qualquer custo e em contato direto com o público. Mudança que afetou não apenas quem pretende se lançar na disputa eleitoral, mas os eleitores, que passaram a participar diretamente da campanha, se engajando no debate e na produção de conteúdo.

A tutela dos interesses em jogo no processo eleitoral precisou se adaptar ao novo cenário possibilitado pela internet. Aline Osório aponta que "diante do espaço ilimitado e dos baixíssimos custos de publicação na Internet, não se justifica a tutela

---

[32] OSÓRIO, Aline. *Direito Eleitoral e liberdade de expressão*. Belo Horizonte: Ed. Fórum, 2017. p. 193-203.

[33] BATTAGLIA, Felice. *Lineamenti di storia dottrine politiche*: con apendici bibliográfiche. 2. ed. Milano: [s.n.], 1952. p. 13.

[34] ALVIM, Frederico Franco. *Cobertura política e integridade eleitoral*: efeitos da mídia sobre as eleições. Florianópolis: Habitus, 2018. p. 79.

da igualdade de oportunidades entre os candidatos e partidos nos mesmos moldes da radiodifusão".[35]

Com efeito, "a manifestação de um candidato nas redes sociais não impede nem limita a manifestação de seus concorrentes, de modo que não há justificativa para restrições mais intensas à liberdade de expressão em prol da paridade de armas".

Sob esse novo panorama é que se deram as alterações na legislação eleitoral, bem como na postura da Corte. Já não era mais condizente com a realidade fática uma conduta garantista que impedia a divulgação de qualquer mensagem na internet que pudesse ocasionar uma influência, mesmo que indireta, no eleitorado, por meio de mensagens não explícitas sobre uma possível candidatura.

Ao votar o AI nº 9-24,[36] o Ministro Tarcísio Vieira ponderou que a legislação anterior, ao encorajar eventuais pré-candidatos a disfarçarem as suas posições políticas e projetos para não configurar propaganda eleitoral, colide com a ideia de um debate robusto, desinibido e aberto sobre os fatores de escolha dos representantes.

Nesse mesmo precedente, aplicando os ensinamentos de Perroux, o Ministro Luiz Fux entendeu que,

> no campo da comunicação política, a livre circulação de ideias e opiniões deve prosperar, em definitivo, porque a democracia se desenvolve sob a crença no valor do diálogo e sob a premissa de que os sujeitos participantes gozam de capacidade intelectual para tomar parte, em condições de igualdade, das circunstâncias relativas aos assuntos que conclamam uma atenção comum.

Em um cenário em que a internet possibilita a efetiva participação do eleitor, que passa a não apenas receber informações sobre os candidatos, mas a respondê-las, a compartilhá-las e, inclusive, a produzi-las por meio das redes sociais, uma legislação que vedasse tais condutas estaria completamente ultrapassada e limitada, coibindo uma prática que já é rotineira e que contribui com o debate eleitoral.

A limitação existente antes do advento da Lei nº 13.165/2015, que coibia qualquer divulgação de mensagens relacionadas à pretensão de candidatura previamente ao período eleitoral, possuía como telos a proteção da igualdade entre os candidatos nas disputas eleitorais, buscando evitar a sobreposição de um conjunto de candidatos que possuía acesso a esses meios, em detrimento dos demais, justificando a proteção buscada pela norma proibitiva.

A hermenêutica adotada era a de limitação da liberdade de expressão em prol da paridade de armas na disputa,

> de modo a assegurar uma real competitividade entre eles (candidatos), sem que possam extrair vantagens ilegítimas de posições de superioridade fáticas derivadas da detenção de mais recursos econômicos ou do acesso de quem o detenha (poder econômico), da

---

[35]  OSÓRIO, Aline. *Direito Eleitoral e liberdade de expressão*. Belo Horizonte: Ed. Fórum, 2017. p. 337.

[36]  TSE – REspe 2949/RJ, Rel. Min. Henrique Neves da Silva, DJe de 5.08.2014.

disposição de maior acesso aos meios de comunicação em massa (poder midiático) ou do fato de se encontrarem no exercício de mandatos políticos (poder político).[37]

Ocorre que, com o advento da internet e a ascensão das redes sociais como meios de comunicação e de informação, foram observadas as seguintes consequências: o eleitor passou a ter uma maior participação no debate, podendo, de forma ativa em sua rede social, criticar ou apoiar candidatos, ideias e projetos políticos; o custo para a divulgação de conteúdos baixou consideravelmente, tornando possível promover candidaturas, projetos e notícias praticamente sem qualquer onerosidade.

Nesse sentido, é salutar o papel da internet como via alternativa e substituta dos meios de comunicação tradicionais, de forma a prestigiar a divulgação de candidaturas menos expressivas, fornecendo mais "armas" para os desfavorecidos na competição eleitoral, antes mais díspar e desequilibrada.

Os novos *players* que pretendem se lançar em candidaturas, antes em um cenário marcado pelo total desequilíbrio de forças, que favorecia de maneira expressiva as figuras já conhecidas da disputa, podem contar com essa importante ferramenta para divulgar suas ideias, propostas, promover debates e buscar a visibilidade do eleitorado. Essas novas possibilidades justificam uma posição menos restritiva da Justiça Eleitoral em prol da ampliação da liberdade de manifestação.

Carlos Eduardo Frazão e Luiz Fux lecionam que:

> A centralidade da igualdade de oportunidade decorre de ser ela um pressuposto para a concorrência livre e equilibrada entre os competidores do processo político, motivo por que a sua inobservância não afasta apenas a disputa eleitoral, mas amesquinha a essência do próprio processo democrático.[38]

Nesse sentido, como bem acrescido por Aline Osório, o princípio da igualdade de oportunidades busca inspiração na ideia de que "qualquer jogo, inclusive o democrático, somente pode ser jogado se os competidores estiverem em condições de igualdade, não se podendo admitir que ganhadores e perdedores estejam definidos antes da partida",[39] princípio que deve ser aplicado às campanhas políticas por estar umbilicado à própria noção de democracia. Em lição de Gonçalves Figueiredo:[40]

> O princípio da igualdade de oportunidades é deduzido dos princípios democrático, representativo, republicano, do pluralismo político e da própria soberania popular. Ele se funda na concepção de que os candidatos e partidos políticos desempenham uma função-chave para o Estado Democrático de Direito, viabilizando a representação política e contribuindo para a formação e a expressão da vontade popular. Por isso,

---

[37] MUÑOZ, Óscar Sanchez. *Propaganda gubernamental y elecciones*. México: Tribunal Superior Electoral Del Poder Judicial de La Federación, 2013. p. 30.

[38] FUX, Luiz; FRAZÃO, Carlos Eduardo. *Novos paradigmas do Direito Eleitoral*. Belo Horizonte: Fórum, 2016. p. 119.

[39] OSÓRIO, Aline. *Direito Eleitoral e Liberdade de Expressão*. Belo Horizonte: Fórum. 2017. p. 15.

[40] GONÇALVES FIGUEIREDO, Hernán. *Manual de Derecho Electoral*. Princípios y regias. Buenos Aires: Di Lalla, 2013. p. 44.

as eleições devem se submeter a um regime jurídico próprio que estabeleça condições para uma disputa livre e equilibrada, em que, de um lado, assegure a plena liberdade de acesso à competição eleitoral, sem qualquer discriminação e, de outro, promova-se a igualdade de oportunidades na disputa por cargos eletivos.

A conduta proibitiva adotada pela justiça eleitoral objetivava a igualdade de oportunidades na disputa por meio da maior restrição da liberdade de expressão, justificada pelas barreiras existentes nos meios de comunicação em massa tradicionais, que poderia desequilibrar a disputa em prol dos candidatos que pudessem arcar com uma maior exposição nesses veículos. Com a mudança promovida pela ascensão das redes sociais, o equilíbrio da disputa encontra-se melhor albergado com uma tutela menos restritiva da liberdade de expressão, de forma a criar oportunidades para que aqueles que estão em posição desfavorável tenham mais chances de participar do debate político, o que incrementa a disputa e beneficia a democracia.

É certo que a Internet trouxe novos desafios que já estão demandando uma maior atenção por parte da Justiça Eleitoral. A divulgação de *fake news*, o uso de *bots* para realizar falsos impulsionamentos na internet, a opacidade dos algoritmos das redes sociais e as disparidades que podem ocorrer com os pagamentos de patrocínio nas publicações são exemplos de situações desse novo cenário que ainda estão sendo equacionadas pela legislação e pela jurisprudência, para que o ambiente da internet promova debates mais confiáveis e equilibrados, mas que poderão ser tuteladas de maneira pontual, com a coibição de abusos em situações reveladoras de ilicitudes.

Não se defende o absoluto *lasseiz-faire* no período de pré-campanha ou mesmo durante as campanhas eleitorais, o que geraria, por evidência, um cenário de desequilíbrio entre os competidores do pleito, que poderiam usar de inúmeros artifícios disponíveis para se promover em detrimento dos demais e, em vez de enriquecimento, haveria um empobrecimento do debate político. Da mesma forma, a rigorosa limitação da liberdade de expressão conduz a um cenário de desequilíbro em prol dos candidatos já conhecidos e poda a participação dos eleitores no debate, de forma que o desafio da justiça eleitoral é justamente encontrar o ponto ideal entre a tutela da liberdade de expressão e a da igualdade da disputa.

Nessa quadra, as reformas na legislação já mencionadas, bem como a aplicação dessas pela Corte, buscaram equacionar a celeuma, adotando uma leitura que potencializa a liberdade fundamental de se expressar, promovendo um estímulo à participação por meio de um debate mais franco, aberto, contínuo e plural, que foi maximizado no cenário possibilitado pela ascensão e popularização da internet e do uso das redes sociais no espaço público de debate.

## 5   Considerações finais

Atualmente, a internet desempenha o papel de um dos principais meios de informação, sendo utilizada pelos eleitores para se expressarem, para compartilharem conteúdos, para buscarem informações e para debaterem assuntos dos mais variados temas. Como novo espaço de formação de opinião pública e, portanto, de influência na escolha do voto, bem como cenário de marketing político, a internet é, sem dúvida, tema de preocupação do direito eleitoral.

O cenário da propaganda política e das pré-campanhas sofreu inovações possibilitadas pela ascensão da internet e das redes sociais, o que levou, invariavelmente à rediscussão das normas do direito eleitoral.

Buscando albergar da melhor forma possível a igualdade de participação no processo político, a legislação sofreu alterações para acompanhar as mudanças que o direito eleitoral sofreu com a introdução dos mais modernos meios de comunicação. Tal preocupação se justifica pelas lições de Frederico Alvim e María Hernandez, como dever do Estado em

> zelar para que todos os cidadãos possam ter os elementos necessários para votar de maneira consciente, depois de haver recebido de forma apropriada as informações referentes ao seu meio social e político, assim como às alternativas políticas existentes.[41]

Em 2009, a minirreforma eleitoral promovida pela Lei nº 12.034/2009 passou a expressamente permitir a propaganda eleitoral na internet, a partir do início do período eleitoral, delimitando as formas que essa propaganda poderia ser realizada e proibindo a realização de propagandas pagas.

A partir da reforma introduzida pela Lei nº 13.488, de 2017, inaugurou-se a possibilidade de veiculação de anúncios pagos por meio do impulsionamento de redes sociais, no art. 57-C da Lei das Eleições, "desde que identificado de forma inequívoca como tal e contratado exclusivamente por partidos, coligações e candidatos e seus representantes".[42]

Paralelamente a essas possibilidades de propagandas eleitorais na internet no período eleitoral, a minirreforma eleitoral promovida pela Lei nº 13.165 de 2015 passou a permitir a divulgação de pré-candidatura, retirando do âmbito da caracterização de propaganda antecipada a menção à pretensa candidatura, a exaltação das qualidades pessoais de pré-candidatos e outros atos "que poderão ter cobertura dos meios de comunicação social, inclusive via internet, desde que não haja pedido expresso de voto".[43]

Com o advento dessa lei, as restrições ao âmbito de proteção da liberdade de expressão atraíram uma hermenêutica protetiva, de forma "a conferir o maior elastério hermenêutico possível às cláusulas constitucionais definidoras de direitos fundamentais, de maneira a permitir a fruição pelos seus titulares".[44]

---

[41] ALVIM, Frederico Franco. *Cobertura política e integridade eleitoral*: efeitos da mídia sobre as eleições. Florianópolis: Habitus, 2018. p. 136.

[42] *Art. 57- C.* É vedada a veiculação de qualquer tipo de propaganda eleitoral paga na internet, excetuado o impulsionamento de conteúdos, desde que identificado de forma inequívoca como tal e contratado exclusivamente por partidos, coligações e candidatos e seus representantes.

[43] TRIBUNAL SUPERIOR ELEITORAL. *Recurso Especial Eleitoral nº 2949*. Acórdão, Rel. Min. Henrique Neves Da Silva, Publicação: RJTSE - Revista de jurisprudência do TSE, Data 05.08.2014.

[44] TRIBUNAL SUPERIOR ELEITORAL. *Agravo de Instrumento nº 924*. Acórdão, Rel. Min. Tarcisio Vieira De Carvalho Neto, Publicação: DJE, Data 22.08.2018. p. 66.

Em conjunto com as inovações possibilitadas com o advento da internet, é possível argumentar que as reformas promovidas pelas legislações analisadas, com o engrandecimento da liberdade de expressão, primaram por efetivar uma maior igualdade de condições entre os candidatos e estimular a participação por meio de um debate mais franco, aberto, contínuo e plural.

Apesar dos benefícios relacionados à ampliação e inclusão do debate democrático, é certo que as inovações mencionadas impõem novos desafios à Justiça Eleitoral, referentes a possíveis ilegalidades e abusos do poder econômico, que deverão ser tutelados pelo direito eleitoral sancionador, o qual possui instrumentos próprios e específicos para tanto.

Feitas essas considerações, parece certo que a postura adotada pela Legislação e pelo Tribunal, em conjunto com os avanços na seara dos meios de comunicação na internet, impuseram ao direito de expressão, tão caro ao processo democrático, a limitação menos gravosa, de forma a estimular a participação e o engajamento político, tanto por parte de eleitores, quanto por parte de candidatos que antes restavam com menor visibilidade, enriquecendo a qualidade do debate público.

## Referências

ALVIM, Frederico Franco. *Cobertura política e integridade eleitoral*: efeitos da mídia sobre as eleições. Florianópolis: Habitus, 2018.

BARROSO, Luis Roberto. Colisão entre liberdade de expressão e direitos da personalidade. Critérios de ponderação. Interpretação constitucionalmente adequada do Código Civil e da Lei de Imprensa. *Revista de Direito Administrativo,* Rio de Janeiro, v. 235, p. 1-36, jan. 2004.

BATTAGLIA, Felice. *Lineamenti di storia dottrine politiche*: con apendici bibliográfiche. 2. ed. Milano: [s.n.], 1952.

CAMARA LEGISLATIVA. *Projeto de Lei*. Disponível em: http:/www.camara.gov.br/proposicoesWeb/prop_mostrarintegra?codteor=1102056&fi. Acesso em 05 dez. 2019.

FISS, Owen. *Libertad de expressión e discurso social*. Coyocán: Fontamara, 1997.

FISS, Owen M. Free Spich and social estruture. *Iowa Law Rev.*, v. 71, 1985.

CONEGLIAN, Olivar. *Propaganda Eleitoral*. 13. ed. Curitiba: Juruá, 2016.

FUX, Luiz; FRAZÃO, Carlos Eduardo. *Novos paradigmas do Direito Eleitoral*. Belo Horizonte: Fórum, 2016.

GONÇALVES FIGUEIREDO, Hernán. *Manual de derecho electoral. Princípios y reglas*. Buenos Aires: Di Lalla, 2013.

HARTMAN, Ivar A M. Liberdade de manifestação política e campanhas. É preciso atenção aos algoritmos. *In*: FALCÃO, Joaquim (Org.). *Reforma eleitoral no Brasil. Legislação, democracia e internet em debate*. Rio de Janeiro: Civilização Brasileira, 2015.

NEVES FILHO, Carlos. *Propaganda eleitoral e o princípio da liberdade da propaganda política*. Belo Horizonte: Fórum, 2012.

MUÑOZ, Óscar Sanchez. *Propaganda gubernamental y elecciones*. México: Tribunal Superior Electoral Del Poder Judicial de La Federación, 2013.

OSÓRIO, Aline. *Direito Eleitoral e liberdade de expressão*. Belo Horizonte: Ed. Fórum, 2017.

TRIBUNAL SUPERIOR ELEITORAL. *Representação nº 060116194*. Acórdão, Rel. Min. Admar Gonzaga, Publicação: DJE, Data 20.03.2018.

TRIBUNAL SUPERIOR ELEITORAL. *Recurso Especial Eleitoral nº 8518*. Acórdão, Relator(a) Min. Admar Gonzaga, DJE Data 13.09.2017.

TRIBUNAL SUPERIOR ELEITORAL. *Agravo de Instrumento nº 924*. Acórdão, Rel. Min. Tarcisio Vieira De Carvalho Neto, Publicação: DJE, Data 22.08.2018.

TRIBUNAL SUPERIOR ELEITORAL. *Recurso Especial Eleitoral nº 28378*. Acórdão, Rel. Min. Arnaldo Versiani, Publicação: DJE, Data 01.10.2010.

TRIBUNAL SUPERIOR ELEITORAL. *Recurso Especial Eleitoral nº 2949*. Acórdão, Rel. Min. Henrique Neves Da Silva, Publicação: RJTSE - Revista de jurisprudência do TSE, Data 05.08.2014.

---

Informação bibliográfica deste texto, conforme a NBR 6023:2018 da Associação Brasileira de Normas Técnicas (ABNT):

VEIGA, Luiza. As reformas no âmbito da propaganda eleitoral e a ascensão das redes sociais. *In*: COSTA, Daniel Castro Gomes da; FONSECA, Reynaldo Soares da; BANHOS, Sérgio Silveira; CARVALHO NETO, Tarcisio Vieira de (Coord.). *Democracia, justiça e cidadania*: desafios e perspectivas. Homenagem ao Ministro Luís Roberto Barroso. Belo Horizonte: Fórum, 2020. t. 1: Direito eleitoral, política e democracia. p. 395-412. ISBN 978-85-450-0748-7.

# SISTEMA PARTIDÁRIO E CANDIDATURAS INDEPENDENTES: LIMITAÇÃO DE DIREITO FUNDAMENTAL OU ESCOLHA LEGÍTIMA DE UM SISTEMA ELEITORAL?

**MARILDA DE PAULA SILVEIRA**

Não é nada fácil homenagear o Professor Luís Roberto Barroso, Ministro do Supremo Tribunal Federal, com vasta e aclamada produção acadêmica. A tarefa se torna ainda mais difícil diante do fato de que o homenageado está entre os grandes professores com quem tive a sorte e a oportunidade de aprender ao longo do doutorado.

Sempre presente, pontual e bem humorado, ele nos ensinou muito mais que o conteúdo. Aprendi a ser uma aluna e uma professora melhor. Mesmo atarefado e no auge da carreira, estava sempre disponível e tinha tudo mais que planejado e organizado.

A seleção dos textos, sempre revelando lados diferentes da mesma história, reafirmava a mensagem de que toda aparente certeza tem um contraponto legítimo. E o reloginho que despertava marcando o fim de cada exposição dava notícia de que tudo tem o seu tempo.

Consigo me lembrar do dia exato em que li suas "cinco lições sobre a vida e o Direito". Li, reli e compartilhei. Essas reflexões fazem parte do que carrego comigo e inspiraram a escolha do tema deste artigo. Sou grata ao Professor e à oportunidade de fazer parte desta justa homenagem.

## Candidaturas avulsas: a abertura de relevante debate sobre um ponto de conflito

Nada mais natural que as candidaturas avulsas se apresentem como alternativa, diante de um inegável cenário de monopólio, desgaste e oligarquização dos partidos políticos. De acordo com o Índice de Confiança Social (ICS) divulgado pelo IBOPE

Inteligência, em 2019, a instituição *partidos políticos* é a que goza de menor confiança dos brasileiros (apenas 27 pontos).[1]

O anseio social pela quebra do monopólio partidário e o fato de que a grande maioria dos países no mundo adota candidaturas independentes, atrai a percepção de que "o reconhecimento das candidaturas avulsas pode desbloquear o acesso do cidadão comum à política, ampliar a concorrência eleitoral e, com isso, reforçar a legitimidade do sistema político e sua credibilidade aos olhos da população".[2]

De outro lado, embora reconheçam suas falhas, importantes cientistas políticos ainda defendem que "os partidos políticos são os guardiões da democracia" e que constituem um relevante filtro aos apelos extremistas.[3] Por ocasião de audiência pública realizada no Supremo Tribunal Federal a respeito do tema, a unanimidade do bloco de cientistas políticos manifestou-se contrariamente à inserção das candidaturas avulsas no sistema eleitoral brasileiro como atualmente formatado.[4]

Diante desse cenário de conflito, o Min. Luís Roberto Barroso propôs o reconhecimento de repercussão geral sobre o tema, o que foi acolhido pelo plenário do Supremo Tribunal Federal, em questão de ordem no ARE nº 1.054.490. Sempre fiel à garantia do contraponto, o Min. Barroso realizou prestigiada audiência pública sobre o tema.

Duas questões parecem em análise: i) se a lei que regulamenta o art. 14, §3º, da Constituição, viola o Pacto de São José e, portanto, carrega inconvencionalidade; e ii) em caso positivo, como reformatar o sistema eleitoral para acolher as candidaturas avulsas. A partir daí, os autores do debate passaram a discutir se esse modelo traria maiores benefícios que riscos para o sistema eleitoral brasileiro.

No caso que se apresentou à discussão, no Supremo Tribunal Federal, busca-se afastar o texto constitucional que, expressamente, exige "a filiação partidária" como "condição de elegibilidade, *na forma da lei*" (art. 14, §3º). De acordo com o texto constitucional e a interpretação vigente, portanto, só pode concorrer quem estiver filiado ao partido pelo qual vai disputar, seis meses antes das eleições (art. 9º da Lei nº 9.504/97). Mas, como afastar uma exigência constitucional expressa?

Para chegar a essa conclusão, o julgamento do recurso com repercussão geral exige a análise de três teses: 1º) a Convenção Americana sobre Direitos Humanos impediria que a filiação partidária fosse imposta como óbice intransponível ao pleno exercício dos direitos políticos (foi exatamente essa a tese defendida, no mérito, pela Procuradora Geral da República); 2º) os tratados relativos aos direitos humanos, desde que incorporados ao direto nacional entre 5.10.1988 e a entrada em vigor da EC nº 45/2004, têm estatura de emendas à Constituição, por força do art. 5º, §2º, da CR e, portanto, o art. 14, §3º, V, não seguiria vigente na própria Constituição; e

---

[1] IBOPE INTELIGÊNCIA. *ICS – Índice de confiança social 2019*. Disponível em: https://www.ibopeinteligencia.com/arquivos/JOB%2019_0844_ICS_INDICE_CONFIANCA_SOCIAL_2019%20-%20Apresenta%C3%A7%C3%A3o%20(final).pdf. Acesso em 29 nov. 2019.

[2] ARE nº 1.054.490 QO/RJ.

[3] LEVITSKY, Steven; ZIBLAT, Daniel. *Como as democracias morrem*. Rio de Janeiro: Zahar, 2018. p. 33.

[4] YOUTUBE. *Audiência pública – Candidaturas avulsas*. Disponível em: https://www.youtube.com/watch?v=bEQ0iY3LQnA. Acesso em 02 dez. 2019.

3º) os tratados internacionais integram a ordem jurídica em caráter supralegal e a regulamentação da filiação partidária, "nos termos da lei", seria incompatível com a Convenção Americana; nesse caso, sua regulamentação não seguiria vigente e o art. 14, §3º, V, norma de eficácia contida, perderia aplicação (a exemplo do que ocorreu com a prisão do depositário infiel, REs nº 349703 e RE nº 466343 e HC nº 87585).

É certo que uma parcela relevante dos debates que serão travados no plenário do STF diz respeito à primeira tese: o *status* que os tratados internacionais sobre direitos humanos devem ostentar no ordenamento jurídico brasileiro. Esse foi o principal enfoque do parecer da então Procuradora Geral da República. Este artigo, contudo, busca pontuar algumas questões sobre a primeira tese, que se apresenta como pressuposto que sustenta toda essa discussão: se há incompatibilidade da Lei ou da Constituição com a Convenção.[5]

Inspirando-se nas lições do Homenageado, este artigo tem a singela pretensão de contribuir com algumas reflexões, abrindo-se ao espírito do contraponto, sem almejar fechar o tema.

## Convenção Americana de Direitos Humanos: o dilema da escolha por um sistema eleitoral válido e a Corte Interamericana de Direitos Humanos

Sobretudo após as alterações da LC nº 135/2015, Marcelo Ramos Peregrino Ferreira e Luiz Magno P. Bastos Júnior, entre outros,[6] apontam para a necessidade de se avaliar a compatibilidade das limitações eleitorais com a Convenção Americana de Direitos Humanos. As candidaturas avulsas colocam o tema no centro do debate.

De fato, a Convenção Americana sobre Direitos Humanos, da qual o Brasil é signatário,[7] garante que todos os cidadãos devem gozar do direito "de ser eleitos em eleições periódicas autênticas" (art. 23, item 1, letra "b") e de que esse direito só pode ser limitado "*exclusivamente* por motivos de idade, nacionalidade, residência, idioma, instrução, capacidade civil ou mental, ou condenação, por juiz competente, em processo penal". (art. 23, item 2).

A leitura do texto convencional revela que, de fato, a filiação partidária não figura entre as limitações que poderiam obstar o exercício dos direitos políticos. Da mesma forma que não está na Convenção qualquer inelegibilidade, a não ser a que decorra de "condenação, por juiz competente, em processo penal". Condenações por improbidade, por ilícitos eleitorais, administrativos, cassações político-administrativa

---

[5]  A não ser que se sustente uma inconstitucionalidade "dos termos da lei" por princípios, o que não será objeto dessa análise.

[6]  Por todos: FERREIRA, Marcelo Ramos Peregrino. *O controle de convencionalidade da lei da ficha limpa*: direitos políticos e inelegibilidades. Rio de Janeiro: Lumen Juris, 2015; BASTOS JÚNIOR, Luiz Magno P.; SANTOS, Rodrigo Mioto. Levando a sério os direitos políticos fundamentais: inelegibilidade e controle de convencionalidade. *Revista Direito GV*, 24 jun 2015.

[7]  Decreto nº 678, de 6 de novembro de 1992.

de mandatos, entre outras, também têm sua compatibilidade com a convenção questionada.

Importa indagar, portanto, se essa restrição imposta pela Convenção impede que os países signatários do Pacto façam opções legislativas mais amplas. E, mais: se a exigência de filiação partidária para lançar candidaturas seria restrição equiparável à ampliação do rol de impedimentos ou inelegibilidades que tem caráter pessoal.

Para se chegar a essa resposta, é necessário interpretar o conteúdo do Pacto.

É verdade que a Corte Interamericana de Direitos Humanos, desde 2006 (caso Almonacid Arellano e outros *versus* Chile), tem reivindicado o controle de convencionalidade externo,[8] segundo o qual juízes nacionais devem deixar de aplicar normas locais inconvencionais.

Contudo, essa nova perspectiva de controle exige observância expressa à jurisprudência da Corte (caso Ibsen Cárdenas e Ibsen Peña *versus* Bolívia, 2010).[9] Não há dúvida quanto à posição do Brasil nesse ponto, pois reconheceu a competência obrigatória da Corte, em todos os casos relativos à interpretação ou aplicação da Convenção, por meio do Decreto nº 4.463/2002.

Cabe, então, investigar, qual a jurisprudência formada pela CIDH a respeito do tema.

Há três julgados da Corte Interamericana de Direitos Humanos relacionados à matéria: Yatama *vs.* Nicaragua, 2005; Castañeda Gutman *vs.* Estados Unidos Mexicanos, 2008; e López Mendoza *vs.*Venezuela, 2011.

Em 2005, no Caso Yatama *vs.* Nicaragua, é verdade que a Corte reconheceu a restrição indevida aos direitos políticos diante da exigência de filiação partidária. Contudo, os termos do julgamento parecem revelar que a decisão tem enfoque no fato de que os órgãos eleitorais não respeitaram o devido processo judicial. Além disso, foi definidor do julgado a conclusão de que a limitação eleitoral atingia diretamente os direitos comunitários das populações indígenas. A especificidade do caso, que o afasta em larga medida do contexto brasileiro, é que as restrições foram introduzidas

---

8    La Corte es consciente que los jueces y tribunales internos están sujetos al imperio de la ley y, por ello, están obligados a aplicar las disposiciones vigentes en el ordenamiento jurídico. Pero cuando un Estado ha ratificado un tratado internacional como la Convención Americana, sus jueces, como parte del aparato del Estado, también están sometidos a ella, lo que les obliga a velar porque los efectos de las disposiciones de la Convención no se vean mermadas por la aplicación de leyes contrarias a su objeto y fin, y que desde un inicio carecen de efectos jurídicos. En otras palabras, el Poder Judicial debe ejercer una especie de "control de convencionalidad" entre las normas jurídicas internas que aplican en los casos concretos y la Convención Americana sobre Derechos Humanos. En esta tarea, el Poder Judicial debe tener en cuenta no solamente el tratado, sino también la interpretación que del mismo ha hecho la Corte Interamericana, intérprete última de la Convención Americana.

9    El desarrollo descrito de incorporación del derecho internacional de los derechos humanos en sede nacional, también se debe a las propias jurisdicciones domésticas, especialmente a las altas jurisdicciones constitucionales, que progresivamente han privilegiado interpretaciones dinámicas que favorecen y posibilitan la recepción de los derechos humanos previstos en los tratados internacionales. Se forma un auténtico bloque de constitucionalidad, que si bien varía de país a país, la tendencia es considerar dentro del mismo no sólo a los derechos humanos previstos en los pactos internacionales, sino también a la propia jurisprudencia de la Corte IDH. Así, en algunas ocasiones el bloque de convencionalidad queda subsumido en el bloque de constitucionalidad, por lo que al realizar el control de constitucionalidad también se efectúa control de convencionalidad.

alguns meses antes das eleições e revogaram a possibilidade de as "asociaciones de suscripción popular" participarem do processo eleitoral.

Posteriormente, em 2008, no caso Castañeda Gutman *vs*. Estados Unidos Mexicanos, a Corte analisou situação bastante semelhante à que está submetida ao STF: violação ao art. 23.1.b da Convenção diante do monopólio partidário. O Sr. Castañeda Gutman pretendia concorrer à Presidência da República sem vinculação a partido político, contrariando as normas que atribuem apenas aos partidos nacionais a prerrogativa de requerer registros de candidatura. Ao julgar o caso, a Corte decidiu que o monopólio partidário não é uma violação em si, desde que o Estado garanta ampla oportunidade de participação na vida política.

A Corte parece encaminhar-se no sentido de que a exigência de filiação partidária não seria uma limitação pessoal a um direito individual, mas uma das limitações gerais inseridas em sistema eleitoral de opção legítima.

Ao esclarecer que os Estados signatários do Pacto podem definir seus sistemas eleitorais com liberdade, desde que assegurem oportunidade efetiva de participação aos cidadãos, o que está sujeito a controle, a Corte assim se pronunciou:

> O direito e a oportunidade de votar e permanecer eleito pelo artigo 23 (1) (b) da Convenção Americana é regularmente exercido em eleições periódicas e autênticas realizadas por sufrágio universal e igual e por voto secreto que garante a livre expressão da vontade dos eleitores. Mas, além dessas características do processo eleitoral (eleições periódicas e autênticas) e dos princípios do sufrágio (universal, igual, secreto, refletindo a livre expressão da vontade popular), *a Convenção Americana não estabelece uma modalidade específica ou um sistema eleitoral particular através do qual os direitos de voto e eleição devem ser exercidos* [...]. A Convenção limita-se a estabelecer certos padrões dentro dos quais os Estados podem legitimamente e devem regular os direitos políticos, desde que tais regulamentos atinjam os requisitos de legalidade, estejam direcionados a cumprir um propósito legítimo, sejam necessários e proporcionais; isto é, sejam razoáveis de acordo com os princípios da democracia representativa. (tradução livre).

Finalmente, no caso López Mendoza *vs*. Venezuela, de 2011, a Corte IDH debateu profundamente a possibilidade de se inabilitar candidatos em razão de condenação em processos administrativos (o Sr. Leopoldo López Mendoza sofreu sanção disciplinar por atuar com conflito de interesses). E foi categórica ao afirmar que o direito político de ser eleito somente pode ser limitado por condenação judicial emanada de Juiz competente, *em um processo penal*. Nesse ponto, o juiz Diego García-Sayán ficou vencido ao pretender que a restrição da elegibilidade fosse possível em outras espécies de condenações, além da penal. Aplicado esse filtro de convencionalidade, muito pouco restaria da Lei da Ficha Limpa.

É preciso reconhecer a existência de vozes dissonantes, o que enriquece muito a discussão. Contudo, nos parece que os precedentes da Corte IDH deixam claro que a exigência de filiação partidária não é objetivamente vedada pela Convenção. Diferentemente das limitações individuais, de caráter pessoal, como os impedimentos e inelegibilidades. A escolha por um *sistema partidário* que coloca os partidos formando uma barreira entre os cidadãos e as candidaturas não é nada mais que uma opção constitucional de um sistema eleitoral complexo. Seria diferente se essa barreira fosse intransponível, o que a realidade brasileira revela não ser o caso.

Não se trata, portanto, de uma simples limitação pessoal; mas de uma peça que repercute em todos os processos de uma engrenagem extremamente complexa. No sistema eleitoral brasileiro, o filtro partidário repercute desde a conversão de votos em vagas (sistemas majoritário e proporcional) até o financiamento de campanhas (distribuição de recursos e direito de antena), passando pela fragmentação e governabilidade.

Mas, adotando o pressuposto mencionado em linhas anteriores, como saber se a filiação partidária é mesmo parte da opção por um sistema eleitoral que repercute sobre o exercício dos direitos políticos dos cidadãos e não uma limitação pessoal, que encontraria óbice no Pacto? Alguns sinais parecem confirmar essa hipótese.

Inicialmente, é indispensável a análise do texto constitucional. Para além das 20 (vinte) ocorrências na Constituição, o partido político é quem registra a candidatura do Presidente da República, conforme exigência do art. 77, §2º, CR. A articulação partidária é essencial nos processos político-administrativos (art. 53 e 54, CR), na representação proporcional das mesas e comissões, no processo legislativo (art. 58, CR) e na eleição proporcional do poder legislativo (art. 45, CR).

A adoção de candidaturas avulsas ampliaria a liberdade na entrada, mas aumentaria os custos de transação nas negociações *pós-eleição* em razão do potencial aumento da fragmentação no legislativo. Isso exigiria a adoção de algum critério de apoiamento para que fosse autorizado o lançamento de candidaturas (como as listas cívicas). Contudo, esse debate não cabe ao judiciário, mas ao legislativo. E reforça que o papel dos partidos é de articulador de um sistema. Não é sem razão que os cientistas políticos, quase consensualmente, apontam que a fragmentação das forças políticas é um dos grandes males a se combater em qualquer reforma. Fragmentação que seria agravada pelas candidaturas avulsas.

Além disso, como a tendência do candidato avulso é a de se aproximar de um grupo após as eleições, aumenta-se o poder de barganha dos partidos após o processo eleitoral, reduzindo-se o potencial de *accountability* do eleitor quando ele ainda detém o voto. Não teria sentido que esse arranjo fosse vedado pelo Pacto, suprimindo-se do país a possibilidade de construir o seu próprio sistema de incentivos.

Não fosse suficiente, interpretar o Pacto no sentido de que ele veda a exigência de filiação partidária seria concluir que ele impede o país de fazer opção por um sistema eleitoral que busca fomentar o consenso e não a individualização de plataformas. Interpretação como essa não parece compatível com a própria razão de ser do documento, sobretudo se considerarmos a elevada clivagem subcultural brasileira que já dificulta o consenso.

Citando o caso do Peru, o cientista político Lucas Novais aponta que, em momentos de crise política – como a que vivemos no Brasil – parece mais fácil eleger-se na condição de avulso, afastado das instituições. Contudo, em períodos normais, candidaturas avulsas têm potencial para erodir o sistema democrático, pois fomenta os incentivos errados.[10]

Essas razões apontam para a conclusão de que a filiação partidária difere, e muito, das demais *condições de elegibilidade* previstas no art. 14, §3º, CR: nacionalidade brasileira, pelo exercício dos direitos políticos, alistamento eleitoral, domicílio eleitoral e idade. E, por quê? Porque todas essas outras não repercutem no sistema eleitoral ou mesmo na forma de governo. São requisitos isolados que apenas informam óbices à candidatura. O monopólio partidário, por sua vez, é uma opção constitucional legítima que funda e tem relevantes repercussões no sistema de governo.

## Conclusão

O quanto exposto não pretende fundamentar a conclusão de que o sistema político e partidário não mereça reformas. Estas são essenciais, sobretudo quando se fala de democracia intrapartidária. A jurisdição constitucional ainda há de centrar esforços na interpretação do art. 17 da Constituição, quando se refere à exigência de respeito ao *princípio democrático*.

Contudo, com todo o acatamento e respeito às posições contrárias, suprimir o monopólio partidário do ordenamento jurídico por decisão judicial e, portanto, fora de uma reforma política sistêmica, seria como retirar parte relevante dos alicerces constitucionais de uma antiga estrutura infraconstitucional que vem se formando há décadas.

De outro lado, não se pode dizer o mesmo das inelegibilidades: a Corte é clara ao afirmar que a única condenação que pode restringir a elegibilidade é a criminal, e nosso sistema é pródigo em impedir candidaturas por condenações cíveis, eleitorais e administrativas (LC nº 64/90). Reconhecer que a Convenção impõe candidaturas avulsas no Brasil, implica, necessariamente, afastar parte significativa da Lei da Ficha Limpa.

Seja qual for o resultado desse julgamento, abre-se uma discussão relevante que há muito se esperava sobre o controle de convencionalidade.

## Referências

BASTOS JÚNIOR, Luiz Magno P.; SANTOS, Rodrigo Mioto. Levando a sério os direitos políticos fundamentais: inelegibilidade e controle de convencionalidade. *Revista Direito GV*, 24 jun. 2015.

FERREIRA, Marcelo Ramos Peregrino. *O controle de convencionalidade da lei da ficha limpa*: direitos políticos e inelegibilidades. Rio de Janeiro: Lumen Juris, 2015.

IBOPE INTELIGÊNCIA. *ICS – Índice de confiança social 2019*. Disponível em: https://www.ibopeinteligencia.com/arquivos/JOB%2019_0844_ICS_INDICE_CONFIANCA_SOCIAL_2019%20-%20Apresenta%C3%A7%C3%A3o%20(final).pdf. Acesso em 29 nov. 2019.

LEVITSKY, Steven; ZIBLAT, Daniel. *Como as democracias morrem*. Rio de Janeiro: Zahar, 2018.

---

[10] YOUTUBE. *Audiência pública – Candidaturas avulsas*. Disponível em: https://www.youtube.com/watch?v=bEQ0iY3LQnA. Acesso em 02 dez. 2019.

YOUTUBE. *Audiência pública – Candidaturas avulsas*. Disponível em: https://www.youtube.com/watch?v=bEQ0iY3LQnA. Acesso em 02 dez. 2019.

---

Informação bibliográfica deste texto, conforme a NBR 6023:2018 da Associação Brasileira de Normas Técnicas (ABNT):

SILVEIRA, Marilda de Paula. Sistema partidário e candidaturas independentes: limitação de direito fundamental ou escolha legítima de um sistema eleitoral? *In*: COSTA, Daniel Castro Gomes da; FONSECA, Reynaldo Soares da; BANHOS, Sérgio Silveira; CARVALHO NETO, Tarcisio Vieira de (Coord.). *Democracia, justiça e cidadania*: desafios e perspectivas. Homenagem ao Ministro Luís Roberto Barroso. Belo Horizonte: Fórum, 2020. t. 1: Direito eleitoral, política e democracia. p. 413-420. ISBN 978-85-450-0748-7.

---

# SISTEMAS ELEITORAIS: UMA IDEIA DO SISTEMA DISTRITAL MISTO E AS PREOCUPAÇÕES COM SUA IMPLANTAÇÃO TAL COMO PROPOSTO

**JAMILE DUARTE COÊLHO VIEIRA**

Tramitam no Congresso Nacional diversos projetos de lei que pretendem alterar o sistema eleitoral[1] para escolha dos *integrantes das casas legislativas*,[2] propondo a adoção do Sistema Distrital Misto em substituição ao Sistema Proporcional atualmente em vigor, através do qual o representante é eleito baseado em cálculos que consideram o total de votos recebido pela agremiação partidária ou pela coligação a que pertence.

Dentre eles, existem o PLS nº 86/2017, de autoria do então Senador José Serra (PSDB-SP) o qual, segundo explicação da ementa, "[a]ltera a Lei nº 4.737/65, Código Eleitoral, e a Lei nº 9.504/97, que estabelece normas para as eleições, para instituir o voto distrital misto nas eleições proporcionais" e o PLS nº 345/2017, de autoria do então Senador Eunício Oliveira (PMDB-CE) que, também segundo explicação da ementa,

> institui o sistema distrital misto para as eleições da Câmara dos Deputados, Assembleias Legislativas, Câmaras Municipais e Câmara Distrital, sendo que o número de vagas que caberá a cada agremiação permanecerá definido pelo sistema proporcional e cada Estado será dividido em distritos e cada distrito elegerá um candidato pelo sistema majoritário.

Tais proposições legislativas, após aprovadas no Senado Federal, ainda em novembro de 2017, tomaram, respectivamente, os nºs PL 9212/2017 e PL nº 9213/2017 na Câmara dos Deputados, aos quais foram apensados outros 14 (catorze) projetos e, após realização de audiência pública, foi acostado parecer favorável ao Substitutivo apresentado pelo Deputado Samuel Moreira, membro da Comissão de Constituição e Justiça da Câmara dos Deputados, aguardando votação após ter sido retirado de

---

[1] "Em outras palavras, trata-se do método que permite organizar e aferir a manifestação de vontade dos cidadãos nas urnas, de modo a propiciar a legítima representação do povo na gestão do Estado". GOMES, José Jairo. *Direito Eleitoral*. 14. ed. rev., atua. e ampl. São Paulo: Atlas, 2018. p. 165.

[2] A eleição para Senador da República permanece como majoritária.

pauta no dia 01 de outubro de 2019. Em seguida, o PL nº 9212/2017 foi devolvido ao relator tendo em vista haver sido apensado, em novembro de 2019, o PL nº 5843/2019, de autoria do Deputado Domingos Sávio (PSDB-MG), que tem como ementa: "Altera a redação da Lei nº 4.737, de 15 de julho de 1965 (Código Eleitoral), e da Lei nº 9.504, de 30 de setembro de 1997 (Lei das Eleições), para instituir o sistema eleitoral misto nas eleições para as Câmaras Municipais".

O Tribunal Superior Eleitoral, como resultado dos estudos efetuados pelo Grupo de Trabalho instituído pela Portaria nº 114/2019, apresentou ao Congresso Nacional documento intitulado *Contribuição para o debate acerca da reforma do Sistema Eleitoral Brasileiro. O Sistema Distrital Misto como alternativa a ser testada*, no qual elenca as vantagens da sugestão e propõe alterações pontuais nos projetos em tramitação (PL nº 9212/2017 e PL nº 9213/2017).

Independentemente da fase em que se encontram os projetos de lei apresentados, afigura-se oportuno ter em mente o que vem a ser o *Sistema Distrital* (adotado nos Estados Unidos da América, no Reino Unido e na Itália, por exemplo) e o *Sistema Distrital Misto* (adotado atualmente em países como a Venezuela, a Bolívia e a Alemanha – onde foi criado) e quais as possíveis consequências de sua adoção no Brasil tal como proposto.

Relembre-se, outrossim, que o Sistema Proporcional (de lista aberta) utilizado no país, foi a opção escolhida pelo legislador constituinte e sua utilização está albergada no art. 45 da Carta Magna, onde se determina que "[a] Câmara dos Deputados compõe-se de representantes do povo, eleitos pelo sistema proporcional, em cada Estado, em cada Território e no Distrito Federal". Já para a eleição de vereadores, seguindo-se a tradição constitucional, há expressa disposição no Código Eleitoral.

Assim sendo, os eleitores podem votar nominalmente em seu candidato ou em partido de sua preferência e os votos serão primeiramente computados para o partido (ou, anteriormente, para eventual coligação)[3] e, em seguida, as cadeiras do parlamento serão atribuídas àqueles que obtiverem maior votação dentro de seu partido, de acordo com o quociente eleitoral.[4]

Interessante tomar nota das palavras de Gilmar Ferreira Mendes, no que atine ao sistema proporcional adotado no Brasil:

---

[3] A Emenda Constitucional nº 97/2017 "[a]ltera a Constituição Federal para vedar as coligações partidárias nas eleições proporcionais, estabelecer normas sobre acesso dos partidos políticos aos recursos do fundo partidário e ao tempo de propaganda gratuito no rádio e na televisão e dispor sobre regras de transição". Através dela, o §1º do art. 17 da CF/88 passou a vigorar com a seguinte redação: "É assegurada aos partidos políticos autonomia para definir sua estrutura interna e estabelecer regras sobre escolha, formação e duração de seus órgãos permanentes e provisórios e sobre sua organização e funcionamento e para adotar os critérios de escolha e o regime de suas coligações nas eleições majoritárias, vedada a sua celebração nas eleições proporcionais, sem obrigatoriedade de vinculação entre as candidaturas em âmbito nacional, estadual, distrital ou municipal, devendo seus estatutos estabelecer normas de disciplina e fidelidade partidária".

[4] Número de votos válidos divididos pela quantidade de cadeiras em disputa. Leva-se em consideração também o quociente partidário que se traduz no número de vagas alcançado pelos partidos e é obtido através da divisão do número de votos conferidos à agremiação diretamente ou a seus candidatos. Serão eleitos os candidatos que dentro de seu partido tiverem obtido a maior votação. Em havendo vagas (cadeiras) que não tenham sido preenchidas através do cálculo mencionado, a distribuição das sobras, segundo o Código Eleitoral vigente, se dará através da maior média obtida dentre os partidos, adicionando-se mais um lugar aos já obtidos pelo partido.

Trata-se de um modelo proporcional peculiar e diferenciado do modelo proporcional tradicional, que se assenta em listas apresentadas pelos partidos políticos. A lista aberta de candidatos existente no Brasil faz com que o mandato parlamentar, que resulta desse sistema, afigure-se também mais como fruto do desempenho do esforço do candidato do que da atividade partidária.

[...]

Convém assinalar que o modelo proporcional de listas abertas adotado entre nós contribui acentuadamente para a personalização da eleição, o que faz com que as legendas dependam, em grande medida, do desempenho de candidatos específicos. Daí o destaque que se confere às candidaturas de personalidades dos diversos setores da sociedade ou de representantes de corporação. Essa personalização do voto acaba por acentuar a dependência do partido e a determinar a sua fragilidade programática.[5]

Em contraposição ao (peso do) voto no sistema proporcional, o *voto distrital* exclusivo (utilizado nos Estados Unidos, no Reino Unido e na França, por exemplo) pode ser entendido como um sistema eleitoral de maioria (simples ou absoluta, se houver votação em dois turnos), no qual cada membro do parlamento é eleito individualmente, nos limites geográficos de um distrito, pela maioria dos votos.

O Brasil já experimentou esse sistema durante boa parte do Império e na República Velha (1855 a 1932).

Para os defensores do sistema distrital, sua adoção possibilita o fortalecimento do elo entre o eleitor e o parlamentar, à medida que cada um representa um conjunto de cidadãos e fortalece o *accountability*, entendido como a responsabilização do parlamentar e a prestação de contas do eleito.[6] Menos candidatos saem para a disputa, posto que cada partido apresenta apenas um candidato por distrito e o eleito é facilmente identificado e lembrado, o que permite ao eleitor acompanhar a atuação do parlamentar, aumentando a fiscalização e a cobrança, obrigando-os a adequar o seu voto às demandas dos representados.

A favor do sistema distrital milita também a tese de que ao votar apenas em um candidato, o eleitor vote também *contra* o seu opositor, o que possibilita a retirada do poder daquele parlamentar que não tenha desempenhado bem suas funções, uma vez que os candidatos em disputa são incentivados a demonstrar aos eleitores suas boas ações, bem como as más ações do parlamentar com quem compete, fazendo com que o eleitor seja capaz avaliar melhor o perfil e as propostas de cada um.

Ainda, as campanhas eleitorais podem ter os seus custos diminuídos, tendo em vista que menos candidatos precisam fazer campanhas apenas no espaço geográfico do distrito para os quais requererem o registro e para menos eleitores; candidatos regionais e com menos recursos financeiros podem ser viabilizados e eleições mais

---

[5]   MENDES, Gilmar Ferreira; BRANCO, Paulo Gustavo Ganet. *Curso de Direito Constitucional*. 7. ed. rev. atual. São Paulo: Saraiva, 2012. p. 767 e 772.

[6]   O voto proporcional, pela forma da sua distribuição de votos (privilegia a base partidária em desfavor dos votos dados ao candidato), embarga o acompanhamento do resultado das eleições pelo eleitor, que raramente sabe, efetivamente, para quais candidatos o seu voto foi computado e quem foram os reais eleitos.

baratas tendem a desestimular a corrupção, reduzir a influência de corporações e grupos de interesse no processo eleitoral e a utilização de "caixa dois".

O voto distrital, por fim, pode estimular a formação de maiorias parlamentares[7] em favor da governabilidade e, em tese, da estabilidade, ou romper de vez com a corrente de poder, já que pode propor reformas radicais, posto ser detentor da maioria.

Já para os opositores do Sistema Distrital, ele pode distorcer as escolhas partidárias de seus eleitores, pois não raro há discrepância entre a proporção dos distritos em que os partidos venceram e a proporção de votos dados aos partidos, promovendo o desperdício de votos; reduzindo as opções partidárias dos eleitores; e muitas vezes não sendo capaz de promover a igualdade geográfica que propaga.

A diminuição ou a eliminação da representação de correntes minoritárias também se apresenta como ponto desfavorável, posto que tais correntes dificilmente teriam a maioria dos votos nos distritos. Apenas se os apoiadores da minoria estivessem concentrados em certos distritos conseguiriam eleger representantes.

Parlamentares podem reduzir suas atividades apenas em favor da localidade que os elegeu e da qual dependem para se reeleger, em detrimento de questões nacionais (ou regionais) mais amplas, em prol de toda a sociedade, estimulando a formação de vínculos clientelistas e diminuindo a capacidade de renovação dos eleitos (municipalização de eleições federais na fase eleitoral e de mandato).

Com sua adoção, há uma tendência à redução drástica do número de partidos políticos, diminuindo a representatividade dos integrantes da comunidade, pois minoram as opções de voto do eleitor que passa a votar não necessariamente naquele que comungue com suas ideias e ideais, mas naquele que menos deles se afaste.

Por fim, uma das maiores críticas ao Sistema Distrital é a possibilidade da prática de *gerrymandering*, que se traduz em definir os limites eleitorais (limites geográficos) de forma a agrupar regiões que tendem a votar nos opositores em poucos distritos e, paralelamente, dividir em vários distritos as regiões que tendem a votar no partido governante (para obter mais assentos no parlamento), gerando a discrepância entre a quantidade de votos recebida pelos partidos e a proporção das cadeiras obtidas. Ou, ainda, definir as regiões de modo a beneficiar exclusivamente a situação.

Como alternativa à adoção do Sistema Distrital em substituição ao Sistema Proporcional vigente, como já mencionado supra, os projetos de lei, com o agora endosso do TSE, propõem a adoção do *Sistema Distrital Misto*. Como o nome já diz, é a combinação – ou o uso em conjunto – do sistema proporcional com o sistema distrital, com o objetivo, em última análise, de aproximar o eleitor dos seus representantes.

As proposições legislativas almejam que os Municípios e Estados sejam subdivididos em distritos e, a partir daí, parte das vagas para os cargos de vereadores, deputados estaduais, federais e distritais seja preenchida pelo sistema proporcional vigente e outra parte o seja por quem obtiver mais votos no distrito, cabendo ao eleitor dois votos: um para a lista proporcional fechada[8] – conforme o quociente eleitoral

---

[7] O sistema tende a formar o bipartidarismo.

[8] No sistema de lista fechada, o eleitor vota somente no partido – voto de legenda – e não no candidato. A agremiação, antes da eleição, apresenta uma lista com a ordem de prioridade de cada um de seus candidatos.

(total de cadeiras divididas pelo total de votos válidos) e outro para a disputa em seu distrito.

Em sua defesa, os proponentes asserem que o sistema proporcional atual é oneroso, o que inibe a renovação política e aumenta as vantagens daqueles que detêm muitos recursos e padrinhos políticos e o Sistema Distrital Misto baratearia tal custo, já que o candidato não precisa percorrer mais o Estado/Município inteiro, mas apenas aquele distrito para o qual concorre.

A "fusão" dos sistemas favoreceria a transparência eleitoral, pois, apesar de não eliminar o voto em lista, determina que seja ela ordenada e registrada no Tribunal Superior Eleitoral (TSE) antes da eleição, o que possibilita aos eleitores a identificação de quais serão os candidatos eleitos por proporcionalidade em cada partido; cada partido terá direito às cadeiras no parlamento na mesma proporção dos votos que obtiver, uma vez que primeiro serão contemplados os que receberem mais votos diretos em cada distrito e as demais vagas se destinarão aos candidatos da lista.

Para evitar a prática do *gerrymandering,* propõe-se que haja a regulamentação da delimitação dos distritos, exigindo-se uma paridade dos distritos em relação à população, contiguidade geográfica e coesão de fatores econômicos e sociais; ao passo que durante as convenções, os partidos poderiam também estabelecer eleições primárias entre os seus afiliados, conferindo posições nas listas de acordo com o desempenho dos pré-candidatos em disputas internas e fortalecendo a democracia interna.

Há proposta para que o sistema seja adotado somente nas cidades com mais de 200 mil eleitores e que a delimitação dos distritos seja da competência da Justiça Eleitoral, através do critério de número de habitantes.[9]

O Sistema Distrital Misto tenderia a aproximar o eleitor do parlamentar, pois o eleitor sabe quem representa o seu distrito na Câmara, ao tempo em que preza pela importância das agremiações partidárias por manter a sistemática proporcional para composição de metade da Câmara dos Deputados, das Assembleias e das Câmaras de Vereadores.

Outrossim, apesar de a combinação de dois sistemas se apresentar sedutora, há quem se oponha ao Voto Distrital Misto, sob a alegação de que favorece os candidatos mais conhecidos em detrimento da representação das legendas menores e desfavorece grupos de interesse organizados, que são geralmente minoritários (categorias profissionais, setores econômicos, grupos religiosos, minorias políticas, minorias sociais), mais facilmente contemplados pelo voto proporcional, uma vez que pulverizados.

Em apertadíssimo resumo, o PLS nº 86/2017 (PL nº 9212/2017) do Senador José Serra altera o art. 10 da Lei nº 9.504/97 para prescrever que a circunscrição será dividida em distritos eleitorais em número equivalente à parte inteira da metade do

---

No Brasil não existe essa lista, melhor dizendo, vigora o sistema de lista aberta, pelo qual a vaga é ocupada pelo candidato que mais votos obtiver.

[9] Para o TSE: "O sistema eleitoral proposto para Municípios pequenos diverge tanto da proposta do PLS Serra de instituir o sistema distrital misto em todos os Municípios, quanto da proposta do PLS Eunício, adotada no Substitutivo CCJ da Câmara, de manter o sistema proporcional de lista aberta para os Municípios com menos de 200 mil eleitores".

número de cadeiras da circunscrição; cada partido poderá registrar um candidato e seu suplente por distrito; os distritos serão publicados pela Justiça Eleitoral e deverão ser geograficamente contíguos e o número de seus eleitores será equivalente ao número de eleitores da circunscrição dividido pelo número de distritos, admitida uma diferença de até 5%, para mais ou para menos; o partido que tiver registrado ao menos um candidato à eleição no distrito concorrerá também às vagas alocadas na eleição proporcional.

A proposta legislativa também cria os arts. 105-A, 105-B e 105-C no Código Eleitoral (Lei nº 4737/1965), dispondo que os candidatos a Deputado Federal, Estadual, Distrital e Vereador serão eleitos pelo voto distrital de maioria simples e pelo voto proporcional segundo metodologia que ela mesma estabelece; os candidatos ao distrito podem compor também a lista ordenada do partido respectivo; e altera o art. 112, III do mesmo diploma legal para criar a figura do suplente a ser registrado junto com o candidato ao voto distrital.

Em igual sentido se tem o PLS nº 345/2017 (PL 9213), do então Senador Eunício Oliveira, pelo qual se propõe a alteração do mesmo art. 10 da Lei nº 9.504/1997, sendo que o número de eleitores de cada distrito admite uma diferença de até 10% (dez por cento) para mais ou para menos; os distritos devem ser geograficamente contíguos e sua demarcação deve observar os limites de mesorregiões, microrregiões, municípios, distritos municipais e regiões administrativas.

Cria, ainda, os arts. 105-A e 105-B no Código Eleitoral e revoga os seus arts. 106 a 109 e 111, para estabelecer metodologia de preenchimento de vagas pelo novel sistema, o que pode refletir em aumento do número de vagas existentes e somente será aplicado em eleições para o cargo de vereador, nos Municípios com mais de 200.000 (duzentos mil) eleitores, alterando também a forma de registro de candidatura e o preenchimento das vagas do parlamento.

O parecer do Senado que aprovou o PSL nº 86/2017 (PL nº 9212/2017) o fez propondo emendas que, em suma, elimina a candidatura de suplente à vaga do distrito, mantendo como tais aqueles não eleitos na ordem da lista partidária; restringe a implantação do voto distrital, tal como no PSL nº 345/2017 (PL nº 9213/2017), aos Municípios com mais de 200.000 eleitores; e substitui o critério de número de eleitores pelo número de habitantes, quando da divisão da circunscrição em distritos.

O Tribunal Superior Eleitoral, tendo como base as proposições supra, e como afirmado alhures, em sua *Contribuição para o debate acerca da Reforma do Sistema Eleitoral Brasileiro. O Sistema Distrital Misto como alternativa a ser testada*, pondera que o sistema distrital misto de fato só deve ser implantado nas eleições para Câmara de Vereadores nos município com mais de 200.000 eleitores, porém, onde não for, que passe a se adotar o sistema proporcional de lista fechada; os distritos sejam definidos com antecedência mínima de 1 (um) ano pelo Tribunal Superior Eleitoral – TSE, a partir de estudos do IBGE – Instituto Brasileiro de Geografia e Estatística, considerando a existência de comunidades coesas e semelhança socioeconômica e cultural, com realização prévia de audiência pública e revisão a cada 10 (dez) anos ou quando houver uma diferença de mais de 15% (quinze por cento) entre o número de eleitores; haja cota de gênero no voto distrital, pelo qual em cada unidade da federação, o partido deverá registrar o mínimo de 30% e o máximo de 70% de candidaturas de cada sexo; a vacância do cargo de candidato eleito pelo voto distrital acarreta a realização de novas eleições; a eleição pelo sistema proporcional seja com base em lista fechada; instituição em estatutos partidários de procedimentos democráticos para formação das listas partidárias pela agremiação, observando a alternância de gênero; e estabelece nova forma de distribuição de vagas.

Na Comissão de Constituição e Justiça e de Cidadania, o relatório apresentado entendeu que nenhum dos projetos de lei afronta os arts. 27, §1º, 32, §3º e 45, *caput*, da Constituição Federal, porquanto ainda remanesce o critério da proporcionalidade nas eleições para Deputados Federais, Estaduais e do Distrito Federal, ainda que mitigado.[10] Para mais, entendeu que a matéria não contraria os princípios gerais de direito, de onde decorre sua juridicidade; revela boa técnica legislativa e de redação; e, quanto ao mérito, entendeu ser oportuna e conveniente a adoção do sistema distrital misto, votando, no mérito, pela aprovação do Projeto de Lei nº 9.212/2017 na forma do substitutivo e pela rejeição dos apensados.

Após enumerar as inovações propostas pelo grupo de trabalho do TSE, o substitutivo apresentado pelo Relator altera o art. 10 e o art. 59 da Lei nº 9504/1997 para instituir o sistema distrital misto e para prescrever, em seu inciso I, que os partidos, nas eleições de parlamentares, inclusive de vereadores, nos municípios com mais de duzentos mil eleitores, poderão registrar lista ordenada de candidatos no total de até 100% (cem por cento) do número de lugares a preencher, na respectiva circunscrição, na qual, a cada três posições consecutivas, uma deverá ser de candidatura de sexo distinto das outras duas; e, em seu inciso II, poderá a agremiação registrar um candidato e seu suplente, em cada um dos distritos eleitorais em que a mesma circunscrição for dividida. A lista também passa a ser preordenada nos municípios com menos de duzentos mil eleitores, mas não haverá o voto distrital para a Câmara de Vereadores.

Os limites dos distritos eleitorais serão publicados pelo TSE com antecedência mínima de um ano da data das eleições após realização de audiência pública, observando-se que o número de eleitores de cada distrito não poderá ultrapassar 10% (dez por cento) para mais ou para menos em relação a outros distritos, os quais deverão ser geograficamente contíguos, maximizar a compacidade e reduzir a endentação. A cada dez anos ou sempre que a diferença do número de eleitores entre os distritos for superior a 15% (quinze por cento), haverá nova demarcação.

A agremiação que registrar ao menos um candidato à eleição distrital concorrerá também às vagas destinadas ao voto proporcional.

---

[10] Em seu parecer, o Relator Deputado Samuel Moreira asseriu que a inserção de elementos majoritários nas eleições submetidas ao princípio proporcional não foge ao que já previsto em normas constitucionais e legais presentes no ordenamento jurídico, e arremata com a conclusão a que chegou o grupo de trabalho instituído pela Portaria – TSE 114, de 2019, pela desnecessidade de aprovação de emenda constitucional para implementação do sistema distrital misto, uma vez que mantém a natureza proporcional da eleição, bastando alteração legislativa através de lei ordinária de maioria simples (o eleitor passará a ter dois votos, sendo um em determinada lista partidária e o outro diretamente no candidato do distrito, e as cadeiras serão ocupadas a partir da quantidade de votos que cada agremiação recebeu).

O mesmo substitutivo propõe a alteração da Lei nº 4.737/1965 para, dentre outras mudanças, determinar a realização de eleição em caso de vacância da vaga obtida pelo voto distrital, a menos que faltem menos de 15 (quinze) meses para o término do mandato, caso em que será definitivamente preenchida pelo suplente.

O novel Projeto de Lei apensado ao anteriormente citado, qual seja, o PL nº 5843/2019, propõe a adoção do sistema eleitoral majoritário nas eleições para vereadores de todos os municípios brasileiros, sendo que naqueles com menos de duzentos mil eleitores somente haverá titulares eleitos com o maior número de votos até o preenchimento de todas as vagas e passarão à qualidade de suplente os cinco primeiros mais votados, em ordem decrescente dos votos dados aos eleitos titulares. Ao passo que, nos municípios com mais de duzentos mil habitantes, será implantado o voto distrital misto, sendo constituídos distritos em número correspondente à metade mais um do número de vagas existentes na Câmara Municipal. Nesse caso, a criação dos distritos ficará a cargo do TRE – Tribunal Regional Eleitoral de cada Estado, nos termos de regulamento a ser editado pelo TSE.

Analisando as propostas legislativas e a contribuição do TSE, ao se adotar o Sistema Distrital Misto, tal como sugerido nas diversas proposições legislativas, verifica-se a necessidade de se pensar, alterar e legislar acerca de matérias que tangenciam a sua aplicação.

Com efeito, por subverter a sistemática das eleições proporcionais atualmente em vigor no país e em cima da qual toda a legislação eleitoral foi e vem sendo construída, e sendo, como o próprio nome diz, um sistema no qual qualquer alteração, por mínima que seja, gera repercussões noutras normas jurídicas, ao lado das propostas já existentes, outras carecem de imediata regulação, para que seja possível se pensar na alteração central da forma de escolha dos representantes do povo no Poder Legislativo.

E, antes de adentrar no mérito da questão, importante apresentar a precisa lição do Prof. José Jairo Gomes:

> A função do sistema eleitoral consiste na organização das eleições e conversão de votos em mandatos políticos. Em outros termos, visa proporcionar a captação eficiente, segura e imparcial da vontade popular democraticamente manifestada, de sorte que os mandatos eletivos sejam conferidos e exercidos com legitimidade. É também sua função estabelecer meios para que os diversos grupos sociais sejam representados, bem como para que as relações entre representantes e representados se fortaleçam. A realização desses objetivos depende da implantação de um sistema eleitoral confiável, dotado de técnicas seguras e eficazes, cujos resultados sejam transparentes e inteligíveis.
>
> [...]
>
> A adoção de um determinado sistema depende das vicissitudes históricas de cada sociedade, da interação e dos conflitos travados entre as diversas forças político-sociais. Igualmente relevante para o seu delineamento são os valores que se queira consagrar na experiência social, bem como as finalidades políticas almejadas.[11]

---

[11] GOMES, José Jairo. *Direito Eleitoral*. 14. ed. rev., atua. e ampl. São Paulo: Atlas, 2018. p. 165-166.

É assente na doutrina pátria que não há sistema perfeito para a representatividade no Parlamento, pelos motivos já elencados. O Sistema Distrital Misto apresentado nos projetos de lei em análise tenta combinar elementos positivos dos sistemas majoritário e proporcional, de modo a se chegar a um equilíbrio na representação política de todos os seguimentos da sociedade, inclusive minorias que são desfavorecidas pelo sistema distrital puro, sem prejuízo da estabilidade do governo, minada com a fragmentação partidária trazida pelo sistema proporcional.

Há alguns pontos que ficaram à margem dos projetos de lei apresentados, sem os quais, acredita-se, qualquer alteração no Sistema poderá significar maiores prejuízos aos representados e, em última análise, à democracia.

De largada, para que o distrital misto possa corresponder à vontade do eleitorado, deve-se, antes, criar efetivos mecanismos para o fortalecimento da democracia interna dos partidos, em especial quanto à indicação do próprio candidato ao distrito e à ordem do candidato na lista fechada, pois se sabe que muitas agremiações partidárias têm verdadeiros caciques ou "donos". A ordem na lista preordenada, se não houver democracia interna real, usurpará do eleitor todas as possibilidades de renovação dos quadros de representação.

A despeito de se trataram de pessoas jurídicas de direito privado – albergadas pelo art. 17 da Constituição Federal, ainda que hoje custeadas quase que exclusivamente por recursos públicos (Fundo Partidário e, durante o período eleitoral, o FEFC – Fundo Especial de Financiamento de Campanha), verifica-se a necessidade de implantação de normas para que a democracia interna *corporis* seja de fato respeitada, sob pena de se empoderar ainda mais quem já galgou os maiores espaços de poder. E isso não é uma questão unicamente do Brasil.

Em artigo intitulado *Breve ensaio sobre a democracia interna dos partidos políticos na Espanha*,[12] Ana Claudia Santano e Tailane Cristina Costa, analisando a questão no direito comparado (Espanha) afirmam:

> Saindo da definição de democracia interna e partindo para a problemática propriamente dita, Sánchez de Veja entende que o pluralismo político no interior do partido é algo difícil, porque o poder é, pela sua própria natureza, expansivo e tende à concentração. Porém, o autor afirma que o princípio democrático no interior das agremiações, como expressão do pluralismo político, não está na contradição com as tendências oligárquicas que costuma se manifestar nas lutas pelo poder no seio dos partidos, mas sim, que precisamente serve para encaixar democraticamente as disputas inatas ao fenômeno de poder. É diante disso que o autor estabelece que, através da democracia interna, objetivam-se duas coisas: (i) aproximar o filiado do processo de tomada de decisões do partido, obrigando-o, por meio de estatutos e normas, a traduzir na prática a vontade dos integrantes da organização; (ii) evitar as tendências oligárquicas, quando possível. [...] Nesse sentido, a adoção da democracia por parte do constituinte não se trata tanto de uma característica como de uma condição constitucional imposta aos partidos para cumprir corretamente suas funções no sistema democrático.

---

[12] COSTA, Daniel Castro Gomes da *et al.* (Coord.). *Direito eleitoral comparado*. Belo Horizonte: Fórum, 2018. p. 90-91.

[...]

Sem embargo, os autores conhecem que este controle é bastante complicado, afinal, o controle formal por meio dos estatutos é possível, contudo, exigir o cumprimento das regras já é limitar ou interferir na sua autonomia.

Por estar vinculado a ou ser essencialmente tradutor de exercício de poder, a legislação deverá criar – no limite do não intervencionismo estatal – e amparada na Carta Magna, mecanismos aptos a garantir o exercício e, sobretudo, o respeito de democracia interna, pilar fundamental na consecução dos objetivos de representação popular decorrentes do voto distrital misto com lista preordenada.

No que tange à divisão da circunscrição que, segundo projetos, deverá ser "dividida em distritos eleitorais em número equivalente à parte inteira da metade do número de cadeiras da circunscrição", a parte inteira da metade para formação dos distritos será a parte maior ou a menor? Tomando-se por base o Estado de Alagoas, que tem 9 (nove) assentos no Parlamento Federal, serão 5 (cinco) distritos ou 4 (quatro). A Assembleia Legislativa, hoje com 27 assentos, terá 14 (catorze) ou 13 (treze) distritos? Não existe previsão legal para aumento de cadeiras – nem nas justificativas apresentadas – ou para se tornarem todos os números de cadeiras nos três níveis da federação pares, e sua diminuição não se afigura possível.

Em se optando por deixar o número de cadeiras como estão em alguns Estados e Municípios, ou seja, ímpares, e se optando também por ter a maior parte formada por Distritos, ter-se-á mais representantes da Câmara dos Deputados, Assembleias e Câmara de Vereadores eleitos pela forma majoritária do que pela forma proporcional, o que se afigura, a *prima facie*, inconstitucional, ainda que se diga que o conceito de proporcionalidade albergado pela Carta Magna o foi de forma mitigada por limitar em número mínimo e máximo a quantidade de deputados referentes ao menor e ao maior Estado da Federação.

De igual modo, há a necessidade de se dispor acerca do teto de gastos dos futuros candidatos pelo sistema distrital, uma vez que, como somente precisam percorrer menores espaços geográficos e fazer propaganda para menos eleitores – os do seu distrito, e esse é um dos argumentos para quem defende a sua adoção –, tendem a ter o custo de campanha reduzido. Então o limite de gastos será diferente entre o candidato proporcional e o distrital. Também nesse ponto a legislação vigente carece de ser alterada.

O mesmo se repete quanto às regras sobre a propaganda gratuita no rádio e na televisão para estes mesmos candidatos ao sistema distrital, em paralelo àqueles que concorrerão pelo voto proporcional. Certamente, os candidatos proporcionais precisarão de mais tempo de propaganda ou, como os votos distritais serão computados como majoritários, talvez estes precisem de mais tempo, já que estão concorrendo a uma eleição majoritária.

No substitutivo proposto e já com parecer favorável, verifica-se a previsão de realização de novas eleições a cada vez que restar vacante o cargo do parlamentar, somente assumindo o suplente em definitivo quando faltarem menos de 15 (quinze) meses para o término do mandato.

Diferentemente do que ocorre no Poder Executivo, muitos dos parlamentares eleitos são convidados e optam por fazer parte do Governo, assumindo secretarias de Estado, Ministérios do Governo Federal ou outras funções, havendo necessidade de se afastarem dos cargos para os quais foram eleitos. Faz parte do jogo político. Nesse sentido, preocupa a possibilidade de haver eleições com frequência em todas as unidades da Federação, em épocas alternadas, o que implica, necessariamente, mais custos para o erário, com novas e sucessivas eleições, sempre que a cadeira de um titular de mandato obtido pelo voto distrital ficar vaga.

A experiência mostra que diversos parlamentares se licenciam dos seus cargos para assumirem funções no Governo (nos três níveis), seja por acordo político ou para ganhar projeção noutras esferas de poder, em prol de sua carreira política, ou mesmo para tratar de assuntos particulares, o que implicaria a realização de diversas eleições no país, dificultando o funcionamento do parlamento. E, mais, alterando, definitivamente, a forma como funciona, atualmente, o comportamento dos parlamentares, não necessariamente para uma situação melhor para representados e governados.

Para adiante, após as eleições, tem-se que os partidos políticos têm relação de reciprocidade com os sistemas eleitorais e com o modo como o sistema funciona. Todo o aparato do parlamento terá que ser revisto, uma vez que a adoção desse sistema contribui para o bipartidarismo, valendo ressalvar que hoje já existe a cláusula de barreira para minimizar a fragmentação partidária.

A distribuição de cadeiras não se mostra tão simples quanto pode parecer. Pelo projeto apresentado, inclusive com a regra de ajuste, há a possibilidade de se retirar assento de parlamentar mais votado em favor daquele que obteve menos votos por parte da população, mas venceu em determinado distrito.

Por fim, existe a provável necessidade de se reestruturar a Justiça Eleitoral, uma vez que se passará a ter diversas e pequenas eleições majoritárias, com demandas maiores e/ou em maior volume, em cada um dos distritos.

Desse modo, ainda que a combinação dos sistemas permita, no Brasil, que boa parte dos parlamentares seja cobrada mais diretamente pela população, uma vez que facilitará a identificação da população com o eleito; que se projete gastar menos nas eleições como um todo; que a lista fechada no âmbito do voto proporcional possa robustecer a democracia interna do partido, fortalecendo também a organização e a fidelidade partidária; que as minorias se vejam representadas através do voto proporcional; e que a cota de gênero seja respeitada inclusive nas candidaturas pelo voto distrital, há muito o que se debater, amadurecer e legislar antes de sua adoção pura e simples, posto que implica verdadeira mudança de cultura por parte do candidato e do eleitor, na necessidade de novos arranjos políticos e na forma como os representantes exercerão seus mandatos.

## Referências

COSTA, Daniel Castro Gomes da *et al.* (Coord.). *Direito eleitoral comparado.* Belo Horizonte: Fórum, 2018.

GOMES, José Jairo. *Direito Eleitoral.* 14. ed. rev., atua. e ampl. São Paulo: Atlas, 2018.

MENDES, Gilmar Ferreira; BRANCO, Paulo Gustavo Ganet. *Curso de Direito Constitucional*. 7. ed. rev. atual. São Paulo: Saraiva, 2012.

---

Informação bibliográfica deste texto, conforme a NBR 6023:2018 da Associação Brasileira de Normas Técnicas (ABNT):

VIEIRA, Jamile Duarte Coêlho. Sistemas eleitorais: uma ideia do sistema distrital misto e as preocupações com sua implantação tal como proposto. *In*: COSTA, Daniel Castro Gomes da; FONSECA, Reynaldo Soares da; BANHOS, Sérgio Silveira; CARVALHO NETO, Tarcisio Vieira de (Coord.). *Democracia, justiça e cidadania*: desafios e perspectivas. Homenagem ao Ministro Luís Roberto Barroso. Belo Horizonte: Fórum, 2020. t. 1: Direito eleitoral, política e democracia. p. 421-432. ISBN 978-85-450-0748-7.

# DESAFIOS POLÍTICOS E SOCIAIS AO CONSTITUCIONALISMO DEMOCRÁTICO NO BRASIL[1]

**FLÁVIO PANSIERI**
**RENE ERICK SAMPAR**

## Introdução

Um dos maiores desafios que pode ser feito aos pensadores das ciências humanas em geral é estabelecer o que é a democracia. É desconcertante reconhecer que ela foi gestada há quase dois milênios e meio e que há inúmeras divergências quanto à extensão de seu significado. É certo, porém, que o acontecimento democrático se tornou o maior fenômeno político do século XX, espraiando-se em direções do globo que outrora eram dominadas por autoritarismos milenares.

O conteúdo moderno do constitucionalismo, por sua vez, gravita no texto constitucional materializado em um documento normativo que organiza de modo sistemático as regras de uma comunidade, os direitos e as garantias de seus cidadãos e os limites de atuação dos governantes. Sob uma perspectiva moderna, afirmam-se, de modo geral, três vetores basilares do conceito de Constituição: i) a ordenação de questões jurídicas e políticas dispostas em um documento escrito (no caso dos países com tradição no *civil law*); ii) o reconhecimento de direitos fundamentais e de suas respectivas formas garantidoras; iii) a organização do poder político tendo por princípio a sua limitação e moderação.

A partir da junção desses elementos, a proposta em voga neste artigo consiste em enunciar algumas bases do constitucionalismo democrático de modo a traçar as suas nuances. Com efeito, pretendeu-se analisar, em paralelo, a história brasileira

---

[1] Esse artigo foi publicado na Revista Justiça do Direito (A1) da Universidade de Passo Fundo, e pode ser acessado em https://doi.org/10.5335/rjd.v33i1.9545. O mesmo recebeu autorização dos autores para a publicação nesta obra. O periódico permite a reprodução total ou parcial dos textos, desde que com citação expressa da fonte, requisito este que foi satisfeito com a indicação supracitada. (SAMPAR, R.; PANSIERI, F. Desafios políticos e sociais ao constitucionalismo democrático no Brasil. *Revista Justiça Do Direito*, 33 n. 1, p. 123-149, 2019. Disponível em: https://doi.org/10.5335/rjd.v33i1.9545. Acesso em 10 abr. 2019).

pré-republicana e pós-Constituição de 1988, mostrando os inúmeros desafios no afã de se afirmar uma ordem jurídica republicana.

Em se tratando das nossas peculiaridades históricas, é forçoso reconhecer que a participação cívica do brasileiro não corresponde ao que consideramos o patamar adequado em virtude de as principais decisões políticas que alteraram o rumo do país terem sido tomadas por elites, mantendo o povo alheio. Além disso, nossa história é marcada por autoritarismos que impediram a consolidação do regime democrático, melhor ambiente para o exercício dos direitos políticos. Embora o espírito cívico tenha tido dificuldades para florescer nestas terras de um republicanismo que prescinde do povo, o Brasil vive o período mais longo de seu constitucionalismo democrático.

Ao apontar a necessidade de se adentrar a "sala de máquinas" da Constituição, expondo o problema do presidencialismo de coalizão, o presente artigo conclui pela necessidade de se repensar a relação entre os poderes Executivo e Legislativo no Brasil, além de se vislumbrar o constitucionalismo democrático como o melhor instrumento para a garantia da liberdade e a busca por maior isonomia entre os cidadãos.

## 1 Bases do constitucionalismo ocidental e a influência das revoluções liberais na formação do constitucionalismo moderno

O ideal constitucional, tido como um movimento em que se busca estabelecer condições mínimas de convivência coletiva, com alguma organização e distribuição de competências gerais, é um traço observado em qualquer sociedade humana, ainda que primitiva. Por esta razão, a ideia de Constituição como uma lei fundamental que estabelece a base do ordenamento jurídico de um país, da qual se evocam valores que orientam uma sociedade e normas que disciplinam o funcionamento mínimo das atribuições do Estado, é parte da construção histórica, social e política de um povo, no decorrer de sua própria história. Assim, o ideal constitucional é uma espécie de processo conceitual que caminha *pari passu* a construção das diferentes sociedades que habitaram o planeta em todos os tempos e em todos os espaços geográficos. Pode-se falar, seguindo esta perspectiva político-etimológica, que a construção do Estado é marcada por diversos constitucionalismos.

Diante deste olhar constitucional abrangente – ou seja, como uma função limitadora do poder político –, resta claro que a *Callipolis* platônica ou o governo misto de Aristóteles já refletiam aspectos de constitucionalismo. Certamente, a noção constitucional dos filósofos gregos é distinta do período moderno e iluminista dos séculos XVII e XVIII. Por esta razão, José Joaquim Gomes Canotilho classifica o constitucionalismo em antigo e moderno, entrelaçados entre si pelo processo evolutivo dos institutos jurídicos e políticos. A análise dos antigos demanda o reconhecimento de um conceito histórico de Constituição. Tal constatação é importante no que toca ao exame interpretativo de normas e instituições do passado para a melhor colmatação das debilidades atuais e das estruturas que deverão existir no futuro.[2] [3]

Em uma vertente político-moderna, o mesmo Canotilho aduz que o constitucionalismo pode ser expresso como "a teoria (ou ideologia) que ergue o princípio do governo limitado como indispensável à garantia dos direitos em dimensão estruturante da organização político-social de uma comunidade". Na visão do jurista lusitano, portanto, o ponto central deste movimento se traduz como a busca por um governo limitado de modo a garantir direitos aos indivíduos tanto em sua individualidade quanto na sua coletividade. Em termos ainda mais sintéticos, o constitucionalismo é uma "teoria normativa da política", cuja faceta de limitação do poder adquiriu grande força após a queda do Império Romano do Oriente, apogeu e posterior declínio das monarquias europeias.

Tradicionalmente, os três momentos históricos no ocidente, apontados como essenciais para a consecução do constitucionalismo na modernidade, são as revoluções inglesa (1688-1689), norte-americana (1776) e francesa (1789). Embora muitos outros movimentos tenham logrado êxito, a doutrina tende a apontar estas três revoluções como marcos necessários à compreensão do constitucionalismo pela influência política e econômica exercida por estes países no contexto de formação do Estado iluminista. Os demais Estados ou povos com algum poder de influência na época percorriam período de crise (Espanha, Países Baixos e Portugal) ou ainda não tinham obtido êxito em sua unificação (Alemanha e Itália).

Neste sentido, acerca da revolução inglesa, o Parlamento limitou de maneira sistemática a atuação real, a partir de importantes documentos normativos, como a *Magna Carta* (1215), a *Petition of Rights* (1628), o *Habeas Corpus Act* (1679) e a *Bill of Rights* (1689). Com isto, impôs uma sólida monarquia moderada e afirmou o Parlamento como o elemento central na condução política e jurídica do país. A este respeito, Luís Roberto Barroso comenta que "a supremacia do Parlamento é o princípio constitucional maior, e não a supremacia da Constituição, como ocorre nos países que admitem o controle de constitucionalidade dos atos legislativos".[4] Até hoje, os ingleses não tiveram a necessidade da promulgação de uma Constituição escrita, embora tenham adotado o *Human Rights Act* (1998) e o *Constitutional Reform Act* (2005).

A experiência inglesa serviu de modelo para a organização política dos Estados Unidos da América, país que ostenta o constitucionalismo mais paradigmático do ocidente. Com a sua independência, os governos das Treze Colônias estabeleceram um

---

[2]   O autor, logo adiante, comenta, neste sentido, que o principal lastro entre o constitucionalismo antigo e o moderno está na relação entre conceitos fundamentais que é essencial para a compreensão dos fenômenos atuais. Canotilho utiliza alguns exemplos, como a ideia moderna de contrato social que demanda um estudo próximo da ideia de bem comum, situada historicamente a partir da politologia humanista neoaristotélica. Ainda, a noção de pactos celebrados entre governantes e governados, para limitar o poder dos primeiros, que está diretamente relacionado, no caso dos europeus, com o luteranismo e o calvinismo. Ou, ainda, qualquer compreensão de termos de imenso peso na Teoria do Estado atual, tais como soberania e poder ou Estado e lei, necessitam ter um olhar retrospectivo desde Bodin até os contratualistas.

[3]   CANOTILHO, J. J. Gomes. *Direito Constitucional e Teoria da Constituição*. 7. ed. Coimbra: Almedina, 2003. p. 51.

[4]   BARROSO, Luís Roberto. *Curso de Direito Constitucional*: os conceitos fundamentais e a construção do novo modelo. 5. ed. São Paulo: Saraiva, 2016. p. 36.

pacto confederativo, manifesto no *Articles of Confederation*, de 1777. Ao vislumbrar a fraqueza desta união,[5] foi convocada a *Constitutional Convention* na Philadelphia, que deu origem à Constituição de 1787, em vigor há mais de dois séculos e que mantém a sua estrutura normativa originária. Seus sete artigos, divididos em seções, traçam as linhas mestras para a formação da União federal: formação do Congresso Nacional bicameral; atribuições do Poder Executivo; funções do Judiciário, da Suprema Corte e de seus juízes; fé nos atos públicos praticados pelos Estados-membros; processo legislativo; supremacia da Constituição sobre as demais normas; e a determinação de sua ratificação mediante o voto de nove colônias, a despeito de atestar a unanimidade em sua aprovação.

Por sua vez, a Revolução Francesa, com seu caráter universalista, teve o condão de bombardear o Antigo Regime feudal, incendiando o mundo e alterando a face do Estado e da sociedade.[6] Os eventos deflagrados em 1789 revelaram o anseio de um povo famélico e explorado de ter suas pretensões mais básicas atendidas pelo poder público. Isto se encontra expresso na Declaração de Direitos do Homem e do Cidadão: não se trata de um documento que reestrutura o Estado do ponto de vista jurídico, mas busca afirmar direitos fundamentais. A tentativa de moderar o Poder Executivo encontrou respaldo apenas dois anos após a revolução, com a Constituição francesa de 1791, que estabeleceu a soberania popular como apanágio da ordem social. Visando cultivar princípios liberais, aniquilou-se o *Ancien Régime*. Todavia, ao contrário dos Estados Unidos, país marcado pela institucionalização constitucional, a França ainda teria que transcender outros períodos de instabilidade institucional. Basta lembrar que entre 1791 e o atual texto de 1958, o país teve quinze constituições em diferentes contextos.[7]

---

[5]    Tal fato resta muito claro da leitura do Federalist Papers. Em uma das cartas, Hamilton destaca a falência do modelo confederativo, a exemplo do que estava acontecendo na Europa: "There is nothing absurd or impracticable in the idea of a league or alliance between independent nations for certain defined purposes precisely stated in a treaty regulating all the details of time, place, circumstance, and quantity; leaving nothing to future discretion; and depending for its execution on the good faith of the parties. Compacts of this kind exist among all civilized nations, subject to the usual vicissitudes of peace and war, of observance and non-observance, as the interests or passions of the contracting powers dictate. In the early part of the present century there was an epidemical rage in Europe for this species of compacts, from which the politicians of the times fondly hoped for benefits which were never realized. With a view to establishing the equilibrium of power and the peace of that part of the world, all the resources of negotiation were exhausted, and triple and quadruple alliances were formed; but they were scarcely formed before they were broken, giving an instructive but afflicting lesson to mankind, how little dependence is to be placed on treaties which have no other sanction than the obligations of good faith, and which oppose general considerations of peace and justice to the impulse of any immediate interest or passion". Cf.: YALE UNIVERSITY. *Federalist Papers*. Disponível em: http://avalon.law.yale.edu/18th_ century/fed15.asp. Acesso em 10 abr. 2019.

[6]    BARROSO, Luis Roberto. Fundamentos teóricos e filosóficos do Novo Direito Constitucional Brasileiro. *Revista da EMERJ*, v. 4, n. 15, 2001. p. 25.

[7]    Constitution de 1791, Constitution du 24 juin 1793 (Première République), Constitution du 5 fructidor An III - 1795 (Directoire), Constitution du 22 frimaire An VIII - 1799 (Consulat), Constitution du 16 termidor - 1802 (Consulat), Constitution de l'An XII - 1804 (Empire), Charte costitutionnelle du 1814 (1ère Restauration), Acte additionnel aux Constitutions de l'Empire - 1815, Charte de 1830 (monarchie de Juillet), Constitution de 1848 (IIe République), Constitution de 1852 (Second Empire), Lois constitutionnelles de 1875 (IIIe République), Loi constitutionnelle du 2 nov. 1945 (Gouvernement provisoire), Constitution de 1946 (IVe République) e Constitution de 1958 (Ve République). Cf: CONSEIL CONSTITUTIONNEL. *Les Constitutions de la France*. Disponível em: http://www.conseil-constitutionnel.fr/conseil-constitutionnel/francais/la-constitution/les-constitutions-de-la-france/les-constitutions-de-la-france.5080.html. Acesso em 10 abr. 2019.

Contextos distintos, resultados opostos. O desenrolar de cada um desses eventos tomou seu rumo próprio: enquanto a preocupação dos ingleses foi a demarcação do poder político, nos Estados Unidos o foco estava em estabelecer regras para a sua organização. Já os franceses tinham como ideal a garantia dos direitos fundamentais, motivo pelo qual a Constituição (1791) veio a existir apenas dois anos depois da Declaração de Direitos (1789). O enredo da tragédia francesa é conhecido: rei decapitado, terror jacobino e, quinze anos após a revolução, instaurava-se o domínio napoleônico seguido da restauração da dinastia dos Bourbon. Em outras palavras, a nação francesa, cuja república já nascera natimorta, retornara às condições absolutistas pré-revolucionárias.

Assim, se a ideia mais primitiva de constituição pode ser expressa em regras de organização social mínimas, o conteúdo moderno do constitucionalismo, a partir do século XVIII, por sua vez, gravita em uma Constituição materializada já na forma de um documento normativo que ordena de modo sistemático as regras de uma comunidade e os direitos e garantias de seus cidadãos, além de fixar os limites de atuação dos governantes. Sob uma perspectiva moderna, afirmam-se, de modo geral, três vetores basilares do conceito de Constituição: i) a ordenação de questões jurídicas e políticas dispostas em um documento escrito (no caso dos países com tradição no *civil law*); ii) a organização do poder político tendo por princípio a sua limitação e moderação; iii) o reconhecimento de direitos fundamentais e de suas respectivas formas garantidoras.

Assim, o epicentro deste movimento é encontrado na junção entre a contenção das atribuições do governante, de modo a limitar os seus poderes, e o reconhecimento e garantia de direito aos cidadãos de um Estado. Formalmente, a Constituição é o fundamento de validade de todo o ordenamento jurídico. Materialmente, o texto constitucional depende do processo hermenêutico realizado pelas instituições e pelo próprio povo. Com efeito, o Direito possui o papel de ordenação da sociedade, mas também assume o encargo de sua transformação.[8] E isto ocorre a partir da combinação entre os ideais constitucional e democrático.

## 2 O apogeu democrático ao longo do século XX

Acerca do regime democrático, há duas dificuldades que lhe são indeléveis: não há um protótipo exemplar para esta forma de governo, além de não existir consenso sobre o que é a democracia. Pode-se afirmar que a Grécia é seu local de nascimento, tendo florescido no período de Péricles. A etimologia deste vocábulo é oriunda de *demos kratos*, que designa o poder do povo, em oposição à concentração de poderes nas mãos de poucos ou de apenas um indivíduo. Mesmo em nossos tempos é notável a divisão legada por Aristóteles acerca das distintas formas de manifestação do

---

[8]  STRECK, Lenio. *Jurisdição constitucional e hermenêutica*. 2. ed. rev. e atual. Rio de Janeiro: Forense, 2004. p. 14.

poder: governo monárquico, aristocrático e republicano, e suas respectivas formas degeneradas, quais sejam: tirania, oligarquia e democracia.[9]

É curiosa a incompreensão deste regime político de quase dois milênios e meio. Esta incompreensão também se deve ao fato de cada país e cada povo ter incorporado princípios democráticos às suas diferentes realidades, adaptando-se a elas: nos Estados Unidos, após a independência; na Europa, após a queda da monarquia ou como forma de transpor os governos fascistas instalados na segunda metade do século passado; na América Latina, da mesma forma, após a desnaturação das ditaduras. Recentemente, sociedades sem qualquer tradição democrática do norte da África e do Oriente Médio (a exemplo de Egito, Síria e Líbia) passaram a lutar pela implementação de um arquétipo democrático.

É certo, porém, que a gênese da moderna democracia ocidental teve no Estado liberal o seu solo fecundo, manifestada em seus instrumentos políticos de cidadania. No combate ao legado medieval das monarquias europeias e da colmatação de suas consequentes debilidades que eram contrárias aos interesses da burguesia em ascensão, como a concentração excessiva de poderes na figura do monarca, os pensadores político-liberais dos séculos XVII e XVIII buscaram razões para a legitimação de um novo poder soberano. Nas palavras de Celso Lafer, a tradição dos liberais resgatou a democracia da antiguidade para a modernidade, defendendo, entre os seus postulados, a legalidade, o consentimento dos governados e a representação política, tendo por escopo o perigo da tirania das maiorias, tema sempre trazido à baila por autores como John Stuart Mill - "Sobre a Liberdade" - e Alexis de Tocqueville - "A Democracia na América" -, embora já conhecido por Aristóteles - "Política".[10]

Neste ambiente, a democracia liberal fica restrita a um sistema de tomada de decisões coletivas. É o que Luigi Ferrajoli define como conceito formal ou procedimental de democracia. A ele, relaciona-se, umbilicalmente, a ascensão do princípio republicano, que proclama o limiar de todo o poder e o fundamento de toda a autoridade na esfera pública do Estado, com sua legitimidade conferida pelo povo. A cidadania, a partir de então, vincula-se à participação no processo eleitoral. Quanto mais grupos da sociedade tiverem direito ao voto, maior será a legitimidade do governo.[11]

A partir da segunda metade do século XIX, a democracia se mantém liberal no que tange aos procedimentos eleitoral-representativos, mas incorporou também a proteção aos direitos fundamentais haja vista que a garantia das liberdades podem ser inócuas se não houver justiça social. A isto Ferrajoli denomina de democracia substancial, voltada para a compreensão da necessidade de intervenção estatal na garantia de alguns direitos. O jurista italiano pontua que este segundo momento demandou uma bifurcação no tradicional conceito de soberania, derivando duas noções: uma negativa (liberal, na qual a soberania não pertence a ninguém, mas ao

---

[9]   ARISTÓTELES. *A política*. São Paulo: Martins Fontes, 2006. p. 105-106.

[10]  LAFER, Celso. *O moderno e o antigo conceito de liberdade*. São Paulo: Perspectiva, 1980. p. 81-83.

[11]  FERRAJOLI, Luigi. *Principia Iuris*: teoria del diritto e della democrazia. Roma: Laterza, 2009. v. 2, p. 5-6.

povo em geral) e outra positiva (soberania afeita à satisfação dos dispositivos sociais da Constituição, isto é, pensada no povo em sentido concreto).[12]

Destarte, embora complexa de ser conceituada, a democracia no século XX definitivamente deixa de ser apenas um instrumento decisório para a distribuição do poder (faceta procedimental) e abarca o reconhecimento e salvaguarda dos direitos fundamentais (faceta substancial). Tal processo, porém, não se constituiu de modo uniforme. Samuel Huntington estabelece uma análise histórica dos avanços e retrocessos do regime democrático ao longo dos últimos dois séculos, fragmentando este período em três "ondas de democratização". A primeira onda de democratização compreende os anos de 1828 a 1926. No século XIX, dois eram os critérios que definiam as instituições democráticas mínimas: ser metade da população masculina votante e a existência de eleições populares periódicas para os cargos eletivos. Huntington estima que até 1926, trinta países preenchiam tais requisitos. Entretanto, de 1922 a 1942, se verificou uma onda reversa, na qual algumas democracias consideradas frágeis sofreram um intenso processo de erosão e foram depostas por governos autoritários. Este foi o caso de Alemanha, Argentina, Áustria, Grécia, Espanha, Itália, Lituânia, Letônia, Polônia, Portugal e Tchecoslováquia.

Entre os anos de 1943 e 1962, verificou-se a segunda onda de democratização. Fomentada pelo fim da Segunda Guerra, surgiram instituições democráticas em diversos países como Alemanha Ocidental, Áustria, Argentina, Brasil, Colômbia, Coreia, Costa Rica, Grécia, Itália, Peru, Turquia e Venezuela. Novamente, entretanto, observou-se a segunda onda democrática reversa (décadas de 1960 e 1970), tendo acertado em cheio a América Latina e a África, além de países da Ásia (Filipinas e Indonésia) e da Europa (como a Grécia). Por fim, Huntington reconhece a terceira onda de democratização, com início em 1974. Cite-se o especial caso da América Latina, cujas ditaduras militares foram substituídas por governos democráticos até meados dos anos 2000, embora alguns países não possuam uma esfera pública absolutamente democrática, como é o caso da Venezuela.[13]

Se a democracia é conhecida há milênios, desde a antiguidade grega até o início do século XX, os regimes políticos não democráticos eram tidos como superiores. O que mudou tal percepção? Oportuno lembrar que o século XX é marcado por fatos políticos: iniciou com a Europa ainda dividida em impérios, testemunhou duas guerras de grandes proporções, o processo de descolonização na África, a posterior divisão do mundo em duas ideologias distintas, a deflagração de governos militares na América Latina e a vitória do capitalismo na última década do século. Diante desse quadro político tão intenso, o regime democrático se consolidou como aquele que melhor atende às exigências jurídicas de proteção aos direitos humanos do pós-guerra, além de se adequar ao regime econômico que se sagrou vitorioso, o capitalismo.

Neste sentido, a história política brasileira segue o itinerário descrito por Samuel Huntington: uma sucessão constante de governos democráticos e autoritários.

---

[12] FERRAJOLI, Luigi. *Principia Iuris*: teoria del diritto e della democrazia. Roma: Laterza, 2009. v. 2, p. 10.
[13] HUNTINGTON, Samuel. *A terceira onda*: democratização no final do século XX. São Paulo: Editora Ática, 1994. p. 26-29.

Além disso, pode ser lida pelo viés de Luigi Ferrajoli, dispondo de um momento procedimental e substancial (em especial nos períodos democráticos de 1945-1964 e de 1988 até então). O processo de expansão de nossa democracia coincide com o fortalecimento da ordem constitucional reabilitada na década de 1980. Desde então, é possível afirmar que vivemos um incomparável período democrático em nosso país.

## 3  Brasil: uma república que prescindiu do povo?

A crise do absolutismo na Europa coincidiu com a crise colonial na América. A independência do Brasil, ocorrida em 1822, foi facilitada pela presença de Dom Pedro, herdeiro da família Bragança, tendo contado apenas com as elites da época – fazendeiros e comerciantes, além de suas clientelas, cujo lastro era a economia de importação e exportação e seu maior interesse era a manutenção da grande propriedade e da escravidão, ou seja, a estrutura de produção tradicional. Como se sabe, a independência foi negociada pelo valor de dois milhões de libras esterlinas.

A situação do Brasil colônia[14] era ambivalente. Portugal foi capaz de consolidar uma colônia com grande extensão territorial e unidade cultural, linguística e religiosa. Todavia, restou como legado de sua colonização um Estado politicamente absoluto e economicamente latifundiário. A exploração do território, do ponto de vista político, deu-se inicialmente com as feitorias (de 1502 a 1530), que nada mais eram do que áreas concedidas a indivíduos para livre-exploração, cuja contrapartida era o pagamento de tributos. As capitanias hereditárias surgiram em 1534 com o principal intuito de tentar colonizar o território para afastar a sua ocupação por outras nações, como a francesa e a holandesa. Seu insucesso já era inconteste em 1549, quando foi instituído oficialmente o primeiro Governo-Geral no Brasil colônia, administrado por Tomé de Sousa. Contudo, o fracassado modelo de capitanias se extinguiria somente no século XVIII, em 1770. Ao lado desta forma de poder, exerceram influência política: i) a igreja, que aportou na colônia desde a chegada dos portugueses; ii) o familismo, a partir do século XVII, especialmente ao longo do litoral (próximo às grandes cidades); iii) e as elites locais, a partir do século XVIII, pelo interior, na forma de latifúndios, e por todo o sertão, na figura dos cangaceiros.[15]

No que concerne à sociedade, os dois principais legados da colonização foram a escravidão e o analfabetismo. O problema do analfabetismo era particularmente severo. Segundo José Murilo de Carvalho, em 1872, isto é, dezessete anos antes da proclamação da república, 84% da população era analfabeta.[16] A metrópole

---

[14]  Utilizaremos a expressão "Brasil colônia" como referencial histórico, mas também jurídico, uma vez que o Brasil como Estado soberano surge apenas em 25 de março de 1824, data da outorga da primeira Constituição (imperial). Isso se justifica com base na moderna noção de poder constituinte originário, que preceitua o nascimento de um Estado como a publicação de seu primeiro texto constitucional.

[15]  Para aprofundar este tema. Cf: DEL PRIORE, Mary; VENANCIO, Renato. *Uma breve história do Brasil*. 2. ed. São Paulo: Planeta, 2016. p. 40-45.

[16]  CARVALHO, José Murilo de. *Cidadania no Brasil*: o longo caminho. 8. ed. Rio de Janeiro: Civilização Brasileira, 2006. p. 22-23.

não tinha interesse em criar escolas em sua colônia. Veja-se o exemplo do ensino superior: só houve permissão para a criação de universidades no Brasil em 1808, quando a Corte se instalou na colônia. Neste mesmo período, a América espanhola já contava com 23 universidades, tendo a primeira sido criada ainda no século XVI, em 1551, no Peru.[17]

Da independência à proclamação da República (1889), poucas foram as transformações sociais. Conforme relata Emília Viotti, o sistema de clientela e patronagem, traços elementares da sociedade brasileira do século XIX, minimizou as tensões de raça e classe. Embora não mais colônia, mantiveram-se no Brasil as estruturas de mando sociais que relegava a maioria da população às mãos dos proprietários rurais em um país desprovido de indústrias nacionais, concentradas na metrópole.[18] Com efeito, longe de alguma revolta popular obter êxito para introduzir princípios mais republicanos à ordem política, perpetuaram-se os valores tradicionais, elitistas, antidemocráticos e autoritários. O Judiciário, último recurso que dispõe o cidadão para a garantia de seus direitos, tinha seus cargos preenchidos mediante o critério da clientela e era controlado pelos latifundiários. Por esta razão, José Murilo de Carvalho afirma que "o poder do governo terminava na porteira das grandes fazendas".[19]

Embora em 1889 os republicanos tenham se aliado aos abolicionistas e a política tenha deixado o âmbito dos conchavos familiares para se tornar minimamente pública, a semelhança entre a independência e a proclamação é manifesta em um aspecto: o de não ter havido qualquer participação popular. E a literatura é testemunha romântica deste fato. Machado de Assis explorou com velada ironia este contexto na obra *Esaú e Jacó*, publicada em 1904, e que tratava dos dilemas de Custódio, dono de uma confeitaria, que acabara de encomendar uma placa nova ao seu comércio, mas que não sabia se mantinha o nome Confeitaria do Império ou se alterava para Confeitaria da República. No fim, após várias sugestões, preferiu esperar alguns dias "a ver em que param as modas".[20]

Machado, em sua genialidade, está a instigar o seu leitor de que a passagem da monarquia para a república brasileira representou uma mera troca de tabuleta, um engodo que apenas reformava a fachada do país sem ao menos tocar nas solidificadas e centenárias estruturas sociais e políticas. Ou como bem resumiu Custódio, a mudança na forma de governo foi um modismo. Ao povo alheio, a república se estabeleceu da mesma forma que a independência. Balbuciou Aristides Lobo, membro do Governo Provisório, descrevendo os acontecimentos de 15 de novembro de 1889: bestializado,

---

[17] Trata-se da *Universidad Nacional Mayor de San Marcos*. Em 1553 foi fundada a *Real y Pontificia Universidad de México*. Já a primeira universidade brasileira foi a Faculdade de Medicina da Bahia, fundada em 1808, logo após a chegada de Dom João VI ao Brasil. Quem desejasse estudar precisava ir até Portugal. Carvalho aponta que até a independência, 1242 estudantes brasileiros estudaram em Coimbra, contra 150 mil formados nas 23 universidades da América espanhola.

[18] COSTA, Emília Viotti da. *Da monarquia à República*: momentos decisivos. 6. ed. São Paulo: UNESP, 1999. p. 12-14.

[19] CARVALHO, José Murilo de. *Cidadania no Brasil*: o longo caminho. 8. ed. Rio de Janeiro: Civilização Brasileira, 2006. p. 31.

[20] ASSIS, Machado. *Esaú e Jacó*. São Paulo: FTD, 2002. p. 176.

atônito, sem saber o que ocorria, o povo pensava se tratar de uma parada militar, não de um golpe contra a monarquia em favor da proclamação da república.[21]

Durante toda a Primeira República (1889-1930) não houve alterações neste padrão nacional. A organização político-administrativa adotada na Constituição de 1891, isto é, a forma federal de Estado, descentralizou o poder outrora concentrado nas mãos de Dom Pedro II, o que deu azo ao fortalecimento das oligarquias locais. Por esta razão, estas quatro décadas ficaram conhecidas como "A República dos Coronéis", em referência ao maior cargo hierárquico da Guarda Nacional. As elites estaduais dominavam os cargos eletivos por meio da chamada "eleição a bico de pena",[22] e angariavam influência para controlar as eleições nacionais. Dois Estados, de modo especial, substituíam-se na manutenção da Presidência da República: São Paulo e Minas Gerais, na conhecida política do "Café com Leite".

É oportuno lembrar, neste momento, que a república é uma forma de governo cujo poder pertence ao povo e seus representantes são eleitos com mandato por tempo determinado, sendo responsáveis por seus atos de governo. Na base deste sistema se encontra a igualdade formal de todos os cidadãos, isto é, "diante da lei, diante dos atos infralegais, diante de todas as manifestações do poder, quer traduzidas em normas, quer expressas em atos concretos", nas palavras de Geraldo Ataliba.[23] Os requisitos indispensáveis para que se possa falar na existência de um regime republicano são: a) governantes que representam o povo; b) mandato concedido pelo voto popular; c) exercício do mandato por tempo determinado; d) igualdade entre as pessoas; e) responsabilidade dos governantes pelos atos praticados em razão do cargo.

Como corolário do governo republicano, a cidadania advém da garantia e do exercício dos direitos políticos. Todavia, a república fora proclamada em 1889, mas pouco antes deste fato, ainda durante o império, restringia-se a participação popular. Basta pensar na aprovação da reforma eleitoral de 1881 (Decreto nº 3.029, conhecido como Lei Saraiva), que teve o condão de limitar o direito de voto dos analfabetos, algo que não constava na Constituição Imperial de 1824. A Constituição republicana de 1891, em seu artigo 70, manteve este mecanismo, restringindo o voto a mais de 80% da população. Consoante Michele de Leão, o objetivo da reforma foi aumentar as hipóteses restritivas (o voto censitário já predominava naquela época) de modo a limitar a participação dos "incapazes", "dependentes", "ignorantes", "marginais" e "perigosos".[24]

Foi com estes termos que o discurso da incapacidade eleitoral dos analfabetos foi construída. Com efeito, na contramão da tendência democrática europeia, por

---

[21] MELLO, Maria Tereza Chaves de. *A República consentida*: cultura democrática e científica no final do Império. Rio de Janeiro: FGV, 2007. p. 13.

[22] No glossário legislativo, ferramenta disposta no site do Senado Federal, há uma precisa explicação sobre a eleição a bico de pena: "Forma de eleição praticada na República Velha antes de 1930, cujo voto era aberto e não secreto, e havia controle dos caciques políticos sobre os eleitores". BRASIL. Senado Federal. *Eleição a bico de pena*. Disponível em: http://www12. senado.leg.br/noticias/glossario-legislativo/eleicao-a-bico-de-pena. Acesso em 10 abr. 2019.

[23] ATALIBA, Geraldo. *República e constituição*. 2. ed. São Paulo: Malheiros, 1998. p. 158.

[24] LEÃO, Michele de. Lei Saraiva (1881): se o analfabetismo é um problema, exclui-se o problema. *Aedos*, n. 11, v. 4, p. 602-615, set. 2012. p. 605.

exemplo, optou-se pela restrição: mais de um milhão de eleitores votaram nas eleições parlamentares de 1872, o que representava 13% do eleitorado; em 1886, na vigência do Decreto nº 3.029, a participação foi reduzida a um décimo daquele valor, ou 0,8% da população total.[25] Por estes números, vê-se que Custódio, personagem de Machado de Assis, talvez estivesse certo. A alteração da forma de governo não provocou qualquer mudança na fisiologia social brasileira, já que a maioria dela estava totalmente à margem da política.

## 4 Constitucionalismo democrático: o caminho para o desenvolvimento nacional

Ao longo do século XX, o Brasil viveu momentos de refluxo constitucional e democrático pela instauração de governos autoritários e ilegítimos. Os efeitos práticos destes acontecimentos foram a conversão dos textos constitucionais em meras folhas de papel[26] e o regime democrático em uma quimera. O contexto político, jurídico, econômico e social da década de 1980, quando da promulgação da Constituição de 1988, possui lastro com toda a história até então prefigurada, em quase um século desde a Proclamação da República. A revolução constituinte, nos moldes da que ocorreu nos Estados Unidos (1776), não cruzou a fronteira rumo ao sul. As velhas estruturas de poder não foram substituídas nem se bombardeou a ditadura pelo gládio: prova disso é a tolerada e constitucional autoanistia dos militares.

A transição teve seu momento definitivo com a promulgação da nova Constituição. Em 05 de outubro de 1988, estava alterado o fundamento de validade de todo o ordenamento jurídico nacional. A Constituição criou um novo tipo de Estado, fundado na soberania, na cidadania, na dignidade da pessoa humana, nos valores sociais do trabalho e da livre iniciativa e no pluralismo político. Estabeleceu-se, assim, como núcleo irradiador de legitimidade para todo o ordenamento jurídico. São valores essenciais em um país que ainda cultiva muitas debilidades.

A ordem jurídica instaurada a partir de outubro de 1988 garantiu os instrumentos para que as alterações possam ocorrer, não obstante ao passado de atraso que, com resiliente obstinação, vale-se de todos os meios possíveis para se perpetuar. Como exemplo, tem-se a baixa instrução da população como um todo, poucos períodos duradouros de exercício da cidadania, desigualdade alarmante, violência, poderes oligárquicos que se chocam com o Estado de Direito, corrupção em todos os níveis sociais, entre outros.

Todavia, embora com dificuldades, pequenas mudanças revolucionárias podem ser observadas desde então, em especial no que tange à garantia de direitos fundamentais. Cite-se, como exemplo, a independência das instituições públicas que conduziu ao desmantelamento de escusos desvios de recursos de algumas

---

[25] CARVALHO, José Murilo de. *Cidadania no Brasil*: o longo caminho. 8. ed. Rio de Janeiro: Civilização Brasileira, 2006. p. 39.

[26] Faz-se referência à clássica discussão de Ferdinand Lassale e Konrad Hesse sobre a força normativa da Constituição.

empresas públicas. É evidente que o combate à corrupção demanda uma alteração de paradigmas políticos, jurídicos e sociais conduzido ao longo de várias gerações. É provável, em igual medida, que algumas operações e medidas tomadas no curso destes processos dialogaram com práticas pouco garantistas do ponto de vista dos indivíduos investigados. A par desses elementos, é revolucionário o peso simbólico de se condenar e prender indivíduos que já figuraram como as maiores autoridades do país. Sem dúvida, as grandes operações da Polícia Federal demonstraram a hercúlea tarefa de se implementar um verdadeiro sistema republicano no Brasil, conduzindo à triste conclusão de que pouco se avançou nesta seara, desde Machado de Assis e Lima Barreto.[27]

Apesar de curtos, percebem-se que alguns passos foram dados no afã de se tornar o poder político mais cristalino, indo ao encontro da máxima estabelecida por Norberto Bobbio de que "a opacidade do poder é a negação da democracia". Bobbio escreveu muitos textos no período das *inchieste giudiziarie Mani Pulite,* na Itália, que trazia à tona as espúrias e seculares relações existentes entre o poder e a máfia. O "dilema" democrático é que a transparência funciona como um de seus vetores mais fortes, abalando as cristalizadas estruturas políticas. As investigações emergiram ao que ele denominou "criptogoverno", cujas abissais relações não conhecem as luzes da legalidade, guia seguro do Estado democrático.[28]

Não obstante, há muito a se fazer rumo à democratização de nosso país, em nível público e privado. Nesta dinâmica, ao traçar um panorama sobre a América Latina, Roberto Gargarella observa que, ao longo do século XX, houve um movimento de intensa constitucionalização dos direitos fundamentais em quase todas as Constituições da região, algo muito importante se se considerar a grande desigualdade social que reina em muitos desses países. No caso do Brasil, por exemplo, a ambivalência dos índices falam por si: o país possui uma das maiores economias do planeta, mas está na septuagésima nona posição quanto ao Índice de Desenvolvimento Humano (2017).[29] Ao longo da década de 1980, o Brasil era o segundo país mais desigual do planeta (o 1º era Serra Leoa), segundo o índice de GINI, medido pelo Banco Mundial.[30] Assim, o reconhecimento dos direitos fundamentais em nível constitucional é uma prática sempre bem-vinda, embora importante e complexa também seja a discussão das modalidades e impactos de seu custeio.

---

[27] A referência à Lima Barreto se faz por conta de seu livro "Os Bruzundangas", publicação póstuma de 1922. Com base nesta república fictícia, o autor estabelece uma crítica ao Brasil e suas instituições, ao modo como a república se estabeleceu sem atacar os centenários problemas que se arrastavam desde o processo de colonização, tais como o patrimonialismo materializado na extrema "generosidade à custa do governo", a economia desenvolvida com fartos subsídios governamentais, a utilização dos títulos acadêmicos como status social e vários outros aspectos que, em larga escala, ainda fazem parte de nosso cotidiano e minam, paulatinamente, a mais elementar noção republicana. Cf: BARRETO, Lima. *Os bruzundangas*. 4. ed. São Paulo: Ática, 2011.

[28] BOBBIO, Norberto. *Democracia e segredo*. São Paulo: Editora Unesp, 2015. p. 35.

[29] UNITED NATIONS. *National human development report 2017*: Brazil. Disponível em: http://hdr.undp.org/en/content/national-human-development-report-2017-brazil. Acesso em 10 abr. 2019.

[30] REVISTA HARVARD REVIEW OF LATIN AMERICA. *The rise and fall of Brasilian inequaly*. Disponível em: https://revista.drclas.harvard.edu/book/rise-and-fall-brazilian-inequality. Acesso em 10 abr. 2019.

Reconhecem-se, no entanto, dois incontestes problemas. O primeiro é que não basta estabelecer extenso rol de direitos no plano formal sem proporcionar mecanismos para a sua fruição. O segundo dilema é que, embora a democracia tenha proporcionado a ampliação dos direitos, (ainda) não foi capaz de alterar a estrutura do poder, o que impede verdadeiras transformações. É preciso, desta forma, ocorrer um ajuste entre as duas partes da Constituição, ou seja, a orgânica (organização do poder) e a dogmática (direitos). Não raras vezes, a ampliação de direitos sociais culminou na supressão de direitos políticos, como ocorreu com as Constituições de 1934 e 1937, durante os governos de Getúlio Vargas. Nosso maior desafio, nesse sentido, é garantir direitos fundamentais e também criar espaços de cidadania democrática.

Todavia, Gargarella identifica um padrão no constitucionalismo da América Latina das últimas décadas, qual seja: reconhecer direitos, reconhecer instrumentos de participação direta e, por outro lado, manter um presidencialismo com muitas atribuições em seu poder. Para ele, o presidencialismo excessivo pode não favorecer a democracia por meio de seus instrumentos, haja vista ter a capacidade de bloquear mudanças com enfoque social e que venham a contrariar o interesse de grandes elites. Em suas palavras, "resulta claro que los presidentes con poderes fuertes o reforzados, racionalmente, no tienden a aceptar recortes sobre su próprio poder, como los que puede sugerir una ciudadanía autonomizada y/o con mayores poderes de decisión y control".[31] [32]

Gargarella denomina de "sala de máquinas da Constituição" os instrumentos democráticos que possibilitam o acesso, a participação e o controle do poder por parte da população. Os instrumentos de democracia direta se resumem a três. No entanto, o plebiscito e o referendo dependem de autorização e convocação do Congresso Nacional. Nossa Constituição prevê tão somente a iniciativa popular como um mecanismo de livre acesso à população, mas dispõe de custosos requisitos. Por sua vez, não há aparato de controle sobre o exercício dos mandatos representativos. Ou seja, valendo-se de Gargarella, a sala de máquinas da Constituição se encontra selada ao escrutínio do povo: a democracia projetada em nossa ordem jurídica ampliou direitos, mas repetiu o legado histórico brasileiro de não possibilitar a participação cívica da população nos assuntos governamentais.

Com efeito, tem-se a limitada preponderância ou mesmo ingerência dos poderes representativos – Legislativo e Executivo – aliado ao fenômeno internacional da apatia eleitoral e a baixa confiança na representação política. Esse processo tem um duplo efeito nefasto à democracia: o de reduzir os cidadãos a massas eleitorais, cujo ato de votar é indiferente, e o de se concluir que os representantes políticos são prescindíveis, consequências estas que abalam o *modus operandi* democrático-liberal e a estrutura do Estado de Direito moderno.

---

[31] Em tradução livre: "Resulta claro que os presidentes com poderes fortes ou reforçados, racionalmente, não tendem a aceitar limitações sobre o seu próprio poder, como poderia ocorrer com maior autonomia cidadã e/ou com maiores poderes de decisão e controle".

[32] GARGARELLA, Roberto. *La sala de máquinas de la Constitución*: dos siglos de constitucionalismo em América Latina (1810-2010). Madrid: Katz, 2015. p. 327-333.

Assim, nos precisos termos de Paul Hirst:

> A política democrática representativa significa eleições pouco frequentes e restritas para um eleitorado de massa. Isso é inevitável; mesmo quando a grande maioria dos cidadãos individuais se interesse pelo processo político, vota sempre que solicitado e adquire um modesto conhecimento de política. Quando a indiferença ou a alienação leva o cidadão a negligenciar até as tarefas limitadas da política democrática de massa, a eleição se torna uma legitimação ainda mais formal daqueles que chegam ao poder.[33]

Ao longo desses dois séculos de constitucionalismo latino-americano, Roberto Gargarella apresenta algumas conclusões interessantes que impactam em algumas debilidades vividas no Brasil atualmente e coincidem com aspectos de nossa história política, jurídica e institucional. Todas elas tratam das reformas constitucionais na região. Assim, inadvertidamente, muitas dessas reformas proclamaram inúmeros direitos fundamentais em contextos de sua própria violação, como ocorreu no período da ditadura de Vargas. Igualmente, mostra-se de uma inocência pueril ou de abjeta encenação a crença de que é possível obter grandes mudanças a partir de meras alterações legislativas, como se um amontoado de novos vocábulos conferisse poder ao feiticeiro que os invocou. Além disso, o autor chama a atenção para a dinâmica da arquitetura constitucional, na qual uma alteração pequena gera impacto em toda a teia normativa que constitui o ordenamento. Assim, é preciso que o jurista entenda a responsabilidade ínsita em se ampliar um direito social, por exemplo, a uma determinada coletividade.[34] Todo e qualquer direito demanda procedimentalização e instrumentalização para que deixe de ser expectativa e transcenda para a satisfação de seus destinatários. Em outras palavras, tudo tem um custo (econômico, político, social) que de, algum modo, precisa ser financiado.[35] Não é difícil entender que este processo é fundamental para sedimentar a legitimidade do Estado democrático de direito como aparato político e de resolução dos conflitos sociais.

É preciso lembrar, ainda, que a elaboração de uma Constituição que enuncie princípios democráticos (como liberdades e salvaguarda de direitos fundamentais) ou a reforma em seu texto são apenas os primeiros passos de uma transformação que deve se estender a todos os setores da sociedade. A adoção desses princípios pela sociedade é um processo complexo e bastante duradouro: o texto constitucional deve dialogar com as práticas sociais e a sociedade deve respeitar a ordem jurídica por ele

---

[33] HIRST, Paul. *A Democracia representativa e seus limites*. Rio de Janeiro: Jorge Zahar, 1992. p. 28.

[34] GARGARELLA, Roberto. *La sala de máquinas de la Constitución*: dos siglos de constitucionalismo em América Latina (1810-2010). Madrid: Katz, 2015. p. 352-361.

[35] No aspecto financeiro, não é nova a discussão doutrinária acerca da atual influência do Judiciário no orçamento dos municípios e Estados brasileiros, em especial no que tange ao direito à saúde. Tendo o legislador consignado no texto constitucional diversos direitos em que se utilizou expressões abertas, como "direito de todos e dever do Estado" (expressão utilizada para a saúde e a educação nos artigos 196 e 205), muitos têm ingressado com ações judiciais na busca por financiamento público de determinadas questões privadas, como acesso a medicamentos ou procedimentos cirúrgicos. Isso tem gerado consequências danosas às administrações que têm seus orçamentos fragmentados para dar cumprimento a decisões judiciais. Assim, diante de recursos escassos e anseios infinitos, é preciso delimitar a extensão desses direitos e, em especial, a extensão do próprio Estado.

instituída. Nas clássicas palavras de Konrad Hesse, ao lado da "vontade de poder" deve vicejar a "vontade de Constituição", na consciência geral, de modo a transformar as estruturas pré-modernas baseadas em poderes arbitrários e envoltos nas sombras que desconsideram as normas constitucionais vinculantes.[36] Em tais resquícios de império com invólucro democrático, não existe a possibilidade de divergência pacífica. Por esta razão, Norberto Bobbio recorda que o nível de desenvolvimento democrático em determinado Estado não é mensurado pelo aumento no número de votantes em uma eleição, mas nos espaços em que se pode exercer, de fato, o direito de votar e, sobretudo, discordar da opinião predominante.[37]

A indicação de Roberto Gargarella no contexto deste artigo é justificada em virtude de sua motivação em escrever *La Sala De Máquinas de la Constitución*, qual seja, a extrema desigualdade (econômica, social e política) que assola os países da América Latina. Este talvez seja o maior desafio regional que temos para este século: promover uma mudança na estrutura orgânica de governos para que a administração vise ao cidadão. Para tanto, é preciso diminuir o poder das corporações, que podem se tornar hidras que dragam grande parte dos orçamentos para si, e lutar para que os direitos sejam fruídos e não somente reconhecidos. Em outras palavras, não basta enunciar, irresponsavelmente, um amplo rol de direitos, sem existir condições para o seu exercício. Norberto Bobbio resumiu muito bem a questão para este século: "o problema fundamental em relação aos direitos do homem, hoje, não é tanto o de justificá-los, mas o de protegê-los. Trata-se de um problema não filosófico, mas jurídico, e num sentido mais amplo, político".[38]

Em nossa atual realidade, tornou-se um problema a relação estabelecida entre o Legislativo e o Executivo no que se denomina presidencialismo de coalizão. A estrutura desse sistema em nosso ordenamento jurídico, mais pelo acaso do que pensado por juristas e políticos, apoia-se sobre alguns fatores fundamentais: a total liberdade presidencial na formação do gabinete de ministros, com reflexo do apoio partidário obtido no Congresso Nacional pela distribuição de cargos, a intensa centralização dos trabalhos do Poder Legislativo nas pessoas dos líderes partidários e, ainda, a peculiar relação entre os Três Poderes, em especial no tocante ao Executivo, forte pela concentração de poderes legislativos (e pedido de urgência) que acabam por lhe atribuir poder sobre a agenda legislativa. A combinação desses fatores dá ao governo o instrumento para legislar (medida provisória), o controle da pauta (através da presidência das Casas), a rapidez para votação (pedido de urgência) e a aprovação das matérias de seu interesse (papel dos líderes). O insumo que permite o controle do Legislativo pelo governo é a troca de apoio por cargos comissionados e ministérios, inchando a máquina pública sem a tornar eficiente. Além disso, o Legislativo se torna

---

[36]   HESSE, Konrad. *A força normativa da Constituição*. Porto Alegre: Sérgio Fabris, 1991. p. 19.

[37]   BOBBIO, Norberto. *O futuro da Democracia*. 10. ed. São Paulo: Paz e Terra, 2006. p. 40.

[38]   BOBBIO, Norberto. *A era dos Direitos*. Rio de Janeiro: Campus, 1992. p. 24-25.

uma antessala do governo federal, levando à perda de seu poder de fiscalização sobre o Executivo, função inestimável na relação entre os poderes do Estado.[39]

Assim, a afirmação de um constitucionalismo democrático parte da presunção de que há objetivos públicos e privados mínimos a serem consagrados para o estabelecimento da ordem jurídica. Dentre eles, a afirmação e a garantia de direitos, em especial à liberdade, para que se possa estruturar uma sociedade livre e justa. Mais do que isso, o constitucionalismo democrático caminhou no sentido de impor determinadas metas aos agentes políticos e administradores, vincular o legislador aos princípios que regem a sociedade, servir como paradigma hermenêutico aos legisladores e juristas e fundamento de pretensões aos cidadãos quanto às suas exigências por condições mínimas de vida e de desenvolvimento. Assim, o constitucionalismo democrático tem, em seu bojo, a tensão interna e ambivalência de estabelecer um *locus* de liberdade, mas também de garantir um grau de igualdade entre os cidadãos.

## Considerações finais

O constitucionalismo democrático, ao salvaguardar direitos e estabelecer procedimentos de decisão coletiva à luz da publicidade, tem a tensão como um fator constante por confrontar nichos antidemocráticos. A luta contra as desigualdades em busca de um modelo de isonomia precisa passar pela aquisição de maior liberdade por parte da população: certamente, o modelo que congrega o constitucionalismo e a democracia é o meio hábil para a consecução desse propósito. Tal opção tem sido regra nos países ocidentais e nada justifica deixar este regime em busca de governos centrais ou autoritários. Se durante séculos – seja com os gregos, estoicos ou durante o medievo – somente alguns conseguiam ser livres, o Estado democrático e constitucional é o vértice da conquista da liberdade, possibilitando o usufruto de direitos a progressivas parcelas populacionais. Embora não garanta um desenvolvimento plenamente equânime, caso isso seja possível, este sistema tem se mostrado como o meio mais adequado ao cumprimento desse desiderato.

O século XXI tem sido um período ambivalente de adequação e renovação das estruturas democrático-liberais, de ampliação do Estado pela busca de novos direitos, ao mesmo tempo, de perda de fôlego estatal. Mais do que uma opção, as constituições democráticas são, agora, uma realidade intangível, pertencente aos Estados e às sociedades. Seu propósito é o estabelecimento constante e progressivo de uma ordem jurídica mais igualitária, justa e solidária, de modo a romper com as maiores debilidades que impedem o avanço social e humano. Este é o desafio brasileiro e da América Latina para este século: diminuir a desigualdade e repensar a sala de máquinas da Constituição, trazendo os cidadãos à tona, seja no reconhecimento de seus direitos, seja na participação de cada um como agente de transformação de sua realidade.

---

[39] Para aprofundar a discussão, confira: SAMPAR, Rene. O papel das medidas provisórias no presidencialismo de coalizão Brasileiro. *In*: Constituição, economia e desenvolvimento. *Revista da Academia Brasileira de Direito Constitucional*, Curitiba, n. 6, p. 32-49, jan./jun. 2012.

Embora ainda reconheçamos diversas mazelas com as quais a sociedade convive, estamos vivendo o período de maior longevidade constitucional de nossa história. Trata-se de um feito memorável, por solidificar nossas instituições e procedimentos cívicos de participação e controle. Em outras palavras, a ordem constitucional proporciona a afirmação de nosso regime democrático. E o fortalecimento da democracia tende a ampliar a força normativa constitucional, conferindo-lhe maior legitimidade. Este é nosso sistema helicoidal, no qual todos os atos devem gravitar ao seu entorno. É hora de afirmar em definitivo o regime democrático no Brasil, sem tangenciar em autoritarismos.

Os desafios não são poucos. Os direitos políticos e sociais estão garantidos na Constituição. Este é o século de lhes pôr em prática de fato, da base ao vértice da pirâmide social. A conquista de novos direitos e, em especial, de sua garantia, dependem da participação popular. Além disso, a construção da ordem jurídica em nosso país demanda o preenchimento dos espaços públicos, elemento vital para o fortalecimento democrático. Embora os desafios sejam inúmeros, a democracia é o caminho mais seguro para o desenvolvimento brasileiro em todos os seus níveis, pois reúne em si a capacidade de salvaguardar direitos, tornar lúcida as ações governamentais e dar voz ao povo.

## Referências

ARENDT, Hannah. *A condição humana*. 11. ed. Rio de Janeiro: Forense Universitária, 2010.

ARISTÓTELES. *A política*. São Paulo: Martins Fontes, 2006.

ASSIS, Machado. *Esaú e Jacó*. São Paulo: FTD, 2002.

ATALIBA, Geraldo. *República e constituição*. 2. ed. São Paulo: Malheiros, 1998.

BRASIL. Senado Federal. *Eleição a bico de pena*. Disponível em: http://www12. senado.leg.br/noticias/glossario-legislativo/eleicao-a-bico-de-pena. Acesso em 10 abr. 2019.

BARRETO, Lima. *Os bruzundangas*. 4. ed. São Paulo: Ática, 2011.

BARROSO, Luís Roberto. *Curso de Direito Constitucional*: os conceitos fundamentais e a construção do novo modelo. 5. ed. São Paulo: Saraiva, 2016.

BARROSO, Luis Roberto. Fundamentos teóricos e filosóficos do Novo Direito Constitucional Brasileiro. *Revista da EMERJ*, v. 4, n. 15, 2001.

BOBBIO, Norberto. *A era dos Direitos*. Rio de Janeiro: Campus, 1992.

BOBBIO, Norberto. *Democracia e segredo*. São Paulo: Editora Unesp, 2015.

BOBBIO, Norberto. *O futuro da Democracia*. 10. ed. São Paulo: Paz e Terra, 2006.

CARVALHO, José Murilo de. *Os bestializados*: o Rio de Janeiro e a república que não foi. 3. ed. 13. imp. São Paulo: Companhia das Letras, 1987.

CARVALHO, José Murilo de. *Cidadania no Brasil*: o longo caminho. 8. ed. Rio de Janeiro: Civilização Brasileira, 2006.

CANOTILHO, J. J. Gomes. *Direito Constitucional e Teoria da Constituição*. 7. ed. Coimbra: Almedina, 2003.

CITTADINO, Gisele. Poder Judiciário, ativismo judiciário e democracia. *ALCEU*, v. 5, n. 9, p. 105-113, jul./dez. 2004. Disponível em: http://revistaalceu.com.puc-rio.br/media/alceu_n9_Cittadino.pdf. Acesso em 10 abr. 2019.

CONSEIL CONSTITUTIONNEL. *Les Constitutions de la France*. Disponível em: http://www.conseil-constitutionnel.fr/conseil-constitutionnel/francais/la-constitution/les-constitutions-de-la-france/les-constitutions-de-la-france.5080.html. Acesso em 10 abr. 2019.

COSTA, Emília Viotti da. *Da monarquia à República*: momentos decisivos. 6. ed. São Paulo: UNESP, 1999.

DEL PRIORE, Mary; VENANCIO, Renato. *Uma breve história do Brasil*. 2. ed. São Paulo: Planeta, 2016.

FERRAJOLI, Luigi. *Principia Iuris*: teoria del diritto e della democrazia. Roma: Laterza, 2009. v. 2.

GARGARELLA, Roberto. *La sala de máquinas de la Constitución*: dos siglos de constitucionalismo em América Latina (1810-2010). Madrid: Katz, 2015.

HESSE, Konrad. *A força normativa da Constituição*. Porto Alegre: Sérgio Fabris, 1991.

HIRST, Paul. *A Democracia representativa e seus limites*. Rio de Janeiro: Jorge Zahar, 1992.

HUNTINGTON, Samuel. *A terceira onda*: democratização no final do século XX. São Paulo: Editora Ática, 1994.

LAFER, Celso. *O moderno e o antigo conceito de liberdade*. São Paulo: Perspectiva, 1980.

LEÃO, Michele de. Lei Saraiva (1881): se o analfabetismo é um problema, exclui-se o problema. *Aedos,* n. 11, v. 4, p. 602-615, set. 2012.

MELLO, Maria Tereza Chaves de. *A República consentida*: cultura democrática e científica no final do Império. Rio de Janeiro: FGV, 2007.

MILL, John Stuart. *Sobre a liberdade*. São Paulo: Ibrasa, 1963.

REVISTA HARVARD REVIEW OF LATIN AMERICA. *The rise and fall of Brasilian inequaly*. Disponível em: https://revista.drclas.harvard.edu/book/rise-and-fall-brazilian-inequality. Acesso em 10 abr. 2019.

SAMPAR, Rene. O papel das medidas provisórias no presidencialismo de coalizão Brasileiro. *In*: Constituição, economia e desenvolvimento. *Revista da Academia Brasileira de Direito Constitucional,* Curitiba, n. 6, p. 32-49, jan./jun. 2012.

SAMPAR, R.; PANSIERI, F. Desafios políticos e sociais ao constitucionalismo democrático no Brasil. *Revista Justiça Do Direito*, 33 n. 1, p. 123-149, 2019. Disponível em: https://doi.org/10.5335/rjd.v33i1.9545. Acesso em 10 abr. 2019.

SCHMITT, Carl. *O conceito de político*. Belo Horizonte: Del Rey, 2009.

STRECK, Lenio. *Jurisdição constitucional e hermenêutica*. 2. ed. rev. e atual. Rio de Janeiro: Forense, 2004.

TOCQUEVILLE, Alexis de. *A Democracia na América*. 2. ed. São Paulo: Martins Fontes, 2005. v. 1.

UNITED NATIONS. *National human development report 2017*: Brazil. Disponível em: http://hdr.undp.org/en/content/national-human-development-report-2017-brazil. Acesso em 10 abr. 2019.

YALE UNIVERSITY. *Federalist Papers*. Disponível em: http://avalon.law.yale.edu/18th_century/fed15.asp. Acesso em 10 abr. 2019.

---

Informação bibliográfica deste texto, conforme a NBR 6023:2018 da Associação Brasileira de Normas Técnicas (ABNT):

PANSIERI, Flávio; SAMPAR, Rene Erick. Desafios políticos e sociais ao constitucionalismo democrático no Brasil. *In*: COSTA, Daniel Castro Gomes da; FONSECA, Reynaldo Soares da; BANHOS, Sérgio Silveira; CARVALHO NETO, Tarcisio Vieira de (Coord.). *Democracia, justiça e cidadania*: desafios e perspectivas. Homenagem ao Ministro Luís Roberto Barroso. Belo Horizonte: Fórum, 2020. t. 1: Direito eleitoral, política e democracia. p. 433-450. ISBN 978-85-450-0748-7.

# A INELEGIBILIDADE PELA CONDENAÇÃO EM ATO DE IMPROBIDADE ADMINISTRATIVA: ANÁLISE DO ART. 1º, INC. I, ALÍNEA "l", DA LEI COMPLEMENTAR Nº 64/1990

**BRUNO DUAILIBE**

## 1    Introdução

Para que se possa iniciar a discussão do tema que este trabalho propõe, é necessário apresentar, primeiramente, aquele direito que, dentre os fundamentais instituídos pela Constituição Federal de 1988, representa uma das formas mais importantes de manifestação da Democracia: os direitos políticos.

Os direitos políticos são direitos públicos subjetivos fundamentais conferidos aos cidadãos para participarem da vida política do Estado. Decorrentes do princípio democrático, esses direitos de participação (*status activae civitatis*) são adquiridos mediante o alistamento eleitoral.[1]

Para o exercício desses direitos, a Constituição estabeleceu, em seu artigo 14, *caput*, que a soberania popular será exercida pelo sufrágio universal e pelo voto direto e secreto, com valor igual para todos.

O direito de sufrágio corresponde ao próprio exercício do direito político; é por meio dele que o cidadão, que preenche as condições estabelecidas na Constituição e nas leis infraconstitucionais, poderá votar (*ius suffragii*) e ser votado (*ius honorum*), como bem explica o Ministro do Supremo Tribunal Federal Alexandre de Moraes:

> O direito de sufrágio é a essência do direito político, expressando-se pela capacidade de eleger e de ser eleito. Assim, o direito de sufrágio apresenta-se em seus dois aspectos: capacidade eleitoral ativa (direito de votar – alistabilidade) e capacidade eleitoral passiva (direito de ser votado – elegibilidade).

---

[1]    NOVELINO, Marcelo. *Curso de direito constitucional*. 13. ed. rev., ampl. e atual. Salvador: Ed. JusPodivm, 2018. p. 553.

É importante ressaltar que os direitos políticos compreendem o direito de sufrágio, como seu núcleo, e este, por sua vez, compreende o direito de voto.[2]

Quanto ao voto, este pode ser compreendido como instrumento de materialização do direito de sufrágio, por meio do qual se manifesta a soberania popular, em especial quando da escolha de seus representantes políticos (capacidade eleitoral ativa). Segundo as lições de José Afonso da Silva,[3] "o voto é, pois, distinto do sufrágio, repita-se. Este é o direito político fundamental nas democracias políticas. Aquele emana desse direito. É sua manifestação no plano prático. Constitui seu exercício".

No entanto, a própria Carta Magna trata de restringir o gozo desse direito; é o que se denomina direitos políticos negativos, prevendo situações de perda ou de suspensão desses direitos, ambas elencadas no artigo 15 da CF. A perda dos direitos políticos está ligada à ideia de definitividade e é sempre permanente, enquanto a suspensão corresponde à interrupção temporária dos direitos em uso e é cessada quando terminam os efeitos do ato ou medida que a ensejou.[4] Somam-se a isso os casos de inelegibilidade previstos na norma constitucional (art. 14, §§4º ao 9º) e infraconstitucional (Lei Complementar nº 64/90).

É sobre esse último ponto que o presente trabalho discorrerá mais adiante, com foco no caso de inelegibilidade em razão de condenação pela prática de atos de improbidade administrativa, com fundamento na alínea "l", do inciso I, do artigo 1º, da Lei Complementar nº 64/90, alterada pela Lei Complementar nº 135/2010, mais conhecida como Lei da Ficha Limpa, que estabelece, de acordo com o art. 14, §9º, da Constituição Federal, casos de

> inelegibilidade e os prazos de sua cessação, a fim de proteger a probidade administrativa, a moralidade para exercício de mandato, considerada vida pregressa do candidato, e a normalidade e legitimidade das eleições contra a influência do poder econômico ou o abuso do exercício de função, cargo ou emprego na administração direta ou indireta.

## 2 Da improbidade administrativa e a Constituição

Feitos os primeiros esclarecimentos sobre os Direitos Políticos e a sua importância, faz-se necessário, agora, conhecer a expressão "improbidade administrativa", partindo da sua definição e localização no ordenamento jurídico vigente.

A *improbidade administrativa*, como ato ilícito, vem sendo prevista no Direito positivo brasileiro desde longa data para os agentes políticos, enquadrando-se como crime de responsabilidade. Para os servidores públicos em geral, a legislação não falava de improbidade, mas já denotava preocupação com o combate à corrupção,

---

[2]   MORAES, Alexandre de. *Direito constitucional*. 34. ed. São Paulo: Atlas, 2018. p. 346.

[3]   SILVA, José Afonso da. *Curso de direito constitucional positivo*. 36. ed. rev., e atual. São Paulo: Malheiros, 2013. p. 359.

[4]   TRIBUNAL SUPERIOR ELEITORAL. *A importância dos direitos políticos*. Disponível em: http://www.tse.jus. br/o-tse/escola-judiciaria-eleitoral/publicacoes/revistas-da-eje/artigos/revista-eletronica-eje-n.-2-ano-4/a-importancia-dos-direitos-politicos. Acesso em 17 jun. 2019.

ao falar de *enriquecimento ilícito no exercício do cargo ou função*, que sujeitava o agente ao sequestro e à perda de bens em favor da Fazenda Pública. O mesmo não ocorreu com a lesão à moralidade.

A inclusão do princípio da moralidade administrativa entre os princípios constitucionais impostos à Administração é bem mais recente, porque ocorreu apenas com a Constituição de 1988.

Importa dizer que, nessa Constituição Federal, quando se quis mencionar o *princípio*, falou-se de moralidade (art. 37, *caput*) e, no mesmo dispositivo, quando se quis mencionar a lesão à moralidade administrativa, falou-se de *improbidade* (art. 37, §4º); do mesmo modo, a lesão à probidade administrativa aparece como ato ilícito no artigo 85, V, entre os crimes de responsabilidade do Presidente da República, e como causa de perda ou suspensão dos direitos políticos no artigo 15, V.[5]

A improbidade administrativa pode ser entendida como toda conduta do agente público, no exercício da função, que esteja em desconformidade com o dever de honestidade e ética do serviço público.

Destarte, ímprobo é aquele que age com deslealdade no desempenho das atribuições funcionais.

Na lição do eminente constitucionalista José Afonso da Silva, citado por Marino Pazzaglini:

> A probidade administrativa é uma forma de moralidade administrativa que mereceu consideração especial pela Constituição, que pune o ímprobo com a suspensão de direitos políticos (art. 37, §4º). A probidade administrativa consiste no dever de o "funcionário servir a Administração com honestidade, procedendo no exercício das suas funções, sem aproveitar os poderes ou facilidades delas decorrentes em proveito pessoal ou de outrem a quem queira favorecer". Cuida-se de uma imoralidade administrativa qualificada. A improbidade administrativa é uma imoralidade qualificada pelo dano ao erário e correspondente vantagem ao ímprobo ou a outrem.[6]

Tendo em vista os enunciados constitucionais, verifica-se que são inúmeras as situações que preveem a proteção ao dever de probidade e ao princípio da moralidade; logo, não há como se falar de probidade administrativa sem pensar na moralidade, elementos indissociáveis do mandato político.

Nesse contexto, discorre-se no livro *Essência Fragmentada*, mais precisamente no artigo intitulado "O Vilão dos Privilegiados", que a "retidão moral é o caráter, ou ainda, a ética do ser humano desprovida de tortuosidades, de desvios de condutas. A retidão moral é, por assim dizer, uma linha reta que liga os princípios da pessoa à sua conduta".[7]

---

[5] DI PIETRO, Maria Sylvia Zanella. *Direito administrativo*. 31. ed. rev., atual e ampl. Rio de Janeiro: Forense, 2018. p. 1099.

[6] PAZZAGLINI FILHO, Marino. *Lei de improbidade administrativa comentada*: aspectos constitucionais, administrativos, civis, criminais, processuais e de responsabilidade fiscal. 7. ed. São Paulo: Atlas, 2018.

[7] DUAILIBE, Bruno. *Essência fragmentada*. São Luís: Carlos Gaspar, 2013. p. 99.

Ainda sob esse enfoque, no âmbito da Administração Pública, o doutrinador Alexandre de Moraes complementa que não basta ao administrador o estrito cumprimento do princípio da legalidade, devendo o mesmo, também, respeitar os princípios éticos da razoabilidade e da justiça, pois "a moralidade constitui, a partir da Constituição de 1988, pressuposto de validade de todo ato da administração pública".[8]

Outrossim, uma situação em especial será tratada neste trabalho: aquela prevista no art. 37, §4º, da Constituição Federal, *in verbis*:

> Art. 37. A administração pública direta e indireta de qualquer dos Poderes da União, dos Estados, do Distrito Federal e dos Municípios obedecerá aos princípios de legalidade, impessoalidade, *moralidade*, publicidade e eficiência e, também, ao seguinte:
>
> [...]
>
> §4º Os atos de *improbidade administrativa* importarão a suspensão dos direitos políticos, a perda da função pública, a indisponibilidade dos bens e o ressarcimento ao erário, na forma e gradação previstas em lei, sem prejuízo da ação penal cabível. (grifo nosso).

O referido diploma se traduz, em verdade, em um mandamento constitucional, uma vez que impôs ao legislador o dever de criar uma lei sobre atos de improbidade administrativa e, desde logo, fixou quais seriam as consequências, visando, assim, dar máxima efetividade ao princípio da moralidade.

Para regulamentar o artigo 37, §4º, foi promulgada a Lei nº 8.429, de 2 de junho de 1992 (Lei de Improbidade Administrativa), que "dispõe sobre as sanções aplicáveis aos agentes públicos nos casos de enriquecimento ilícito no exercício de mandato, cargo, emprego ou função na administração pública direta, indireta ou fundacional e dá outras providências".

Deste modo, passa-se à análise da referida Lei.

## 3 Lei nº 8.429/92: espécies de atos de improbidade administrativa e suas sanções

Nesta parte serão abordadas apenas questões pontuais sobre a Lei, isto é, aquelas que são necessárias para uma boa compreensão do tema principal deste trabalho.

Assim, serão tratadas aqui a tipologia dos atos de improbidade e as sanções que podem ser aplicadas a cada um deles.

Quanto à tipologia, são atos de improbidade administrativa, de acordo com a Lei nº 8.429/92, os que importam enriquecimento ilícito (art. 9º), os que causam prejuízo ao erário (art. 10) e os que atentam contra os princípios da Administração Pública (art. 11). Também são previstos como espécie de atos de improbidade administrativa, embora pouco citados pela doutrina, os decorrentes de concessão ou aplicação indevida

---

[8] MORAES, Alexandre de. *Constituição do Brasil interpretada e legislação constitucional*. 7. ed. São Paulo: Atlas, 2007. p. 772.

de benefício financeiro ou tributário (art. 10-A). Estes últimos não serão comentados por não possuir relevância para o tema trabalhado.

Uma ressalva merece ser feita: parte da doutrina entende que tanto a prática de lesão ao erário quanto a de enriquecimento ilícito são condutas independentes, portanto, não há a necessidade de exigência concomitante, a exemplo:

> E, assim, chega-se também à conclusão de que as categorias de atos de improbidade administrativa descritas no art. 9º e no art. 10 da Lei nº 8.429/92 possuem autonomia entre si e não se confundem, possuindo como traços distintivos essenciais os fatos de que (i) os atos que importem enriquecimento ilícito (art. 9º) não necessitam do elemento "lesão ao erário" e exigem a ocorrência de recebimento de vantagens econômicas indevidas e devidamente comprovadas ao agente ou a terceiros, diferentemente dos atos do art. 10; (ii) os atos que geram lesão ao erário (art. 10) exigem a efetiva ocorrência do dano ao erário e dispensam a ocorrência de percepção de vantagens indevidas por alguém, distintamente dos atos do art. 9º.[9]

Por conseguinte, como discorrido, pode-se afirmar que há uma autonomia entre os atos de improbidade descritos nos art. 9º e 10 da Lei; no entanto, cabe frisar, desde já, que esse entendimento é diferente no âmbito da Lei da Ficha Limpa, conforme se abordará nos próximos capítulos.

Outro ponto merece destaque. Somente a conduta tipificada no artigo 10 admite o dolo e a culpa como elementos subjetivos, diferentemente daquelas previstas nos artigos 9º e 11, que só admitem na forma dolosa.

O Superior Tribunal de Justiça[10] tem externado, pacificamente, que improbidade é ilegalidade tipificada e qualificada pelo elemento subjetivo da conduta do agente, sendo indispensável para a caracterização de improbidade que a conduta do agente seja dolosa, para a caracterização das condutas descritas nos artigos 9º e 11 da Lei nº 8.429/92, ou pelo menos eivada de culpa grave, nas do artigo 10.

Ainda tratando sobre algumas questões em linhas gerais, devem ser identificados quais são os sujeitos ativos praticantes dos atos de improbidade.

A Lei de Improbidade Administrativa considera como sujeitos ativos o agente público (art. 1º) e o terceiro que, mesmo não sendo agente público, induza ou concorra para a prática do ato de improbidade, ou dele se beneficie sob qualquer forma direta ou indireta (art. 3º).

O legislador teve o cuidado de definir o agente público, para os fins da lei, no art. 2º, como sendo "todo aquele que exerce, ainda que transitoriamente ou sem remuneração, por eleição, nomeação, designação, contratação ou qualquer outra

---

[9] HACHEM, Daniel Wunder; FARIA, Luzardo. Improbidade administrativa, inelegibilidade e a aplicação do art. 1º, I, "l", da Lei Complementar nº 64/1990 pela Justiça Eleitoral. *In*: FUX, Luiz; PEREIRA, Luiz Fernando Casagrande; AGRA, Walber de Moura (Coord.); PECCININ, Luiz Eduardo (Org.). *Elegibilidade e inelegibilidade*. Belo Horizonte: Fórum, 2018. v. 3, p. 434.

[10] AIA nº 30/AM, Rel. Ministro Teori Albino Zavascki, Corte Especial, DJe 28.09.2011.

forma de investidura ou vínculo, mandato, cargo, emprego ou função nas entidades mencionadas no artigo anterior".[11]

Portanto, como já considerado, enquadram-se no conceito de agente público todos aqueles que de alguma forma possuem vínculo direto ou indireto com a administração pública, ainda que não sejam remunerados. Deste modo, é possível observar a preocupação do legislador de ampliar o alcance desta terminologia, para a maior proteção dos serviços e bens públicos, reprimindo de todas as formas a prática desses atos.

Alguns desses agentes públicos, por possuírem garantias e prerrogativas, como os deputados federais e senadores, têm regras especiais para a apuração e a punição de seus atos. No entanto, não convém tecer comentários dessas matérias, pois se distanciaria do foco principal deste trabalho, considerando-se a grande quantidade de jurisprudências e posições doutrinárias sobre essa questão.

O importante para o presente trabalho é saber que, além dos agentes públicos, também é sujeito ativo aquele que induza ou concorra para a prática do ato de improbidade ou dele se beneficie, direta ou indiretamente, de qualquer forma.

Nesse sentido, o Tribunal Superior Eleitoral tem entendido que se aplica tal hipótese de inelegibilidade mesmo em face de agente público que, ao tomar determinada atitude que causou dano ao erário, fez com que terceiro – e não ele – se enriquecesse ilicitamente.

Apenas a título exemplificativo, pode-se citar o julgamento do Recurso Especial Eleitoral nº 18807, de relatoria do Ministro Luiz Fux, no qual se manteve a declaração de inelegibilidade de agente que praticou conduta

> ímproba que importou dano ao erário e enriquecimento ilícito de terceiro, porquanto consubstanciou prática dolosa ilegal por meio da qual houve a malversação dos recursos públicos, bem como resultou na obtenção, por terceiro, de vantagem patrimonial indevida.[12]

De todo modo, para a aplicação das penalidades de improbidade administrativa a terceiros, é necessário que haja o dolo como elemento subjetivo e a prática de improbidade administrativa por agente público.

No caso, a presença do dolo é imprescindível, como ensinam os professores Daniel Amorim e Rafael Carvalho:

> Em todos os casos, no entanto, será imprescindível a comprovação do dolo do terceiro, tendo em vista duas razões: 1) a responsabilidade objetiva somente é admitida nos casos especificados em lei ou em relação às atividades de riscos (art. 927, parágrafo único, do CC); e 2) a improbidade culposa somente é possível na hipótese do art. 10 da Lei nº 8.429/1992, incompatível com as condutas exigidas no art. 3º, da mesma Lei.

---

[11] DI PIETRO, Maria Sylvia Zanella. *Direito administrativo*. 31. ed. rev., atual e ampl. Rio de Janeiro: Forense, 2018. p. 1111.

[12] TRIBUNAL SUPERIOR ELEITORAL. Recurso Especial Eleitoral nº 18807. Relator Min. Luiz Fux. Publicado em 28.09.2017.

Portanto deve ser comprovada a intenção do particular em induzir, concorrer ou se beneficiar, direta ou indiretamente, do ato de improbidade administrativa, não sendo punível a conduta culposa de terceiro.[13]

Convém registrar que, de acordo com o Superior Tribunal de Justiça, os particulares não podem ser responsabilizados com base na Lei de Improbidade Administrativa sem que figure no polo passivo um agente público responsável pelo ato questionado, o que não impede, contudo, o eventual ajuizamento de ação civil pública comum para obter o ressarcimento ao erário.[14]

Serão vistos a seguir mais detalhes sobre cada um desses tipos de ato, realizando apenas comentários essenciais, correlatos ao tema do trabalho.

## 3.1 Atos que importam em enriquecimento ilícito (art. 9º)

> Art. 9º Constitui ato de improbidade administrativa importando enriquecimento ilícito auferir qualquer tipo de vantagem patrimonial indevida em razão do exercício de cargo, mandato, função, emprego ou atividade nas entidades mencionadas no art. 1º desta lei, e notadamente:

O primeiro ato considerado pelo legislador como de improbidade administrativa é o enriquecimento ilícito. Nesse dispositivo foram previstos 12 (doze) incisos apontando as situações caracterizadoras dessa modalidade de improbidade, que para serem analisados demandariam um espaço significativo neste trabalho.

No mesmo sentido, são os artigos 10 (*Que causam prejuízo ao erário*) e 11 (*Que atentam contra os princípios da Administração Pública*) do mesmo diploma legal, que também possuem um rol extenso de situações ensejadoras dos atos de improbidade, tornando inviável a análise pormenorizada de cada uma delas, visto que se afastaria do tema principal.

É consabido que não há objeção a que o indivíduo se enriqueça, desde que o faça por meios lícitos. O que a lei proíbe é o enriquecimento ilícito, ou seja: aquele que ofende os princípios da moralidade e da probidade.[15]

Uma importante diferenciação deve ser feita entre o enriquecimento ilícito previsto na Lei de Improbidade Administrativa e o enriquecimento sem causa disposto no Código Civil. Sobre isso, cita-se a referência de Flávia Cristina Moura de Andrade e Lucas dos Santos Pavione:

> O enriquecimento ilícito previsto na LIA decorre de um proveito legal, obtido por um agente público ou por terceiro, não necessariamente decorrente de um prejuízo

---

[13] NEVES, Daniel Amorim Assumpção; OLIVEIRA, Rafael Carvalho Resende. *Manual de improbidade administrativa*. 3. ed. rev., atual. e ampl. Rio de Janeiro: Forense; São Paulo: Método, 2015. p. 70.

[14] AgRg no REsp nº 759.646/SP, Rel. Ministro Teori Albino Zavascki. Primeira Turma. Julgado em 23.03.2010, DJe 30.03.2010.

[15] CARVALHO FILHO, José dos Santos. *Manual de direito administrativo*. 32. ed. rev., atual. e ampl. São Paulo: Atlas, 2018. p. 1221.

experimentado pela Administração Pública, pressupondo-se, apenas, que o proveito obtido para a prática do ato ímprobo seja ilícito. Assim, não só terá a Administração Pública o direito de cobrar a vantagem indevida, como inexistirá para o corruptor a possibilidade de se ver ressarcido do que pagou ao ímprobo. Já no enriquecimento sem causa previsto no Código Civil, o proveito patrimonial auferido por uma parte deve implicar no empobrecimento de outra, sem que haja uma justa causa para tanto, existindo, assim, a possibilidade de o prejudicado exercer o direito de ação contra aquele que se enriqueceu. Ademais, a causa inicial do enriquecimento pode ser lícita, como ocorre no pagamento indevido, espécie de enriquecimento sem causa, configurando-se a ilicitude pelo recebimento do que não era devido por parte "accipiens".[16]

Logo, para fins de improbidade, basta o enriquecimento ilícito intencional, em desconformidade com o ordenamento jurídico, independentemente de prejuízo para a Administração.

Assim, para a configuração do enriquecimento ilícito não é necessária a verificação de dano ou prejuízo ao erário. Na verdade, o bem jurídico protegido é a probidade na administração, e esse bem é agredido sempre que o agente público se desviar dos fins legais a que está atrelado, em contrapartida à percepção de vantagem patrimonial. Poderá, é certo, resultar prejuízo ao erário de uma conduta tipificada pelo art. 9º. Esse prejuízo, no entanto, não compõe as figuras típicas de enriquecimento ilícito e será irrelevante para a caracterização das infrações, conquanto possa ter relevância para a dosagem das sanções cabíveis (LIA, art. 12, parágrafo único).[17]

Independentemente das sanções penais, civis e administrativas previstas na legislação específica, está o responsável pelo ato de improbidade que importa enriquecimento ilícito sujeito às seguintes cominações, que podem ser aplicadas isolada ou cumulativamente, de acordo com a gravidade do fato (art. 12, I, da LIA): a) perda dos bens ou valores acrescidos ilicitamente ao patrimônio; b) ressarcimento integral do dano, quando houver; c) perda da função pública; d) *suspensão dos direitos políticos de oito a dez anos*; e) pagamento de multa civil de até três vezes o valor do acréscimo patrimonial; f) proibição de contratar com o Poder Público ou receber benefícios ou incentivos fiscais ou creditícios, direta ou indiretamente, ainda que por intermédio de pessoa jurídica da qual seja sócio majoritário, pelo prazo de dez anos.

Para este momento, importa visualizar que, dentre as sanções previstas para esta modalidade de improbidade, está a suspensão dos direitos políticos de oito a dez anos.

## 3.2 Atos que causam prejuízo ao erário (art. 10)

Art. 10. Constitui ato de improbidade administrativa que causa lesão ao erário qualquer ação ou omissão, dolosa ou culposa, que enseje perda patrimonial, desvio, apropriação, malbaratamento ou dilapidação dos bens ou haveres das entidades referidas no art. 1º desta lei, e notadamente:

---

[16] ANDRADE, Flávia Cristina Moura de; PAVIONE, Lucas dos Santos. *Improbidade administrativa*. 2. ed. rev., ampl. e atual. Salvador: Juspodivm, 2011. p. 82.

[17] PRADO, Francisco Octávio de Almeida. *Improbidade administrativa*. São Paulo: Malheiros, 2001. p. 72.

O segundo tipo de ato de improbidade, cujas hipóteses estão exemplificativamente indicadas no art. 10 da LIA, envolve condutas de gravidade intermediária. Trata-se de casos em que o agente público causa lesão ao erário por meio de qualquer ação ou omissão, dolosa ou culposa, que enseje perda patrimonial, desvio, apropriação, malbaratamento ou dilapidação dos bens ou haveres das entidades públicas mencionadas na Lei.[18]

Nesse caso, o que se visa coibir, portanto, não é a ocorrência de prejuízo em si, que reclama ressarcimento sob o ponto de vista civil, mas sim, o comportamento desleixado e descuidado do agente público de má-fé com a necessidade de zelo ao erário, que demanda uma consequência jurídica sob o prisma punitivo.[19]

Exige-se, para caracterizar a prática de improbidade nesses casos, a comprovação efetiva de dano ao erário. Nesse sentido, é pacífico o entendimento do Superior Tribunal de Justiça:

> ADMINISTRATIVO. AGRAVO INTERNO NO RECURSO ESPECIAL. IMPROBIDADE ADMINISTRATIVA. ART. 10, XIII, DA LEI Nº 8.429/1992. ELEMENTO SUBJETIVO CULPA E NECESSIDADE DE DANO AO ERÁRIO.
>
> 1. Na hipótese dos autos, trata-se de ação civil pública de improbidade administrativa em razão da conduta do art. 10, XIII, da Lei nº 8.4289/1992.
>
> 2. *A atual jurisprudência do STJ é no sentido de que para a configuração dos atos de improbidade administrativa previstos no art. 10 da Lei de Improbidade Administrativa (atos de Improbidade Administrativa que causam prejuízo ao erário), com a exceção da conduta do art.10, VIII, exige-se a presença do efetivo dano ao erário (critério objetivo) e, ao menos, culpa.* Precedentes: REsp nº 1.206.741/SP, Rel. Min. Benedito Gonçalves, Primeira Turma, DJe 24.4.2015; AgRg no AREsp nº 107.758/GO, Primeira Turma, Rel. Ministro Arnaldo Esteves Lima, DJe 10.12.2012; REsp nº 1228306/PB, Segunda Turma, Rel. Ministro Castro Meira, DJe 18.10.2012.
>
> 3. O Tribunal de Origem atestou a prática de ato de improbidade administrativa previsto no art. 10, XIII, da Lei nº 8.429/92, diante da presença do elemento subjetivo doloso do então Prefeito ao autorizar a utilização do ônibus escolar para finalidade estranha ao interesse público. Ademais, da leitura do acórdão da Corte de origem constata-se a existência de dano ao erário, consubstanciado nas despesas com a realização do transporte.
>
> 4. Agravo interno não provido.
>
> (AgInt no REsp nº 1542025/MG, Rel. Ministro BENEDITO GONÇALVES, PRIMEIRA TURMA, julgado em 05.06.2018, DJe 12.06.2018).

Há uma sensível mudança de enquadramento, pois aqui são punidos atos ou omissões que causem lesão, haja ou não o dolo (*dolosas* ou *culposas)*, ao contrário das hipóteses do art. 9º, nas quais o dolo mostra-se indispensável.

---

[18]  MAZZA, Alexandre. *Manual de direito administrativo*. 8. ed. São Paulo: Saraiva Educação, 2018. p. 877.

[19]  HACHEM, Daniel Wunder; FARIA, Luzardo. Improbidade administrativa, inelegibilidade e a aplicação do art. 1º, I, "l", da Lei Complementar nº 64/1990 pela Justiça Eleitoral. *In*: FUX, Luiz; PEREIRA, Luiz Fernando Casagrande; AGRA, Walber de Moura (Coord.); PECCININ, Luiz Eduardo (Org.). *Elegibilidade e inelegibilidade*. Belo Horizonte: Fórum, 2018. v. 3, p. 430.

Independentemente das sanções penais, civis e administrativas previstas na legislação específica, está o responsável pelo ato de improbidade que importe enriquecimento ilícito sujeito às seguintes cominações, que podem ser aplicadas isolada ou cumulativamente, de acordo com a gravidade do fato (art. 12, II, da LIA): a) ressarcimento integral do dano; b) perda dos bens ou valores acrescidos ilicitamente ao patrimônio; c) perda da função pública; d) *suspensão dos direitos políticos de cinco a oito anos;* e) pagamento de multa civil de até duas vezes o valor do dano; f) proibição de contratar com o Poder Público ou receber benefícios ou incentivos fiscais ou creditícios, pelo prazo de cinco anos.

Da mesma forma do enriquecimento ilícito, o que mais importa ao presente trabalho, dentre as sanções, é a suspensão dos direitos políticos, sendo esta agora de cinco a oito anos, ou seja: mais branda do que aquela prevista no artigo anterior.

## 4 Inelegibilidade por ato doloso de improbidade administrativa

### 4.1 Requisitos

A configuração da inelegibilidade prevista na alínea "l", do art. 1º, inc. I, da Lei nº 64/90 requer a conjugação dos seguintes requisitos: (1) existência de condenação por decisão judicial transitada em julgado ou proferida por órgão judicial colegiado; (2) suspensão dos direitos políticos; (3) prática de ato doloso de improbidade administrativa; (4) lesão ao patrimônio público **e** enriquecimento ilícito.

### 4.1.1 Em *decisão transitada em julgado* ou proferida por órgão judicial colegiado

Sobre esse requisito, a condenação a que a redação se refere é aquela proferida pela Justiça Comum, uma vez que é da sua competência o julgamento das ações de improbidade administrativa. Esclarece a respeito José Jairo Gomes:

> Primeiramente, é necessário que haja decisão condenatória emanada da Justiça Comum (Federal ou Estadual), pois é desta a competência para conhecer e julgar os casos de improbidade administrativa.
>
> Não compete à Justiça Eleitoral imiscuir-se no mérito da decisão da Justiça Comum com vistas a alterá-la ou complementá-la, pois isso significaria usurpação de competência.[20]

A desnecessidade do trânsito em julgado para que os efeitos da decisão se operem, sem dúvida, é o que mais produz discussões quanto à sua constitucionalidade. A questão sobre a produção de efeito da condenação à suspensão dos direitos políticos, imposta por *órgão colegiado* da Justiça Comum na seara eleitoral, sem que haja o trânsito em julgado da sentença, foi um dos objetos das ações declaratórias de

---

[20] GOMES, José Jairo. *Direito eleitoral*. 14. ed. rev., atual. e ampl. São Paulo: Atlas, 2018. p. 252.

constitucionalidade nºs 29 e 30 e também da ação direta de inconstitucionalidade nº 4.578, julgadas em conjunto pelo Supremo Tribunal Federal.

O primeiro Ministro a se manifestar pela inconstitucionalidade da redação foi Dias Toffoli,[21] que se posicionou pela defesa do princípio da presunção de inocência, disposto no artigo 5º, inciso LVII,[22] da Constituição da República. O Ministro fundamentou a sua tese da seguinte forma, *ipsis litteris*:

> Aqui residem, no meu sentir, situações de afronta ao princípio da presunção de inocência. Tratam-se de hipóteses proibitivas diversas em que se veda a participação no pleito eleitoral daqueles que foram condenados pela suposta prática de ilícitos criminais, eleitorais ou administrativos, por órgãos judicantes colegiados, mesmo antes da atestação da definitividade do julgado. Como a apuração da ocorrência do crime, do abuso do poder econômico ou político, da improbidade administrativa, e das outras ilegalidades eleitorais depende de regular processo em trânsito na Justiça Eleitoral ou em outras esferas jurisdicionais, parece-me questionável o impedimento à candidatura antes do julgamento definitivo da questão obstativa. [...]
>
> A incidência das regras de inelegibilidades deve reclamar o caráter definitivo de julgamento das causas que lhe são antecedentes. O impedimento prematuro à candidatura cria instabilidade no campo da segurança jurídica, pois a causa da inelegibilidade despida de certeza pode provocar prejuízo irreversível ao direito de candidatura.

Segundo voto a divergir quanto à constitucionalidade do dispositivo, o ministro Gilmar Mendes votou pela inconstitucionalidade da expressão prevista na norma que dispõe sobre a inelegibilidade de candidato condenado por colegiado, sem que a decisão condenatória tenha transitado em julgado e dela, portanto, não caiba mais recurso.[23] Também acolheram esse posicionamento os Ministros Celso de Mello e Cezar Peluso.

Do outro lado, foi defendida a tese de que não se aplica o princípio da presunção de inocência aos processos eleitorais, tendo em vista que se trata de um princípio restrito ao âmbito processual penal, não podendo haver a sua extensão para outra área.

Com base nesse fundamento, o Ministro Relator Luiz Fux entendeu que:

> A presunção de inocência, sempre tida como absoluta, pode e deve ser relativizada para fins eleitorais ante requisitos qualificados como os exigidos pela Lei Complementar nº 135/10.
>
> [...]
>
> Essa nova postura encontra justificativas plenamente razoáveis e aceitáveis. Primeiramente, o cuidado do legislador na definição desses requisitos de inelegibilidade demonstra que o diploma legal em comento não está a serviço das perseguições políticas.

---

[21] Voto encontrado na página: STF. *Ação declaratória de constitucionalidade 29 Distrito Federal*. 2012. Disponível em: www.stf.jus.br/arquivo/cms/noticiaNoticiaStf/anexo/ADC29DT.pdf. Acesso em 17 nov. 2019.

[22] "Ninguém será considerado culpado até o trânsito em julgado de sentença penal condenatória".

[23] SUPREMO TRIBUNAL FEDERAL. *Ministro Gilmar Mendes vota pela inelegibilidade após trânsito em julgado*. 2012. Disponível em: http://www.stf.jus.br/portal/cms/verNoticiaDetalhe.asp?idConteudo=200471. Acesso em 17 jun. 2019.

Em segundo lugar, a própria *ratio essendi* do princípio, que tem sua origem primeira na vedação ao Estado de, na sua atividade persecutória, valer-se de meios degradantes ou cruéis para a produção da prova contra o acusado no processo penal, é resguardada não apenas por esse, mas por todo um conjunto de normas constitucionais [...].

Ao se pronunciar, o Ministro Joaquim Barbosa votou da seguinte forma:

Inicialmente, relembro a conhecida afirmação de que "inelegibilidade não é pena", ou seja, de que as hipóteses que tornam o indivíduo inelegível não são punições engendradas por um regime totalitário, mas sim distinções, baseadas em critérios objetivos, que traduzem a repulsa de toda a sociedade a certos comportamentos bastante comuns no mundo da política.

Por não serem penas, às hipóteses de inelegibilidade não se aplica o princípio da irretroatividade da lei e, de maneira mais específica, o princípio da presunção de inocência. A configuração de uma hipótese de inelegibilidade não é o resultado de um processo judicial no qual o Estado, titular da persecução penal, procura imputar ao pretenso candidato a prática de um ato ilícito cometido no passado. As hipóteses de inelegibilidade partem de um ato ou fato público, notório, de todos conhecido.

Para o citado Ministro, o princípio da presunção de inocência somente está vinculado às ações de natureza penal. Mais além, o Ministro lembrou que a inelegibilidade não é pena, sendo assim não se aplica o princípio da presunção de inocência e da irretroatividade da lei.

Foram favoráveis a esse entendimento os Ministros Marco Aurélio, Ayres Brito, Ricardo Lewandowski, Cármen Lúcia e Rosa Weber.

Portanto, prevalece atualmente a posição pela constitucionalidade da LC nº 135/2010, em especial a redação que torna possível a inelegibilidade do agente condenado, em órgão judicial colegiado, por ato de improbidade, ainda que a condenação não tenha transitado em julgado.

A título de informação, na seara penal, a Suprema Corte, por maioria de votos, já decidiu pela possibilidade do cumprimento de sentença de prisão imposta ao réu, quando confirmada pelo Tribunal de segunda instância.

Para o STF, o artigo 283 do Código de Processo Penal (CPP) não impede o início da execução da pena após condenação em segunda instância. Colhamo-lo:

A execução provisória de acórdão penal condenatório proferido em grau de apelação, ainda que sujeito a recurso especial ou extraordinário, não compromete o princípio constitucional da presunção de inocência (art. 5º, LVII, da CF/88).

Em outras palavras, é possível o início da execução da pena privativa de liberdade após a prolação de acórdão condenatório em 2º grau e isso não ofende o princípio constitucional da presunção da inocência.

STF. Plenário. HC nº 126292/SP, Rel. Min. Teori Zavascki, julgado em 17.2.2016 (Info 814).

STF. Plenário virtual. ARE nº 964246 RG, Rel. Min. Teori Zavascki, julgado em 10.11.2016 (repercussão geral).

Entretanto, há indícios de que essa questão em breve voltará a ser discutida pelo Supremo. Isso porque, em julgado realizado em agosto do ano de 2018,[24] a Segunda Turma daquela Corte, por meio dos votos dos Ministros Ricardo Lewandowski, Gilmar Mendes e Dias Toffoli, manifestou-se pela relativização da retromencionada decisão, concedendo *habeas corpus* de ofício aos réus condenados à pena privativa de liberdade, para que aguardassem em liberdade os julgamentos dos seus respectivos recursos interpostos perante o Superior Tribunal de Justiça. Vencido o Ministro Edson Fachin.

## 4.1.2 Os que forem condenados à suspensão dos direitos políticos

A condenação à suspensão dos direitos políticos é uma punição ao agente que tenha praticado ato de improbidade administrativa. Os atos de improbidade estão previstos especialmente na Lei nº 8.429/92 e em disposições da Lei nº 9.504/97, punidos com multa civil, perda do cargo, proibição de contratar com o poder público, ressarcimento ao erário e suspensão dos direitos políticos. Contudo, quis o legislador que apenas a condenação por suspensão dos direitos políticos fosse causa de inelegibilidade. Para Edson de Rezende Castro:

> Mas não é toda condenação por improbidade que foi elevada à causa de inelegibilidade.
>
> Conforme se percebe claramente do texto, o impedimento eleitoral resulta da condenação por improbidade, se e quando a decisão fixar a suspensão de direitos políticos e resultar do reconhecimento da prática de condutas ímprobas que tenham causado lesão ao patrimônio público e enriquecimento ilícito do agente. Se na condenação por improbidade o julgador optar por qualquer uma, ou mais de uma, das outras sanções do art. 12 da Lei nº 8.429/92, não impondo a suspensão dos direitos políticos, o condenado não incidirá nesta inelegibilidade. De outro lado, também não acarreta o impedimento a condenação por improbidade que resulte da inobservância dos princípios norteadores da administração pública (art. 11 da LI), sem que tenha havido lesão ou enriquecimento.[25]

Dessa forma, na hipótese de condenação do agente à perda do cargo ou ao pagamento de multa civil, por exemplo, pela prática de ato de improbidade administrativa, não será o caso de declaração de inelegibilidade, considerando que a norma alcança somente as condenações onde são impostas a suspensão de direitos políticos.

Assim lavrado, passa-se à análise do segundo requisito.

## 4.1.3 Que importe lesão ao patrimônio público e enriquecimento ilícito

Outra importante discussão acerca da alínea "l" diz respeito aos atos de improbidade que geram a inelegibilidade.

Como discorrido, a Lei nº 8.429/92 reconhece como sendo atos de improbidade administrativa: a) os que importam enriquecimento ilícito (art. 9º); b) os que causam

---

[24] Processos: Rcl nº 30.008 e Rcl nº 30.245.

[25] CASTRO, Edson de Resende. *Curso de direito eleitoral*. 9. ed. rev., e atual. Belo Horizonte: Del Rey, 2018. p. 249.

prejuízo ao erário (art. 10); c) os decorrentes de concessão ou aplicação indevida de benefício financeiro ou tributário (art. 10-A); e d) os que atentam contra os princípios da Administração Pública (art. 11).

Acontece que a alínea "l" limitou a imposição de inelegibilidade aos atos de improbidade administrativa que importem lesão ao erário e enriquecimento ilícito, deixando de fora os demais atos. Segundo José Jairo Gomes, "a análise contextual da Lei nº 8.429/92 revela que apenas as hipóteses previstas em seus artigos 9º e 10 são aptas a gerar a inelegibilidade enfocada, ficando excluídas as decorrentes de infração a princípios da administração pública, previstas no artigo 11".[26]

Nesse sentido já se manifestou o Tribunal Superior Eleitoral, *in verbis*:

> [...] 4. [...] As condenações por ato doloso de improbidade administrativa fundadas apenas no art. 11 da Lei nº 8.429/92 – violação aos princípios que regem a administração pública – não são aptas à caracterização da causa de inelegibilidade prevista no art. 1º, I, l, da LC nº 64/90. Precedentes. Recurso do candidato provido para afastar a inelegibilidade reconhecida pelo TRE. [...].[27]

Sob esse fundamento, não há maiores discussões sobre quais atos caracterizam improbidade administrativa e podem culminar na condição de inelegibilidade daquele que foi condenado.

E outras são as divergências que envolvem esse trecho do dispositivo.

Uma delas se refere à necessidade de a decisão de improbidade do Tribunal de origem condenar o réu, concomitantemente, pela prática de ato que importe lesão ao patrimônio *e* enriquecimento ilícito. Essa discussão surgiu em razão da colocação da conjunção "e" entre os atos que demandam improbidade.

Para José Jairo:

> A conjuntiva e no texto da alínea l, I, do art. 1º, da LC nº 64/90 deve ser entendida como disjuntiva, isto é, ou. Assim o exige uma interpretação sistemática comprometida com os valores presentes no sistema jurídico, notadamente a moralidade-probidade administrativa (CF, arts. 14, §9º, e 37, caput e §4º). E também porque, do ponto de vista lógico, é possível cogitar de lesão ao patrimônio público por ato doloso do agente sem que haja enriquecimento ilícito. Cuida-se, então, de falsa conjuntiva.

Logo, para o renomado autor, deve ser dada uma interpretação sistemática do dispositivo, entendendo que é mais apropriado o uso do disjuntivo "ou". Isso por causa da autonomia entre as modalidades de improbidade, onde nem sempre um deles será consequência do outro.

Seguindo essa linha de raciocínio, cabe registrar o posicionamento do voto-vista de Herman Benjamin, então Ministro do Tribunal Superior Eleitoral, nos autos do Recurso Especial Eleitoral nº 49-32/SP, cujo trecho da ementa do acórdão referente ao voto em destaque segue abaixo, *in verbis*:

---

[26] GOMES, José Jairo. *Direito eleitoral*. 14. ed. rev., atual. e ampl. São Paulo: Atlas, 2018. p. 254.

[27] TSE – AgR-RO nº 260409/RJ – DJe, t. 117, 23.6.2015, p. 87-88.

ELEIÇÕES 2016. PREFEITO. REGISTRO DE CANDIDATURA. RECURSO ESPECIAL. ART. 1, I, L, DA LC nº 64/90. ENRIQUECIMENTO ILÍCITO. AUSÊNCIA. INELEGIBILIDADE NÃO CONFIGURADA. RECURSO ESPECIAL PROVIDO.

[...]

6. Nos termos do voto do Ministro Herman Benjamin, a jurisprudência do Tribunal Superior Eleitoral merece revisão, para eleições vindouras, com a fixação da tese de que não se exige, para a incidência da inelegibilidade do ar. 1º, I, l, da LC nº 64/90, que a suspensão de direitos políticos por ato doloso de improbidade administrativa decorra, cumulativamente, de enriquecimento ilícito e dano ao erário. Contudo, na ótica da maioria, além de não ser possível adotar tal interpretação, descabe indicar, desde logo, alteração da jurisprudência para pleito vindouro, pois não é possível vincular o entendimento de colegiado cuja composição será diversa, em razão da renovação natural que é característica desta Justiça.

7. Anotação, apenas a título de sinalização aos jurisdicionados, para que não se alegue insegurança jurídica, de que a matéria poderá ser objeto de rediscussão nas próximas eleições. (Recurso Especial Eleitoral nº 49-32, Quatá/SP, rel. Min. Luciana Lóssio, em 18.10.2016).

Como se verifica, embora o Ministro Herman Benjamin tenha acompanhado a Relatora, Ministra Luciana Lóssio, sugeriu que, para as futuras eleições, esse dispositivo seja interpretado teleológica e sistematicamente, considerando os valores éticos e jurídicos que o fundamentam, e não apenas com base em método gramatical. Nesse sentido, sustentou que se passasse a entender pela *inexigibilidade* da cumulação de lesão ao erário e enriquecimento ilícito para enquadramento da referida alínea l, tese endossada pelo Ministro Napoleão Nunes Maia Filho e pela Ministra Rosa Weber para rediscussão nas próximas eleições. Portanto, o Tribunal, por unanimidade, naquele julgamento, deu provimento ao recurso especial eleitoral para deferir o registro de candidatura.

Por outro lado, parte da doutrina aponta no sentido contrário. Leia -se:

[...] a Lei Complementar nº 64/1990, em sua atual redação, impõe que a situação reúna uma condenação passível de enquadramento tanto na modalidade de ato que importa enriquecimento ilícito (art. 9º da Lei nº 8.429/92) quanto na categoria de ato que gera prejuízo ao erário (art. 10 da Lei nº 8.429/92) requerendo a presença de todos os requisitos necessários para configurar cada uma dessas duas espécies de improbidade. A ressalva é relevante, pois, como visto anteriormente, essas duas espécies são autônomas entre si, sendo possível ocorrer puramente o enriquecimento ilícito (art. 9º) sem causar dano ao erário (art. 10), bem como ocorrer puramente dano ao erário (art. 10) sem gerar enriquecimento ilícito (art. 9º). Como consequência lógica, não ensejarão inelegibilidade os atos de improbidade administrativa que causem, isoladamente, enriquecimento ilícito ou dano ao erário, tampouco aqueles que importem apenas em violação aos princípios da Administração Pública sem gerar enriquecimento ilícito e dano ao erário.[28]

---

[28] HACHEM, Daniel Wunder; FARIA, Luzardo. Improbidade administrativa, inelegibilidade e a aplicação do art. 1º, I, "l", da Lei Complementar nº 64/1990 pela Justiça Eleitoral. *In*: FUX, Luiz; PEREIRA, Luiz Fernando Casagrande; AGRA, Walber de Moura (Coord.); PECCININ, Luiz Eduardo (Org.). *Elegibilidade e inelegibilidade.* Belo Horizonte: Fórum, 2018. v. 3, p. 441.

Observa-se que o autor apontou como relevante o fato de as duas espécies de improbidade serem autônomas, mas, ainda assim, deve ser obedecida a redação imposta pela Lei Complementar nº 64/1990, qual seja: a cumulatividade das modalidades de improbidade descritas nos arts. 9º e 10 da Lei nº 8.429/92.

Sobre a questão, o Tribunal Superior Eleitoral já firmou entendimento de que, na decisão da Justiça Comum, deve estar prevista, simultaneamente, a ocorrência do dano ao erário e a do enriquecimento ilícito. Vejamo-la:

> ELEIÇÕES 2016. RECURSO ESPECIAL. VEREADOR. REGISTRO DE CANDIDATURA. INDEFERIMENTO. ART. 1º, I, L, DA LC Nº 64/90. ENRIQUECIMENTO ILÍCITO E DANO AO ERÁRIO PRESENTES. *RATIO DECIDENDI*. INELEGIBILIDADE. CONFIGURAÇÃO. DESPROVIMENTO.
>
> 1. Conforme iterativa jurisprudência desta Corte, reafirmada para o pleito de 2016, no julgamento do REspe nº 50-39/CE, *para a incidência da alínea l do art. 1º do inciso I da LC nº 64/90, é necessária a existência simultânea do dano ao Erário e do enriquecimento ilícito, em proveito próprio ou de terceiro*, ainda que a condenação cumulativa não conste expressamente da parte dispositiva da decisão condenatória. (grifos acrescentados). (REspe nº 296-76/MG, Rel. Min. Tarcisio Vieira, j. em 29.6.2017).

Outra questão de importância considerável é a necessidade de que a decisão da Justiça Comum, que reconheceu a prática de ato de improbidade administrativa, faça referência expressa, *na sua parte dispositiva,* às espécies de improbidade que fundamentaram a condenação. Ou seja: caso o dispositivo de eventual decisão deixe de mencionar uma das modalidades de improbidade previstas no art. 1º, inciso I, alínea "l", da Lei Complementar nº 64/1990, ainda assim, seria possível a aplicação da inelegibilidade?

Acerca dos elementos da sentença, ensina Cassio Scarpinela Bueno:

> O primeiro elemento exigido pelo inciso I do art. 489 é o relatório, que conterá os nomes das partes, a identificação do caso, com a suma do pedido e da contestação (e, se houver, também reconvenção), bem como o registro das principais ocorrências havidas no andamento do processo. O segundo são os fundamentos, na qual o magistrado analisará e discutirá as questões de fato e de direito que embasará o terceiro, o dispositivo, no qual o magistrado resolverá as questões principais que as partes lhe submeterem, isto é, responderá ao(s) pedido(s) do autor e, se for o caso, de reconvenção, também ao(s) pedido(s) do réu.[29]

Esse questionamento foi levantado porque tanto a fundamentação quanto o dispositivo fazem parte da sentença.

Portanto, com base nessa reflexão, poderia a Justiça Eleitoral realizar a análise não só do dispositivo, mas também da fundamentação da decisão da Justiça Comum e, assim, observar se estão presentes no caso, concomitantemente, os requisitos de

---

[29] BUENO, Cassio Scarpinella. *Manual de direito processual civil*: inteiramente estruturado à luz do novo CPC, de acordo com a Lei nº 13.256, de 4 de fevereiro de 2016. 2. ed. rev., atual. e ampl. São Paulo: Saraiva, 2016. p. 430.

dano ao erário e de enriquecimento ilícito, ainda que um desses não esteja mencionado expressamente na parte dispositiva.

A esse respeito, entendem Daniel Wunder Hachem e Luzardo Faria:

> Com efeito, não se pode admitir que o juiz eleitoral, pautando-se em critérios éticos e morais metajurídicos, identifique ele próprio aspectos negativos que não foram reconhecidos na decisão da ação de improbidade. Afinal, estaria ele praticando uma interpretação que, além de ser *praeter legem*, teria o fito de restringir o âmbito de proteção de um direito político fundamental, o que evidentemente não encontra respaldo no ordenamento jurídico constitucional vigente. Nesse sentido, Guilherme Rodrigues Carvalho Barcelos frisa que "não é a Justiça Eleitoral um tribunal de improbidade administrativa". Ou seja, os requisitos mencionados no tópico anterior só podem ser utilizados para que a Justiça Eleitoral declare algum candidato como inelegível caso sua existência tenha sido expressamente reconhecida pela decisão da ação de improbidade.

> O fato de a Lei das Inelegibilidades exigir uma prévia condenação (ainda que não transitada em julgado, o que é um equívoco, como já mencionado) já é uma demonstração de que deve ser respeitada, a decisão do órgão responsável pela ação de improbidade. Se não fosse assim, isto é, se a intenção do legislador fosse permitir que a Justiça Eleitoral realizasse essa tarefa de identificar nos aspectos fáticos do caso concreto os elementos necessários para a configuração da inelegibilidade descrita no art. 1°, "l", da LC n° 64/90, a lei não precisaria exigir a condenação, já que em última análise o juiz eleitoral teria a competência para reconhecer o ato ímprobo de qualquer forma.[30]

Para os citados autores, cabe à Justiça Comum identificar as espécies de improbidade e impor as medidas sancionatórias proporcionais à gravidade da ação. Sendo assim, ao realizar a análise da situação fática relatada na sentença da Justiça Comum, a Justiça Eleitoral estaria exercendo a competência daquela.

Entretanto, essa não é a posição acolhida pelo Tribunal Superior Eleitoral. De acordo com a sua mais recente jurisprudência, compete a essa Justiça Especializada examinar a presença dos requisitos configuradores da causa de inelegibilidade, a partir dos fundamentos de decisão da Justiça Comum, não ficando adstrita ao dispositivo do julgado. Nesse sentido:

> [...]

> 3. A análise da configuração *in concreto* da prática de enriquecimento ilícito pode ser realizada pela Justiça Eleitoral, a partir do exame da fundamentação do *decisum* condenatório, ainda que tal reconhecimento não tenha constado expressamente do dispositivo daquele pronunciamento judicial (AgR-AI n° 1897-69/CE, Rel. Min. Luciana Lóssio, DJe de 21.10.2015; RO n° 380-23/MT, Rei. Mm. João Otávio de Noronha, PSESS de 12.9.2014). *(REspe n° 296-78/MA, Rei. Min. Luiz Fux, DJe de 29.6.2018).*

> 1. Na linha da jurisprudência deste Tribunal firmada para o pleito de 2016, a análise da ocorrência de enriquecimento ilícito pode ser realizada pela Justiça Eleitoral a partir do

---

[30] HACHEM, Daniel Wunder; FARIA, Luzardo. Improbidade administrativa, inelegibilidade e a aplicação do art. 1°, I, "l", da Lei Complementar n° 64/1990 pela Justiça Eleitoral. *In*: FUX, Luiz; PEREIRA, Luiz Fernando Casagrande; AGRA, Walber de Moura (Coord.); PECCININ, Luiz Eduardo (Org.). *Elegibilidade e inelegibilidade.* Belo Horizonte: Fórum, 2018. v. 3, p. 442-443.

exame da fundamentação do édito condenatório, ainda que tal reconhecimento não tenha constado expressamente do seu dispositivo. Nesse sentido: "para fins de inelegibilidade, não só é lícito, mas também imprescindível à Justiça Eleitoral examinar o acórdão da Justiça Comum - em que proclamada a improbidade - em seu conjunto, por inteiro, até mesmo para ser fiel ao alcance preciso e exato da decisão" (REspe nº 50-39/PE, PSESS de 13.12.2016, Rel. designado Min. Tarcisio Vieira de Carvalho Neto. No mesmo sentido: REspe *nº 204-91IPR, PSESS* de 13.12.2016, Rel. Min. Herman Benjamin).

[...]

*(AgR-REspe nº 258-61/MG, ReI. Mm. Napoleão Nunes Maia Filho, DJe de 22.2.2018) (sem destaque no original).*

Para o Tribunal Superior Eleitoral, pode a Justiça Eleitoral realizar o exame da fundamentação da decisão a fim de identificar, pelas circunstâncias fáticas, se houve a ocorrência de lesão ao erário e enriquecimento ilícito, ainda que tal reconhecimento não tenha sido previsto na parte dispositiva da sentença.

Concluindo, é possível que o juiz eleitoral, para declarar a inelegibilidade, faça a análise da sentença da Justiça Comum que condenou o indivíduo à suspensão de direitos políticos pela prática de lesão ao erário e enriquecimento ilícito, independentemente daquilo que esteja expresso no dispositivo da sentença, desde que seja possível auferir da sua fundamentação as espécies de improbidade que causem a inelegibilidade.

## 4.1.4    Prática de ato doloso de improbidade administrativa

Como já considerado, não é toda prática de ato de improbidade que será causa da inelegibilidade, mas aquelas que importem em lesão ao patrimônio público e enriquecimento ilícito.

Contudo, para a sua incidência, é necessário que haja o elemento subjetivo dolo. Logo, é imprescindível que o autor do ato possua potencial conhecimento da improbidade. Segundo manifestação do TSE:

1. A incidência da inelegibilidade prevista na alínea *l* do inciso I do art. 1º da LC nº 64/90 *não pressupõe o dolo direto do agente que colaborou para a prática de ato ímprobo, sendo suficiente o dolo eventual, presente na espécie.* 2. É prescindível que a conduta do agente, lesadora do patrimônio público, se dê no intuito de provocar, diretamente, o enriquecimento de terceiro, sendo suficiente que, da sua conduta, decorra, importe, suceda, derive tal enriquecimento, circunstância que, incontroversamente, ocorreu no caso dos autos. [...] (TSE. Min. Rel. Dias Toffoli. RO nº 2373-84.2014.6.26.0000/SP – PSS 23.9.2014). (grifo nosso).

Outro ponto importante sobre a exigibilidade da conduta dolosa do agente diz respeito à limitação da Justiça Eleitoral acerca da análise das decisões da Justiça Comum, para se extrair qual foi o elemento subjetivo da conduta. Nesse caso, o TSE optou pelo caráter restritivo da análise, conforme se verifica a seguir, *in verbis*:

EMBARGOS DE DECLARAÇÃO. EFEITOS MODIFICATIVOS. RECURSO ORDINÁRIO. ELEIÇÃO 2014. INELEGIBILIDADE. LC nº 64/90, ART. 10, REGISTRO DE CANDIDA-TURA. DEFERIMENTO.

A incidência da cláusula de inelegibilidade prevista no art. 1, I, da LC nº 64/90, pressupõe a existência de decisão judicial transitada em julgado ou proferida por órgão colegiado, por ato doloso de improbidade administrativa que importe lesão ao patrimônio público e enriquecimento ilícito. Não compete à Justiça Eleitoral, em processo de registro de candidatura, alterar as premissas fixadas pela Justiça Comum quanto à caracterização do dolo. Precedentes.

*No caso em exame, o decisum condenatório assentou apenas a culpa in vigilando, razão pela qual está ausente o elemento subjetivo preconizado pela referida hipótese de inelegibilidade.*

Embargos acolhidos com efeitos infringentes para deferir o registro de candidatura. (grifo nosso) *(ED-RO nº 2373-84.2014.6.26.0000/SP).*

Assim, o TSE reconheceu que a Justiça Eleitoral não pode presumir ou mesmo tentar extrair da fundamentação da decisão de improbidade a presença de dolo na prática do ato ímprobo, caso o magistrado daquela ação tenha imposto a condenação apenas em decorrência de conduta culposa.[31]

## 4.1.5 Desde a condenação ou o trânsito em julgado até o transcurso do prazo de 8 (oito) anos após o *cumprimento da pena*

Outra questão que vem gerando grandes controvérsias é quanto à contagem do prazo da medida de inelegibilidade.

Várias são as dúvidas surgidas em torno desse dispositivo. A primeira versa sobre quando deve iniciar a contagem do prazo de 8 (oito) anos.

Como já tratado, o dispositivo somente é aplicado àqueles que foram condenados à prática de atos de improbidade administrativa, com a sanção de suspensão dos direitos políticos.

Assim, ao fazer uma leitura mais restrita, pode-se chegar à conclusão de que, para iniciar a contagem do tempo de inelegibilidade, primeiro deve ser cumprida a suspensão dos direitos políticos.

Acontece que a "pena" de suspensão não é a única que poderá ser aplicada aos casos de improbidade administrativa mencionados no dispositivo, outras também poderão ser aplicadas conjuntamente, como, por exemplo, a perda dos bens ou valores acrescidos ilicitamente ao patrimônio e o ressarcimento integral do dano (art. 12, LIA). No entendimento do Tribunal Superior Eleitoral, "para aferição do término da inelegibilidade, o cumprimento da pena é contado do momento em que todas as cominações impostas no título condenatório tenham sido completamente adimplidas".[32]

Levando esses elementos jurídicos em conta, José Jairo Gomes faz a seguinte análise:

---

[31]  HACHEM, Daniel Wunder; FARIA, Luzardo. Improbidade administrativa, inelegibilidade e a aplicação do art. 1º, I, "l", da Lei Complementar nº 64/1990 pela Justiça Eleitoral. *In*: FUX, Luiz; PEREIRA, Luiz Fernando Casagrande; AGRA, Walber de Moura (Coord.); PECCININ, Luiz Eduardo (Org.). *Elegibilidade e inelegibilidade.* Belo Horizonte: Fórum, 2018. v. 3, p. 443.

[32]  TSE, de 1.2.2018, no REspe nº 23184 e, de 3.11.2015, na Cta nº 33673.

Na expressão legal, o termo "pena" designa todas as sanções impostas pela Justiça Comum, aí incluídas a proibição de contratar com o Poder Público ou receber benefícios ou incentivos fiscais, bem como a suspensão de direitos políticos. Pelo artigo 12, I e II, da Lei nº 8.429/92, a aludida proibição de contratar pode se dar, respectivamente, por dez e cinco anos, enquanto a suspensão de direitos políticos pode se dar pelo período de cinco a dez anos.

Logo, a contagem do prazo de oito anos terá início após vencidos os referidos períodos de proibição de contratar e/ou suspensão de direitos políticos. Sendo de dez anos esses períodos, o agente ímprobo poderá ficar privado da cidadania passiva por 18 anos, além do tempo situado entre a decisão do órgão colegiado e o trânsito em julgado da decisão final. Na prática, isso significa a imposição de ostracismo político, com o banimento do agente da vida política.[33]

Segundo o citado autor, enquanto o condenado à suspensão dos direitos políticos não cumprir as outras medidas que também lhe foram impostas, a contagem do prazo de inelegibilidade não terá início.

Para Ricardo Penteado, a situação se assemelha àquela da alínea "e":

Mas o dispositivo em questão encerra outra perversidade que deve ser anotada: pela nova sistemática, aquele que quiser exercer seu direito de defesa penal até a última instância possível, causará a si mesmo um agravamento da sanção de inelegibilidade que foi estabelecida pela nova lei.

*É que o prazo estabelecido para esta inelegibilidade tem início com a decisão condenatória colegiada e só termina oito anos após o cumprimento da pena* criminal; ou seja, quanto mais se prolonga o início do cumprimento da pena criminal com a interposição de recursos, mais se distancia o término da inelegibilidade, que terá seu tempo de oito anos começado após a completa execução penal.

Em suma, é uma sanção sem prazo determinado em lei, posto que a sua duração tem como referência a duração do processo — tempo que é incerto e indeterminado — e não a gravidade do ato e a intenção do autor do ilícito.

[...]

Na hipótese agora construída, a inelegibilidade por ato de improbidade surge desde a decisão condenatória em órgão colegiado, até oito anos após o cumprimento da pena (de suspensão dos direitos políticos, pagamentos das multas, etc.).

Cabe, portanto, a mesma crítica feita à inelegibilidade decorrente de condenação criminal (letra "e") deve ser repetida aqui: quanto mais o réu exercer seu direito recursal, após a decisão colegiada, mais ele aumentará a sanção de inelegibilidade que lhe é imposta: trata-se de um verdadeiro atentado ao direito de defesa.[34]

O Ministro Luiz Fux, quando da análise conjunta das Ações Declaratórias de Constitucionalidade nºs 29 e 30, fez alguns apontamentos acerca dessa situação, ressaltando a possibilidade de o indivíduo ter seus direitos políticos tolhidos por

---

[33] GOMES, José Jairo. *Direito eleitoral*. 14. ed. rev., atual. e ampl. São Paulo: Atlas, 2018. p. 254.

[34] PENTEADO, Ricardo. As inelegibilidades da Lei Complementar nº 135/2010. *Revista Brasileira de Direito Eleitoral – RBDE*, Belo Horizonte, ano 3, n. 4, jan./jun. 2011.

prazos excessivos, ao considerar a imposição da inelegibilidade a partir do acórdão do Tribunal que decretou a suspensão dos direitos políticos, conforme se verifica, *in verbis*:

> Em ambos os casos, verifica-se que o legislador complementar estendeu os efeitos da inelegibilidade para além do prazo da condenação definitiva, seja criminal ou por improbidade administrativa, durante o qual estarão suspensos os direitos políticos (art. 15, III e V, da Constituição Federal).
>
> Ocorre que a alteração legislativa provocou situação iníqua, em que o indivíduo condenado poderá permanecer inelegível entre a condenação e o trânsito em julgado da decisão condenatória, passar a ter seus direitos políticos inteiramente suspensos durante a duração dos efeitos da condenação e, após, retornar ao estado de inelegibilidade por mais oito anos, independentemente do tempo de inelegibilidade prévio ao cumprimento da pena.
>
> [...]
>
> A disciplina legal ora em exame, ao antecipar a inelegibilidade para momento anterior ao trânsito em julgado, torna claramente exagerada a sua extensão por oito anos após a condenação. É algo que não ocorre nem mesmo na legislação penal, que expressamente admite a denominada detração, computando-se, na pena privativa de liberdade, o tempo de prisão provisória (art. 42 do Código Penal).
>
> Recomendável, portanto, que o cômputo do prazo legal da inelegibilidade também seja antecipado, de modo a guardar coerência com os propósitos do legislador e, ao mesmo tempo, atender ao postulado constitucional de proporcionalidade.

Para o Excelentíssimo Ministro, o reconhecimento da inelegibilidade, a partir da decisão de órgão judicial colegiado, faz com que o indivíduo seja prejudicado por mais tempo que o necessário. Isso porque o réu, durante o período correspondente entre a decisão do tribunal e o trânsito em julgado, estará inelegível por força do dispositivo em tela; no entanto, esse tempo não será computado para a diminuição do prazo de 8 (oito) anos de inelegibilidade, pois este só terá início após o cumprimento das sanções impostas pela Justiça Comum.

Corroborando o entendimento do referido Ministro, Edson de Resende de Castro afirma que:

> Incidindo a inelegibilidade a partir da condenação por órgão colegiado, o condenado permanece inelegível durante a tramitação dos eventuais recursos, durante todo o período em que estiver cumprindo as penas impostas e, finalmente, durante os oito (8) anos seguintes ao fim destas.[35]

Para evitar que a aplicação da inelegibilidade superasse o prazo de 8 (oito) anos, conforme estipulado pelo dispositivo, o Ministro do Supremo, no voto das referidas ADCs, propôs a utilização do instituto pertencente ao Direito Penal, a detração. Nesse caso, o período de inelegibilidade do réu entre a decisão do órgão judicial de segunda

---

[35] CASTRO, Edson de Resende. *Curso de direito eleitoral*. 9. ed. rev., e atual. Belo Horizonte: Del Rey, 2018. p. 249.

instância até o trânsito em julgado do processo deve ser descontado do prazo de inelegibilidade imposto ao final. Consideremo-la:

> Cumpre, destarte, proceder a uma *interpretação conforme a Constituição*, para que, tanto na hipótese da alínea "e" como da alínea "l" do inciso I do art. 1º da Lei Complementar nº 64/90, seja possível abater, do prazo de inelegibilidade de 8 (oito) anos posterior ao cumprimento da pena, o período de inelegibilidade já decorrido entre a condenação não definitiva e o respectivo trânsito em julgado.

Parte da doutrina defende a utilização, nesses casos, do instituto jurídico da detração. Essa é a tese apresentada por Rodrigo López Zilio, citado na obra organizada por Daniel Castro Gomes da Costa e outros:

> É bastante razoável o entendimento de que, havendo o reconhecimento inicial da inelegibilidade a partir da prolação da decisão do órgão judicial colegiado, somente o prazo que resta dos oito anos de restrição à elegibilidade será computado após o cumprimento da pena. Ou seja, a partir do cumprimento da pena (com a suspensão dos direitos políticos) ocorre apenas uma suspensão do prazo da inelegibilidade – que teve seu início com a publicação da decisão do órgão judicial colegiado. Cumprida ou extinta a pena e finda a suspensão dos direitos políticos, é retomado o cômputo apenas do prazo remanescente da inelegibilidade (descontado o lapso temporal já transcorrido entre a decisão colegiada e o início da suspensão dos direitos políticos). Em síntese, essa tese defende uma espécie de detração da inelegibilidade – buscando uma analogia com o direito penal e a execução penal.[36]

No entanto, ao votarem as ADCs nºs 29 e 30, a maioria dos Ministros do Supremo Tribunal Federal não foi favorável a essa tese, afastando a aplicação da detração.

Com base nessa decisão, o Tribunal Superior Eleitoral adotou o mesmo entendimento, passando a não reconhecer a possibilidade de detração do prazo de inelegibilidade, conforme se observa, *in verbis*:

> ELEIÇÕES 2016. REGISTRO DE CANDIDATURA. INDEFERIMENTO. VEREADOR. INELEGIBILIDADE. CONDENAÇÃO CRIMINAL. ALEGAÇÃO. IRRETROATIVI-DADE. LEI COMPLEMENTAR Nº 135/2010. PREQUESTIONAMENTO FICTO. NÃO CONFIGURAÇÃO. PRETENSÃO. DETRAÇÃO. PRAZO DE INELEGIBILIDADE. INADMISSIBILIDADE.
>
> [...]
>
> 4. Conforme decidido pelo STF no julgamento das ADCs nº 29 e 30 e da ADI nº 4.578, é inadmissível a detração do período decorrido entre a condenação e o seu trânsito em julgado do prazo de inelegibilidade de oito anos após o cumprimento da pena, previsto no art. 1º, I, e, da LC nº 64/90.[37]

---

[36]  CYRINEU, Rodrigo Terra; CAMPOS NETO, Delmiro Dantas. Capítulo 12: prazos iniciais e prazos finais das inelegibilidades. *In*: COSTA, Daniel Castro Gomes da *et al.* (Org.). *Tópicos avançados de direito processual eleitoral*: de acordo com a Lei nº 13.165/15 e com o Novo Código de Processo Civil. Belo Horizonte: Arrais Editores, 2018. p. 241.

[37]  AgR-REspe nº 465-93.2016.6.13.0093/MG.

Sendo assim, havendo decisão de segunda instância, quanto mais o réu exercer o seu direito à via recursal, maior será a duração do processo e, consequentemente, o tempo de inelegibilidade.

Destarte, apesar de a detração ser um instrumento jurídico, que possui fundamentos consistentes para que haja a sua aplicação no âmbito do Direito Eleitoral, até o presente momento ainda não foi acolhida pelos Tribunais Superiores. Contudo, frise-se, esse instituto, como discorrido, vem sendo bem recepcionado pela doutrina. Assim, dada a relevância da matéria, não é impossível que seja aberta nova discussão sobre a contagem do prazo de inelegibilidade pelos Tribunais Superiores.

A propósito, tramita na Câmara dos Deputados o Projeto de Lei Complementar nº 452/2014, de autoria dos Deputados Sandro Mabel (PMDB/GO) e Artur Oliveira Maia (SD/BA), o qual visa a alterar a Lei Complementar nº 64, de 18 de maio de 1990, para permitir a detração do tempo de inelegibilidade, entre a condenação por decisão colegiada e o seu trânsito em julgado, do prazo de 08 (oito) anos após o cumprimento da pena. O referido Projeto de Lei já foi aprovado pela Comissão de Constituição e Justiça (CCJ) e atualmente se encontra apenas aguardando pauta para aprovação do plenário da Câmera dos Deputados. A nova redação proposta da alínea "l" é a seguinte:

> l – os que forem condenados à suspensão dos direitos políticos, em decisão transitada em julgado ou proferida por órgão judicial colegiado, por ato doloso de improbidade administrativa que importe lesão ao patrimônio público e enriquecimento ilícito, desde a condenação ou o trânsito em julgado até o transcurso do prazo de 8 (oito) anos após o cumprimento da pena, *permitida a detração, após o cumprimento da pena, do tempo de inelegibilidade transcorrido entre a condenação por órgão colegiado e seu trânsito em julgado. (grifo nosso).*

Por fim, outra questão que merece destaque é a que versa sobre a suspensão ou não dos prazos de inelegibilidade quando houver a interposição de embargos de declaração em face da decisão de segunda instância. Nesse caso, o TSE já decidiu que não suspende o prazo inicial da inelegibilidade, entendimento manifesto por meio da seguinte decisão, *in verbis*:

> ELEIÇÕES 2014. CANDIDATO A VICE-GOVERNADOR. RECURSOS ORDINÁRIOS. REGISTRO DE CANDIDATURA DEFERIDO. INCIDÊNCIA NA INELEGIBILIDADE PREVISTA NO ART. 1º, INCISO I, ALÍNEA d, DA LEI COMPLEMENTAR Nº 64/1990. DECISÃO COLEGIADA IRRELEVÂNCIA DE OPOSIÇÃO DE EMBARGOS DE DECLARAÇÃO. PROVIMENTO DOS RECURSOS.
>
> [...]
>
> 3. A oposição de embargos de declaração à decisão colegiada que reconheceu o abuso de poder não afasta a incidência na causa de inelegibilidade, pois a Lei Complementar nº 64/1990 pressupõe decisão colegiada, não o exaurimento de instância ordinária, mormente quando se sabe que os embargos de declaração não têm automático efeito suspensivo, nos termos do art. 257 do Código Eleitoral.
>
> 4. Se se conclui pela necessidade de aguardar o julgamento de embargos de declaração, considerado o exaurimento da instância ordinária, também se deveria aguardar eventual

juízo de admissibilidade de recurso especial eleitoral, oportunidade na qual se esgota a jurisdição do TRE, o que não se coaduna com os precedentes do TSE.

5. Competia ao candidato ajuizar ação cautelar buscando a eficácia suspensiva aos embargos de declaração, cujo êxito poderia ser comunicado ao juízo do registro de candidatura, afastando, consequentemente, a causa de inelegibilidade decorrente da condenação colegiada por abuso de poder.

6. Recursos ordinários providos para indeferir o registro de candidatura.[38]

Dessa forma, ainda que interposto e pendente de análise o recurso de embargos de declaração, este não tem o condão de suspender o prazo inicial para a contagem do período de inelegibilidade.

## 5 Considerações finais

Ao longo deste artigo foi analisado de maneira pormenorizada cada um dos requisitos que compõem a redação da alínea "l" do inc. I do artigo 1º da Lei Complementar nº 64/90, conhecida como a Lei da Inelegibilidade.

Foi observado que a alínea em cotejo ensejou inúmeras questões sobre a sua interpretação e os limites de sua aplicação.

O Supremo Tribunal Federal, ainda que tenha se manifestado pela constitucionalidade do dispositivo, trouxe inquietação por meio do voto do Ministro Luiz Fux, em razão dos fundamentos de suas posições contrárias e relevantes sobre a matéria.

Ademais, cabe registrar que, no Brasil, nunca se debateu tanto a respeito da moralidade administrativa e da sua relação com a capacidade eleitoral passiva como nos dias correntes.

No âmbito doutrinário, questões como a interpretação dos fundamentos da decisão de improbidade da Justiça Comum pela Justiça Eleitoral, a aplicação da inelegibilidade após acórdão de segunda instância e o início do prazo de 8 (oito) anos após o cumprimento das sanções de improbidade administrativa geraram muitas discussões e construções de teses que tiveram como objeto de estudo a decisão do STF.

Dois pontos merecem especial destaque: 1. O cumprimento da medida antes do trânsito em julgado da decisão da Justiça Comum; e 2. A aplicação do instituto do Direito Penal, a detração.

O primeiro tem destaque por causa da decisão do STF em relação ao início do cumprimento da pena de prisão pelo condenado em razão de decisão de segunda instância, ainda que pendente de trânsito em julgado.

Essa decisão fortalece o entendimento de que a aplicação da inelegibilidade pode ser feita com base em decisão de segundo grau.

Todavia, como já considerado, existe um movimento doutrinário e jurisprudencial pela mudança de posição do STF. Deve ser lembrado, portanto, que os direitos políticos, assim como o direito à liberdade, têm sua proteção constitucional prevista

---

[38] RO - Recurso Ordinário nº 20922 - PALMAS – TO. Acórdão de 11.09.2014. Relator(a) Min. Gilmar Mendes.

como direito fundamental, que inclusive é uma manifestação concreta da democracia e o exercício da cidadania.

O segundo, que tange à aplicação da detração, é visto com bons olhos, cumpre pontuar, por grande parte da doutrina. Isso porque se evidenciou uma fórmula coerente e justa. Ora, não há motivos ou fundamentos jurídicos consistentes que possam afastar a sua utilização.

Assim, o desconto da "pena", que condiciona a inelegibilidade imposta ao final do processo, e o seu cumprimento pelo réu durante a sua tramitação parecem ser uma alternativa viável, a fim de evitar-se que o cidadão, ainda que condenado pela prática de atos de improbidade, seja tolhido do seu direito político por um período mais rigoroso que aquele proposto pelo legislador. Nesse sentido é o Projeto de Lei Complementar nº 452/2014, que tramita na Câmara dos Deputados.

Como se observa, a matéria está em constante análise pela doutrina e pela jurisprudência, bem como passível de alterações legislativas, sendo certo que novos entendimentos poderão surgir em breve, em razão da forte dinâmica do Direito Eleitoral.

Por último, destaque-se que a Corte Suprema reafirmou que cabe à Justiça Eleitoral julgar os crimes comuns conexos com os crimes eleitorais. A Corte observou ainda que compete à Justiça especializada analisar, caso a caso, a existência de conexão de delitos comuns aos delitos eleitorais e, em não havendo, remeter os casos à Justiça competente.[39]

Tal ação jurídica demonstra um indicativo de que é forte a posição que reconhece a autonomia da Justiça especializada para análise e interpretação dos fatos de prática de atos de improbidade administrativa e, por consequência, a aplicação da condição de inelegibilidade quando entender presentes os requisitos.

Ante o exposto, pode-se concluir que as inovações legislativas trazidas pela Lei Complementar nº 135/2010, denominada "Lei da Ficha Limpa", em especial no que se refere à improbidade administrativa como causa de inelegibilidade, são consideradas como grande avanço social, político e administrativo, bem como conquista jurídica no aperfeiçoamento da democracia brasileira.

## Referências

ANDRADE, Flávia Cristina Moura de; PAVIONE, Lucas dos Santos. *Improbidade administrativa*. 2. ed. rev., ampl. e atual. Salvador: Juspodivm, 2011.

BUENO, Cassio Scarpinella. *Manual de direito processual civil*: inteiramente estruturado à luz do novo CPC, de acordo com a Lei nº 13.256, de 4 de fevereiro de 2016. 2. ed. rev., atual. e ampl. São Paulo: Saraiva, 2016.

CARVALHO FILHO, José dos Santos. *Manual de direito administrativo*. 32. ed. rev., atual. e ampl. São Paulo: Atlas, 2018.

CASTRO, Edson de Resende. *Curso de direito eleitoral*. 9. ed. rev., e atual. Belo Horizonte: Del Rey, 2018.

CYRINEU, Rodrigo Terra; CAMPOS NETO, Delmiro Dantas. Capítulo 12: prazos iniciais e prazos finais das inelegibilidades. *In*: COSTA, Daniel Castro Gomes da *et al.* (Org.). *Tópicos avançados de direito processual*

---

[39] STF – Inquérito nº 4435 DF – DISTRITO FEDERAL, Relator: Min. MARCO AURÉLIO, Data de Julgamento: 22.03.2019.

*eleitoral*: de acordo com a Lei nº 13.165/15 e com o Novo Código de Processo Civil. Belo Horizonte: Arrais Editores, 2018.

DI PIETRO, Maria Sylvia Zanella. *Direito administrativo*. 31. ed. rev., atual e ampl. Rio de Janeiro: Forense, 2018.

DUAILIBE, Bruno. *Essência fragmentada*. São Luís: Carlos Gaspar, 2013.

FUX, Luiz; PEREIRA, Luiz Fernando Casagrande; ANGRA, Walber de Moura (Coord.); PECCININ, Luiz Eduardo (Org.). *Elegibilidade e inelegibilidade*. Belo Horizonte: Fórum, 2018. (Tratado de Direito Eleitoral, v. 3).

GOMES, José Jairo. *Direito eleitoral*. 14. ed. rev., atual. e ampl. São Paulo: Atlas, 2018.

HACHEM, Daniel Wunder; FARIA, Luzardo. Improbidade administrativa, inelegibilidade e a aplicação do art. 1º, I, "l", da Lei Complementar nº 64/1990 pela Justiça Eleitoral. *In*: FUX, Luiz; PEREIRA, Luiz Fernando Casagrande; AGRA, Walber de Moura (Coord.); PECCININ, Luiz Eduardo (Org.). *Elegibilidade e inelegibilidade*. Belo Horizonte: Fórum, 2018. (Tratado de Direito Eleitoral, v. 3).

MAZZA, Alexandre. *Manual de direito administrativo*. 8. ed. São Paulo: Saraiva Educação, 2018.

MORAES, Alexandre de. *Constituição do Brasil interpretada e legislação constitucional*. 7. ed. São Paulo: Atlas, 2007.

MORAES, Alexandre de. *Direito constitucional*. 34. ed. São Paulo: Atlas, 2018.

NEVES, Daniel Amorim Assumpção; OLIVEIRA, Rafael Carvalho Resende. *Manual de improbidade administrativa*. 3. ed. rev., atual. e ampl. Rio de Janeiro: Forense; São Paulo: Método, 2015.

NOVELINO, Marcelo. *Curso de direito constitucional*. 13. ed. rev., ampl. e atual. Salvador: Ed. JusPodivm, 2018.

PAZZAGLINI FILHO, Marino. *Lei de improbidade administrativa comentada*: aspectos constitucionais, administrativos, civis, criminais, processuais e de responsabilidade fiscal. 7. ed. São Paulo: Atlas, 2018.

PENTEADO, Ricardo. As inelegibilidades da Lei Complementar nº 135/2010. *Revista Brasileira de Direito Eleitoral – RBDE*, Belo Horizonte, ano 3, n. 4, jan./jun. 2011.

PRADO, Francisco Octávio de Almeida. *Improbidade administrativa*. São Paulo: Malheiros, 2001.

SILVA, José Afonso da. *Curso de direito constitucional positivo*. 36. ed. rev., e atual. São Paulo: Malheiros, 2013.

STF. *Ação declaratória de constitucionalidade 29 Distrito Federal*. 2012. Disponível em: www.stf.jus.br/arquivo/cms/noticiaNoticiaStf/anexo/ADC29DT.pdf. Acesso em 17 nov. 2019.

SUPREMO TRIBUNAL FEDERAL. *Ministro Gilmar Mendes vota pela inelegibilidade após trânsito em julgado*. 2012. Disponível em: http://www.stf.jus.br/portal/cms/verNoticiaDetalhe.asp?idConteudo=200471. Acesso em 17 jun. 2019.

TRIBUNAL SUPERIOR ELEITORAL. *A importância dos direitos políticos*. Disponível em: http://www.tse.jus.br/o-tse/escola-judiciaria-eleitoral/publicacoes/revistas-da-eje/artigos/revista-eletronica-eje-n.-2-ano-4/a-importancia-dos-direitos-politicos. Acesso em 17 jun. 2019.

---

Informação bibliográfica deste texto, conforme a NBR 6023:2018 da Associação Brasileira de Normas Técnicas (ABNT):

DUAILIBE, Bruno. A inelegibilidade pela condenação em ato de improbidade administrativa: análise do art. 1º, inc. I, alínea "l", da Lei Complementar nº 64/1990. *In*: COSTA, Daniel Castro Gomes da; FONSECA, Reynaldo Soares da; BANHOS, Sérgio Silveira; CARVALHO NETO, Tarcisio Vieira de (Coord.). *Democracia, justiça e cidadania*: desafios e perspectivas. Homenagem ao Ministro Luís Roberto Barroso. Belo Horizonte: Fórum, 2020. t. 1: Direito eleitoral, política e democracia. p. 451-476. ISBN 978-85-450-0748-7.

## SOBRE OS COORDENADORES

**DANIEL CASTRO GOMES DA COSTA**
Advogado. Pós-Doutor em Democracia e Direitos Humanos pelo Centro de Direitos Humanos *Ius Gentium Conimbrigae* da Universidade de Coimbra (Portugal), com período de pesquisa na *Harvard Law School* (Cambridge, EUA). Juiz titular do Tribunal Regional Eleitoral de Mato Grosso do Sul. Diretor da Escola Judiciária do Tribunal Regional Eleitoral de Mato Grosso do Sul. Membro do Conselho Consultivo da Escola Judiciária do Tribunal Superior Eleitoral. Vice-Presidente da Comissão Especial de Direito Eleitoral do Conselho Federal da Ordem dos Advogados do Brasil.

**REYNALDO SOARES DA FONSECA**
Ministro do Superior Tribunal de Justiça. Pós-Doutor em Democracia e Direitos Humanos pelo Centro de Direitos Humanos *Ius Gentium Conimbrigae* da Universidade de Coimbra (Portugal). Doutor em Direito Constitucional pela Faculdade Autônoma de Direito de São Paulo e Mestre em Direito pela Pontifícia Universidade Católica de São Paulo. Professor da Universidade Federal do Maranhão (UFMA) e de cursos de extensão na *Università degli Studi di Siena* (UniSi-Itália).

**SÉRGIO SILVEIRA BANHOS**
Ministro do Tribunal Superior Eleitoral. Subprocurador do Distrito Federal. Advogado. Pós-Doutor em Democracia e Direitos Humanos pelo Centro de Direitos Humanos *Ius Gentium Conimbrigae* da Universidade de Coimbra (Portugal). Doutor e Mestre em Direito do Estado pela Pontifícia Universidade Católica de São Paulo (PUC-SP). Mestre em Políticas Públicas pela Universidade de Sussex (Inglaterra). Pós-doutorando em Democracia e Direitos Humanos pelo Centro de Direitos Humanos, no *Ius Gentium Conimbrigae*, da Universidade de Coimbra.

**TARCISIO VIEIRA DE CARVALHO NETO**
Ministro do Tribunal Superior Eleitoral. Subprocurador do Distrito Federal. Advogado. Pós-Doutor em Democracia e Direitos Humanos pelo Centro de Direitos Humanos *Ius Gentium Conimbrigae* da Universidade de Coimbra (Portugal). Doutor e Mestre em Direito do Estado pela Faculdade de Direito da Universidade de São Paulo (FD/USP). Ex-Diretor da Escola Judiciária Eleitoral do Tribunal Superior Eleitoral. Professor Adjunto da Faculdade de Direito da Universidade de Brasília (FD/UnB).

## SOBRE OS AUTORES

**ADEMAR BORGES DE SOUSA FILHO**
Professor de Direito Constitucional do Instituto Brasiliense de Direito Público (IDP). Mestre em Direito Constitucional pela Universidade Federal Fluminense (UFF). Doutor em Direito Público pela Universidade Estadual do Rio de Janeiro (UERJ). Colaborador da Clínica de Direitos Fundamentais da Universidade Estadual do Rio de Janeiro (UERJ). Membro do Centro Brasileiro de Estudos Constitucionais – CBEC. Advogado. Procurador do Município de Belo Horizonte.

**ALEXANDRE LIMA RASLAN**
Doutor em Direito Constitucional na Faculdade Autônoma de Direito de São Paulo (FADISP, 2019). Mestre em Direito das Relações Sociais (Direitos Difusos) na Pontifícia Universidade Católica de São Paulo – (PUC-SP, 2009). Pós-Graduado (*lato sensu*) em Direito Civil: Direitos Difusos - Universidade Federal do Mato Grosso do Sul (UFMS, 2001). Graduado em Direito - Faculdades Unidas Católicas de Mato Grosso (FUCMT, 1992). Pós-Graduado (*lato sensu*) em Direito Processual Penal - Universidade Católica Dom Bosco (UCDB, 2000). Procurador de Justiça do Ministério Público de Mato Grosso do Sul, titular da 22ª Procuradoria de Justiça Criminal (2016). Membro da Academia Sul-Mato-Grossense de Direito Público. Membro da Academia Sul-Mato-Grossense de Direito Processual. Coordenador Pedagógico do Curso de Direito do Instituto Avançado de Ensino Superior e Desenvolvimento Humano (INSTED).

**ALINE REZENDE PERES OSORIO**
Advogada. Mestre em Direito (LL.M.) pela Harvard Law School. Mestre em Direito Público pela Universidade do Estado do Rio de Janeiro (UERJ). Professora do UniCEUB.

**ANTÔNIO BARBOSA DE SOUZA NETO**
Advogado. Sócio do escritório Barbosa de Souza Advocacia e Consultoria. Graduado em Direito pela Universidade Anhanguera-Uniderp. Mestrando em Direito Administrativo pelo Instituto Brasiliense de Direito Público – Brasília. Pós-Graduando em Direito Empresarial, LL.M, pela Fundação Getulio Vargas – Rio de Janeiro.

**BRUNO DUAILIBE**
Graduado em Direito pela Universidade Federal do Maranhão (UFMA). Pós-Graduado em Direito Processual Civil pelo ICAT/UNIDF. Pós-Graduado em Direito Eleitoral pelo Instituto Brasiliense de Direito Público (IDP). Membro efetivo do Tribunal Regional Eleitoral do Estado do Maranhão, na vaga destinada a jurista para o biênio 2019-2021. Membro da Comissão Especial de Direito Eleitoral do Conselho Federal da Ordem dos Advogados do Brasil. Membro do Instituto Maranhense de Estudo Sobre a Responsabilidade Pública. Autor do livro *Essência fragmentada*. Articulista de *sites* jurídicos, tais como Congresso em Foco e Consultor Jurídico. Detentor da Medalha do "Mérito Judiciário Desembargador Antônio Rodrigues Vellozo", outorgada pelo Egrégio Tribunal de Justiça do Estado do Maranhão. Detentor da Medalha "Ministro Arthur Quadros Collares Moreira", outorgada pelo Egrégio Tribunal Regional Eleitoral do Estado do Maranhão. Detentor da Medalha Grão-Mestre da Ordem Timbira do "Mérito Judiciário do Trabalho", outorgada pelo Egrégio Tribunal Regional do Trabalho da Décima Sexta Região.

## CARLOS BASTIDE HORBACH
Professor Doutor de Direito Constitucional da Faculdade de Direito da Universidade de São Paulo (USP). Ministro Substituto do Tribunal Superior Eleitoral (2017/2019) e Advogado.

## CARLOS MÁRIO VELLOSO FILHO
Ministro Substituto do Tribunal Superior Eleitoral. Representante da classe dos advogados. Sócio fundador da Advocacia Velloso.

## DANIEL CASTRO GOMES DA COSTA
Advogado. Pós-Doutor em Democracia e Direitos Humanos pelo Centro de Direitos Humanos *Ius Gentium Conimbrigae* da Universidade de Coimbra (Portugal), com período de pesquisa na *Harvard Law School* (Cambridge, EUA). Juiz titular do Tribunal Regional Eleitoral de Mato Grosso do Sul. Diretor da Escola Judiciária do Tribunal Regional Eleitoral de Mato Grosso do Sul. Membro do Conselho Consultivo da Escola Judiciária do Tribunal Superior Eleitoral. Pesquisador associado ao Centro de Estudos de Direito Administrativo, Ambiental e Urbanístico da Faculdade de Direito da Universidade de São Paulo. Vice-Presidente da Comissão Especial de Direito Eleitoral do Conselho Federal da Ordem dos Advogados do Brasil. Membro da Comissão de Assuntos Regulatórios do Conselho Federal da Ordem dos Advogados do Brasil.

## EDUARDO DAMIAN
Presidente da Comissão Especial de Direito Eleitoral do Conselho Federal da Ordem dos Advogados do Brasil (2019). Mestre em Direito Processual pela Universidade do Estado do Rio de Janeiro (UERJ, 2019). Especialista em Direito Médico pela Universidade do Estado do Rio de Janeiro (UERJ). Graduado em Direito pela Universidade do Estado do Rio de Janeiro (UERJ, 2000).

## ELENA ISABEL GÓMEZ
Magister en Derecho Electoral por la Universidad Castilla-La Mancha, docente de Derecho Constitucional de la Facultad de Derecho de la Universidad de Buenos Aires y Prosecretaria de Cámara de la Cámara Nacional Electoral.

## FLÁVIO PANSIERI
Pós-Doutor em Direito pela Universidade de São Paulo (USP). Doutor em Direito pela Universidade Federal de Santa Catarina (UFSC). Mestre em Direito pela Universidade de São Paulo (USP). Conselheiro Federal e Vice-Presidente da Comissão Nacional de Estudos Constitucionais do Conselho Federal da Ordem dos Advogados do Brasil. Presidente do Conselho Fundador da Academia Brasileira de Direito Constitucional – ABDConst. Diretor da Escola Judiciária Eleitoral do TSE. Professor Adjunto de Direito Constitucional da Pontifícia Universidade Católica do Paraná (PUCPR). Sócio da Pansieri Campos Advogados.

## FRANCISCO GONÇALVES SIMÕES
Assessor de Ministro do Tribunal Superior Eleitoral. Pós-graduado em Direito Processual Civil, em Direito Eleitoral e em Direito Processual Eleitoral.

## HENRIQUE NEVES DA SILVA
Advogado. Presidente do Instituto Brasileiro de Direito Eleitoral – IBRADE. Membro Consultor da Comissão de Direito Eleitoral da OAB Nacional. Ex-Ministro do Tribunal Superior Eleitoral (2008-2017).

## IVES GANDRA DA SILVA MARTINS

Professor Emérito das Universidades Mackenzie, UNIP, UNIFIEO, UNIFMU, do CIEE/O ESTADO DE SÃO PAULO, das Escolas de Comando e Estado-Maior do Exército - ECEME, Superior de Guerra - ESG e da Magistratura do Tribunal Regional Federal – 1ª Região. Professor Honorário das Universidades Austral (Argentina), San Martin de Porres (Peru) e Vasili Goldis (Romênia). Doutor Honoris Causa das Universidades de Craiova (Romênia) e das PUCs-Paraná e RS. Catedrático da Universidade do Minho (Portugal). Presidente do Conselho Superior de Direito da FECOMERCIO – SP. Fundador e Presidente Honorário do Centro de Extensão Universitária - CEU/Instituto Internacional de Ciências Sociais – IICS. ex-Presidente da Academia Paulista de Letras-APL e do Instituto dos Advogados de São Paulo-IASP.

## JAMILE DUARTE COÊLHO VIEIRA

Desembargadora Eleitoral Substituta do Tribunal Regional Eleitoral de Alagoas. Pós-graduanda em Direto Eleitoral pelo Instituto Brasiliense de Direito Público (IDP). Membro da Comissão Especial de Estudo da Reforma Política do Conselho Federal da OAB Nacional. Vice-presidente do Instituto de Direito Eleitoral de Alagoas (IDEA). Advogada.

## JOÃO CARLOS BANHOS VELLOSO

Advogado. Mestre em Direito pela Universidade da Califórnia, Berkeley. Sócio da Advocacia Velloso.

## JOEL ILAN PACIORNIK

Ministro do Superior Tribunal de Justiça. Mestre em Direito pela Universidade Federal do Rio Grande do Sul (UFRGS).

## JORGE MIRANDA

Doutor em Direito (Ciências Jurídico-Políticas) pela Universidade de Lisboa (1979). Professor Catedrático desta Faculdade e da Universidade Católica Portuguesa (desde 1985). Doutor Honoris Causa pelas Universidades de Pau, Vale do Rio dos Sinos (Brasil), Lovaina e Porto. Professor Honorário da Universidade Federal do Ceará. Foi Deputado à Assembleia Constituinte portuguesa (1975-1976), com intervenção importante na feitura da Constituição de 1976; e Deputado à Assembleia da República (1976 e 1980-1982). Foi membro da Comissão Constitucional – antecessora do Tribunal Constitucional (1976- 1980 e 2004-2007). Autor dos anteprojetos de Constituição de São Tomé e Príncipe e de Timor-Leste. Foi Presidente do Conselho Científico (1988-1990 e 2004- 2007) e Presidente do Conselho Diretivo (1991-2001) da sua Faculdade. Faz parte de numerosas associações científicas e dos conselhos editoriais de várias revistas especializadas. É membro do Comitê Executivo da Associação Internacional de Direito Constitucional. Na sua bibliografia (com mais de 250 títulos) avulta o Manual de Direito Constitucional, em 7 (sete) volumes, publicado desde 1981, um Curso de Direito Internacional Público, com várias edições desde 2002, e, em colaboração com Rui Medeiros, a Constituição Portuguesa Anotada, em 3 (três) volumes (2005, 2006 e 2007). Recebeu a Comenda da Ordem de Santiago de Espada, a Grã-Cruz da Ordem da Liberdade e a Grã-Cruz do Infante D. Henrique.

## LUÍS ROBERTO BARROSO

Ministro do Supremo Tribunal Federal. Visiting Scholar, Harvard Law School, EUA (2011). Doutor em Direito Público pela Universidade do Estado do Rio de Janeiro (UERJ, 2008). Livre-docente, (UERJ, 1990). 1º colocado em concurso de provas e títulos. Mestre em Direito, Yale Law School, EUA, 1988-89. Bacharel em Direito, Universidade do Estado do Rio de Janeiro (UERJ, 1980).

### LUIZ CARLOS DOS SANTOS GONÇALVES

Procurador Regional da República – 3ª Região. Ex-Procurador Regional Eleitoral de São Paulo (2017/2019). Mestre e Doutor em Direito do Estado pela Pontifícia Universidade Católica de São Paulo (PUC-SP).

### LUIZ EDSON FACHIN

Ministro do Supremo Tribunal Federal e do Tribunal Superior Eleitoral, Alma Mater: Universidade Federal do Paraná (UFPR).

### LUIZA VEIGA

Advogada graduada pela Universidade de Brasília (UnB). Pós-graduada em Direito Público pela Escola da Magistratura de Brasília (ESMA-DF).

### LUNA VAN BRUSSEL BARROSO

Bacharel em Direito pela Fundação Getúlio Vargas do Rio de Janeiro (FGV-RJ). Mestranda em Direito Público na Universidade do Estado do Rio de Janeiro (UERJ). Advogada no escritório de advocacia Barroso Fontelles, Barcellos, Mendonça & Associados.

### MARCELO WEICK POGLIESE

Doutor em Direito pela Universidade do Estado do Rio de Janeiro (UERJ). Mestre em Direito pela Universidade Federal da Paraíba (UFPB). Professor efetivo da Universidade Federal da Paraíba (UFPB). Ex-Procurador Geral do Estado da Paraíba e Ex-Procurador-Geral do Município de João Pessoa (PB). Membro da Academia Brasileira de Direito Eleitoral e Político (ABRADEP) (Coordenador-Geral 2019-2021) e do Instituto Brasileiro de Direito Eleitoral (IBRADE).

### MARILDA DE PAULA SILVEIRA

Mestre e Doutora em Direito Público pela Universidade Federal de Minas Gerais (UFMG). Coordenadora-Geral da Transparência Eleitoral Brasil. Membro do Instituto Brasileiro de Direito Eleitoral (IBRADE) e da Academia Brasileira de Direito Eleitoral e Político (ABRADEP). Professora do Programa de Pós-graduação e de graduação em Direito do Instituto Brasiliense de Direito Público (EDB - IDP). Advogada.

### ODETE MEDAUAR

Mestre em Direito do Estado pela Universidade de São Paulo (USP, 1975). Doutora em Direito pela Universidade de São Paulo (USP, 1978). Livre-Docente em Direito Administrativo pela Universidade de São Paulo (USP, 1981). Professora.

### PEDRO PAES DE ANDRADE BANHOS

Mestre em Direito do Estado pela Universidade de São Paulo (USP, 2019). Bacharel em Direito pela Universidade de Brasília (UnB, 2016). Assessor da Presidência do Superior Tribunal de Justiça.

### RAFAEL CAMPOS SOARES DA FONSECA

Assessor de Ministro do Supremo Tribunal Federal. Professor do Instituto Brasiliense de Direito Público (IDP). Doutorando em Direito Econômico e Financeiro pela Universidade de São Paulo (USP) e Mestre em Direito, Estado e Constituição pela Universidade de Brasília (UnB). Pesquisador líder do grupo "Observatório da Macrolitigância Fiscal" do IDP.

### RENE ERICK SAMPAR
Doutorando em Direito pela Universidade Federal de Santa Catarina (UFSC). Mestre em Filosofia Política pela Universidade de Londrina (UEL). Especialista em Direito Constitucional Contemporâneo (IDCC) e em Filosofia Política e Jurídica pela Universidade de Londrina (UEL). Graduado em Direito pela Universidade de Londrina (UEL). Coordenador do Colégio de Professores da Academia Brasileira de Direito Constitucional – ABDConst. Coordenador da Escola Judiciária Eleitoral do TSE.

### REYNALDO SOARES DA FONSECA
Ministro do Superior Tribunal de Justiça. Pós-Doutor em Democracia e Direitos Humanos pelo Centro de Direitos Humanos *Ius Gentium Conimbrigae* da Universidade de Coimbra (Portugal). Doutor em Direito Constitucional pela Faculdade Autônoma de Direito de São Paulo (FADISP) e Mestre em Direito pela Pontifícia Universidade Católica de São Paulo (PUC-SP). Professor da Universidade Federal do Maranhão (UFMA) e de cursos de extensão na Uni*versità degli Studi di Siena* - UniSi-Itália.

### RICARDO RESENDE CAMPOS
Docente assistente (wissenschaftlicher Mitarbeiter) na cátedra de teoria do Direito, Direito público e Direito de mídia na Goethe Universität Frankfurt am Main, Alemanha. Consultor jurídico Sampaio Ferraz, São Paulo.

### SANDRO NUNES VIEIRA
Juiz Federal. Mestre em Direito Processual Civil pela Universidade Paranaense (UNIPAR).

### SÉRGIO SILVEIRA BANHOS
Ministro do Tribunal Superior Eleitoral. Subprocurador do Distrito Federal. Advogado. Pós-Doutor em Democracia e Direitos Humanos pelo Centro de Direitos Humanos *Ius Gentium Conimbrigae* da Universidade de Coimbra (Portugal). Doutor e Mestre em Direito do Estado pela Pontifícia Universidade Católica de São Paulo (PUC-SP). Mestre em Políticas Públicas pela Universidade de Sussex (Inglaterra). Pós-doutorando em Democracia e Direitos Humanos pelo Centro de Direitos Humanos, no *Ius Gentium Conimbrigae,* da Universidade de Coimbra.

### TIAGO PAES DE ANDRADE BANHOS
Advogado. Mestrando em Direito pela Universidade de São Paulo (USP). Bacharel em Direito pelo Centro Universitário de Brasília (UniCEUB).

Esta obra foi composta em fonte Palatino Linotype, corpo 10
e impressa em papel Offset 75g (miolo) e Supremo 250g (capa)
pela Laser Plus Gráfica, em Belo Horizonte/MG.